완역 성리대전 ⑩

이 저서는 2010년 정부(교육과학기술부)의 재원으로 한국연구재단의 지원을 받아 수행된 연구임(NRF-2010-322-A00065)

완역

성리대전 ⑩

윤용남·이충구·김재열·윤원현
추기연·이철승·심의용·김형석
이치억·김현경 역주

歷代
君道
治道
詩·文

學古房

성리대전 총목차

性理大全書目錄 성리대전서 목록

6

性理大全書卷之六十三
성리대전서 권63

歷代五 역대 5

歷代五
역대 5

晉 진나라[1]

元帝 원제

[63-1-1]

或問 : "晉元帝所以不能中興者, 其病安在?"

朱子曰 : "元帝與王導元不曾有中原志, 收拾吳中人情, 惟欲宴安江左耳."[2]

어떤 사람이 물었다. "진나라 원제[3]가 중흥할 수 없었던 것은 그 문제점이 어디에 있습니까?"

1 晉나라 : 司馬懿의 손자 司馬炎이 魏나라를 무너뜨리고 서기 265년에 세운 왕조. 수도는 낙양이었다. 그러나 4대 52년만인 愍帝 建興 4년(서기 316년)에 十六國의 하나인 흉노족의 劉淵(高祖)이 세운 前趙(漢이라고도 칭함)에게 망하였다. 역사에서는 이를 西晉이라 부른다. 이어 사마의 증손자인 司馬睿(元帝)가 민제가 피살되자 서기 317년에 강남 지역을 거점으로 建康에서 즉위하였다. 역사에서는 이를 東晉이라 부른다. 동진은 11대 104년만인 서기 420년에 宋의 劉裕(武帝)에게 멸망하였다.(『晉書』)

2 『朱子語類』 권136, 48조목

3 진나라 원제 : 서진이 망하자 건강에서 진나라를 부흥시킨 군주. 이름은 사마예. 자는 景文. 琅邪恭王 覲의 아들이다. 2대 황제인 惠帝가 등극하며 일어난 종실 출신의 제후들이 벌인 八王의 난리는 혜제가 죽고 懷帝가 등극할 때까지 16년을 끌었다. 그사이 그 동안 북쪽으로 유배되었던 여러 貴族들이 군사를 일으켜 북쪽을 차지하자, 진나라 왕조는 남쪽으로 밀려났다. 이때부터 소위 남북의 대치가 이루어져 후일 오호십육국의 정권이 탄생하는 계기가 되었다. 원제는 낭야왕 작위를 15세에 이어받아, 팔왕의 난리를 거치는 동안 成都王 司馬穎을 치려다 실패하여 목숨을 겨우 부지하였고, 이어 東海王 司馬越을 도와 왕실의 부흥을 꾀하다, 王導의 계책을 따라 建鄴에 진주하여 후일을 도모하는 발판을 삼았다. 회제가 平陽으로 몽진하자 진나라 구원을 위한 盟主로 추대되었고 愍帝가 조서를 보내 원제에게 '천하를 통괄하게 한다(使攝萬機)' 하고, 여러 신료들이 추대하자 건업에서 등극하였다. 제위 6년. 廟號는 中宗.(『晉書』「惠帝紀」; 元帝紀」)

주자가 대답하였다. "원제와 왕도王導[4]는 원래 중원中原(黃河를 중심한 당시 중화 지역)에 뜻이 있지 않고,[5] 오吳 지역[6]의 백성들 마음을 수습하여 강좌江左에서 편하게 지내고자 하였을 뿐이다."

[63-1-2]

南軒張氏曰 : "爲國有大幾, 大幾一失, 則其弊隨起而不可禁. 所謂大幾, 三綱之所存是也. 晉元帝初以懷帝之命, 來臨江左. 當時之意, 固以時事艱難, 分建賢王以爲屛翰, 庶幾增國家之勢, 折姦宄之心, 緩急之際, 實賴其糾率義旅, 入衛王室, 其責任蓋不輕矣. 而瑯琊之入建業, 考觀其規模, 以原其心度之所安, 蓋有自爲封殖之意, 而無慷慨謀國之誠. 懷帝卒以蒙塵, 迄不聞勤王之擧.

남헌 장씨南軒張氏[張栻]가 말하였다. "나라 다스리는 데에는 큰 기틀이 있어, 큰 기틀이 한 번 무너지면 폐단이 뒤따라 일어나는 것을 막아낼 수 없다. 이른바 큰 기틀이란 삼강三綱의 보존이 그것이다. 진나라 원제는 처음에 회제懷帝의 명령에 의해 강좌의 제후가 되었다.[7] 당시 의도는 당연히 시대 상황의 어려움 때문에 현명한 왕王을 분산해 세워 울타리로 삼으면, 국가 형세가 나아지고 안팎에서 날뛰는 도적떼의 마음이 꺾일 것이라 생각하였고, 위급할 즈음에는 실재 그들이 의병義兵을 규합해 거느리고 들어와 왕실을 호위해 주는 도움도 받자는 것이었으니, 그 책임은 가벼운 것이 아니었다. 그렇게 해서 낭야왕琅邪王이 건업建業에 들어간 것인데, 그가 행한 일을 살펴 그가 마음속에서 하고자 했던 일을 거슬러 추구해보면, 자신의 세력을 넓히기 위한 의도만 있었고 비분강개하여 나라를 위하려는 정성은 없었다. 회제가 끝내 몽진蒙塵길에 올랐으나[8] (낭야왕이) 국가를 위해 군사를 동원하였다는 소문을 전연 들을 수 없었다.

---

4 王導 : 晉 琅邪 臨沂 사람. 자는 茂弘. 시호는 文獻. 覽의 손자. 元帝가 洛陽에 머물며 東海王 越을 도울 때 동해로 돌아가기를 권하여 建康에 자리잡게 하였다. 이후 원제가 천자에 등극하는 동안 많은 공을 세워 일찍부터 仲父라 불렸고, 원제가 천자에 즉위하면서는 왕도를 불러 御床에 함께 앉기를 세 번이나 청할 정도로 공이 컸다. 벼슬은 丞相. 원제의 遺詔를 받아 明帝·成帝를 보좌하여 국정을 보필하였다.(『晉書』 권65)

5 中原에 뜻이 … 않고 : 중원은 黃河 지역의 河南 일대를 이른다. 원제는 당시 이미 이 지역이 후일 十六國시대의 군웅들에게 점령당하자 이 지역 수복에 마음을 기울이지 않았다. 『晉書』 권62 「祖逖傳」에 의거하면 "당시에 원제가 강남 지역을 개척하여 안정시키느라 북쪽 정벌에는 겨를을 내지 못하였다.(時, 帝方拓定江南, 未遑北伐.)"고 하였다.

6 吳 지역 : 뒤에 이어지는 江左와 함께 양자강 하류 동쪽 지역으로 江東이라 부르기도 한다. 동진과 南朝의 宋·齊·梁·陳이 모두 이곳을 기반으로 나라를 일으켰다. 따라서 강좌는 당시 동진을 이르는 말로도 쓰였다.

7 懷帝의 명령에 … 되었다. : 원제는 당시 낭야왕이었으나 회제 원년인 永嘉 원년(서기 307년) 7월에 安東將軍都督揚州江南諸軍事假節에 임명되며 建鄴을 다스리라는 명령을 받았다. 건업은 양자강 하류인 揚州 지역이며, 강좌로 불리는 지역이다. 원제는 이곳을 거점으로 삼아 세력을 넓혀 동진을 세웠다.(『晉書』「懷帝紀」; 「元帝紀」)

8 회제가 끝내 … 올랐으나 : 영가 5년(서기 311년)에 회제는 石勒의 침공을 버텨내지 못하고 長安으로 피난하고자 하였으나 포위를 뚫을 수 없자 平陽으로 몽진하였다. 이때 석륵의 군대에 죽은 사람이 3만여 명이었으며 당시 수도인 낙양은 먹을 것을 구할 수 없었다. 이때 여러 곳의 종실 출신의 왕들이 회제의 위난을 구하다가 석륵에게 죽었으나, 이때 낭야왕은 구원하지 않았고 회제가 평양으로 몽진한 뒤 격문을 천하에 돌려 석륵

愍帝之立, 增重寄委, 制詔深切, 而亦自若也. 祖逖擊楫渡江, 聊復以兵應其請, 反從而制之, 使不得有爲, 則其意不在中原也審矣. 坐視神州板蕩, 戎馬縱橫, 不以動其心, 不過欲因時自利云耳. 愍再蒙塵, 懼天下之議己. 則陽爲出師之勢, 遷延顧望, 終歸罪於運餉稽緩, 斬一無辜令史以塞責, 赤眚之異亦深切矣. '吾誰欺? 欺天乎!' 夫受君父之委託, 而坐視其禍變, 因時事之艱難, 而覬幸以自利, 三綱淪矣.

민제愍帝가 등극하면서 의지하고 위임하는 마음이 더욱 커져 제조制詔(황제의 명령)가 깊고 간절하였으나[9] 또한 예전의 태도에서 전연 달라진 것이 없었다. 조적祖逖이 노[楫]를 두드리며 장강을 건널 적에도[10] 마지못해 군사를 내서 그의 청에 응하고서도 도리어 연이어 제재하여, 일을 할 수 없도록 하였으니[11] 그의 뜻이 중원의 회복에 있지 않았음이 또한 분명하다. 신주神州(나라의 수도를 이르는 말)가 혼란에 휩쓸리고 오랑캐 군대가 치달리는 것을 앉아서 보기만 하고 마음 쓰려 하지 않았으니, 기회를 이용하여 자신에게만 이롭고자 한 것에 불과하다. 민제가 거듭 몽진 길에 오르자 천하가 자신을 비방할까 두려웠다. 그래서 겉으로 군사를 출동시키는 척하면서 시일을 끌며 두리번두리번 관망하다 끝내는 군량미 수송이 늦어진 것에 죄를 돌리고 아무 죄도 없는 영사令史 한 사람을 죽여 책임을 메웠으니, 적생赤眚의

토벌을 주장하고, 이어 盟主로 추대되었다.(『晉書』「懷帝紀」)

9 愍帝가 등극하며 … 간절하였으나 : 민제는 武帝의 손자이자 吳孝王 晏의 아들로 伯父 秦獻王 柬의 양자가 되어 秦王을 이어받았다. 이어 회제의 태자로 책봉되었고 회제가 平陽에서 적에게 시해당하자 長安에서 천자가 되었다. 민제가 천자에 오르면서 元帝(琅邪王 사마예)를 시중 좌승상 대도독 侍中左丞相大都督陝東諸軍事大司馬로 삼고 南陽王 保를 右丞相大都督陝西諸軍事로 삼았다. 두 사람을 陝東諸軍事와 陝西諸軍事로 삼은 이유를 '周公과 召公이 陝을 나누어 다스려 주나라가 융성한 것(昔周邵分陝, 姬氏以隆)'에 비기며, 지금 좌·우승상은 높은 덕과 엄숙한 성스러움을 갖추었고 나라의 가까운 친척이니, 평양을 수복하여 회제의 梓宮을 찾아오고, 그 다음 우승상 사마보는 30만 군사를 동원하여 長安으로 나아오고, 좌승상 사마예는 군사 20만을 동원하여 낙양을 회복하라는 조서를 내렸다. 또 사마예에게 따로 조서를 내려 낭야왕이 아니고서는 山東과 낙양을 회복할 수 있는 적임자가 없다며 신신 당부하였다.(『晉書』「愍帝紀」)

10 祖逖이 노[楫]를 … 적에도 : 조적은 范陽 遒 땅 사람으로 자는 士稚이다. 원제가 중원에 뜻을 두지 않고 강남 평정에 겨를이 없자, 조적은 원제에게 지금 천하가 어지러운 것은 천자가 잘못하거나 백성이 반란을 일으켜서가 아니고, 藩王들이 권력을 다투는 사이 戎狄들이 틈을 타고 중원을 차지한 것이니, 원제가 위엄을 세워 장군을 명령하고, 조적 자신 같은 사람들에게 통솔하는 책임을 맡긴다면 여러 지역에서 호걸들이 바람처럼 일어나 나라의 수치를 씻을 수 있을 것이라고 설득하였다. 이에 원제는 그를 奮威將軍豫州刺史에 임명하였다. 이에 조적은 스스로 군사를 모집하고 갑옷과 무기를 장만하여 建興 연간에 中原 지역에서 노략질하는 五胡를 평정하려 長江을 건너면서 노를 두드리며 맹세하였다. 그 맹세의 말은 다음과 같다. "'조적이 중원을 맑게 소탕하지 못하고 다시 이 강을 건너는 일이 있다면 저 장강이 있을 것이다.'고 하였는데 그 말과 얼굴빛에 장엄한 기상이 서려 여러 사람들이 탄식하였다.(祖逖不能淸中原而復濟者, 有如大江. 辭色壯烈, 衆皆慨嘆.)"(『晉書』「祖逖傳」)

11 제재하여 일을 … 하였으니 : 이는 원제가 조적의 청을 받아들여 예주자사에 임명하며 五胡를 토벌하게 하면서도 군사를 떼어주지 않고 스스로 모으게 하였고, 갑옷이며 무기도 지급하지 않아 스스로 준비하게 한 것을 말한다. 『晉書』「祖逖傳」에는 조적이 장강을 건너 "江陰에 주둔하며 대장간을 만들어 병기를 주조하고 2천여 군사를 얻은 뒤에야 출발하였다.(屯于江陰, 起冶鑄兵器, 得二千餘人而後進.)"고 하였다.

재이災異는 또한 매우 지엄至嚴하다.[12] '내가 누구를 속인 것인가? 하늘을 속였도다!'[13]일 것이다. 군부君父의 위임과 부탁을 받고서도 군부의 재앙과 변란을 앉아서 바라보기만 하였고, 시대 상황의 어려움을 이용하여 요행수를 바라고 자신만 이로우려 하였으니 삼강이 사라진 것이다.[14]

惟其大幾旣失, 故其所以建國規模, 亦復不競, 亂臣賊子如王敦輩, 不旋踵而起, 蓋其弊有以致之也. 使元帝痛懷愍之難, 篤君臣之義, 念家國之讎, 率江東英俊, 鼓忠義之氣, 北向討賊, 名正理順, 安知中原無響應者! 以區區一祖逖, 倔强自立於群雄之間, 猶幾以自振. 況肺腑之親, 總督之任, 數路之勢, 何所不濟哉? 惟其不以大公爲心, 而私意蔽之, 甚可歎息也."[15]

큰 기틀을 이미 상실한 까닭에 그가 세운 나라의 규모도 또한 다시 강성해지지 못했으며, 왕돈王敦 같은

---

12 민제가 거듭 … 至嚴하다. : 이때 『晉書』「愍帝紀」를 살피면 다음과 같다. 민제는 재위 4년(서기 316년)째에 석륵에게 산동이 모두 함락 당하고, 장안마저 劉曜(前趙의 창업군주)에게 유린당하자 유요에게 항복하였다. 그리하여 유요의 사냥 나들이에 창을 잡고 따라야 하는 수모를 겪기도 하였다. 이때 원제가 당시 민제의 신하로 어떤 행동을 보였느냐를 이렇게 논한 것이다. 여기서 赤眚은 전쟁이나 기상이변을 나타내는 나쁜 징조를 통틀어 이르는 말이다. 당시의 징조를 『宋書』「五行志 3」에 의거해 살피면 다음과 같다. "진나라 민제 建興 4년 12월에 丞相府에서 督運令史 淳于伯의 목을 베었는데 피가 기둥을 거꾸로 2丈 3尺을 타고 올라갔다. 이는 바로 赤祥(적생의 다른 말)이다. 이때 後將軍 褚裒가 廣陵에 주둔하고 있었는데 승상 사마예는 북쪽 오랑캐를 정벌한다는 소문을 퍼뜨리고서, 순우백이 군량미 운송을 지체하고 이 일에 동원된 사람들로부터 뇌물을 받았다는 죄로 출정시 적용하는 군법에 의거하여 그를 죽였다. 그러자 그의 아들이 억울함을 호소하여 '순우백이 군량미 감독의 일을 다 마쳐 지체하거나 군량이 모자라자 않았고, 동원된 사람들에게 뇌물을 받은 것은 그 죄가 사형죄가 되지 않습니다. 군사 전략차원에서 소문을 먼저 내고 실재 행동은 나중에 하는 것이나, (군량미 수송도) 실상 주둔한 군사를 위한 것이었고 정벌에 나서는 군대를 위한 것이 아니었습니다. 원제가 등극한 이래 4년 동안 군량미 수송이 지체된 일을 출정시 적용하는 군법으로 다스린 일이 없습니다.'고 하였으나 관원이 이를 받아들여 심리하려 하지 않았다. 마침내 이 변고가 일어나자 司直이 순우백의 일을 다스린 여러 관원을 탄핵하였으나 원제가 또 이 사건을 묻지 않았다. 이때 가물이 3년 동안 잦았다.(晋愍帝建興四年十二月丙寅, 丞相府斬督運令史淳于伯, 血逆流上柱二丈三尺. 此赤祥也. 是時後將軍褚裒鎭廣陵, 丞相揚聲北伐, 伯以督運稽留及役使臧罪, 依征軍法戮之. 其息訴稱, '伯督運事訖, 無所稽乏, 受賕役使, 罪不及死. 兵家之勢, 先聲後實, 實是屯戍, 非爲征軍. 自四年以來, 運漕稽停, 皆不以軍興法論.' 僚佐莫之理. 及有此變, 司直彈劾衆官, 元帝又無所問. 於是頻旱三年.)" 바로 이 가물이 원제가 자신의 죄를 호도하기 위해 죄 없는 순우백을 죽인 것에서 연유했다는 준엄한 평론이다.

13 '내가 누구를 … 속였도다!' : 세상 사람이 빤히 짐작할 수 있는 일로 하늘을 속이는 더없는 큰 죄를 저질렀다는 말이다. 『論語』「子罕」에 공자가 자로의 잘못을 책망하며 그것은 내가 하늘을 속인 것이라는 말을 인용하여 원제를 비판한 것이다.

14 삼강이 사라진 것이다. : 이 글의 원문 '三綱淪矣'는 당나라 韓愈의 「與孟簡尙書書」에서 처음 쓴 말이다. 한유는 이 글에서 "성현의 도가 밝지 않으면 삼강이 사라지고 洪範九疇의 법이 무너지며, 예악이 무너지고 오랑캐가 횡행할 것이니, 어찌 짐승이 되지 않겠는가?(聖賢之道不明, 則三綱淪而九法斁, 禮樂崩而夷狄橫, 幾何其不爲禽獸也.)"라고 하였다. 바로 짐승 같은 세상에서는 어떤 정권도 세울 수 없고 세웠던 정권도 무너진다는 말이다.

15 『南軒集』 권17 「史論 · 晉元帝中興得失」

난신적자의 무리[16]가 연달아 나온 것이니, 그 폐해는 스스로가 부른 것이다. 원제가 회제와 민제가 겪은 난리를 아프게 생각하여 군신의 의리를 도타이 다지고, 국가의 원수를 마음에 새겨, 강동의 영걸을 거느리고 충의忠義의 기상을 북돋워서, 북쪽의 역적을 토벌하여 명분이 바르고 도리에 순응하였다면, 중원에서 메아리처럼 일어나는 호응이 없지 않았을 것이다! 보잘것없는 일개 조적도 뭇 영웅들 속에서 굳세게 자립하여, 오히려 거의 떨쳐 일어났었다. 하물며 종실의 가까운 친척이자, 총독總督의 책임[17]을 졌고, 여러 노路의 세력[18]을 가졌는데 무엇을 이루지 못하겠는가? 그가 공명정대함을 크게 마음으로 삼지 아니하고 사사로운 뜻에 가렸으니, 매우 탄식할 만하다."

溫嶠 온교[19]

[63-2-1]

南軒張氏曰 : "溫太眞忠義慷慨, 風節表著, 足以爲晉室名臣, 古今所共推, 不待詳言. 然吾獨有所恨者, 絶裾之事也. 太眞少時, 常以孝友篤至稱, 一旦奉劉琨之檄, 將命江左, 母崔固止之不可, 至於絶裾而行. 噫! 太眞有母在, 此身固不得以許琨矣. 獨不見徐元直之事乎? 元直所謂'方寸亂矣,' 蓋其天性不可已者也, 而太眞獨忍於此乎? 若旣以委質爲人之臣, 當危難而無避可也. 將命之擧, 豈無他人? 太眞念母, 獨不得辭乎? 度其意, 不過以江左將興, 奉檄勸進, 徼倖投富貴之機, 赴功名之會耳, 而其所喪, 不過甚乎?

남헌 장씨가 말하였다. "온태진溫太眞은 충성과 의리가 강개하고 기풍과 절의가 환히 드러나 진나라 왕조의 명신이 되기에 충분하여, 예나 지금이나 모두 추대하는 바이니 자세한 말이 필요하지 않는다. 그러나

16 王敦 같은 … 무리 : 왕돈은 琅邪 臨沂 사람. 자는 處仲. 원제를 도와 동진을 일으킨 王導의 從兄이다. 이때 왕씨 집안이 성하여 武帝의 딸 襄城公主와 혼인하였다. 벼슬은 揚州刺史 · 都督征討諸軍事 · 大將軍 · 荊州牧을 지냈다. 元帝의 江東 정벌에 종군하였으며, 杜弢(두도)의 난을 평정하였다. 원제가 말년에 유외劉隗를 중용하고 왕씨를 소외시키자 유외를 제거한다는 명분으로 군사를 일으켜 마침내 승상 벼슬에 올랐다. 원제가 죽고 明帝가 즉위하자 수도인 건강을 치려다가 패하여 軍中에서 병사하였다.(『晉書』 권98)

17 總督의 책임 : 민제가 원제를 처음 左丞相에 임명하였다가 곧 丞相에 임명하여 그에게 모든 책임을 맡긴 데에서 총독이라고 말한 것이다.

18 路의 세력 : 노는 宋元시대 행정구역 단위로 지금의 省을 이르는 말이니, 南軒이 자신이 살았던 시대로 당시 진나라를 말한 것이다. 진나라 시대에는 노가 아닌 州였다. 여기서 말하는 여러 노는 민제가 劉曜에게 항복할 무렵 진나라가 가진 주들을 이른다.

19 溫嶠 : 晉 太原 祁縣 사람. 자는 太眞. 시호는 忠武. 박학하고 문장에 능하였다. 이모부 劉琨을 따라 石勒 · 劉聰을 토벌하였다. 元帝 建武 원년(304)에 유곤이 원제에게 올리는 勸進表를 받들어 전하면서 원제의 신하가 되어, 明帝 때 侍中 · 丹楊尹을 지내고, 成帝 때 蘇峻 · 祖約의 토벌에 참여하여 始安郡公에 봉해지고, 驃騎將軍 · 開府儀同三司가 되었다.(『晉書』 권67 「溫嶠傳」)

내가 다만 한스럽게 생각하는 것은 옷소매를 끊은 일이다. 태진太眞은 어렸을 때 늘 효성과 우애가 지극히 도탑다고 칭송받았는데, 어느 날 유곤劉琨의 격문을 받들고 강동江東으로 가려 할 때, 어머니 최씨崔氏가 옳지 않다며 한사코 만류하여, 옷소매를 끊고 길을 떠나갔다.[20] 아! 태진은 어머니가 계시니 자신의 한 몸을 절대 유곤에게 내 줄 수 있는 처지가 아니다.[21] 서원직徐元直의 일을 혼자서만 보지 못하였을까? 원직의 '마음이 혼란하다.'라는 말[22]은 천성으로 어찌할 수 없는 것인데, 태진은 혼자서만 이를 차마 할 수 있었을까? 만일 이미 폐백을 바쳐 남의 신하가 되었으면 위급한 환난을 만났을 때 피하지 않는 것이 옳다. 명령을 받들어 전하는 일 정도야 어찌 다른 사람이 없겠는가? 태진이 어머니를 생각했다면 오히려 사양할 수 없었을까? 그의 의도를 헤아린다면 강동이 일어날 때에 격문을 받들고 왕위에 오르기를 권하는 것은, 부귀를 얻는 기회이자 공명에 나아가는 기회를 요행히 바라는 것에 지나지 않는데, 그렇게 함으로써 잃는 것이 너무 크지 않은가?

或曰, '使太眞不來江左, 則寧復有後世之事業? 太眞固不得以兩全矣.' 此殆不然. 昔人之事業, 皆非有所爲而爲之. 事理至前, 因而有成之耳. 若懷希慕求必之心, 則其私欲而已. 苟可以就異日之事, 則凡背親賊性, 皆可以屑爲, 此三綱之所由壞, 而弊之所由生也. 故伯夷叔齊不受其國, 夫子以爲求仁而得仁. 商之三臣, 微子不得不去, 箕子不得不爲奴, 比干不得不死, 皆

20 어머니 崔氏가 … 떠나갔다. : 유곤은 온교의 이모부로 당시 大將軍과 司空의 벼슬을 지내며 石勒을 물리치는 등 戰功을 세운 진나라 왕조의 충신이었고, 온교는 유곤을 보좌하여 유곤의 큰 신임을 샀다. 西晉의 마지막 황제 민제가 劉曜에게 항복하여 진나라가 망하자, 유곤은 북쪽의 河朔 지역에서 이민족 정권과 대치 중인 장군과 관원 180명의 연서명을 받아 강좌에 근거지를 마련하고 진나라 왕조를 이어 천자에 등극한 원제에게 충성을 다짐하는 표문을 올려 진나라의 왕조를 이어받기를 권하였다. 이 표문을 원제에게 전해 줄 것을 온교에게 부탁하였다. 온교가 이 일을 수행하기 위해 길을 떠나려 하자, 어머지 최씨가 한사코 만류하였다. 이에 온교는 붙잡는 소매를 칼로 자르고서 길을 떠났다.(『晉書』 권67 「溫嶠傳」)

21 어머니가 계시니 … 아니다. : 『禮記』「曲禮上」에 "부모가 살아계시면 친구에게 죽음을 거는 약속을 할 수 없다.(父母存, 不許友以死.)"고 하였다. 부모가 계시면 자신의 생명은 자신의 것이 아니고 부모의 것이므로 마음대로 할 수 없다는 말이다. 당시 유요는 민제에게 항복을 받아 정통성을 차지한 듯처럼 보이는 상황에서 아들 온교가 유곤을 따라 강좌에서 겨우 세력을 형성한 원제를 따르려 하자 온교의 어머니가 위험하게 여기고서 온교의 행차를 막은 것이다.

22 원직의 '마음이 … 혼란하다.'라는 말 : 원직은 徐庶의 字이고 서서는 삼국시대 제갈공명을 소열황제 유비에게 추천한 인물이다. 유비가 아직 세력을 얻지 못하고 荊州牧인 劉表에게 몸을 의지하고 있을 때 공명과 서서가 그를 따르고 있었다. 이때 조조가 형주를 공격하는데 형주목인 유표가 죽고 아들 劉琮이 형주목에 올라 조조에게 항복을 청하였다. 유비는 유종이 항복하였다는 소식을 듣고서 급히 군사와 백성을 이끌고 남쪽으로 몸을 피하였다. 이 과정에서 서서의 어머니가 조조의 군대에 사로잡혔다. 서서는 어머니가 조조에게 잡혀가자 유비에게 자신의 가슴을 가리키며 "본래 장군과 함께 천하의 패자가 되는 王業이나 霸業을 도모하고자 한 것은 이 마음입니다 그런데 지금 늙으신 어머니를 잃자 마음이 혼란해져 왕업을 이루는 일에 쓸모없어졌습니다. 청컨대 이 길로 작별하고자 합니다.(本欲與將軍共圖王霸之業者, 以此方寸之地也. 今已失老母, 方寸亂矣, 無益於事. 請從此別.)" 하고서 어머니를 포로로 잡고 있는 조조의 진영으로 갔다.(『三國志』「諸葛亮傳」)

素其位而行也. 豈直太眞之事業, 爲不足道? 就使太眞能佐晉室, 克復神州, 一正天下, 勳烈如此, 浮雲之過太虛耳, 豈足以塞其天性之傷也. 夫太眞順母之心而終其身, 雖泯滅無聞於後, 顧其所全者大, 於身無愧, 烏能以此易彼哉? 故予謂太眞稱爲功名之士則可, 尙論古人則可憾矣."[23]

어떤 사람은 '태진이 강동에 가지 않았다면 어찌 후세에 남을 사업을 하였겠는가? 태진은 본디 양쪽 모두를 온전히 할 수 없었다.'라고 한다. 이는 아마 그렇지 않을 것이다. 예전 사람의 사업은 모두 어떤 일을 이루어 보고자 해서 이룬 것이 아니다. 일이 앞에 닥쳤을 때 그에 따라 이룬 것일 뿐이다. 만일 바라서 사모하거나 기어이 구하려는 마음을 품었다면 그것은 사사로운 욕심일 뿐이다. 진실로 훗날의 사업을 이룰 수만 있다면 어버이를 배신하고 천성을 해치는 일마저 모두 가볍게 하려 들었으니, 이것이 삼강이 무너진 연유이며 폐단이 생겨난 연유이다. 그러므로 백이伯夷와 숙제叔齊가 나라를 이어받지 않은 것에 대해 공자는 '인仁을 구하여 인을 얻었다.'[24]라고 하였다. 상商나라의 세 신하에서 미자微子는 떠나가지 않을 수 없었고, 기자箕子는 종이 되지 않을 수 없었고, 비간比干은 죽지 않을 수 없었으니, 모두 자신의 처지에서 행동한 것이다.[25] 어찌 다만 태진이 (이룩한) 일이 말할 가치조차 없는 것이겠는가? 설령 태진이 진나라 왕조를 잘 보좌하여 신주神州[中原]를 회복하고 천하를 완전히 바로잡아 공훈이 그같이 빛난다 하여도 뜬구름이 허공을 스친 정도일 뿐인데, 어찌 천성에 대한 손상을 메울 수 있겠는가? 태진이 어머니 마음에 순종하여 한 몸을 마침으로써 흔적조차 지워져 후세에 아무런 명성이 없더라도, 도리어 그가 온전히 한 것이 커 자신에게 부끄러울 것이 없을 텐데, 어찌 이것을 저것과 바꿀 수 있겠는가? 그래서 나는 태진을 공훈과 명성을 따른 사람이라 일컫는다면 옳겠지만, 옛 현자賢者로 높여 평하는 것에는 유감이 있다고 말한다."

---

23 『南軒集』 권17 「史論 · 溫嶠得失」

24 '仁을 구하여 … 얻었다.' : 『論語』「述而」에서 子貢의 물음에 공자가 대답한 말 중의 일부이다. 전후 말을 자세히 보면 다음과 같다. "(子貢이 공자에게) '백이숙제는 어떤 사람입니까?'라고 묻자 공자는 '옛 어진 분이다.' 하였다. 자공이 '후회하였습니까?'라고 묻자 공자는 '인을 구하여 인을 얻었는데 또 왜 후회하였겠는가!'라고 하였다.(伯夷叔齊何人也? 曰古之賢人也. 曰怨乎? 曰求仁而得仁, 又何怨!)" 백이숙제는 商나라 시대 孤竹이라는 나라 제후의 장자와 셋째 아들이다. 아버지가 장자인 백이를 두고 숙제를 후계자로 세우고자 하였다. 아버지가 죽자 숙제는 백이에게 제후의 자리를 양보하였고, 백이는 아버지의 뜻이 숙제에게 있었다며 양보하다 서로 나라를 떠나 다른 지역으로 떠나갔다. 그러다가 주나라가 상나라를 공격하고 천하를 차지하자 首陽山으로 몸을 숨겼다. 이를 두고 백이와 숙제가 아버지의 자리를 사양한 것을 뒤에 후회하지 않았음을 말하여 온교가 부모의 뜻을 따르지 않은 잘못을 지적한 것이다.(『史記』「伯夷傳」)

25 商나라의 세 … 것이다. : 이 말은 『論語』「微子」의 첫 구절에 나오는 공자의 말에 근거한 것이다. 논어에서는 이렇게 말하고 있다. "미자는 나라를 떠나갔고, 기자는 종이 되었고, 비간은 간하다가 죽었다. 공자가 말하기를 '은나라에는 세 분 仁者가 있다.'라고 하였다.(微子去之, 箕子爲之奴, 比干諫而死. 孔子曰, '殷有三仁焉.')" 자신이 처한 자리에서 각기 한 일이 서로 달랐지만 똑같이 공자가 '인자'라 일컬은 것을 들어, 꼭 공명을 세워야만 하는 것이 아님을 밝힌 것이다.

顧榮 고영, 賀循 하순[26]

[63-3-1]

朱子曰 : "東晉時所用人才, 皆中州浮誕者之後. 惟顧榮·賀循有人望, 不得已而用之."[27]

주자가 말하였다. "동진 시대 등용되었던 인재는 모두 중주中州[中原]에서 가볍고 방탕하던 자들의 후예이다. 고영과 하순만이 인망이 있었는데 마지못해 등용했을 뿐이다."

王導 왕도, 謝安 사안, 殷浩 은호

[63-4-1]

或云 : "庾亮欲移鎭石城, 興兵討趙, 王導許之, 郄鑒·蔡謨等皆以爲不可也."

范陽張氏曰 : "晉以寡弱之師, 一旦討强暴之冦, 是無異驅群羊以攻猛虎, 不格明矣. 使王導不知利害, 則導爲不智, 知而許之, 則導爲不忠. 不智不忠, 何以爲導? 予竊料其意, 蓋當是時, 導與庾亮有隙. 亮欲起兵以廢導, 於此復沮其謀, 適所以激彼之怒. 故不若陽且許之, 以快其情, 陰使郄鑒等拒之, 以絶其議. 此乃君子之待小人, 不得不然耳. 觀史者當逆其意可也."

어떤 사람이 말하였다. "유량庾亮이 석성石城으로 군사 주둔지를 옮기고 군사를 일으켜 조趙를 토벌하려고 하자, 왕도王導는 이를 허락하고, 극감郄鑒과 채모蔡謨 등은 모두 불가하다고 하였습니다."[28]

26 顧榮·賀循 : 고영은 吳郡 사람으로 자는 彦先이고, 시호는 元이다. 약관의 나이에 吳에서 벼슬하다, 오가 망하자 陸機·陸運과 함께 洛陽에 들어가 三俊이라 불리었다. 八王의 난 때 술로 세월을 보내다 懷帝 때 司馬睿(東晉의 元帝)의 軍司로 활약하였고 散騎常侍에 올랐다.(『晉書』 권68 「顧榮傳」)
하순은 會稽 山陰 사람으로 자는 彦先이고, 시호는 穆이다. 武康令을 거쳐 開府儀同三司를 지냈다. 박학다식하였고 특히 禮學에 정통하였다. 儒宗으로 추앙되어 원제가 그의 말이라면 모두 嘉納하였다. 일생을 淸儉하게 살았다.(『晉書』 권68 「賀循傳」)

27 『朱子語類』 권136, 30조목

28 "庾亮이 石城으로 … 하였습니다." : 유량은 元帝의 妃인 明穆皇后의 오빠로, 자는 元規이다. 벼슬은 中書令을 지내고 都督江荊豫益梁雍六州諸軍事와 征西將軍을 지냈다. 郭默의 반란 평정에 공을 세웠다. 封爵은 永昌縣侯이다. 원제의 아들 明帝가 죽고 成帝가 어린 나이로 즉위하자 王導와 함께 정사를 도왔다. 조나라는 劉曜가 서진의 獻帝에게 항복을 받고 長安 지역에 세운 나라이다. 유요가 石勒(高祖)에게 살해당하며 왕권이 석륵에게로 넘어가자, 역사에서 유요가 세운 나라를 前趙, 석륵이 세운 나라를 後趙라 한다. 명제 연간에 석륵이 죽자, 유량은 조나라가 차지하고 있는 장안 지역을 회복하고자 장수들을 그곳으로 결집시키고 자신은 석성에서 여러 군대를 성원하려는 계획을 세웠다. 성제에게 中原을 회복하기 위한 전쟁을 허락하여 줄 것을 청하자, 성제는 이를 조정 의논에 붙였다. 왕도는 동의하였고 극감과 채모 등은 준비가 아직 덜 되어 불가하다고 하였다. 유량이 다시 상소하여 허락을 청하는 사이 진나라의 邾城이 함락당하자, 유량은 자신의 작위 3等을

범양 장씨范陽張氏[張九成]가 말하였다. "진나라가 허약한 군사로 하루아침에 강하고 포악한 침략군을 토벌하려 한 것은 양떼를 몰아 사나운 호랑이를 공격하려는 것과 다를 바가 없으니 상대가 되지 않음이 분명하다. 왕도가 (그 일의) 성패를 몰랐다면 지혜롭지 못한 것이고, 알고서도 허락했다면 충성스럽지 않은 것이다. 지혜롭지 못하고 충성스럽지 않다면 무엇으로 왕도가 될 수 있겠는가? 혼자서 그의 의도를 헤아려 보건대, 그 당시 왕도와 유량은 틈이 벌어져 있었을 것이다. 유량이 군사를 일으켜 왕도를 꺾어버리려는데, 그 시점에 다시 그의 계책을 저지하려 들면 다만 그의 노여움만 격동시킨다고 생각했을 것이다. 그런 까닭에 겉으로 우선 허락해 주어 그의 마음을 시원하게 해주고 몰래 극감 등에게 거부하게 하여 그 의견을 끊어버리게 하는 것만 못하였을 것이다. 이것은 군자가 소인을 대하는 것이니, 그렇게 아니할 수 없어서다. 역사를 보는 자는 마땅히 그 사람의 의도를 추적해 보아야 한다."

[63-4-2]

或問: "老子之道, 曹參 · 文帝用之皆有效, 何故以王 · 謝之力量, 反做不成?"

朱子曰: "王導 · 謝安又何曾得老子妙處? 然謝安又勝王導. 石林說'王導只是隨波逐流底人, 謝安却較有建立, 也煞有心於中原. 王導自渡江來, 只是恁地, 都無取中原之意.' 此說也是. 但謝安也被這清虛絆了, 都做不得."[29]

어떤 사람이 물었다. "노자老子의 도道를, 조참曹參과 문제文帝는 사용하여 모두 효험을 보았는데,[30] 무슨 까닭에 왕도王導와 사안謝安[31] 같은 역량으로 도리어 해내지 못했습니까?"
주자가 말하였다. "왕도와 사안이 또 어찌 노자의 오묘한 경지를 얻었겠는가? 그러나 사안은 또 왕도보다는 낫다. 석림石林이 '왕도는 다만 물결치는 대로 따르며 흘러가는 대로 좇는 사람이고, 사안은 그에 비해 어떤 것을 세우려는 것이 있어, 또한 중원의 회복에 몹시 마음이 있었다. 왕도는 양자강을 건너면서부터[32] 그저 저런 모양새로 전연 중원을 취하려는 뜻이 없었다.'라고 하였다. 이 말이 옳다. 다만 사안

스스로 깎아내려 자신의 잘못을 사죄하였다. 이 사이 중원 회복은 저절로 무산되었다.(『晉書』 권73 「庾亮傳」)

29 『朱子語類』 권136, 32조목

30 老子의 道를 … 얻었는데: 조참은 한고조를 도와 한나라를 건국하였다. 조참이 孝惠帝 때 齊나라의 相國이 되어 黃老學에 조예가 깊은 蓋公을 초빙하여 정치가 淸靜하면 백성이 저절로 안정된다는 말을 듣고 그대로 따라 9년 동안 상국을 지내며 제나라를 안정시켜 어진 상국으로 이름을 떨쳤고, 蕭何에 이어 한나라의 相國에 올라 소하의 정책을 그대로 답습하여 백성들이 안정을 얻었다. 문제는 漢高祖의 아들로 孝文帝라고도 부른다. 재위 기간 거의 형벌이나 전쟁을 억제하고, 오직 옛것을 답습하는 데 힘썼다.(『史記』「孝文本紀」·「曹相國世家」)

31 王導와 謝安: 왕도는 윗글 [63-1-1] 이하 참고. 사안은 陳郡 陽夏 사람. 자는 安石. 시호는 文靖. 王羲之 · 許詢 · 支遁 등과 산수에서 노닐다가 40여 세가 되어서야 출사하여 桓溫의 司馬가 되었다. 太元 연간에 征討大都督으로 前秦의 苻堅을 淝水에서 물리치고 洛陽 및 靑州 · 兗州 등을 수복하여, 建昌縣公에 봉해지고 都督揚江荊等十五州軍事에 올랐다. 會稽王 司馬道子가 정권을 잡아 나라의 기강을 무너뜨리자 廣陵에 나가 머무르기도 하였다. 太傅가 추증되었다. 사안은 늘 벼슬에서 물러나 고향 東山에 은거하는 것이 꿈이었고, 왕도와 사안이 살았던 동진시대는 道家가 득세하여 淸虛를 숭상하였던 세상이라서 이들이 노자의 도를 배웠다고 평한 것이다.(『晉書』 권79 「謝安傳」)

또한 청허淸虛에 얽매여 아무것도 해내지 못하였다."

[63-4-3]

"謝安之待桓溫, 本無策, 溫之來, 廢了一君. 幸而要討九錫, 要理資序, 未至太甚, 猶是半和秀才. 若他便做箇二十分賊, 如朱全忠之類, 更進一步, 安亦無如之何. 王儉平日自比謝安, 王儉是已敗闕底謝安, 謝安特幸未跌脫底王儉耳. 安比王儉只是有些英氣. 苻堅之來, 亦無措置. 前輩云, '非晉人之善, 乃苻堅之不善耳.' 然堅只不合擁衆來, 謝安必有以料之. 兼秦人國內自亂, 晉亦必知之, 故安得以鎭靜待之. 堅之來, 在安亦只得發兵去迎敵當來. 苻堅若不以大衆來, 只以輕兵時擾晉邊, 便坐見狼狽."

(주자가 말하였다.) "사안은 환온桓溫[33]에 대해 본시 대책이 없었는데, 환온이 조정에 들어와 한 군주만을 폐위하였다.[34] 다행스럽게도 구석九錫[35]을 요구하고 자급의 서열을 정리해 줄 것을 요구하여 너무 과도할 정도는 아니었으니 오히려 반쯤은 수재秀才다운 모습이다.[36] 이러한 행동들이 너무도 분명한 역적이나,[37] 주전충朱全忠[38] 같은 부류보다는 다시 한 걸음 더 나아간 편이어서 사안도 또한 어찌할 수 없었다.

32 양자강을 건너면서부터 : 대장군 劉琨이 원제에게 진나라 황실을 이을 것을 권하며 올리는 표문을 받들고 왕도가 河朔에서 양자강을 건너 온 것을 이른다. 왕도가 이 표문을 원제에게 전하고 유곤에게 돌아가려 하였으나 원제가 한사코 자신에게 남아 도와주기를 청하였다. 그때 유곤이 전쟁에 패해 죽자 돌아갈 곳도 없어진 왕도는 원제를 보좌하여 진나라를 받드는 중심인물이 되었다.

33 桓溫 : 譙國 龍亢 사람으로, 자는 元子이고, 明帝의 사위이다. 벼슬은 琅邪太守를 거쳐 穆帝 때 荊州刺史와 都督荊司等四州諸軍事에 올랐다. 蜀에 웅거한 成漢의 李勢를 쳐 항복받은 공으로 臨賀郡公에 봉해졌다. 殷浩가 자신을 견제하자 그를 물리치고 정권을 잡은 뒤, 천자를 무시하는 권력을 행사하였다. 關中을 치려다 군량이 부족하여 되돌아왔고, 이어 洛陽을 수복하고서 수도를 건강에서 낙양으로 옮길 것을 수없이 주창하였으나 廢帝가 들어주지 않았다. 燕을 공격하여 연전연승하다 군량이 부족하여 크게 패하고 돌아온 뒤 폐제를 폐하여 海西公으로 삼고 簡文帝를 세웠다. 이후 大司馬에 올라 姑孰 땅에 머무르며 천자를 넘보다 죽었다.(『晉書』 권98 「桓溫傳」)

34 환온이 조정에 … 폐위하였다. : 환온은 진작에 천자의 지위를 넘보는 마음을 가졌다. 폐제 4년(서기 369년) 燕 지역의 河朔에서 공을 세우고 돌아와 九錫을 받고자 하였다. 그런데 연 지역 싸움에서 대패하였다. 구석을 청할 명분이 사라졌다. 이때 그의 參軍 郗超(치초)의 의견을 받아들여 폐제를 폐하고 간문제를 세웠다.(『晉書』 권98 「桓溫傳」)

35 九錫 : 공이 있는 제후에게 내리는 아홉 가지 물건. 왕조 천하에서는 신하에게 내리는 최고 예우의 상징이다. 『公羊傳』「莊公 2년」의 기사 何休의 주에 의하면 그 물건은 다음과 같다. 1. 車馬, 2. 衣服, 3. 樂則, 4. 朱戶, 5. 納陛, 6. 虎賁, 7. 弓矢, 8. 鈇鉞, 9. 秬鬯이다. 왕망이 한나라 정권을 무너뜨리고 新나라를 세우며 구석을 황제로부터 먼저 받은 것이 기화가 되어, 위진 남북조 시대에는 정권을 쥔 신하가 새로운 왕조를 세우고자 하면 모두 이 고사를 모방하여 이것을 먼저 받으려 들었다. 그래서 천자의 지위를 찬탈하고자 하는 사람은 먼저 이 구석을 요구하여서 자신의 의중을 천하에 드러내기도 하였다.

36 오히려 반쯤은 … 모습이다. : 수재는 빼어난 재주를 가진 사람, 또는 漢나라 때 과거의 한 과목 이름으로 쓰였고, 글을 읽은 사람을 지칭하는 말로도 쓰였다. 이 글의 원문 '半和秀才'를 『朱子語類考文解義』 권35에서는 '고증해 봐야 한다.(當考.)'라고 하여 未詳으로 처리하였다.

왕검王儉이 평소에 자신을 사안에게 견주었으나[39] 왕검은 이미 실패한 사안이고, 사안은 다만 요행히 아직 소탈한 경지를 이루지 못한 왕검일 뿐이다. 사안은 왕검에 비기면 다만 영특한 기운이 약간 있다. 그러나 부견苻堅이 쳐들어왔을 때 또한 별다른 조치가 없었다.[40] 앞 시대 사람들도 '진晉나라 사람들이 잘해서가 아니라 부견이 잘못해서이다.'라고 말할 뿐이다. 그러나 부견으로서는 단지 수많은 군사를 이끌고 온 것이 합당한 일이 아니었고[41] 사안도 반드시 세워둔 계획이 있었을 것이다. 겸하여 진秦[前秦]나라는 나라에 자중지란이 있었고[42] 진晉나라도 그것을 반드시 알고 있었던 까닭에, 사안이 마음을 가라

37 너무도 분명한 역적이나 : 이 글의 원문은 '二十分賊'이다. 이 말을 이해하기 위해선 우선 十分이라는 말을 알면, 二十分은 그 두 배라는 말이 된다. 여기서 십분은 매우 또는 더할 나위 없다는 뜻이다. 따라서 이십분은 십분의 배이니 더 이상 말이 필요 없이 분명하다는 뜻이다.

38 朱全忠 : 五代梁의 太祖. 탕산碭山 사람. 이름은 晃. 본래 이름은 溫. 전충은 唐僖宗이 하사한 이름이다. 시호는 神武帝. 黃巢의 장군으로 당에 항복하고 전공을 세워 四鎭節度使가 되고 梁王에 봉해졌다가 簒位하여 황제가 되었다. 아들 友珪에게 시해되었다.(『舊五代史』 권1~7 ; 『新五代史』 권1~2)

39 王儉이 평소에 … 견주었으나 : 왕검은 南朝齊 琅邪 臨沂 사람. 자는 仲寶. 시호는 文憲. 豫寧尉의 작위를 이어받았다. 明帝의 사위. 蕭道成(南朝齊의 高帝)을 섬기며 28세의 젊은 나이로 尙書右僕射에 오르고 南昌縣公에 봉해졌다. 당시 국가의 예의와 詔書는 모두 그의 손에서 나왔다. 武帝 때 國子祭酒에 오르며 집에 學士館을 열고 四部의 서적을 하사받아 보관하였다. 三禮에 정통하였다. 그가 늘 사람들에게 "'江左의 풍류재상은 사안이 있을 뿐이다.'고 하여 자신을 그에게 비겼다.(江左風流宰相, 唯有謝安. 蓋自比也.)고 하였다.(『南齊書』 권23 「王儉傳」 ; 『南史』 권22)

40 苻堅이 쳐들어왔을 … 없었다. : 부견은 성을 符로도 쓰나 苻를 주로 쓰고, 이름은 文玉으로도 쓴다. 오호십육국 前秦의 군주이다. 氐族(저족)이며 略陽 臨渭 사람이다. 자는 永固이고, 시호는 宣昭帝, 묘호는 世祖이다. 晉 升平 원년(357)에 苻生을 죽이고 제위에 올라 大秦天王이라 칭하였다. 漢人 王猛 등을 중용하여 학문을 장려하고 농경을 활발히 일으켜 국세를 크게 떨쳤다. 前燕과 前凉을 병탄하여 강북 지방을 통일하였으나, 동진을 공략하다가 淝水 전투에서 대패하고 後秦의 姚萇(요장)에게 붙잡혀 살해되었다. 고구려에 順道를 보내 불교를 전파하기도 하였다. 재위 기간은 27년(357~385)이다. 부견은 진나라를 공격하기 위해 1백만 군사를 동원하여 淮水(회수)와 淝水(비수)에 집결시켰는데 그 군사가 앞뒤 1천여 리에 걸쳤고 동서로는 1만여 리에 달하였다. 진나라는 겨우 7만을 동원하여 사안의 아우 謝石과 조카 謝玄 등으로 이들을 막게 하였다. 조카 사현이 사안에게 계책을 묻자 사안은 마음 편한 모습으로 아무런 두려운 기색 없이 다만 "이미 별도의 생각이 있다.(已別有旨.)"라는 말뿐이었다. 사현이 다시 말을 꺼내지 못하고 張玄에게 다시 계책을 묻게 하였다. 그러자 사안은 수레 차비를 차리게 하여 별장으로 자리를 옮겨 조카와 별장을 걸고 내기 바둑을 두다가 바람을 쐬러 나가 밤이 되어서야 돌아와 장수들에게 계책을 건네주고 각기 책임을 완수하게 하였다. 이것이 미리 어떤 계책을 세워 두지 않았고 임시하여 계책을 세웠다는 말이다.(『晉書』 권79)

41 부견으로서는 단지 … 아니었고 : 부견이 군사를 이끌고 晉나라 공격을 독려하고 있는데 아우 苻融이 군사 30만을 이끌고 선봉에 서서, 晉나라 군대가 군량이 부족하다는 사실을 알고서 형 부견에게 빨리 공격하여 이들을 소탕하자고 하였다. 부견은 기쁜 나머지 대군을 남겨두고 정예 기병 8천 명으로 부융의 군사와 진나라 공격에 나섰다. 이때 晉나라의 劉牢之가 이들을 선제공격하여 부견의 장수 10여 명을 죽이고 군사 1만5천 명을 사살하였다. 부견은 할 수 없이 후퇴하였다.(『晉書』 권113~114)

42 秦(前秦)나라는 나라에 … 있었고 : 부견이 晉나라를 치려고 하자 태자가 반대하였고 高僧 道安도 태자의 의견을 찬성하고 나섰다. 그러나 부견의 생각을 꺾을 수 없었다. 여기에 冠軍 벼슬에 있던 慕容垂가 부견의 생각에 찬동하였다. 부견의 부인 張씨마저 좋지 않은 조짐이 일어나 한밤에 닭들이 울어대고 무기고에 무기들

앉히고서 그들을 기다릴 수 있었다. 부견이 쳐들어왔을 때 사안의 처지에서는 또한 다만 군사를 징발해서 적군에 맞설 수밖에 없었다. 부견이 만일 많은 군사로 침공하지 않고 단지 소규모의 날랜 군사로 간헐적으로 진晉나라의 변경을 어지럽혔다면, 꼼짝 못하고 낭패를 당했을 것이다."

因問萬正淳曰[43] : "桓溫移晉祚時, 安能死節否?"

曰 : "必不能, 却須逃去."

曰 : "逃將安往? 若非死節, 卽北面事賊耳. 到這裏是築底處, 中間更無空地."

因說 : "韋孝寬智略如此, 當楊堅簒周時, 尉遲迥等皆死, 孝寬乃獻金熨斗. 始嘗疑之, 旣不與他爲異, 亦何必如此結附之. 元來到這地位, 便不與辨, 亦不免死, 旣不能死, 便只得失節耳."

이어서 만정순萬正淳[44]에게 물었다. "환온이 진나라의 제왕을 바꾸었을 때 사안은 목숨을 무릅쓴 절의를 세울 수 있었는가?"

(만정순이) 대답하였다. "결코 그러하지 못했을 것이고 도리어 도망쳤을 것입니다."

(주자가) 말하였다. "도망친들 어디로 갈 것인가? 만일 죽음을 무릅쓴 절의를 세우지 못한다면 북향하여 역적을 섬기는 길 뿐이다. 이 경우에 이르러선 막다른 곳이라 중간에 다른 선택의 여지가 없다."[45]

이어서 말씀하였다. "위효관韋孝寬[46]은 지혜와 책략이 이 같은데도 양견楊堅이 북주北周를 찬탈할 때[47] 울지형尉遲迥 등이 모두 죽자 효관은 쇠 다리미[熨斗]를 바쳤다.[48] 처음에는 이것을 두고 '기왕 저들처럼

이 저절로 소리를 내는 여러 변고가 있으니 중지하라고 반대하고 나섰으나, 부견의 결심을 꺾을 수 없었다. 이 전쟁으로 부견은 나라도 잃고 자신도 싸움에서 쫓기다 죽어야 했다.(『晉書』 권96, 113~114)

43 因問萬正淳曰 : 『朱子語類』 권136, 33조목에는 '萬'자가 없다.

44 萬正淳 : 주자의 제자

45 이 경우에 … 없다. : 이 구절의 원문 '到這裏是築底處, 中間更無空地.'에 대해 『朱子語類考文解義』 권35에서는 "築底에서 구두를 끊으라.(築底, 止.)"고 하였고, '空地'에 대해서는 "築底는 궁극의 뜻이다. 이 일은 형세가 갈 때까지 간 것이어서 죽지 않으면 항복하는 두 가지가 아니고서는, 거기에 다른 운신의 여지가 없음을 말한다.(築底, 窮極之意. 謂此乃事勢窮盡處, 不死則降. 不出二者 更無他轉身之地也.)"고 하였다.

46 韋孝寬 : 北周의 京兆 杜陵 사람. 이름은 叔裕이고, 효관은 字이다. 시호는 襄. 魏나라 말기 統軍으로 蕭寶夤 평정에 자진 참여하였고, 西魏文帝 大統 연간에 大都督으로 玉壁에 주둔하여, 東魏 高歡의 침공을 50일 동안 막아내자 고환이 한을 품고 후퇴하며 그 길로 병을 얻어 죽었다. 이 공으로 開府儀同三司에 오르고 建忠郡公에 봉해졌다. 북주 건국 후에 武帝가 北齊 토벌에 뜻을 두자 계책을 올려 이를 도우며 무제에게 귀의하여 大司空과 上柱國에 오르고 鄖國公(운국공)에 봉하여졌다. 用兵과 지략이 뛰어나 여러 차례 강적을 막아내며 사람들을 놀라게 하였다. 靜帝 때 楊堅(隋文帝)이 북주의 輔政으로 相州總管 尉遲迥을 위효관으로 바꾸려 하였을 때, 울지형이 양견의 속셈을 알고 받아들이지 않자, 양견에게 元帥로 등용되어 울지형을 토벌하여 평정하였다.(『周書』 권31)

47 楊堅이 北周를 … 때 : 양견은 隋의 창업주 文帝이다. 弘農 華陰 사람이다. 북주 때 隋國公에 襲封되고, 딸이 宣帝의 황후가 되자 승상에 올라 조정을 총괄하였다. 나이 9세의 靜帝를 시해하고 제위에 올라 수나라를 건국하였다. 이어 後梁과 南朝陳을 멸망시켜 西晉 이후 3백 년간의 분열된 중국을 통일하였다. 태자 廣에게 시해당하였다. 묘호는 高祖, 시호는 文이다. 재위 24년.(『隋書』 권1 ; 『北史』 권11)

남다른 행동은 못한다지만 또한 하필 저처럼 결탁해야 할까?'라는 의문을 가졌다. 원래 그러한 처지를 만났을 때 분명하게 함께하지 않으면 또한 죽음을 면하지 못하는데, 이미 죽지 않았으니, 다만 절의를 잃었을 뿐이다."

又曰 : "謝安之於符堅, 如近世陳魯公之於完顏亮, 幸而捱得他死耳."

又曰 : "如前代多有幸而不敗者. 如謝安, 桓溫入朝, 已自無策, 從其廢立, 九錫已成, 但故爲遷延以俟其死. 不幸而病小甦, 則將何以處之? 擁重兵上流而下, 何以當之? 於此看, 謝安果可當伏節死義之資乎?"

或曰 : "坦之倒持手板, 而安從容閒雅, 似亦有執者."

曰 : "世間自有一般心膽大底人. 如廢海西公時, 他又不能拒, 廢也得, 不廢也得, 大節在那裏?"[49]

(주자가) 또 말하였다. "사안에게 있어 부견은 근세近世의 진로공陳魯公에게 있어 완안량完顏亮의 경우와 같으니, 요행으로 그(부견)의 죽음만을 노심초사 기다렸을 뿐이다.[50]"

48 尉遲迥 등이 … 바쳤다. : 울지형은 北周의 마지막 충신이다. 『周書』 권21 「尉遲迥傳」, 권31 「韋孝寬傳」과 『隋書』 권37 「李穆傳」에 의거하여 살피면, 울지형은 양견이 북주의 輔政이 되어 정권을 휘두르자 양견을 타도하고자 하였다. 이에 양견은 울지형을 제거하고자 하여 위효관을 울지형이 가지고 있는 벼슬 相州總管에 임명하였다. 울지형이 이 명령을 받아들이지 않자 양견은 위효관을 元帥로 임명하여 울지형을 공격하였다. 이때 양견은 幷州에 주둔하고 있는 李穆이 두려웠다. 이에 이목의 열째 아들 혼을 보내 이목에게 자신의 뜻을 전하였다. 이목은 아들 이혼을 바로 양견에게 되돌려 보내며 다리미[熨斗]를 바치고 "원컨대 위엄 서린 權柄을 손에 쥐고, 다리미로 천하를 편하게 해주소서(願執威柄, 以熨安天下也)"라고 하였다. 이에 양견은 매우 기뻐하였다.

여기서 위효관이 쇠 다리미를 바쳤다는 말은 이 글의 앞뒤 문맥으로 살폈을 때, 위효관은 울지형 등이 모두 죽어 가는데 살기를 구하여 다리미를 바쳐 예쁨을 사려하였다는 말이 되어야 한다. 당시 위효관은 울지형을 공격하는 원수의 직함을 가지고 있어 굳이 이런저런 선물이 필요하지 않다. 『周書』「李穆傳」에 이목의 아들 李渾의 기사에 "渾의 字가 金才이니, 이목의 열째아들이다.(渾字金才, 穆第十子也.)"라는 것에 비추어 보면, 이혼의 字인 '金才'의 '金'자가 이 글의 원문 '孝寬乃獻金熨斗'의 金자와 우연히 겹치고 있음을 볼 수 있다. 따라서 이 글은 위효관의 기사로 보기에는 앞뒤가 맞지 않고, 이목이 울지형 등 북주의 충신들이 죽어 가는데 아들 금재를 시켜 다리미를 바쳤다는 글이 되어야 한다. 그런데도 『朱子語類』와 이 책이 똑같이 이렇게 싣고 있음은 어떤 사유인지 알지 못하겠다. 아마 이 글 앞뒤에 어떤 빠진 글귀가 있는 듯하다.

49 이 단락은 謝安之待桓溫~幸而推得他死耳까지는 『朱子語類』 권136, 33조목의 글이고, 又曰, "如前代~大節在那裏까지는 『朱子語類』 권35, 52조목 중 일부이다.

50 陳魯公에게 있어 … 뿐이다. : 진로공은 宋나라 陳康伯을 그의 봉호인 魯國公으로 부르는 말이다. 『宋史』 권384 「陳康伯傳」에 의거하여 살피면 다음과 같다. 新州 弋陽 사람으로 자는 長卿, 시호는 文恭이다. 宣和 연간의 진사. 벼슬은 參知政事를 거쳐 左相을 지냈다. 高宗 31년(서기 1161년) 금나라의 군주 完顏亮(廢帝海陵王)이 침공하여 廬州에 이르며 송나라의 장수 王權이 패하자 송나라에 소동이 일어 조정 관료들이 집안사람들을 미리 피난시키는 일이 벌어졌다. 이때 진강백은 오히려 배를 준비해 가족들을 浙江으로 불러들이고 臨安 지역의 성문을 평시보다 늦게 잠그게 하여 백성들을 안심시켰다. 금나라 군대가 양자강에 임박하자 高宗은 楊存中을 내전으로 불러 대비책을 상의하다가 진강백에게 가서 상의하라고 명하였다. 진강백은 양존

(주자가) 또 말하였다. "앞 시대에 요행으로 실패하지 않은 사람이 많다. 예컨대 사안은 환온이 입조入朝하였을 때, 이미 자신에게 아무런 책략이 없어 그가 폐위하고 새 황제를 세우는 것을 그대로 따랐고, 구석九錫이 이미 이루어졌는데 단지 고의로 일을 늦추어 그가 죽기를 기다렸다.[51] 불행히도 병에서 소생하였다면 어떻게 대처했을까? 대군을 거느리고 상류에서 내려왔다면 어떻게 막았을까?[52] 여기에서 살펴보면 사안은 과연 절의에 목숨을 걸고 의리에 죽을 수 있는 자질에 해당될까?"

어떤 사람이 말하였다. "왕탄지王坦之는 수판手板[笏]을 거꾸로 들고 서 있는데[53] 사안은 조용하고 한가로웠으니, 또한 지조가 있는 사람인 듯합니다."

(주자가) 말하였다. "세상에는 본래 마음이 담대한 사람들이 있다. 예컨대 해서공海西公을 폐위할 때[54]

중이 찾아오자 관복을 모두 벗고 술자리를 준비하여 그를 맞이하였다. 고종은 양존중을 맞이한 진강백의 태도를 전해 듣고서는 한시름을 놓았다. 그리고서는 다음 날 조정에 들어가 고종에게 고종이 만일 남쪽으로 피난길에 오른다면 일은 모두 수포로 돌아갈 것이라며 조용히 기다리기를 주청하였다. 며칠이 지난 뒤 고종에게 親征에 나설 것을 주장하였다. 이러는 사이 송나라의 장군 虞允文이 완안량의 군대를 采石에서 이겼다. 이로 인해 완안량은 시해당해 金나라 군대가 물러났다. 진강백이 완안량의 군대가 양자강을 압박하고 있는데도 놀라지 않고 술자리를 벌이는 태도가 사안이 부견이 쳐들어왔을 때 조카 謝玄과 별장을 걸고 내기 바둑을 둔 여유로움과 서로 닮았다는 말이다. 단지 완안량이 시해당하며 일시적인 어려움이 풀렸지만, 만일 시해당하는 일이 없었다면 송나라의 운명은 예측할 수 없었음을 말하고 있다. 완안량은 遼王 宗幹의 둘째 아들로 자는 元功이다. 熙宗을 시해하고 제위에 올랐다. 재위 12년.(『金史』 권5)

51 九錫이 이미 … 기다렸다. : 환온이 세운 간문제가 죽고 孝武帝가 등극하였으나 정권은 환온의 수중에 있어 사람들 마음이 모두 환온에게로 쏠렸다. 오직 사안과 王坦之만이 충성을 다하였다. 이때 환온이 구석을 청하였다. 아울러 환온은 병이 깊었다. 구석을 내리는 글을 袁宏에게 지어 올리게 하고서는 사안이 올린 글을 번번이 고치며 10여 일의 시간을 끌었다. 이사이 환온이 죽어 구석을 내리는 일은 없던 일이 되었다.(『晉書』 권79 「謝安傳」)

52 대군을 거느리고 … 막았을까? : 환현은 東晉이 처한 양자강의 상류쪽에서 많은 전공을 세웠다. 穆帝 때 荊州刺史와 都督荊司等四州諸軍事를 지냈고, 이어 蜀에 웅거한 成漢의 李勢를 쳐 항복받은 공으로 臨賀郡公에 봉해지기도 하였다. 이때 그 대군을 양자강을 타고 내려와 建康을 쳤다면 그 승패를 짐작할 수 없었을 것이란 말이다.

53 王坦之는 手板(笏)을 … 있는데 : 간문제가 죽었을 때 환온은 조정을 비우고 간문제의 山陵 장소로 이동하는 길에 新亭에 멈춰서 호위 군사를 한껏 동원하여 지키게 하고서 진나라 왕조를 찬탈하고자 하였다. 사안과 왕탄지를 그곳으로 불러 그들을 그 자리에서 죽이려고 하였다. 왕탄지는 두려움에 사안에게 계책을 물었다. 사안은 마음이나 얼굴에 전연 동요 없이 "진나라 왕조의 존망이 이번 걸음에 달렸습니다.(晉祚存亡, 在此一行.)"고 하였다. 환온을 만나는 자리에서도 왕탄지는 땀이 옷을 적시며 수판을 거꾸로 들고 있을 정도였다. 이때 일을 『晉書』「謝安傳」에 의거하여 살피면 다음과 같다. "사안이 조용히 자리로 나아가 자리 잡고 앉아서 환온에게 '제가 듣기에 제후에게는 따라야 할 도리가 있어 사방 이웃 나라를 방비해야 한다고 하였는데, 공께서는 무슨 필요로 벽 뒤에 사람을 숨겨두었습니까?' 하니 환온이 웃으며 '내가 이렇게 하지 않을 수 없습니다.' 고 하였다. 마침내 서로 웃으며 시간을 보냈다.(安從容就席, 坐定, 謂溫曰, '安聞諸侯有道, 守在四隣, 明公何須壁後置人邪?' 溫笑曰, '正自不能不爾耳.' 遂笑語移日.)" 그동안 왕탄지와 사안의 명성이 서로 엇비슷하였으나 이 일이 있은 뒤, 왕탄지가 스스로 사안만 못한 줄 알게 되었다.

54 海西公을 폐위할 때 : 해서공은 哀帝의 친아우이다. 애제가 죽은 뒤 아들이 없자, 당시 東海王이자 侍中이었던 그가 이어 등극하였다. 그러나 환온에 의해 폐위되면서 廢帝로 불렸고 폐위되어 옛 동해왕으로 강등되었다가

그는 또 막지 못하고 폐위해도 그만, 안 해도 그만이었으니, 큰 절의가 어디에 있는 것인가?"

[63-4-4]

南軒張氏曰 : "符堅掃境入冦, 方是時, 晉室之勢亦甚殆矣. 梁 · 益旣非吾有, 而襄 · 沔復爲所破, 在他人, 宜恐懼失措之不暇. 而謝安方且從容應敵, 不過以江北軍事, 付之謝玄及劉牢之輩, 卒以成功. 蓋其方略素定, 非僥倖苟然也. 安明於用人, 考察旣精, 不以親踈而廢. 玄有謀慮善使人, 而牢之勇銳出衆, 安所施置, 各得其宜. 蓋用兵之道, 當以奇正相須. 使玄將重兵于後, 此正也 ; 使牢之將精兵迎擊于前, 此奇也. 秦兵旣近洛澗, 牢之攖其鋒, 直搏而勝之, 固以奪其心矣. 淝水之戰, 其勝筭已在目中. 故秦兵一退, 風聲鶴唳, 以至山川草木, 皆足以懼之, 惟牢之先奪其心故也. 安之方畧, 可謂素定矣. 惟其素定, 故安靜而不撓, 其矯情鎭物, 豈固爲是哉? 夫有所恃故耳.

남헌 장씨가 말하였다. "부견符堅이 온 나라의 힘을 쓸어 모아 침략하였으니 이때 진나라 왕조의 형세는 또한 매우 위태로웠다. 양주梁州와 익주益州가 이미 내 땅이 아니었고 양양襄陽과 면수沔水 지역이 다시 적에게 무너졌으니, 다른 사람이었다면 당연히 두려워서 어찔할 줄 몰랐을 것이다. 그런데도 사안이 또한 조용히 적군을 대응하였으니, 단지 강북江北 지역의 군사 일을 사현謝玄과 유뢰지劉牢之[55]의 무리에게 맡겨두어서였지만 마침내 성공하였다. 그들에 대한 책략이 본래 정해졌던 것이지 요행을 바라고 구차하게 그러했던 것이 아니다. 사안은 사람 기용에 현명하여 살피는 일이 이미 정밀하였고 가깝고 먼 관계를 기준으로 사람을 버리지 않았다. 사현은 책략이 있으면서 사람을 잘 부렸고, 유뢰지는 용맹과 기민함이 출중하였으니 사안의 안배가 각기에게 당연함을 얻은 것이다. 군사를 지휘하는 도리는 당연히 기奇(비정규 전술)와 정正(정규 전술)을 함께 써야 한다. 사현에게 대군을 거느리고 후방에 있게 하였으니 이는 정正이고, 유뢰지에게 정예 병사를 거느리고 선봉에서 적을 맞아 싸우게 하였으니 이는 기奇이다.

나중에 다시 海西縣公으로 다시 강등당해 이렇게 불렸다. 成帝의 咸康 8년(서기 342년) 東海王에 봉해졌고 애제 초년에 侍中에 올랐다. 폐제 6년(서기 371년)에 환온이 진나라 왕실을 무너뜨리고 자신이 왕조를 세우고자 하는 마음을 가져 河北 지역의 符堅을 꺾고 자신의 야망을 이루려고 하였다. 그러나 이때 오히려 전쟁에 참패하자 기왕의 군주를 폐위하고 새로운 군주를 세워 자신의 권위를 과시하고자 하였다. 그런데 폐제가 원래 모든 것에 신중하여 꼬투리 삼을 수 있는 것이 없었다. 이에 폐제가 동해왕으로 있을 때 생식 능력을 잃었는데 폐제의 총애를 입은 신하 相龍과 計好, 朱靈寶 등이 內殿에 드나들어 두 美人(내명부의 한 품계)인 田氏와 孟氏에게서 아들 셋을 얻었다고 하였다. 이를 康帝의 비였던 崇德太后에게 알려 마침내 폐제를 다른 씨를 가져다가 진나라 왕조를 어지럽게 한 죄인으로 몰아 폐위시키고 元帝의 아들인 간문제를 등극시켰다. (『晉書』 권8)

55 謝玄과 劉牢之 : 사현은 『晉書』「謝玄傳」에 의거하여 살피면, 사안의 조카로, 자는 幼度이고, 시호는 獻武이다. 太元 연간에 淝水에서 前秦 苻堅의 대군을 격파하고 북상하여 兗靑司豫 등의 州를 수복하여 康樂縣公에 봉해졌다. 司馬道子의 시기를 받아 會稽內史로 일생을 마쳤다. 유뢰지는 『晉書』「劉牢之傳」에 의거해 살피면 彭城 사람으로 자는 道堅이다. 사현의 선봉으로 부견의 선봉을 꺾는데 공을 세웠고, 북쪽 부견의 秦나라 군대를 만나면 번번이 공을 세워 北府兵이라는 별칭을 얻기도 하였다.

진秦(전진의 부견)나라 군사가 낙간洛澗 지역에 접근하였을 때 유뢰지가 정면으로 맞서 곧장 맞붙어 이겼으니[56] 벌써 그들의 넋을 빼놓은 것이다. 비수淝水의 전투도 이길 수 있는 계략이 이미 눈앞에 서있었다. 그런 까닭에 진秦나라 군사가 연이어 후퇴할 때, 바람소리와 학의 울음소리에서부터 산천초목에 이르기까지 모두 두려움에 휩싸일 수 있도록 했던 것[57]은 유뢰지가 앞서 그들의 넋을 빼놓았기 때문이다. 사안의 책략은 본래 정해졌던 것이라 할 수 있다. 본래 정해져 있었던 까닭에 평정심을 갖고 흔들리지 않았던 것이니, 그가 속마음을 감추고 안정된 모습을 지닌 것이 어찌 일부러 한 일이겠는가? 믿는 것이 있었기 때문이다.

至於却上流之兵, 又其一奇也. 得上流之兵, 不足以助益, 而適足以銷薄聲勢, 搖動人心, 桓冲是擧亦無謀矣. 吾慮旣定, 一却其兵, 而戰士之心益固, 國内之情擧安, 安見之明且審矣. 嗟乎! 國之所恃者人才耳. 以當時晉室之勢, 獨任一謝安, 足以當符秦百萬之師. 以予觀之, 非特安方畧之妙, 抑其所存忠義純固, 負荷國事, 直欲與晉室同存亡. 故能運用英豪, 克成勳業, 誠與才合故也. 大抵立大事者, 非誠與才合, 不足以濟. 若安者, 其在東晉人物中傑出者哉!"[58]

상류의 군사를 거절한 것도 또한 하나의 기계奇計이다. 상류의 군사를 얻는다 해도 도움 되기에는 부족하고 다만 명성과 위세만을 갉아먹어 민심만 요동하게 할 뿐이니, 환충桓冲의 제의[59]는 또한 무모한 것이

56 洛澗 지역에 … 이겼으니 : 부견의 秦나라가 군사 1백 만을 동원하여 晉나라를 공격하여 淮肥에 진영을 차리자, 晉나라는 사안을 征討大都督에 임명하였다. 사안은 그의 조카 사현을 선봉으로 세웠고, 사현은 유뢰지에게 정예 군사 5천 명을 거느리고, 洛澗에 진영을 친 부견의 장수 梁成의 2만 군사를 공격하게 하였다. 양성이 澗水를 믿고 있는 사이 유뢰지가 강을 건너 공격하여 양성과 양성의 아우 梁雲의 목을 베고, 여타 장수들을 사로잡자 남은 군대가 후퇴하려다 淮水에 빠져 죽어 모두 1만여 명의 군사를 잃었다. 晉나라는 온갖 장비를 모두 노획하였다.(『晉書』 권79 「謝安傳」; 권84 「劉牢之傳」)

57 淝水의 전투도 … 것 : 부견의 1백 만 군사는 淝水에서 진을 치고 있었다. 사현은 비수를 건널 수 없었다. 이에 부견의 아우 苻融에게 "그대들이 멀리 이곳까지 왔으나 강가에 진영을 늘어세운 것은 빨리 전투할 생각이 없는 것이다. 그럴 바에는 군사를 조금 물려 장수들이 서로 활동할 수 있는 공간을 주고 우리 둘이는 말고삐를 느슨히 잡고서 구경하는 것이 즐거운 일이 아니겠소!"라고 넌지시 물었다. 부견의 군사들이 모두 반대하였으나 부견은 이를 받아들여 상대 군대가 모두 건너왔을 때 자신의 鐵騎 수십 만 병사로 무찔러버리기로 하였다. 부융도 동의하였다. 마침내 퇴각 명령이 내려졌다. 군대가 퇴각하는 사이 전열이 흐트러진 것을 사현이 정예 군사 8천 명으로 공격하여 그들을 격파하였다. 이 싸움에서 부견은 어깨에 화살을 맞는 부상을 입었고, 자신의 아우 부융을 전쟁의 책임을 물어 목을 베었으며, 군사들은 달아나다 비수로 빠져 비수의 물이 흐르지 못할 정도였다. 부견의 군대는 풀숲을 헤치고 달아나며 바람 소리와 새울음 소리에도 晉나라 군대의 추격으로 오인하고 혼비백산하였다.(『晉書』 권79 「謝玄傳」)

58 『南軒集』「史論 · 謝安淝水之功」

59 桓冲의 제의 : 환충은 桓溫의 아우이다. 형 환온을 따라 많은 전공을 세워 江州刺史에 올랐고, 환온이 죽은 뒤 진나라의 兵權을 장악하였으나 사안이 정사를 보필하자 두려움을 느끼고 外職으로 나가기를 원하여 荊州刺史로 나가 江陵에 주둔하였다. 부견이 쳐들어오자, 군사 3천을 보내 구원하겠다고 사안에게 제의하였으나, 사안이 강릉이나 잘 지키라며 구원병을 거절하였다.(『晉書』「桓冲傳」)

다. 나의 계책이 이미 정해졌고, 한 차례 그들 군대를 거절하자 군사들 마음이 더욱 굳어지며 나라 안 정황이 모두 편안했으니, 사안이 내다본 것이 분명하고 정확했다. 아! 나라가 믿을 것은 인재뿐이다. 당시 진나라의 형세를 다만 사안 한 사람에게 맡겼으나 부견의 진秦나라 군사 1백 만을 막아내기에 충분하였다. 내가 보기에는 다만 사안의 책략과 조처만이 기묘하지 않고, 그가 지닌 충성심과 의리심 또한 순수하고 굳어, 나라 일을 짊어지자 곧바로 진나라 왕조와 존망存亡을 같이 하고자 하였다. 그 때문에 영웅호걸을 잘 운용하여 능히 공훈을 이뤄낸 것이니, 정성과 재능이 부합하였던 까닭이다. 대체로 큰 공훈을 이룬 사람은 정성과 재능이 부합하지 않으면 성공을 거두지 못한다. 사안 같은 사람은 동진東晉의 인물들 가운데 걸출한 사람이리라!"

[63-4-5]

或問 : "晉殷浩 · 謝安少有重名, 方其隱而未用也, 人皆以公輔期之. 或曰深源不起, 如蒼生何; 或曰謝安不起, 當如蒼生何? 及其旣用也, 謝安却符秦安晉室, 功業亦可無負. 而殷浩擧兵北伐, 師徒屢敗, 桓溫因朝野之怨, 而廢之如棄草芥. 夫人之擬二子則同, 而二子事業何其相遠?"
潛室陳氏曰 : "東晉諸賢, 大抵務養名節, 不務實用, 幸而成功則爲謝安, 如其無成則爲殷浩. 然安能矯情鎭物, 浩則遇事周章, 較是輸他一着也."[60]

어떤 사람이 물었다. "진나라 은호殷浩[61]와 사안은 젊은 시절 높은 명성이 있어 그들이 은거하고 아직 등용되지 않았을 때 사람들이 모두 그들을 재상감으로 기대하였습니다. 어떤 사람은 '심원深源이 등용되지 않으면 백성이 어찌 될까?' 하였고, 어떤 사람은 '사안이 등용되지 않으면 앞으로 백성이 어찌 될까?'라고 하였습니다. 그런데 그들이 등용되고 난 뒤 사안은 부견의 진秦나라를 물리치고 진晉나라를 안정시켜 공훈 또한 기대를 저버리지 않았습니다. 그러나 은호는 군사를 거느리고 북쪽을 정벌하였으나 군사가 여러 차례 패하자 환온이 조정과 민심의 원망에 따라 마치 쓰레기를 버리듯 폐기하였습니다. 사람들의 두 사람에 대한 기대는 동일하였는데, 두 사람의 일은 어찌하여 저와 같이 서로 동떨어집니까?"
잠실 진씨潛室陳氏[陳埴]가 말하였다. "동진의 여러 사람들은 대체로 명분과 절의를 힘써 함양하고 실용에는 힘쓰지 않아, 요행이 성공하면 사안이 되고 만일 성공을 거두지 못하면 은호가 되었다. 그러나 사안은 속마음을 숨기고 안정된 모습을 지녀 남들이 헤아릴 수 없게 하였고, 은호는 일을 만났을 적에 허둥거렸

60 『木鍾集』 권11 「史」
61 殷浩 : 晉 陳郡 長平 사람. 자는 淵源이나 唐나라 때 高祖의 諱(李淵)를 피하여 深源이라고 썼다. 어려서부터 명성이 자자하였으나 벼슬에 나가지 않아 사람들이 管仲과 諸葛孔明에 비견하였다. 穆帝 永和 2년(서기 346년)에 당시 會稽王이던 司馬昱(후일 簡文帝)의 초빙에 응하여 建武將軍과 揚州刺史에 오르며 사마욱의 심복이 되어, 당시 조야를 휩쓸던 환온의 기세에 맞섰다. 石虎가 죽으며 後趙가 크게 어지러워지자 은호가 中軍將軍에 올라 북쪽 정벌에 나섰으나 연거푸 패하자 이때 환온이 상소하여 그를 삭직시켰다. 은호가 벼슬에 나가지 않고 있을 때 환온의 기세를 두려워한 여러 사람들이 그의 출사로 진나라 왕권의 興亡을 점치기까지 하였다. 여러 차례 벼슬이 내려졌으나 꿈쩍하지 않자 王濛과 謝尙이 그를 찾아갔다가 역시 마음을 돌릴 수 없음을 알고서는 "심원이 벼슬에 나오지 않는다면 저들 백성이 어떻게 될꼬?" 하였다.(『晉書』「殷浩傳」)

으니, 비교해보면 사안보다 한 수가 낮다."

符堅 부견

[63-5-1]

程子曰 : "符堅養民而用之, 一敗不復振, 無本故也."[62]

정자程子가 말하였다. "부견[63]은 백성을 양성하여 전쟁에 동원하였는데도 한 번의 패배에서 다시 떨쳐 일어나지 못하였으니 근본이 없는 까닭이다.[64]"

[63-5-2]

或問 : "符堅立國之勢亦堅牢, 治平許多年, 百姓愛戴. 何故一敗塗地, 更不可救?"

朱子曰 : "他是掃土而來, 所以一敗更救不得."

又問 : "他若欲滅晉, 遣一良將, 提數萬之兵以臨之, 有何不可? 何必掃境而來?"

曰 : "他是急要做正統, 恐後世以其非正統, 故急欲亡晉. 此人性也急躁. 初令王猛滅燕, 猛曰, '旣委臣, 陛下不必親臨.' 及猛入燕, 忽然堅至. 蓋其心又恐猛之功大, 故親來分其功也. 便是他器量小, 所以後來如此."[65]

어떤 사람이 물었다. "부견은 나라의 형세가 또한 굳건하였고 여러 해 동안 정치도 화평하여 백성들이 사랑으로 받들었습니다. 어떤 까닭에서 단 한 번의 패배에 여지없이 꺾여 다시 구제할 수 없게 되었습니까?"

주자가 대답하였다. "그가 온 나라의 힘을 기울여 침략했던 까닭에 한 번의 패배에 다시 구제할 길이 없었다."

또 물었다. "그가 만일 진나라를 멸망시키고자 했다면 쓸 만한 장수 한 사람에게 몇 만의 군사를 딸려

62 『二程粹言』 권1 「論政篇」

63 부견 : 오호십육국시대 前秦의 군주. 보통은 苻堅으로 쓴다. 略陽 臨渭 사람으로, 氐族이다. 文玉이라는 이름으로도 불린다. 자는 永固, 시호는 宣昭帝, 묘호는 世祖이며, 健의 손자이자 雄의 아들이다. 東晉 升平 원년(357)에 苻生을 죽이고 제위에 올라 大秦天王이라 칭하였다. 漢人 王猛 등을 중용하여 학문을 장려하고 농경을 활발히 일으켜 국세를 크게 떨쳤다. 前燕과 前凉을 병탄하여 강북 지방을 통일하였으나, 동진을 공략하다가 淝水 전투에서 대패하고 後秦의 姚萇에게 붙잡혀 살해되었다. 고구려에 順道를 보내 불교를 전파하기도 하였다. 재위 27년(357~385).(『晉書』「載記 · 苻堅」)

64 근본이 없는 까닭이다. : 이 말은 "근본이 없으면 설 수 없다.(無本不立.)"라는 『禮記』「禮器」의 뜻에 의거하여 한 말이다. 곧 근본이 있었으면 한 번의 실패에서 무너지지 않았을 것이란 말이다.

65 『朱子語類』 권136, 38조목

보내 가게 했어도 무슨 안 될 일이 있겠습니까? 하필이면 온 나라의 힘을 쓸어 모아 쳐들어갔습니까?" (주자가) 대답하였다. "그는 정통성을 급하게 만들어 내고자 하였으니, 후세가 자신에게 정통이 없었다고 말할까 두려웠던 까닭에 급하게 진나라를 멸망시키려 하였다. 이 사람은 성미마저도 조급하였다. 처음 왕맹王猛[66]에게 연燕나라를 멸망시키게 하자, 왕맹이 '신에게 맡기셨으니 폐하께서 굳이 친히 오실 것이 없습니다.'라고 하였다. 왕맹이 연나라에 들어갔을 때 홀연히 부견이 그곳에 이르렀다. 그의 마음 한편에 왕맹의 공이 큰 것이 두려웠던 까닭에 친히 찾아가 그의 공을 나누어 가지려 한 것이다. 바로 그의 도량이 작은 것이자, 후일 이같이 된 까닭이기도 하다."

[63-5-3]

"孔明臨陣對敵, 意思安閒, 如不欲戰. 而符堅踴踊不寐而行師,[67] 此其敗, 不待至淝水而決矣."[68]

(주자가 말하였다.) "공명은 진영陣營에 다다라 적군을 상대할 적에 마음이 안정되고 한가하여 마치 싸움하지 않으려는 것 같았다. 그런데 부견은 펄펄 뛰며 잠도 자지 않고 군사를 지휘하였으니, 그의 패전은 비수淝水에 이르기를 기다릴 것도 없이 결정지어져 있었다."

桓溫 환온

[63-6-1]

朱子曰: "桓溫入三秦, 王猛來見, 眼中不識人, 却謂'三秦豪傑未有至, 何也?' 三秦豪傑, 非猛而誰? 可笑!"[69]

주자가 말하였다. "환온[70]이 삼진三秦에 들어가자 왕맹이 찾아와 인사했는데 안목이 인재를 알아보지 못해 도리어 '삼진의 호걸들이 찾아오지 않는 것은 어인 일인가?'라고 하였다. 삼진의 호걸이 왕맹이 아니면 누구이겠는가? 가소로운 일이다."

66 王猛: 前秦 北海 劇 땅 사람. 자는 景略, 호는 橫林子, 시호는 武侯이다. 華山에 은거하였다가 桓溫이 關中에 들어오자 스스로 찾아가 당 시대의 형세를 논하였다. 符堅이 그를 만나 등용하면서 제갈공명을 만난 것에 비견하였다. 秦을 강성하게 하며 丞相에 올랐고, 임종 때 晉을 도모하지 말 것을 부견에게 말했지만, 부견이 그 말을 듣지 않았다가 결국 패배하였다.(『晉書』 권114)

67 而符堅踴踊不寐而行師: 『朱子語類』 권136 19조목에는 '踴踊'의 '踊'자가 '躍'자이다. 뜻은 똑 같다.

68 『朱子語類』 권136, 19조목

69 『朱子語類』 권136, 40조목

70 환온: 위 [63-4-3]의 주석 참고

陶潛 도잠

[63-7-1]

朱子曰 : "陶淵明有高志遠識, 不能俯仰時俗, 故作歸去來詞以見志. 抑以其自謂晉臣恥事二姓, 自劉裕將移晉祚, 遂不復仕, 則其意亦不爲不悲矣. 然其詞義夷曠蕭散, 雖託楚聲, 而無其尤怨切蹙之病云"[71]

주자가 말하였다. "도연명[72]은 높은 뜻과 원대한 식견이 있어서 세속과 어울릴 수 없었던 까닭에 「귀거래사」를 지어 자신의 뜻을 드러냈다. 또 자신이 진나라의 신하로서 두 성씨를 받드는 것을 부끄럽게 여겨 유유劉裕[73]가 진나라 왕조를 바꾸려 들자 마침내 다시 벼슬하지 않았으니, 그 의도가 또한 애달프다 하지 않을 수 없다. 그러나 그의 문장에 쓰인 말이나 뜻은 평화롭고 활달하며 스산하고 쓸쓸하여, 초사楚辭의 투식을 따랐지만 원망하고 탓하면서 근심걱정에 애타하는 결점이 없다."

[63-7-2]

"張子房五世相韓, 韓亡, 不愛萬金之産, 弟死不葬, 爲韓報讎. 雖博浪之謀不遂, 橫陽之命不延, 然卒藉漢滅秦誅項以攄其憤. 然後棄人間事, 導引辟穀, 託意寓言, 將與古之形解銷化者, 相期於八紘九垓之外. 使千載之下聞其風者, 想像歎息, 不知其心胸面目爲何如人, 其志可謂壯哉!

(주자가 말하였다.) "장자방張子房[張良]은 다섯 임금을 섬긴 한韓나라 상국 집안[74]으로 한나라가 망하자 만금萬金의 자산을 아끼지 않았으며, 아우가 죽었는데도 장례도 치르지 않고 한나라를 위해 원수를 갚고자 하였다. 박랑사博浪沙의 계책이 이루어지지 못하고,[75] 횡양군橫陽君의 목숨이 이어지지 못했지만[76]

---

71 『稗編』 권98 「名世 · 陶淵明」

72 도연명 : 연명은 도잠의 자이다. 晉나라 廬江 潯陽 사람이다. 또 이름이 연명이고 자는 元亮이라고도 한다. 私諡는 靖節이다. 八州都督과 大司馬를 지낸 侃의 증손이다. 彭澤令이 된 지 80여 일 만에 저 유명한 「歸去來辭」를 남기고 귀향하여 여생을 詩酒로 소일하였다. 田園을 노래한 시가 많으며, 六朝 최고의 시인이라 불린다. 시 외에도 「五柳先生傳」, 「桃花源記」 등의 산문이 유명하다.(『晉書』「陶潛傳」)

73 劉裕 : 南朝宋의 창업 군주인 武帝. 자는 德輿, 어렸을 때 이름은 寄奴. 진나라 安帝 때 孫恩과 盧循 등의 반란을 평정하여 下邳太守가 되었다. 찬탈을 꾀한 桓玄을 공격하여 죽이고, 안제의 자리를 되찾아 준 뒤, 南燕과 後秦 등을 멸망시킨 공으로 宋公에 봉해졌다. 진나라 恭帝에게 자리를 물려받아 宋나라를 개국하였다. 재위 3년, 廟號는 高祖이다.(『宋書』「武帝本紀」)

74 張子房(張良)은 다섯 … 집안 : 장자방의 할아버지 開地가 한나라 昭侯와 宣惠王과 襄哀王의 상국을 지내고 아버지 平이 釐王과 悼惠王의 상국을 지내 다섯 군주를 섬겼기 때문에 5대라고 말한 것이다.(『史記』「留后世家」)

75 博浪沙의 계책이 … 못하고 : 장자방은 당시 나이가 아직 어려 한나라에서 벼슬할 수 없었다. 나라가 망하자 당시 집안 종이 3백 명이었는데도 아우의 장사 치르는 일에 마음 쓰지 않고 자신의 집안 재산을 털어 자객을 구하여 한나라의 원수를 갚고자 하였다. 동쪽으로 倉海君을 찾아가 그곳에서 철퇴 120근을 던질 수 있는

끝내 한漢나라의 힘을 빌려 진秦나라를 멸망시키고 항우를 죽여 자신의 분함을 풀었다. 그러고서는 인간 세속의 일을 버리고 도인술導引術과 벽곡辟穀을 행하며 우화寓話에 자신의 뜻을 맡기고서[77] 옛날 육신의 탈을 초월한 자들과 팔굉八紘과 구해九垓[78]의 밖에서 만나기를 서로 기약하였다. 천여 년 후에 그의 기풍을 듣는 사람들에게 상상하며 탄식하게 하고, 그의 마음이나 참된 모습을 어떤 사람인지 알 수 없게 하였으니, 그의 뜻은 장대했다고 말할 수 있을 것이다!

陶元亮自以晉世宰輔子孫, 恥復屈身後代, 自劉裕簒奪勢成, 遂不肯仕. 雖其功名事業不少槩見, 而其高情逸想, 播於聲詩者, 後世能言之士, 皆自以爲莫能及也. 蓋古之君子, 其於天命民彝, 君臣父子大倫大法之所在, 惓惓如此. 是以大者旣立, 而後節槩之高, 語言之妙, 乃有可得而言者. 如其不然, 則紀逡·唐林之節非不苦, 王維·儲光羲之詩, 非不翛然淸遠也, 然一失身於新莽·祿山之朝, 則其平生之所辛勤, 而僅得以傳世者, 適足爲後人嗤笑之資耳.”[79]

도원량陶元亮[陶潛]은 본디 진나라 재상 집안 자손으로 다시 후대 왕조에 몸을 굽히기를 부끄럽게 생각하여, 유유劉裕의 찬탈하려는 형세가 만들어지자 마침내 기꺼이 벼슬하려 들지 않았다. 그가 세운 공명이나 공훈은 조금도 찾아볼 길 없지만, 그의 고결한 마음과 빼어난 생각이 담겨진 시詩들은 후세에 문장에 능숙했던 자마저도 모두 스스로 미칠 수 없어 하였다. 옛 군자는 천명天命과 인간의 본성, 군주와 신하, 어버이와 아들의 큰 윤리와 큰 법도가 매인 곳에는 이와 같이 간절히 마음을 기울였다. 그런 까닭에 큰 것이 확립되고 난 뒤라야 절개의 높음과 문장의 오묘함을 마침내 말할 수 있는 것이다. 만일 그렇지 않다면 기준紀逡과 당림唐林[80]의 절개는 고난스러웠고, 왕유王維[81]와 저광희儲光羲[82]의 시는 얽매임 없이

사람을 구했다. 진시황이 동쪽 巡狩 길에 나서자 박랑사에서 자객과 함께 기다렸다가 진시황의 수레에 철퇴를 던졌으나 맞추지 못하고 뒤따르는 수레를 맞추어 원수 갚는 일에 실패하였다.(『史記』「留后世家」)

76 橫陽君의 목숨이 … 못했지만 : 횡양군은 한나라 公子이다. 項羽가 삼촌 項梁을 따라 봉기하며 楚懷王을 세우자, 항량에게 한나라의 공자 중 회양군 成이 어질어서 왕으로 봉해 우익으로 삼을 것을 설득하여 성을 한나라 왕에 봉하게 하였다. 그러나 항우가 진나라를 평정하고서 여러 제후들을 봉한 다음 자신의 봉지인 西楚로 돌아가며, 장량이 유방을 따르고 있음을 아니꼽게 보고서 한나라 왕 성을 한나라로 보내지 않고 자신의 수도인 彭城으로 데리고 갔다가, 왕에서 侯로 강등시키고 이어 그를 죽여 버렸다.(『史記』「留后世家」)

77 導引術과 辟穀을 … 맡기고서 : 한고조가 천하를 통일하고서 공신들의 공을 따져 상을 내릴 적에, 장량에게는 齊나라의 3만 戶를 스스로 선택해서 차지하게 하였다. 이에 장량은 단지 장량이 처음 한고조와 만났던 留지역의 侯에 봉해지는 것으로 만족한다고 사양하였다. 이후 장량은 赤松子(상고시대의 신선)와 함께 노닐겠다며, 도인술로 체력을 단련하고 道家에서 행하는 곡식을 입에 대지 않는 벽곡을 행하며 현실 정치에서 물러났다.(『史記』「留后世家」)

78 八紘과 九垓 : 팔굉은 팔방의 가장 끝을 이르고, 구해는 하늘을 이른다. 곧 하늘과 팔방의 끝을 이른다.

79 『朱文公文集』 권76「序·向薌林文集後序」

80 紀逡과 唐林 : 기준은 漢 琅邪 사람으로 자는 王思이다. 당림은 沛 땅 사람으로 자는 子高이다. 이들은 모두 경전에 밝고 행실이 신중하여 명성이 높았다. 그러나 王莽에게 벼슬하여 기준은 諫議祭酒를 역임하고 封德侯에 봉해졌으며, 당림은 九卿에 올라 建德侯에 봉해지고 왕망에게 많은 바른 말을 상소하였다.(『漢書』「王莽傳下」)

맑고 고원高遠하였으나, 신新나라의 왕망王莽과 안록산安祿山의 조정에 한 번 지조를 잃어버리자 그들이 한평생 고생고생하며 겨우 세상에 전하여졌던 것(문장)마저, 다만 후인의 조롱거리 감으로 전락하였을 뿐이다."

[63-7-3]

鶴山魏氏曰："世之辯證陶氏者曰, '前後名字之互變也；死生歲月之不同也；彭澤退休之年, 史與集所載之各異也.' 然是所當考而非其要也. 其稱美陶公者曰, '榮利不足以易其守也; 聲味不足以累其眞也；文詞不足以溺其志也' 然是亦近之, 而公之所以悠然自得之趣, 則未之深識也. 風雅以降, 詩人之詞, 樂而不淫, 哀而不傷；以物觀物而不牽於物, 吟咏性情而不累於情, 孰有能如公者乎?

학산 위씨鶴山魏氏[魏了翁]가 말하였다. "세상에서 도연명에 대해 논변하고 고증하는 사람들은, '이름이 앞 뒤 시대에 서로 바뀌고,[83] 태어나고 죽은 해와 달이 같지 않으며, 팽택彭澤에서 물러나 쉰 해가 역사책

81 王維 : 唐 河東 사람. 자는 摩詰. 開元 연간의 進士. 벼슬은 大樂丞 · 監察御史 · 尙書右丞을 지냈다. 시 · 그림 · 글씨에 두루 능하였다. 藍田의 별장 輞川莊(망천장)에서 지은 일련의 작품이 유명하다. 산수화에 뛰어나 南宗畫의 창시자로 불린다. 안록산이 장안을 함락하였을 때 사로잡혀 給事中의 벼슬을 강요에 의해 받았으나, 안록산이 凝碧池에서 큰 잔치를 열었을 때 이를 비통해 하는 시를 지었다. 안록산의 난리가 평정된 뒤 당시 안록산에게 벼슬한 자들을 가려 처벌할 때, 응벽지에서 지은 시와 아우 王縉이 자신의 벼슬을 사퇴하며 형을 구원한 덕으로 죄를 면하였다. 저서로는 『王右丞集』과 『輞川集』 등이 전한다.(『舊唐書』 권190 ; 『新唐書』 권202)

82 儲光羲 : 당나라 兗州 사람. 開元 연간의 진사. 감찰어사를 지냈다. 안록산이 장안을 함락하였을 때 벼슬을 받은 일로 난이 평정된 뒤 嶺南으로 귀양 가 죽었다. 시의 格이 높고 빼어난 기상이 있었다. 늘 시는 風雅의 기상을 담고 浩然之氣를 길러야 한다고 주장하였다. 그의 시를 대하는 사람들마다 순임금의 음악인 韶와 탕임금의 음악인 濩를 듣고 있는 흥취를 느낀다고 평하였다. 저서로 문집과 『政論』 등이 있다.(『唐才子傳』 권1)

83 이름이 앞 … 바뀌고 : 『陶淵明集』 卷首에 "장연이 '南朝梁의 昭明太子가 지은 傳에서', 陶淵明의 자는 元亮인데, 어떤 사람은 潛의 자는 淵明이라 한다.'라고 하였고, 顔延之의 誄文에도 역시 '진나라의 徵士 潯陽 陶淵明'이라고 말하였다. 소명태자 蕭統과 안연지의 글로 본다면, 淵明은 본시 선생의 이름이고 자가 아니다. 선생이 지은 「孟嘉傳」에, 淵明이라 자신을 일컬으며, 先親은 君(맹가)의 넷째 따님과 결혼하였다고 하였다. 嘉는 선생의 외할아버지이고, 선생이 또 자신의 아버지까지 언급하였으니, 의리상 반드시 자신의 이름을 써서 밝혀야 한다. 어찌 자신의 字를 가지고 말할 수 있겠는가? 소통과 안연지의 글이 의심 없이 믿을 수 있는 증거다. 『晉史』에서 '潛의 자는 元亮이다.'고 하고, 『南史』에서 '잠의 자는 원량이다.'라고 한 것은 모두 잘못이다. 선생이 義熙(安帝의 연호, 서기 405~419년) 연간에 程氏에게 시집 간 누이에게 한 제문에도 역시 연명이라 칭하고 있고, 元嘉(宋나라 文帝의 연호) 연간에 檀道濟에게 한 말에는 '잠이 어떻게 감히 당신 같으신 분을 바라겠습니까?'라고 하였다. 연보에는 '진나라에서는 이름이 연명이었고, 송나라에서는 이름이 잠이었다. 원량이라는 자는 바뀐 적이 없다.'라고 하고 있다. 이 말이 맞다.(按張縯曰, '梁昭明太子傳, 稱陶淵明字元亮, 或云潛字淵明.' 顔延之誄亦云, '有晉徵士潯陽陶淵明.' 以統及延之所書, 則淵明固先生之名, 非字也. 先生作孟嘉傳, 稱淵明, 先親君之第四女. 嘉於先生爲外大父, 先生又及其先親, 義必以名自見. 豈得自稱字哉? 統與延之所書, 可

과 문집에 각기 다르게 실렸다.'고 말한다.[84] 그러나 이것들은 당연히 고증해야 할 것이기는 하지만 그 사람에게서 중요한 것은 아니다. 그들 중 도연명을 찬미한 자는, '영화로운 녹봉의 이로움이 그의 지조를 바꾸게 하지 못하고, 시詩를 즐기는 것이 그의 참된 마음을 얽어매지 못하고, 문장이 그의 뜻을 함몰시키지 못하였다.'고 말한다. 그러나 이들 말이 또한 근접하기는 하나, 공이 한가로이 만족스러워했던 취향은 깊이 알지 못한 것이다. 풍風과 아雅의 시[85] 이후 시인의 문장이, '즐거워하면서도 바른 도리를 벗어나지 않고, 슬퍼하면서도 마음의 상처에까지 이르지 않으며,'[86] 사물을 사물로 이해하여[87] 사물에 이끌리지 않고, 성정性情을 노래하며 감정에 얽매이지 않기가 어느 누가 공만 하겠는가?

有謝康之忠而勇退過之, 有阮嗣宗之達而不至於放, 有元次山之漫而不著其迹, 此豈小小進退所能窺其際耶? 先儒所謂經道之餘, 因閑觀時, 因靜照物 ; 因時起志, 因物寓言 ; 因志發詠, 因言成詩, 因詠成聲, 因詩成音者, 陶公有焉."[88]

사강謝康[89]의 충성스러움을 지녔으면서도 용기 있게 물러남은 그보다 뛰어나고, 완사종阮嗣宗[90]의 통달함

信不疑. 晉史謂, '潛字元亮.' 南史謂, '潛字淵明.' 皆非也. 先生於義熙中祭程氏妹, 亦稱淵明, 至元嘉中對檀道濟之言, 則云'潛也何敢望賢?' 年譜云, '在晉名淵明, 在宋名潛. 元亮之字則未嘗易.'此言得之矣.)"고 하였다.

84 彭澤에서 물러나 … 말한다. : 『陶淵明集』 卷首에서 "형관이 '정절선생은 의희 원년(서기 405년) 가을에 팽택령이 되었다가 그해 가을에 인끈을 풀어놓고 벼슬에서 떠났으니 당시 나이가 41세다. 그 16년 뒤(서기 420년) 진나라가 宋나라 武帝에게 선위하였고, 또 7년 뒤 돌아가시니 이때가 송 文帝 元嘉 4년(서기 427년)이다. 『南史』와 南朝梁의 昭明太子가 지은 傳에 돌아가신 해를 기록하지 않고 있고, 『晉書』「隱逸傳」의 도잠전과 顔延之의 誄文에는 모두 죽은 나이를 63세로 적고 있다. 이를 책력으로 추정해 본다면 진 哀帝 興寧 3년(서기 365년) 을축년이다.'고 말하고 있다.(按邢寬曰靖節先生, 以義熙元年秋爲彭澤令, 其冬解綬去職, 時四十一歲矣. 後十六年, 晉禪宋 ; 又七年, 卒. 是爲宋文帝元嘉四年. 南史及梁昭明太子傳, 不載壽年, 晉書隱逸傳及顔延之誄, 皆云年六十三. 以歷推之, 生於晉哀帝興寧三年乙丑歲.)"라고 하였다. 또 이 글 아래 小注의 형식으로 "장연이 '선생이 辛丑년에 사천을 유람하며 지은 시에 「해가 바뀌니 어느새 쉰 살이로다!」라고 하였다. 이 시가 옳다면 선생은 壬子년에 태어난 것이니, 임자년부터 신축년까지가 50년이다. 丁卯년에 이르러 죽으니 이렇게 하면 나이가 76세다.'라고 하였다.(張縯云, '先生辛丑游斜川, 詩言開歲倏五十. 若以詩爲正, 則先生生於壬子歲, 自壬子至辛丑爲年五十. 迄丁卯考終, 是得年七十六.)"고 했다.

85 風과 雅의 시 : 『詩經』에서 읊은 「國風」의 시와 「大雅」와 「小雅」의 시들을 이른다. 곧 도연명의 시가 바로 『詩經』에서 노래된 그들 시의 반열에 오를 수 있음을 말하고자 한 것이다.

86 '즐거워하면서도 바른 … 않으며' : 이는 공자가 『詩經』의 關雎 편의 시를 찬미한 말로, 『論語』「八佾」편에 "子曰, 關雎樂而不淫, 哀而不傷."이라고 실려 있다.

87 사물을 사물로 이해하여 : 사물이 가진 특성 그대로 이해하고, 자신의 감정이나 선입견을 가지고 판단하여 말하지 않았음을 이른다. 곧 자신이 하나의 거울이 되어 사물이 와서 비치는 대로 읊고 노래하였다는 뜻이다.

88 『鶴山集』 권52 「費元甫註陶靖節詩序」

89 謝康 : 사강은 謝康樂의 준말이며, 사강락은 南朝宋의 謝靈運이 康樂公을 襲封한 데에서 그를 이르는 말이다. 사영운은 南朝宋 陳郡 陽夏 사람이다. 여러 별명으로 불려, 客兒, 謝客으로도 쓴다. 벼슬은 永嘉太守, 祕書監, 臨川內史 등을 지냈다. 玄의 손자로 문벌 귀족의 집안에 태어났으나, 종숙 混이 宋武帝에게 죽임을 당한 뒤 불우하게 살다 모반죄를 뒤집어쓰고 피살되었다. 시인으로 유명하여 顔延之와 함께 顔謝라 불리며, 정치

을 지녔으면서도 방종함에 이르지 않았고, 원차산元次山[91]의 거리낌 없음을 지녔으면서도 그 자취를 드러내지 않았으니 이런 것들이 어찌 소소한 진퇴進退에서 그 경지를 엿 볼 수 있는 일이겠는가? 선유先儒가 말한 '도道를 닦는 중에 한가로울 때에는 시절을 살피고 고요할 때에는 사물을 관조하며, 시절에 따라 뜻을 일으키고 사물에 따라 말로 나타내며, 뜻에 따라 길게 읊조리고, 말에 따라 시詩를 이루며, 길게 내는 소리에 따라 성조聲調가 이루어지고 시에 따라 음률音律이 이루어진다.'[92]는 경지를 도연명은 지녔다."

[63-7-4]

臨川吳氏曰 : "靖節先生高志遠識超越古今, 而設施不少槩見. 其令彭澤也, 不過一時牧伯辟擧扳援, 俾得公田之利以自養, 如古人不得已而爲祿者爾, 非受天子命而仕也. 曾幾何時, 不肯屈於督郵而去, 充此志節, 異時詎肯忍恥於二姓哉? 觀述酒荊軻等作, 殆欲爲漢相孔明之事而無其資. 責子有詩, 與子有疏, 志趣之同, 苦樂之安, 一家父子夫婦又如此. 夫人道三綱爲首, 先生一身而三綱擧無愧焉. 忘言於眞意, 委運於大化, 則幾於同道矣. 誰謂漢魏以降而有斯人者乎?"[93]

임천 오씨臨川吳氏[吳澄]가 말하였다. "정절靖節선생의 높은 뜻과 원대한 식견은 고금을 초월하였으나 행한 일은 조금도 살펴볼 곳이 없다. 그의 팽택령彭澤令 벼슬도 한때 목백牧伯이 찾아내 임명시킨 것으로 공전公田의 녹봉을 얻어 생활할 수 있게 해준 것에 불과하니, 예컨대 예전 사람의 어쩔 수 없었을 때의 녹祿을 받기 위한 벼슬이었을 뿐[94] 천자의 명을 받은 벼슬은 아니다. 얼마 지나지 않아 독우督郵에게

적 불만을 산수의 아름다움으로 승화시켰다는 평을 듣는다. 그의 시를 謝康樂體詩라 부르기도 한다. 明代에 편집한 『謝康樂集』이 전한다.(『宋書』 권67 ; 『南史』 권19)

90 阮嗣宗 : 阮籍을 이른다. 그의 자가 사종이다. 삼국시대 魏나라 陳留의 尉氏 사람으로 竹林七賢 가운데 한 사람이다. 벼슬은 散騎常侍, 步兵校尉를 지내고 關內侯에 봉해졌다. 老莊을 좋아하여 淸談을 즐겼다. 보병교위를 지내 阮步兵이라 이르기도 하며, 후인이 편집한 『阮步兵集』이 전한다.(『三國志』 권21 ; 『晉書』 권49)

91 元次山 : 元結을 이른다. 차산은 그의 자이며 호는 의간자猗玕子이다. 唐나라 武昌 사람으로 天寶 연간의 진사다. 代宗이 등극하자 벼슬에서 물러나 어머니 봉양을 청하였으나 받아들여지지 않고 著作郞을 내리자 「自釋(자신을 해명함)」이라는 글을 지어 자신에 대해 밝히면서 한때 '浪士(자유스러운 사람)라 자칭하였는데 벼슬에 오르자 사람들이 '자유스러운 사람이 거리낌 없는 성벽으로 벼슬할 수 있을까?'라고 말하며 '거리낌 없는 사람(漫郞)'이라 불렀다.(乃自稱浪士. 及有官, 人以爲浪者, 亦漫爲官乎? 呼爲漫郞)"고 밝히며 자신의 거리낌 없음에 대해 구구한 여러 말을 하였다. 벼슬은 道州刺史와 容管經略使를 지냈다. 六朝騈儷體를 古文體로 바꾸는 일에 공이 컸다. 저서로 『次山集』이 있다.(『新唐書』 권143)

92 先儒가 말한 … 이루어진다.' : 이는 邵雍이 자신의 시집 『擊壤集』에 스스로 쓴 서문의 일부이다. 그러니까 여기서 말하는 선유는 소옹 곧 소강절을 이른다. 『擊壤集』은 『伊川擊壤集』을 통칭하는 말이다.

93 『吳文正集』 권37 「湖口縣靖節先生祠堂記」

94 예전 사람의 … 뿐 : 소위 祿仕라는 것이다. 이를 『孟子』「萬章下」에서 살피면 다음과 같다. "벼슬은 가난을 면하기 위해서 하는 것이 아니나 때로는 가난을 면하기 위해 할 경우도 있으며, 아내에게 장가드는 것이 봉양 받기 위해서가 아니나 때로는 봉양 받기 위한 경우도 있다. 가난을 면하기 위해서일 경우에는 높은

기꺼이 굽히고 싶지 않아 떠나갔으니[95] 이렇게 지조와 절개에 충만했었는데 후일 어찌 기꺼이 두 성씨를 섬기는 부끄러움을 참으려 했겠는가? 「술주述酒」와 「형가荊軻」 등 작품을 살펴보면, 아마도 한나라 승상 제갈공명이 했던 일을 하고자 희망했었던듯한데 그럴 터전이 없었다. 아들을 책망하는 시와 아들에게 준 글[96]에, 뜻과 취향을 한 가지로 갖고 괴로움과 즐거움에 편안해 하였으니, 한 집안의 부자 관계와 부부 관계에서도 또 이러하였다. 사람의 도리에서 삼강三綱이 으뜸을 차지하는데, 선생의 한 몸에서 삼강에 모두 부끄러울 것이 없다. 참다운 뜻에서 할 말을 잊고[97] 운명을 천지에 맡겼으니[98] 거의 도道와 똑같다 할 것이다. 누가 한위漢魏 이후 이만 한 사람이 있다 말할 수 있겠는가?"

崔浩 최호

[63-8-1]

或問 : "崔浩如何?"

朱子曰 : "也是箇博洽的人. 他雖自比子房, 然却學得子房猷了. 子房之辟穀, 姑以免禍耳, 他却眞箇要做."[99]

어떤 사람이 물었다. "최호[100]는 어떻습니까?"

지위는 거절하고 낮은 지위에 있어야 하며, 많은 녹봉은 거절하고 적은 녹봉을 받는 곳이어야 한다.(仕非爲貧也, 而有時乎爲貧 : 娶妻非爲養也, 而有時乎爲養. 爲貧者辭尊居卑, 辭富居貧.)"

95 督郵에게 기꺼이 … 떠나갔으니 : 독우는 漢나라 때부터 지방 郡에 둔 벼슬이다. 하는 일은 太守를 대신하여 태수 휘하의 고을을 돌아다니며 敎令을 전하고 獄訟에 대한 일을 감독하였다. 『晉書』 권94 「陶潛傳」에 의하면 도연명이 팽택령이 되었을 때 "郡에서 파견한 독우가 팽택현에 이르자, 아전이 나서서 '당연히 조복을 입고 그를 찾아뵈어야 합니다.'고 아뢰었다. 이에 도잠이 탄식하여 '내가 쌀 다섯 말을 위해서 허리를 굽혀 정성스레 시골구석의 소인을 섬길 수는 없다.' 하고서 義熙(진나라 마지막 황제 安帝의 연호) 2년(서기 406년)에 官印(官署의 공식 인)을 풀어놓고 고을을 떠나며 귀거래사를 지었다.(郡遣督郵至縣, 吏白應束帶見之, 潛歎曰, '吾不能爲五斗米折腰, 拳拳事鄕里小人邪?' 義熙二年解印去縣, 乃賦歸去來.)"고 하였다.

96 아들을 책망하는 … 글 : 도연명의 문집 『陶淵明集』 권3 「責子」라는 제목의 시에서, 아들 5명이 모두 공부에 뜻을 두지 않음을 탄식하며 "천운이 참으로 이 같으니 우선 술이나 마시자꾸나.(天運苟如此, 且進杯中物.)"라고 하였다. 아들에게 준 글로는 권7에 '아들 엄 등에게 주는 글(與子儼等疏)'이 실려 있다. 도연명은 이 글에서 가난과 자신의 성벽으로 인해 자식들이 고생한 것을 말하고, 끝으로 우애의 중요성을 고사를 들어가며 재삼 당부하였다.

97 참다운 뜻에서 … 잊고 : 이는 도잠의 시 「飮酒」의 끝 구절 시구이다. 그 시는 다음과 같다. "이 속에 담긴 참다운 뜻, 말하려 들면 할 말을 잊는다오.(此中有眞意, 欲辨已忘言.)"

98 운명을 천지에 맡겼으니 : 이는 도연명의 시 「神釋」을 두고 한 말이다. 그는 이 시에서 다음과 같이 읊고 있다. "깊이 생각노라면 나의 생애 아픔뿐이지만 당연히 운명에 맡겨야지. 천지 큰 물결에 몸 내맡기고서 기뻐하지도 두려워하지도 말자.(甚念傷吾生, 正宜委運去. 縱浪大化中, 不喜亦不懼.)"

99 『朱子語類』 권135, 19조목

주자가 대답하였다. "그 사람은 박학다식한 사람일 뿐이다. 그가 자신을 자방子房[張良]에게 비겼으나 단지 자방을 어리석게 배웠다. 자방의 벽곡은 우선 화를 면하고자 한 것[101]일 뿐이었는데 그는 참으로 그것을 해보고자 하였다."

總論 총론

[63-9-1]

五峯胡氏曰 : "桀 · 紂 · 秦政, 皆窮天下之惡, 百姓之所同惡. 故商 · 周 · 劉漢, 因天下之心, 伐而代之, 百姓親附, 居之安久, 所謂仁義之兵也. 魏晉以來, 莫不假人之柄, 而有隳三綱之罪, 仁義不立, 綱紀不張, 無以締固民心, 而欲居之安久, 可乎?"[102]

오봉 호씨五峯胡氏[胡宏]가 말하였다. "걸桀과 주紂와 진秦의 정치는 천하의 온갖 악행을 모두 저질러 백성들이 함께 미워하였다. 그러므로 상商나라와 주周나라와 유한劉漢[103]이 천하 사람의 마음을 따라 정벌하여 그들 나라를 대신하자, 백성이 친하게 따라주어 차지하고 편안히 오랫동안 누렸으니, 이른바 인의仁義의 군대[104]이다. 위진魏秦시대 이후는 모두 남의 권력을 빌려[105] 삼강을 무너뜨린 죄가 없는 경우가 없어,

100 최호 : 남북조 시대 北魏 淸河 사람. 자는 伯淵이고 어렸을 때 이름은 桃簡이다. 학문을 좋아하여 經史百家와 天文 曆法 등에 두루 밝았다. 글씨에도 경지가 높아 道武帝(북위의 태조)가 늘 곁에 두고 사랑하였다. 벼슬은 元明帝 초에 博士祭主에 임명되어 원명제에게 경서를 가르치고 군국대사의 논의에 참여하였다. 太武帝 때 太常卿에 올라 『五寅元曆』을 제정하였고, 道士 寇謙之를 천거하여 억불정책을 추진하였다. 赫連昌을 격파하여 무너뜨리고, 柔然을 격파하고, 北涼을 빼앗는 데 공을 세워 加侍中에 올랐고, 이어 司徒가 되었다. 이후 나라의 모든 일은 반드시 최호에게 물어 시행할 정도였다. 『國書』 30권을 지었는데 여기에 북위의 금기를 서술하였다는 죄로 피살되며, 인척까지 모두 몰살당하였다. 이를 『魏書』「崔浩傳」에서 사관은 이렇게 말하고 있다. "최호는 재예가 널리 달통하고 하늘의 이치와 인간의 일들까지 연구 섭렵하니 정사와 계책을 세우는 일에서 그와 겨룰 자가 없었다. 이것이 자신을 장자방에게 비겼던 까닭이다.(崔浩才藝通博, 究覽天人, 政事籌策, 時莫之二. 此其所以自比於子房也.)"

101 자방의 벽곡은 … 것 : 장자방은 한고조를 도와 항우를 멸망시키고 한나라를 안정시킨 뒤 정치에서 물러나며 몸이 허약하여 도인술과 벽곡으로 소일하고자 한다고 하였다. 자세한 것은 위 [63-7-2] 참고

102 『知言』 권3

103 劉漢 : 劉邦이 세운 漢나라를 이르는 말

104 仁義의 군대 : 이는 『荀子』 권10 「議兵篇」의 말이다. 그의 말을 살피면 다음과 같다. "堯帝가 驩兜(환도)를 벌하고, 舜帝가 苗를 정벌하고, 우임금이 共工을 벌하고, 탕임금이 夏나라를 정벌하고, 文王이 崇나라를 정벌하고, 武王이 紂를 정벌하였으니, 이들 두 제왕과 네 임금은 모두 인의의 군대를 천하에 사용하였다. 그러므로 가까이 있는 자들은 그 선한 덕을 친하게 여겼고, 먼 곳에 있는 자들은 그 덕을 사모하여 칼날에 피를 묻힐 것 없이 멀고 가까운 곳이 없이 찾아와 복종하였다.(堯伐驩兜, 舜伐有苗, 禹伐共工, 湯伐有夏, 文王伐崇, 武王伐紂, 此二帝四王, 皆以仁義之兵, 行於天下也. 故近者親其善, 遠方慕其德, 兵不血刃, 遠邇來服.)."

인의가 서지 못하고 기강이 펼쳐지지 않아 민심을 굳게 붙잡아 둘 수 없었으니, 차지하고 편안히 오랫동안 누리려 한들 그럴 수 있겠는가?"

[63-9-2]

象山陸氏曰: "燕昭王之於樂毅, 漢高帝之於蕭何, 蜀先主之於孔明, 符秦之於王猛, 相知之深, 相信之篤, 這般處所不可不理會. 讀其書, 不知其人, 可乎?"[106]

상산 육씨象山陸氏[陸九淵][107]가 말하였다. "연소왕燕昭王과 악의樂毅,[108] 한고조와 소하蕭何, 촉선주蜀先主[劉備]와 공명孔明, 부진符秦[符堅]과 왕맹王猛[109]은 서로 깊이 알았고 서로 독실하게 믿었으니, 이러한 일들은 이해하고 있지 않아선 안 된다. 그 사람에 대한 책을 읽고서 그 사람됨을 알지 못하면 옳겠는가?"

[63-9-3]

臨川吳氏曰: "楚三閭大夫, 竭其忠志, 欲强宗國. 懷王信讒踈之, 國事日非, 竟客死於秦. 襄王又信讒, 放之江南, 原不忍見宗國駸駸趨於亡, 遂沈江而死.

임천 오씨臨川吳氏[吳澄]가 말하였다. "초楚나라의 삼려대부三閭大夫는 자신의 충성 어린 뜻을 다 바쳐 종국宗國[110]을 강한 나라로 만들고자 하였다. 회왕懷王이 참소하는 말을 믿고 굴원屈原을 멀리하더니 나랏일이 날마다 잘못되어 끝내 (회왕은) 진秦나라에서 객사客死하였다.[111] 경양왕頃襄王(회왕의 아들)이 또 참소

105 魏秦시대 이후는 … 빌려: 이는 후대 군주들이 각기 한 나라의 신하로 있다가 군주를 정벌하고 나라를 차지해 왕조를 세운 것을 이른다.

106 『象山語録』 권3

107 象山陸氏(陸九淵): 宋나라 撫州 金溪 사람. 자는 子靜이고 호는 象山翁이며, 시호는 文安이다. 乾道 연간의 진사이고, 벼슬은 國子正과 荊門軍知軍事를 지냈다. 朱子의 性卽理에 맞서 心卽理를, 道文學 공부론에 맞서 尊德性 공부론을 주장하였다. 주자와의 鵝湖論爭은 유명한 일화로 전한다. 明나라의 王守仁이 학통을 이어 陸王學을 성립하였다.(『宋史』 권434; 『宋元學案』 권58)

108 燕昭王과 樂毅: 전국시대 연나라 소왕과 그의 신하 악의이다. 연나라 소왕은 아버지 噲가 정승 子之에게 자신의 자리를 양위하여 잇게 하였다가 나라가 소란스러워졌다. 이 틈을 타고 齊湣王이 제나라 군사를 동원하여 연나라를 함락시켰다. 이때 연소왕이 열국의 힘을 빌려 연나라를 회복하고 제나라의 원수를 갚고자 천하의 인재를 모았다. 악의가 이때 魏나라에서 연나라를 찾자 연소왕은 악의에게 제나라 공격의 책임을 맡겨 연나라가 입은 수모를 갚고자 하였다. 소왕 28년(기원전 284년)에 마침내 제나라를 공격하여 삽시간에 莒·卽墨·聊 등 세 고을을 제외한 70여 고을을 함락시켰다. 이에 소왕은 악의를 昌國에 봉하고 昌國君이라고 불렀다. 소왕이 죽고 아들 惠王이 등극하자 제나라는 반간계를 동원하여 악의를 제거하였다. 이후 악의는 제나라에서 趙나라로 망명하였다.(『史記』「燕昭公世家」; 「樂毅傳」)

109 符秦과 王猛: 위 글 [63-4-3] 참고

110 宗國: 전국시대 楚나라의 군주 성은 羋(미)다. 굴원은 초나라 군주 집안이다. 따라서 성은 羋이고 지금 우리가 알고 있는 屈은 성이 아닌 氏다. 춘추시대에는 성은 변하지 않고 이어졌으며, 단지 제후나 대부가 자신의 자손을 어느 지역에 봉해주면 그 자손이 그 봉해준 땅 이름을 씨로 삼아서 사용하였다. 따라서 굴원의 굴은 이러한 것에 해당한다. 초나라의 왕족으로 昭·景 두 씨가 더 있다. 그래서 굴원에게 있어 초나라는 종국이다. 후대에는 이 씨가 성으로 변형되어 쓰였다.

를 믿고 강남江南으로 유배시키자, 굴원은 종국이 점점 망해가는 것을 차마 볼 수 없어 마침내 강에 빠져 죽었다.

韓爲秦所滅, 韓臣之子子房, 自以五世相韓, 散財結客爲韓報讎. 博浪之椎不中, 則匿身下邳以俟時. 山東兵起, 從沛公入關, 立韓公子成, 續韓後. 秦亡而楚霸, 王沛公於漢. 又殺韓成, 良乃輔漢滅楚, 而從隱去.

한韓나라가 진秦나라에게 망하자, 한나라 신료의 자손이었던 자방은 자신이 한韓나라의 다섯 임금을 섬긴 한나라 상국 집안이었던 까닭에 재물을 뿌려 협객俠客들과 교류를 맺고 한나라를 위해 원수를 갚고자 하였다. 박랑사博浪沙에서 던진 철퇴가 맞지 않자 하비下邳에 몸을 숨기고 때를 기다렸다. 산동山東의 군사들이 일어나자 패공沛公을 따라 관중關中에 들어가 한나라의 공자 성公子成을 세워서 한나라의 뒤를 이었다. 진나라가 망하고 초楚나라가 패자가 되자, 패공을 한중漢中의 왕이 되게 하였다. 또 한성韓成이 살해되자, 이에 장량은 한나라를 보필하여 초나라를 멸망시키고서는, 그 길로 몸을 숨기고 벼슬에서 떠나갔다.

諸葛孔明初見昭烈, 已知賊之必亡漢, 而勸昭烈跨有荊益, 圖霸業, 復帝室, 後卒償其所言.

제갈공명은 소열황제를 처음 만났을 때, 역적 무리가 반드시 한漢나라를 멸망시킬 것을 알고서 소열황제에게 형주荊州와 익주益州 등지 일대를 차지해 패업霸業을 도모하고 한나라 왕조를 회복시키기를 권하는데 후일 마침내 자신의 말을 실현하였다.

晉陶淵明自其高祖長沙桓公爲晉忠臣, 及桓玄簒逆, 劉裕起自布衣誅玄, 又滅秦滅燕, 挾震主之威, 晉祚將易. 旣無昭烈可輔以興復, 又無高皇可倚以報復. 志願莫伸, 其憤悶之情, 往往發見於詩. 蓋四賢者, 其遇時不同, 其爲人不同, 而君臣之義重, 則其心一也."[112]

111 懷王이 참소하는 … 客死하였다. : 굴원은 전국시대 楚나라 公族이다. 이름은 平이라고도 한다. 또 자신의 글 「離騷經」에서 이름은 正則, 자는 靈均이라 밝히기도 하였다. 懷王을 섬겨 左徒와 삼려대부 등의 벼슬을 지냈다. 학문이 두루 밝았고 식견도 원대하여 회왕에게 신임을 얻었다. 齊나라와 연합하여 秦나라에 맞설 것을 주장하였으나, 회왕의 아들 子蘭과 上官大夫의 질시를 받아 회왕에게서 소외되었다. 이어 秦나라가 제나라와의 연합을 이간시키기 위해 張儀를 보내 회왕을 진나라로 불러들여, 회왕이 이를 따르려고 하자, 한사코 이를 만류하였다. 그러나 회왕이 굴원의 반대를 외면하고 진나라를 찾아갔다가 결국 붙잡혀 돌아오지 못하고 진나라에서 죽고 말았다. 이 일은 결국 뒷날 진나라를 넘어뜨리려 봉기한 항우가 회왕의 후손을 다시 회왕으로 추대하여 초나라의 민심을 모으는 단초를 만드는 재앙으로 작용하였다. 이후 회왕의 뒤를 이은 頃襄王 시대에 다시 참소를 받아 江南지역으로 귀양가게 되자, 나라가 망해가는 통탄스러움과 이상을 펼 수 없음을 한탄하여, 결국 汨羅水에 몸을 던져 자살하였다. 그가 남긴 楚辭는 楚辭體의 기원이 되었다. (『史記』「屈原傳」)

112 『吳文正集』 권21 「陶詩註序」

진晉나라 도연명은 자신의 고조 장사환공長沙桓公부터 진晉나라의 충신이었으나, 환현桓玄[113]이 왕조를 찬탈하려고 반역함에 이르러 유유劉裕[114]가 서민 출신으로 일어나 환현을 죽이고, 또다시 진秦나라[115]와 연燕나라[116]를 멸망시키며, 군주가 두려움을 느끼는 위세를 형성하여 진晉나라의 왕조가 바뀌려하였다. 그러나 소열황제처럼 보필하여 (진나라를) 일으켜 회복시킬 수 있는 군주도 없었고, 또 고조황제처럼 의지하여 보복할 길도 없었다. 원하는 뜻을 펼 길이 없었으니 그 분하고 고민스러운 마음이 이따금 시詩로 드러났다. 네 현자賢者는 각기 만나는 때가 달랐고 사람됨도 달랐으나, 군신의 의리를 소중하게 여긴 것은 그들 마음이 똑같다."

唐 당나라

高祖 고조117

[63-10-1]

或問[117] : "劉武周兵勢甚銳, 關中震駭. 上出手敕曰, '賊勢如此, 難與爭鋒, 宜棄大河以東, 謹守關西而已.' 秦王世民上表請行, 如何?"

范陽張氏曰 : "高祖可謂謬而無策矣. 且唐所以能守關西者, 以河東爲之障蔽也. 今擧而棄之, 則賊兵深入, 是棄關西也, 豈不謬哉? 以此推之, 高祖之取天下, 賴有世民耳. 不然, 事未可知

113 桓玄 : 東晋 譙國 龍亢 사람. 어렸을 때의 이름은 靈寶, 자는 敬道이다. 진나라를 무너뜨리고 자신의 왕조를 세우려 했던 桓溫의 아들이다. 安帝 隆安 2년(서기 398년)에 兗州刺史 王恭과 荊州刺史 殷仲堪이 일으킨 반란을 진압하며 자신의 심복을 핵심 부서에 배치하여 강성한 군대를 구축하였다. 會稽王의 세자 司馬顯이 군사를 거느리고 자신을 공격하자, 군사를 거느리고 당시 수도인 建을 공격하여 안제를 보필하며 정사를 어지럽힌 司馬道子와 그의 아들 元顯을 죽이고 조정의 전권을 차지하였다. 2년 뒤 칭제하고 楚나라를 세웠다. 그 3년 뒤 劉裕에게 패하여 죽임을 당하면서 나라도 망하였다.(『晉書』 권99)

114 劉裕 : 위 글 [63-7-1] 참고

115 秦나라 : 姚萇이 前秦의 苻堅을 살해하고 江北을 거점으로 關中을 수도로 정한 나라. 역사에서는 後秦이라 칭한다. 유유가 요장의 손자 姚泓을 멸망(서기 417년)시켰다.(『晉書』 권119 「姚泓載記」)

116 燕나라 : 慕容德이 滑臺(지금의 河南城 滑縣 지역) 지역에 세운 나라. 역사에서는 南燕이라 칭한다. 유유가 모용덕을 이어 등극한 그의 조카 慕容超를 멸망(서기 410년)시켰다.(『晉書』 권128 「慕容超載記」)

117 高祖 : 당나라를 창업한 李淵을 이른다. 조상은 隴西의 成紀 사람이나, 狄道와 武川, 中原을 거쳐 다시 廣阿에서 살았다. 자는 叔德이다. 증조 虎가 死後에 唐國公에 봉해져, 7세 때 이를 이어받았다. 수나라에 벼슬하여 太原留守에 올랐다. 煬帝의 大業 13년(서기 617년)에 수나라에 반대하는 군사를 일으켜 다음 해에 帝位에 올라 나라 이름을 唐이라 하고, 長安을 국도로 정하였다. 재위 9년 동안 군웅을 평정하여 천하를 통일하고서, 제위를 아들 世民에게 물려주고 太上皇을 자칭하였다.(『舊唐書』; 『新唐書』「高祖本紀」)

也."

어떤 사람이 물었다. "유무주劉武周[118]의 군사 형세가 매우 용맹하여 관중關中이 떨며 두려워하였습니다.[119] 상上[高祖]이 칙서를 손수 써서 '도적 떼의 형세가 이 같아 승부를 다투기 어려우니 당연히 황하의 동쪽을 버리고 관서關西 지역[120]만을 조심히 지켜야 할 것이다.'고 하였는데 진왕 세민秦王世民이 표문을 올려 싸우러 나가기를 청하였으니[121] 어떻습니까?"

범양 장씨范陽張氏(張九成)가 대답하였다. "고조는 틀렸고 대책도 없었다고 할 것이다. 또 당나라가 관서 지역을 지켜낼 수 있었던 것은 하동河東이 관서를 막아 주었기 때문이다. 지금 그것을 몽땅 버린다면 도적 떼가 깊이 침입해 올 것이니, 이는 관서를 버리는 것인데 어찌 틀린 일이 아니겠는가? 이렇게 미뤄본다면 고조가 천하를 취한 것은 세민에게 힘입었을 뿐이다. 그렇지 않았다면 일은 예측할 수 없었을 것이다."

[63-10-2]

問: "李密據洛口倉, 流民就食日以萬數, 何也?"

曰: "隋失其鹿, 豪傑並起而逐之. 李密據洛口, 王世充據東都, 竇建德據山東, 以至蕭銑薛軌之徒, 莫不各據險要以爭進取. 惟唐高祖用秦王策, 獨決計入關. 關中旣定, 遂尊立代王以號令天下, 除隋苛法以陰結民心, 収攬豪傑以經營四方, 則天下之柄已在唐掌握中矣. 彼李密輩雖橫騖於外, 果何益哉!"

물었다. "이밀李密[122]이 낙구洛口의 창고를 거점으로 차지하였을 적에 떠도는 백성이 밥을 찾아 그에게

118 劉武周: 수나라 河間 景城 사람으로 馬邑에서 살았다. 馬邑校尉로 있다가 大業 13년(서기 617년)에 한 고을 張萬歲 등과 고을 태수를 살해하고 군사 1만 명을 규합하여 태수를 자칭하였다. 突厥과 연대하여 雁門과 樓煩, 定陽襄 등 郡을 점령하고 定楊可汗에 봉해지며 황제를 자칭하고, 年號를 天興이라 하였다. 당고조 武德 2년(서기 619년)에 돌궐과 연대하여 당나라 군대를 연파하고 太原과 晉州, 澮州를 함락시켰으나 다음 해 이세민에게 패하여 돌궐로 도망갔다.(『新唐書』 권86)

119 關中이 떨며 두려워하였습니다.: 관중은 바로 당나라의 수도이다. 고조 2년에 유무주가 군사를 동원하여 당나라가 차지하고 있던 澮州 등지를 연달아 격파하며 당나라 장수들을 죽이고 사로잡자, 당시 당나라 장수들이 나가 싸우기를 두려워하였다. 이에 관중이 두려움에 떨었다.(『資治通鑑』 권187 「唐紀 · 武德 2년」)

120 關西 지역: 관서 하면 흔히 函谷關을 떠올리는데 『資治通鑑』 권187 「唐紀 · 武德 2년, 10월의 이 기사에 대한 胡三省의 주에 의하면, 여기서의 관은 "소위 포진관의 서쪽이다.(所謂蒲津關以西也,)"라고 하였다. 포진관은 황하를 기준으로 동쪽에 있는 관문이다.

121 秦王 世民이 … 청하였으니: 진왕 세민은 후일의 唐太宗이다. 『資治通鑑』 권187 「唐紀 · 武德 2년」 10월에 있었던 이 일에 대한 내용은 다음과 같다. "진왕 세민이 표문을 올려 '태원은 우리나라 왕업의 발상지이며 나라의 뿌리이고, 하동은 부유하고 탄탄하여 수도가 의지하고 있는 곳입니다. 이 같은 곳을 모두 버린다니 신의 마음은 분하고 한스럽습니다. 원컨대 신에게 정예 병사 3만을 빌려주신다면 기어코 유무주를 평정하여 죽이고 분주와 진주를 결단코 회복시킬 것입니다.'고 하였다.(秦王世民上表曰, '太原王業所基, 國之根本; 河東富實, 京邑所資. 若舉而棄之, 臣竊憤恨. 願假臣精兵三萬, 必冀平殄武周, 克復汾晉.')"

122 李密: 당나라 京兆 長安 사람. 자는 玄邃(현수), 또는 法主이다. 수양제의 宿衛로 있다 물러나 마음을 일으켜

나아간 사람이 날마다 수만 명이었는데 무슨 까닭입니까?”

(범양 장씨가) 대답하였다. “수나라가 사슴을 잃자[123] 호걸들이 함께 일어나 쫓아 나섰다. 이밀은 낙구를, 왕세충王世充[124]은 동도東都[洛陽]를, 두건덕竇建德[125]은 산동山東을 차지하였고, 소선蕭銑과 설궤薛軌 무리[126]까지도 각기 험한 요충지를 차지하고서 그 사슴을 잡으려 다투었다. 당고조唐高祖만이 진왕秦王[李世民]의 책략을 채택하여 계책을 결단하고 관중에 들어갔다.[127] 관중을 평정한 뒤에 마침내 대왕代王[楊侑]을

공부에 전념하였다. 楊玄感이 군사를 일으키자 그의 참모로 참여하였으나, 이밀의 계책을 따르지 않다가 실패하였다. 또다시 翟讓(책양)에게 귀의하여 낙구를 차지하고 魏公을 자칭하였다. 양자강과 淮水 북쪽의 여러 지역이 귀의하자 다시 책양을 살해하였다. 王世充에게 패한 뒤 당나라에 귀의하여 光祿卿에 임명되었으나, 실망하고 다시 모반하였다가 成彦師에게 패하여 죽었다. 당시 나이 37세였다.(『新唐書』 권84)

123 사슴을 잃자 : 사슴은 제왕의 자리를 이르는 말이다. 韓信에게 齊나라를 차지하고 항우 · 유방 · 한신 세 사람이서 천하를 셋으로 나누어 鼎立할 것을 蒯通이 권했는데, 한신이 죽으며 괴통의 꾀를 쓰지 않았던 것이 한스럽다고 말해 이때문에 한고조에게 잡혀왔다. 한고조가 “네가 한신에게 반역을 충동질하였는가?”라고 묻자, 괴통은 “진나라의 법도가 무너지고 기강이 풀려 산동의 여러 나라가 크게 어지러워지며 여러 성씨가 봉기하여, 영웅 준재들이 마치 까마귀 모여들듯이 운집하였습니다. 진나라가 잃어버린 사슴을 천하가 함께 잡으려 뒤쫓은 것이니, 여기에서 높은 재주와 발이 빠른 사람이 먼저 차지한 것입니다.(秦之綱絶而維弛, 山東大擾, 異姓竝起, 英俊烏集. 秦失其鹿, 天下共逐之, 於是高材疾足者, 先得焉.)”고 하였다 . 이 말에서 사슴은 천하를 이르는 대명사로 쓰이기 시작하였다.(『史記』「淮陰侯傳」)

124 王世充 : 隋나라 新豐 사람. 자는 行滿. 조상은 西域 사람이다. 本姓은 支氏. 아버지가 왕씨의 양자가 되었다. 성격이 교활하고 兵法을 즐겨 공부하였다. 文帝 때 軍功으로 儀同에 올랐고, 양제의 비위를 잘 맞추고 백성의 반란을 잘 진압하여 江都通守에 올랐다. 양제가 시해되자, 東都에서 越王楊侗을 옹립하였다. 李密과 싸워 이긴 뒤 양동을 폐위하고 스스로 鄭나라를 세우고 칭제하였다. 秦王 李世民에게 대패하여 항복하였다가 長安에서 원수의 손길에 죽었다.(『北史』 권79)

125 竇建德 : 隋나라 淸河 漳南 사람. 高鷄泊을 거점으로 遼東 등지의 호걸들을 모아 군사가 10만여 명에 이르자, 樂壽에서 長樂王이라 자칭하고 연호를 丁丑이라 하였다. 곧 夏王이라 칭하고 낙수를 수도로 삼은 뒤 나라 이름도 夏라고 하였다. 李世民이 王世充을 토벌하자 왕세충을 도와 싸우다 이세민에게 사로잡혀 長安에서 죽었다.(『新唐書』 권85)

126 蕭銑과 薛軌 무리 : 소선은 後梁 宣帝의 증손으로, 隋煬帝의 외척이다. 『新唐書』 권87 「新唐書」에 의하여 살피면 다음과 같다. 岳州의 董景珍과 潁川의 沈柳生의 추대를 받아 증조인 후량 선제의 뒤를 잇는다는 명분으로 梁나라를 세우고 연호를 鳳鳴이라 하였다. 이어 천자를 자칭하며 嶺表에서부터 서쪽으로 三峽, 남쪽으로 交趾, 북쪽으로 漢水를 확보하고, 군사도 40만에 달하였으나, 잇따른 부하들과의 마찰로 세력이 꺾이며 唐高祖의 군사에게 포위되어 형세가 궁해지자, 무고한 생령을 죽이는 것보다는 항복하는 것이 낫다 하고 성문을 나와 항복하였다. 長安에 이르러 문제에게 끝까지 굴복하지 않아 참수되었다. 설궤 무리란 당시 군사를 일으켜 수나라에 반기를 든 사람들로 『新唐書』「高祖本紀」에 의하여 살피면 유무주가 마읍에서 일어난 것을 시작으로, 林士弘이 豫章에서, 劉元進은 晉安에서 일어나 모두 황제를 자칭하였고, 朱粲은 南陽에서 일어나 楚帝라 자칭하였으며, 이어 王을 자칭한 자는 李子通이 海陵에서 楚王, 邵江海가 岐州에서 新平王, 薛擧가 金城에서 西秦霸王, 郭子和가 楡林에서 永樂王, 竇建德이 河間에서 長樂王, 王須拔이 恒定에서 漫天王, 汪華가 新安에서 杜伏威가 淮南에서 모두 吳王이라 칭하였다. 이 밖에 군사를 일으켜 公을 칭한 자가 이밀 등 3명이었고, 總管을 칭한 자가 羅藝를 비롯한 3명, 그 밖에도 총 30명의 사람이 나타나 있다.

127 唐高祖만이 秦王의 … 들어갔다. : 여기서 진왕은 당고조의 둘째 아들인 李世民, 곧 후일의 太宗을 이른다.

받들어 옹립하고 천하를 호령하며,[128] 수나라의 가혹한 법령을 없애 민심을 몰래 모으고, 호걸을 거두어 모아 사방을 경영하였으니 천하의 칼자루는 이미 당나라의 손아귀에 쥐어져 있었다. 저 이밀 같은 무리가 바깥에서 이리저리 뛰어본들 (천하를 취하는 일에) 과연 무슨 이익이 있겠는가?"

[63-10-3]

朱子曰 : "唐高祖辭得九錫, 却是."[129]

주자가 말하였다. "당고조가 구석九錫을 사양한 것[130]은 옳은 일이다."

이때 당고조는 太原留守였다. 이세민이 당고조에게 수나라에 반기를 드는 義兵을 일으키자고 설득하여, 대업 13년(서기 617년) 6월에 군사를 일으켜 바로 그해 12월에 수도인 長安을 함락하였다.(『新唐書』「高祖本紀」)

128 代王을 받들어 … 호령하며 : 대왕은 수양제의 맏아들인 元德太子의 아들이다. 이름은 侑이다. 당나라 고조가 군사를 거느리고 수나라의 장안을 함락한 뒤, 수양제를 太上皇으로, 손자인 대왕을 황제로 옹립하니 바로 恭帝다. 그러나 공제는 몇 달도 채우지 않고 당고조에게 선위하여, 당고조가 명목상으로 선위한 제왕 자리를 이어 당나라를 세운 것이 되었다.(『隋書』「恭帝本紀」)

129 『朱子語類』 권136, 45조목

130 九錫을 사양한 것 : 구석은 천자가 제후나 대신에게 내리는 아홉 가지 기물로 신하에 대한 최고 예우에 해당한다. 이 아홉 가지 기물은 다음과 같다. 車馬, 衣服, 樂則, 朱戶, 納陛, 虎賁, 弓矢, 鈇鉞, 秬鬯이다. 그러나 王莽이 平帝 5년(서기 5년)에 구석을 하사받은 뒤 한나라를 멸망시키고 신나라를 세우면서, 魏晉南六朝 시대에는 정권을 탈취하고자 하는 자들이 으레 이 구석을 먼저 하사받는 것을 자신의 정권을 탈취하고자 하는 의중을 드러내는 기회로 삼았다. 여기서 공제가 당시 唐王인 이연에게 이 구석을 내린 의도는 그런 역사적 관례를 따른 것이었다.

이 일을 『資治通鑑』 권185 「唐紀 · 武德 원년」 3월 기사에서 살피면, "당왕 이연은 자신의 신하들에게 '이는 아첨꾼이 하는 짓일 뿐이다. 내가 정권을 쥐고 있으면서 스스로에게 제왕의 은사품을 내리는 일이 옳겠는가? 굳이 위진 시대의 일을 따르고자 한다면 저들은 모두 번거로운 꾸밈이고 거짓된 장식품이며, 하늘과 백성을 속이는 일들이다. 실제를 살펴보면 五霸에도 미치지 못하면서 명예는 三王을 넘어서고자 하는 것이어서 내가 늘 비웃던 일이니 마음속에서 또한 부끄럽다.'고 하자, 어떤 자가 '역대 왕조가 해왔던 것인데 어찌 없앨 수 있겠습니까?' 하였다. 이에 왕은 '요순과 탕무가 각기 그 시대에 따라 얻고 물려주는 방법을 달리하였지만, 모두 자신의 지극한 정성을 다하여 하늘에 응하고 백성의 마음에 순종하였다. 夏나라와 商나라의 말기에 요임금과 순임금의 禪位를 기어 본받으려 했다는 말을 듣지 못하였다. 만일 젊으신 황제가 지혜가 있다면 반드시 이를 기꺼이 하려 들지 않았을 것이고, 만일 무지하다 하더라도 내가 스스로를 높이고 사양을 꾸미는 일은 평소에 지녀온 마음에서 하지 않던 일이다.'라고 하였다.(王謂僚屬曰, '此諂諛者所爲耳. 孤秉大政而自加寵錫, 可乎? 必若循魏晉之迹, 彼皆繁文僞飾, 欺天罔人. 考其實不及五霸, 而求名欲過三王, 此孤常所非笑, 竊亦恥之.' 或曰, '歷代所行, 亦何可廢?' 王曰, '堯舜湯武各因其時, 取與異道, 皆推其至誠以應天順人. 未聞夏商之末, 必效唐虞之禪也. 若使少帝有知, 必不肯爲. 若其無知, 孤自尊而餙讓, 平生素心所不爲也.')"고 하고서 구석과 함께 내려진 모든 것들을 돌려보내고 있음을 볼 수 있다.

太宗 태종

[63-11-1]

或問 : "貞觀之治, 不幾於三代之盛乎?"

程子曰 : "關雎麟趾之意安在?"[131]

어떤 사람이 물었다. "정관貞觀 연간의 정치[132]는 삼대의 융성함에 가깝지 않겠습니까?"
정자程子가 대답하였다. "관저關雎와 인지麟趾의 뜻[133]이 어찌 있는가?"

[63-11-2]

或問 : "范祖禹『唐鑑』, 譏太宗曰, '陷父之罪脅以起兵,[134] 古人行一不義而得天下弗爲也, 太宗終守臣節可也.' 愚歷觀唐史, 隋煬帝旣遣江都之使, 唐高祖不宜坐處夷滅. 況大業之末, 生民塗炭, 太宗苟不爲此, 必無以濟蒼生之困. 范氏正大之說, 果可用否? 使聖賢處此, 當守臣節乎? 將權以濟事乎?"

潛室陳氏曰 : "孤隋之暴, 何止桀紂? 若欲行湯武之事, 但當正名弔伐, 不當自陷於盜賊之地而

---

131 『二程外書』 권11 「時氏本拾遺」

132 貞觀 연간의 정치 : 정관은 당태종 이세민의 연호다. 당태종은 아버지 고조가 붕어한 다음 해(서기 627년)에 제위에 올라 23년간 재위하다 붕어하니(서기649년), 이때에 이루어진 정치를 세상에서 정관 연간의 정치라 하고, 이때의 정치를 서술한 吳兢의 『貞觀政要』라는 책자가 있다.

133 關雎와 麟趾의 뜻 : 관저와 인지는 『詩經』의 「周南」에 실린 시의 제목들이다. 인지의 본래 편 이름은 麟之趾이다. 관저편은 周나라 文王이 왕비 姒氏를 배필로 맞이하자 백성들이 왕비 사씨의 덕을 노래한 시이다. 이 시는 3장으로 구성되었는데 제1장은 "관관하게 우는 저구새여! 물가에서 울도다. 그윽하고 다소곳한 숙녀여! 군자의 훌륭한 짝이로다."라고 하였고 제2장에서는 "길고 짧게 자란 노랑어리연꽃 나물, 여기저기 물을 따라 내려가며 캐도다. 그윽하고 다소곳한 숙녀여! 자나 깨나 찾아 구하네." 운운하였다. 바로 왕비 사씨의 훌륭한 덕이 天地의 덕에 견줄 수 있었기에 훗날 주나라 왕조의 주춧돌이 되었음을 읊고 있다.
다음으로 인지지편의 시는 문왕의 왕비 사씨의 덕이 훌륭하여 그 자손과 종족들이 모두 착하여진 것을 노래하고 있다. 모두 3장으로 구성되었는데 시를 살피기 전에 먼저 기린을 소개하면 다음과 같다. 기린은 노루 몸에 소의 꼬리, 말의 발굽을 하고 있으며 살아 있는 풀은 밟지 않고, 뿔에는 살점이 붙어 있어 뿔에 부딪쳐도 상대가 상처를 입지 않는 성스러운 동물이다. 시는 첫 장은 "기린의 발이여! 인후한 공의 아들이로소니, 아! 기린이로다" 둘째 장은 "기린의 이마여! 인후한 공의 손자로소니, 아! 기린이로다." 3장은 "기린의 뿔이여! 인후한 집안 후손들이니, 아! 기린이로다."라고 하였다.
이러한 시에 담긴 뜻이 없다는 것은, 당태종은 아우 元吉을 죽이고 황제의 자리에 올랐으면서 바로 원길의 妃였던 제수 楊氏를 총애하여 아들 明을 낳는 부끄러움이 있음을 말한 것이다. 아울러 자손들에도 문왕의 후손들과 같은 성스러운 덕이 있는 자손이 없음을 말한 것이다. 따라서 삼대의 융성한 정치에 빗댈 수 없다는 말이다.

134 陷父之罪脅以起兵 : 陷자는 陷자로 써야 한다.

脅以起兵. 以斯擧事, 是以亂易亂也, 大桀小桀也. 惜乎! 太宗有濟世之志, 傷於欲速廹切, 反以堂堂禮義之師, 自陷於亂臣賊子之倫. 世上有理明義直之事, 只爲學術不正, 擧動不明, 便壞了事體."[135]

어떤 사람이 물었다. "범조우范祖禹[136]가 편찬한 『당감唐鑑』에서 태종을 비판하여 '아버지를 죄악에 빠뜨리고 협박하여 군사를 일으켰다.[137] 옛사람은 「한 가지 의롭지 않는 일을 행하여 천하를 얻는다 하여도

135 『木鍾集』 권11 「史」

136 范祖禹 : 宋나라 成都 華陽 사람. 자는 淳甫와 夢得. 시호는 正獻이다. 嘉祐 연간의 進士. 벼슬은 秘書省正字, 著作佐郎, 翰林學士, 陝州知州事를 지냈다. 司馬光을 도와 資治通鑑을 편찬하였고, 神宗實錄의 편수에 檢討官으로 참여하였다. 저서 『唐鑑』은 당고조로부터 마지막 제왕 哀帝에 이르기까지 3백 년 정치의 잘잘못을 논하였다. 또 『范太史集』이 있다.(『宋史』 권337 ; 『宋元學案』 권21)

137 태종을 비판하여 … 일으켰다. : 이연의 둘째 아들 이세민은 아버지가 수나라 왕조를 뒤바꾸는 일에 나서도록 자신만이 아니라 아버지 친구들까지 동원하여 아버지를 설득시켰다. 이 중에 수양제의 별궁인 晉陽宮의 副監 裴寂이 있었다. 이세민은 배적과 친하기 위해, 배적과 내기 놀이를 즐기던 高斌廉을 불러들여 돈을 대주고 잃게 하는 방법으로 친교를 쌓았다. 배적은 진양궁의 宮人을 데려다 이연의 잠자리를 받들게 하였다. 그리고 어느 날 이연과 술을 거나하게 마시고서는, "둘째 아드님이 몰래 군사와 말들을 비축하여 큰일을 일으키고자 하는 것은, 바로 제가 궁인을 데려다 당신의 잠자리를 받들게 한 것이 들통 나 함께 죽임을 당할까 두려워서 이렇게 계책을 서두르는 것입니다. 여러 사람의 마음이 이미 모여졌으니, 공의 생각은 어떠십니까?(二郞陰養士馬, 欲擧大事, 正爲寂以宮人侍公, 恐事覺并誅, 爲此急計耳. 衆情已協, 公意如何?)"라고 하자 이연은 "내 아이에게 참으로 이런 책략이 있고 일이 이미 이같이 되었는데 지금에 다시 어떻게 하겠는가? 따를 뿐이다.(吾兒誠有此謀, 事已如此, 當復奈何? 正須從之耳.)"라고 하였다. 이세민은 수나라 조정이 어지러워지는 것을 보고서 재산을 풀어 사방의 호걸들과 친분을 돈독히 하였다. 아버지 이연이 돌궐의 노략질을 막지 못한 책임을 추궁당할까 애를 태우자 "지금 주상이 무도하여 백성은 곤궁에 빠지고 晉陽城 밖이 모두 전쟁터입니다. 아버지께서 만일 조그만 절의를 지키시려 한다면 아래는 도적 떼가 있고 위에는 엄한 형벌이 있어 죽는 날이 따로 없을 것이니, 민심에 순응하여 의병을 일으켜 전화위복하는 것만 못할 것입니다. 이는 하늘이 준 기회입니다.(今主上無道, 百姓困窮, 晉陽城外, 皆爲戰場. 大人若守小節, 下有冠盜, 上有嚴刑, 危亡無日, 不若順民心, 興義兵, 轉禍爲福. 此天授之時也.)"라고 하였다. 이연이 깜짝 놀라며 "네가 어떻게 이런 말을 하는가! 내가 지금 너를 잡아다가 천자에게 아뢰겠다.(汝安得爲此言! 吾今執汝以告縣官.)" 하고서 그 길로 종이와 붓을 가져다가 표문을 작성하려고 하자, 세민이 차분하게 말하기를 "세민이 하늘과 사람들 일이 이 같음을 본 까닭에 감히 말씀을 올린 것입니다. 기어이 잡아다가 알리고자 하신다면 죽음도 사양하지 않겠습니다.(世民觀天時人事如此, 故敢發言. 必欲執告, 不敢辭死.)."라고 하였다. 이에 이연이 "내 어찌 차마 너의 죄를 알리겠느냐! 너는 조심하고 입 밖에 내지 말라.(吾豈忍告汝, 汝愼勿出口.)" 하였다. 다음 날 세민이 다시 이연을 설득하기를 "지금 도적 떼가 날로 늘어나 천하에 가득한데, 아버지께서 조칙을 받고 도적 떼를 치고 계시니, 도적들을 다 칠 수 있겠습니까? 결론을 짓자면 끝내 죄를 면치 못할 것입니다. 또 세상 사람 모두가 당연히 李氏가 도참설에 해당한다고들 말한 까닭에 李金才의 경우는 죄 없이 하루아침에 집안이 몰살당하였습니다. 아버지께서 설사 도적 떼를 모두 쳐서 공이 높다하여도 상은 받지 못하고 몸은 더욱 위험하여질 것입니다. 어제 말씀드린 것이 화를 면할 수 있는 만전의 계책입니다. 아버지께서는 의심하지 마십시오.(今盜賊日繁, 遍於天下, 大人受詔討賊, 賊可盡乎? 要之, 終不免罪. 且世人皆傳李氏當應圖讖, 故李金才無罪, 一朝族滅. 大人設能盡賊, 則功高不賞, 身益危矣. 唯昨日之言, 可以救禍, 此萬全之策也. 願大人勿疑.)"하니, 이연이 탄식하여 "내가 밤새 네 말을 생각해 보니 크게 이치에 맞았다. 오늘날 집안을

하지 않는다.」[138]고 했으니 태종은 끝까지 신하의 절의를 지켰어야 옳았다.'고 했습니다. 제가 당나라의 역사를 하나하나 살펴보건대 수양제가 이미 강도江都로 잡아들이도록 사신을 파견하였으니[139] 당고조는 앉아서 죽임을 당할 수 없었습니다. 더욱이나 대업大業(수양제의 연호) 말기에 백성이 도탄에서 허덕였으니 태종이 참으로 이 일을 감행하지 않았다면 절대 억조창생의 곤궁을 구제할 길이 없었습니다. 범씨의 공명정대한 말은 과연 따를 수 있습니까? 만일 성현이 이 경우를 당하였다면 당연히 신하의 절의를 지키겠습니까? 아니면 권도로 일을 성공시키겠습니까?"

잠실 진씨潛室陳氏[陳埴]가 대답하였다. "외톨이로 전락한 수나라의 포악이 어찌 걸주桀紂에 그치겠는가? 만일 탕임금과 무왕이 행했던 일을 행하고자 한다면, 다만 명분을 바로 세워 백성을 위로하고 죄악을 저지른 자를 처벌했어야 할 뿐, 스스로 도적 떼의 처지에 빠져 협박으로 군사를 일으키지 않았어야 했다. 이로써 군사를 일으킨 것은 어지러움으로 어지러움을 대신한 것이고, 큰 걸주에 작은 걸주이다.[140] 애석하다! 태종이 세상을 구제하려는 뜻은 가졌으나 속히 이루고자 하는 절박함에 잘못 빠진 나머지, 도리어 예禮와 의리상 당당한 군사를 스스로 난신적자의 무리에 빠뜨렸다. 세상 이치에 분명하고 의리에 올곧은 일이, 단지 학술이 올바르지 못하고 행동이 명확하지 않아 그만 일의 근간을 무너뜨리는 경우가 있다."

[63-11-3]

問 : "唐太宗誅高德儒之諂諛,[141] 薄宇文士及之不忠, 豈不知姦邪讒諂之士,[142] 不可厠文墨議論之臣? 而定十八學士之選, 而許敬宗之姦, 獨錄而不棄, 何耶?"

曰 : "知人甚難, 太宗不但失於許敬宗. 以李勣可任大事, 此失之尤者."[143]

망하게 하고 한 몸을 죽이는 것도 너로 인해서고, 집안을 발전시켜 나라를 만드는 것도 너로 인해서이다.(吾一夕思汝言, 亦大有理. 今日破家亡軀亦由汝, 化家爲國亦由汝矣.)" 하고서 의병을 일으키기로 마음을 굳혔다.(『資治通鑑』 권183 「隋紀 · 義寧」 원년)

138 「한 가지 … 않는다.」: 이는 『孟子』「公孫丑上」에 있는 말이다. 공손추가 伯夷 · 柳下惠 · 伊尹 · 孔子에 대해서 동일한 점을 묻자, 맹자가 대답하기를, "사방 1백 리의 땅을 얻어 군주 노릇하게 된다면 모두 제후들의 조회를 받고 천하를 소유할 수 있을 것이나, 한 가지 의롭지 않은 일을 행하고 한 사람의 죄 없는 사람을 죽여 천하를 얻는다 하여도 모두 하지 않을 것이니 이 점이 동일한 점이다.(得百里之地而君之, 皆能以朝諸侯有天下, 行一不義; 殺一不辜而得天下, 皆不爲也. 是則同.)"고 하였다.

139 수양제가 이미 … 파견하였으니: 대업 13년에 突厥이 다시 쳐들어와 馬邑을 약탈하였다. 수양제가 태원 유수인 이연에게 이들을 막게 하였다. 이연은 高君雅에게 군대를 주어 막게 하였으나 패하였다. 수양제는 이 잘못을 물어 이연을 강도로 잡아들이라는 명을 가진 사신을 이연이 있는 태원으로 보냈다. 이때 수양제가 수도 장안을 떠나 남쪽 巡狩 길에 있었기 때문에 이연을 강도로 잡아들이게 한 것이다. 이에 이세민은 바짝 아버지를 졸라 잡혀 죽느니 의병을 일으켜야 한다고 간하였다.(『資治通鑑』 권183 「隋紀 · 義寧」 원년)

140 큰 걸주에 … 걸주이다. 이 말은 본래 『孟子』「告子下」의 말이다. 곧 극도로 나쁜 사람에 비겨 적은 나쁜 사람이라는 말이다.

141 諂諛 : 諂자는 諂자라야 옳다.

142 讒諂之士 : 諂자는 諂자라야 옳다.

물었다. "당태종이 고덕유高德儒의 아첨을 죄주고[144] 우문사급宇文士及의 진실하지 않음을 비루하게 여겼는데,[145] 어찌 간사하고 참소하여 아첨하는 사람이 문묵文墨을 다루고 국가의 정사를 논의하는 신료에 들어가선 안 됨을 몰랐겠습니까? 그런데도 십팔학사十八學士를 선정할 때[146]에 허경종許敬宗 같은 간사한 자[147]를 유독 등용하고 버리지 않은 것은 무엇 때문입니까?"

143 『木鍾集』 권11 「史」.

144 高德儒의 아첨을 죄주고 : 이연의 의병이 西河에 이르렀을 때 당시 西河郡丞 고덕유가 성을 막고 항복하지 않았다. 이에 성을 함락한 이세민이 고덕유를 붙잡아, "네가 들새를 난새라고 하여, 군주를 속이고 높은 벼슬을 받았다. 내가 의병을 일으킨 것은 아첨하는 자를 다스리기 위함이다.(汝指野鳥爲鸞, 以欺人主, 取高官. 吾興義兵, 正爲誅佞人.)"라 하고서 죽이고, 여타 사람은 한 사람도 죽이지 않자, 원근에서 듣고 모두 기뻐하였다. 앞서 고덕유가 대업 11년(서기 615년)에 공작 두 마리가 西苑에서 寶城의 朝堂 앞에 날아 앉은 것을 보았다. 이때 親衛校尉였던 고덕유 등 10여 사람이 이를 보고서 난새라고 아뢰었다. 이때 공작은 날아간 뒤여서 알 길은 없었으나 백관들이 상서로운 일이라고 수양제에게 하례하였다. 이에 수양제는 고덕유에게 아름다운 상서를 처음 본 사람이라고 朝散大夫 벼슬을 내렸다. 이것을 이세민이 들새를 난새로 속여 아첨하였다고 죄를 다스린 것이다.(『資治通鑑』 권182 「隋紀·大業 11년」; 권184 「隋紀·義興 원년」)

145 宇文士及의 진실하지 … 여겼는데 : 우문사급은 당나라 때 長安 사람으로, 자는 仁人이다. 隋文帝 말년에 아버지의 후광으로 新城縣公에 봉해지고, 수양제의 딸에게 장가들었다. 당나라에 귀의하여 王世充 토벌에 공을 세워 郢國公에 봉해졌다. 檢校涼州都督, 蒲州刺史, 殿中監을 지내며 정치가 너그럽고 따르기 쉬웠다. 말재주가 뛰어나 당태종이 곧잘 불러 밤중을 넘기며 함께 노닐었다. 이를 『新唐書』「宇文士及傳」에서 살피면 다음과 같다. "어느 날 태종이 궁중의 나무 한 그루를 완상하다가 '이 나무는 좋은 나무로다.' 하니, 우문사급이 곁에서 아름답다고 찬탄하였다. 그러자 태종은 정색하고 '위징이 늘 나에게 말재주꾼을 멀리하라고 경계하였으나 말재주꾼이 누구인지 몰랐는데, 지금 보니 참으로 이런 것이로다.' 하였다. 우문사급이 사죄하여 '南衙의 뭇 신하들이 폐하 면전에서 잘못을 지적하고 다투나 폐하께서 손을 쓰시지 못합니다. 지금 신이 요행이 곁에 모시게 되었는데 순종함이 조금도 없다면 아무리 귀한 천자라 하더라도 또한 무슨 재미가 있겠습니까?' 하니 태종의 뜻이 풀렸다.(帝嘗玩禁中樹曰, '此嘉木也.' 士及從旁美歎. 帝正色曰, '魏徵嘗勸我遠佞人, 不識佞人爲誰, 乃今信然.' 謝曰, 南衙羣臣面折廷爭, 陛下不得擧手, 今臣幸在左右, 不少有將順, 雖貴爲天子, 亦何聊. 帝意解.)"

146 十八學士를 선정할 때 : 십팔학사는 당태종이 아직 秦王 시절이었던 고조의 武德 4년(서기 621년)에 文學館을 열고 천하의 문학에 조예가 높은 선비를 선발하여 뽑은 학자들이다. 여기에 참여한 사람은 三神山의 하나인 瀛州山에 오른 것에 비유될 정도로 명예스러웠고, 천하 최고의 음식을 대접하게 하고 당시 진왕 이세민이 시간 나는 대로 찾아가 밤늦도록 문학을 토론하였다. 또 閻立本을 시켜 이들 화상을 그리게 하고 褚亮에게 贊을 짓게 하여 오늘날까지 그 글이 전한다. 18명 학사는 다음과 같다. 당시 秦王府 소속의 杜如晦, 記室 房玄齡·虞世南, 文學의 褚亮·姚思廉, 主簿 李玄道, 參軍 蔡允恭·薛元敬·顏相時, 諮議典籤 蘇勗, 天策府從事中郎 于志寧, 軍諮祭酒 蘇世長, 記室 薛收, 倉曹 李守素, 國子助教 陸德明·孔穎達, 信都 蓋文達, 宋州摠管府户曹 許敬宗이다. 이들은 본래의 직함은 그대로 유지하고 문학관의 學士를 겸직하도록 하였다.

147 許敬宗 같은 … 자 : 허경종은 唐나라 杭州 新城 사람으로 자는 延族이다. 隋의 秀才 출신으로, 唐初 秦王府 十八學士로 선발되었으나 『新唐書』에는 그를 「奸臣傳」의 첫머리에 실었다. 벼슬은 태종 연간에 著作郎과 高宗의 東宮 시절 太子右庶子를 지냈다. 고종이 즉위하며 禮部尙書·侍中·中書令을 역임하였다. 그의 간사함을 『新唐書』「奸臣傳」에 의거하여 살피면 다음과 같다. "고종이 武昭儀를 황후로 세우고자 하는 것을 대신들이 극력 간언하였으나, 경종은 속으로 고종의 속셈을 헤아리고서는 나불대기를 '시골 농부가 보리

잠실 진씨가 대답하였다. "사람을 알아보는 일은 매우 어려운 일이니, 태종이 다만 허경종의 일에만 잘못한 것이 아니다. 이적李勣을 큰일을 맡길 수 있는 사람으로 생각한 것은[148] 더 큰 잘못 가운데서도 큰 잘못이다."

10섬만 더 수확하여도 오히려 옛 아내를 바꾸고자 합니다. 천자는 부유함이 천하를 차지하고 있는데 황후 한 사람 세우는 것을 불가하다고 말하는 것은 무슨 까닭입니까?'라고 하였다. 이에 고종은 마침내 뜻을 결정하였다. 왕황후가 폐위되자 경종은 황후 집안에 내려졌던 관작을 폐기하고 태자 忠을 폐하고 代王을 태자로 세웠다.(帝將立武昭儀, 大臣切諫, 而敬宗陰揣帝私, 即妄言曰, '田舍子賸穫十斛麥, 尚欲更故婦. 天子富有四海, 立一后謂之不可, 何哉?' 帝意遂定. 王后廢, 敬宗請削后家官爵, 廢太子忠而立代王.)" 그 뒤로도 褚遂良의 축출과 長孫無忌 … 上官儀 등의 살해에 깊이 관여하는 악행을 저질렀다.(『新唐書』 권223)

148 李勣을 큰일을 … 것은: 이적은 당 나라 曹州 離狐 사람이다. 자는 懋功이고, 시호는 貞武이다. 본성은 徐氏이고 본명은 世勣이었으나, 전공을 세워 당나라의 성 이씨를 하사 받고, 태종의 휘 世民을 피하여 勣만을 썼다. 처음에 李密을 따르다가 당나라에 귀의하여 黎州總管에 오르고 曹國公에 봉해졌다. 진왕 이세민을 따라 竇建德과 王世充을 평정하고, 突厥을 항복시키고 薛延陀를 격파하는 데 공을 세웠다.
이적이 처음 받들었던 이밀은 당나라에 귀의한 뒤 마음이 변해 모반을 꾀하다 죽었다. 태종이 이를 이적에게 알려주자, 이적은 태종에게 이밀의 장례를 치를 수 있게 해달라고 청하여 상복을 갖추어 입고 장례를 치려주었다. 태종과의 관계를 『新唐書』 권93의 그의 전에는 이렇게 기록하고 있다. "이적이 충성과 힘을 다하자 태종은 큰일을 맡길만 하다고 생각하였다. 어느 날 갑작스럽게 병이 났는데 의사가 '수염을 태운 재를 써야 치료할 수 있다.'고 하였다. 태종은 자신의 수염을 베어서 약에 타게 하였다. 병이 낫자 (이적이) 들어와 감사의 말을 하며 머리를 조아려 이마에서 피가 흘렀다. 태종이 '내가 사직을 위한 계책에서 한 일인데 무슨 감사인가!'라고 하였다. 나중에 머물게 하여 잔치를 베풀어주면서 이적을 돌아보며 '짐이 어린 태자를 부탁하고자 하는데 공만한 사람이 없다. 공이 예전에 이밀도 저버리지 않았는데 어찌 짐을 저버리겠는가?' 하니, 이적이 감격의 눈물을 흘리며 손가락을 깨물어 피가 흘러내렸다. 조금 지나 크게 취하자 태종은 자신의 옷을 벗어 그를 덮어주었다.(勣既忠力, 帝謂可託大事. 嘗暴疾, 醫曰, '用須灰可治.' 帝乃自翦須以和藥. 及愈, 入謝, 頓首流血. 帝曰, '吾爲社稷計, 何謝爲!' 後留宴, 顧曰, '朕思屬幼孤, 無易公者. 公昔不遺李密, 豈負朕哉?' 勣感涕, 因嚙指流血. 俄大醉, 帝親解衣覆之.)" 이 일이 있은 뒤에 고종이 등극하였다.
이어 「李勣傳」에는 다음과 같은 기사가 있다. "고종이 武昭儀를 세워 황후를 삼고자 하였으나, 대신의 반대가 두려워 결정하지 못하였다. 李義府와 許敬宗이 다시 왕황후의 폐위를 주청하였다. 고종은 이적과 長孫無忌 · 于志寧 · 褚遂良을 불러 상의하였다. 이적은 병을 핑계하고 참여하지 않았다. 고종이 '황후가 자식이 없는데, 후사가 끊기는 것보다 큰 죄는 없으니 폐위하려고 한다.' 하자, 저수량 등은 불가하다 하고 우지녕은 두리번거리며 대답하지 않았다. 고종은 나중에 이적에게 은밀히 찾아가 '소의를 세우려고 하는데 顧命을 받은 신하가 모두 불가하다고 하여 지금 중지해야겠다.'고 하자 이적은 '이는 폐하 집안일입니다. 바깥사람에게 물을 필요가 없습니다.'고 대답하였다. 고종은 마침내 왕황후를 폐위하는 뜻을 정하였다.(帝欲立武昭儀爲皇后, 畏大臣異議未决. 李義府 · 許敬宗又請廢王皇后. 帝召勣與長孫旡忌 · 于志寧 · 褚遂良計之. 勣稱疾不至. 帝曰 : '皇后無子, 罪莫大於絶嗣, 將廢之.' 遂良等持不可, 志寧顧望不對. 帝後密訪勣曰 : '將立昭儀, 而顧命之臣皆以爲不可, 今止矣.' 答曰 : '此陛下家事, 無須問外人.' 帝意遂定, 而王后廢.)"
태종이 큰일을 맡길 만한 사람으로 본 이적은 결국 무측천을 세우는 일에 동조하여 훗날 무측천의 난리를 초래했다.

中宗 武后附　중종 무후를 덧붙인다

[63-12-1]

朱子曰 : "唐中宗事, 致堂南軒皆謂'五王合併廢中宗, 因誅武氏, 別立宗英.' 然當時事勢, 中宗却未有過, 正緣無罪被廢 ; 又是太宗孫, 高宗子, 天下之心思之, 爲他不憤. 五王亦因此易於成功耳. 中宗後來所爲固是謬, 然當時便廢他不得."[149]

주자가 말하였다. "당 중종中宗[150]의 일에 대해 치당致堂[胡寅]과 남헌南軒[張栻]은 모두 '오왕五王[151]이 중종을 폐위하고 이어 무씨武氏[152]도 제거하고서 종친 가운데 영명한 자를 따로 세웠어야 한다.'고 하였다. 그러나 일의 형세는 중종에게 허물이 있지 않았는데, 갑작스럽게 죄 없이 폐위 당하였고, 또 태종의 손자이자 고종高宗[153]의 아들이라 천하 사람들이 그리워하고 그에게는 분개하는 마음이 없었다. 오왕도

149 『朱子語類』 권135, 25조목

150 中宗 : 당나라 제4대 황제. 고종의 일곱째 아들. 성명은 李顯이다. 즉위하자마자 측천무후에 의해 廬陵王으로 강등되어 房州와 均州를 옮겨 다니다가 다시 무측천의 태자가 되었다. 神龍 원년(서기 705년)에 張柬之 등 五王이 羽林軍을 이끌고 무후의 周나라를 무너뜨리고, 복위시켜 당나라 왕조를 회복시켰다. 그러나 복위 후 황후인 韋后와 武三思에게 실권을 내주고 아무것도 하지 못하였다. 황후와 安樂公主에게 독살당하였다. 전후 재위 7년.(『新唐書』「中宗本紀」)

151 五王 : 측천무후의 長安 5년(서기 705년)에 측천무후가 세운 周나라를 무너뜨리고 당나라 왕조를 회복시킨 다섯 사람. 이들이 이 공훈으로 모두 郡王에 봉해진 데에서 이렇게 불렀다. 곧 張柬之(漢陽王)·敬暉(平陽王)·崔玄暐(博陵王)·袁恕己(南陽王)·桓彦範(扶陽王)이다. 여기에는 음모가 있었다. 이들 오왕이 중종을 복위시켰으나 무삼사가 자신들을 모함할까 두려워 崔湜을 끌어들여 조정의 정황을 살폈다. 그런데 최식은 중종이 무삼사를 가까이 하는 것을 보고서는 오왕의 일을 모두 무삼사에게 일러바쳤다. 무삼사는 중종의 황후 韋后와 손잡고 이들을 조정의 정사에서 손을 떼게 할 심산으로 郡王에 봉하였고, 이어 여러 州의 刺史로 내쫓았다가 끝내 죽였다.(『新唐書』 권120 「五王傳」)

152 武氏 : 측천무후를 이르는 말. 측천무후의 이름은 曌(조). 나이 14세 때 태종의 才人이었다가 태종이 죽자 출가하여 승려가 되었다. 이어 高宗의 昭儀가 되고 永徽 6년(서기 655년)에 황후가 되어 병으로 정사를 돌보지 못하는 고종을 대신하여 정사를 결재하며 고종과 함께 '두 천자[二聖]'라 불렸다. 고종이 죽자 조정에 나와 칭제하며, 중종을 여릉왕으로 강등시켜 내쫓았다. 이어 睿宗(고종의 아들)을 등극시키고서도 정사에 참여시키지 않고 정사를 전횡하였다. 天授 원년(서기 690년)에 聖神皇帝를 자칭하며 周나라를 세우고, 예종을 皇嗣로 삼아 무씨 성을 하사하여 쓰게 하였다. 이어 무씨의 조상 7대의 사당을 세우기도 하였다. 16년을 군림하다 神龍 원년(서기 710년) 정월에 당시 나이 83세로 병이 들자 張易之와 張昌宗이 병을 살핀다며 내전에 들어 모반을 꾀하자 장간지 등이 左右羽林軍을 거느리고 이들 형제를 측천무후가 보는 앞에서 죽이고, 측천무후는 上陽宮으로 옮겨 거처하게 하였다. 중종이 이 거사에 참여하여 바로 잃었던 황제위를 되찾았다. 측천무후는 이해 11월에 병으로 죽었다.(『舊唐書』; 『新唐書』「則天皇后本紀」)

153 高宗 : 당나라 제3대 황제이다. 태종의 아홉째 아들로 이름은 治이다. 처음 晉王에 봉하여졌다가 태자가 되었다. 태종의 제삿날 香을 올리려 절을 찾았다가 나중에 측천무후가 된 여인을 발견하고 데려다 後宮을 삼았다. 후일 王황후를 폐위하고 측천무후를 황후로 삼았다. 늘 병으로 정사를 돌보지 못해 거의 측천무후에게 정사를 대신 결재하게 하였다. 나중에 측천무후의 전횡을 알고 폐위하려 하였으나 뜻을 이루지 못했다.

이로 인해서 일을 쉽게 이루었다. 중종이 나중에 했던 일[154]은 참으로 잘못된 것이나, 당시에 그를 폐위시킬 수는 없었다."

[63-12-2]

問: "狄梁公雖復正中宗, 然大義終不明, 做得似鶻突."

曰: "當此時做得到恁地.[155] 狄梁公終死於周. 然薦得張柬之, 迄能反正."

물었다. "적량공狄梁公이 중종을 제자리로 회복시켰으나[156] 대의에 불분명하였으니, 한 일이 흐리멍덩한 것 같습니다."

(주자가) 대답하였다. "당시 상황에서는 다만 그렇게 할 수밖에 없었다. 적량공이 끝내 주나라에서 죽었지만 장간지張柬之를 천거하였기에 반정할 수 있었다."[157]

재위 34년.(『新唐書』「高祖本紀」)

154 중종이 나중에 … 일: 중종은 당나라 제4대 황제이다. 고종의 일곱째 아들로 이름은 顯이다. 고종을 이어 즉위하였다가 채 두 달도 채우지 못하고 왕으로 강등되었고, 측천무후의 聖曆 2년 서기 699년)에 다시 황태자가 되었다. 이어 6년 뒤인 神龍 원년(서기 705년)에 장간지 등이 측천무후를 제거하고 주나라를 무너뜨리면서 監國(태자가 군왕을 대신하여 나라를 다스리는 일)의 일을 행하다가 등극하였다. 중종은 등극하면서 측천무후의 친정조카인 武三思를 오히려 중용하고, 무삼사의 아들 武崇訓에게 시집간 자신의 딸 安樂公主를 총애하여, 오왕이 결국 이들 참소에 의하여 죽어갔다. 이후 중종의 황후 韋后는 무삼사와 사통하며 실권을 장악하고 안락공주는 賣官賣職을 일삼았다. 중종은 아무 실권을 갖지 못하다가 결국 위후와 안락공주에게 독살당하였다.(『新唐書』「中宗本紀」)

155 當此時做得到恁地.: 『朱子語類』 권132, 61조목에는 '當此時世'라고 하여 '世'자 한 글자가 더 있다.

156 狄梁公이 중종을 … 회복시켰으나: 적량공은 唐나라 狄仁傑을 그의 封號로 부르는 말이다. 幷州 太原 사람으로 자는 懷英이고, 시호는 文惠다. 明經科에 급제하여, 大理丞·地官侍郞·魏州刺史·河北道行軍副元帥 벼슬을 지냈다. 則天武后에게 直諫을 잘하였고, 張柬之와 姚崇 등의 유능한 선비를 추천하여 朝野의 존경을 받았으며, 武三思로 皇統을 잇게 하려는 大逆을 막는 등 당 황실의 회복과 수호에 힘썼다. 燕國公에 봉해지고, 睿宗 때 梁國公에 추봉되었다. 적량공은 측천무후의 주나라 聖曆 3년(서기 700년)에 죽었으나 그가 추천한 인재들이 측천무후의 주나라를 무너뜨리고 중종을 복위시킨 까닭에 이렇게 말한 것이다.(『舊唐書』 권89, 『新唐書』 권115)

157 적량공이 끝내 … 있었다.: 장간지는 중종을 복위시킨 오왕의 한 사람으로, 측천무후의 제거를 제일 먼저 제창하여 실현시킨 사람이다. 장간지를 측천무후에게 추천한 사람은 적인걸이다. 이를 『新唐書』 권120 「張柬之傳」의 기사에 의거하여 살피면, "장안 연간에 측천무후가 적인걸에게 '어떻게 하면 비상한 인물을 등용할 수 있겠는가?' 하니, 적인걸이 '폐하께서 문학에 소질을 가진 사람을 구하신다면 지금의 재상 李嶠와 蘇味道이면 충분합니다. 혹여 文士는 너무 악착스러워 함께 천하의 일을 이루기에 부족하다고 생각하십니까?' 하였다. 측천무후가 '그렇소' 하자, 인걸이 '荊州長史 장간지가 늙기는 하였으나 재상 재목입니다. 등용하신다면 반드시 나라에 절의를 다할 것입니다.'라고 하니, 바로 불러서 洛州司馬로 삼았다. 훗날 또다시 인재를 구하자, 인걸은 '신이 지난날 장간지를 추천하였는데 아직 등용하지 않고 계십니다.' 하니, 측천무후가 '이미 전직시켰습니다.' 하였다. 인걸이 '신은 재상으로 천거하였는데 사마로 삼았으니 등용한 것이 아닙니다.'라고 하니, 司刑少卿을 제수하고 秋官侍郞으로 전직시켰다.(長安中, 武后謂狄仁傑曰, '安得一奇士用之?' 仁傑曰, '陛下求文章資歷, 今宰相李嶠蘇味道足矣. 豈文士齷齪, 不足與成天下務哉?' 后曰, '然.' 仁傑曰,

又問：“呂后事勢倒做得只如此，然武后却可畏.”

曰：“呂后只是一箇村婦人，因戚姬，遂迤邐做到後來許多不好．武后乃是武功臣之女，合下便有無稽之心．自爲昭儀，便鴆殺其子，以傾王后，中宗無罪而廢之，則武后之罪已定．只可便以此廢之，拘於子無廢母之義，不得．胡文定謂‘武后之罪，當告于宗廟社稷而誅之.”[158]

또 물었다. “여후呂后의 형세는 일을 거꾸로 뒤집은 것이 다만 이 정도지만, 무후武后는 도리어 두렵습니다.”

(주자가) 대답하였다. “여후는 단지 일개 촌 아낙[159]이었는데 척희戚姬로 인해 마침내 점차 말려들어 뒷날의 허다한 잘못을 저질렀다.[160] 무후는 바로 무 공신武功臣의 딸[161]이었으니 처음부터 엉뚱한 마음을 가졌다. 소의昭儀가 되면서부터 자신의 자식을 짐살鴆殺하여 왕황후를 쓰러뜨렸고,[162] 중종을 아무 죄

‘荆州長史張柬之雖老，宰相材也．用之，必盡節於國.’ 即召爲洛州司馬．它日又求人，仁傑曰，‘臣嘗薦張柬之，未用也.’ 后曰，‘遷之矣.’ 曰，‘臣薦宰相而爲司馬’ 非用也.‘ 乃授司刑少卿，遷秋官侍郎.)”고 하였다.

158 『朱子語類』 권132, 61조목. 이 문장은 모두 61조목의 글이나 61조목은 글이 길다. 따라서 일부를 인용한 것이고, 호문정부터는 또 줄을 달리한 말인데 여기서는 이어진 말처럼 편집하였다.

159 여후는 단지 … 아낙 : 여후의 출신에 대해서는 『史記』「高祖本紀」에 자세하다. 대강 거론하면 다음과 같다. 單父 사람 呂公이 한고조의 고향인 沛 고을의 수령과 사이가 좋았다. 원수를 피해 패 고을에서 지내게 되었을 때 당시 泗水亭長인 한고조가 그를 찾아 만났는데, 그를 본 여공이 그의 범상하지 않은 얼굴을 보고서 “제가 어려서부터 남의 관상보기를 좋아하여 많은 관상을 보았는데 劉季(계는 유방의 字임) 같은 사람이 없었오! 유계는 자신을 아끼기를 바라오. 저에게 딸아이가 있으니, 유계의 청소나 하는 첩으로 주고자 하노라(臣少好相人，相人多矣，無如季相！願季自愛．臣有息女，願爲季箕帚妾.)”라고 하였다. 이렇게 해서 한고조는 뒷날의 여후를 얻었다. 그 뒤 여후는 아들 하나, 딸 하나를 두었는데 이들을 데리고 농사를 짓는 어려움을 겪었다.

160 戚姬로 인해 … 저질렀다. : 척희는 漢高祖에게 총애를 받았던 부인이다. 아들 如意를 낳자 한고조가 태자 劉盈(惠帝)을 폐위시키고 여의로 바꾸고자 하였다. 척희도 한고조의 사랑을 믿고 자신의 아들을 태자로 삼으려 울며불며 매달렸다. 여후가 張良의 계책을 채용하여 商山四皓를 태자의 賓客으로 불러들여 태자의 우군으로 삼자, 고조도 더 이상 태자를 바꾸려는 생각을 가질 수 없었다. 이후 한고조가 척희 소생의 趙王 여의를 보전시키고자 周昌에게 부탁하였지만, 한고조가 죽자 여후는 척희를 가두고, 여의를 불러들여서 죽였다. 척희의 수족을 자르고, 눈을 멀게 하고, 약을 먹여 벙어리를 만들고서는 사람돼지[人彘]라 불렀다. 이런 척희를 아들 혜제를 불러서 보게 하였다. 혜제는 처음 이 사람이 누구인지 몰랐다가 척희임을 알고서는 정치에 염증을 느끼고 이후 정치에서 손을 떼고 술과 여자에 마음을 쓰다 죽었다. 여후가 뒷날 한나라의 유씨 왕조를 빼앗아 여씨 왕조를 세우고자 한 것은 이런 일에서 확대되었다는 말이다.(『史記』「呂后本紀」)

161 武功臣의 딸 : 무공신은 측천무후의 아버지 武士彠(무사확)을 이르니, 幷州 文水 사람이며 자는 信이고 시호는 定이다. 집안이 큰 부자였고 많은 사람들과 널리 사귀었다. 수나라 말기 李淵(唐高祖)이 太原留守였을 때 行軍司鎧(행군사개)가 되었고, 이어 이연이 義兵을 일으킬 때 따라나서, 수나라의 수도 함락에 공을 세웠다. 당나라가 세워진 뒤 光祿大夫에 임명되고 太原郡公에 봉해졌으며, 이후 工部尙書에 오르고 應國公에 봉해졌다. 高祖廟에 배향되었는데 그 자리가 공신들 자리보다 윗자리이였다.(『舊唐書』 권58 ; 『新唐書』 권206)

162 자식을 鴆殺하여 … 쓰러뜨렸다. : 고종이 황제에 올랐을 때 황후인 王皇后가 오랫동안 아들을 두지 못하였고, 蘇淑妃가 총애를 누렸다. 이때 무후가 절에서 승려로 지내다 후궁으로 들어왔다. 권모술수에 뛰어난 무후는 왕황후를 잘 섬겨 왕황후의 추천으로 昭儀에 오르며 소숙비를 밀쳐냈다. 소의에 오른 뒤로는 왕황후

없이 폐위하였으니, 무후의 죄는 여기에서 결정된 것이다. 단지 이 죄만을 가지고도 폐위시킬 수 있는데, 자식이 어머니를 폐위시킬 수 없다는 의리에 묶여 할 수 없었다. 호문정胡文定[胡安國]은 '무후의 죄는 당연히 종묘사직에 아뢰고 다스렸어야 한다.'고 하였다."

[63-12-3]

問 : "武后之禍."

曰 : "前輩云, '當廢武后所出, 別立太宗子孫.'"

曰 : "此論固善, 但當時宗室爲武后殺盡, 存者皆愚暗, 豈可恃?"[163]

물었다. "무후가 일으킨 환난에 대해 묻습니다."

주자가 대답하였다. "옛사람들은 '당연히 무후가 낳은 아들을 폐위하고 따로 태종의 자손을 세워야 했다.' 고 하였다."[164]

다시 말하였다. "이 주장이 참으로 좋은 말이다. 다만 당시의 종실이 모두 무후에게 죽임을 당해 남은 사람은 모두 어리석고 사리에 어두웠으니, 어찌 의지할 수 있겠는가?"

[63-12-4]

南軒張氏曰 : "致堂胡氏論五王不誅武后事, 曰'武氏誠當誅, 但旣立其子, 難誅其母.' 或者以爲'予奪輕重之間, 不過告于唐家宗廟, 廢置幽處之耳.'[165] 然以中宗之昏庸, 其復之如反手耳, 亦豈是長策! 以愚觀之, 五王若有伊周之見, 則當時復唐家社稷, 何必須立中宗? 中宗雖爲武

와 반목하며 총애를 다투었다. 이러는 사이 무후가 딸을 낳았다. 이 사건을 『新唐書』 권76 「則天皇后傳」에 의하여 살피면 다음과 같다. "소의가 딸을 낳자 왕황후가 찾아와 아기와 장난질하다가 돌아가자, 소의는 몰래 아기를 이불 밑에서 죽였다. 고종이 찾아오기를 기다려 거짓으로 즐겁게 말을 나누다가 이불을 들쳐 아기를 보니 죽어 있었다. 또다시 놀란 척하며 좌우 사람들에게 물으니 모두가 '왕황후가 바로 왔었습니다.' 라고 하였다. 소의가 바로 비통하게 통곡하자, 고종은 정황을 읽어내지 못하고 '왕황후가 내 딸을 죽였구나! 지난날 소숙비와 서로 참소하고 미워하더니 지금 또 이런 짓을 저질렀구나!' 하였다. 이로부터 소의의 헐뜯는 말은 그대로 받아들여졌고 왕황후는 변명할 길이 없었다. 고종은 더욱 무후를 믿고 사랑하며 비로소 왕황후를 폐위할 생각을 가졌다.(昭儀生女, 后就顧弄, 去, 昭儀潛斃兒衾下. 伺帝至, 陽爲歡言, 發衾視兒, 死矣. 又驚問左右, 皆曰, '后適來.' 昭儀即悲涕, 帝不能察, 怒曰, '后殺吾女! 往與妃讒媢, 今又爾耶!' 由是昭儀得入其訾, 后無以自解, 而帝愈信愛, 始有廢后意.)" 이 일이 있은 뒤 무후는 후궁에서 宸妃(신비)에 봉해졌고, 이어 왕황후가 친정어머니 柳氏와 저주하는 일을 벌였다고 무고하여 마침내 폐비시켜 유폐한 다음 곤장을 쳐 죽게 하였다.

163 『朱子語類』 권105 끝 조목

164 "옛사람들은 '당연히 … 하였다.: 윗글 [63-12-1] 참고

165 『南軒集』 권20 「答朱元晦書」에는, "通鑒綱目想見次第, 甚有益於學者也. 垂諭胡致堂所論'五王不誅武后事,' 偶無別本在此檢得, 然亦大綱記得其說. 武氏誠當誅, 畢竟既立其子, 難誅其母. 如來教所云, 至於'予奪輕重之間, 不過告于唐家宗廟, 廢置幽處之耳.' 然以中宗之昏庸 … "이라고 하여 이 글의 원문과 많이 다르다. 이 글의 원문 或者는 정작 『南軒集』에서는 朱子의 편지 속에 있는 주자의 말임을 알 수 있다.

后所廢, 然嘗欲傳位與后父, 是其得罪宗廟, 不可負荷, 已自著見. 五王若正大義, 於唐家見存子孫中, 公選一人以承天序, 告于宗廟, 誅此老媪, 則義正理順, 唐祚有泰山之安."[166]

남헌 장씨가 말하였다. "치당 호씨致堂胡氏[胡寅]는 오왕이 무후의 죄를 다스리지 않은 일에 대해, '무씨의 죄를 다스리는 것이 참으로 당연하나 다만 그의 아들을 이미 등극시켰으니[167] 그 어머니의 죄를 다스리기는 어렵다.'고 논하였다. 어떤 사람은 '저들 지위를 그대로 인정하건 삭탈하건 그 모두를, 당나라 종묘사직에 아뢰고 폐위시켜 유폐시키는 것에 불과할 뿐이다.'라고도 한다. 그러나 중종처럼 어둡고 용렬한 군주라도 측천무후를 복위시키는 것쯤은 손바닥 뒤집듯이 쉬우니 또한 어찌 좋은 계책이겠는가! 내가 보기에 오왕에게 만일 이윤伊尹과 주공周公 같은 식견이 있었다면 당시 당나라의 사직을 회복시키는데 무엇 때문에 굳이 중종을 세우려 했을까? 중종이 무후에게 폐위되었지만 황후의 친정아버지에게 제왕 자리를 전해주고자 하였으니[168] 이는 종묘에 죄를 지어 황제의 지위를 감당할 수 없음이 이미 저절로 드러난 것이다. 오왕이 만일 대의大義를 바로잡아, 당나라 왕실의 남아있는 자손 가운데서 공정하게 한 사람을 선정하여 제왕의 자리를 잇게 하고서, 이를 종묘에 아뢰고 이 늙은 아낙을 제거하였다면 의리에 바르고 천리天理에도 맞아 당나라의 복록은 태산처럼 안정되었을 것이다."

玄宗 현종

[63-13-1]

元城劉氏嘗與馬永卿論唐史, 及明皇信任姚宋事, 曰 : "此二人與張說, 乃天后時相也, 非己自用, 故敬憚之. 至於張九齡輩, 乃己所自用, 故於進退輕也."

永卿曰 : "人主用相必要專一, 明皇用二相專, 故能成開元之治."

166 『南軒集』 권20 「答朱元晦書」

167 그의 아들을 … 등극시켰으니 : 측천무후의 주나라를 무너뜨리고 세운 중종이 바로 측천무후의 아들이다.

168 황후의 친정아버지에게 … 하였으니 : 이 사건은 『舊唐書』 권87 「裴炎傳」에 의거하여 살피면 다음과 같다. "중종은 등극한 뒤에 장인 韋玄貞을 侍中으로 삼고, 또 자신의 유모의 아들에게 5품 벼슬을 내리고자 하였다. 이를 裴炎이 옳지 않다고 간쟁하자, 중종은 언짢아져 측근들에게 '내가 나라를 현정에게 준다 하여도 어찌 못하겠는가? 왜 시중 벼슬을 아껴야 하는가?'라고 하였다. 배염은 두려워져 바로 측천무후와 폐위 계책을 확정 지었다. 배염이 中書侍郎 劉禕之와 羽林將軍 程務挺·張虔勗 등과 군사를 정돈하여 궁중으로 들어가 측천무후의 令을 선포하고 중종을 부축하여 殿上에서 끌어내렸다. 중종이 '내게 무슨 죄가 있는가?'라고 하니 측천무후가 '네가 천하를 위현정에게 주려 했는데 어찌 죄가 없을 수 있겠는가?'라고 대답하고, 중종을 폐위하여 여릉왕으로 삼았다.(中宗既立, 欲以后父韋玄貞爲侍中, 又欲與乳母子五品. 炎固爭以爲不可. 中宗不悅, 謂左右曰, '我讓國與玄貞豈不得? 何爲惜侍中耶?' 炎懼, 乃與則天定策廢立. 炎與中書侍郎劉禕之羽林將軍程務挺張虔勗等, 勒兵入內, 宣太后令, 扶帝下殿. 帝曰, '我有何罪?' 太后報曰, '汝若將天下與韋玄貞, 何得無罪?' 乃廢中宗爲廬陵王.)"

曰："明皇仰面不對除吏，雖是好事，然未也．明皇之任用宰相是也，其以情告宦官者非也．使力士以誠告崇固可，若加以誕謾之語，則崇何從質之？曷若以語力士之言面諭崇，則君臣之情洞然無疑矣？"[169]

원성 유씨元城劉氏[劉安世]가 한번은 마영경馬永卿과 당나라 역사를 얘기하다가 명황제明皇帝[170]가 요송姚宋을 신임한 것[171]에 대해 말이 미쳐 이렇게 말하였다. "이들 두 사람과 장열張說은 측천무후 때의 상국들이고 자신이 등용한 사람이 아니었던 까닭에 공경하며 조심스러워하였다. 장구령張九齡 같은 사람은 자신이 등용한 사람이라서 쓰고 안 쓰는 것이 쉬웠다.[172]"

169 『元城語錄解』는 宋나라의 마영경이 유안세에게 들은 말을 기록한 책이다. 이 글의 원전인 『元城語錄解』 권上에는 여기까지가 한 단락이고 다음의 '又曰' 이하는 똑같이 『元城語錄解』 권상의 글이기는 하나, 중간에 다른 한 편의 문장이 더 있어 서로 다른 단락인데 여기서 한 문장으로 묶고 있다. 다만 이 글 끝에 『元城語錄解』 권상에는 "力士與王毛仲不相善，至奏其怨望之言，而終被誅．然則人主不面質其臣，而好與宦官密語，未有不竊弄權柄而亂天下者也．此事可爲戒，不可以爲法．"라는 글이 더 있어 이 글을 이해하는 데 도움을 준다.

170 明皇帝：당나라 玄宗을 이르는 말. 그의 시호가 至道大聖大明孝皇帝여서 후세에 그를 이렇게 일렀다. 현종은 睿宗의 셋째 아들이고 이름은 李隆基다. 처음에 楚王에 봉해졌다가 다시 臨淄王에 봉해졌다. 中宗 景龍 4년(서기 710년)에 중종이 韋后(中宗妃)에게 독살당하고, 위후가 遺詔를 날조하여 溫王 李重茂를 皇太子로 책봉하여 중종을 잇게 하고 위후가 皇太后에 오르자 군사를 일으켜 위후를 죽이고 아버지 예종을 즉위시켰다. 3년 뒤(서기 712년) 아버지로부터 황제 자리를 물려받아 등극하였다. 요숭과 송경 등을 등용하여 옛 弊政을 혁신시키며 나라가 강성해져 후세로부터 開元之治라는 명성을 얻었다. 그러나 楊貴妃를 총애하고, 이어 등용한 李林甫와 楊國忠이 나라를 부패시켜 安祿山의 난리가 일어나 天寶 14년(서기 755년)에 蜀으로 도망쳤다. 태자 李亨(肅宗)이 靈武에서 즉위하며 태상황으로 떠밀렸다. 수도 장안으로 돌아온 뒤 울분으로 날을 보내다가 죽었다. 제위 44년.(『新唐書』「玄宗本紀」)

171 姚宋을 신임한 것：요는 姚崇이고 송은 宋璟이다. 현종의 개원 연간에 상국 자리를 이어가며 훌륭한 치적을 이뤄내 이들 두 사람을 이렇게 합하여 불렀다. 요송은 측천무후를 무너뜨리는 거사에 참여하여 그 공으로 梁縣侯에 봉해졌으나, 무후를 오랫동안 섬긴 일로 그가 폐위되어 上陽宮으로 옮겨질 때 눈물을 흘려 한때 의심을 받기도 하였다. 그들의 신임은 『新唐書』 권124의 요숭과 송경의 傳에 대한 贊을 보면 짐작할 수 있다. "요숭은 열 가지 일을 현종에게 설득시킨 뒤 상국이 되었으니 어찌 위대하지 않은가! 『舊唐書』는 이 사실을 싣지 않았다. 개원 연간의 초기에 이들 모두를 시행시킴을 볼 수 있으니 참으로 속이지 않은 것이다. 송경은 강직하고 올곧기가 또 요숭을 능가하여 현종이 본디 존경하면서 어렵게 여기고는 자신의 뜻을 굽히고 그의 의견을 받아들였다. 당나라 史臣이 일컬어, 요숭은 임기응변에 뛰어나 천하의 일을 성공시켰고, 송경은 법도를 지켜 천하의 바른 도리를 유지시켰다고 했다.(姚崇以十事要說天子，而後輔政，顧不偉哉！而舊史不傳．觀開元初皆已施行，信不誣已．宋璟剛正又過於崇，玄宗素所尊憚，常屈意聽納．故唐史臣稱，崇善應變以成天下之務，璟善守文以持天下之正．)"

172 張九齡 같은 … 쉬웠다.：장구령은 집안이 한미하였으나 문학이 있어 사람들이 중시하였다. 그가 현종의 총애를 받자 이림보가 이를 시기하였다. 中書令 시절, 范陽節度使 張守珪가 可突干을 목 벤 공훈이 있어 현종이 侍中 벼슬을 주고자 하였다. 장구령이 시중 벼슬은 재상 반열이고, 재상은 하늘을 대신하여 백성을 다스리니, 그러한 자리를 상으로 줄 수 없다며 반대하였다. 그 뒤 涼州都督 牛仙客을 尚書로 삼으려 하자 장구령이 다시 반대하며 다음과 같은 말을 나누었다. '상서는 예전 納言에 해당하는 벼슬로 당나라 왕조에서는 대부분 예전의 상국으로 임명하였습니다. 그렇지 않으면 내외의 중요 관직을 거치거나 덕망이 아주 뛰어

마영경이 말하였다. "군주가 상국을 쓰면서는 반드시 전일하게 한마음이어야 합니다. 명황이 두 상국을 등용하여 전일하게 믿었기 때문에 개원 연간의 정치를 이룰 수 있었습니다."

(원성 유씨)가 대답하였다. "명황이 다른 곳을 바라보고 낭관 임명에 상관하지 않은 것[173]은 좋은 일이지만 그러나 옳은 일은 아니다. 명황의 재상 임용은 옳았으나, 그가 자신의 속마음을 환관에게 말한 것[174]은 잘못이다. 고력사高力士에게 자신의 진심을 요숭에게 알리게 한 것은 참으로 잘한 일이나, 만일 허튼 소리를 보탰다면 요숭이 누구를 통하여 그 사실을 알 수 있겠는가? 어찌 고력사에게 한 말을 면전에서 요숭에게 일러주어, 군주와 신하 사이의 마음이 환히 의심이 없게 한 것만 같겠는가?"

又曰："以明皇之任韓休一事觀之，信忠臣之難遇，而佞臣之難去也．藉使令知其人曰某人忠，某人姦，亦未必能任且去之也．明皇分明知韓休之忠乃速去之，分明知蕭嵩之佞乃久任之．後來任李林甫，又更好笑，分明知其姦，至用之二十來年，至死乃罷．人主唯患不能分別忠佞，今分明知之乃如此，欲天下不亂可乎？"[175]

난 자를 임명하였습니다. 선객은 河와 湟 지역의 일개 胥吏일 뿐인데 최고 직위의 반열에 올린다면, 천하에서 뭐라고 말들 하겠습니까?' 하였다. 현종이 또다시 實封(벼슬에 상응하게 내리는 封地나 封戶)을 하사하려 하자, 구령이 '한나라는 공훈이 아니면 봉해주지 않았는데 당나라가 한나라 법을 따랐으니 태종의 제도입니다.'라고 하였다.(尙書古納言, 唐家多用舊相, 不然歷内外貴任, 妙有德望者爲之. 仙客河湟一使典耳, 使班常伯, 天下其謂何? 又欲賜實封, 九齡曰, '漢法非有功不封, 唐遵漢法, 太宗之制也.)라며, 폐하께서 기어이 상을 주시고자 한다면 金帛은 모르겠지만 땅을 떼어주는 것은 옳지 않다고 반대하였다. 현종이 화를 내 "선객이 미천한 사람이어서 그러는 것이냐? 경은 본디 문벌집안인가?(豈以仙客寒士嫌之邪? 卿固素有門閥哉?)" 하였다. 이후 이림보가 선객을 재상 재목이라고 두둔하여, 장구령은 결국 현종으로부터 멀어졌고, 이어 정사를 논의하는 자리에서 파직되었다. 요숭과 송경에 비겨 장구령이 심한 말이 없었는데도 쉽게 벼슬에서 물러난 것이 바로 자신이 등용한 인물이어서 쉽게 해직시킬 수 있었다는 말이다.(『新唐書』 권126「張九齡傳」)

173 명황이 다른 … 것: 이는 당시 상국 요숭과의 일화다. 『新唐書』 권124「姚崇傳」에 이에 대한 기사가 있다. "요숭이 현종 어전에서 임명할 朗吏들의 순서를 정하는데 현종이 좌우를 살피며 자신의 말을 귀담아들으려 하지 않았다. 요숭이 두려워 두세 차례 거듭 말하였지만 끝내 대답하지 않자 요숭은 휑하게 나가버렸다. 내시로 있던 고력사가 '폐하께서 새로 즉위하였으니 의당 대신과 옳고 그름을 제정해야 합니다. 지금 요숭이 여러 차례 말씀드리는데도 폐하께서 대답하지 않으시니, 이는 마음을 비우고 가르침을 받아들이는 태도가 아닙니다.'라고 하였다.(崇嘗於帝前序次郎吏, 帝左右顧, 不主其語. 崇懼, 再三言之, 卒不答, 崇趨出. 内侍高力士曰, '陛下新即位, 宜與大臣裁可否. 今崇亟言, 陛下不應, 非虛懷納誨者.')" 이 기사의 좌우를 살폈다는 말이 다른 곳을 바라보았다는 말로 바뀌었음을 볼 수 있다.

174 그가 자신의 … 것: 이는 앞 주석 『新唐書』 권124「姚崇傳」에 이어지는 말이다. 고력사가 현종에게 이렇게 말하자, "(현종은) '내가 요숭에게 정사를 맡겼으니 큰일은 내가 당연히 그와 결단하겠지만, 낭리쯤 쓰는 것이야 요숭이 잘못할 것으로 생각되지 않는데, 거듭 나를 번거롭게 한단 말인가?' 하였다. 요숭은 이 말을 전해 듣고서 그제야 안심하였다. 이로부터 어진 사람을 등용하고 어질지 않은 사람을 물리쳐 천하가 다스려졌다.('我任崇以政, 大事吾當與決, 至用郎吏, 崇顧不能而重煩我邪?' 崇聞乃安. 由是進賢退不肖而天下治.)"고 하였다.

175 이 글은 『元城語錄解』 권상에 아래 '又曰'과 한 편의 글이나, 논하는 말은 서로 다르다. 그리고 여기 '又曰'은

또 말하였다. "명황이 한휴韓休를 임용했던 한 가지 일에서 보아도, 참으로 충성스러운 신하는 뜻을 얻기 어렵고 아첨하는 신하는 제거하기 어렵다. 가령 그 사람됨을 알 수 있도록 어떤 사람이 충성스러운 신하이고 어떤 사람이 간악한 신하라고 말해 준다 해도 또한 반드시 임용하거나 또 제거하지는 못한다. 명황이 분명히 한휴가 충신인 줄 알았으면서도 급하게 내보냈고, 분명히 소숭蕭嵩이 아첨하는 신하인 줄 알았으면서도 오랫동안 임용하였다.[176] 뒷날 이림보李林甫를 임용했을 적에 또 다시 웃기를 좋아하여[177] 분명히 그가 간악한 사람인 줄 알 수 있었는데도 등용이 20년에 이르렀고 죽어서야 파직하였다.[178]

『元城語錄解』 상권에는 '先生與僕論唐史, 言及明皇任宰相, 先生曰'로 되어 있다.

176 한휴가 충신인줄 … 임용하였다. : 한휴는 開元 21년(서기 733년) 3월에 黃門侍郎에 오르며 상국의 일을 거행하기 시작하여 그해 12월에 전직되었다. 소숭은 개원 16년(서기 728년) 9월에 상국의 자리에 올라 한휴와 함께 상국의 직에서 전직되었다. 한휴는 만 1년을 채우지 못한 반면 소숭은 만 5년을 누렸다. 한휴는 소숭의 천거로 상국의 지위에 올랐다. 소숭은 한휴가 유약하여 손쉬운 사람으로 알고서 그를 상국에 천거하였다. 상국이 된 한휴는 소숭의 잘못까지도 현종의 면전에서 지적하는 대쪽 같은 모습을 보였다. 현종은 한휴를 두렵게 생각하였다. 이를 『新唐書』 권126 「韓休傳」에서 살피면 다음과 같다. "현종이 동산에서 사냥하거나 음악을 한껏 준비하여 연주시키면서 조금이라도 도를 넘어선 듯싶으면 반드시 측근들을 보며 '한휴가 알고 있는가?'라고 하였는데, 이윽고 이를 지적한 상소가 번번이 이르렀다. 늘 그의 말을 가져다 거울로 삼으면서도 속으로는 즐거워하지 않았다. 측근들이 '한휴가 入朝하면서부터 폐하께서 하루도 즐거운 날이 없으신데, 왜 혼자서 근심하시며 내쫓아버리지 않으십니까?' 하니, 현종이 '내가 수척해지더라도 천하가 살이 찐다. 또 소숭은 일을 아뢸 적마다 반드시 내 비위를 맞추나, 내가 물러나서 천하를 생각하면 잠자리가 편치 못하다. 한휴가 말하는 천하를 다스리는 방도는 대부분 남의 잘못을 후벼내는 일을 곧음인 양 생각하는 것들이나, 내가 물러나서 천하를 생각하면 잠자리가 편하다. 내가 한휴를 쓰는 것은 사직을 위한 계책이다.'고 하였다.(帝嘗獵苑中, 或大張樂, 稍過差, 必視左右曰, '韓休知否?' 已而疏輒至. 嘗引鑑, 黙不樂. 左右曰, '自韓休入朝, 陛下無一日歡, 何自戚戚, 不逐去之?' 帝曰, '吾雖瘠, 天下肥矣. 且蕭嵩每啓事, 必順旨, 我退而思天下, 不安寢. 韓休敷陳治道, 多訐直, 我退而思天下, 寢必安. 吾用休, 社稷計耳.')"

177 李林甫를 임용했을 … 좋아하여 : 『新唐書』 권223상 「奸臣李林甫傳」에 의하면 다음과 같다. "지난날 張九齡·裴耀卿·이림보 세 재상이 재상 자리에 나아갈 적에, 두 사람은 허리를 구부리고 나아가는데 임보는 중간에서 거만스레 한 점 공손한 기미가 없이 기쁨이 얼굴 사이에 드러났다. 보는 자들이 몰래 '한 마리의 새매가 두 마리의 토끼를 끼고 있는 모습이다.' 하였다. 조금 지나자 조서가 내려졌는데, 요경과 구령을 左右丞相으로 강등시켜 (삼경의 지위에서) 파직시켰다. 임보가 희죽거리며 '아직도 좌우승상이란 말인가?'라고 하였다.(初, 三宰相就位, 二人磬折趨, 而林甫在中, 軒驁無少讓, 喜津津出眉宇間. 觀者竊言 : '一鵰挾兩兔.' 少選, 詔書出, 耀卿九齡以左右丞相罷, 林甫嘻笑曰, '尚左右丞相邪?')" 곧 이렇게 기쁨이 넘치고 희죽거리는 태도에서 그의 간악함을 간파했어야 한다는 말이다.

178 등용이 20년에 … 파직하였다. : 이림보는 개원 22년(서기 734년) 5월에 재상 韓休의 천거로 黃門侍郎에 오르고 이어 禮部尚書에 오르며 재상의 반열에 올라서 天寶 11년(서기 752년) 11월에 파직되었다. 이 사이에 현종의 총애를 믿고 당시 태자를 비롯한 현종의 세 아들을 죽이는 일까지 행하면서도 현종의 신임을 샀다. 이림보가 병이 깊었는데 현종이 온천 나들이에 나서며 시종할 것을 명하였다. 결국 따라나섰다가 온천에서 돌아오지 못하고 죽었다. 죽은 뒤에 그에게 太尉가 증직되었다. 그의 장례를 치르기 전 楊國忠이 안록산을 시켜 이림보의 흉계를 현종에게 고하게 하였다. 안록산은 突厥 阿布思의 부하로 항복해 온 자를 시켜, 조정에 나아가 이림보가 아포사와 부자의 인연을 맺고 반란을 도모하였음을 고하게 하였다. 조정에서 조사에 들어가자 이림보의 사위 楊齊宣은 두려움에 장인이 임금을 저주하는 일을 행하였다고 하였다. 마침내 양국

군주는 충성하는 신하와 아첨하는 신하를 분별하지 못하는 것이 근심인데, 지금 분명하게 알았으면서도[179] 이 같았으니, 천하가 어지럽지 않으려 해도 어지럽지 않을 수 있겠는가?"

又曰 : "雖大無道之君, 亦惡亂亡. 而明皇中材之主, 知姦邪而用之, 何也?"

曰 : "此蔽於左右之佞幸耳, 蓋所謂佞幸者, 嬪御也, 內臣也, 戚里也, 幸臣也. 此皆在人主左右, 而可以進言者也. 賢相不與佞幸交結. 彼有所倖求, 則執法而抑之, 人人與之爲讎, 必旦旦而譖之, 而人主之眷日衰矣. 姦臣則交結佞幸. 彼有所僥求, 則謹奉而行之, 人人感其私恩, 必旦旦而譽之, 則人主之眷日深矣. 人主雖欲用忠臣而去佞臣, 不可得也. 李林甫所以作相二十年不去者, 正緣得高力士 · 安祿山 · 陳希烈等內外贊助之也."[180]

또 말하였다. "아무리 크게 무도한 군주라도 또한 어지러워지거나 망하는 것은 싫어합니다. 명황은 중등 재목의 군주인데, 간사한 자인 줄 알면서 등용한 것은 무엇 때문입니까?"

대답하였다. "이는 측근의 영행佞幸에 가려져서일 뿐이다. 이른바 영행은 시첩이나 궁녀[嬪御], 환관, 외척[戚里], 총애 받는 신하[幸臣]이다. 이들은 모두 군주의 측근으로 있으면서 군주에게 진언할 수 있는 자이다. 어진 상국은 영행들과 관계를 맺지 않는다. 저들이 요행을 구하는 것이 있으면 법을 고집하고 억압해, 사람마다 그와 원수가 되면서 반드시 날마다 참소하여 군주의 사랑이 날마다 시들해진다. 간악한 신하는 영행들과 관계를 맺는다. 저들이 요행을 구하는 것이 있으면 조심히 받들어 따라, 사람들마다 그의 사사로운 은혜에 감사하며 반드시 날마다 그를 치켜 말하여 군주의 사랑이 날로 깊어진다. 군주로서도 충성스런 신하를 등용하고 아첨하는 신하를 제거하고자 하여도 할 수 없다. 이림보가 20년 동안

• • • • • • • • • • • • • • • • • • • •

충이 나서서 그의 간악함을 탄핵하였다. 현종은 성을 내 그에게 내려진 모든 官爵을 삭탈하고 그의 棺을 쪼개 염할 때 그의 입에 물린 진주며 그에게 입힌 官服을 벗기고 庶人의 예로 장례 치르게 하였다.(『新唐書』 권223상 「奸臣李林甫傳」)

179 군주는 충성하는 … 알았으면서도 : 현종은 안록산이 일으킨 난리를 막지 못해 수도 장안을 버리고 蜀으로 피난하였다. 이 피난지에서 給事中 裴士淹과 나눈 대화를 살피면, 지금 말하고 있는 내용을 살필 수 있다. 『新唐書』 권223상 「奸臣李林甫傳」에 "현종이 촉 땅에 피난하였을 때 급사중 배사엄이 말재주와 학문으로 총애를 샀다. 이때 肅宗(현종의 아들)이 鳳翔에 있으면서 재상을 임명할 적마다 번번이 보고하였다. 房琯을 장수로 삼았다는 보고가 올라오자, 현종은 '이 사람은 역적 무리를 격파시킬 수 있는 자가 아니다. 만일 姚元崇이 있었다면 역적 무리의 멸망은 문제될 것이 없을 것이다.' 하였다. 宋璟을 임명하였다는 말이 올라오자, 현종은 '저 사람은 자신의 올곧음을 팔아서 명예를 취하려는 자일 뿐이다.'라고 하였다. 이어서 10여 사람을 논평하는데 모두가 합당하였다. 임보에 이르자 현종은 '이 자의 어진이를 시기하고 능력 있는 사람을 미워하는 것은 어디 누구와도 비교할 수 없다.'고 하였다. 사엄이 그 말을 따라 '폐하께서 참으로 아셨다면 왜 그렇게 오랫동안 등용하셨습니까?' 하니, 현종은 입을 닫고 아무 대답을 하지 않았다.(帝之幸蜀也, 給事中裴士淹以辯學得幸. 時肅宗在鳳翔, 每命宰相, 輒啓聞. 及房琯爲將, 帝曰, '此非破賊才也. 若姚元崇在, 賊不足滅.' 至宋璟, 曰, '彼賣直以取名耳.' 因歷評十餘人, 皆當. 至林甫, 曰, '是子妬賢嫉能, 擧無比者.' 士淹因曰, '陛下誠知之, 何任之久邪?' 帝黙不應.)"라고 하였다.

180 『元城語錄解』 권상의 글이다. 다만 이 글의 첫머리에 '先生曰' 세 글자가 있고 '何也?' 다음에 '僕無以對, 先生曰'이 더 있다. 그러니까 '先生曰'이 여기서는 '又曰'로 써 있다.

상국으로 있으면서 제거되지 않은 것은 바로 고력사高力士[181] · 안록산安祿山[182] · 진희열陳希烈[183] 등이 안팎에서 그를 도와주었기 때문이다."

[63-13-2]

或問 : "唐明皇開元天寶之治, 何始之不克終耶?"

潛室陳氏曰 : "開元之世, 乃無妄之時. 雖四夷時有不靖, 乃無妄之疾. 緣小人以邊功動之, 致令邊釁一開, 生出萬端病痛, 乃無病服藥之故."[184]

어떤 사람이 물었다. "당나라 명황의 개원開元 연간과 천보天寶 연간의 정치는 왜 시작했던 것을 잘 마무리하지 못하였습니까?"

잠실 진씨가 대답하였다. "개원 연간의 세상은 바로 아무런 잘못이 없는 시대다. 사방 오랑캐가 때로 준동한 적은 있지만 그것은 엉뚱하게 일어난 재앙이다.[185] 소인이 변경의 공훈을 움직여 보려는 데서 비롯되어 변경의 흔단이 한 번 열리자 갖가지의 병통이 생겨났으니[186] 이는 병이 없는데 약을 먹은

---

181 高力士 : 현종 시대의 환관. 본래 馮氏였으나 환관 高延福의 양자가 되면서 고씨가 되었다. 현종의 총애를 입어 知內侍省事에 오르면서 사방에서 올라오는 글들 모두가 그의 손을 거쳐 현종에게 올려졌다. 그의 총애가 극에 달하자 肅宗은 태자시절 그를 형으로 섬기기도 하였다. 숙종이 등극하며 巫州로 귀양갔다가 풀려 돌아오는 길에 죽었다. 고력사는 본래 武三思 집안 출신이고 무삼사의 부인과 이림보가 사통한 처지라서 이림보가 고력사의 후원을 받을 수 있었다.(『新唐書』 권132 「宦者高力士傳」; 권223상 「奸臣李林甫傳」)

182 安祿山 : 胡族 출신의 장수. 본래 康氏였으나 일찍 아버지를 여의고 어머니가 突厥 安延偃에게 재가하자 안씨 성을 썼다. 幽州節度使 張守珪의 눈에 들어 偏將에 발탁되며 그의 양자가 되었다. 그 뒤 많은 軍功을 세워 이림보 시절에 平盧 · 范陽 · 河東 三鎭節度使에 임명되고, 이어 尙書左僕射에 올랐다. 天寶 14년에 범양에서 군사를 일으켜 수도인 장안과 낙양을 함락하고 雄武皇帝를 자칭하며, 燕나라를 세웠다. 그의 아들 慶瑞에게 피살당하였다. 이림보가 儒臣들이 변경에서 공을 세워 상국으로 등용되는 것을 막고자 하여 武臣을 변경의 장수로 임명한 것이 빌미가 되어, 안록산이 변경에서 14년 동안 강병을 기르며 현종의 신임을 사고, 조정을 드나들며 양귀비의 사랑을 얻을 수 있었다. 안록산이 처음에 이림보를 알아보지 못하고 거드름을 피웠다가 직접 만나 말을 나누어 보고서는 자신의 속마음을 꿰뚫고 있음을 알고 놀라, 이후 한겨울이라도 이림보를 만나면 등줄기에 땀이 젖었다. 여기서 안록산이 이림보가 성세를 누릴 때 그를 꺼리는 마음을 가졌으면서도 감히 거스르지 못하였음을 알 수 있다.(『新唐書』 권225상 「逆臣安祿山傳」)

183 陳希烈 : 현종 때의 간신. 박학하였고 黃老學에 조예가 깊었다. 현종이 짓고자 하는 글들을 곁에서 도우며 총애를 얻었다. 이림보가 권력을 누리며 자신을 도울 사람을 찾다가 진희열이 온순하고 현종의 총애를 얻고 있음을 발견하고 추천하여 상국으로 끌어올렸다. 그 이후 진희열의 도움을 받아 정권을 더욱 전횡하였다. (『新唐書』 권223상 「奸臣陳希傳」)

184 『木鍾集』 권11 「史」

185 엉뚱하게 일어난 재앙이다. : 이 글의 원문 无妄은 『周易』「无妄卦」에서 인용된 말이다. 무망의 본래 뜻은 道나 이치에서 벗어나지 않음을 이른다. 그리고 이 글의 无妄之災는 『周易』「无妄卦」 六三爻의 爻辭다. 무망의 본래 뜻인 도나 이치에서 벗어나지 않음을 이르는 말이 아니고 뜻밖의 재앙을 이른다. 주자의 本義에서는 "자신과 관계없이 일어난 재앙이다.(無故而有災.)"라고 하였다. 곧 당시 당나라에는 주변 나라들과 싸움을 일으킬 빌미가 없는 우발적인 싸움들이 주로 있었다는 말이다.

까닭이다."

肅宗 숙종

[63-14-1]

致堂胡氏曰："玄宗旣有傳位之命，太子非眞叛也. 其失在玄宗命不亟行，而裴冕諸人急於榮貴. 是以致此咎也. 使肅宗著於父子君臣之義，豈爲諸人所移? 得以移之，則其心有以來之爾. 唐高祖睿玄之逼，不見幾故也；而太宗明肅之惡，欲速見小利. 故父不父，子不子，豈非後世之大鑒歟?"[187]

치당 호씨致堂胡氏[胡寅]가 말하였다. "현종이 이미 전위傳位하겠다는 명령이 있었으니[188] 태자가 정말 반

186 소인이 변경의 … 생겨났으니 : 이를 『新唐書』 권223상 「奸臣李林甫傳」에 의하여 살피면 다음과 같은 말이 있다. "貞觀 연간 이후 변경의 장수에 임명된 자 중, 阿史那社尒와 契苾何力 같은 사람은 모두 충성과 힘을 한껏 쏟아 싸웠으나 여전히 上將이 되지 못하였고, 모두 대신에게 통솔되었다. 그런 까닭에 조정이 충분한 권위로 아래 장수들을 제재할 수 있었다. 先天(현종의 연호)과 開元(현종의 연호) 연간의 大臣 薛訥·郭元振 … 李適之 등은 절도사로 조정에 들어와 천자의 재상이 되었다. 이림보는 儒臣이 계책으로 변경에서 공훈을 쌓고 또 중요 직책에 임명되어 오르는 것이 싫었다. 그 싹을 막아 자신의 권력을 오래 유지하고자 하였다. 현종을 설득하여 '폐하의 웅대한 재능으로 인해 국가가 부강하여졌는데도 오랑캐가 아직 사라지지 않고 있는 것은 文臣이 장수가 되어 날아오는 화살과 돌을 꺼리고 몸소 앞장서려 하지 않아서이니, 변경의 장수를 임용하는 것만 못합니다. 저들은 나면서부터 용감하고, 말 등에서 자랐고, 행군과 진을 치는 일에 뛰어나니, 타고난 재능입니다. 만일 폐하가 감동하도록 등용시켜서 죽기를 기약하게 한다면 오랑캐는 도모할 것조차 없을 것입니다.'라고 함에, 현종은 이를 수긍하였다. 그리고 安思順에게 이림보를 대신해 절도사를 책임 맡게 하고, 안록산과 高仙芝·哥舒翰을 발탁하여 대장의 일을 전담시켰다. 임보는 그들이 오랑캐 출신이라서 상국으로 등용될 자격이 없다는 것을 이롭게 여긴 것이다. 이로 인해 안록산은 三道(平盧·范陽·河東)의 강한 군사를 독차지해 14년 동안 한곳에 붙박여 지낼 수 있었다. 천자가 이림보의 책략을 마음 편하게 생각하고서 의심하지 않았던 것인데, 끝내 군사를 일으켜 천하를 분탕질 쳐 뒤엎고, 왕실이 마침내 미약해졌다. (貞觀以來，任蕃將者，如阿史那社尒·契苾何力，皆以忠力奮，然猶不爲上將，皆大臣總制之. 故上有餘權以制於下. 先天·開元中，大臣若薛訥·郭元振·張嘉貞·王晙·張說·蕭嵩·杜暹·李適之等，自節度使入相天子. 林甫疾儒臣以方略積邊勞，且大任. 欲杜其本，以久已權，即說帝曰，'以陛下雄材，國家富彊，而夷狄未滅者，繇文吏爲將，憚矢石，不身先，不如用蕃將. 彼生而雄，養馬上，長行陣，天性然也. 若陛下感而用之，使必死，夷狄不足圖也，' 帝然之. 因以安思順代林甫領節度，而擢安祿山·高仙芝·哥舒翰等，專爲大將. 林甫利其虜也，無入相之資. 故祿山得專三道勁兵，處十四年不徙. 天子安林甫策，不疑也，卒稱兵蕩覆天下，王室遂微.)" 소인 이림보가 자신의 안위를 위해서 기왕의 제도를 바꾼 것이 현종이 파촉으로 피난 가는 화란을 불러일으켰다는 말이다.

187 元나라 馬端臨이 편찬한 『文獻通考』 권252 「帝系考 3·太上皇太皇太后皇太后」에 실려 있다.

188 현종이 이미 … 있었으니 : 안록산이 天寶 14년(서기 755년) 11월에 楊國忠(양귀비의 친정 6촌 오빠)을 제거

란한 것은 아니다.[189] 그 잘못은 현종이 명령을 빨리 시행하지 않고, 배면裴冕 등 여러 사람은 영화와 부귀에 마음이 급한 데에 있었다. 이 때문에 이런 잘못이 초래되었다.[190] 만일 숙종이 부자父子와 군신君

한다는 명분으로 군사를 일으켜 수도 장안으로 진격하였다. 이때 현종은 양귀비와의 일화로 유명한 華淸宮에 나와 있었다. 안심하고 지켜보던 현종이 사태가 심상치 않음을 알고 환궁하여 마침내 피난길에 나서며 태자에게 조서를 내려 監國하게 하였다. 이를 『資治通鑑』 권217 「唐紀 · 현종 14년」 11월 기사를 살피면 다음과 같다. "현종이 친히 정벌에 나서는 일(사실은 피난길에 나서는 일)을 검토하며 辛丑일에 조서를 내려 태자에게 감국하게 하였다. 재상에게 '짐이 재위한 지 50년에 가까워 걱정하고 애써야 할 일들을 게을리하고 있다. 지난 가을에 태자에게 자리를 물려주려 했는데, 마침 홍수와 가물이 겹쳐 정리가 덜 된 재난을 자손에게 물려주고 싶지 않아 망설이며 풍년이 들기를 기다렸다. 뜻밖에 역적 놈이 일어나 짐이 친히 정벌에 나서며 우선 태자에게 監國하게 한다. 일이 평정되면 짐은 베개 높이 베고서 아무것도 하지 않으련다.'고 하였다. 양국충이 크게 두려워하며 물러나와 韓 · 虢 · 秦 세 國夫人(양귀비의 자매로 모두 이들 나라의 국부인에 봉해졌다.)에게 '태자가 평소에 우리 집안이 독차지해 날뛰는 것을 미워한 지 오래이니, 만일 하루아침에 천하를 얻게 되면 나와 우리 자매가 함께 죽는 일은 아침에서 저녁 사이이다.'고 하며, 함께 모여 통곡하였다. 그리고 세 부인을 시켜 양귀비를 설득하여 흙을 입에 물고(죽어 땅에 묻히는 것을 상징하는 행위임) 현종에게 명령을 청하게 하자, 그 일은 마침내 그대로 수그러들었다.(上議親征, 辛丑制太子監國. 謂宰相曰, '朕在位垂五十載, 倦于憂勤. 去秋已欲傳位太子, 値水旱相仍, 不欲以餘災遺子孫, 淹留俟稍豐. 不意逆胡橫發, 朕當親征, 且使之監國. 事平之日, 朕將高枕無爲矣.' 楊國忠大懼, 退謂韓 · 虢 · 秦三夫人曰, '太子素惡吾家專橫久矣, 若一旦得天下, 吾與姊妹併命在旦暮矣!' 相與聚哭, 使三夫人說貴妃銜土請命於上, 事遂寢.)" 이 기사대로라면 이 일은 행해지지 않은 일이다. 따라서 『舊唐書』와 『新唐書』 어디에도 이 말은 실려 있지 않다. 다만 이 일이 있었던 것을 미뤄보았을 때 현종이 자리를 물려주고자 하는 생각이 이미 있었음은 알 수 있다.

189 태자가 정말 … 아니다. : 현종이 촉 땅에 피난 나와 있는 사이 태자 숙종이 靈武에서 황제위에 오른 것을 두고 한 말이다. 숙종은 현종의 셋째 아들이다. 성명은 李亨이다. 아버지 현종을 시종하여 촉 땅으로 피난 가던 중, 馬嵬驛에서 안록산의 반란을 진압하라는 아버지의 명령을 받고 영무에서 황제위에 올랐다. 이어 回紇의 군사를 빌려 郭子儀에게 兩京의 수복을 명령하여 성공시켰다. 재위는 7년이었으나 張良娣를 총애하고 환관 李輔國 등을 믿어 兵禍가 끊임없이 이어졌다. 숙종은 이보국이 張皇后를 시해하는 날 죽었다.(『新唐書』「肅宗本紀」)

190 현종이 명령을 … 초래되었다. : 천보 14년(서기 755년) 11월에 군사를 일으킨 안록산은 12월에 당시 東京으로 불리던 洛陽을 함락하였다. 이에 현종은 다음 해 6월에 장안을 떠나 촉땅으로 피난길에 나섰다. 마외역에 이르렀을 때 백성들이 현종의 피난길을 막고 서서 태자를 남겨 역적을 토벌하고 수도 장안을 수복하는 모습을 보여 달라고 하였다. 이에 현종은 시종하던 태자를 남겨 토벌에 나서게 하였다. 태자는 돌아서서 장안으로 향하다 靈武에 이르렀다. 그때가 7월이었다. 이때 裴冕과 杜鴻漸이 태자에게 황제의 지위에 오를 것을 진언하였다. 『舊唐書』「肅宗本紀」의 7월의 기사에 의하면 다음과 같다. "7월 辛酉일에 숙종(아직 즉위하기 전이나 이렇게 썼다.)이 영무에 이르렀다. … 배면과 두홍점 등이 조용하게 진언하여 '지금 역적 무리가 인륜을 어지럽혀 그 재앙이 函谷關에 흘러넘치는 바람에, 주상께서 황제의 자리에서 애써야 할 일에 게으름을 내시고 蜀川 땅에 행행하셨습니다. 강산이 험하고 길이 막혀 주청할 길이 끊겼는데, 종묘사직은 제왕을 상징하는 물건이니 당연히 자리 잡고 있는 곳이 있어야 합니다. 만백성이 우러르며 밝고 성스러운 분을 받들려 생각하고 있으니, 하늘의 뜻과 백성이 하고자 하는 일을 억지로 어겨서는 안 됩니다. 삼가 원하오니 전하께서 즐겁게 추대하려는 그들의 마음에 순응하고, 사직을 편안히 하는 것은 제왕의 큰 효성입니다.'라고 하자, 숙종은 '역적 무리가 평정되기를 기다려 鑾駕를 맞이해 조용히 太子宮에서 음식 시중을 돕는 것이

臣의 의리에 밝았다면 어찌 여러 사람들에 의해 마음이 바뀌겠는가? 바뀔 수 있었던 것은 숙종 마음에 그러할 수 있었던 점이 있었던 까닭이다. 당나라의 고조高祖와 예종睿宗과 현종玄宗이 핍박에 시달린 것[191]은 기미를 보지 못한 까닭이고, 태종과 명황明皇과 숙종의 악행은 조그만 이익을 속히 이루고자 했기 때문이다.[192] 그리하여 아버지는 아버지답지 못하고 아들은 아들답지 못하였으니 어찌 후세가 크게 거울삼을 일이 아니겠는가?"

[63-14-2]

朱子曰: "肅宗之收復京師, 其功固可稱. 至不待父命而卽位, 分明是簒. 功過當作兩項說, 不以相揜可也"[193]

주자가 말하였다. "숙종은 수도를 수복하였으니[194] 그 공훈은 참으로 칭찬할 만하다. 아버지의 명을

어찌 즐겁지 않겠는가! 공들은 왜 성급한가?' 하였다. 배면 등이 모두 여섯 차례 牋을 올렸는데 그 말과 내용이 격앙되고 간절하여 숙종이 하는 수 없이 그들의 의견을 따랐다. 이달 甲子일에 숙종이 영무에서 황제의 자리에 즉위하였다.(七月辛酉, 上至靈武. 時魏少遊預備供帳, 無不畢備. 裴冕·杜鴻漸等從容進曰, '今寇逆亂常, 毒流函谷, 主上倦勤大位, 移幸蜀川. 江山阻險, 奏請路絶, 宗社神器, 須有所歸. 萬姓顒顒, 思崇明聖, 天意人事, 不可固違. 伏願殿下順其樂推, 以安社稷, 王者之大孝也.' 上曰, '俟平寇逆, 奉迎鑾輿, 從容儲闈, 侍膳左右, 豈不樂哉! 公等何急也?' 冕等凡六上牋, 辭情激切. 上不獲已, 乃從. 是月甲子, 上卽皇帝位於靈武.)" 숙종은 황제위에 즉위한 다음 이 소식을 촉 땅의 현종에게 아뢰었다. 떠밀려 上皇이 된 현종은 바로 숙종을 봉하는 책봉문을 보냈다. 장안과 낙양이 회복된 至德 2년(서기 757년)에 촉 땅에서 돌아왔으나, 자신을 따르던 高力士 등이 귀양 가자 못마땅해 하다 숙종 上元 2년(서기 761년) 78세를 일기로 죽었다.

191 高祖와 睿宗과 … 것: 당나라의 세 군주들이다. 고조는 아들 태종이 형 建成과 齊王(고조의 넷째 아들인 元吉)이 자신을 해치려 한다고 군사를 일으켰다. 형제간에 전쟁에 가까운 싸움을 벌여 태자와 아우를 죽이자, 그때까지 秦王으로 있던 世民을 황태자로 세우고 이어 조서를 내려 황태자에게 자리를 물려주고 자신은 太上皇이 되었다.(『舊唐書』「高祖本紀」)
예종은 고종의 여덟째 아들이다. 어머니 측천무후가 섭정하며, 형 중종을 폐위하고 자신을 황제로 세우자 즉위하였으나, 다시 어머니가 周나라를 세우고 황제가 되며, 皇嗣에 책봉되었다. 그러나 중종이 다시 황태자가 되자 예종은 王으로 강등되었다. 중종이 제위에 올랐으나 景龍 4년(서기 710년) 6월에 피살되고 李重茂(少帝)가 즉위하자, 아들 李隆基(뒷날의 玄宗)가 아버지 예종에게도 알리지 않고 군사를 일으켜 중종비 韋后를 죽이고 아버지를 황제로 추대하였다. 그러나 이듬해(서기 711년) 2월에 아들 이융기를 監國에 임명하였고, 다음 해(서기 712년) 8월에 아들에게 자리를 물려주고 스스로 태상황이 되었다. 다음해 7월 역모 사건이 발생하여 많은 사람이 죽자 예종은 모든 정사에서 물러났다.(『舊唐書』「睿宗本紀」) 현종은 위 주석 참고

192 태종과 明皇과 … 때문이다.: 당나라의 세 군주들이다. 여기서 명황은 현종을 이르니 그의 시호가 至道大聖大明孝皇帝이어서 이렇게 이른다. 이들은 모두 父王이 살아 있을 때 帝位에 오른 군주이다. 숙종은 아버지 현종이 촉 땅에 있는 동안 靈武에서 즉위식을 올리고, 즉위한 다음 年號도 아버지의 天寶를 至德으로 바꾸었다.(『新唐書』「肅宗本紀」)

193 『朱子語類』 권130, 110조목 중 일부이다.

194 숙종은 수도를 수복하였으니: 숙종이 태자 신분으로 아버지 현종을 따라 촉으로 피난 도중 馬嵬驛에서 백성들이 황제의 피난 행렬을 가로막고, 태자를 역적 토벌에 나서게 해줄 것을 청하였다. 이에 현종은 태자를 안록산 토벌에 나서게 하였다. 이때가 현종 天寶 15년(서기 756년) 6월이었고, 7월에 영무에서 황제에

기다리지 않고 즉위하기에 이른 것은 분명히 찬탈이다. 공훈과 잘못을 당연히 두 가지로 따로 말해야지, 어느 한 가지를 다른 한 가지로 가려서는 안 된다."

憲宗 헌종

[63-15-1]

朱子曰 : "退之云, '凡此蔡功, 惟斷乃成.' 今須要知他斷得是與不是, 古今煞有以斷而敗者. 如唐德宗非不斷, 却生出事來. 要之, 只是任私意. 帝剛愎不明理, 不納人言. 惟憲宗知蔡之不可不討, 知裴度之不可不任. 若使他理自不明, 胷中無所見, 則何以知裴公之可任? 若只就斷字上看, 而遺其左右前後, 殊不濟事"[195]

주자가 말하였다. "퇴지退之가 '채주蔡州의 공훈은 결단이 있었기 때문에 성공한 것이다.'라고 했는데,[196] 오늘날에는 당연히 그 결단이 옳았는지 옳지 않았는지를 알아야 하니, 예나 지금이나 결단하였다가 실패한 경우가 흔히 있다. 예컨대 당나라 덕종德宗은 결단하지 않은 것은 아니나[197] 도리어 일을 벌이고

즉위하였다. 이때 많은 장수들이 숙종을 위해 군사를 일으켜 안록산의 군대와 싸웠다. 이 사이 안록산은 천보 15년 정월에 雄武皇帝를 칭하고 나라를 燕이라 하였으나, 아들 慶瑞에게 죽임을 당하였다. 다음 해(서기 757년) 9월에 장안을 수복하고 10월에 낙양을 수복하였다.(『新唐書』「肅宗本紀」)

195 『朱子語類』 권136, 61조목

196 退之가 '蔡州의 … 했는데 : 퇴지는 당나라의 문장가 韓愈의 자이다. 채는 淮蔡鎭을 이르며, 이 말은 한유가 지은 平淮西碑의 마지막 문장이다. 당시 唐나라는 安祿山과 史思明의 亂을 겪고 난 이후 변방 節度使들이 발호하여 아비가 죽으면 조정의 절차를 거치지 않고 자식이 계승하고, 혹은 절도사 밑의 偏裨가 절도사 직위를 계승하며 조정의 명령을 따르지 않았다. 심하게는 절도사 직위를 요구하였다가 조정이 한번이라도 거절하면, 반란을 일으켜 반역을 꾀하는 일이 이어졌다. 憲宗이 즉위하며 잘못된 기강을 바로잡고자 힘을 기울여, 夏州, 蜀, 澤州, 潞州의 여러 절도사가 다스리는 鎭들이 평정되었다. 이때 淮蔡節度使 吳少誠이 죽었다. 아들 元濟가 아버지 직위를 세습하고서 이를 인준해 줄 것을 조정에 청하자, 조정은 이를 허락하지 않았다. 吳元濟가 마침내 반란을 일으켰다. 이때 조정 신료 중에서 채주는 50여 년 동안 조정이 절도사를 임명하지 못했고 군사의 강성함도 다른 곳에 비길 바 아니니 오원제의 청을 들어주자고 하였다. 그러나 헌종은 정벌군을 편성하였고 두어 사람이 이를 찬동하였다. 정벌군을 편성하며 자신의 의견을 지지한 裴度에게 토벌군의 賞罰을 책임 지우고, 韓弘에게 토벌군의 지휘를 총괄하게 하였다. 그러나 4년의 전쟁 중, 정벌을 지지했던 武元衡이 자객에게 살해되고 裴度가 부상을 입는 어려움이 닥쳤다. 조정은 정벌 중지에 의견이 모아졌다. 오직 배도만이 헌종의 뜻을 따라 끝내 오원제를 사로잡고 蔡州의 반란을 평정하였다. 헌종은 이 사실을 한유에게 비문으로 짓게 하였다. 이에 한유는 「평회서비」 비문 마지막에서 "처음 채주의 정벌을 논할 적에 공경 대부들 중 따르는 자 없었고 정벌에 나선 4년 동안 낮은 관원이건 높은 관원이건 모두 의심하였다. 오원제의 죄를 용서하지 않고 전쟁의 실패를 의심하지 않은 것은 천자의 현명함에서 연유한 것이다. 이곳 채주의 공훈은 결단이 있었기 때문에 성공한 것이다.(始議伐蔡, 卿士莫隨, 既伐四年, 小大並疑. 不赦不疑, 由天子明. 凡此蔡功, 惟斷乃成.)"고 하였다.

말았다. 결론을 짓자면 다만 사사로운 생각을 가져서다. 황제로서 강퍅하고 이치에 밝지 못했으며 신하의 말을 받아들이지도 않았다. 헌종은 채주蔡州를 토벌하지 않을 수 없다는 것을 알았고, 배도裴度를 임용해야 한다는 것도 알았다. 만일 헌종이 사리에 밝지 못하고 가슴속에 식견이 없었다면 어떻게 배공裴公이 임용할 만한 사람인 줄 알았겠는가? 만일 다만 결단의 여부로만 판단하려 하고, 전후좌우의 사정을 간과해 버린다면 결단코 일을 성공하지 못할 것이다."

197 德宗은 결단하지 … 아니나 : 덕종은 代宗 李豫의 맏아들이다. 25년을 재위하였다. 그의 재위기간 중 李希烈의 반란으로 수도 장안이 함락되어 奉天으로 피신하였다가 돌아왔고, 간신 盧杞를 재상으로 등용하여 정사를 혼란에 빠뜨렸다. 또 陸贄를 신임하면서도 그를 재상에 등용하지 않았고 그가 올린 말을 쓰지 않았다. 그러나 가장 손꼽히는 치적은 세금의 개혁이었다. 당시 租庸調 세 가지 세금으로 힘들어하는 백성을 위해 建中 원년(서기 780년)에 兩稅法으로 바꾸어 여름 세금은 6월까지, 겨울 세금은 11월까지로 기한을 정해 받아들이고 그 밖에는 한 푼도 받지 못하게 하였다. 이 법령이 잘 집행되지는 못하였다. 다음으로는 환관들을 지방에 내보내 황제에게 바치는 공물을 거두는 관행을 잠시 중지시킨 일이다. 이에 대해 『資治通鑑』 권225 덕종 즉위년(서기 779년) 5월 기사를 살피면 다음과 같은 말이 실려 있다. "대종이 환관들을 총애하고 우대하여 사방으로 사신 나간 자들이 물품을 요구해 취하는 일을 금하지 않았다. 그리고 늘 환관을 보내 妃의 집안에 선물을 전달하게 하였는데, 돌아왔을 적에 얻은 물건들을 물어보아 그 물건이 적으면 (명령을 전달받은 비 집안이) 자신의 명령을 가볍게 여기는 것이라고 생각하였다. 그래서 妃가 두려움을 느끼고 자신이 소장한 물건을 떼어주는 일까지 빚어졌다. 이로 인해 환관들이 공공연하게 뇌물을 요구하며 두려워하는 기색이 없었다. 재상도 늘 돈을 자신의 부서에 저장해 두고서, 한 가지 물건을 하사받거나 한 가지 조서가 내려지면 빈손으로 돌아가는 자가 없게 하였다. 사신 나가며 경유하는 州縣들에 공문을 보내 재물을 받아내는 것이 세금과 다를 바 없어 모두들 수레에 그득하게 싣고 돌아왔다. 덕종이 평소에 그 폐단을 알고 있었다. 환관 邵光超를 보내 李希烈에게 淮西節度使의 旌節을 하사하였다. 그러자 희열은 광초에게 奴僕과 말, 비단 700필, 黃茗 200斤을 선물하였다. 덕종은 이 소식을 듣고 성을 내 광초에게 곤장 60대를 치고 귀양 보냈다. 그러자 환관들 중 아직 돌아오지 않았던 환관들이 모두 선물 받은 물건을 몰래 산에 숨겨두고 그 물건을 그들에게 그냥 준다고 하여도 받으려 하지 않았다.(代宗優寵宦官, 奉使四方者, 不禁其求取. 嘗遣中使賜妃族, 還, 問所得頗少, 代宗不悅, 以爲輕我命. 妃懼, 遽以私物償之. 由是中使公求賂遺, 無所忌憚. 宰相嘗貯錢於閣中, 每賜一物, 宣一旨, 無徒還者. 出使所歷州縣, 移文取貨, 與賦稅同, 皆重載而歸. 上素知其弊. 遣中使邵光超賜李希烈旌節, 希烈贈之僕馬及縑七百匹, 黃茗二百斤. 上聞之, 怒, 杖光超六十而流之. 於是中使之未歸者, 皆潛弃所得於山谷, 雖與之, 莫敢受.)"

이를 두고 范祖禹는 그의 저서 『唐鑑』 권12 「代宗」에서 "대종이 환관을 총애하여 뇌물을 받도록 내버려둔 것은 정사를 좀먹는 일이기는 하나 그 해가 큰 것은 아니다. 덕종이 잘못을 바로잡아 크게 징계시켰으니 어찌 현명한 일이 아니었으랴! 그러나 나중에는 여러 신하들을 믿으려 하지 않고 오직 환관의 말만을 따라 禁兵마저 그들에게 내주어 천하의 권력을 가져다 쥐여 주었다. 그 뒤 군주를 폐위하고 옹립하는 일이 그들 손에서 나왔으니 그 해가 또 대종 때보다 심하였다. 왜 아버지의 잘못을 아는 일에는 현명하였으면서 자신의 잘못을 아는 일에는 캄캄했을까?(代宗寵宦者, 而縱之受賂, 雖爲蠹政, 其害未大也. 德宗矯其失而深懲之, 豈不明哉! 然其終也, 擧不信羣臣, 惟宦者之從, 至委以禁兵, 持天下之柄而授之. 其後人主廢置於其手, 則其爲害又甚於代宗. 何其明於知父之失, 而闇於知己之非乎?)"라고 하였다.

王珪 왕규, 魏徵 위징

[63-16-1]

程子曰 : "天下寧無魏公之忠亮, 而不可無君臣之義, 昔事建成而今事太宗可乎?"[198]

정자가 말하였다. "천하에 어찌 위징[199] 같은 충성스럽고 믿음직한 사람이 없으랴만, 군신의 의리를 무시할 수는 없으니, 예전에 건성建成[200]을 섬기다가 오늘에 와서 태종을 섬기는 일이 옳을까?"

[63-16-2]

或云 : "王魏事, 後世人,[201] 不當盡繩以古人禮法, 畢竟高祖不當立建成."

朱子曰 : "建成旣如此, 王魏何故不見得, 又何故不知太宗? 如此便須莫事建成, 亦只是望僥倖."

問 : "二人如此機敏, 何故不見得?"

曰 : "王魏亦只是直."[202]

어떤 사람이 말하였다. "왕규[203]와 위징이 한 일은 후세 사람이 예전 사람의 예법禮法을 가지고 전체를

198 『二程外書』 권10 「大全集拾遺」

199 위징 : 魏郡 內黃 사람으로 자는 玄成이다. 봉호는 鄭國公이고 시호는 文貞이다. 수나라 말기의 혼란한 때에 李密의 군대에 참가하였다가 唐高祖에게 귀순하여 고조의 맏아들 李建成의 측근이 되었다. 황태자 건성이 아우 世民(太宗)과의 권력 경쟁에서 패하였을 때, 태종의 부름을 받아 요직을 역임하며, 직간으로 명성을 얻었고 많은 일화를 남겼다.(『舊唐書』 권71 ; 『新唐書』 권97)

200 建成 : 당나라를 세운 高祖의 맏아들이다. 황태자에 책봉되었으나 아우 秦王 世民의 공이 날로 높아지며 인재가 몰려드는 것에 위협을 느끼고 있는데, 고조가 황태자 자리를 세민에게 허락하였다는 말이 들렸다. 휘하의 王珪와 魏徵이 劉黑達을 평정하여 공을 세울 것을 건의하자 이를 성공시켰다. 아우 세민과의 경쟁에서 계속 밀리자 아버지 고조를 죽이려는 계책을 진행하다 들통 나자, 태자궁 소속의 中允 王珪를 귀양 보내는 것으로 마무리하기도 하였다. 또 세민과 저녁 잔치를 열어 독을 먹여 죽이려다 실패로 돌아가며 아버지 고조로부터 질책을 듣기도 하였다. 이 무렵 突厥이 침략하자 고조는 조서를 내려 넷째 아들 齊王 元吉에게 군사를 지휘하여 막게 하였다. 원길은 군사를 모으는 기회를 이용하여 건성을 도와 세민을 치려는 계획을 세웠다. 이를 알아챈 세민의 휘하 長孫無忌 · 房玄齡 · 杜如晦 등이 세민에게 태자 건성과 원길의 제거를 결단하도록 재촉하였다. 세민이 고조를 찾아가 이 일을 말하자 고조는 깜짝 놀라 내일 아침 조사할 터이니 너도 들어와 참여하라고 하였다. 다음날 세민은 玄武門에 나아가 자신의 호위를 단단하게 준비하였다. 건성과 원길이 궁으로 나아오다 사건의 전말을 알아채고 말을 돌려 자신의 宮으로 달아났다. 이에 세민은 이들을 불러 세웠다. 원길이 활을 쏘려 하였으나 정작 활시위를 잡아당기지는 않았다. 이때 세민이 활을 쏘아 건성을 그 자리에서 죽게 하고, 원길은 활에 맞아 피를 흘리며 도망치는 것을 尉遲敬德이 살해하였다. 마침내 동궁의 군사와 제왕 휘하의 군사가 현무문으로 들이닥쳤으나 세민의 군사가 이들을 제압하였다. 이때 화살이 고조의 궁에까지 날아들었다. 이 사건을 玄武門의 變이라고 한다.(『舊唐書』 권64 ; 『新唐書』 권70)

201 或云 : "王魏事, 後世人, : 『朱子語類』 권136, 54조목에는 '因及王魏事, 問論後世人 … '으로 되어 있다.

202 『朱子語類』 권136, 54조목

평가하려는 것은 옳지 않으니, 필경은 고조가 당연히 건성을 세우지 않았어야 합니다."
주자가 말하였다. "건성은 이미 그 지경이라고 해도 왕규와 위징이 어찌하여 그것을 알지 못하였으며, 또 어찌하여 태종을 알지 못하였을까? 이와 같은 처지에선 당연히 건성을 섬길 수 없었는데, 또한 다만 요행만을 바란 것이었다."
물었다. "두 사람이 이같이 기민하였는데 어찌하여 알아보지 못하였습니까?"
(주자가) 대답하였다. "왕규와 위징은 또한 우러나오는 대로 행동하는 사람일 뿐이다."[204]

馬周 마주, 褚遂良 저수량, 狄仁傑 적인걸

[63-17-1]

龜山楊氏曰 : "馬周言事, 每事須開人主一線路, 終是不如魏徵之正. 如諫太宗避暑, 論事親之道甚善. 然又云'鑾輿之出有日, 不可遽止, 願示還期.' 若事非是, 卽從而止之, 何用如此? 正孟子所謂月攘一鷄者, 豈是以堯舜望其君乎?"[205]

구산 양씨가 말하였다. "마주馬周[206]는 일을 지적해 말할 적마다 군주에게 한 가지 빠져나갈 길을 열어주려 하였으니 끝내 위징의 바름만 못하다. 예컨대 태종의 피서避暑에 대해 간쟁하며 어버이 섬기는 도리를 논한 것은 매우 좋았다. 그러나 또 '난여鑾輿의 거둥은 날짜가 있어 갑작스럽게 중지할 수 없으니 돌아올 날짜를 밝혀주시기 원하옵니다.'[207]라고 하였다. 만일 일이 옳지 않으면 바로 따라 중지시켜야 할 것이

203 왕규 : 太原의 祁 땅 사람으로 자는 叔玠이고, 시호는 懿다. 隋나라 말기 奉禮郞을 지내다 당나라에 들어와 태자 李建成의 中舍人이 되었다. 위징과 함께 태자를 보좌하며, 세민의 공이 높아지자 두려움을 느끼고 劉黑達을 공격하여 공을 세울 것을 건의하여 성공하였다. 건성과 齊王 元吉의 고조를 축출하려는 계획이 들통 나자, 당시 中允으로 있던 왕규가 대신 귀양가는 것으로 사태가 수습되었다. 현무문의 變이 있은 뒤 태종이 그의 현명함을 인정하여 위징과 함께 등용하였다. 이후 侍中이 되어 房玄齡 등과 國政을 잘 보좌하여 벼슬이 예부 禮部尙書에 이르렀다. 그가 죽었을 때 太宗이 素服을 입고 擧哀하였다.(『舊唐書』 권70 『新唐書』 권98)

204 또한 우러나오는 … 뿐이다. : 이 글의 원문 '亦只是直'을 『朱子語類考文解義』 제35, 「歷代 3」에서 "우러나오는 대로 행동하고 계획이나 생각이 없음을 말한다.(謂直致而無計慮.)"라고 하였다.

205 『龜山集 권10 「語錄 · 荊州所聞」

206 馬周 : 博州 茌平 사람으로 자는 賓王이다. 高祖 시대에 補州助敎를 지내다 長安에 올라와 中郞將 常何의 문객이 되었다. 太宗의 貞觀 3년(서기 629년)에 모든 관원에게 나라의 잘잘못을 말하라고 하였을 때, 상하를 대신해 20여 조항을 적어 올린 글이 태종의 눈에 띄어, 令直門下省에 등용되었고 이어 監察御使 · 中書侍郞 · 中書令 등을 역임하였다. 태종이 잠시만 못 보아도 찾을 정도로 신임이 깊어, 그가 몸져누웠을 때는 직접 찾아와 약을 조제하기도 하였다. 그가 죽을 때는 자신이 군주에게 올린 상소문을 모두 불태우며 "管仲과 晏子가 군주의 잘못을 밝혀 자신이 죽은 뒤의 명성을 구했는데 나는 하지 않겠다.(管晏彰君之過, 求身後名, 吾弗爲也)"고 하였다.(『舊唐書』 권74 ; 『新唐書』 권98)

지, 어찌 이와 같아야겠는가? 이것은 맹자가 말한 '한 달에 닭 한 마리씩 훔치겠다.'[208]는 것이니 어찌 자신의 군주에게 요순堯舜과 같은 군주가 되기를 기대하는 일이겠는가?"[209]

[63-17-2]

褚遂良脩起居注, 唐太宗曰 : '朕有不善, 卿亦當記之乎?' 或爲之言曰 : '借使遂良不記, 天下亦記之.' 曰 : "此語亦善. 但人主好名, 則可以此動之耳, 未盡也. 夫君子居室, 出其言善, 則千里

207 '鑾輿의 거둥은 … 원하옵니다.' : 마주가 정관 5년(서기 631년)에 올린 상소문에서, 당시 태상황으로 물러나 있는 高祖의 大安宮을 宮城 안으로 옮기고, 규모도 훨씬 크게 짓는 것이 마땅하다고 하고 이어 다음과 같이 말하였다. "신이 폐하께서 내린 조서를 삼가 읽어보니 '2월에 九成宮으로 행차 한다.'고 하셨습니다. 신의 마음은 태상황의 춘추가 높으시니 폐하가 당연히 아침저녁 수라상을 살펴야 할 것으로 생각됩니다. 지금 행차하시는 구성궁은 장안에서 300리나 되는 먼 곳이어서 아침에 출발하면 저녁에 이를 수 있는 곳이 아닙니다. 만일에 태상황께서 보고픈 생각이 우러나 폐하를 곧바로 보고자 하시면 어떻게 이를 수 있겠습니까? 지금 이 행차는 避暑를 위한 걸음이신데 태상황은 더운 곳에 계시고 폐하는 시원한 곳을 찾아가시니, 겨울에는 따뜻하게 해드리고 여름에는 시원하게 해드려야 한다는 자식 된 도리에, 신은 옳지 않게 생각되옵니다. 그러나 조서가 이미 내려져 중지시킬 수 없으니, 원컨대 돌아오시는 날짜를 밝혀 여러 사람의 의혹이 풀리게 하소서!(臣伏讀明詔, 以二月幸九成宮. 竊惟太上皇春秋高, 陛下宜朝夕視膳. 今所幸宮去京三百里而遠, 非能旦發暮至也. 萬一有太上皇思感, 欲即見陛下, 何以逮之? 今玆本爲避暑行也, 太上皇留熱處, 而陛下走涼處, 溫凊之道, 臣所未安. 然詔書旣下, 業不中止, 願示還期, 以開衆惑!)"

208 '한 달에 … 훔치겠다.' : 『孟子』「滕文公下」의 말을 인용하여 그 잘못을 지적한 것이다. 이를 살피면 다음과 같다. "戴盈之가 '(농토에서 징수하는) 10분의 1의 세금과 관문과 시장에서 징수하는 세금을 지금 당장 철폐할 수 없으니, 청컨대 세금을 경감시켰다가 내년이 되기를 기다린 뒤에 중지한다면 어떻겠습니까?'라고 하자, 孟子는 '지금 어떤 사람이 날마다 이웃집의 닭을 훔치는 자가 있는데, 누군가가 그에게 「이는 君子의 도리가 아니다.」라고 하자, 「그 수를 줄여 달마다 닭 한 마리씩 훔치다가 내년이 되기를 기다려 그만두겠다.」라고 하는 것'이라고 하였다.(戴盈之曰, "什一, 去關市之征, 今玆未能, 請輕之, 以待來年, 然後已, 何如?" 孟子曰, '今有人日攘其隣之鷄者, 或告之曰, 「是非君子之道」, 曰, 「請損之, 月攘一鷄, 以待來年然後已.」')"

209 어찌 자신의 … 일이겠는가? : 신하가 군주를 보좌할 때 그 군주가 요순과 같은 성군이 되는 것을 기대하고 보필해야 한다는 말이다. 이는 『孟子』「公孫丑上」에서 맹자가 景丑氏에게 자신이 齊나라 왕을 받드는 것이 제나라 신하들이 왕을 받드는 것보다 더 공경한다고 말해주는 대목에서 "제나라 사람들이 仁義를 왕에게 말씀드리는 자가 없는 것이 어찌 인의를 아름답게 생각하지 않아서겠는가? 그들 마음에 '우리 왕에게 어떻게 인의를 말씀드릴 수 있겠는가?'라는 생각에서이니, 공경하지 않음이 이보다 더 클 수 없다. 나는 요순의 도가 아니면 감히 왕 앞에서 말씀드리지 아니한다.(齊人無以仁義與王言者, 豈以仁義爲不美也? 其心曰, '是何足與言仁義也?'云爾, 則不敬莫大乎是. 我非堯舜之道, 不敢以陳於王前.)"라고 하여, 군주를 요순의 경지에 오르게 하는 것이 군주에 대한 신하의 가장 큰 공경이라고 하였다.
또 「萬章下」에서도 "(이윤에게) 湯王이 세 차례 사신을 보내 초빙하자, 이윽고 마음을 완전히 바꾸어 '내가 논밭에서 농사꾼으로 살며 이런 생활을 통해 요순의 道를 즐거워하니, 어찌 내가 이 군주를 요순과 같은 군주가 되게 하는 것만 같으랴! 내 어찌 이들 백성을 요순의 백성이 되게 하는 것만 같으랴! 내 어찌 직접 눈으로 이렇게 이루어지는 것을 보는 것만 같으랴!'라고 하였다.(湯三使往聘之, 既而幡然改曰, '與我處畎畝之中, 由是以樂堯舜之道, 吾豈若使是君爲堯舜之君哉! 吾豈若使是民爲堯舜之民哉! 吾豈若於吾身親見之哉!')"라고 하고서 나가 탕왕을 도와 夏나라의 桀을 정벌하고 商나라 건국에 힘을 보탰다.

之外應之. 出其言不善, 則千里之外違之. 故言行君子之樞機, 不可不謹. 縱使史官不記, 而民之應違如此, 雖欲自掩其不善, 其可得乎?"[210]

저수량褚遂良[211]이 수기거주脩起居注[212]가 되었을 때 당태종이 '짐에게 잘못이 있으면 경은 또한 당연히 그것을 기록하려는가?' 하니, 어떤 사람이 그에 대해서 '가령 저수량이 기록하지 않는다 하여도 천하가 또한 그 일을 기록할 것입니다.'라고 하였다.[213]

(구산 양씨가) 말하였다. "이 말이 또한 좋다. 다만 군주가 명예를 좋아하면 이 말로도 그를 변화시킬 수 있겠지만, 미진한 일이다. 군자가 집에 들어앉아 있어도 하는 말이 훌륭하면 천리 밖에서 호응하고, 하는 말이 훌륭하지 않으면 천리 밖에서 외면한다. 그러므로 말과 행동은 군자에게 있어 관건이니, 조심하지 않을 수 없다.[214] 설사 사관史官이 기록하지 않더라도 백성의 호응과 외면이 이와 같은데, 스스로 자신의 잘못을 가리고자 한다고 가려질 수 있겠는가?"

210 『龜山集』 권10 「語録 · 荆州所聞」

211 褚遂良 : 杭州 錢塘 사람으로 자는 登善이다. 태종 시절 諫議大夫를 지내며 올린 수십 장의 상소문이 대부분 채택되었다. 이어 中書令에 올랐고 貞觀 23년(서기 649년) 태종의 遺詔를 받고 高宗을 보필하였다. 곧 河南郡公에 봉해지고, 상서 尙書右僕射에 임명되었다. 이 벼슬로 인해서 褚河南이라 일컬어지기도 한다. 고종이 무측천을 황후로 세우는 것을 반대한 일로 좌천을 거듭하다 愛州刺史로 강등되어 죽었다. 글씨에 뛰어나 歐陽詢 · 虞世南 · 薛稷과 함께 四大家로 일컬어진다.(『舊唐書』 권80 ; 『新唐書』 권105)

212 脩起居注 : 벼슬이름이다. 황제를 시종하며 황제의 말과 행동을 기록하는 일을 관장했다.

213 가령 저수량이 … 하였다. : 『舊唐書』 권80 「褚遂良傳」에서 살피면 다음과 같은 기사가 있다. "(저수량이) 간의대부겸 지기거사로 벼슬이 옮겨졌다. 태종이 지난날 '경이 起居의 일을 관장하게 된다면 무슨 일을 기록하며, 군주가 그것을 볼 수 있는가?'라고 하자, 저수량이 '오늘날의 기거는 예전의 左右史이니, 군주의 말과 한 일을 기록하고 또 善惡을 기록해, 거울로 만들어 군주가 불법을 저지르지 못하게 해야 합니다. 제왕이 직접 자신을 기록한 史冊을 본다는 말은 듣지 못했습니다.'라고 대답하자, 태종은 '짐에게 잘못이 있어도 경은 반드시 기록하려는가?' 하니, 수량이 '道를 지키는 것은 맡은 직무를 지키는 것만 못합니다. 신의 직분이 붓을 잡고 있는 일이니 군주의 거동을 반드시 기록할 것입니다.'(遷諫議大夫兼知起居事. 太宗嘗問, '卿知起居, 記錄何事, 大抵人君得觀之否?' 遂良對曰, '今之起居, 古左右史, 書人君言事, 且記善惡, 以爲鑒誡. 庶幾人主不爲非法. 不聞帝王躬自觀史.' 太宗曰, '朕有不善, 卿必記之耶?' 遂良曰, '守道不如守官, 臣職當載筆, 君擧必記.')"라고 하자, 黃門侍郎 劉洎가 바로 이 말을 하였다.

214 군자가 집에 … 없다. : 이 말은 『周易』「繫辭上」 제8장의 말을 축약한 것이다. 그 말은 다음과 같다. "공자가 말씀하였다. '군자가 집안에 머물러 살면서도 한 말이 선하면 천리 밖에서 호응하는데 하물며 가까운 곳이겠는가? 집안에 머물러 살면서도 한 말이 선하지 않으면 천리 밖에서 따르지 않은데 하물며 가까운 자이겠는가? 말이 내 몸에서 나가면 백성에게 미쳐가고 행동은 가까운데서 행해져 멀리까지 알려지니 말과 행동은 군자에게 있어 관건이고 관건의 표출은 영화와 오욕의 주된 원인이다. 말과 행동은 군자가 천지를 움직이게 하는 것이니 삼가지 않을 수 있겠는가?'(子曰, '君子居其室, 出其言善, 則千里之外應之, 況其邇者乎? 居其室, 出其言不善, 則千里之外違之, 況其邇者乎? 言出乎身, 加乎民 ; 행발호邇, 見乎遠, 言行君子之樞機, 樞機之發, 榮辱之主也. 言行, 君子之所以動天地也, 可不愼乎?')"

[63-17-3]

"狄仁傑在武后時, 能撥亂反正, 謂之社稷之臣可也. 然亦何嘗挾數任術! 觀史氏所載, 其議論未嘗不以正. 當時但以母子天性之說告武后, 其瀕於死者亦屢矣. 卒至武后怒而言曰. '還汝太子.' 夫豈嘗姑務柔從, 以陰幸事之成乎? 孟子曰, '君子創業垂統, 爲可繼也. 若夫成功則天也.' 人臣之事君, 或遠或近, 或去或不去, 歸潔其身而已可也. 豈可枉己以求難必之功乎?"[215]

(구산 양씨가 말하였다.) "적인걸[216]은 측천무후 시대에 혼란한 일을 다스려 올바르게 되돌렸으니 사직신社稷臣[217]이라고 이르는 것이 옳다. 그렇게 하면서도 또한 어찌 한번이나 꼼수를 쓰거나 술수를 부린 적이 있던가! 사관이 기록한 것에서 살피면 그의 주장은 올바르지 않은 적이 없다. 다만 당시에 모자 관계는 천성에 의한 것이라는 말씀을 측천무후에게 올리다가 그가 죽을 뻔한 것이 또한 여러 차례였다.[218] 끝내는 무후가 성을 내서 '너의 태자가 돌아왔다.'라는 말을 하는 데까지 이르렀다.[219] 어찌 늘

215 『龜山集』 권12 「語録・餘杭所聞」

216 적인걸 : 唐나라 幷州 太原 사람으로 자는 懷英, 시호는 文惠이다. 明經科에 급제하여, 大理丞・地官侍郎・魏州刺史・河北道行軍副元帥를 지냈다. 則天武后에게 많은 直諫을 하였고, 張柬之와 姚崇 등 유능한 선비를 추천하여 朝野의 존경을 받았다. 武三思에게 皇統을 잇게 하려는 측천무후의 욕심을 막아, 당 황실의 회복에 공을 세웠다. 燕國公에 봉해졌다가 睿宗 때 다시 梁國公에 봉해졌다. 『舊唐書』 권89 『新唐書』 권115

217 社稷臣 : 이 말은 『論語』「季氏」에 보이는 말이나, 『孟子』「盡心下」의 말이 사직신을 이해하는 데 도움이 된다. 맹자는 사람의 품격을 네 등급으로 논하여, 군주를 섬기기에만 급급한 佞臣, 사직의 안정에 마음을 쓰는 사직신, 천하에 자신의 道를 펴고자 하는 天民, 자신의 덕으로 곁의 사람을 저절로 올바르게 하는 大人으로 나누었다. 사직신에 대하여는 "사직을 안정시키는 신하가 있으니 사직의 안정으로 기쁨을 삼는 사람이다.(有安社稷臣者, 以安社稷爲悦者也.)"라고 설명하였다.

218 그가 죽을 … 차례였다. : 그가 죽을 뻔한 일이 기록된 책은 현재 확인되지 않는다. 다만 『舊唐書』「狄仁傑傳」에는 "적인걸이 전후 여릉왕을 돌아오게 해야 한다고 아뢴 상소문이 모두 몇 만 글자이다. 開元 연간에 北海太守 李邕이 지은 「梁公別傳」에 모두 기록되어 있다.(仁傑前後匡復奏對, 凡數萬言. 開元中北海太守李邕撰爲梁公別傳, 備載其辭.)"라고 하였다.

219 '너의 태자가 … 이르렀다. : 측천무후가 고종의 뒤를 이어 등극한 자신의 아들 중종을 폐위하여 廬陵王으로 삼고, 이어 고종의 아들 睿宗을 등극시켰다가 다시 폐위하고 자신이 황제에 등극하여 나라 이름도 周로 바꾸었다. 그 뒤 친정 오라버니의 아들 武三思를 皇嗣로 정하려 하였다. 적인걸은 측천무후에게 중종을 황사로 정할 것을 간청하면서 중종에게 자리를 물려주면 천추만대에 종묘에서 제사를 받을 수 있겠지만, 무삼사에게 황제 자리를 물려주면 무씨 왕조에서 고모를 종묘에서 제사 지내지 않을 것이라며, 모자 사이의 恩情을 강조하였다. 마음이 수그러든 측천무후는 마침내 당시 여릉왕에 봉해져 房州에 머물던 중종을 불러 올렸다. 이 일을 『新唐書』「狄仁傑傳」에서 살피면 다음과 같다. "여릉왕이 이르자 측천무후는 여릉왕을 휘장 속에 숨기고서 인걸을 불러 여릉왕에 대한 일을 말하였다. 적인걸이 조목조목 들어 청하는 말이 더없이 간절하였고 눈물을 주체하지 못하였다. 측천무후가 여릉왕을 나오게 하고 '너의 태자가 돌아왔다.'라고 하였다. 적인걸이 堂下로 내려가 절하고 머리를 조아려 '태자가 돌아왔으나 아는 사람이 없어 사람들 말이 분분하니, 어떻게 믿게 할 수 있겠습니까?' 하니 측천무후가 그 말을 받아들였다. 다시 태자를 龍門에 머무르게 하고서는 예의를 갖춰 맞이하였다. 지난날 吉頊과 李昭德이 태자를 돌아오게 할 것을 자주 말씀드렸으나 측천무후의 뜻을 돌릴 수 없었는데, 적인걸이 모자 관계는 하늘에서 타고난 것임을 들어 말씀드리자 측천무후가 질투하고 모진 성격이었으나 감동함이 없지 않았다. 그래서 당나라 왕실의 후사가 회복되었다.(王至,

부드럽게 따르는 것에만 잠시 힘써, 일의 성공을 몰래 요행스러워하였겠는가? 맹자는 '군자는 일을 일으켜 그 실마리를 자손에게 이어갈 수 있게 합니다. 그 일이 이루어지는 것은 하늘에 달렸습니다.'[220]고 하였다. 신하가 군주를 섬기는데 '어떤 사람은 (군주로부터) 멀리 은거하기도 하고 어떤 사람은 가까이 섬기기도 하며, 어떤 사람은 떠나가고 어떤 사람은 떠나가지 않으나, 귀결점은 자신의 한 몸을 깨끗하게 할 따름이다.'[221]라는 것이 옳다. 어찌 자기를 굽혀서 기약하기 어려운 일을 구해야 하겠는가?"

陸贄 육지

[63-18-1]

龜山楊氏曰 : "陸宣公當擾攘之際, 說其君未嘗用數, 觀其奏議可見. 欲論天下事, 當以此爲法. 宣公在朝, 自以不恤其身, 知無不言, 言無不盡. 至於遷貶, 唯杜門集古方書而已, 可謂知進退者."[222]

구산 양씨가 말하였다. "육선공陸宣公[223]이 혼란스러운 때를 만났으면서도 군주를 설득할 적에 술수를 쓴 적이 없었으니 그가 올린 주의奏議[224]를 보면 볼 수 있다. 천하의 일을 논하고자 하면 당연히 이를

后匿王帳中, 召見仁傑, 語廬陵事. 仁傑敷請切至, 涕下不能止. 后乃使王出, 曰'還爾太子.' 仁傑降拜頓首, 曰'太子歸, 未有知者, 人言紛紛, 何所信?' 后然之. 更令太子舍龍門, 具禮迎還. 中外大悅. 初吉頊李昭德數請還太子, 而后意不回, 唯仁傑每以母子天性爲言, 后雖忮忍, 不能無感. 故卒復唐嗣.)"

220 '군자는 일을 … 달렸습니다.' : 『孟子』「梁惠王下」에 있는 말이다. 맹자는 滕文公이 齊나라와 楚나라 사이에서 어느 나라를 추종하여 자신의 나라를 안정시킬 것인지 걱정하자 그에 대한 대안으로 이 말을 하였다. "참으로 선한 정치를 행하면 후세 자손 중에 반드시 왕천하할 자손이 나옵니다. 군자는 일을 일으켜 그 실마리를 자손에게 전하여 이어갈 수 있게 합니다. 그 일이 이루어지는 것은 하늘에 달렸습니다.(苟爲善, 後世子孫, 必有王者矣. 君子創業垂統, 爲可繼也. 若夫成功則天也.)"

221 '어떤 사람은 … 따름이다.' : 이는 『孟子』「萬章上」에 있는 말이다. 伊尹이 湯임금에게 등용되려고 음식 솜씨를 부려 환심을 샀다는 말에 대한 대답으로 성인의 행동은 똑같지 않다고 말한 뒤에 이어서 한 말이다.

222 『龜山集』 권10 「語錄 · 荊州所聞」

223 陸宣公 : 陸贄를 그의 시호 宣으로 부르는 말. 육지는 당나라 蘇州 嘉興 사람으로 자는 敬輿이다. 代宗 연간에 進士에 올랐고, 또 博學宏詞科에 합격하였다. 德宗이 즉위하여 그의 명성을 아껴 翰林學士에 등용하였다. 建中 4년(서기 783년) 朱泚의 반란으로 奉天으로 피난 가는 덕종을 수행하여 수많은 詔書를 초하며 문장으로 명성을 얻었다. 貞元 7년(서기 791년)에 兵部侍郎에 올랐고, 이어 中書侍郎에 오르며 同門下平章事의 재상직에 올랐다. 정원 10년에 戶部侍郎 裴延齡의 무고로 재상직에서 파직되어 忠州別駕로 貶職되었다. 문집으로 『翰苑集』 22권이 전한다. 이를 『陸宣公奏議』라고도 한다.(『舊唐書』 권139 ; 『新唐書』 권157)

224 그가 올린 奏議 : 주의는 신하가 군주에게 올린 여러 유형의 글들을 통칭하는 말이다. 表 · 奏 · 疏 · 議 · 上書 · 封事 등이 대체로 여기에 포함된다. 특히 육지가 올린 글을 모은 『陸宣公奏議』는 『貞觀政要』와 함께 필독서로 받아들여져 우리나라에서도 正祖가 편찬한 『陸奏約選』 1책이 있고, 여러 판본으로 간행된 『唐陸宣公集』이 전한다.

본받아야 한다. 선공이 조정에서 벼슬하면서 자신의 몸은 돌보지 않아, 아는 일은 말하지 않은 것이 없었고 말하면 다 말씀드리지 않는 것이 없었다. 벼슬을 강등당하고 유배되게 되자 문을 닫아걸고 옛 방서方書만을 모았으니,[225] 벼슬에 나아가고 물러나는 도리를 안 사람이라 할 수 있다."

[63-18-2]

或問 : "陸宣公旣貶, 避謗, 閟户不著書, 秪爲古今集驗方."

朱子曰 : "此亦未是. 豈無聖經賢傳可以玩索, 可以討論? 終不成和這箇也不得理會!"[226]

어떤 사람이 물었다. "육선공이 강등된 뒤, 비방을 피해 문을 닫아걸고 들어앉아 글 쓰는 일은 하지 않고, 다만 고금 의서醫書의 효험이 증명된 처방전을 모으는 일만 하였습니다."

주자가 대답하였다. "이 역시 옳지 않다. 어찌 성경현전聖經賢傳에 사색할 만하고 토론할 만한 것이 없겠는가? 끝내 이를 해보려 하지 않았으니, 또한 이해할 수 없다."

[63-18-3]

"陸宣公奏議末數卷論稅事, 極盡纖悉. 是他都理會來, 此便是經濟之學."[227]

(주자가 말하였다.) "『육선공주의』의 끄트머리 몇 권에서 주장한 세금에 관한 일은 더할 나위 없이 섬세하다. 이는 그가 전체를 이해하고 있는 결과물이니, 이것이 경세제민經世濟民의 학문이다."

[63-18-4]

"史以陸宣公比賈誼. 誼才高似宣公, 宣公諳練多, 學更純粹. 大抵漢去戰國近, 故人才多是不粹."[228]

(주자가 말하였다.) "사신史臣은 육선공을 가의賈誼[229]에 비견한다.[230] 가의의 높은 재주는 선공과 흡사하

225 문을 닫아걸고 … 모았으니 : 방서는 醫書를 이른다. 육지가 덕종의 신임을 얻었으나 끝내 상국의 지위에 오르지 못하였고 또 재상직마저 오래 머무르지 못한 채 충주 별가로 폄직되었다. 그 이후의 그의 행적은 『舊唐書』 권139 「陸贄傳」에는 이렇게 말하고 있다. "육지가 충주에 머무는 10년 동안 늘 한적한 곳에서 문을 닫아걸고 있어서 사람들이 그의 얼굴을 알아보지 못하였고, 또 헐뜯는 말을 피하느라 글도 쓰지 않았다. 사는 지역이 瘴氣(남쪽 지역의 눅눅하고 무더운 惡氣)가 많은 지역이라서 돌림병을 앓는 사람이 많자, 醫書 처방전을 모아 『陸氏集驗方』 50권을 편찬하였는데 세상에 유행한다.(贄在忠州十年, 常閉關靜處, 人不識其面, 復避謗不著書. 家居瘴鄕, 人多癘疫, 乃抄撮方書, 爲陸氏集驗方五十卷, 行於代.)."

226 『朱子語類』 권136, 68조목

227 『朱子語類』 권136, 67조목

228 『朱子語類』 권136, 65조목

229 賈誼 : 가의는 漢나라 洛陽 사람으로 제자백가에 통달하였다. 나이 20여 세에 文帝에게 이름이 알려져 博士에 등용되었다. 당시 조정에서 논의되는 여러 안건에 老士宿儒조차 감히 입을 열지 못하는 일들을 가의가 거침없이 대답하여 식견을 인정받았다. 등용된 지 1년 만에 太中大夫에 올랐고 당시 한나라가 미처 손대지 못한 正朔을 정하는 일에서부터 온갖 전장제도를 바꾸는 일들을 앞장서서 결정하였다. 문제가 그에게 公卿

지만 선공은 연마함이 뛰어나고 학문이 또 순수하다. 대체로 한나라는 전국시대와 멀지 않았던 까닭으로 인재들이 대부분 순수하지 않다."

[63-18-5]

問 : "陸宣公比諸葛武侯如何?"

曰 : "武侯氣象較大, 恐宣公不及. 武侯當面便說得, 如說孫權一段, 雖辯士不及, 其細密處, 不知比宣公如何. 只是武侯也密, 如橋梁道路·井竈·圊溷, 無不脩繕, 市無醉人, 更是密. 只是武侯密得來嚴, 其氣象剛大嚴毅."[231]

물었다. "육선공을 제갈무후에 비기면 어떻습니까?"

(주자가) 대답하였다. "무후는 기상이 비교적 커서 아마도 선공이 미치지 못할 것이다. 무후는 만난 일에 대해서 바로 설파했으니 예컨대 손권을 설득한 한 대목[232]은 변사辯士라 하더라도 미칠 수 없겠으

의 지위를 맡기려 하자 周勃과 灌嬰 등이 헐뜯어, 끝내 문제도 그에 대한 총애를 거두고 長沙王太傅로 내보냈다. 다시 梁懷王太傅로 옮겨진 뒤 양회왕이 말에서 떨어져 죽자 스승으로 책임을 다하지 못한 것을 자책하다 죽었다. 이때 그의 나이 33세였다. 그가 올린 上書는 賈誼上書라는 이름으로 후세 선비들에게 크게 칭송을 받았다. 가의의 자세한 것은 『性理大全書』 권61 [61-8-1] 이하 참고.(『史記』「賈誼傳」)

230 사신은 육선공을 … 비견한다. 『舊唐書』「陸贄傳」 끝에 다음과 같은 사신의 평이 전한다. "사신은 논한다. '근래 육선공에 대해 말하는 자들이 漢나라 賈誼에 비견하고 있으니, 고매한 행동과 剛正한 절의, 나라를 다스려 사업을 성공시키려는 근본 생각과 격렬하게 正義를 주장한 마음, 처음에 천자의 깊은 知遇를 받았다가 나중에 몰락한 것은 모두 서로 유사하다. 그러나 가의는 中大夫에 그치고 육지는 재상에 올랐으니 지우를 받지 못했다고 말할 수 없다.'(史臣曰, '近代論陸宣公, 比漢之賈誼, 而高邁之行, 剛正之節, 經國成務之要, 激切仗義之心, 初蒙天子重知, 末塗淪躓, 皆相類也. 而誼止中大夫, 贄及台鉉, 不爲不遇矣.')"

231 『朱子語類』 권136, 66조목

232 손권을 설득한 … 대목: 유비가 荊州刺史 劉表에게 잠시 몸을 의탁하고 있는데 조조가 형주를 침략하였다. 이때 유표가 죽고 아들 劉琮이 그 자리를 물려받아, 조조에게 항복하였다. 유비가 樊 땅에 머무르고 있다가 이 소식을 듣고서 급히 남쪽으로 피난길에 나섰다. 夏口에 이르렀을 때 제갈공명이 남쪽 손권에게 구원을 청하자고 하였다. 그 자세한 내용은 『三國志』 권35 「諸葛亮傳」에 자세하다. "선주가 하구에 이르자 제갈량이 '사태가 급하여졌습니다. 청컨대 주군의 명을 받들고 孫將軍(孫權)에게 구원을 청해야 하겠습니다.' 이때 손권은 군사를 거느리고 柴桑에 머물면서 누가 이기는가를 관망하고 있었다. 제갈량이 손권을 설득하여 '천하가 크게 어지러워져 장군께서 군사를 일으켜 江東을 차지하고, 劉豫州(예주 자사 유비)가 역시 漢南에서 군사를 모아 曹操와 천하를 경쟁하고 있습니다. 지금 조조가 거대한 세력들을 제거하여 대략 거의 평정하였는데, 마침내 형주까지 격파하여 위엄이 천하를 진동합니다. 영웅이 무력을 써볼 곳이 없게 된 까닭에 유예주가 도망쳐 달아나 이 지경에 이르렀습니다. 장군께서도 가진 힘을 헤아려 처신하여야 할 것이니, 만일 吳越 지역의 군사로 중국과 맞겨룰 수 있으면 일찍이 저들과 단절하시는 것만 못할 것이고, 만일 겨룰 수 없다면 병장기를 내려놓고 갑옷을 묶어두고서 북향하여 조조를 섬기는 것을 왜 하지 않으십니까! 지금 장군이 겉으로 (조조에게) 복종한다는 명분을 내세우나 속으로 머뭇거리는 속셈을 가지고 있으니, 사태가 급박한데 결단하지 않으면 재앙이 언제 닥칠지 모를 것입니다!' 하니 손권이 '참으로 그대의 말과 같다면, 유예주는 왜 결단하여 조조를 섬기지 않는 것이오?' 하였다.

나, 그 세세하고 치밀한 점은 선공에 비겨 어떨지 잘 알지 못하겠다. 다만 무후도 또한 치밀하니, 예컨대 다리와 도로, 우물과 부엌설비, 변소에 이르기까지 손질하지 않은 것이 없었고 저자에 술 취한 사람이 없었으니[233] 더욱더 치밀하다. 다만 무후는 치밀함에 엄격하고, 그 기상도 강직하고 공명정대하며 의연

제갈량이 '田橫은 齊나라의 용맹한 사람일 뿐인데도 오히려 정의를 지켜 명예를 욕되게 하지 않았는데 하물며 유예주는 漢나라 왕실의 후예로 걸출한 재능이 천하를 뒤덮어, 뭇 인걸들이 우러러 사모하며 마치 물이 바다로 모여들 듯 돌아오고 있습니다. 그러나 일이 이뤄지지 않는다면 이것은 하늘에 달린 것입니다.' 하니 손권이 불끈 힘을 내서 '내가 吳 지역의 전체 땅과 10만의 군사를 가지고 남에게 제재를 받을 수는 없소. 나의 계책은 결정되었소! 유예주가 아니고선 조조를 막아낼 수 있는 사람이 없소. 그러나 유예주가 막 전쟁에 실패한 뒤이니, 어떻게 이 환난을 이겨낼 수 있겠소?' 하였다. 제갈량이 '유예주의 군대가 長阪에서 실패하였지만 지금 귀환한 군사와 關羽의 정예 水軍 1만 명과, 劉琦(劉表의 長子)가 江夏의 군사를 합한다면 군사 수가 또한 1만 명을 넘습니다. 조조의 군대는 먼 길을 오느라 지쳐 있고, 듣자하니 유예주를 추격하여, 가볍게 무장한 기병으로 하루 낮과 밤 동안에 3백여 리를 달렸다 하니 이것이 이른바 「강한 쇠뇌일지라도 끝 지점에서는 그 형세가 魯나라의 깁 한 장도 뚫지 못한다.」는 것입니다. 그런 까닭에 병법에 이를 금기하여 「(이렇게 길을 달릴 경우) 반드시 최고 대장이 죽는다.」고 하였습니다. 또 북쪽 군대는 水戰에 익숙하지 못합니다. 또 형주의 백성으로 그에게 붙은 사람은 군사의 형세에 핍박을 느껴서일 뿐 마음에서 우러나온 복종이 아닙니다. 지금 장군께서 참으로 용맹한 장수를 지명하여 군사 몇 만을 거느리게 하여, 유예주와 계책을 함께 하고 힘을 함께 하신다면 조조 군대의 격파는 틀림없습니다. 조조의 군대가 격파되면 반드시 북쪽으로 돌아갈 것이니, 이렇게 된다면 형주와 오 지역의 형세가 강해져 鼎足의 형세가 이루어질 것입니다. 이 일이 이루어질지 말지는 오늘에 달렸습니다.' 하니 손권이 크게 기뻐하여 바로 周瑜·程普·魯肅 등 수군 3만을 파견하여 제갈량을 따라 선주에게 나아가 힘을 함께하여 조조를 막게 하였다. 조조는 赤壁에서 패하여 군사를 이끌고 鄴으로 돌아갔다. (先主至於夏口, 亮曰, '事急矣. 請奉命求救於孫將軍.' 時權擁軍在柴桑, 觀望成敗. 亮說權曰, '海內大亂, 將軍起兵據有江東, 劉豫州亦收衆漢南, 與曹操並爭天下. 今操芟夷大難, 畧已平矣, 遂破荊州, 威震四海. 英雄無所用武, 故豫州遁逃至此. 將軍量力而處之. 若能以吳越之衆, 與中國抗衡, 不如早與之絶；若不能當, 何不案兵束甲, 北面而事之! 今將軍外託服從之名, 而內懷猶豫之計, 事急而不斷, 禍至無日矣!' 權曰, '苟如君言, 劉豫州何不遂事之乎?' 亮曰, '田橫, 齊之壯士耳, 猶守義不辱, 況劉豫州王室之胄, 英才蓋世, 衆士慕仰, 若水之歸海. 若事之不濟, 此乃天也. 安能復爲之下乎?' 權勃然曰, '吾不能擧全吳之地, 十萬之衆, 受制於人. 吾計決矣! 非劉豫州莫可以當曹操者, 然豫州新敗之後, 安能抗此難乎?' 亮曰, '豫州軍雖敗於長阪, 今戰士還者及關羽水軍精甲萬人, 劉琦合江夏戰士, 亦不下萬人. 曹操之衆, 遠來疲弊, 聞追豫州, 輕騎一日一夜行三百餘里, 此所謂「彊弩之末, 勢不能穿魯縞」者也. 故兵法忌之曰, 「必蹶上將軍」. 且北方之人, 不習水戰. 又荊州之民附操者, 偪兵勢耳, 非心服也. 今將軍誠能命猛將統兵數萬, 與豫州協規同力, 破操軍必矣. 操軍破, 必北還, 如此則荊·吳之勢彊, 鼎足之形成矣. 成敗之機, 在於今日.' 權大悅, 即遣周瑜·程普·魯肅等水軍三萬, 隨亮詣先主, 并力拒曹公. 曹公敗於赤壁, 引軍歸鄴.)"

233 예컨대 다리와 … 없었으니 : 제갈공명의 질서 정연함을 언급한 말이다. 『三國志』「諸葛亮傳」의 評에 대한 裴松之注에서, 袁子는 이렇게 말하고 있다. "'제갈량이 몇 만의 군사를 거느리면서, 그 준비는 마치 수십만의 군사를 거느리듯 하는 것이 가장 기이합니다. 이르는 곳마다 진영의 보루, 우물과 부엌 설비, 변소, 목책 울타리, 장애물 설치들이 모두 법도에 하나하나 꼭 맞습니다. 한 달의 행군 길에서도 떠나갈 때 마치 처음 이르렀을 때와 똑같게 하니 비용을 들여가면서 괜스레 아름답게 꾸미는 것은 어째서입니까?' 원자가 대답하였다. '촉 땅 사람은 가벼운 까닭에 제갈공명이 일부러 단단하게 하는 것이다.' '어떻게 그것이 그렇다는 것을 밝힐 수 있습니까?' 원자가 말하였다. '제갈공명은 실재에 힘쓰고 이름에 힘쓰지 않으며, 뜻이 크고 하고자 하는 것이 원대하여, 천근하거나 속히 이루기를 구하는 사람이 아니다.' '제갈공명이 官署, 출행 길에

하다."

楊綰 양관

[63-19-1]

朱子曰 : "楊綰用而大臣損音樂, 減騶御, 則人豈可不有以養素自重耶?"[234]

주자가 말하였다. "양관楊綰[235]이 등용되자, 대신들이 음악을 줄이고 수레와 시종하는 자의 수를 줄였으니,[236] 사람이 어찌 평소의 생활에 자중하지 않을 수 있겠는가?"

잠시 머무는 집, 다리, 길 들을 다듬기 좋아하였는데 이들은 급하게 해야 할 일이 아닌데 어째서입니까?' 원자가 대답하였다. '작은 나라에 어진 인재가 적은 까닭에 존엄스럽게 보이고자 한 것이다. 제갈공명이 촉 땅을 다스릴 적에 농지가 잘 다듬어지고, 창고가 꽉 차고, 기계들이 잘 손질되고, 축적이 풍요롭고, 조회가 시끄럽지 않고, 길에는 술취한 사람이 없었다.'("'亮帥數萬之衆, 其所興造, 若數十萬之功, 是其奇者也. 所至營壘 · 井竈 · 圊溷 · 藩籬 · 障塞皆應繩墨, 一月之行, 去之如始至, 勞費而徒爲飾好, 何也?' 袁子曰, '蜀人輕脫, 亮故堅用之.' 曰'何以明其然也?' 袁子曰, '亮治實而不治名, 志大而所欲遠, 非求近速者也.' 曰'亮好治官府 · 次舍 · 橋梁 · 道路, 此非急務, 何也'? 袁子曰, '小國賢才少, 故欲其尊嚴也. 亮之治蜀, 田疇辟 ; 倉廪實 ; 器械利 ; 畜積饒 ; 朝會不譁 ; 路無醉人.)"

234 『朱子語類』 권136, 71조목

235 楊綰 : 唐나라 華州 사람으로 자는 公權, 시호는 文簡이다. 經史에 博通하였고 특히 文辭에 뛰어났다. 玄宗 연간에 進士가 되고 太子正字에 임명되었고, 肅宗이 靈武에서 즉위하였으나 모든 것이 어려울 때, 먹을 것을 구해 적진을 헤치고 찾아가 起居舍人과 知制誥에 임명되었다. 禮部와 吏部의 시랑을 역임하며 관원선발이 공정하여 공평하였다는 평을 얻었다. 元載가 정권을 잡고 있다가 죄로 처형되자 中書侍郎과 同中書門下平章事에 임명되었으나, 반년을 채우지 못하고 중풍으로 죽었다. 代宗이 輟朝하고 문무백관에게 모두 양관의 집으로 찾아가 조문하게 하였다.(『舊唐書』 권119 ; 『新唐書』 권142)

236 대신들이 음악을 … 줄였으니 : 양관이 원재의 뒤를 이어 同中書門下平章事에 임명되자 朝野가 축하하였다. 이에 대한 기사는 『舊唐書』「楊綰傳」에 의하면 다음과 같다. "양관이 평소에 덕행으로 소문났고 타고난 본성이 올곧고 청렴하여 수레와 옷차림이 수수하였다. 동중서문하평장사 직위에 머무른 지 몇 달에 백성들 마음이 저절로 변화하였다. 御使中丞 崔寬은 劍南西川節度使 寧의 아우로 집안의 재산이 많았고 별장이 皇城 남쪽에 있었는데, 연못과 집, 臺(흙을 높게 쌓아 만든 시설물)와 榭(臺 위의 정자)가 당시 최고였다. 최관이 그날로 사람을 몰래 보내 이것들을 헐어버렸다. 中書令 郭子儀는 邠州의 行營(외지에 나가 있는 장수의 진영)에 있었는데 양관이 상국에 임명되었다는 소문을 듣고서, 자리 근처에 배치해 둔 음악 기구 5분의 4를 줄여 없앴다. 京兆尹 黎幹은 대종의 은총을 받아 출입할 적이면 車馬를 시종하는 자가 1백여 명에 이르렀는데 역시 그날로 車騎의 수를 줄여 기병 10명을 남길 정도였다. 그 밖에 소문을 듣고 사치함을 바꾸고 검소하게 생활한 자가 이루 헤아릴 수 없을 정도였으니 그가 풍속을 진정시키고 바꾼 것이 이와 같았다.(綰素以德行著聞, 質性貞廉, 車服儉朴. 居廟堂未數月, 人心自化. 御史中丞崔寬, 劍南西川節度使寧之弟, 家富於財, 有別墅在皇城之南, 池館臺榭, 當時第一. 寬即日潛遣毁拆. 中書令郭子儀在邠州行營, 聞綰拜相, 座内音樂減散五分之四. 京兆尹黎幹以承恩, 每出入騶馭百餘, 亦即日減損車騎, 唯留十騎而已. 其餘望風變奢從儉

[63-19-2]

東萊呂氏曰 : "楊綰爲吏部, 欲去科擧, 後世皆以爲不可, 但未之知耳. 及爲相半年而死, 志遂不及施. 唐時如陸贄楊綰論治道, 皆有規模."[237]

동래 여씨가 말하였다. "양관이 이부상서가 되어 과거를 폐지하고자 한 것[238]을 두고, 뒷세상에서 모두가 옳지 않다고 말하나, 다만 그것은 알지 못하여서일 뿐이다. 상국이 된 지 반년 만에 죽어 끝내 뜻을 미처 펼치지 못하였다. 당나라 왕조 때 예컨대 육지陸贄와 양관이 주장한 국가를 다스리는 방법에는 모두 법도가 있다."

陽城 양성

[63-20-1]

或論及陽城事, 謂 : "永叔不取, 純夫取之. 其言曰, '陽城蓋有待而爲者也. 後世猶責之無已, 其不成人之美亦甚哉!' 此論似近厚."

龜山楊氏曰 : "陽城固可取, 然以爲可法則不可. 裴延齡之欲相, 其來非一朝一夕, 何不救之於漸乎? 至於陸贄之貶, 然後論延齡之姦佞, 無益矣. 觀古人退小人之道不然. 『易』之姤卦曰, '女壯勿用取女.' 夫姤一陰生未壯也. 而曰壯者, 生而不用, 固有壯之理也. 取女則引而與之齊也, 引而與之齊, 則難制矣. 陰者小人之象也, 小人固當制之於漸也. 故當陰之生, 則知其有壯之理, 知其有壯之理, 則勿用娶女可也. 是以姤之初爻曰'繫于金柅貞吉 ; 有攸往見凶.' 金柅, 止車之行也. 陰之初動, 必有以柅之, 其制之於漸乎! 蓋小人之惡, 制之於未成則易, 制之於已成則難. 延齡之用事, 權傾宰相, 雖不正名其爲相, 其惡自若也. 何更云待其爲相, 然後取白麻壞之耶? 然城之所爲, 當時所難能也. 取之亦是, 但不可以爲法耳."[239]

어떤 사람이 말을 하다가 양성[240]의 일에 미쳐 다음과 같이 말하였다. "영숙永叔은 취하지 않았는데[241]

者, 不可勝數, 其鎭俗移風若此.)"

237 『東萊外集』 권6 「庚子所記」

238 과거를 폐지하고자 한 것 : 양관은 예부 시랑에 오르면서 貢擧의 폐단을 하나하나 지적하여, 도덕에 기반하지 않고 문장에 빠져 있는 당시 학계의 잘못을 지적하며 "그들이 익힌 經書를 시험보아 『左傳』·『公羊傳』·『穀梁傳』·『禮記』·『周禮』·『儀禮』·『尚書』·『毛詩』·『周易』으로 사람을 선발하고, 아무 경서나 공부한 대로 맡기되, 뜻을 깊이 터득하고 여러 학설에 통한 자를 힘써 선발해야한다.(其所習經, 取左傳·公羊·穀梁·禮記·周禮·儀禮·尚書·毛詩·周易, 任通一經, 務取深義奧旨, 通諸家之義.)"고 하였으며, 곁들여 한 가지 경서를 통한 자에게 策文 시험을 보이되 "책문은 모두 예전과 지금의 정치 체통과 당시의 급선무를 물어야 한다.(其策, 皆問古今理體, 及當時要務.)"고 하였다.

239 『龜山集』 권12 「語録·餘杭所聞」

순부純夫는 취하였다. 그가 '양성은 대체로 기다렸다가 일을 하는 자입니다. 후세에서 여전히 끝없이 책망하니 남의 아름다움을 이뤄주려 하지 않는 것이 너무 심합니다!'고 하였으니,[242] 이 말이 사리에

240 양성 : 唐나라 定州 北平 사람으로 자는 亢宗이다. 집이 가난하여 책을 구할 수 없자 集賢院의 글씨를 베끼는 胥吏를 자원해, 집현원의 책을 6년 동안 공부하고서 進士試에 합격하자 中條山에 은거하여, 장가들지 않고 아우 두 사람과 함께 살았다. 여러 사람의 벼슬 추천과 값진 선물이 있었으나 한결같이 받지 않고 공부에 열중하자, 사방에서 제자가 연이었다. 德宗 때 右諫議大夫에 임명되어 7년을 재직하다가 裴延齡의 재상 임명을 반대한 일로 숙종의 미움을 사서 國子司業으로 좌천되었다. 이어 제자 薛約을 감싼 일로 죄를 받아 道州刺史로 좌천되어 죽었다. 『舊唐書』 권192에는 다음과 같은 기사가 있다. "양성이 아직 벼슬에 나가지 않았을 때 관원들이 그의 풍채를 보고자 하였다. 그가 야인의 신분에서 벼슬에 나서 諫官의 직책에 오르자 선비들은 그가 죽음을 걸고 직무를 수행할 것이라 생각하여 천하 사람들이 더욱 그를 두렵게 여겼다. 다른 간관들의 일에 대한 논의가 가혹하고 꼬치꼬치 파고드는 것이 어지러울 정도여서 덕종이 싫증을 내며 괴로워하였는데, 양성은 일의 잘잘못을 차츰차츰 파악하여 완전히 알고 있으면서도 정작 기꺼이 말하려 들지 않았다. 韓愈가 「爭臣論」을 지어 그를 신랄하게 비꼬았으나, 양성은 개의치 않았다.(城未起, 搢紳想見風采. 既興草茅, 處諫諍官, 士以爲且死職, 天下益憚之. 及受命, 它諫官論事苛細紛紛, 帝厭苦, 而城寖聞得失且熟, 猶未肯言. 韓愈作爭臣論譏切之, 城不屑.)"

241 永叔은 취하지 않았는데 : 영숙은 歐陽脩의 자이다. 구양수가 司諫 벼슬에 오른 范仲淹에게 보낸 편지에서 양성의 일을 거론하며, 간쟁해야 할 말에 있어서는 세월을 기다리지 말라고 당부하였다. 그의 저서 『文忠集』 권66 「外集 · 書 · 上范司諫書」를 보면 자세하다. "옛날 한퇴지가 「爭臣論」을 지어 양성이 極諫하지 못하는 것을 비꼬았는데 끝내 간관으로서 명성이 드러나자, 사람들 모두 '양성이 간하지 않고 있었던 것은 때를 기다리느라 그랬던 것인데 퇴지가 그 사람의 의중을 알지도 못하고 망령스럽게 비꼬았다.'고 하였습니다. 구양수는 홀로 그렇게 생각하지 않습니다. 퇴지가 「爭臣論」을 지을 때 양성은 간의대부가 된 지 이미 5년째였습니다. 그 뒤 또 2년이 지난 뒤에야 비로소 조정에서 육지에 대해 변론하고 배연령으로 상국을 삼는 것을 막으며 麻紙(詔書)를 찢고자 하였습니다. 겨우 이들 두 건의 일 뿐입니다. 덕종 때는 사건이 많았던 시기라고 말할 수 있습니다. 주고받는 것이 정당하지 못해 반란을 일으킨 장수와 날뛰는 신하들이 천하에 널렸었습니다. 또 시기하는 마음이 많았고 소인을 등용하였으니 이 시기에 왜 말할 만한 사건이 하나도 없어 7년을 기다렸겠습니까? 당시의 일들에 어찌 배연령을 저지하고 육지를 변론하는 일보다 시급한 일이 없었겠습니까? 의당 아침에 임명되면 저녁에 말씀을 아뢰고 상소문을 올려야 할 것입니다. 다행이도 양성이 간관이 된 지 7년 만에 마침 배연령과 육지의 일을 만나 한 번 간쟁으로 파직되며 자신의 책임을 때웠습니다. 만일 5년이나 6년에 간의대부의 벼슬이 끝나고 마침내 국자사업으로 옮겨졌다면 끝내 한마디 말도 않고 떠난 것이 될 테니, 어떤 점을 취할 수 있겠습니까?(昔韓退之作爭臣論, 以譏陽城不能極諫, 卒以諫顯, 人皆謂'城之不諫, 蓋有待而然, 退之不識其意而妄譏.' 修獨以爲不然. 當退之作論時, 城爲諫議大夫已五年. 後又二年, 始庭論陸贄及沮裴延齡作相, 欲裂其麻. 纔兩事爾. 當德宗時, 可謂多事矣. 授受失宜, 叛將強臣, 羅列天下. 又多猜忌, 進任小人, 於此之時, 豈無一事可言, 而須七年耶? 當時之事, 豈無急於沮延齡論陸贄兩事也? 謂宜朝拜官而夕奏疏也. 幸而城爲諫官七年, 適遇延齡陸贄事, 一諫而罷, 以塞其責. 向使止五年六年而遂遷司業, 是終無一言而去也. 何所取哉?)"

242 純夫는 취하여 … 하였으니 : 순부는 송나라 范祖禹를 字로 이른 말이다. 그의 저서 『唐鑑』 권15 「德宗」4에서 이렇게 말하고 있다. "한유가 「爭臣論」을 지은 것은 양성이 아직 말을 하지 않았을 때였습니다. 세상에서 말하는 자들은 간혹 한유가 남긴 뜻을 받들고 답습하여, 비평하기를 '양성이 우간의대부에 있은 지 오래였으면서도 아무 말도 하지 않고 있다가 육지가 강등당한 뒤에야 말을 하였으니, 만일 육지가 강등되지 않았다면 명성을 이루지 못하였을 것이다. 어떻게 끝까지 침묵할 수 있단 말인가?'라고 합니다. 신은 그렇게 생각하지

가깝고 후덕한 듯합니다."

구산 양씨가 말하였다. "양성은 참으로 취할 만하나, 본받을 만한 것으로 말하기에는 옳지 않다. 배연령裴延齡[243]이 상국이 되고자 한 것은 그 시작이 하루아침 하루저녁 일이 아닌데 어째서 시작될 때 다스리려 하지 않았을까? 육지가 강등되고서야 배연령의 간악과 영악함을 논하였으니[244] 무익한 일이다. 예전 사람이 소인을 내쫓던 도리를 살피면 그렇지 않다. 『주역』「구괘姤卦」에 '여자가 장대함이니 여자에게 장가들지 말라.'[245]고 하였다. 구괘(䷫)는 한 음효陰爻가 생겨나 아직 장대하지 않은 것이다. 그런데도

않습니다. 揚雄은 '어떤 사람이 현명한 사람을 묻자, 「남이 하지 못할 일을 한 사람이다.」고 대답했다.'고 하였습니다. 양성은 기다렸다가 일을 하는 사람입니다. 배연령이 상국에 임명되는 것을 막고 육지가 죽어가는 것을 구원하였으니, 이는 남들이 할 수 없는 일이니, 현명하지 않다면 누가 할 수 있겠습니까? 한 번 자신의 충정을 분출하여 명성이 사방을 진동시켰고, 종신토록 버려졌으면서도 죽으면서까지 한스러워함이 없었습니다. 역사 이래 處士로서 나라를 유익하게 한 자 양성 같은 사람은 드뭅니다. 그런데도 후세에서 여전히 책망이 끝이 없으니, 남의 아름다움을 이뤄주려 하지 않는 것이 또한 너무 심합니다!(韓愈作爭臣論, 當城未有言之時也. 世之論者, 或祖襲愈之餘意, 譏'城以在職久而不言, 及陸贄之貶而後發, 向若贄不貶, 則無所成其名矣. 豈得遂默而已乎?' 臣以爲不然. 揚雄'曰, 或問賢, 曰爲人所不能.' 城有待而爲之者也. 遏裴延齡爲相, 救陸贄將死, 此人所不能, 非賢孰能爲之? 一奮其忠, 名震四方, 終身廢放, 死而無憾. 自古處士之有益於國, 如城者鮮矣. 後世猶責之無已, 其不成人之美, 亦甚哉!)"

여기서 '남의 아름다움을 이뤄주려 하지 않음이 너무 심하다.' 운운한 말은 『論語』「顔淵」편에서 "공자가 말하였다. '군자는 남의 아름다움은 이루어지게 하고 남의 악은 이뤄지지 않게 하는데, 소인은 이와 반대이다.'(子曰, '君子成人之美; 不成人之惡, 小人反是.')"라고 한 말에 의거하여, 양성의 이러한 행동이 아름다운 일인데도 반대하여 나쁘게 만들려 한다고 비판한 것이다.

243 배연령 : 唐 河中 河東 사람으로 시호는 繆이다. 德宗에게 예쁨을 사서 戶部侍郞에 발탁되면서 백성들의 재물을 수탈하고, 전혀 허위 사실로 덕종을 속였으나, 덕종이 죽을 때가지 그를 신임하였다. 재상 陸贄가 덕종에게 그의 간사함을 폭로하였다가 오히려 배연령의 미움을 사서 죄를 입고 쫓겨나려다가 겨우 忠州別駕로 좌천되기도 하였다.(『舊唐書』 권135 ; 『新唐書』 권167)

244 육지가 강등되고 … 논하였으니 : 양성이 우간의대부가 된 지 8년이 되는 동안 아무런 간쟁하는 말이 없자 사람들이 크게 실망하였다. 그런데도 양성은 두 동생과 날마다 술로 생활하였다. 그의 간쟁이 없는 것에 불만을 가지고 찾아와 말하려는 사람이 있으면 그가 누구든 붙잡고 술부터 먹여 말할 틈을 주지 않았다. 또 상대가 술을 받아먹지 않으면 자신이 술을 계속 마시고서는 찾아온 사람의 품에 고꾸라져 잠이 들기도 하였다. 이렇게 하며 녹봉을 써버렸고, 녹봉을 부러워하는 사람이 있으면 선뜻 그에게 내주어 한 푼도 집안에 남기지 않았다. 이때 배연령이 육지를 무고하여 재상직에서 쫓아내고 죄를 둘러씌웠다. 덕종은 배연령의 말만 믿고 육지에게 화를 내어 누구도 육지의 무고를 밝혀낼 수 없었다. 양성이 대궐에 나아가 엎드려 상소문을 올리고, 拾遺 王仲舒와 배연령의 간악함과 육지의 무죄를 밝혔다. 덕종이 크게 성내며 재상을 불러들여 양성의 죄를 의논하게 하였으나 당시 태자였던 順宗의 주선으로 죄를 면하였다. 이때 金吾將軍 張萬福이 간관이 대궐에 엎드려 간쟁한다는 말을 듣고 찾아가, 延英門 앞에서 큰소리로 축하하여 "조정에 올곧은 신하가 있으니 천하가 반드시 태평해질 것이다.(朝廷有直臣, 天下必太平矣.)"라고 하고, 양성과 왕중소가 있는 곳으로 찾아와 "여러 간의대부가 이처럼 천하 일에 대해 말하니, 천하가 어떻게 태평해지지 않겠소?(諸諫議能如此言事, 天下安得不太平.)" 하고서는 '이윽고 太平! 太平!을 연거푸 외쳤다.(已而連呼太平! 太平!)' 만복은 武人이고 나이가 80여 세였다. 이로부터 양성의 명성이 천하에 자자하였다.(『舊唐書』 권192)

245 '여자가 장대함이니 … 말라.' : 이는 구괘의 卦辭이다.

'장대하다.'라고 말한 것은 생겨난 것을 폐기해버리지 않으면 본디 장대해지는 이치가 있어서이다. 여자에게 장가드는 것은, 맞이하여 함께 짝을 이루는 것이어서, 맞이해 함께 짝을 이루면 제재하기 어렵다. 음陰은 소인에 대한 상징이니, 소인은 절대 시작에서 제재해야 한다. 그러므로 음陰이 생겨나는 것을 만나면 그것에 장대해질 이치가 있음을 알아야 하고, 장대해질 이치가 있음을 알았다면 여자에게 장가들지 않는 것이 옳다. 그러므로 구괘의 초효初爻에 '쇠로 만든 니柅(일종의 빗장)에 묶어두면, 바른 도리가 길하고, 계속 나아가면 흉함을 당한다.'[246]고 하였다. 쇠로 만든 니는 수레의 운행을 정지케 하는 것이다. 음陰이 처음 태동하려 할 때 기필코 정지시켜야 하니, 시작에서 제재해야 한다! 소인의 악행은 아직 이루어지지 않았을 때는 제재하기 쉬우나, 이미 이루어진 뒤에는 제재하기 어렵다. 배연령이 권력을 부릴 적에 그 권세가 재상을 능가하여 그를 정식으로 임명하여 상국으로 삼지 않았지만 그의 악행은 스스로 마음 가는 대로였다. 어찌 다시 상국이 되기를 기다렸다가 그제야 그의 백마白麻를 가져다 찢을 일인가?[247] 그러나 양성陽城의 행위가 당시로서는 하기 어려운 일이다. 취하는 것이 또한 옳은 일이나, 다만 본받기에는 옳지 않을 뿐이다."

[63-20-2]

朱子曰 : "說者謂'陽城居諫職, 與屠沽出没.' 果然, 則豈能使其君聽其言哉?"[248]

주자가 말하였다. "말하는 사람들이 '양성이 간관 벼슬을 하면서도 고기와 술을 파는 자들과 어울렸다.'고 한다. 과연 그렇다면 어떻게 군주에게 자신의 말을 따르게 할 수 있겠는가?"[249]

246 '쇠로 만든 … 당한다.' : 구괘는 괘 모양 ䷫에서 보듯이, 양효의 乾卦(☰) 천하로부터 음이 갓 태어난 괘이다. 위 다섯 爻는 陽爻이고 맨 아래 한 효가 陰爻이다. 이 음효를 두고서 소인의 음흉함이 있으니 이를 다스릴 방법을 두고 쇠 빗장을 걸어 움직이지 못하게 하면 양효가 상징하는 바른 도리에 길한 일이 생겨나고, 만일 이 음효를 방치하여 계속 자라 세력을 넓히게 하면 흉한 일이 생겨난다고 한 것이다.

247 白麻를 가져다가 … 일인가? : 육지가 배연령의 간악함을 들어 논박하였으나 덕종은 오히려 배연령을 재상으로 삼고자 하였다. 이를 『舊唐書』「陽城傳」에서 살피면 다음과 같다. "양성은 드러내놓고 '연령이 재상이 된다면 나는 당연히 그 白麻紙(詔書)를 가져다가 찢어버리고 조정에서 통곡하겠다.'고 하였다. 덕종이 배연령을 재상으로 삼지 못한 것은 양성의 힘이다.(城顯語曰, '延齡爲相, 吾當取白麻壞之, 哭於廷.' 帝不相延齡, 城力也.)"

248 『朱子語類』 권136, 71조목

249 "말하는 사람들이 … 있겠는가?" : 『舊唐書』「陽城傳」에 이런 기사가 있다. "두 아우와 약속하기를, '내가 달마다 받는 봉록에서 네가 우리 집안 식구가 몇 사람이어서, 달마다 드는 쌀이 얼마이고, 땔나무, 채소, 소금을 사들이는 데 얼마의 돈이 드는지 헤아릴 수 있을 것이다. 먼저 그것들을 준비하고, 그 나머지는 모두 술집 주인아낙에게 보내 남겨두지 말라.'라고 하였다.(約其二弟云, '吾所得月俸, 汝可度吾家有幾口, 月食米當幾何, 買薪菜鹽凡用幾錢. 先具之, 其餘悉以送酒媼, 無留也.)"라고 하였다. 꼭 그들과 어울렸는지는 알 수 없지만 양성이 봉록에 욕심내지 않았음을 알 수 있다. 이를 한편으로 이렇게 비판한 것이다. 또 주자의 이 주장과 똑같은 말을 한 사람이 두 사람 있다. 宋나라 陳郁의 문집, 『藏一話腴』「內編下」, 宋나라 徐積의 문집 『節孝集』 권31의 語錄이다. 먼저 진욱의 문집을 살피면 다음과 같다. "양성은 갑작스럽게 간쟁하는 말을 한 적이 없다고 어떤 자들은 대단해한다. 나는 양성이 간관직에 있으면서도 백정들과 술을 사 마시다가 어느 날 발끈하여 힘써 간쟁한 것은 술에 미친 자의 말일 뿐이라고 생각한다. 행동이 우선 분명하지 못한데

張巡 장순

[63-21-1]

涑水司馬氏曰 : "天授之謂才, 人從而成之之謂義, 發而著之事業之謂功. 精敏辯博, 拳捷趫勇, 非才也 ; 驅市井數千之衆, 摧胡虜百萬之師, 戰則不可勝, 守則不可拔, 斯可謂之才矣. 死黨友, 存孤兒, 非義也 ; 明君臣之大分, 識天下之大義, 守死而不變, 斯可謂之義矣. 攻城拔邑之衆, 斬首捕虜之多, 非功也 ; 控扼天下之咽喉, 蔽全天下之大半, 使其國家定於已傾, 存於旣亡, 斯可謂之功矣. 嗚呼! 以巡之才如是, 義如是, 功如是, 而猶不免於流俗之毁, 況其曖曖者邪![250]"[251]

속수 사마씨涑水司馬氏[司馬光]가 말하였다. "하늘이 준 것을 재능이라 하고, 사람이 그 재능에 따라 이룬 것이 의義이며, 그 의를 발휘하여 일에 드러낸 것을 공功이라 한다. 정밀 민첩하고 달변에다 박식하며 주먹이 날래고 용맹이 뛰어난 것이 재능이 아니고, 시정잡배인 수천 명의 군사를 휘몰아 흉노 오랑캐의 백만 군사를 꺾고, 전투하면 꺾을 자가 없고 지키고 있으면 함락시킬 수 없어야 비로소 재능이라 말할 수 있다. 붕당朋黨을 위해 죽고 어린 군주를 보필해 안정시키는 것이 의가 아니고, 군신의 직분에 밝고 천하의 대의大義를 알아, 죽음으로 지키며 지조를 바꾸지 않아야 비로소 의라고 말할 수 있다. 많은 성을 공격하고 고을을 함락시킨 것과 많은 수급을 베고 포로로 잡은 것이 공이 아니고, 천하의 목을 움켜쥐고서 천하의 태반을 비호해 온전히 하여 이미 기울어진 국가를 안정시키고 망해버린 것을 보존시켜야 비로소 공이라고 말할 수 있다. 아! 장순은 재능이 이 같고, 의로움이 이 같고, 공이 이 같은데도 오히려 세속 사람의 험담을 면하지 못하였는데, 하물며 애매한 자이랴!"[252]

간쟁하는 말이 어찌 모두 아름다울 수 있겠는가? 오랫동안 간쟁하는 말을 하지 않은 것은 간쟁하는 말을 할 수 없어서였으니, 군주가 솔깃해서 따라주지 않은 것이 의당하다. 아! (맹자는) '大人이라야 비뚤어진 군주 마음을 바로잡을 수 있다.'고 하였는데, 汲黯이 이러함을 지녔다. 양성 같은 사람은 (맹자가 말한) '자신의 몸을 굽히고서 남을 올바르게 한 사람을 보지 못하였다.'는 그런 사람이다.(陽城未嘗言遽爾發諫, 或者大之. 余謂城居諫職日, 與屠沽飮, 一旦悻然强諫, 酒狂之語爾. 行且未著, 諫豈盡嘉? 久而不言, 是不能言也, 宜其不足以聳君聽. 吁! '大人格君心之非,' 黯有焉. 若城者, '未聞枉已而直人者也.')" 『절효집』의 어록도 이와 비슷한 내용이고 말은 이보다 간단하다.

250 曖曖者邪! : 『傳家集』 권67에는 '曖曖者邪!'로 쓰여 있다.

251 『傳家集』 권67 「評 · 張巡」

252 장순은 唐나라 鄧州 南陽 사람이다. 보지 않은 책이 없었고 陣法에 훤하였다. 開元(玄宗의 연호) 연간에 進士가 되어 眞源令에 임명되었다. 安祿山이 반란을 일으키자 군사 1천여 명을 모아 반란군 토벌에 나서, 單父尉 賈賁 휘하에 들어가 싸웠다. 雍丘令 令狐潮가 반란군에 항복한 뒤 옹구의 백성이 영호조를 축출하고 가비를 맞이하자 함께 들어가 성을 지켜 監察御使의 벼슬이 내려졌다. 영호조의 포위를 수없이 물리치다 다시 睢陽(수양)으로 옮겨, 아버지 안록산을 죽이고 뒤를 이은 아들 安慶緖가 보낸 尹子琦와 식량이 다하고 무기가 없어 성이 함락될 때까지 오합지졸의 군사로 크고 작은 4백여 번의 전투를 치루며 장수 3백 명의 목을 베고 사졸 10만여 명을 죽이는 전과를 올렸다. 또 무기가 떨어지면 상대 진영의 무기를 빼앗는 계책을

總論 총론

[63-22-1]

或問百世可知之道.

程子曰 : "以三代而後觀之, 秦以反道暴政亡, 漢興, 尙德行崇經術, 鑒前失也. 學士大夫雖未必知道, 然背理甚者亦鮮矣. 故賊莽之時, 多伏節死義之士, 世祖興而褒尙之, 勢當然也. 節久而苦, 視死如歸, 而不明乎理義之中也. 故魏晉一變, 而爲曠蕩浮虛之習, 人紀不立, 相胥爲夷, 五胡亂華. 行之弊也.

어떤 사람이 백세百世를 알 수 있는 방법을 물었다.

정자가 대답하였다. "삼대三代 이후에서 살핀다면 진秦나라는 도에 배치되는 포악한 정치로 망한 까닭에 한漢나라가 일어나 덕행德行을 높이고 경술經術[經學]을 숭상한 것은 앞 시대의 잘못을 거울삼아서이다. 학자와 대부大夫가 반드시 도를 알고 있었다고는 할 수 없겠지만 심하게 도리를 거스르는 사람은 적었다. 그런 까닭에 역적 왕망王莽 시대에 절개에 목숨을 바치고 의리를 위해 죽은 사람이 많았으니, 세조世祖(후한 光武帝)가 나와 이들을 표창하고 높인 것은 당연한 흐름이다. 절개를 숭상하는 흐름이 오래 지속되며 싫증을 느끼고, 죽음을 마치 집에 돌아가는 것처럼 보았지만 의리에 대해서는 밝지 못했다. 그런 까닭에 위진魏晉 시대에는 완전히 변하여 호탕하게 얽매임이 없고 실없는 공허한 짓들이 행해지며, 인륜의 기강이 확립되지 않은 채 서로가 오랑캐 짓을 저지르더니 오호五胡가 중화를 어지럽혔으니,[253] 행위에 의한 폐단이다.

陰極則陽生, 亂極則治形, 隋驅除之, 唐混一之, 理不可易也. 唐室三綱不立, 由太宗啓之. 故

써 충당하였다. 마지막 식량이 떨어지자 말을 잡아먹었고 이어 자신의 妾을 내주어 군사들에게 먹게 하였다. 이후 노약자들을 잡아먹어 가며 싸워 식량으로 쓰인 사람 수가 3만에 달했다. 성이 함락될 때 남은 백성은 겨우 4백 명이었으나 누구 한 사람 장순을 배반하려는 사람이 없었다. 肅宗이 군사를 보내 수양을 구원하였으나 장순이 죽은 3일 후였다. 죽은 뒤 일부 이렇게 말하는 자들이 있었다. "'장순이 처음 수양을 지켰을 적에 군사가 6만이었는데 식량이 끊어진 뒤에 군사를 무장시키고 군대를 다독여 살길을 찾지 않았다. 사람을 잡아먹기보다는 차라리 사람을 온전히 한 것만 같겠는가?' 이에 張澹·李紓·董南史·張建封·樊晁·朱巨川·李翰이 나서서 모두 함께 '장순이 양자강과 淮水를 비호하여 반란군을 저지하였으니 천하가 망하지 않은 것은 장순의 공이다.'라고 하였다. 이한 등은 모두 명사였으므로 이로부터 천하에 다른 말을 하는 사람이 없었다.(時議者, 或謂'巡始守睢陽, 衆六萬, 既糧盡, 不持滿按隊出再生之路. 與夫食人, 寧若全人.' 於是張澹·李紓·董南史·張建封·樊晁·朱巨川·李翰咸謂'巡蔽遮江·淮, 沮賊勢, 天下不亡, 其功也.' 翰等皆有名士, 由是天下無異言.)"(『新唐書』 권192 「張巡傳」)

253 五胡가 중화를 어지럽혔으니 : 晉나라 武帝가 죽은 뒤 왕실이 어지러워져 북방의 胡族이 연이어 중원을 차지하고 왕조를 세운 일들을 이른다. 그들을 꼽으면 匈奴族의 劉淵·沮渠氏·赫連氏, 갈족羯族의 石氏, 鮮卑族의 慕容氏·禿髮氏·乞伏氏, 氐族의 苻氏·呂氏, 羌族의 姚氏이다. 이들을 역사에서 오호라 부르고 이들이 세운 나라를 통칭하여 五胡十六國이라 한다.

後世雖子弟不用父兄之命, 玄宗使其子簒, 肅宗使其弟反. 選武才人, 以刺王妃入也 ; 納壽王妃, 以武才人進也. 終唐之世, 夷狄數爲中國患, 而藩鎭陵犯卒以亡唐. 及乎五季之甚, 人爲而致也."

음陰이 다하면 양陽이 자라 오르고 혼란이 극심하면 치세治世가 나타나듯이 수隋나라가 이들을 몰아내고 당唐나라가 통일시킨 것은 이치상 변할 수 없는 것이다. 당나라 왕실의 삼강三綱이 확립되지 않은 것은 태종太宗[李世民]에서부터 시작된 것이다. 그런 까닭에 후대에 자제子弟들이 아버지와 형의 명령을 따르지 않아, 현종玄宗은 아들에게 찬탈하게 하였고[254] 숙종은 아우에게 반역하게 하였다.[255] 무재인武才人이 선발된 것은 소랄왕비巢剌王妃를 들여앉힌 까닭에서이고,[256] 수왕비壽王妃를 들인 것은 무재인을 들어앉힌 까닭에서이다.[257] 당나라가 망할 때까지 이적夷狄이 자주 중국의 근심거리가 되었으나, 번진藩鎭이 무시하고 침범하며 끝내 당나라가 망하였다.[258] 오계五季의 극심함에 이른 것[259]도 사람이 불러들인 것이다."

254 玄宗은 아들에게 … 하였고 : 현종의 아들은 肅宗(李亨)이다. 자세한 것은 윗글 [63-14-1] 이하 肅宗 참고

255 숙종은 아우에게 … 하였다. : 아우는 永王 璘을 이른다. 영왕은 아버지 玄宗이 안록산의 난리를 피해 蜀으로 떠나며 당시 태자였던 숙종을 天下病馬元帥에 임명하고 영왕은 山南同道嶺南黔中江南西道節度都使에 임명하여 안록산의 난을 평정하게 하였다. 영왕이 江陵에 머물렀는데 강남 일대와 淮水 일대의 세금이 모두 강릉으로 모이자 반역을 생각하게 되었다. 덕종이 이 소식을 듣고 아우 영왕에게 촉 땅으로 가서 아버지 현종이나 모시라고 하였으나 듣지 않고 군사를 일으키자 장수를 임명하여 이를 진압하였다.(『資治通鑑』 권218 「唐紀 · 德宗 元載」; 「德宗 2재」)

256 武才人이 선발된 … 까닭에서이고 : 소랄왕비는 태종의 아우 齊王 元吉의 비 楊氏를 이른다. 태종은 玄武門에서 형 태자 建成과 아우 원길을 죽이고 태자에 올랐고 이어 황제위에 올랐다. 이때 제수에 해당하는 양씨를 후궁으로 삼아 아들 明을 낳았고, 文德皇后가 죽은 뒤 이 양씨를 황후로 삼으려다 魏徵의 간쟁하는 말을 듣고 중지하였다. 이에 대해『資治通鑑』권198 「唐紀 · 太宗 貞觀 21년」 8월 丁酉의 기사에는 "皇子 明을 세워 曹王으로 삼았다. 명의 어머니는 양씨로 소랄왕비이다. 태종에게 총애를 입어 문덕황후가 죽자 황후로 세우고자 하였다. 위징이 간하기를 '폐하께서 요임금과 순임금에게 덕이 비견되시는데 왜 辰嬴(두 남자를 받들었던 여자)으로 스스로 덕을 욕되게 하십니까?(立皇子明爲曹王. 明母楊氏, 巢剌王之妃也. 有寵於上, 文德皇后之崩也, 欲立爲皇后, 魏徵諫曰, '陛下方比德唐虞, 奈何以辰嬴自累.)"라고 기록하였다. 바로 이런 역사가 있었던 까닭에 고종이 아버지의 후궁인 무측천을 후궁으로 들어앉힐 생각을 하였다는 말이다.

257 壽王妃를 … 까닭에서이다. : 수왕은 현종과 武惠妃 사이에서 낳은 아들인 瑁가 수왕에 봉해진 데서 그를 부른 말이다. 수왕비는 양귀비를 이른다. 양귀비가 처음에 수왕의 비였는데 현종이 武惠妃를 잃고 마음을 붙이지 못하자 측근에서 며느리인 수왕비를 천거하였다. 현종이 마음에 들어 하자, 道觀에서 수도하는 女道士로 신분을 꾸며 이름도 太眞이라 하여 入宮시켰다. 양귀비가 며느리로 시아버지 현종의 후궁이 될 수 있었던 원인이 바로 무측천이 태종의 후궁이었다가 다시 高宗의 후궁으로 들어온 전례가 있어서란 말이다. (『舊唐書』 권52 ; 『新唐書』 권76)

258 藩鎭이 무시하고 … 망하였다. : 당나라 말기 僖宗은 환관의 힘을 빌려 나이 12세에 황제위에 오른 뒤에 환관에게 정사를 맡기고 놀이에 빠져 지냈다. 王仙芝와 黃巢가 난을 일으키자 成都로 피신하였다가 돌아왔고, 환관 田令孜와 河中節度使 王重榮이 충돌하자 다시 鳳翔으로 피신하였다가 돌아오는 고초를 겪었다. 이어서 환관 楊復恭의 추대로 昭宗이 등극하였다. 이때 재상 崔胤이 환관 韓全海와 세력을 경쟁하며 각기 번진의 장수를 후원세력으로 끌어들였다. 한전해가 소종을 협박하여 鳳翔으로 옮겨 절도사 李茂貞에게 몸을 의지하게 하였다. 최윤은 宣武節度使 朱溫(일명 朱全忠)을 끌어들여 봉상의 이무정을 공격하게 하였다. 이

[63-22-2]

元城劉氏曰：“嘗考前世已然之事, 蓋有眞朋黨而不能去, 亦有非朋黨而不能辨者. 此實治亂消長之機, 不可不察也. 東漢之衰, 姦人先以黨事誅戮禁錮天下之賢者, 而在朝皆小人也. 故漢以之亡, 此所謂非朋黨而不能辨者也. 唐之季世, 牛李之徒, 迭進相毁, 巧相傾覆而善人君子廢斥無餘, 其所用者皆庸鄙不肖也. 故唐以之亂, 此所謂眞朋黨而不能去者也.

원성 유씨元城劉氏[劉安世]가 말하였다. “앞 시대 기왕의 일을 살펴보면 진짜 붕당朋黨이었는데 제거하지 못한 경우가 있는가 하면, 또 붕당이 아니었는데 잘 분간하지 못한 경우도 있다. 이 일은 실제 치세와 난세의 어느 하나가 올라서고 물러나는 관건이니, 살피지 않아선 안 된다. 동한東漢이 쇠할 무렵 간악한 자들이 먼저 붕당 사건으로 천하의 어진 인재를 죽이고 금고禁錮시켜,[260] 조정에 남아 벼슬하는 자는 모두 소인이었다. 그리하여 한漢나라는 그로 인해 망했으니, 이것이 이른바 붕당이 아니었는데 잘 분간하지 못한 경우이다. 당唐나라 말기에 우승유牛僧孺[261]와 이덕유李德裕[262] 무리가 번갈아 정권을 잡으며

무정이 한전해를 살해하고 주온과 화해하며 소종은 長安으로 돌아와 환관 7백여 명을 죽였다. 이후 주온에게 제재를 받게 되었고, 다시 洛陽 천도의 협박을 받자 하는 수 없이 천도하였다. 그러나 끝내는 주온에게 시해당하였다. 이어 등극한 哀帝는 주온이 꾸민 거짓 詔書에 의해 태자에 봉해졌고 이어 황제가 되었다. 모든 권력이 주온에게 넘어간 상태에서 4년을 지내다 결국 주온에게 선위하였다.(『新唐書』 권9~10)

259 五季의 극심함에 … 것 : 오계는 당나라 哀帝가 망한 뒤 50여 년 동안 번갈아 중원을 차지해 다스린 다섯 나라 시대를 이른다. 첫 나라는 朱溫이 서기 907년에 세운 後梁, 李存勗이 후량을 이어 서기 923년에 세운 後唐, 石敬瑭이 후당을 이어 서기 936년에 세운 後晉, 劉知遠이 후진을 이어 서기 947년에 세운 後漢, 郭威가 후한을 이어 서기 951년에 세운 後周이다. 이 사이에 남쪽과 山西 지역에서는 이 시기를 전후하여, 楊隆演이 세운 吳, 이변李昪이 세운 南唐, 錢鏐(전류)가 세운 吳越, 王建이 세운 前蜀, 孟知祥이 세운 後蜀, 劉龑(유엄)이 세운 南漢, 劉旻이 세운 北漢, 王延鈞이 세운 閩, 馬殷이 세운 楚, 高季興이 세운 荊南(일명 南平) 등의 나라가 이 사이에 明滅하였다. 모두 당나라 후기 번진의 장수가 할거한 결과이다. 이들을 통칭하여 五代十國 시대라 이른다.

260 東漢이 쇠할 … 禁錮시켜 : 동한 桓帝 때 사대부인 李膺과 陳蕃이 태학생 郭泰 · 賈彪와 힘을 모아 환관 집단을 공격하였다가, 환관들이 도리어 그들을 朋黨을 지어 조정을 비방한다고 무고하여 화를 당한 사건. 이 일로 이응 등 2백여 명이 옥에 갇혔다가 후에 석방되었으나 죽을 때까지 벼슬에 등용하지 않는다는 처분이 내려졌다. 靈帝 때 이응 등이 다시 기용되며 대장군 竇武와 환관을 제거하려 하였으나 실패하여 이응 등 1백여 명이 죽임을 당하였다. 그 뒤로도 죽임을 당하고, 귀양 가고, 갇힌 사람이 6~7백 명에 이르는 참사가 이어졌다.(『後漢書』「黨錮傳」)

261 牛僧孺 : 唐나라 安定 鶉觚(순고) 사람으로 자는 思黯, 시호는 文簡이다. 貞元 연간에 進士에 올랐다. 憲宗 元和 3년(서기 808년)의 對策 에서 당시 실정을 낱낱이 거론한 일로 李吉甫의 배척을 받아 오랫동안 벼슬에 진출하지 못했다. 穆宗 때 비로소 벼슬에 등용되기 시작하여 戶部侍郎同平章事의 재상직에 올랐고 敬宗 때 武昌軍節度使를 거쳐 文宗 때 兵部尙書同平章事에 오르며 李宗閔과 결탁, 이길보의 아들인 李德裕를 배척하였다. 이를 역사에서 牛李黨爭이라 칭한다. 이어 淮南과 山南東道의 절도사를 지내고, 武宗 때 이덕유가 상국으로 등용되며 권력에서 밀려났다가, 宣宗이 등극하며 太子少師에 올랐다. 書室 이름은 歸仁園. 저서로 『玄怪錄』이 있다.(『舊唐書』 권172 ; 『新唐書』 권174)

262 李德裕 : 당나라 趙郡 사람으로 자는 文饒이고, 李吉甫의 아들이다. 목종 때 翰林學士로 등용되어 조정의 詔書 중 중요한 조서는 대부분 기초할 정도로 문장 솜씨가 뛰어났다. 경종 때 浙西觀察使를 역임하였고,

서로를 헐뜯고, 교묘하게 상대를 무너뜨려[263] 훌륭한 군자君子가 남김없이 버려지거나 배척되어, 조정에 등용된 자는 모두 용렬하고 비루한 못난 자들이었다. 당나라는 그로 인해 혼란스러워졌으니, 이것이 이른바 진짜 붕당이었는데 제거하지 못했다는 경우이다.

蓋君子之進, 則至公引類以報國; 小人之進, 則徇私立黨以固寵. 雖世主深疾臣下之背公成朋, 而小人窺見間隙, 鄉原上意. 閉匿其私, 陽若可信, 反指君子引類之功, 以爲有黨. 黨之與類相似而不同, 是非虛實, 間不容髮, 辨之不早, 遂生亂階. 此正人所以常被誣, 而小人所以常得志也."[264]

군자가 벼슬에 진출하면 지극히 공정하게 공정한 부류를 끌어들여 국가를 위해 충성을 다하고, 소인이 진출하면 사사로운 정리에 따라 무리를 만들어 총애를 굳힌다. 당시 군주가 신하의 공정함을 외면하고 붕당 만드는 일을 크게 미워하여도, 소인은 틈새를 엿보고 군상의 마음을 우러러 파고든다. 자신의 사사로움은 가려 감추고 겉으로 미더운 사람인 양 꾸며서는, 거꾸로 군자가 공정하게 부류를 끌어모으는 일을 붕당을 짓는 일이라고 지적한다. 무리를 만드는 것과 부류는 서로 엇비슷하나 똑같지 않아 옳음과 그름, 헛됨과 실제의 그 간격은 털끝 하나의 차이도 나지 않을 만큼 매우 미세하니 일찍 분간해내지 못하면 마침내 혼란의 단서를 만들어낸다. 이것이 정인군자正人君子가 늘 무고를 당하는 까닭이자 소인은 늘 뜻을 얻게 되는 연유이다."

[63-22-3]

五峯胡氏曰: "漢唐以來, 天下旣定, 人君非因循自怠, 則沉溺聲色, 非沉溺聲色, 則開拓邊境, 非開拓邊境, 則崇飾虛文. 其下乃有惑於神仙眞空之術者. 曷若講明先王之道, 存其心; 正其情; 大其德; 新其政; 光其國, 爲萬世之大君乎? 後世必有高於漢唐賢君之聰明者, 然後能行之矣. 而漢唐賢君, 志趣識量亦未易及也, 可輕棄哉? 又況三代之盛王, 行一不義, 殺一不辜, 而得天下不爲者, 其仁何可及乎?"[265]

오봉 호씨五峯胡氏[胡宏]가 말하였다. "한당漢唐 이래 천하가 안정되고 나면, 군주가 예전 법도를 그대로

문종이 즉위하며 兵部侍郎에 발탁되었다. 무종 때 회남 절도사를 거쳐 상국으로 등용되었다. 번진의 장수들이 반란 진압에 소극적이던 태도를 일소하는 새로운 제도를 정립하고, 관원 숫자를 줄이고, 불교를 없애고자 승려를 금지하는 등의 일을 추진하는 과정에서 우승유 등 여러 사람과 원한을 샀다. 선종이 등극하며 우승유 등의 무고로 좌천을 거듭하다가 崖州司戶로 재직 중 죽었다. 저서로 『次柳氏舊聞』이 있다.(『舊唐書』 권174 ; 『新唐書』 권180)

263 번갈아 정권을 … 무너뜨려 : 牛李黨爭은 당나라를 쇠퇴하게 한 큰 사건이다. 우승유를 정점으로, 우승유와 한 해에 함께 진사가 된 李宗閔이 한 무리를 이루고, 李吉甫와 그의 아들 李德裕를 정점으로 모인 무리들이, 정책마다 대립하며 목종 때부터 선종 때까지 끊임없이 정권을 다투었다.

264 『盡言集』 권12 「論朋黨之弊」

265 『知言』 권3

답습하는 나태에 빠지지 않으면 성색聲色(음탕한 노랫가락과 여색)에 빠져 지내고, 성색에 빠져 지내지 않으면 변경邊境의 국토를 넓히고, 변경의 국토를 넓히지 않으면 형식적인 제도를 꾸미는 데 빠진다. 그보다 아래 등급은 신선술神仙術과 진공술眞空術[266]에 홀려있는 자도 있다. 그러나 선왕시대의 도道를 익히고 밝혀, 마음을 보존하고, 발로되는 마음을 바르게 하며, 자신의 덕을 키우고, 자신의 정사를 새롭게 하고, 자신의 나라를 빛나게 하여 만대萬代의 큰 군주가 되는 것만이야 하겠는가? 후세에 반드시 한당의 현명한 군주보다 총명한 자가 나온 뒤라야 이를 해낼 수 있을 것이다. 그러나 한당의 현명한 군주의 의지와 취향, 식견과 도량도 또한 쉽게 따라잡을 수 없는 것이니 가볍게 외면할 수 있는 일이겠는가? 또 더욱이나 성대했던 삼대三代 시절의 왕은 한 가지 의롭지 않은 일을 행하거나 한 사람 죄 없는 사람을 죽여 천하를 얻는 일은 하지 않는 분[267]들인데, 그 인仁을 어떻게 따라잡을 수 있겠는가?"

[63-22-4]

豫章羅氏曰 : "漢武帝知汲黯之賢而不用, 唐太宗知宇文士及之佞而不去, 何其謬耶? 夫人主知賢而不能用, 未若不知之爲善 ; 知佞而不能去, 未若不知之爲愈. 苟知賢而不能用, 則善無所勸 ; 知佞而不能去, 則惡無所懲. 雖然武帝知賢而不用, 猶愈於元帝知蕭望之之賢而反罪焉 ; 太宗知佞而不去, 猶愈於德宗知盧杞之姦而復用焉. 觀元帝德宗之與武帝太宗, 豈不相寥絶哉?"[268]

예장 나씨豫章羅氏[羅從彦][269]가 말하였다. "한무제漢武帝는 급암汲黯의 현명함[270]을 알았으면서도 등용하지

266 眞空術 : 참 空을 이루는 세계를 이르는 불교 용어다. 일체의 色相과 意識의 한계를 초월한 경계를 이른다.

267 한 가지 … 분 : 이는 『孟子』「公孫丑上」에 있는 말이다. 공손추가 伯夷·柳下惠·伊尹·孔子에 대해서 동일한 점을 묻자, "사방 1백리의 땅을 얻어 군주가 된다면 모두 제후의 조회를 받고 천하를 소유할 수 있을 것이나, 한 가지 의롭지 않은 일을 행하거나 한 사람의 죄 없는 사람을 죽여 천하를 얻는 일은 모두 하지 않을 것이니, 이 점이 동일 한 점이다.(得百里之地而君之, 皆能以朝諸侯有天下, 行一不義 ; 殺一不辜而得天下, 皆不爲也. 是則同.)"고 답했다.

268 『豫章文集』 권12 「雜著·議論要語」

269 豫章羅氏(羅從彦) : 宋나라 劍浦 사람으로 자는 仲素이고, 존칭은 豫章先生, 시호는 文質이다. 楊時와 程頤에게 학문을 이어받아 李侗에게 전수하였다. 羅浮山에서 후생을 기르며 학문에 정진하였다. 저서에 『豫章文集』 『尊堯錄』 등이 있다.(『宋史』 권428 ; 『宋元學案』 권16 ; 권25 ; 권39)

270 汲黯의 현명함 : 급암은 東郡 北陽 사람으로 자는 長孺다. 경제 때 太子洗馬를 지냈고, 무제 때 謁者를 거쳐 東海太守를 지내며 많은 치적을 쌓았다. 조정에서 비위만 맞추는 것은 군주를 옳지 않은 곳으로 빠뜨리고 조정을 욕되게 하는 것이라고 말하며 直言을 잘하여 무제의 낯빛을 변하게 하기도 하였다. 급암의 병이 깊어 급암의 휴가를 청하러 찾아간 莊助와 무제의 대화에서 급암에 대한 무제의 인식을 살펴볼 수 있다. "무제가 '급암은 어느 정도의 사람일까?'하자, 장조가 '급암에게 직책을 주어 벼슬하게 하면 남들보다 나을 것은 없습니다. 그러나 어린 군주를 보좌하게 한다면 성을 지키는 것이 더욱 깊고 단단하여, 불러도 오지 않을 것이고 손을 휘저어도 떠나지 않아 孟賁과 夏育을 자칭하는 사람일지라도 그의 마음을 빼앗지 못할 것입니다.' 하니, 무제가 '그렇다. 옛날에 이른바 社稷之臣이 있었는데 급암 같은 사람은 그에 가깝다.(上曰, '汲黯何如人哉?' 助曰, '使黯任職居官, 無以踰人. 然至其輔少主, 守城深堅, 招之不來, 麾之不去, 雖自謂賁·

않았고, 당태종唐太宗은 우문사급宇文士及의 간교함[271]을 알았으면서도 제거하지 않았으니 왜 그다지 잘 못하였는가? 군주가 현명한 줄 알면서도 등용하지 않았다면 차라리 알아보지 못하는 것보다 훌륭하지 않고, 간교한 줄 알면서도 제거하지 않았다면 차라리 알아보지 못하는 것보다 낫지 않다. 참으로 현명한 줄 알면서 등용하지 않는다면 선善은 권장할 방법이 없고, 간교한 줄 알면서 제거하지 않는다면 악惡은 징계할 방법이 없다. 그렇지만 무제가 현명한 줄 알면서 등용하지 않은 것은 원제元帝가 소망지蕭望之의 현명함을 알면서 도리어 죄를 준 것[272]보다는 오히려 낫고, 태종이 간교한 줄 알면서 제거하지 않은 것은 덕종德宗이 노기盧杞의 간악함을 알면서 다시 등용한 것[273]보다는 오히려 낫다. 원제와 덕종을 무제

育亦不能奪之矣.' 上曰, '然. 古有社稷之臣, 至如黯, 近之矣.')" 그러나 무제는 급암을 주요 재상직에 앉히지 않았고 오히려 급암이 九卿(主爵都尉)을 지낼 때 벼슬을 시작한 公孫弘과 張湯이 丞相에 올랐을 때 급암은 그들의 屬官과 同列이 되었다. 이를 부끄럽게 여긴 급암이 무제에게 "폐하의 인재 등용은 장작 쌓는 것과 같아 뒤 장작이 윗 자리에 쌓여지고 있습니다.(陛下用羣臣如積薪耳, 後來者居上.)"라고 하자, '무제는 침묵하였다.(上默然.)'고 하였다. 먼저 벼슬에 오른 자신을 두고 나중에 진출한 자들을 우대하는 것에 대한 불만 표출이었다. 또 하급 관원 시절 河內 지역의 화재를 살피러 갔다가 河南의 재해 상황이 극심한 것을 보고서 독단으로 창고의 문을 열게 하여 이재민을 구휼한 뒤 스스로 죄를 청하기도 하였다.(『史記』「汲黯傳」) 자세한 것은 [61-17-1] 이하 참고

271 宇文士及의 간교함: 위 [63-11-3] 참고

272 元帝가 … 것: 소망지는 漢나라 東海 蘭陵 사람으로 자는 長倩이다. 甲科로 급제한 뒤 郞官으로 벼슬을 시작하여 宣帝 때 平原太守·左馮翊·光祿大夫를 역임하였다. 선제가 죽음을 앞두고 소망지를 顧命 대신으로 불러들여 前將軍光祿勳으로 삼았다. 元帝 즉위 후 師傅로 우대하여 소망지가 추천하는 어진 儒者를 대거 벼슬에 기용하며, 아버지 선제가 중용했던 史高·弘恭·石顯과 늘 마찰을 빚었다. 이때 鄭朋이 소망지에게 붙고자 상소하여 사고의 이권 개입과 외척인 許氏(宣帝의 妃)와 史氏(宣帝의 할머니) 집안 자손들의 罪過를 논박하였다. 원제가 이를 소망지와 친한 周堪에게 보여주었다. 정붕은 바로 金馬門待詔에 임명되었다. 정붕은 이 내용을 소망지에게도 편지로 알렸다. 그 뒤 정붕의 행동이 옳지 않자 소망지가 그를 멀리하였다. 정붕은 다시 허씨와 사씨에게 붙고자, 자신은 楚 지역 사람이라서 저들 關東 지역의 허씨와 사씨 집안 사람들 일을 잘 모르는데 앞서 한 말은 주감과 劉更生이 시킨 것이라고 발설하였다. 유갱생도 소망지와 친했던 사람이다. 이때 侍中으로 있던 許章이 원제에게 정붕을 불러서 만나시라고 권하였다. 정붕이 원제를 알현하고 나와 자신이 소망지의 죄를 말한 것인 양 떠벌렸다. 마침내 소망지가 정붕을 부추겨 사씨와 허씨 집안 자손들 죄과를 상소하게 한 것인지 조사가 시작되었다. 이렇게 시작된 소망지 사건은 드디어 소망지가 감옥에 갇혀야 하는 상황으로 몰렸다. 소망지를 체포하러 온 관리가 집을 포위하자 소망지는 독약을 먹고 자살하였다. 원제는 이 소식을 듣고 받았던 밥상을 물리고 통곡하였다. 본래 원제는 소망지가 강한 사람이라서 감옥에 갇히는 치욕을 받지 않으리라는 것을 짐작하고 있었다. 그러나 저들 홍공과 석현은 말에 관계된 하찮은 죄이니 걱정할 것 없다며 소망지의 체포를 주장하였다.(『漢書』「蕭望之傳』) [61-23-1] 이하 참고

273 德宗이 盧杞의 … 것: 노기는 당나라 滑州 靈昌 사람으로 자는 子良이다. 말재주가 뛰어나고, 얼굴이 귀신 모양에 푸른 기운이 있었다. 음직으로 괵주자사虢州刺史를 지냈다. 덕종이 그의 재주를 인정하여 문하시랑 동중서문하평장사에 등용하였다. 사람됨이 간사하여 어질고 자신보다 나은 사람을 질투하였고, 비위를 거스르는 사람은 반드시 죽게 만들었다. 楊炎·顔眞卿·杜佑 등이 그의 손에 죽었다. 또 군대 주둔 비용을 조달하기 위해 趙贊과 집의 칸 수를 세서 세금을 매기고, 거래하는 물건의 값에 따라 세금을 부과하는 한편, 물물교환 때는 그 값에 상응하는 세금을 징수하고, 이를 숨기고 세금을 피한 자에게는 가혹한 형벌을 시행하는 일명 除陌稅를 도입하였다. 마침내 涇原節度使 姚令言이 이를 빌미로 반란을 일으켜, 덕종이 奉天으로

와 태종에 비겨 살핀다면 어찌 서로 요원하지 않으랴?"

[63-22-5]

"石守道採摭唐史中女后·姦臣·宦官事, 各以其類作三卷, 目之曰唐鑑. 而言曰'巍巍巨唐, 女后亂之於前, 姦臣壞之於中, 宦官覆之於後.' 考其所論可爲萬世鑑. 惜乎! 不推其本而言之. 故人主欲懲三者之患, 其本不過有二. 以內則淸心, 以外則知人. 能淸心, 則女后不能亂之; 能知人, 則姦臣不能壞之, 宦官不能覆之. 請借明皇一君而論, 開元能淸心矣, 能知人矣. 武惠妃·蕭嵩·楊思勉[274]豈能易其志? 及天寶之際, 不能淸心矣, 不能知人矣. 而楊貴妃·李林甫·高力士遂亂其心. 淸心·知人, 其人主致治之本歟!"[275]

(예장 나씨가 말하였다) "석수도石守道가 당나라 역사 가운데서 여후女后(皇后나 皇帝의 母后)·간신姦臣·환관宦官 사건을 뽑아, 각기 부류대로 모아 세 권 책을 만들어 『당감唐鑑』이라 이름 지었다.[276] 그러고는 '높고도 높은 거대한 당나라를 여후가 초기에 혼란스럽게 하고, 간신姦臣이 중기에 무너뜨리고, 환관이 후기에 엎어뜨렸다.'라고 말하였는데 그가 논한 말은 만세의 거울이 될 수 있다. 안타깝다. 그가 근본을 추구해보지 않고 말하였음이여! 그러므로 군주가 이 세 가지 환난을 징계하려 한다면 그 근본은 두 가지에 불과하다. 안으로 마음을 맑게 하고 밖으로 사람을 알아보는 것이다. 마음을 잘 맑게 하면 여후가 혼란하게 할 수 없고, 사람을 잘 알아보면 간신이 무너뜨릴 수 없고 환관이 엎어뜨릴 수 없다. 명황明皇[玄宗] 한 군주만을 가지고 논하더라도 개원開元 연간에 마음을 잘 맑게 하였고 사람을 잘 알아보았다. 무혜비武惠妃[277]·소숭蕭嵩[278]·양사욱楊思勗[279]이 어찌 그 마음을 바꾸게 할 수 있었는가? 천보天寶 연간에

피난을 떠나야 했다. 이보다 앞서 주체朱泚도 반란을 일으켜 봉천이 위험에 처하였다. 모든 것이 노기에게서 비롯된 것이었다. 朔方節度使 李懷光이 주체를 소탕하였다. 노기는 이회광이 자신을 헤칠 것을 근심하여 이회광을 수도 장안 수복의 일을 맡겼다. 이회광이 천자를 한 번도 알현하지 못하고 다시 장안 수복 길에 나서게 된 것에 앙심을 품고 마침내 반란을 일으켰다. 이에 노기의 죄상을 비난하는 여론이 빗발쳤다. 덕종은 노기를 新州司馬로 좌천시켰다. 몇 년이 지난 뒤 노기를 다시 饒州刺史에 등용하려 하였다. 비난 여론에 이 일은 성공하지 못하였다.(『舊唐書』 권135; 『新唐書』「姦臣傳盧杞」)

274 楊思勉: '勉'자는 '勗'자의 오자이다.

275 『豫章文集』 권12 「雜著·議論要語」

276 石守道가 당나라 … 지었다.: 석수도는 宋나라의 학자 石介를 이른다. 석개의 자가 수도이다. 세상에서 徂徠先生이라 불렀다. 『唐鑑』은 같은 이름의 范祖禹가 지은 책도 있다. 범조우는 司馬光이 편찬한 『資治通鑑』의 編修官으로 참여하여 마침 唐史 편집을 맡자, 거기에서 터득한 내용을 12권으로 묶었다.

277 武惠妃: 현종의 비이다. 한때 현종의 사랑을 독차지하였다. 그가 죽자 현종이 마음 붙일 곳을 찾지 못하다가 만난 사람이 바로 양귀비이다. 무혜비가 살았을 때 태자 瑛을 폐위하고 자신이 낳은 壽王을 태자로 세우고자 하였다. 이를 『新唐書』「十一宗諸子」에서 살피면 다음과 같다. "지난날 영의 어머니는 노래로 현종에게 진상되었는데 노래와 춤에 능하여 현종이 潞州에 머무를 때 총애를 얻었다. 현종이 즉위하며 비의 아버지 趙元禮와 오빠 常奴가 높은 관직에 올랐다. 鄂王과 光王 두 왕의 어머니도 역시 현종이 臨淄王으로 있을 때 아름다움이 뛰어나 선발된 여인들이었다. 무혜비가 후궁 중 가장 총애를 받으며 수왕을 낳자 현종의 사랑이 여러 아들에 비겨 단연 달랐다. 그러자 태자와 악왕과 광왕이 자신들의 어머니가 총애를 잃은 것을 속으로 한스러

들어서서 마음을 맑게 갖지 못하고 사람을 알아보지 못하였다. 그러자 양귀비楊貴妃·이림보李林甫·고력사高力士[280]가 마침내 그 마음을 혼란시켰다. 마음을 맑게 하고 사람을 알아보는 것은 군주가 치적을 이루는 근본일 것이다!"

[63-22-6]

"人主欲明而不察, 仁而不懦. 蓋察常累明, 而懦反害仁也. 漢昭帝明而不察, 章帝仁而不懦;

워하였다. 무혜비의 딸인 咸宜公主의 남편 楊洄(양회)가 무혜비의 마음을 헤아려 태자의 단점을 찾아내 추한 말을 만들어 떠들고 다녔다. 무혜비가 이를 현종에게 하소연하고 또 흐느껴 울기까지 하였다. 현종이 크게 성을 내 재상을 불러들여 태자의 폐위를 의논하게 하였다. 中書令 張九齡이 간하기를 '태자와 여러 왕이 날마다 성인의 가르침을 배우고 있는 것을 천하가 함께 경하하고 있습니다. 폐하께서 나라를 오랫동안 다스리며 자손이 번성하고 있는데 어인 일로 하루에 세 자식을 버리려 하십니까? 예전의 晉獻公이 … 마침내 천하를 잃었습니다. 지금 태자에게 허물이 없고, 두 왕은 현명합니다. 부자 사이의 도리는 하늘로부터 타고난 것입니다. 설사 잘못이 있더라도 당연히 덮어주어야 합니다. 폐하께서 결단하여 사면하십시오.' 하였다. 현종이 침묵하였고 태자는 폐위되지 않았다.(初, 瑛母以倡進, 善歌舞, 帝在潞得幸. 及即位, 擢妃父元禮·兄常奴皆至大官. 鄂·光二王母, 亦帝爲臨淄王時以色選. 及武惠妃寵幸傾後宮, 生壽王, 愛與諸子絶等. 而太子·二王以母失職, 頗怏怏. 惠妃女咸宜公主壻楊洄揣妃旨, 伺太子短, 譁爲醜語. 惠妃訴于帝, 且泣. 帝大怒, 召宰相議廢之. 中書令張九齡諫曰, '太子·諸王日受聖訓, 天下共慶. 陛下享國久, 子孫蕃衍, 奈何一日棄三子? 昔晉獻公 … 遂失天下. 今太子無過, 二王賢. 父子之道, 天性也, 雖有失, 尙當掩之. 惟陛下裁赦. 帝默然, 太子得不廢.)"

278 蕭嵩: 위 [63-13-1] 참고

279 楊思勗: 당나라 羅州 石城 사람으로 환관이다. 膂力이 있어 開元 연간에 일어난 여러 반란을 토벌하여 평정하였다. 사람이 매우 잔인하여 평정한 뒤 연루된 사람이나 사로잡히는 사람은 모두 죽였다.(『舊唐書』「宦官傳 楊思勗」)

280 楊貴妃·李林甫·高力士: 누구나 알 수 있는 현종의 개원 연간의 정치를 천보 연간에 접어들어 무너뜨린 대표적인 사람들이다. 이를 앞 주석에 이어 태자 영을 바꾼 사건에서 살피면 다음과 같다. "조금 지나자 장구령이 파직되고 이림보가 국정을 혼자서 좌지우지하며, 자주 수왕의 훌륭함을 일컬어 무혜비의 마음을 부추기자 무혜비는 이림보를 덕스럽게 여겼다. 개원 25년(서기 737년)에 양회가 다시 태자 瑛과 두 王인 瑤·琚가 太子妃의 친정 오빠 薛鏽(설수)와 역적모의를 하고 있다고 날조하였다. 무혜비가 사람을 시켜 속임수로 태자와 두 王을 부르며 '궁중에 난을 일으킨 자가 있으니 갑옷을 입고 들어오십시오.' 하였다. 태자가 그 말을 그대로 따랐다. 무혜비는 현종에게 '태자와 두 왕이 반란을 꾀하여 갑옷을 차리고 들어오고 있습니다.'고 하였다. 현종이 환관을 시켜 살펴보게 하니 무혜비의 말과 같았다. 서둘러 재상 이림보를 부르자 이림보는 '폐하의 집안일이라서 신이 참견할 수 있는 일이 아닙니다.'고 하였다. 현종이 뜻을 결정하고서 '태자 영, 악왕 요, 광왕 거는 똑같은 죄악을 저질러 그 죄가 동일하니 모두 폐위하여 서인으로 삼고, 설수는 사사한다.'는 조서를 내렸다. 영·요·거는 오래지 않아 죽임을 당하였다. 천하가 원통하게 여기고 이들 세 사람을 '三庶人'이라 불렀다.(俄而九齡罷, 李林甫專國, 數稱壽王美以揠妃意, 妃果德之. 二十五年, 洄復搆瑛瑤琚與妃之兄薛鏽異謀. 惠妃使人詭召太子·二王, 曰'宮中有賊, 請介以入.' 太子從之. 妃白帝曰, '太子·二王謀反, 甲而來.' 帝使中人視之, 如言. 遽召宰相林甫議, 答曰, '陛下家事, 非臣所宜豫.' 帝意決, 乃詔'太子瑛·鄂王瑤·光王琚同惡均罪, 竝廢爲庶人, 鏽賜死.' 瑛·瑤·琚尋遇害, 天下寃之號三庶人.)"고 하였다. 『新唐書』「十一宗諸子」

孝宣明矣而失之察. 孝元仁矣而失之懦. 若唐德宗則察而不明. 高宗則懦而不仁. 兼二者之長, 其惟漢文乎!"[281]

(예장 나씨가 말하였다) "군주는 사리에 밝으면서도 까다롭게 살피지 않고, 인후하면서도 연약하지 않으려 해야 한다. 까다롭게 살피는 일은 늘 사리의 밝음에 누가 되고, 연약은 도리어 인후함을 해친다. 한나라 소제昭帝는 사리에 밝으면서 까다롭게 살피지 않았고, 장제章帝는 인후하면서 연약하지 않았으며, 효선제孝宣帝는 사리에 밝았으나 까다롭게 살피는 잘못이 있었고, 효원제孝元帝는 인후하였으나 연약한 잘못이 있었다. 당唐나라의 덕종德宗은 까다롭게 살피면서 사리에 밝지 못했고, 고종高宗은 연약하면서 인후하지 못했다. 두 가지 장점을 겸한 분은 오직 한漢나라 문제文帝일 것이다!"

[63-22-7]

樂庵李氏曰: "人讀書須是識字, 固有讀書而不識字者. 如漢之孔光·張禹, 唐之許敬宗·柳宗元, 非不讀書, 但不識字."

或問其說, 曰: "孔光不識進退字, 張禹不識剛正字, 許敬宗不識忠孝字, 柳宗元不識節義字."[282]

낙암 이씨樂庵李氏[李衡][283]가 말하였다. "사람이 책을 읽으면 당연히 글자를 알아야 하는데, 정작 책을 읽으면서도 글자를 모른 사람들이 있다. 예컨대 한漢나라의 공광孔光·장우張禹, 당唐나라의 허경종許敬宗·유종원柳宗元은 책을 읽지 않은 것은 아닌데 다만 글자의 뜻을 알지 못한다."

어떤 사람이 그 뜻을 묻자 대답하였다. "공광은 진퇴進退란 글자의 뜻을 알지 못하고,[284] 장우는 강정剛正이란 글자의 뜻을 알지 못하며,[285] 허경종은 충효忠孝란 글자의 뜻을 알지 못하고,[286] 유종원은 절의節義

281 『豫章文集』 권12 「雜著·議論要語」

282 『樂菴語録』 권1

283 樂庵李氏(李衡): 宋나라 揚州 江都 사람으로 자는 彦平이다. 紹興 연간의 進士. 벼슬은 孝宗 연간에 監察御使와 侍御史를 지내며, 張說이 외척으로 節度使 벼슬을 유지하고 兵權을 관장하는 것을 반대하다 秘書閣修撰으로 전직되었다. 만년에 昆山에 은거하여 학문에 전념하였다. 송나라 龔昱이 편집한 『樂庵語錄』 5권이 전한다.

284 공광은 進退란 … 못하고: 공광은 공자의 후손으로 자는 子夏이다. 元帝 때 明經으로 議郞에 올라, 成帝 때 博士에 천거되고 이어 尙書를 거쳐 丞相에 올랐다. 哀帝 때 참소를 입고 면직되어 고향으로 돌아갔다가 傅太后가 죽자 등용되어 한 급 아래인 光祿大夫에 임명되었다. 平帝 때 王莽의 추천으로 太傅에 올랐다. 공광이 세 황제를 섬기며 어사대부와 승상을 두 차례 역임하고 大司徒, 태부, 太師를 지내며 公輔의 지위를 17년간 역임하였다. 『漢書』「匡張孔馬傳」에 의하면, "간하는 말이 혹 받아들여지지 않아도 굳이 다시 간하려 하지 않아, 이로 인해 오랫동안 벼슬에 남아 있을 수 있었다.(如或不從, 不敢強諫爭, 以是久而安.)"고 하였고, 부태후의 强暴함을 알고 성제가 죽은 뒤 애제의 옹립을 반대하여 내내 부씨와 사이가 좋지 않았다고 하였다.

285 장우는 剛正이란 … 못하며: 장우는 河內 軹 땅 사람으로, 자는 子文이다. 박사로 등용되어 원제 때 成帝의 사부가 되었다. 성제가 즉위하며 스승으로 예우하여 여러 벼슬을 거쳐 승상에 올랐다. 관원들과 백성들이 災異가 끊임없이 일어나는 것은 왕씨의 전횡에서 비롯된 것이라고 비난하여, 성제가 친히 스승 장우의 집에 나아가 좌우 사람들을 모두 물리치고 관원들과 백성들이 왕씨를 탄핵하는 말을 묻자, 장우는 자신의 아들들이 허약하여 왕씨의 비위를 거스를 수 없음을 판단하고, 백성들의 잘못된 말이라고 반박하여 성제로 하여금

란 글자의 뜻을 알지 못한다."[287]

[63-22-8]

朱子曰: "漢高祖取天下却正當, 爲他直截恁地做去, 無許多委曲. 唐初, 隋大亂如此, 高祖太宗因群盜之起, 直截如此做去, 只是誅獨夫. 爲他心中, 打不過又立恭帝, 假援回護. 委曲如此, 亦何必耳? 所以不及漢之創業也."[288]

주자가 말하였다. "한고조가 천하를 얻은 것이 그래도 정당한 것은 그가 분명하게 일처리를 하고 바르지 않음이 없었기 때문이다. 당나라 초기에 수나라의 큰 혼란이 이 같았으니, 고조와 태종이 뭇 도적 떼가 일어난 것에 따라 분명하게 이처럼 일을 처리하여 다만 독부獨夫[289]만을 벌주었어야 한다. 그들 마음은

왕씨의 세력을 믿게 하는 빌미를 제공하였다.(『漢書』「匡張孔馬傳」)

286 허경종은 忠孝란 … 못하고: 허경종은 唐나라 杭州 新城 사람으로 자는 延族이다. 隋의 秀才 출신으로, 唐初 秦王府 十八學士로 선발되기도 하였다. 벼슬은 태종 연간에 著作郞, 高宗의 태자 시절 太子右庶子를 지냈고, 고종이 즉위한 뒤에 禮部尙書 · 侍中 · 中書令을 역임하였다. 고종이 武昭儀를 황후로 세우고자 하는 일을 찬성하였고 褚遂良의 축출과 長孫無忌 … 上官儀 등의 죽음에 깊이 관여하였다. 허경종이 나이 81세에 죽어 시호를 정하고자 하였다. 이를 그의 傳에 의거하여 살피면 다음과 같다. "太常博士 袁思古가 '허경종은 아들을 먼 변방에 버렸고 딸을 오랑캐에게 시집보냈으니 繆라고 해야 합니다.'라고 주장하였다. 그러자 허경종의 손자 彦伯이 원사고가 자신 집안과 원한이 있어서라고 하소연하여 다시 의논하라는 조서가 내려졌다. 博士 王福畤가 '晉나라 때 何曾은 충성스럽고 효자였는데도 날마다 음식 값에 1만 錢을 허비했다는 이유로 繆醜라 시호하였습니다. 그런데 허경종은 충성과 孝를 모두 버렸고, 음식과 여자 관계에 있어서는 잘못이 하증을 넘어서고 있습니다.'라고 하면서 태상부가 고집하며 바꾸려 하지 않았다. 尙書省에 조서를 내려 여러 사람들이 다시 의논하게 하여 恭이라는 시호로 바꾸었다.(太常博士袁思古議, '敬宗棄子荒徼, 女嫁蠻落, 謚曰繆.' 其孫彦伯訴思古有嫌, 詔更議. 博士王福畤曰, '何曾忠而孝, 以食日萬錢謚繆醜. 況敬宗忠孝兩棄, 飮食男女之累過之.' 執不改, 有詔尙書省雜議, 更謚曰恭.)" 여기서 아들을 먼 변방에 버렸다는 것은, 허경종이 자신의 계집종을 총애하여 부인으로 삼았는데 아들 昂이 그 부인과 사통하자 고종에게 상소하여 아들을 먼 변방으로 내보냈다가 후일 다시 고종에게 표문을 올려 허락을 얻어 데려온 일을 이른다. 딸을 오랑캐에게 시집보낸 일은 고종이 즉위하며 그를 예부상서에 임명하였는데 그때 허경종이 돈을 탐하여 딸을 오랑캐의 추장 馮盎의 아들에게 시집보내 많은 재물을 받은 일로 탄핵을 받아 鄭州刺史로 좌천된 일을 이른다. 위 [63-11-3] 참고.(『新唐書』 권223)

287 유종원은 節義란 … 못하였다.: 유종원은 唐나라 河東 사람으로 자는 子厚다. 德宗 貞元 연간에 進士에 오르고 博學宏詞科에 합격하였다. 監察御使로 있다가 順宗이 즉위하며 王叔文이 정권을 담당하자 禮部員外郞에 발탁되었다. 순종이 환관들의 핍박을 받아 아들 憲宗에게 전위하게 되자, 순종을 따랐던 왕숙문 등 7명이 모두 좌천되어 귀양길에 올랐다. 유종원도 邵州刺史로 좌천되었고 소주 부임길에 다시 永州司馬로 발령이 났다. 憲宗 元和 10년(서기 815년)에 柳州刺史가 되었다. 여기서 절의 운운은 바로 순종이 환관의 핍박으로 물러났는데 유종원이 계속 벼슬하여 유주 자사가 된 것이 잘못이라는 말이다. 유종원은 唐宋八大家의 한 사람으로, 그의 문장은 韓愈와 함께 당나라 최고의 경지를 이루어 韓柳로 병칭되기도 한다.(『舊唐書』 권160, 『新唐書』 권168)

288 『朱子語類』 권136, 44조목

289 獨夫: 잔인하고 포학하여 백성이 돌아서고 친척이 떠나간 통치자를 이르는 말. 『書經』「泰誓」에서 상나라의

한편으로는 공제恭帝를 세워 임시로 도움을 받고 비호세력을 만들려 한 것에 불과하다.[290] 바르지 않기가 이와 같았으니 또 하필 이래야 할 일이겠는가? 이것이 한나라 창업에 미치지 못하는 까닭이다."

[63-22-9]

"漢高祖私意分數少, 唐太宗一切假仁借義以行其私"[291]

(주자가 말하였다.) " 한고조는 사사로운 마음이 비교적 적고, 당태종은 일체 행위가 인仁과 의義의 명분만을 빌려 자신의 사사로운 마음을 행하였을 뿐이다."

[63-22-10]

"劉漢而下, 高祖·太宗亦是如此, 都是自智謀功力中做來, 不是自聖賢門户中來, 不是自自家心地義理中流出. 使高祖·太宗當湯·武, 固自不得; 若當桓·文, 尚未可知."

問: "使二君與桓·文同時, 還在其上? 還在其下?[292]"

曰: "桓公精密, 做工夫多年, 若文公只是六年,[293] 己自甚快. 但管仲作内政, 盡從脚底做出, 所以獨盛於諸侯. 漢高從初起至入秦, 只是虜掠將去, 與項羽何異? 但寬大, 不甚殺人耳. 秦以苛虐亡, 故高祖不得不寬大; 隋以拒諫失國, 故太宗不得不聽人言. 皆是他天資高, 見得利害分明, 稍不如此, 則天下便叛而去之. 如太宗從諫, 甚不得已, 然當時只有這一處服得人."[294]

(주자가 말하였다.) "유한劉漢[漢高祖]가 세운 漢나라 이후 한고조漢高祖와 당태종唐太宗도 역시 이 같으나, 모든 것이 자신의 지혜와 책략과 공력 속에서 나오고, 성현의 가르침 속에서 나온 것이 아니며 자신의 마음속 의리에서 나온 것도 아니다. 고조와 태종을 탕왕湯王과 무왕武王에 짝짓는 일은 전연 안 될 일이

폭군 受를 "외톨이가 된 수(獨夫受)"라고 한 말에서 비롯된 것이다. 『孟子』「梁惠王下」에서는 이를 "인에 해를 끼친 자는 도적[賊]이라 이르고, 의에 해를 끼친 자는 잔인한 사람(殘)이라 한다. 殘賊한 사람을 한 외톨이 사내라고 부르는 것이다.(曰賊仁者謂之賊; 賊義者謂之殘, 殘賊之人, 謂之一夫.)" 하고서 朱子集注에 "천하가 귀의하면 천자고, 천하가 돌아서면 한 외톨이 사내이다.(蓋四海歸之則爲天子, 天下叛之則爲獨夫.)" 고 하였다.

290 恭帝를 … 불과하다.: 唐高祖 李淵은 수나라 말기 여러 지역에서 반란 세력이 일어나자 편승해 군사를 일으켰다. 아들 李世民의 의견에 따라 서쪽으로 수나라의 수도 長安을 공격하여 함락하고서 煬帝를 태상황으로 제거하고 代王으로 있던 楊侑를 황제로 추대하였다. 이 사람이 바로 공제이다. 그러나 다음 해 태상황은 宇文化及에게 江都宮에서 시해당하였다. 양유는 등극한지 6개월 남짓에 결국 이연에게 나라를 양위하였다. 이것이 漢高祖가 秦나라가 어지러워졌을 때 군사를 일으켜 수도 咸陽을 함락시키고 바로 진나라를 멸망시킨 것과 다르다는 것이다.

291 『朱子語類』 권135, 3조목

292 還在其下?: 『朱子語類』 권25, 123조목에는 '在'자가 '出'자로 되어 있다.

293 若文公只是六年: 『朱子語類』 권25, 123조목에는 六年과 己自甚快 사이에 '一作疏淺'이라는 글자가 있다.

294 『朱子語類』 권25, 123조목 중의 일부이다. 『朱子大全』에서는 이 말에 앞서 "管仲資稟極高, 故見得天下利害都明白, 所以做得許多事."가 있고 뒤에 이 말이 이어진다.

고, 제환공齊桓公과 진문공晉文公에 짝지어본다 하여도 거의 알 수 없을 것이다."
물었다. "두 군주가 제환공 · 진문공과 한 시대였다면 또한 그들보다 높겠습니까? 그들보다 아래이겠습니까?"
(주자가) 대답하였다. "제환공은 정치하고 세밀하며 공부도 여러 해 동안 하였고, 문공은 단지 6년이었는데도 혼자서 매우 만족해하였다. 다만 관중管仲은 국내國內 정책을 마련하며 모든 것을 자신의 생각으로 만들어 낸 까닭에 제후 중에서 홀로 성대할 수 있었다. 한고조는 처음 군사를 일으켰을 때부터 진秦나라를 함락하고 들어갈 때까지 다만 노략질만 하였으니, 항우項羽와 무엇이 다른가? 다만 관대하여 심하게 사람을 죽이지 않았을 뿐이다. 진秦나라가 가혹한 학정으로 망한 까닭에 고조는 관대하지 않을 수 없었고, 수隋나라는 간쟁하는 말을 막다가 나라를 잃은 까닭에 태종은 사람들 말을 따르지 않을 수 없었다. 그것도 모두 그들의 타고난 자품이 높고 이해를 보는 눈이 밝아서이지, 조금이라도 이 같이 하지 않았다면 천하는 바로 뒤돌아서 떠났을 것이다. 예컨대 태종은 간쟁하는 말을 따를 적에 매우 마지못해서였으나 당시에 다만 이 한 가지라도 지녔으므로 사람을 복종시킬 수 있었다."

[63-22-11]

"太宗從魏鄭公仁義之說, 只是利心, 意謂如此, 便可以安居民上. 漢文帝資質較好, 然皆老氏術也."[295]

(주자가 말하였다.) "태종이 위정공魏鄭公(魏徵의 封號)의 인의仁義에 대한 말을 따랐으나[296] 단지 이익을 위한 마음이었을 뿐이니, 이같이 해야만 백성들 위에 편히 머물 수 있다고 생각한 것이다. 한 문제漢文帝의 자질은 비교적 나은 편이나 모두 노자老子의 학술이다."[297]

[63-22-12]

"太宗功高, 天下所係屬, 亦自無安頓處, 只高祖不善處置了. 又建成乃欲立功蓋之. 如玄宗誅韋氏有功, 睿宗欲立宋王成器, 宋王成器便理會得事, 堅不受."[298]

(주자가 말하였다.) "태종의 공훈이 높아 천하가 귀의하는데도, 또한 처음부터 그것을 편안히 안정시킬 곳이 없었던 것은 다만 고조高祖의 조치가 훌륭하지 못해서다. 또 건성建成은 공훈을 세워 태종을 초월하고자 하였다.[299] 예컨대 현종玄宗이 위씨韋氏의 죄를 다스리는 데 공이 있었는데,[300] 예종睿宗이 송왕

295 『朱子語類』 권136, 57조목
296 魏鄭公(魏徵의 封號)의 … 따랐으나 : 위징이 태종의 신임을 받아 벼슬이 날로 높아가자 두려움을 느끼고 물러가려 하였다. 태종은 벼슬을 높여주며 물러가는 것을 막았다. 정관 7년(서기 633년)에 기어코 물러가려고 하자 特進에 임명하고 門下省의 일은 그대로 담당하게 하였다. 이에 태종에게 네 장의 상소문을 올렸다. 그 네 번째 상소에 이 인의에 대한 말을 강조하였다. 이 상소문에서 위징은 태종이 예전처럼 간쟁하는 말을 흔연스럽게 수용하지 않음을 지적하고, 이어 예전의 제환공과 관중, 晉나라 中行穆伯이 신의가 없는 사람을 쓰지 않은 고사를 들어 인의의 중요성을 설파하였다.(『舊唐書』 권71)
297 漢文帝의 자질은 … 학술이다. : [60-2-1] 이하 참고
298 『朱子語類』 권136, 53조목

성기宋王成器를 세우려고 하자, 송왕 성기가 바로 일의 낌새를 알아채고 한사코 받지 않았다.[301]"

[63-22-13]

論: "三代而下, 以義爲之, 只有一箇諸葛孔明. 若魏鄭公全只是利. 漢唐之興, 皆是爲利. 須是有湯武之興始做得. 太宗亦只是爲利, 亦做不得."

曰: "漢高祖見始皇出, 謂'丈夫當如此耳!' 項羽謂'彼可取而代也!' 其利心一也."[302]

논하였다. "삼대 이후 의리에 따라 일을 한 사람은 다만 한 사람 제갈공명뿐입니다. 위정공魏鄭公[魏徵] 같은 사람은 모두가 이익을 따랐을 뿐입니다. 한나라와 당나라는 나라를 일으킨 것이 모두 이익을 위해서입니다. 반드시 탕왕과 무왕 같이 나라를 일으켜야 비로소 옳습니다. 태종 역시 이익을 위했을 뿐이니, 역시 행한 일이 탕왕과 무왕만 못합니다."

(주자가) 대답하였다. "한고조는 진시황의 행차를 처음 보고서 '대장부라면 당연히 이래야지!'[303]라고

299 建成은 공훈을 … 하였다.: 위 [63-16-1] 참고

300 玄宗이 韋氏의 … 있었는데: 위씨는 中宗의 皇后였다가 중종이 죽으며 廢庶人으로 전락한 사람이다. 중종이 고종의 아들로 고종이 죽은 뒤 황제에 즉위하였을 때 황후에 올랐다. 시어머니 측천무후가 중종을 폐위하자, 心弱한 중종을 보필하여 다시 제위에 오르게 하였다. 중종이 다시 황제가 되자 측천무후처럼 정권을 잡으려고 자신의 지위를 한껏 올려 景龍 3년(서기 709년)의 南郊에서 지내는 하늘 제사에 亞獻으로 참여하는 초유의 일을 만들어 내기도 하였다. 중종이 갑자기 죽자 위황후는 자신이 측천무후처럼 섭정하려, 예전에 중종이 폐위되며 황제 자리를 이어받았다가 역시 폐위된 高宗의 아들 睿宗을 천자로 지명하지 않고 중종의 아들로 당시 溫王으로 있던 重茂를 황제에 즉위시켰다. 이에 훗날 玄宗이 된 李隆基가 당시 臨淄郡王이었는데 군사를 일으켜 위씨를 죽이고 중무의 禪位를 받아 아버지 예종을 즉위시켰다.(『新唐書』「后妃上 · 中宗韋庶人」)

301 睿宗이 송왕 … 않았다.: 송왕 성기는 예종의 맏아들이다. 이름을 憲으로 바꾸었다. 성기는 측천무후 시절 예종이 중종을 이어 등극하자 皇太子에 봉해졌으나 아버지가 폐위되며 皇孫이 되었다. 중종이 죽고 이중무가 등극하며 宋王에 봉해지자, 아우인 이융기가 군사를 일으켜 아버지 예종을 등극시켰다. 황태자를 세워야 하는데 맏아들 성기와 군사를 일으킨 융기 사이에서 결단을 내리지 못하였다. 성기가 아우에게 태자 자리를 사양하였다. 이를 『舊唐書』 권95 「睿宗諸子傳 · 讓皇帝憲」에서 살피면 다음과 같다. "'태자의 자리는 천하의 公器입니다. 천하가 화평할 때는 적장자가 우선이겠지만 나라가 어지러울 때는 공이 있는 사람에게 돌아가야 합니다. 만일 그 당연함이 잘못되면 천하가 실망하게 되어 사직의 복이 아닐 것입니다. 신은 지금 죽음을 걸고 청하옵니다.'라며 여러 날을 눈물을 흘리며 한사코 사양하였다. 말이 매우 간절하고 참되었다. 이때 여러 아들들과 공경들 역시 楚王(李隆基)이 사직에 큰 공훈이 있으니 당연히 태자의 자리에 봉해야 한다고 하였다. 예종이 성기의 뜻을 아름답게 여겨 마침내 허락하였다.('儲副者天下之公器, 時平則先嫡長, 國難則歸有功. 若失其宜, 海內失望, 非社稷之福. 臣今敢以死請.' 累日涕泣固讓, 言甚切至. 時諸王 · 公卿亦言楚王有社稷大功, 合居儲位. 睿宗嘉成器之意, 乃許之.)" 성기가 나이 63세로 죽자 현종은 형 성기에게 시호 讓을 내리고 讓皇帝라고 불렀다.

302 『朱子語類』 권136, 43조목의 앞과 뒤의 일부를 편집한 것이다.

303 '대장부라면 당연히 이래야지!': 한고조가 미천했을 때 함양에서 繇役의 일에 참여하고 있었는데 어느 날 진시황이 순행에 나서며 백성들에게 길가에서 구경하게 하였다. 유방이 이를 구경하고서 감동하여 탄식하기를 '아! 대장부라면 당연히 이래야지!'라고 하였다.(『史記』「高祖本紀」)

말하였고, 항우는 '저것은 빼앗아서 대신해 볼 만한 자리다.'[304]라고 하였다. 그들의 이욕利欲에 대한 마음은 똑같다."

[63-22-14]

問 : "唐宦官與東漢末如何?"

曰 : "某嘗說唐時天下尚可爲. 唐時猶有餘策, 東漢末直是無著手處, 且是無主了. 如唐昭宗・文宗, 直要除許多宦官. 那時若有人, 似尚可爲. 那時只宣宗便度得事勢不能誅,[305] 便一向不問他, 也是老練了如此. 伊川易解, 也失契勘. 說'屯其膏'云, '又非恬然不爲, 若唐之僖昭也.' 這兩人全不同, 一人是要做事, 一人是不要做, 與小黄門啗果食度日, 呼田令孜爲阿父. 不知東漢時, 若一向盡引得忠賢布列在內, 不知如何. 只那都無主可立. 天下大勢, 如人衰老之極, 百病交作, 略有些少變動, 便成大病. 如乳母也聒噪一場 ; 如單超・徐璜也作怪一場 ; 如張讓・趙忠之徒, 纔有些小權柄, 便作怪一場. 這是甚麼時節!"

물었다. "당나라 환관은 동한東漢의 말기[306]와 어떻습니까?"

(주자가) 대답하였다. "내가 '당나라 때의 천하는 얼추 다스려볼만하다.'고 말한 적이 있다. 당나라 때는 그래도 손써볼 수 있는 계책이 있었으나 동한 말기는 전혀 손써볼 수 있는 곳이 없었고 또 받들 만한 군주도 없었다. 예컨대 당나라 소종昭宗과 문종文宗은 수많은 환관을 한사코 제거하려 들었다.[307] 그때 만일 인물이 있었다면 얼추 다스려 볼 수 있을 듯하였다. 그때 선종宣宗만이 일의 형세가 그들을 벌줄 수 없다는 것을 헤아리고 한결같이 그들의 죄를 물으려 들지 않았으니,[308] 노련함이 이와 같았었다.

304 '저것은 빼앗아서 … 자리다.' : 항우는 숙부 項梁이 죄를 짓고 吳 지역으로 피신할 때 동행하였다. 어느 날 진시황이 會稽를 순행하고 浙江을 건너려 하였다. 이때 항량이 항우와 함께 이를 구경하였다. 이를 다 보고서 항우는 '저것은 빼앗아 대신해볼 만한 자리다.'라고 하였다. 이에 항량이 항우의 입을 틀어막으며 '허튼소리 하지 마라. 온 집안이 몰살당한다.'고 하였다. 이 뒤부터 항량은 조카 항우를 奇才로 여겼다.(『史記』「項羽本紀」)

305 事勢不能誅 : 『朱子語類』 권135, 69조목에는 '誅'자가 '諫'자로 되어 있다.

306 東漢의 말기 : 동한은 환관의 발호를 제거하기 위해 일으킨 袁紹의 군사가 동탁을 등장시키며 결국 역사에서 막을 내렸다. 윗글 [62-10-1] 이하와 [63-22-2] 참고

307 당나라 昭宗과 … 들었다. : 소종의 성명은 李曄이고, 懿宗의 일곱째 아들이다. 僖宗 文德 원년(서기 888년)에 환관 楊復恭의 추대로 皇太弟에 봉해지고 곧이어 황제에 즉위하였다. 나머지는 윗글 [63-22-1] 참고 문종의 성명은 李昂이며, 穆宗의 次子이고 敬宗의 아우이다. 환관 王守澄의 추대로 황제가 되었다. 정사에 힘써 宮女 3천여 명을 내보내고 五坊의 매와 개를 모두 풀어주는 등 淸明한 정치를 선보였다. 환관들을 제거하려고 李訓과 鄭注를 등용하여 甘露가 내렸다고 환관을 속여 한 곳에 모아서 죽이려다가 실패하여 이훈과 정주가 죽으며 연금되었다. 이후 4년을 지내다 죽었다. 『新唐書』「文宗本紀」・「李訓傳」

308 宣宗만이 … 않았으니 : 선종의 성명은 李沈으로 憲宗의 열세 번째 아들이다. 武宗의 會昌 6년(서기 846년)에 환관 馬元贄의 추대로 皇太叔에 봉해지고 이어 황제에 올랐다. 선종의 환관에 대한 일은 『通鑑總類』 권6 「宦官門・南北司如水火」의 기사를 살피면 다음과 같은 사실을 살필 수 있다. "大中 8년(서기 854년)에 선종

이천伊川의 역해易解에, '그 은택이 막혔다.[屯其膏]'[309]를 설명하며, '또 편안하게 아무 일도 하지 않는 것이 마치 당나라의 희종僖宗[310] · 소종昭宗과 같지는 않다.'고 하였다. 그러나 이들 두 사람은 전연 동일하지 않으니, 한 사람은 일을 하려 들었고 한 사람은 일을 하려 들지 않으며, 소황문小黃門과 어울려 과일과 음식을 먹으며 날을 보내고 전령자田令孜[311]를 아보阿父라고 불렀다.

알 수 없는 일이겠지만 동한 시절 만일 충신과 현명한 사람을 모두 이끌어 내 조정에 포진시켰다면 어떻게 되었을지 모를 일이다. 다만 그 시대는 세울 만한 군주가 도무지 없었고, 천하의 추세는 마치 사람이 극도로 늙고 쇠해져 온갖 병이 한꺼번에 일어나며 조그마한 변화에도 바로 큰 병이 되는 것과 같았다. 유모乳母 정도가 한바탕 소란을 일으키고,[312] 선초單超와 서황徐璜 같은 자도 한바탕 괴이한 일을

이 한림학사 韋澳를 불러, 詩에 대해 의논한다 하고서 좌우 측근들을 모두 물리쳤다. 그에게 말하기를 '요사이 밖에서 내시의 권세가 어떠하다고 말하는가?'라고 물었다. 위오가 '폐하의 위엄서린 결단이 선왕시대에 견줄 수 없다고들 합니다.'라고 대답하자, 선종은 '전연 그렇지 않다. 전연 아직 그들을 두려워하지 않는다. 경이 계책을 낸다면 어떻게 하겠는가?'라고 하니, 위오가 '만일 조정의 신료와 이 일을 논의하게 된다면 太和시대의 변고가 일어나게 될까 두려우니, 관원들 중 재능과 식견이 있는 자를 가려 함께 계책을 세우시는 것만 못할 것입니다.'라고 대답하였다. 선종이 '이는 가장 하수의 계책이다. 짐이 이미 시험하여 보았다. 黃衣(9품이 하의 관원이 입는 옷)와 綠衣(6 · 7품 관원의 옷)에서 緋依(4 · 5)를 입을 때까지는 모두 은혜에 감격스러워하다가 紫衣(3품관의 옷)를 입게 되면서는 서로 한 덩어리가 된다.'라고 하였다. 선종이 또 지난날 令狐綯와 환관을 모두 죽이는 계책을 세우려 하자 영호도는 무고한 사람에게까지 화가 미칠 것을 두려워하여 은밀히 '다만 죄가 있는 자는 놓아주지 말고, 결원이 생겼을 적에 채우지 않는다면 저절로 차츰 줄어들어 다 없어질 것입니다.'라고 아뢰었다.(大中八年, 宣宗召翰林學士韋澳, 託以論詩, 屛左右. 與之語曰, '近日外間, 謂內侍權勢何如?' 對曰, '陛下威斷非前朝之比.' 宣宗閉目搖首曰, '全未! 全未尙畏之. 在卿謂策將安出? 對曰, '若與外廷議之, 恐有太和之變, 不若就其中, 擇有才識者與之謀.' 宣宗曰, '此乃末策. 朕已試之矣. 自衣黃衣綠至衣緋, 皆感恩. 纔衣紫則相與爲一矣.' 宣宗又嘗與令狐綯謀盡誅宦官, 綯恐濫及無辜, 密奏曰, '但有罪勿捨, 有闕勿補, 自然漸耗至於盡矣.')" 여기서 결원 운운은 환관에게 주어지는 직함을 이른다. 결국 선종의 환관 제거는 시도되지 않았음을 알 수 있다.

309 伊川의 易解에, … 막혔다.[屯其膏]: 역해는 이천이 지은 『伊川易傳』을 이르고, '屯其膏'는 『周易』「屯卦」의 九五 爻辭이다.

310 당나라의 僖宗: 희종의 성명은 李儇으로 懿宗의 다섯째 아들이다. 의종 咸通 14년(서기 873년) 나이 12세에 환관 劉行深의 추대로 태자가 되고 바로 황제위에 올랐다. 환관 전영자를 阿父라 부르며 모든 정사를 맡기고 놀이에 빠져 지냈다. 王仙芝와 黃巢 등이 난리를 일으켜 兩京이 함락되자 成都로 피난하였다가 돌아왔고, 전영자가 王重榮과 충돌하자 다시 鳳翔으로 피난하였다가 되돌아왔다.(『舊唐書』「僖宗本紀」)

311 田令孜: 唐 蜀 땅 사람으로 자는 仲則이고, 本姓은 陳氏이다. 환관으로 僖宗의 등극하기 전 普王으로 있던 시절 한방에서 함께 생활하며 친하게 지냈다. 희종이 등극하며 左神策軍中尉에 올랐다. 희종이 전령자를 阿父라 부르며 정사를 일임하고, 어린 환관들과 '거위 싸움 놀이[鬪鵝]'나 즐기자 갖은 횡포를 부리며 정사를 혼란에 빠뜨려 黃巢의 난을 촉발시켰고, 다시 왕중영과의 권력 쟁탈을 벌여 희종을 두 번이나 피난길에 나서게 하였다. 成都에서 王建에게 피살되었다.(『舊唐書』 권184 ; 『新唐書』 권208)

312 乳母 정도가 … 일으키고: 이는 漢나라 安帝 시대에 일어난 일을 이른다, 안제는 아들 順帝를 永寧 원년(서기 120년)에 황태자로 책봉하였다. 그리고 延光 3년(서기 124년)에 폐위하였다. 그 자세한 내용은 『後漢書』「順帝本紀」에 의하면 다음과 같다. "연광 3년에 안제의 유모 王聖이 大長秋 江京, 中常侍 樊豐과 태자의 유모 王男과 厨監 邴吉을 참소하여 죽였는데, 태자가 이를 자꾸 탄식하였다. 왕성 등은 뒤탈이 날 것이

일으켰으며,[313] 장양張讓과 조충趙忠 같은 무리마저 겨우 조그만 권력을 가지자 한바탕 괴이한 일을 일으켰다.[314] 이것이 어떤 시절인가!"

두려워 마침내 번풍·경강과 함께 태자를 무함하여 태자가 이로 인해 폐위되어 濟陰王이 되었다. 다음 해 3월 안제가 붕어하였다. 章帝의 손자인 北鄕侯(懿)가 등극하였고, 제음왕은 폐출되었다는 이유로 殿上에 올라 梓宮을 직접 볼 수 있는 기회도 주어지지 않아, 음식을 끊고 슬피 통곡하였다. 안팎의 뭇 신료들이 불쌍해하지 않는 이가 없었다. 북향후가 죽자 車騎將軍 閻顯과 강경은 中常侍 劉安·陳達 등과 태후에게 아뢰고, 북향후의 죽음을 비밀에 부치고 공표하지 않은 채 다시 여러 제후의 아들 중에서 구하여 세우려고 마침내 궁궐의 문을 닫아걸고 군사를 주둔시켜 자신들을 호위시켰다. … 이날 밤 中黃門 孫程 등 19명이 강경·유안·진달 등을 함께 죽이고, 제음왕을 德陽殿 서쪽 鐘閣 아래에서 맞아들여 황제에 오르게 하니 나이 11세였다.(延光三年, 安帝乳母王聖, 大長秋江京·中常侍樊豐, 譖太子乳母王男·厨監邴吉, 殺之, 太子數爲歎息. 王聖等懼有後禍, 遂與豐·京共搆陷太子, 太子坐廢爲濟陰王. 明年三月, 安帝崩, 北鄕侯立, 濟陰王以廢黜, 不得上殿親臨梓宮, 悲號不食. 内外羣僚莫不哀之. 及北鄕侯薨, 車騎將軍閻顯及江京, 與中常侍劉安·陳達等白太后, 祕不發喪, 而更徵立諸國王子, 乃閉宮門, 屯兵自守 … 是夜中黃門孫程等十九人, 共斬江京·劉安·陳達等, 迎濟陰王於德陽殿西鍾下, 即皇帝位, 年十一.)"

313 單超와 徐璜 … 일으켰으며: 이들은 모두 漢나라 환관으로 桓帝 초기 中常侍였다. 이때 大將軍 梁冀는 두 딸이 順帝와 환제의 황후였다. 천하를 흔드는 권세로 정적을 죽였고, 황후들도 친정아버지 세력을 믿고 방자하기 이를 데 없어 많은 사람을 鴆毒으로 죽게 하였으나 아무도 입을 열어 말하지 못하였다. 황제들마저도 두려워 압박을 느끼면서도 손을 쓰지 못하였다. 이때 환제의 황후 양씨가 죽었다. 환제는 변소에 가는 길에 환관 唐衡을 불러 양기의 집안과 불화하고 있는 사람을 물었다. 당형은 선초와 서황 등 몇 사람을 천거하였다. 환제가 이들 두 환관과 당형이 천거한 환관들을 불러들여 양기를 제거할 계책을 세웠다. 마침내 조서를 내려 양기와 양기의 집안사람, 그를 따른 자들의 죄를 조사하게 하여 모두를 죽였다. 그리고 선초와 서황 등 양기의 처단에 참여한 환관들을 모두 侯에 봉하고 당시 이 계책에 참여하여 후에 봉해진 다섯 환관을 五侯라 불렀다. 이때부터 한나라의 정권은 환관에게 돌아가 망할 때까지 이어졌다. 이들은 이후 자기 집안사람들을 사방 벼슬에 임명하여 끝없는 학정을 자행하며 사치와 권력을 한없이 휘둘렀다. 선초와 서황은 환제의 비호 아래 장례도 화려하였으나, 남은 자들은 모두 죄를 받아 죽고 그들 자손에게 전해졌던 侯 작위도 회수되었다.(『後漢書』「宦者傳」)

314 張讓과 환관의 … 일으켰다.: 이들은 모두 後漢 때 환관으로 후한을 망하게 한 十常侍(사실은 12명인데 10명이라고 말함)에 속하는 사람들이다. 장양은 潁川, 조충은 安平 사람이다. 모두 桓帝 때 小黃門이었으나, 조충은 梁冀를 제거하는 일에 참여한 공으로 都鄕侯에 봉해졌다. 靈帝 때 함께 中常侍에 오르며 함께 列侯에 봉해졌다. 이들의 죄악을 『後漢書』「宦者傳·張讓」의 기사에서 살피면 다음과 같다. "이때 장양·조충·夏惲·郭勝·孫璋·畢嵐·栗嵩·段珪·高望·張恭·韓悝·宋典 열 두 사람이 모두 중상시이면서 侯에 봉해져 귀한 지위에 오르고 총애를 받았다. 그들의 父兄과 子弟가 州郡에 퍼져 있었는데, 있는 곳마다 재화를 탐하고 잔인하여 백성들을 해치는 좀도둑이었다. 황건적이 일어나며 도적떼가 들끓자 郎中으로 있던 中山 사람 張鈞이 글을 올려 '… 당연히 십상시의 목을 베어 남쪽 교외에 매달아 백성들에게 사죄하십시오.'라고 하였다.(是時讓·忠及夏惲·郭勝·孫璋·畢嵐·栗嵩·段珪·高望·張恭·韓悝·宋典十二人, 皆爲中常侍, 封侯貴寵. 父兄子弟布列州郡, 所在貪殘, 爲人蠹害. 黃巾既作, 盜賊糜沸, 郎中中山張鈞上書曰, '… 宜斬十常侍, 縣頭南郊, 以謝百姓.')" 이후 황건적과 환관 사이의 내통이 드러났으나 이를 모두 이미 죽은 환관들의 죄로 돌려 죄에서 벗어났다. 영제가 죽은 뒤 少帝(弘農王) 때 대장군 何進이 원소를 끌어들여 환관을 제거하려 하였다. 환관들이 이를 미리 알아차리고 하진을 죽이고 자리를 유지하려 하였으나, 원소의 군대가 나서서 진압하여 조충은 여기서 죽고 장양은 소제를 위협하여 河上으로 달아나다가 추격이 급하자 투신자살하였다.

或云："從那時直到唐太宗, 天下大勢方定疊."

曰："這許多時節, 直是無著手處. 然亦有幸而不亡者, 東晉是也. 汪莘作詩史, 以爲'竇武陳蕃誅宦者, 不合前收鄭颯, 而末收曹節 · 王甫 · 侯覽. 若一時便收却四箇, 便了. 陽球誅宦者, 不合前誅王甫 · 段熲, 而末誅曹節 · 朱瑀. 若一時便誅却四箇, 亦自定矣.' 此說是."[315]

어떤 사람이 말했다. "그때로부터 당태종 때에 이르러서야 천하의 대세가 비로소 안정되었습니다." (주자가) 대답하였다. "그토록 많은 시절 속에서 손써볼 수 있는 곳이 전연 없었다. 그런대도 요행히 망하지 않은 나라가 동진東晉이다. 왕췌汪莘가 지은 시사詩史에 '두무竇武와 진번陳蕃이 환관의 죄를 다스리며 정삽鄭颯을 먼저 잡아들이고, 조절曹節 · 왕보王甫 · 후람侯覽을 마지막에 잡아들인 것은 합당하지 않다.[316] 만일 일시에 바로 저들 네 사람을 잡아들였다면 일은 끝났을 것이다. 양구陽球가 환관의 죄를 다스리며 왕보王甫와 단경段熲의 죄를 먼저 다스리고 조절曹節과 주우朱瑀의 죄를 마지막에 다스린 것은 합당하지 않다.[317] 만일 일시에 바로 저들 네 사람의 죄를 다스렸다면 또한 저절로 평정되었을 것이다.'

315 『朱子語類』 권135, 69조목의 뒤쪽 일부임

316 竇武와 陳蕃이 … 않다. : 위 [62-10-1] 이하 참고

317 陽球가 환관의 … 않다. : 양구는 漢나라 漁陽 泉州 사람으로 자는 方正이고, 靈帝 때 벼슬하였다. 사람됨이 엄하였고 法家를 공부하였다. 이때의 사건을 『後漢書』 권107에 의거해 살피면 다음과 같다. "중상시 王甫와 曹節 등이 간악하고 흉악하게 정사를 장난치며 조정과 지방을 선동하였다. 양구가 허벅다리를 치며 분통해 하기를, '만일 양성이 司隸 벼슬을 맡게 된다면 이들 무리가 어찌 발붙일 수 있겠는가?'라고 한 적이 있었다. 光和(靈帝의 연호) 2년(서기 179년)에 司隸校尉 벼슬로 전직되었다. 왕보가 휴가를 얻어 집으로 돌아간 사이 양구가 궁궐에 나아가 사은하며, 왕보와 중상시 淳于登 · 袁赦 · 封易, 中黃門 劉毅, 小黃門 龐訓 · 朱禹 · 齊盛 등과 그들 아들이나 아우들로 수령이 된 자들의 간특 교활하고 멋대로 날뛰이 집안을 도륙시켜야 할 죄에 합당하니, 잡아들여야 한다고 아뢰었다. 太尉 段熲도 총애를 받는 환관들에게 아첨하여 빌붙고 있으니 당연히 함께 죽여야 한다고 하였다. 이에 왕보와 단경 등을 잡아들여 洛陽 감옥으로 보내며, 왕보의 아들 永樂少府 王萌과 沛相 王吉까지 붙잡혔다. 양구가 직접 왕보 등을 신문하며 다섯 가지의 혹한 형벌을 모두 사용하였다 … 곤장이 연이어 이어지며 (왕보) 부자는 모두 곤장 아래 죽었고, 단경은 자살하였다. 마침내 왕보의 시신을 夏城門에 가로로 걸쳐놓고 '賊臣王甫'라고 크게 글씨를 써서 붙였다. 재산은 몰수하였고 처자식은 모두 比景으로 옮기게 하였다. 양구가 왕보를 죽이고서 다음으로 曹節 등을 아뢰고자 하여 中都官의 從事에게 다짐하기를 '우선 가장 교활한 자를 제거했으니 당연히 다음 차례는 명문 집안들의 죄를 조사할 것이다.'라고 하였다. 권문세족들이 이 소식을 듣고 모두 숨을 죽였다.(中常侍王甫曹節等姦虐弄權, 扇動外內. 球嘗拊髀發憤曰, '若陽球作司隸, 此曹子安得容乎?' 光和二年遷爲司隸校尉. 王甫休沐里舍, 球詣闕謝恩, 奏收甫及中常侍淳于登 · 袁赦 · 封易, 中黃門劉毅, 小黃門龐訓 · 朱禹 · 齊盛等, 及子弟爲守令者, 姦猾縱恣, 罪合滅族. 太尉段熲諂附佞倖, 宜並誅戮. 於是悉收甫 · 熲等送洛陽獄, 及甫子永樂少府萌 · 沛相吉. 球自臨考甫等, 五毒備極 … 箠朴交至, 父子悉死杖下, 熲亦自殺. 乃僵磔甫屍於夏城門, 大署牓曰賊臣王甫. 盡沒入財産, 妻子皆徙比景. 球既誅甫, 復欲以次表曹節等, 乃勑中都官從事曰, '且先去大猾, 當次案豪右.' 權門聞之, 莫不屏氣.)" 이때 순제의 虞貴人이 죽었다. 조절이 장례에 참여하려고 길을 지나다 왕보의 시체가 내걸린 모습을 보았다. 조절은 여러 중상시들에게 함께 순제를 알현하자고 선동하여, 순제에게 양구의 지난날의 포악한 여러 사건을 아뢰며 사례교위를 해야 할 사람이 아니라고 하였다. 마침내 벼슬이 衛尉로 바뀌었고, 우귀인의 능에 나가 있던 양구를 급히 불러들였다. 양구가 돌아와 순제에게 알현을 청하여 머리를 조아리며,

고 하였다. 이 말이 맞다."

[63-22-15]

東萊呂氏曰 : "自古以來, 雖經太康之亂, 三代之季, 只是一變, 其罪皆由商君. 雖漢文帝唐太宗出來扶持天下, 然此骨子終不換得. 井田最先壞, 其次封建, 其他亦未盡壞. 府兵尚存古制, 及張說方壞盡, 兩稅壞於楊炎. 自然有此等人來."[318]

동래 여씨東萊呂氏가 말하였다. "상고 시대 이후 태강太康의 난리를 겪었으나,[319] 삼대三代의 마지막에 완전히 바뀌었으니, 그 죄는 모두 상군商君[320]에서 비롯되었다. 한나라의 문제文帝와 당나라의 태종太宗이 나와 천하를 붙들었으나 이 시절의 핵심 뼈대를 끝내 회복시키지 못하였다. 정전법井田法[321]이 가장

"신은 아무런 깨끗하거나 고상한 행위가 없는데 뜻밖에 조정을 위해 힘 쓰는 벼슬을 맡게 되었습니다. 앞서 왕보와 단경의 죄를 규명하여 죽였지만 겨우 소소한 짐승 정도를 잡아들인 것이어서 천하에 보여주기에는 부족합니다. 원컨대 신에게 한 달만 허락하여 기어코 큰 짐승들에 해당하는 자들이 각기 자신의 죄대로 죄를 받게하도록 해주십시오.(臣無淸高之行, 橫蒙鷹犬之任. 前雖糾誅王甫·段熲, 蓋簡落狐狸, 未足宣示天下. 願假臣一月, 必令豺狼鴟梟, 各服其辜.)"라고 하였다. 조아리는 이마에서 피가 흘러내렸다. 재삼 말씀을 올렸으나 순제는 성을 내며 허락하지 않았다. 그 뒤 양구는 낙양 감옥에 갇혔다가 죽임을 당하였고 처자식은 변경으로 옮겨졌다.

318 『東萊外集』 권6 「雜說·庚子所記」

319 太康의 난리를 겪었으나 : 태강은 夏나라 禹임금의 손자이자 啓의 아들이다. 아버지를 이어 왕이 되었으나 정사에 마음 쓰지 않고 사냥과 노는 일에 빠져 지냈다. 그가 洛水의 남쪽으로 사냥 나갔다가 돌아오지 않자 有窮나라의 제후 羿가 군사를 일으켜 黃河에서 이들 일행을 막고 마침내 폐위시켜버렸다. 뒤에 태강의 아우 仲康이 胤侯의 도움을 받아 나라를 회복하였다.(『書經』「夏書·五子之歌」; 「胤征」)

320 商君 : 商鞅을 이른다. 衛나라의 公子여서 衛鞅, 또 公孫鞅이라고도 부른다. 상앙이라고 부르는 것은 그가 秦孝公을 찾아가 左庶長으로 등용되어 나중에 商君에 봉해진 데에서 생겨난 말이다. 그의 정책은 井田制를 없애고 세금 제도를 바꾼 것으로, 이를 變法이라 이른다. 효공이 죽은 뒤 이어 등극한 惠王에게 주살되었다. 그가 제정한 변법은 다음과 같다. "백성을 5호를 1伍, 10호를 1什으로 조직하여 서로를 감시하고 죄를 함께 지게 하였다. 이웃의 죄를 알리지 않은 사람은 허리를 베 죽였고, 알리는 사람은 적군의 수급을 벤 것과 같은 상을 내렸으며, 죄악을 저지른 자를 숨겨준 사람은 적군에게 항복한 사람과 같은 벌을 내렸다. 백성 중에 성년 남자 두 사람 이상이 분가하지 않고 살면 그 집에는 세금을 배로 물렸다. 軍功이 있는 자에게는 각기 본래 정한 법령에 따라 작위를 올려주고, 개인적인 일로 싸운 자는 각기 경중에 따라 벌을 내렸다. 본업에 힘써 농사를 짓고 누에를 쳐 곡식과 누에를 많이 생산한 자는 그에게 내려지는 勞役을 면제해 주었고, 상업에 종사하거나 게으름을 피워 가난한 자는 잡아다가 노비로 삼았으며, 종실이라 할지라도 군공이 있지 않으면 종실의 호적에 올릴 수 없게 하였다. 작위의 높고 낮은 등급을 분명하게 하여, 각기 차등에 따라 서로 다른 집과 전답을 소유하고 개인 집의 노복과 처첩들 의복도 집주인의 등급에 따라 입게 하였다. 공훈을 세운 자는 영화롭게 드러나게 하고 공훈이 없는 자는 부자일지라도 영화로움을 누릴 수 없게 하였다.(令民爲什伍, 而相收司連坐. 不告姦者腰斬, 告姦者與斬敵首同賞, 匿姦者與降敵同罰. 民有二男以上不分異者 倍其賦. 有軍功者, 各以率受上爵; 爲私鬪者, 各以輕重被刑大小. 僇力本業, 耕織致粟帛多者復其身; 事末利及怠而貧者, 擧以爲收孥; 宗室非有軍功論, 不得爲屬籍. 明尊卑爵秩等級, 各以差次名田宅, 臣妾衣服以家次. 有功者顯榮, 無功者雖富, 無所芬華.)"(『史記』「商君傳」)

먼저 무너졌고, 그 다음은 봉건제도이며, 그 밖의 것은 또한 다 무너지지는 않았다. 부병府兵 제도[322]에 아직 옛 제도가 남았는데 장열張說[323]이 나오며 비로소 완전히 무너졌고, 양세兩稅는 양염楊炎이 무너뜨렸다.[324] 저절로 이런 부류의 사람이 나타났다."

[63-22-16]

"兩漢以來, 明君良臣屬意於邦本者多矣. 賈誼治安之策, 言雖忠而道則疎; 義府承華之箴, 言雖切而心則詐; 元稹教本之書, 言雖華而要則寡, 用智囊爲家令, 則輔之非其人; 開博望延賓客, 則處之非其地. 養之無素, 導之無術, 無惑乎其治效之卑汚蹇淺也."[325]

(동래 여씨가 말하였다.) "양한兩漢(西漢과 後漢) 이후 많은 현명한 군주와 어진 신하가 나라의 근본인 태자太子에 마음을 쏟은 사람이 많았다. 가의賈誼의 치안책治安策[326]

321 井田法: 삼대시대의 농토에 부과하는 세금 제도. 사방 9백 畝의 땅을 아홉 구역으로 나누면 모양이 '井'자처럼 되어 붙여진 이름이다. 이들 땅은 중앙 한 구역은 公田, 나머지 여덟 구역은 개인 소유의 전답이다. 개인 소유의 경작자 8명이 중앙 공전의 땅을 함께 경작하여 그 소출을 국가에 세금으로 납부하고, 개인 전답의 소출은 개인이 소유한다.(『孟子』「滕文公上」)

322 府兵 제도: 西魏의 宇文泰가 만들어 北周와 隋나라 唐나라 초기까지 유지된 군대 제도. 6軍을 만들어 이를 1백 府로 나누어 24軍에 분속시키는 것이 그 기본 구성이다. 다만 이들 군대를 농사짓는 일과 함께 유지시켰다. 서위시대에는 군인 호적을 따로 작성하였으나 수나라는 州縣에 소속시켰고, 당나라는 주거지에서 군인과 농사의 구분을 두지 않고 개인이 함께 지게 하였다. 이런 것이 춘추시대 齊桓公이 管仲의 건의를 받아들여 만든 寓兵於農 제도와 서로 합치하다고 본 것이다.(『新唐書』「兵志」)

323 張說: 당나라 河南 洛陽 사람. 자는 道濟·說之이다. 측천무후 때 對策에서 乙等으로 합격하여 벼슬에 진출하였다. 그가 玄宗 연간에 朔方郡節度使를 지내며 변경의 군사 20만 명을 줄였고, 府兵 대부분이 도망쳐버린 것을 들어 당번이 된 병사를 호위 군사로 삼는 제도를 없애고 壯士를 모집하여 숙위병을 새로 만들 것을 건의하여 새로운 제도로 확립시켰다. 이때 부병은 종신토록 복역하고 징발될 때에는 병기와 식량을 자신이 준비하게 되어 있었다. 이들 군사로 京師를 숙위하게 하였고, 변경의 수비를 맡게 하였다. 그리하여 高宗 때에 부병이 점점 줄어들기 시작하여 天寶(현종이 연호) 연간에는 교대시킬 만한 병사가 남아 있지 않는 지경까지 되었다. 부병제는 이때 이미 이름만 남은 빈 껍데기였다.(『新唐書』「兵志」)

324 兩稅는 楊炎이 무너뜨렸다.: 양세는 당나라 德宗 연간에 양염이 주창하여 그동안 시행해 오던 租庸調의 세금 제도를 폐지하고 새로 제정한 세금 제도이다. 양염은 당나라 鳳翔 天興 사람으로 자는 公南이다. 代宗 연간에 起居舍人을 역임하고 이어 知制誥를 지내며 훌륭한 문장으로 명성을 얻었다. 덕종이 즉위하며 門下侍郎 同中書門下平章事에 임명되었다. 그동안 시행하던 농작물에 부과하는 租, 비단에 부과하는 調, 庸 등의 폐단을 혁파하고, 이를 夏稅와 秋稅로 나누어 현물이 아닌 돈으로 받아들이되, 하세는 6월, 추세는 11월을 넘기지 않게 하였다. 이 법은 당대 중기 이후로부터 明代 중기까지 실시되었다.(『新唐書』「楊炎傳」)

325 『東萊外集』 권4 「宏詞進卷」

326 賈誼의 治安策: 가의는 漢나라 洛陽 사람으로 나이 18세 때 『詩經』을 외고 문장에 능하여 고을에 명성이 자자하였다. 하남의 수령[河南守] 吳公이 가의를 발탁하여 뛰어난 치적을 이루었다. 文帝가 오공을 廷尉로 등용하자, 오공은 문제에게 가의를 추천하였다. 가의가 博士에 등용되었는데, 이때 그의 나이가 20세였다. 원로대신들조차 입을 열지 못하는 일을 거침없이 대답하며 원로대신들의 마음을 흡족하게 하였다. 이에 모두가 가의에게 미칠 수 없음을 인정하였다. 이에 1년 만에 몇 등급을 뛰어 太中大夫에 올랐다. 국가의

은 말은 비록 충후하지만 방법이 엉성하고, 이의부李義府의 승화잠承華箴[327]은 말은 비록 간절하나 마음에는 속임수가 있으며, 원진元稹의 태자의 가르침에 관한 글[328]은 말은 비록 화려하나 요점이 모자랐으며, 지낭智囊을 등용하여 가령家令으로 삼은 것[329]은 적임자가 아닌 사람으로 보필시킨 것이고, 박망원博望苑

여러 제도를 새로 제정할 것을 제안한 일로 대신의 미움을 사서 長沙王의 太傅로 강등되었고, 이어 梁懷王 揖의 태부로 전직되었다. 이때 흉노가 강성해져 자주 변경을 침략하고, 천하가 갓 안정되었으나 제도가 엉성하여, 제후왕들이 참람하게 천자를 모방하려 들며 국토도 옛 제도가 정한 천자의 국토 10분의 1을 넘어서고, 회남왕과 제북왕이 모두 역모죄로 죽임을 당한 때였다. 가의는 이러한 것을 바로잡고자 치안책이라고 불리는 상소를 올렸다. 지금까지 유명하게 전해지는 가의상소는 바로 이 치안책을 이른다. 그 머리말은 "신이 적이 천하의 형세를 살피건대 통곡할 만한 일이 한 가지이며, 눈물 흘릴 만한 일이 두 가지이며, 길게 탄식할 만한 일이 여섯 가지입니다. 그 밖의 이치에 어긋나고 도리를 해친 것들은 두루 낱낱이 들어서 말씀드릴 수 없습니다.(臣竊惟事勢, 可爲痛哭者一 ; 可爲流涕者二 ; 可爲長太息者六. 若其它背理而傷道者, 難徧以疏擧.)"로 시작되는 상소이다. 여기에서 가의는 태자를 바르게 가르치기 위한 여러 역사적인 고증과 방법을 제시하였다.(『漢書』「賈誼傳」) 가의에 대한 일은 [61-8-1] 이하 참고

327 李義府의 承華箴 : 이의부는 당나라 瀛州 饒陽 사람이다. 태종 연간에 太子舍人과 崇賢館學士를 지내며 문장을 드날렸다. 고종이 등극하며 옛 스승으로 총애를 받아 吏部尙書에 올랐다. 겉모습은 늘 미소를 머금었으나 마음에 거스르는 사람은 반드시 보복하여 笑中刀, 李猫라 일컬었다. 『新唐書』에는 그를 「姦臣傳」에 편입시켰다. 「承華箴」은 고종이 晉王으로 있을 때 올린 글이다. 그 글 말미에 "재치스런 말과 아첨은 들어주는 사람이 있어서이고, 사악함과 교묘한 술수는 방법이 많구나. 그 싹을 끊어버리지 않으면 그 해는 반드시 커질 것이다.(佞諛有類, 邪巧多方. 其萌不絶, 其害必彰.)"라고 하였다. 이의부가 태자를 아첨으로 섬기면서 글은 마치 올곧은 사람인 양 지은 것이다. 귀양에서 풀려나오지 못하자 분함을 이기지 못하고 죽었다.(『新唐書』「奸臣傳 · 李義府」)

328 元稹의 태자의 … 글 : 원진은 당나라 河南 사람으로 자는 微之이다. 元和(憲宗의 연호) 원년(서기 806년) 초기에 左拾遺, 太和(文宗의 연호) 연간에 武昌節度使를 지냈다. 詩에 능하여 白居易와 함께 元白으로 병칭되었고, 그의 시체는 元和體로 불린다. 태자의 가르침에 관한 글은 그가 원화 원년 좌습유에 올라, 앞서 王叔文과 王伾가 태자에게 받은 사랑을 기화로 나라의 정사를 어지럽힌 것을 거울삼아, 올바른 사람을 선발하여 태자를 보필하고 이끌어야 함을 주장하는 글을 올린 것을 이른다.(『新唐書』「元稹傳」)

329 智囊을 등용하여 … 것 : 이는 漢나라 文帝 때의 일을 이른다. 문제 때 『尙書(書經)』를 아는 사람이 없었다. 유일하게 濟南의 伏生이 옛 秦나라의 博士로 『尙書』를 알고 있다는 소문이 들렸다. 그러나 나이가 90여 세여서 부를 수가 없었다. 이에 문제는 太常에 조서를 내려 사람을 보내 찾아가 배워오게 하였다. 그러자 태상에서 鼂錯를 복생이 사는 곳으로 보내 『尙書』를 배우게 하였다. 조조가 돌아와 국가가 당연히 해야 할 일을 말하며 『尙書』를 인용하여 말하였다. 문제는 조조를 太子舍人, 이어 門大夫에 임명하였다. 조조는 문제에게 글을 올려, "앞 세상의 군주들이 종묘를 받들지 못하고 그들 신하에게 협박을 받거나 살해당한 것은 모두 술수를 몰라서입니다. 황태자가 읽은 책은 많으나 술수를 깊이 알지 못한 것은 그 글 내용을 깊이 따져 읽지 않아서입니다. 많은 책을 읽고서도 그 글 뜻을 모른다면 이는 고생스럽기만 하고 보람이 없는 것입니다. 신이 적이 살피건대 황태자는 재능과 지혜가 높고 기이하며, 말타기 · 활쏘기 등의 기예에는 보통보다 훨씬 뛰어납니다. 그러나 술수에 대해서는 아는 것이 없으니 폐하의 마음을 자신의 마음으로 삼고 있어서입니다. 적이 원하오니 폐하께서 지금 세상에 쓸 수 있는 성인의 술수를 뽑아서 황태자에게 내려 때때로 태자의 눈앞에 닥친 일에 쓰도록 하십시오.(竊觀上世之君, 不能奉其宗廟, 而刼殺於其臣者, 皆不知術數者也. 皇太子所讀書多矣, 而未深知術數者, 不問書說也. 夫多誦而不知其說, 所謂勞苦而不爲功. 臣竊觀皇太子材智高奇, 馭射伎藝過人絶遠, 然於術數未有所守者, 以陛下爲心也. 竊願陛下幸擇聖人之術可用今世者,

을 지어 빈객을 맞아들이게 한 것[330]은 옳지 않은 곳에 살게 한 것이다. 길러내는 것이 근본이 없고 인도하는 것이 방법이 없었으니, 그들 치적의 효험이 비루하고 악착스러우며 순탄하지 못하고 천박한 것을 의아해할 것이 없다."

[63-22-17]

潛室陳氏曰: "漢高祖事事不能, 只有一箇帝王器度. 本不擬到此地位, 自是天人推出來. 所以規模比三代. 太宗事事了得, 本是唐之第一君. 爲其必欲做帝王, 不待天人自安排. 所以只做得魏晉規模."[331]

잠실 진씨가 말하였다. "한고조는 하는 일마다 서툴렀으나 단지 하나 제왕의 그릇과 도량을 지녔다. 본래 제왕 지위에 이르는 것은 꿈꾸지 않았으니 당연히 하늘과 백성의 추대에 의한 것이다. 그런 까닭에 규모도 삼대 시절에 비견된다. (당나라) 태종은 하는 일마다 제대로 해냈으니 본래 당나라 첫째 군주이다. 그는 기어코 제왕이 되고자 하였고 하늘과 백성이 선택하기를 기다리지 않았다. 그런 까닭에 단지 위진魏晉 시대의 규모를 구현했을 뿐이다."

[63-22-18]

問: "高祖之興, 計謀有人; 光武之起, 旣身爲之謀, 又身爲之戰, 遂復故物. 馬援乃以爲光武不及高帝, 意者用人者大, 自用者小邪?"

曰: "光武·太宗身經百戰, 眞千古英雄之將. 所以不似漢高者, 蓋漢高不能爲將而善將將, 此光武太宗所以見容於漢高也."[332]

以賜皇太子, 因時使太子陳明於前.)"라고 하였다. 이에 문제는 다시 조조에게 家令 벼슬을 내렸다. 조조는 그의 말솜씨와 재치로 태자에게 총애를 얻었다. 태자는 조조를 꾀주머니라는 뜻으로 그를 '지낭'이라 불렀다. 문제에게 여러 개혁에 관한 글을 올렸으나 문제는 받아들이지 않으면서도 그의 재주를 인정하여 中大夫로 등용하였다. 당시 대부들은 袁盎을 위시해서 조조를 좋게 보지 않았다. 문제가 죽고 경제가 등극하여 조조의 계책을 채택하였다. 결국 吳楚七國이 조조 제거를 명분으로 반란을 일으키자 조조는 죽임을 당하였다.(『史記』「晁錯傳」; 『班馬異同』 권17 「袁盎鼂錯列傳」)

330 博望苑을 지어 … 것: 이는 漢武帝가 戾太子 劉據를 위해 처신한 것을 비판한 말이다. 한무제는 나이 29세에 여태자를 얻어, 사랑을 극진히 쏟았다. 『公羊春秋』를 가르치고 이어 『穀梁春秋』를 가르쳤다. 冠禮를 치르자 太子宮을 지어 나가 살게 하였다. 아울러 박망원을 지어 주며 빈객들과 어울려 사귀게 하였다. 태자가 좋을 대로 하도록 맡겨 둔 까닭에 이단의 사악한 말로 박망원을 출입하는 자들이 많았다. 무제가 말년에 여러 병치레를 하며 자신의 병이 좌우 측근들의 저주로 일어난 것이라고 의심하였다. 당시 정권을 장악하고 있던 江充이 태자와 사이가 좋지 않았다. 강충은 태자의 궁중에서 무제를 저주하기 위해 파묻은 木人을 찾아냈다고 무고하였다. 태자가 두려워 도망친 강충을 체포하려고 무제가 머무르는 궁에 사람을 파견하였다. 강충은 태자가 군대를 동원하여 모반하였다는 명분을 내세웠다. 무제가 군사를 발동하자 태자는 5일 동안 항거하다 자살하였다. 이를 역사에서 巫蠱之禍라고 한다.(『漢書』「戾太子劉據傳」)

331 『木鍾集』 권11 「史」. '只看建成元吉事'가 끝에 더 있다.

물었다. "(한나라) 고조가 나라를 일으킬 적에는 계책을 내는 사람이 따로 있었고, 광무제光武帝가 나라를 일으킬 적에는 몸소 꾀를 내고 또 몸소 전쟁을 치러 마침내 옛 왕조를 회복시켰습니다.[333] 그런데 마원馬援[334]은 '광무제는 고조를 따라잡을 수 없다.'고 하였으니, 생각건대 남의 의견을 받아들이는 사람은 커나가고 자신의 생각대로 행동하는 사람은 쭈그러들어서입니까?[335]"

(잠실 진씨가) 대답하였다. "광무제와 태종은 몸소 갖은 전쟁을 치렀으니 참으로 천고의 영웅이다. 한나라 고조만 같지 못한 까닭은 한고조는 장수의 일은 제대로 못해냈으나 장수를 거느리는 일은 잘해냈으니[336] 이것이 광무제와 태종이 한나라 고조의 밑으로 들어가는 까닭이다."

[63-22-19]

問: "漢宣帝之麒麟閣, 明帝之雲臺二十八將, 及唐太宗之十八學士凌煙閣, 皆所以圖畫功臣也. 須觀漢之人主務實不務名, 唐太宗務名而無實. 以許敬宗之姦佞, 而與十八學士之選; 以侯君集之小人, 而與凌煙之數, 皆失實也. 不然, 漢唐之世皆有得失否?"

曰: "此未免以成敗論. 所可論處者亦多, 却不只在二子, 二子不足爲輕重. 唐學士之選, 卽淮南王安之招致賓客, 羽翼旣多, 便有相軋之勢. 凌煙雖祖麒麟·雲臺, 然漢時却有敎化之意,

332 『木鍾集』 권11 「史」

333 옛 왕조를 회복시켰습니다. 한무제가 한고조의 후손으로 王莽이 세운 新나라를 무너뜨리고 漢을 회복시킨 까닭에 이른 말이다. 역사에서는 이를 後漢, 또는 東漢이라고 한다.

334 馬援: 동한 扶風 茂陵 사람으로 자는 文淵이다. 왕망에게 벼슬하다 왕망이 망하자 隗囂에게 잠시 의지하다가, 광무제에게 귀의하여 외효 진압에 공을 세웠다. 隴西太守로 서쪽 변경을 안정시켰고, 伏波將軍이 되어서는 남쪽 交阯를 안정시켰다. 匈奴와 烏桓을 정벌하기도 하고, 62세 때 만류를 무릅쓰고 茂陵 지역 五溪의 蠻族을 정벌하다가 죽었다. 그가 "남자라면 변경의 들녘에서 죽어, 말가죽에 시체를 싸서 돌아와 장례 치르기를 구해야 한다.(男兒要當死於邊野, 以馬革裹屍還葬耳.)"라고 한 말에서 그의 충절을 짐작할 수 있다.(『後漢書』 권54)

335 남의 의견을 … 쭈그러들어서입니까?: 『書經』「仲虺之誥」의 "스스로 스승을 얻은 사람은 제왕이 되고, 남을 자신만 못하다고 생각하는 사람은 망한다. 묻기를 좋아하면 여유가 생겨나고, 자신의 생각만을 쓰는 사람은 쭈그러든다.(能自得師者王, 謂人莫己若者亡. 好問則裕, 自用則小.)"에서 연유한 말이다.

336 장수의 일은 … 잘해냈으니: 이는 한고조가 韓信을 반역죄로 모든 직위를 박탈하고서 洛陽에 붙잡아다 놓고, 어느 날 함께 여러 장수들에 대한 그릇의 크기를 논한 말 중의 일부이다. 『史記』「淮陰侯傳」에서 살피면 다음과 같다. "'나는 얼마 정도의 군사를 거느릴 수 있는가?' 하자, 한신이 '폐하는 10만 군사를 넘어설 수 없습니다.' 하였다. 한고조가 '그대는 어떤가?' 하자, 한신은 '신은 (군사가) 많으면 많을수록 좋습니다.' 하였다. 한고조가 웃으며 '많으면 많을수록 좋다면서 왜 나에게 사로잡혔는가?' 하자, 한신이 '폐하는 군사는 잘 거느리지 못하시나 장수 거느리는 일을 잘하십니다. 이것이 信이 폐하에게 사로잡힌 까닭입니다. 또 폐하는 하늘이 내린 것이지 사람의 노력으로 이뤄진 것이 아닙니다.'라고 하였다.('如我能將幾何?' 信曰, '陛下不過能將十萬.' 上曰, '於君何如?' 曰, '臣多多而益善耳.' 上笑曰, '多多益善, 何爲爲我禽?' 信曰, '陛下不能將兵, 而善將將. 此乃信之所以爲陛下禽也. 且陛下所謂天授, 非人力也.')" 이렇게 한고조의 장수를 통솔하는 능력을 타고난 자질이라고 평가하였다.

寓其間. 如以蘇武而與麒麟. 以馬援而不與雲臺. 此殆有深意, 唐則無之."[337]

물었다. "한漢나라 선제宣帝의 기린각麒麟閣,[338] 명제明帝가 세운 운대雲臺[339]의 28명 장군, 당唐나라 태종太宗의 십팔학사十八學士[340]와 능연각凌煙閣[341]은 모두 공신의 초상을 그려놓은 곳입니다. 반드시 한나라 군주의 실재에 힘쓰고 명예에 힘쓰지 않으며, 당나라 태종의 명예에 힘쓰고 실질에 힘쓰지 않은 것을 보아야 합니다. 허경종許敬宗[342]은 간사하고 영악하였는데도 십팔학사에 뽑혔고, 후군집侯君集[343]은 소인

337 『木鍾集』 권11 「史」

338 麒麟閣 : 기린각은 武帝 때 기린이 출현한 것을 기념하여 기린 형상을 그려 전시한 전각이라는 설, 高祖 때 蕭何가 세운 것이라는 설이 있다. 未央宮 안에 있었다. 선제가 甘露 3년(기원전 51년)에 당시 공덕이 있는 신하 11명을 표창하기 위해 그들의 초상, 官爵, 姓名을 갖추어 기린각에 내걸었다. 11명의 명단은 大司馬 霍光, 衛將軍 張安世, 車騎將軍 韓增, 後將軍 趙充國, 丞相 魏相, 승상 丙吉, 禦史大夫 杜延年, 宗正 劉德, 少府 梁丘賀, 太子太傅 蕭望之, 典屬國 蘇武이다. 이를 두고서 『漢書』를 편찬한 班固는 "승상 黃霸, 廷尉 于定國, 大司農 硃邑, 京兆尹 張敞, 右扶風, 尹翁歸와 儒者 夏侯勝 등이 모두 명예롭게 죽어 선제 시대에 명성이 드러났건만 名臣圖에 끼이지 못하였으니, 이것을 통해서 선발의 기준을 알 수 있다.(自丞相黃霸·廷尉于定國·大司農硃邑·京兆尹張敞·右扶風尹翁歸, 及儒者夏侯勝等, 皆以善終, 著名宣帝之世, 然不得列於名臣之圖, 以此知其選矣.)"라고 하였다.(『漢書』「蘇武傳」)

339 雲臺 : 운대는 구름 위에 솟은 높은 누대라는 뜻이다. 후한 2대 황제 明帝가 후한 건국에 공훈을 세운 28명 장군들의 공덕을 표창하기 위해 기린각의 선례에 따라 각 장군의 초상, 관작, 성명을 갖추어 南宮의 이 건물에 내걸었다. 28명은 하늘의 28宿의 숫자에 비견하여 정한 것이다. 다만 28명으로 정하였으나 나중에 4명이 늘어나 32명이 되었다. 그 명단은, 太傅 鄧禹, 中山太守 馬成, 大司馬 吳漢, 河南尹 王梁, 左將軍 賈復 琅邪太守 陳俊, 建威大將軍 耿弇, 驃騎大將軍 杜茂, 執金吾 寇恂, 積弩將軍 傅俊, 征南大將軍 岑彭, 左曹 堅鐔, 征西大將軍 馮異, 上谷太守 王霸, 建義大將軍 朱祐, 信都太守 任光, 征虜將軍 祭遵, 豫章太守 李忠, 驃騎大將軍 景丹, 右將軍 萬脩, 虎牙大將軍 蓋延, 太常靈 邳彤, 衛尉 銚期, 驍騎將軍 劉植, 東郡太守 耿純, 橫野大將軍 王常, 城門校尉 臧宮, 大司空 李通까지이고, 捕虜將軍 馬武, 大司空 竇融, 驃騎將軍 劉隆, 太傅 卓茂가 더하여져 모두 32명이다.(『後漢書』「馬武傳」)

340 十八學士 : 위 [63-11-3]의 글과 주석 참고

341 凌煙閣 : 당태종이 貞觀 17년(서기 643년)에 자신이 太原에서 군사를 일으킬 때 따라나선 사람과 秦王으로 있을 때 막하에서 도왔던 신하의 공덕을 표창하기 위해, 예전 기린각과 운대의 예에 따라, 24명 공신의 초상과 성명·관작을 갖추어 표창하게 한 전각. 초상의 贊은 태종이 직접 지었고, 능연각 현판 글씨는 褚遂良이 썼고, 초상화는 范立本이 그렸다. 그 명단은, 趙公 長孫無忌, 河間王 李孝恭, 蔡公 杜如晦, 鄭公 魏徵, 梁公 房玄齡, 申公 高士廉, 鄂公 尉遲敬德, 鄖公 張亮, 陳公 侯君集, 盧公 程知節, 永興公 虞世南, 渝公 劉政會, 莒公 唐儉, 英公 李勣, 胡公 秦叔寶 등이다. 이 관례는 당나라 왕조 내내 이어져 능연각에 초상이 걸린 사람의 수가 계속 불어났다.(『大唐新語』「褒錫」)

342 許敬宗 : 위 [63-11-3]의 글과 주석 참고

343 侯君集 : 당나라 幽州 三水 사람. 젊었을 때부터 秦王 李世民을 섬겼다. 이세민이 형 建成과 아우 元吉을 玄武門에서 제압할 때의 계책은 대부분 후군집의 머리에서 나왔다. 이세민이 태종으로 즉위한 뒤 右衛大將軍을 거쳐 兵部尙書에 오르며 조정의 정사에 참여하였다. 高昌王 麴文泰가 西域과의 무역을 방해하며 조정에 반기를 들자 이를 정벌하는 장군에 선발되었다. 이 사이 국문태가 죽고 아들 麴智盛이 이어 등극하였으나, 계속 반기를 들자 국지성을 사로잡고 고창을 평정하였다. 그러나 이 사실을 조정에 보고하지 않고 노략질부터 벌인 일이 조정에 알려져 돌아오자마자 옥에 갇혔다. 태종의 배려로 풀려났으나 자신의 공을 인정하

이었는데도 능연각의 숫자 속에 포함되었으니, 모두 실질을 잃은 것입니다. 그렇지 않다면 한나라와 당나라 모두에게 잘잘못이 있는 것입니까?"

(잠실 진씨가) 대답하였다. "이 말은 성패를 가지고 논하려는 의도를 면치 못한 것이다. 논해 볼 수 있는 곳이 또한 많으니, 다만 이들 두 사람에 한정되는 것도 아니며, 두 사람이 이 일의 경중을 좌우할 수도 없다. 당나라의 십팔학사 선발은, 바로 회남왕淮南王 유안劉安이 빈객을 초치하여 우익羽翼(편드는 무리)이 많아지자 서로 알력 관계의 형세가 즉시 생겨난 것과 같다.[344] 능연각은 기린각과 운대를 본받아 만든 것이나, 한나라 시대에는 그래도 교화의 뜻이 그 사이에 담겼다. 예컨대 소무蘇武[345]는 기린각에 포함시켰으나 마원은 운대에 포함시키지 않았다. 여기에는 크게 깊은 의도가 있는데[346] 당나라에는 이런

지 않은 것에 앙심을 품었다. 張亮에게 모반을 제의하였다가 장량이 이 사실을 태종에게 아뢰자, 태종은 둘이서 나눈 말은 증거하기 어렵다며 불문에 붙이고, 능연각에 그의 공을 표창하였다. 이때 태자 承乾이 자신의 지위에 위험을 느끼고 모반을 꾀하며 후군집에게 도움을 청하자 허락하였다. 뒤에 이 사실이 들통나며 사형에 처하여졌다. 이때도 태종은 조정 대신들에게 후군집의 목숨을 자신의 이름으로 살려 달라고 청하였으나 신료들의 반대에 부딪혀 결국 사형에 처하였으나, 후군집의 청을 받아들여 아들 하나를 살려주어 제사를 이어가게 하였다.(『舊唐書』「侯君集傳」)

344 淮南王 劉安이 … 같다. : 회남왕 劉安은 한 고조의 손자로, 아버지 劉長이 반역죄로 죽은 뒤 문제 16년(기원전 164년)에 다시 봉해졌다. 사람됨이 책을 좋아했고 陰德을 베풀어 명예를 얻으려 힘썼다. 賓客을 좋아하고 方術에 능한 사람을 사방에서 모아 神仙術과 鍊丹術에 관한 책을 저술하고 이를 武帝에게 올려 무제의 존경을 받았으나, 아버지가 역모로 죽은 것에 한을 품었다. 그의 빈객들은 대부분 양자강과 淮水 지역의 경박한 자들이어서, 유안이 품은 한을 부추겨 모반을 계획하게 하였다. 처음 吳楚七國의 반란 때 참여하려다가 상국의 반대로 참여하지 못하여 목숨을 부지했으나, 무제가 즉위하여 태자가 없자 이를 노리며, 만일 자신이 태자로 정해지지 않으면 군사를 일으켜 제왕 자리를 차지하려고 그의 아들 태자 劉遷과 계획을 세웠다. 그리하여 수도 長安에 유안의 딸 劉陵을 파견하여 장안의 형세를 살피게 하고, 아울러 유안이 군사를 일으켰을 때 장안에서 도울 수 있는 사람들을 모았다. 그러나 결국 들통이 나서 죽임을 당하였다. 이것들이 모두 빈객들이 서로 상대보다 나은 공을 세우려 경쟁하는 데서 빚어진 잘못이었듯이, 당태종의 빈객도 서로 상대를 질투하는 마음에서 간신이라 지칭되는 일을 벌였다는 말이다.(『漢書』「淮南衡山濟北王傳」)

345 蘇武 : 漢나라 京兆 杜陵 사람으로 자는 子卿이다. 匈奴의 且鞮侯單于가 등극하며 한나라 무제의 공격을 두려워하여, 天漢 원년(기원전 100년)에 그동안 흉노가 구금하고 있던 한나라의 사신 路充國 등을 한나라에 돌려보냈다. 무제도 소무를 흉노에 사신으로 보내 한나라가 그동안 붙잡아두었던 흉노의 사신을 돌려보냈다. 그런데 이 사이 흉노에게 항복했던 한나라의 장군이 반란을 일으키며, 소무를 수행했던 副使와 사사로이 연락한 사실이 드러났다. 흉노는 이에 소무를 붙잡아 항복을 강요하였다. 갖은 협박이 이어졌으나 자살까지 시도하며 끝까지 충절을 굽히지 않았다. 흉노에게 항복한 옛 한나라의 侍中 李陵이 찾아와 항복을 권유했지만 소무는 끝까지 항복하지 않았다. 19년이 흐른 昭帝의 始元 6년(기원전 81년)에야 한나라로 돌아왔다. 그동안 배고픔을 견디느라 그가 사신으로 갈 때 가지고 간 符節에 꽂은 牦牛의 꼬리털이 다 닳도록 핥아먹으며 주림을 달랬다. 소제는 그를 典屬國에 임명하였고, 宣帝의 옹립에 참여한 공으로 關內侯에 봉해졌다.(『漢書』 권54)

346 여기에는 크게 … 있는데 : 소무는 자신이 어떤 공을 세우고자 일을 벌이려 들지 않았다. 다만 자신이 처한 상황에서 충성을 다하여 끝내 충절을 세웠다. 그와 다르게 마원은 자신이 공을 세우고자 하였다. 그리하여 그가 마지막 공을 세우고 죽은 茂陵 지역 五溪의 蠻族 정벌을 자청하였을 때, 光武帝는 그의 나이가 62세임을 염려하여 허락하지 않았다. 그러자 마원은 "신이 아직 갑옷을 입고 말에 오를 수 있습니다.(臣尙能被甲上

것이 없다."

[63-22-20]

問："唐太宗恭儉不若孝文, 而功烈過之, 何耶?"

曰："三代而下, 英主無出文帝, 太宗止做得創業功臣, 君德上可議處甚多, 不止恭儉. 文帝不是無功, 但當守文時, 故不以征伐顯耳. 太宗只是削平盪定之功, 而德在人心處少."[347]

물었다. "당나라 태종의 공손함과 검소함은 (한나라의) 효문제孝文帝만 못한데, 공훈의 빛남은 그를 넘어섰으니, 무엇 때문입니까?"

(잠실 진씨가) 대답하였다. "삼대 이후의 영명한 군주는 효문제를 능가할 군주가 없으니, 태종은 다만 창업공신만을 얻는 데 그쳤고, 군주의 덕에 있어서는 시비할 수 있는 곳이 매우 많아 공손과 검소에 한정되지 않는다. 효문제는 공훈이 없지 않으니, 다만 문덕文德을 지켜야 할 때였던 까닭에 정벌의 공훈을 드러내지 않았을 뿐이다. 태종은 다만 평정하여 안정시킨 공뿐이고, 덕이 백성들에게 남은 것은 적다."

[63-22-21]

問："漢七制, 景帝 · 昭帝何爲不與? 唐三宗, 宣宗 · 武宗何爲不錄? 願聞其說."

曰："景帝天資刻薄, 無人君之度, 但以不失文帝之恭儉, 故史人之辭, 稱曰文景. 昭帝雖聰明早成, 而享國不永, 所以不在七制之數. 唐三宗已不似漢, 更添宣 · 武何爲?"[348]

물었다. "한나라 칠제七制[349]에 경제景帝와 소제昭帝는 무슨 까닭에 포함되지 않았습니까? 당나라 삼종三宗[350]에 선종宣宗과 무종武宗은 무슨 까닭으로 포함되지 않았습니까? 그 말씀을 듣고 싶습니다."

馬)."라고 하여 무제가 한 번 해보라고 하자, 마원은 말안장에 올라타서 뒤를 돌아보며 자신에게 아직 힘이 남아 있음을 보여주었다. 이에 무제는 "건장하도다. 이 노인이여!(矍鑠哉, 是翁也!)" 하고서 그의 청을 들어주었다. 바로 자신이 공을 세우고자 원하는 사람과, 자신이 우연히 처한 상황에서 자신이 할 수 있는 도리를 굳게 지킨 것을 평가하고 있음을 말한 것이다.(『後漢書』「馬援傳」)

347 『木鍾集』 권11「史」

348 『木鍾集』 권11「史」

349 한나라 七制: 한나라는 高祖 이하 후한 獻帝까지 모두 24帝, 총 416년의 역사를 가졌다. 隋나라 王通은 그의 저서『中說』「王道篇에서 한나라의 군주 가운데 옛 文王 · 武王과 같은 공적을 이룬 제왕은 일곱 사람이라고 하였다. 그의 글 七制之主에 대한 阮逸의 注에는 "칠제는 모두 한나라의 현명한 군주로 문왕 · 무왕과 같은 공훈을 세운 군주이다. 高祖 · 孝文帝 · 孝武帝 · 孝宣帝 · 光武帝 · 孝明帝 · 孝章帝이다.(七制, 皆漢之賢君, 立文武之功業者. 高祖 · 孝文 · 孝武 · 孝宣 · 光武 · 孝明 · 孝章是也.)"라고 하였다. 앞 네 군주는 전한의 군주이고, 뒤 세 군주는 후한의 군주이다. 여기서 왜 일곱 제왕을 七制라고 하였는지에 대해서는『朱子語類』권137「戰國漢唐諸子」49조목에서 "七制之主에 대해서도 역시 왜 七制라고 이름 붙였는지 알 수 없다. 이는 필시 그의『續書』중에 7명 군주의 사적을 뽑아 책을 만든 것에서 七制란 이름을 붙였을 것이다.(七制之主, 亦不知其何故以七制名之. 此必因其續書中曾採七君事迹以爲書, 而名之曰七制.)"라고 말하고 있다.

(잠실 진씨가) 대답하였다. "경제는 타고난 자품이 각박해 군주다운 도량이 없었고 다만 효문제의 공손함과 검소함을 잃지 않은 까닭에 사관史官들이 문경지치[351]라 칭찬하여 말하였다. 소제는 일찍이 총명함을 이루었으나 재위한 지 오래지 않은 까닭에 칠제의 숫자에 있지 않은 것이다. 당나라 삼종은 이미 한나라와 같지 못한데 다시 선종과 무종을 늘린들 무엇 하겠는가?"

[63-22-22]

庸齋許氏曰 : "高祖天資本明, 而將之以寬大 ; 太宗識見固高, 而將之以詳審. 惟其寬大, 故事爲常暗與道合, 而間失之疎 ; 惟其詳審, 故事爲每關於念慮, 而或過於密."[352]

용재 허씨庸齋許氏[許仲翔]가 말하였다. "한漢고조는 타고난 자품이 본래 밝았는데 이를 관대함으로 이끌어갔고, 당唐나라의 태종은 식견이 참으로 높았는데 이를 자상함으로 이끌어갔다. 관대했던 까닭에 하는 일이 늘 자신도 모르게 도道에 부합하여 실수하는 일이 드물었고, 자상하였던 까닭에 하는 일마다 생각에 끌려가서 어떤 일은 지나치게 치밀하였다."

350 당나라 三宗 : 여기서 宗은 제왕이 죽었을 때 그 신주를 모시는 '사당에 붙이는 이름[廟號]'이다. 이 묘호는 두 가지로 나뉘는데 공이 많은 군주는 祖자를, 덕이 많은 군주는 宗자를 붙여 짓는다. 당나라는 高祖 李淵이 개국(서기 618년)하여 哀帝 天祐 4년(서기 907년)에 망할 때까지 모두 20명의 군주가 다스렸다. 이중 가장 덕이 있는 군주로 太宗, 玄宗, 憲宗 세 군주를 꼽는다. 이는 『新唐書』「太宗本紀」 贊에 "당나라가 천하를 차지하여 20명의 군주가 제왕의 지위를 누렸으나 일컬어 말할 만한 군주는 세 사람이다. 그러나 현종과 헌종은 모두 끝까지 잘 마치지 못하였다. 성대하도다. 태종의 공훈이여!(唐有天下, 傳世二十, 其可稱者三君. 玄宗 · 憲宗皆不克其終. 盛哉, 太宗之烈也!)"라고 한 데에서 살필 수 있다.

351 文景之治 : 문제와 경제, 즉 아버지와 아들이 이룩한 治世라는 뜻이다. 두 군주가 다스릴 때 전쟁을 되도록 피하여 사회가 비교적 안정되고 부유함이 주나라의 成王과 아들 康王 세상에 비견될 수 있었다. 이 말은 벌써 한나라의 桓寬의 저서 『鹽鐵論』「救匱」에서부터 쓰이기 시작하여 淸나라 顧炎武까지 일관되게 이어졌다. 『日知錄』 권8 「法制」에 "此文景之治, 所以至於移風易俗, 黎民醇厚, 而上擬於成康之盛也."라고 하였다.

352 『庸齋集』 권5 「論 · 論漢唐誅賞」. 이 글은 현재 宋나라 趙汝騰의 글로 四庫全書에 올라 있다. 사고전서를 따른다면 허중상이 아닌 조여등이라야 맞다. 그런데 이 『性理大全書』 首卷의 「先儒姓氏」에는, 용재허씨가 許仲翔이라고 하였다. 그리고 사고전서의 『庸齋集』 提要에는, 『宋史』「趙汝騰傳」과 여러 책들에 조여등은 저서가 없다고 말하고 있다. 그런데 永樂大典에 『趙庸齋集』, 『趙庸齋蓬萊閣紫霞州集』, 또 『庸齋瑣闥集』이 있는데 이들 책들은 모두 서문이 떨어져나가 책의 순서조차 고증할 수 없다. 이에 이들 책을 모아 6권의 책으로 묶고 『庸齋集』이라 한다고 하였다. 여기에서 허중상과 조여등의 착오가 일어난 것 같다.

性理大全書卷之六十四
성리대전서 권64

歷代六 역대 6

歷代六
역대 6

五代 오대

後唐明宗 후당명종[1]

[64-1-1]

致堂胡氏曰 : "明宗美善頗多, 過擧亦不至甚, 求於漢唐之間, 蓋亦賢主也. 其尤足稱者, 內無聲色, 外無遊畋, 不任宦官, 廢內藏庫, 賞廉吏, 治贓蠹. 若輔相得賢, 則其過擧當又損矣. 其焚香祝天之言, 發於誠心. 天旣厭亂, 遂生聖人. 用是觀之, 天人交感之理, 不可誣矣."

치당 호씨致堂胡氏[胡寅]가 말했다. "명종은 아름답고 선한 점이 상당히 많았으며 잘못 한 일은 또한 크지 않으니 한나라와 당나라 사이에서 찾아보아도 또한 현명한 군주이다. 그중에서도 더욱 칭송할 수 있는 것은 안으로 성색聲色에 빠지지 않았고, 밖으로 사냥놀이에 빠지지 않았으며, 환관을 등용하지 않고 내탕고를 폐지하였으며, 청렴한 관리에게는 상을 내리고 재물을 좀먹는 자는 다스렸다는 사실이다. 만일 보필하는 상국으로 현명한 사람을 얻었다면 그의 잘못도 또 당연히 줄었을 것이다. 그가 분향하고 하늘에 기원한 말은 성심에서 우러난 것이다.[2] 하늘이 전란戰亂에 싫증을 내고 마침내 성덕을 가진 군주를

1 後唐明宗 : 이름은 李嗣源이다. 본래 代北 應州의 胡族이고 성씨도 없이 이름만 邈吉烈이었다. 李克用(후당 시조인 莊宗 李存勗의 아버지로 太祖가 추존됨)의 義子가 되며 성명을 하사받았고, 莊宗을 이어 제왕에 등극하였다. 사람됨이 순후하고 일 처리에 공손하며 신중하였다. 늘 밤이면 분향하고 성인이 빨리 나오게 해달라고 하늘에 기원하였다. 宮人과 樂官 수를 줄이고 황실의 재화 창고를 없애 백성들이 많은 은혜를 입었다. 죄 없이 신하를 자주 죽여 원한을 사기도 하였다. 병석에 누웠을 때 秦王 李從榮(명종의 둘째 아들)이 반란을 일으켰다가 사살되자, 한스럽게 생각하다 죽었다. 재위 8년(서기 926~933년).(『舊五代史』 권35~44 「明宗本紀」; 『新五代史』 권6 「明宗本紀」)

2 분향하고 하늘에 … 것이다. : 『新五代史』 권6 「明宗本紀」에 의하면 "저녁이면 늘 분향하고 하늘을 우러러

탄생시킨 것이다. 이를 통해 살핀다면 하늘과 사람이 교감하는 이치가 있다는 사실을 속일 수 없다."

後周世宗 후주세종[3]

[64-2-1]

朱子曰 : "周世宗規模雖大, 然性迫, 無甚寬大氣象. 做好事亦做教顯顯地, 都無些含洪之意. 亦是數短而然."[4]

주자가 말하였다. "후주後周의 세종은 규모가 컸으나 성정이 조급하여 어떤 관대한 기상도 없다. 좋은 제도를 제정하여 또한 선명하게 드러냈으나 도무지 감싸 안는 너른 품세가 없다. 역시 수명이 짧아 그랬을 것이다."

[64-2-2]

"晉悼公幼年聰慧似周世宗. 只是世宗却得太祖接續他做將去. 雖不是一家人, 以公天下言之, 畢竟是得人接續, 所做許多規模不枉却. 且如周武帝一時也自做得好, 只是後嗣便如此弱了. 後來雖得一箇隋文帝, 終是不甚濟事"[5]

(주자가 말하였다.) "진晉의 도공悼公[6]은 어린 시절에 총명하고 슬기로움이 후주의 세종과 유사했다. 다만 세종은 송宋나라 태조太祖[趙匡胤]가 그의 뒤를 이어 일을 마무리하였다. 한 왕조 사람은 아니지만 천하라는 공정한 입장에서 말하면 필경은 인재를 얻어 계속하였던 까닭에 시작했던 허다한 일이 잘못되지 않았다. 또 예컨대 북주北周의 무제武帝[7]도 한때 많은 좋은 일을 행했지만 다만 뒤를 잇는 자가 이같이

빌기를 '신은 본래 번방 출신이니 어떻게 천하를 다스릴 수 있겠습니까? 세상이 어지러워진 지 오래이니 원컨대 하늘은 빨리 성인을 내려 주십시오.'라고 하였다.(嘗夜焚香, 仰天而祝曰, '臣本蕃人, 豈足治天下? 世亂久矣, 願天早生聖人.)"고 하였다.

3 後周世宗 : 이름은 柴榮이다. 邢州 龍岡 사람이다. 郭威(후주의 시조)의 처조카였으나 나중에 양자로 들어가며 성을 곽씨로 썼다. 곽위가 후주를 세우며 晉王에 봉해졌고, 곽위가 죽자 이어 등극하였다. 당시 복종하지 않은 吳와 蜀 지역을 평정하여 나라를 안정시켰고, 王朴을 등용하여 예악·제도·형법 등을 손질하였다. 재위 6년(서기 954~959년).(『舊五代史』 권115~120「世宗本紀」: 『新五代史』 권12「世宗本紀」)

4 『朱子語類』 권136, 86조목

5 『朱子語類』 권136, 87조목

6 晉의 悼公 : 춘추시대 진나라의 군주다. 이름은 周, 또는 糾라고 하였다. 欒書가 厲公을 시해하고 추대하여 제후가 되었다. 등극하며 여러 제도를 혁신하고 덕을 베풀었다. 제후들을 규합하여 晉文公 이후 진나라 군주로서 다시 覇者의 지위를 확립하였다. 그러나 아들 平公이 이어 등극하여 26년 재위하는 동안 대부들인 趙韓魏 세 집안에 정권을 빼앗겨 전국시대의 단초를 제공하였다.(『史記』「趙世家」)

7 北周의 武帝 : 이름은 宇文邕이다. 代郡 武川 사람으로 鮮卑族이고, 자는 禰羅突이다. 宇文泰의 넷째 아들이

허약하였다.[8] 나중에 한 사람 수隋나라의 문제文帝를 얻었지만 결국 어떤 일도 이룩되지 않았다."

[64-2-3]

"周世宗亦可謂有天下之量, 纔見元稹均田圖, 便慨然有意."[9]

(주자가 말하였다.) "후주의 세종은 또한 천하를 지닐 역량이 있다고 말할 수 있으니 원진元稹의 균전도均田圖[10]를 보자마자 바로 감격하여 이를 시행하고자 하는 뜻을 두었다."

[64-2-4]

"周世宗天資高, 於人才中尋得箇王朴來用, 不數年間, 做了許多事業. 且如禮·樂·律曆等事, 想見他都會得, 故能用其說成其事."[11]

(주자가 말하였다.) "후주의 세종은 타고난 자품이 높아 인재 가운데서도 왕박王朴[12]을 찾아 등용하여 몇 년이 되지 않은 사이에 수많은 일을 이룩하였다. 예컨대 예와 음악과 율력律曆 등과 같은 일도 아마

다. 즉위하였을 때 從兄 宇文護가 조정의 정권을 좌지우지하였다. 天和 7년(서기 572년)에 우문호를 죽이고 비로소 정권을 손에 쥐었다. 여러 차례 조서를 내려 노비를 석방하였다. 불교와 도교를 금지하고 중을 박해하여 환속시키고 寺院의 재산을 정부로 귀속시켰다. 建德 6년(서기 577년)에 北齊를 멸망시키고 이어 突厥과 江南을 평정하여 황하 유역과 장강 상류를 차지하였다. 이 지역은 뒷날 隋나라가 이곳을 기반으로 중국 통일을 시도할 수 있는 주춧돌이 되기도 하였다.(『北史』 권10)

8 뒤를 잇는 … 허약하였다. : 무제가 죽고 아들 宣帝가 등극하였으나 2년 만에 죽고, 아들 靜帝가 7세(서기 579년)에 자리를 이었다. 그리고 4년 만(서기 581년)에 수나라 楊堅에게 나라를 양여하였다.

9 『朱子語類』 권136, 84조목

10 元稹의 均田圖 : 원진은 唐나라 憲宗에서 文宗 시대를 살다간 시인이자 학자이다. 균전도는 그가 同州刺史 시절에 백성들의 부세를 균일하게 부과하고자 작성한 도표다. 세종이 顯德 5년(서기 958년) 7월에 이 균전도를 전국의 수령들에게 각기 1부씩 반포하여 숙지하게 하였다. 『新五代史』 권12 「世宗本紀」에 의하면 다음과 같다. "늘 밤이면 책을 읽었는데 당나라 원진의 「均田圖」를 보고서는 감격하여 탄식하기를 '이는 화평한 정치를 이루는 근본이니 왕자의 정치는 여기에서 시작되는 것이다.' 하고서 마침내 그 균전도와 방법을 반포하여 관리와 백성들이 숙지하게 하였다. 1년 동안에 천하의 전답을 균일하게 하고자 하였으니, 그 규모와 세운 뜻이 어찌 적다 하겠는가!(嘗夜讀書, 見唐元稹「均田圖」, 慨然歎曰, '此致治之本也, 王者之政自此始!' 乃詔頒其圖法, 使吏民先習知之. 期以一歲, 大均天下之田, 其規爲志意豈小哉!)"

11 『朱子語類』 권136, 81조목

12 王朴 : 후주의 東平 사람으로 자는 文伯이다. 進士. 後漢에 귀의하였으나 소인이 득세하는 것을 보고 벼슬에서 물러났다가, 후주 세종이 澶州에 주둔해 있을 때 그의 掌書記가 되었고 세종이 즉위하자 比部郎中에 올랐다. 平邊策을 올려 세종이 천하를 경략할 책략을 논했는데, 우선 앞선 두 나라 後唐과 後晉의 잘못을 반복해서는 안 된다며 吳지역과 蜀지역을 경략할 군사적 계략을 제시하였다. 세종은 당시 천하 경략에 나서려 하였으나 조정 신료들이 사직의 안정을 권하며 따르지 않았다. 이에 왕박을 左諫議大夫와 開封府知事에 임명하였다. 이후 세종의 신임을 사 국가의 정책에 자신의 뜻이 반영되지 않은 것이 없었고, 또 시행된 책략은 실수가 없었다. 曆法을 새로 제정하여 欽天曆을 만들고, 雅樂을 고증하여 正樂을 정립하였다.(『舊五代史』 권128 『新五代史』 권31)

그가 모두 알고 있었던 까닭에 능히 그의 말을 채용하여 그 일을 이룩했을 것이다."

馮道 풍도[13]

[64-3-1]

程子曰 : "馮道更相數主, 皆其讐也. 安定以爲'當五代之季, 生民不至於肝腦塗地者, 道有力焉. 雖事讐, 無傷也.' 荀彧佐曹操誅伐, 而卒死於操. 君實以爲'東漢之衰, 彧與攸視天下無足與安劉氏者, 惟操爲可依, 故俯首從之. 方是時, 未知操有他志也. 君子曰, '在道爲不忠. 在彧爲不智.' 如以爲事固有輕重之權, 吾方以天下爲心, 未暇䘏人議己也, 則枉己者, 未有能直人者也."[14]

정자가 말하였다. "풍도는 몇 군주를 바꿔가며 상국을 지냈으나 모두 그와 원수 국가였다. 호안정胡安定[胡瑗]이 '오대의 도덕이 쇠미한 시대에 백성의 간과 뇌수가 땅에 발려지기까지 않은 것은 풍도의 힘이었다. 원수 국가를 섬겼지만 해될 것은 없다.'고 하였다. 순욱荀彧[15]은 조조曹操를 도와 정벌하다가 끝내는 조조에게 죽었다. 군실君實[司馬光]은 '동한이 쇠할 무렵 순욱과 순유荀攸[16]는 천하에서 유씨 왕조劉氏王朝(漢나라)를 함께 안정시킬 수 있는 사람이 없고 조조만이 의지할 수 있는 사람으로 여긴 까닭에 머리를 숙이고 그를 따른 것이다. 이 당시 조조에게 다른 뜻이 있음은 알지 못했다.[17]'라고 하였다. 군자는 '풍도

13 馮道 : 오대시대 瀛州 景城 사람으로 자는 可道이고, 호는 長樂老이며, 시호는 文懿이다. 학문을 좋아하고 문장이 아름다웠다. 後唐 말기에 劉守光(燕에서 稱帝)을 섬기다가 유수광이 李存勗(후일 後唐의 莊宗)에게 패하자, 河東監軍 張承業을 섬겼다. 승업이 그의 문장 솜씨를 훌륭하게 사서 後梁 때 이존욱에게 천거하여 太原掌書記에 임명되었다. 후당이 건국되자 翰林學士를 거쳐 戶部侍郞을 지냈다. 장종이 죽고 明宗이 즉위하면서 端明殿學士에 오르며 벼슬이 재상에 올랐다. 이후 後晉에 들어와서도 그대로 재상직을 수행하였다. 거란이 후진을 멸망시키자 거란을 섬겨 太傅에 임명되었다. 이어 後漢과 後周에서 太師를 지냈다. 열한 명의 천자를 섬기며 30년 동안 고위직의 벼슬을 지냈고 재상 직위도 20년 넘게 복무하였다. 그러나 그는 한 번도 군주에게 간하는 말을 하지 않았다.(『舊五代史』 권126)

14 『二程遺書』 권4 「游定夫所錄」

15 荀彧 : 後漢 潁川 潁陰 사람으로 彧은 郁으로도 쓴다. 자는 文若이고, 封號는 萬歲亭侯이며, 시호는 敬이다. 中平(靈帝의 연호) 연간의 孝廉. 袁紹에게 귀의하였다가 다시 曹操에게 귀의하여 謀士로 신임을 샀다. 董昭 등이 조조에게 魏公의 작위를 올리려 하는 것을 반대하다가, 조조의 불평을 사서 결국 자살하였다. 위 [62-17-1] 이하 참고.

16 荀攸 : 삼국시대 魏나라 潁川 潁陰 사람으로 자는 公達이고, 封號는 陵樹亭侯이며, 시호는 敬이다. 荀彧의 조카이다. 벼슬은 漢나라 때 黃門侍郞, 魏나라 때 尙書令을 지냈다. 孫權의 정벌에 종군하던 중에 죽었다. 曹操에게 남의 師表가 될 만 하다는 칭찬을 받았다.(『삼국지』 권10)

17 조조에게 다른 … 못했다. : 사마광이 편찬한 『資治通鑑』 권66 「漢紀 · 獻帝 建安 17년(서기 212년)」의 기사에서 순욱이 자살하자 사마광이 이러한 뜻으로 史評을 붙였다.

는 충성스럽지 못하고 순욱은 지혜롭지 못하였다.'고 말한다. 만일 '일에는 본래 경중의 형평이 있기에 나는 바야흐로 천하의 (안위에만) 마음을 두었으므로 남들이 나를 시비하는 것에는 마음 쓸 겨를이 없었다.'고 (그 두 사람이) 말한다면 '자신을 굽힌 자가 남을 바르게 한 자는 있지 않았다.'[18]고 말하겠다."

[64-3-2]

涑水司馬氏曰 : "忠臣不二君, 賢女不二夫. 策名委質, 有死無二, 天之制也. 彼馮道者, 存則何心以臨前代之民, 死則何面以見前代之君? 自古人臣不忠, 未有如此比者. 然而尊官重祿, 老以沒齒, 何哉? 夫爲國家者, 明理義, 獎忠良, 褒義烈, 誅姦回, 以厲群臣, 群臣猶愛死而忘其君. 況相印將節以寵叛臣, 其不能永享天命, 宜矣. 然庸愚之人, 往往猶稱其智. 蓋五代披攘, 人主歲易, 群臣失節, 比踵於朝, 因而譽之, 欲以自釋. 余恐後世以道所爲, 爲合於理, 君臣之道將大壞矣. 臣而不臣, 雖云其智, 安所用哉?"[19]

속수 사마씨涑水司馬氏[司馬光]가 말하였다. "충신은 두 군주를 섬기지 않고 현명한 여자는 두 지아비를 섬기지 않는다. 사책仕策에 이름을 써 올리고 폐백을 군주에게 바쳐 신하가 되었으면[20] 죽음만 있고 다른 마음을 갖지 않는 것이 하늘의 법이다. 저 풍도는 살아서는 무슨 마음으로 앞 왕조의 백성을 대하며, 죽어서는 무슨 얼굴로 앞 왕조의 군주를 뵐 수 있겠는가? 예부터 오늘날까지 신하의 불충 가운데서도 이 풍도와 비길 수 있는 사람은 있지 않다. 그런데도 높은 벼슬과 후한 녹봉을 누리며 늙어서 죽을 수 있었던 까닭은 무엇일까? 나라를 다스리는 자는 의리를 밝히고, 충신과 어진 사람을 장려하고, 의롭고 공훈이 있는 자를 표창하고, 간악하고 몹쓸 자의 죄를 다스려 뭇 신하의 기강을 북돋지만, 뭇 신하는 여전히 죽기를 아끼고 군주를 잊어버린다. 하물며 상국의 인印과 장수의 부절[節]로 배반한 신하를 총애하였으니, 그들 군주가 천명天命을 영원히 누리지 못한 것은 마땅한 것이다. 그러나 어리석은 사람들이 가끔 그런 자의 지혜를 칭송한다. 오대의 쇠락한 시기에 군주가 해마다 바뀌며 뭇 신하가 절의를 잃는 일이 조정에서 연이어졌으니, 이러한 풍조를 타고서 그들을 기리는 것으로 자신의 죄를 벗어나고자 한 것이다. 나는 후세에 풍도가 행한 일이 이치에 합당하다고 말하게 된다면 군주와 신하의 도리가 크게 무너질까 두렵다. 신하가 신하답지 않다면 지혜로운들 어디에 쓰겠는가?"

18 '자신을 굽힌 … 않았다.' : 『孟子』「萬章上」에 "나는 자신을 굽히고서 남을 바르게 한 사람이 있었다는 말도 듣지 못하였는데 하물며 자신을 욕되게 하고서 천하를 바로잡는 일이겠는가?(吾未聞枉己而正人者也, 況辱己以正天下者乎?)"라고 하였다.

19 司馬光, 『傳家集』 67권 「評 · 馮道爲四代相」

20 仕策에 이름을 … 되었으면 : 이 글의 원문 策名委質(책명위지)는 신하가 군주가 주는 벼슬을 받아들여 폐백을 바치고 그 나라의 관원 명부에 이름을 써 올린다는 말이다. 『國語』「晉語 9」에 "폐백을 바치고 신하가 되었으면 두 마음을 두어선 안 된다. 폐백을 바치고 죽기를 맹세하는 것은 예전부터의 법입니다.(委質爲臣, 無有二心, 委質而策死, 古之法也.)"라고 하였고 韋昭는 이를 "군주에게 폐백을 바치고 관원 명부에 이름을 올린 것은 반드시 죽겠다는 뜻을 보인 것이다.(言委贄於君, 書名於冊, 示必死也.)"라고 하였다.

宋 송나라

太祖 태조[21]

[64-4-1]

元城劉氏曰 : "太祖極好讀書, 每夜於寢殿中, 看歷代史, 或至夜分. 但人不知, 及口不言耳. 至與大臣論事, 時出一語, 往往盡利害之實."

又曰 : "太祖旣平孟蜀, 而兩浙錢王入朝, 群臣自趙普以下爭欲留之, 聖意不允. 一日趙相拉晉王於後殿奏事畢, 晉王從容言錢王事. 太祖曰, '我平生不曾欺善怕惡. 不容易留住這漢, 候捉得河東薛王, 令納土. 於後數日錢王陛辭, 太祖封一軸文字與錢王曰, '到杭州開之.' 錢王至杭, 會其下開視, 乃滿朝臣僚乞留錢王表劄. 君臣北面再拜謝恩. 至太平興國四年河東已平, 乃令錢王納土, 太祖此意何也?"

馬永卿對曰 : "此所謂不欺善也."

曰 : "此固然也. 錢氏久據兩浙, 李氏不能侵. 藉使錢王納土, 使大將鎭之, 未必能用其民. 須本朝兵去鎭服, 又未必能守. 兩浙必不敢附李氏, 李氏旣平, 則兩浙安歸乎. 此聖模之宏遠也."

원성 유씨元城劉氏가 말하였다. "태조는 책읽기를 매우 좋아하여 밤마다 침전寢殿에서 역대의 역사책을 보며 어느 때는 밤중까지 보기도 하였다. 다만 사람들이 그것을 몰랐고 (태조도) 미처 입 밖에 내지 않았을 뿐이다. 대신들과 일을 논할 적에 간혹 하는 한 마디 말이 가끔씩 이해의 실상을 완전히 파악하고 있었다."

또 말하였다. "태조가 맹촉孟蜀[22]을 평정한 뒤 양절兩浙의 전왕錢王[23]이 입조하였는데, 여러 신료들은 조보趙普[24]부터 이하 모두가 다투어 그들을 억류하자고 하였으나, 태조가 윤허하지 않았다. 어느 날 조

---

21 太祖 : 이름은 趙匡胤이다. 대대로 涿州에서 살았으나 洛陽에서 태어났다. 後周에서 歸德軍節度使를 지내다가 顯德(恭帝의 연호) 7년(서기 960년)에 휘하의 趙普 등과 역사에서 일컫는 陳橋兵變을 일으켜 宋나라를 건국하였다. 재위 기간 荊湖 · 後蜀 · 南漢 · 南唐 등 여러 나라를 정벌하여 통합시켰다.(『宋史』「太祖本紀」)

22 孟蜀 : 역사에서 十國의 하나로 일컫는 後蜀의 군주가 孟氏여서 후촉을 이르는 말로 쓰였다. 송 태조가 후촉의 두 번째 군주 孟昶을 乾德 3년(서기 965년)에 멸망시켰다.

23 兩浙의 錢王 : 양절은 浙東과 浙西를 아울러 이르는 말이다. 당나라 肅宗 때 장강 남쪽지역을 나누어 浙江東路와 浙江西路를 두고서, 錢塘江 남쪽을 절동, 북쪽을 절서라고 하였다. 송대에는 兩浙路를 두어 江蘇省의 장강 남쪽지역과 절강성 전체를 다스렸다. 전왕은 吳越王인 錢俶을 이른다. 오월 지역은 당시 중국의 지배권이 아니었다. 그러나 전숙은 後漢과 後周를 공손히 섬겼다. 나중에 송나라 태조를 도와 江南 지역의 평정을 도왔고, 太宗의 太平興國 3년(서기 978년)에 자신의 영역인 양절 13주를 거느리고 송나라에 귀의하여 淮海國王에 봉해졌다.(『宋史』「太祖本紀」; 「太宗本紀」)

24 趙普 : 송나라 幽州 薊縣 사람으로 자는 則平이다. 後周 시대 趙匡胤의 幕僚로 掌書記의 일을 수행하며 陳橋兵

상국趙相國이 진왕晉王[25]을 후전後殿으로 이끌고 가 아뢰는 일이 끝났을 때 진왕이 전왕에 대한 일을 조용히 말씀드렸다. 태조는 '나는 평생에 한 번도 착한 사람을 속이고 흉악한 사람을 두려워하지 않았다. 이 사람을 억류하는 일은 용이하지 않으니, 하동河東의 설왕薛王을 붙잡을 때까지 기다렸다가 국토를 들여놓게 하겠다.'라고 하였다.

며칠 뒤 전왕이 하직인사를 올리자, 태조는 봉함한 한 통의 글을 전왕에게 주며 '항주杭州에 이르거든 열어 보도록 하라.'고 하였다. 전왕이 항주에 이르러 마침내 내려준 것을 열어보니 바로 조정의 모든 신료가 전왕을 억류하자는 표차表箚들이었다. 군주와 신하가 북향하여 재배하고 은혜를 감사해 하였다. 태평흥국太平興國(송 太宗의 연호) 4년(서기 979년)에 하동河東이 평정되고 난 뒤 전왕에게 국토를 들여놓게 하였으니 태조의 이 뜻은 어떤 것이냐?"

마영경馬永卿이 대답하였다. "이것이 이른바 착한 사람을 속이지 않는다는 것입니다."

(원성 유씨가) 말했다. "이는 참으로 그런 것이다. 전씨錢氏가 오랫동안 양절을 차지하고 있어 이씨李氏가 침입할 수 없었다. 가령 전왕에게 국토를 들여놓게 하고 대장을 임명하여 진정시킨다 하여도 저들 백성을 손쉽게 부릴 수 없다. 당연히 송나라 군대가 들어가 진정시키고 항복받아야 하는데 또 기필코 지켜낼 길도 없다. 양절은 결코 감히 이씨에게 붙지 않을 것인데, 이씨가 평정되고 나면 양절이 어디로 가겠는가? 이것이 태조 계책의 크고 원대한 점이다."

[64-4-2]

或言 : "太祖受命盡除五代弊法, 用能易亂爲治."

朱子曰 : "不然. 只是去其甚者, 其他法令條目, 多仍其舊. 大凡做事底人, 多是先其大綱, 其他節目可因則因. 此方是英雄手段."[26]

어떤 사람이 말하였다. "태조가 천명을 받아 나라를 세우고서 오대 시절의 잘못된 법을 모두 없애고 혼란한 것을 바꾸어 치세治世를 이뤘습니다."

주자가 대답하였다. "그렇지 않다. 단지 그 가운데 심한 것만을 제거하고 기타의 법령 조목은 대부분 예전 그대로 썼다. 대체로 일을 경영하는 사람은 대부분 그 가운데 큰 강령을 우선하고 기타 절목들은 그대로 쓸 수 있으면 그대로 쓴다. 이런 방법이 영웅의 수단이다."

[64-4-3]

問 : "藝祖平定天下如破竹, 而河東獨難取, 何耶? 以爲兵强, 則一時政事所爲, 皆有敗亡之勢, 不知何故如此."

變의 계책을 수립하여 후주를 무너뜨리고 송왕조 건국을 실행시켰다. 송나라 건국 뒤 여러 벼슬을 수행하고 여러 변란을 정벌할 계책을 수행하였으며 宿衛禁軍의 혁파와 지방 군대 장관의 권력 제한, 文臣을 知州로 임명하는 등 여러 새로운 제도를 수립하였다.(『宋史』 권256)

25 晉王 : 송 태종을 이르는 말. 태조의 셋째 아들로 태조가 제위에 오르자 진왕에 봉해졌다.

26 『朱子語類』 권127, 2조목

曰 : "這却本是他家底. 郭威乘其主幼而奪之, 劉氏遂據有并州. 若使柴氏得天下, 則劉氏必不服, 所以太祖以書喻之, 謂本與他無讐隙. 渠答云, '不忍劉氏之不血食也.' 此其意可見矣. 被他辭直理順了, 所以難取."[27]

물었다. "예조藝祖[宋太祖]는 천하를 칼로 대를 쪼개듯 쉽게 평정하였는데 하동이 유독 취하기 어려웠던 이유는 무엇입니까? 군대가 강해서라고 한다면, 당시 정사라고 행한 일들이 모두 패망할 짓들이었는데, 무슨 까닭에 이러했는지 알지 못하겠습니다."

(주자가) 대답하였다. "이는 본래 송宋나라 왕조의 역사와 연관이 있다. 곽위郭威가 군주의 나이가 어린 틈을 타고 나라를 빼앗자, 유씨劉氏가 마침내 병주并州를 차지하였다.[28] 만일 시씨柴氏가 천하를 얻게 된다면 유씨는 반드시 항복하지 않을 것이니, 그런 까닭에 태조가 편지로 깨우쳐서 본래 그와는 원수진 일이나 틈새가 없음을 말한 것이다.[29] 그러자 그가 답하기를 '유씨의 혈식血食[祭祀]이 끊어지는 것을 참을 수 없다.'라고 하였다. 여기에서 그 내용을 알 수 있다. 그의 말이 옳고 이치에도 맞았던 까닭에 취하기 어려웠던 것이다."

27 『朱子語類』 권127, 3조목

28 郭威가 군주의 … 차지하였다. : 곽위는 후주의 창업군주이다. 어린 군주는 後漢의 隱帝(劉承祐)를 이른다. 은제는 아버지 劉知遠(후한의 창업 군주인 高祖)이 後晉을 무너뜨리고 나라를 세운 다음 해(서기 948년)에 죽자 나이 18세로 아버지 자리를 이었다. 은제가 등극하며 郭允明을 등용하여 여러 대신을 죽이고 당시 天雄軍節度使였던 곽위도 사람을 보내 죽이려고 하였다. 곽위는 반란을 일으켜 군대를 이끌고 남하하였다. 이에 곽윤명이 반란을 일으켜 은제를 시해하고 자살하였다. 곽위가 마침내 後周를 세웠다. 이때 후진 유지원의 아우 劉崇(나중에 劉旻으로 고침)이 太原에서 자립하여 北漢을 세웠다. 태원은 바로 并州 지역이다. 그 뒤 조광윤은 곽위가 세운 후주의 3대 군주인 柴宗訓(恭帝)을 무너뜨리고 송나라를 세웠다. 조광윤이 송나라를 세웠을 때 북한은 유숭의 아들 劉鈞(睿宗)이 나라를 다스리고 있었다. 유균은 遼를 섬기며 昭義節度使 李筠과 연합하여 송나라를 공격하였다.

29 柴氏가 천하를 … 것이다. : 북한은 곽위의 후주에 원한을 품고 세운 나라이고, 곽위의 후주는 곽씨에서 시씨로 성씨가 바뀌어 계승되었다. 이를 『新五代史』 권70 「東漢世家」에서 살피면 다음과 같다. "지난날 송나라 태조가 국경의 첩자를 통해서 유균에게 '그대의 집안과 후주는 대대로 원수 집안이니 굽히지 않은 것은 응당하나, 지금 나와 그대는 아무런 원한이 없는데 무슨 까닭으로 한 지역을 차지하고 그곳 지역 백성을 곤궁하게 하는가? 만일 중국에 뜻이 있다면 의당 太行山을 나와 승부를 결정짓자.'라고 하자 유균은 첩자에게 대답하게 하기를 '하동은 국토와 군사가 중국의 10분의 1도 채 못 되나, 유균의 집안이 대대로 반란을 일으키지 않으면서 조그만 이 지역을 지키고 있는 것은 한나라 유씨가 血食(제사의 다른 말)을 받지 못할 것을 두려워해서입니다.'라고 하였다. 태조가 그 말을 불쌍히 여기고 첩자에게 웃으며 '나를 위해 유균에게 말을 전할 것이니, 너에게 살아나갈 수 있는 한쪽 길을 열어 줄 것이다.'라고 하였다. 그런 관계가 있었던 까닭에 태조가 죽을 때까지 그 나라를 군대로 침공하지 않았다.(太祖嘗因界上諜者, 謂鈞曰, '君家與周氏爲世仇, 宜其不屈, 今我與爾無所間, 何爲困此一方人也? 若有志中國, 宜下太行以決勝負.' 鈞遣諜者複命曰, '河東土地甲兵, 不足以當中國之十一, 然鈞家世非叛者, 區區守此, 蓋懼漢氏之不血食也.' 太祖哀其言, 笑謂諜者曰, '爲我語鈞, 開爾一路以爲生.' 故終其世不加兵焉.)"

太宗 태종,[30] 眞宗 진종,[31] 仁宗 인종[32]

[64-5-1]

朱子曰 : "太宗 · 眞宗之朝, 可以有爲而不爲. 太宗每日看『太平廣記』數卷, 若能推此心去講學, 那裏得來, 不過寫字作詩, 君臣之間, 以此度日而已? 眞宗東封西祀, 糜費巨萬計, 不曾做得一事. 仁宗有意於爲治, 不肯安於小成, 要做極治之事. 只是資質慈仁, 却不甚通曉用人, 驟進驟退, 終不曾做得一事. 然百姓戴之如父母. 契丹初陵中國, 後來却服仁宗之德, 也是慈仁之效. 緣他至誠惻怛, 故能動人如此."[33]

주자가 말하였다. "태종과 진종의 조정에서는 치적을 남길 수 있었는데 하지 않았다. 태종은 날마다 『태평광기太平廣記』[34]를 몇 권씩 읽었는데, 만일 이 마음을 미루어 학문을 강론했다면 어떻게 글씨나 베끼고 시나 짓는 일을 넘어서지 못하여, 군주와 신하가 이것으로 날을 보낼 수 있겠는가? 진종은 동쪽으로는 태산泰山에 봉선封禪하고 서쪽으로는 제사를 지내느라[35] 소비된 비용이 몇 만 전을 헤아렸는데도 한 가지 일다운 일을 하지 않았다. 인종은 치적을 남기려는 뜻을 가져 기꺼이 조그마한 성공에 안주하지 않았고 지치至治의 사업을 행해보고자 하였다. 다만 자질은 인자하였으나 인재 등용에 매우 밝지 못하여,

30 太宗 : 송나라 2대 천자. 宣祖의 셋째 아들이자 태조의 아우로, 이름은 趙炅이니, 匡義와 光義로 쓰다가 즉위하며 고친 이름이다. 즉위한 뒤 平海軍의 陳洪講을 제압하여 吳越王 錢俶이 국토를 스스로 바치게 하였다. 이어 北漢을 평정하였다. 재위 기간에 遼나라 정벌을 두 차례 감행하였으나 모두 실패하였다. 재위기간에 文臣을 중시하고 중앙정권의 강화를 꾀하였다. 또 『太平廣記』와 같은 책들을 편찬하게 하여 반포하였다.(『宋史』「太宗本紀」)

31 眞宗 : 송나라 3대 천자. 태종의 셋째 아들로 이름은 趙恒이다. 즉위한 뒤 정사에 힘써 사방에 사신을 보내 백성들의 어려움을 묻고 그동안 밀린 세금을 완전히 탕감하였다. 요나라가 침공해오자 직접 출전하여 澶淵에서 講和하였다. 뒤에 王欽若을 신임하여 泰山에 封禪하고, 汾陰에 제사 지내고, 궁궐을 짓느라 많은 재정을 쏟아 백성들이 힘들었다.(『宋史』「眞宗本紀」)

32 仁宗 : 송나라 4대 천자. 진종의 여섯째 아들로 이름은 趙禎이다. 즉위한 뒤 西夏와 遼나라의 잦은 침공에 치욕을 참고 그들과 강화하며 많은 歲幣를 보내야 했다. 잠시 范仲淹을 등용하여 개혁을 시도했으나 오래가지 못하고 파직시켰다. 재위 42년(『宋史』「眞宗本紀」)

33 『朱子語類』 권127, 8조목

34 『太平廣記』 : 송나라 태종이 재임 기간인 太平興國 2년(서기 977년)에 문신 李昉에게 명하여 편찬하게 한 책. 총 55종목[門] 500권이며, 인용된 책만도 345종이다. 내용은 단편 설화집이다.(『四庫提要』 권142 「子部 · 小說家類 3」)

35 동쪽으로는 泰山에 … 지내느라 : 진종 大中祥符 원년 10월에 태산에 행행하여 봉선을 행하였고, 대중상부 4년 2월에 河中府 汾陰에서 后土祭(땅의 신에 대한 제사)를 지냈다. 이것들은 당시 많은 백성들이 대궐에까지 나아와 봉선제와 후토제를 지낼 것을 간곡하게 청하여 시행된 일이다. 진종은 동쪽의 태산과 서쪽의 분음을 오가는 동안 지나는 곳마다 여러 神에게 제사 지내고 위로하는 잔치를 열며 많은 재화를 소비하였다. 또 이 제사를 전후하여 당시 사방에서 다양한 祥瑞가 발생하여 연일 이에 대한 기록이 많아지고 있다.(『宋史』「眞宗本紀」)

갑자기 썼다가 갑자기 내치며 끝내 한 가지 일도 해내지 못하였다. 그러나 백성이 부모처럼 받들었다. 거란[36]이 처음에 중국을 넘보다가 나중에 인종의 덕화에 복종하였으니, 이것이 또한 인자함의 효험이다. 그의 지극한 정성과 측은해하는 마음이 있었던 까닭에 남을 이같이 감동시킬 수 있었다."

神宗 신종[37]

[64-6-1]

朱子曰 : "神宗銳意爲治, 用人便一向傾信他. 初用富鄭公, 甚傾信, 及論兵, 鄭公曰, '願陛下二十年不可道著用兵二字.' 神宗只要做, 鄭公只要不做, 說不合. 後來傾信王介甫, 終是坐此病, 只管好用兵, 用得又不著, 費了無限財穀, 殺了無限人. 殘民蠹物之政, 皆從此起."[38]

주자가 말하였다. "신종은 치세治世를 만드는 데 한껏 마음을 쏟아, 사람을 등용하면 곧장 그를 신임하였다. 처음 부정공富鄭公[39]을 등용하고서 매우 신임하였는데, 군사를 논하는 일에 미쳐 정공鄭公이 '원컨대 폐하는 20년 동안은 '무력 사용[用兵]' 두 글자를 입에 올려서는 안 될 것입니다.'[40]라고 하였다. 신종은 해보려 하였고, 정공은 한사코 하려 하지 않아, 말이 서로 맞지 않았다. 뒷날 왕개보王介甫를 신임하였는

36 거란 : 이때는 거란이 이미 遼나라로 호칭되던 시기이다. 거란은 耶律阿保機(遼 太祖)가 당나라 말년에 거란의 각 부족을 통일하고, 後梁 때(서기 916년)에 稱帝하였다. 이후 渤海를 병탄하여 내몽고와 외몽고를 차지하였고, 後唐 때는 중국의 營州와 平州를 점령하였다. 후당의 장군 石敬瑭이 거란의 도움을 받아 後晉을 세우며 稱臣하고 燕雲의 16州를 할양하면서, 중국 북부를 차지하였다. 이후 송나라의 화근이 되었고, 後晉 초년(서기 947년)에 나라 이름을 契丹에서 遼로 고쳤다.

37 神宗 : 송나라 6대 천자. 이름은 趙頊이다. 즉위 후 왕안석을 參知政事로 등용하여 부국강병을 위한 變法을 주관하게 하였다. 뒤에 王韶와 章惇에게 명하여 국경을 넓히는 일을 시도하게 하며, 熙河路를 새로 만들고 梅山 지역의 개척에 나섰다. 여러 차례 西夏를 공격하였으나 번번이 실패하여 결국 수세로 몰리는 어려움에 처했다.(『宋史』「神宗本紀」)

38 『朱子語類』 권127, 14조목

39 富鄭公 : 富弼을 이르는 말. 송나라 명정승의 한 사람으로, 洛陽 출신이고 자는 彦國이며, 시호는 文忠이다. 仁宗 연간에 등용되어 知制誥 시절 거란에 사신으로 가 국토 할양 요구를 거절하는 대신 歲幣를 바치기로 하였다. 樞密使로 등용되며 范仲淹과 慶曆新政을 도모하였다. 신종이 등극하며 祁國公에 봉해졌다가 이어 鄭國公에 進封되었다. 20년 동안은 무력 사용을 말하지 말라고 간하였고, 그 뒤 재상에 임명되었으나 王安石과 뜻이 맞지 않아 判亳州에 임명되어 밖으로 나갔다. 다시 靑苗法에 반대하여 탄핵을 당해 파직되었다. 치사할 때 韓國公에 진봉되었다.(『宋史』 권313)

40 '원컨대 폐하는 … 것입니다.' : 신종 熙寧 원년(서기 1068년)에 부필은 判汝州로 지방관이었는데, 조정에 나아와 조회하라는 조서가 내려졌다. 신종은 治道를 물은 다음, 변경의 일을 물었다. 이를 『宋史』 권313 「富弼傳」에 의하면 다음과 같다. "또 변경의 일을 묻자, 부필은 '폐하가 등극하신 지 얼마 되지 않았으니 당연히 덕을 펴고 은혜를 시행하시고, 원컨대 20년 동안은 입으로 군사에 대해선 말씀하지 마십시오.'라고 대답하였다. 신종은 침묵하였다.(又問邊事, 對曰, '陛下臨御未久, 當布德行惠, 願二十年口不言兵.' 帝默然.)"

데 끝내는 이 사람으로 인해 폐해가 생겨, 줄곧 무력 사용을 좋아하고 사용할 적마다 또 맞지 않아, 헤아릴 수 없는 재화와 곡식을 허비하였으며 헤아릴 수 없는 사람을 죽였다. 백성을 해치고 재물을 좀먹는 정사가 모두 여기에서 비롯되었다.[41]"

[64-6-2]

"神宗極聰明, 於天下事無不通曉, 眞不世出之主, 只是頭頭做得不中節拍. 如王介甫爲相, 亦是不世出之資, 只緣學術不正當, 遂悞天下. 使神宗得一眞儒而用之, 那裏得來? 此亦氣數使然. 天地生此人, 便有所偏了."[42]

(주자가 말하였다.) : "신종은 더없이 총명하여 천하의 일에 환하지 않은 것이 없었으니, 참으로 불세출의 군주였으나, 다만 하는 일마다 맞아떨어지지 않았다. 예컨대 왕개보를 상국으로 삼은 것도 역시 불세출의 자질이었으나, 다만 학술이 바르지 못해 마침내 천하를 그르쳤다. 신종이 참된 유자儒者 한 사람을 얻어 등용했다면 어찌 이러했겠는가? 이 역시 운수가 그러해서이다. 천지가 이 사람을 낸 것은 치우친 것이었다."

欽宗 흠종[43]

[64-7-1]

朱子曰 : "欽宗勤儉慈仁, 出於天資. 當時親出詔答, 所論事理皆是. 但於臣下賢否邪正辨別不

41 백성을 해치고 … 비롯되었다. : 『朱子語類』 권127, 14조목에는 이 말 뒤에 다음과 같은 말이 이어져, 어떤 일이 있었는지 자세히 언급하고 있다. 그 글은 다음과 같다. "서쪽 변경의 소소한 소란은 단지 한바탕 전쟁으로 물리치는 것이 마땅한 일이었는데, 엉뚱하게 그쪽 국경을 깊이 쳐들어가 겨우 鄯州(지금의 青海省 西寧市) 등 사람이 살지 않는 땅을 빼앗고서는 승전보를 아뢰었다. 조정이 이를 자세히 살피지 못하고서 관원을 임명하고 군대를 동원하여 수비케 하였으나, 옛날 그대로 빈 땅일 뿐이었다. 빈 땅 밖은 모두 서역 사람들이라서 (그곳에 주둔하던 사람이) 조정으로 돌아올 수 없게 되자 또다시 군사를 동원하여 맞이해 귀국시켜야 했으니 얼마나 많은 힘이 소비되었는가? 熙河의 패배에서는 군사 10만을 잃어 신종이 조정에서 대성통곡하였고 이 일로 병을 얻어 돌아가셨다. 그 뒤 蔡京이 용사하면서도 또 버릴 수도 없고 군사를 동원하기에도 이롭지 않았으며, 또 幽燕(중국의 북부지역, 여기서는 요를 이른다.)을 섬겨야 했으니, 이 역시 신종이 열어놓은 것이고, 마침내 중국이 망하는 데 이르렀다.(西番小小擾邊, 只是打一陣退便了, 卻去深入侵他疆界, 才奪得鄯州等空城, 便奏捷. 朝廷不審, 便命官發兵去守, 依舊只是空城. 城外皆是番人, 及不能得歸朝廷, 又發兵去迎歸, 多少費力? 熙河之敗, 喪兵十萬, 神宗臨朝大慟, 自得疾而終. 後來蔡京用事, 又以爲不可棄, 用兵復不利, 又事幽燕, 此亦自神宗啓之, 遂至中朝傾覆.)"

42 『朱子語類』 권127, 15조목

43 欽宗 : 송나라 9대 천자. 이름은 趙桓이다. 아버지 徽宗이 禪位하여, 금나라 군사가 쳐들어온 상황에서 즉위하였다. 靖康 원년(서기 1126년) 금나라 군대가 汴京을 침략하여 압박을 느끼는 속에서도 抗戰派 李綱을 기용하

分明, 又無剛健勇決之操. 纔說著用兵便恐懼, 遂致播遷之禍. 言之使人痛心."[44]

주자가 말하였다. "흠종의 근검勤儉과 인자함은 타고난 자품에서 나온 것이다. 당시 친히 써서 내리는 조서에서 말씀하신 사리가 모두 옳았다. 다만 신하가 현명한지 사악한지에 대한 변별이 분명하지 못하고, 또 강건하게 용감히 결단하는 마음가짐이 없었다. 전쟁에 관한 말을 입에 올리려 하면 바로 두려워하였으나, 끝내는 파천播遷의 재앙[45]을 당하였다. 말을 하자니 내 마음이 아프구나."

孝宗 효종[46]

[64-8-1]

問: "或言'孝宗於內殿置御屛, 書天下監司·帥臣·郡守姓名, 作揭貼於其上.' 果否?"

朱子曰: "有之. 孝宗是甚次第英武? 劉恭甫奏事便殿, 嘗見一馬在殿庭間不動, 疑之. 一日問王公明, 公明曰, '此刻木爲之者. 上萬機之暇, 卽御之, 以習據鞍騎射故也.'"[47]

물었다. "어떤 사람이 '효종이 내전에 세워 둔 어병御屛에 천하의 감사監司와 수신帥臣과 군수郡守의 성명을 써서 그 병풍 위에 펼쳐 붙여놓았다.'고 하였습니다. 과연 그렇습니까?"

주자가 대답하였다. "있었다. 효종은 이 어떤 등급에 해당하는 탁월한 용감함인가? 유공보劉恭甫가 편전에서 일을 아뢰며 말 한 마리가 편전의 뜰 사이에서 꼼짝하지 않고 있는 것을 보고서 의심을 품었다. 어느 날 왕공명王公明에게 묻자, 공명이 '이는 나무로 조각하여 만든 말입니다. 천자께서 정무를 살피시는 짬에 이 말을 타시고 안장에 앉는 연습과 기사騎射를 익히기 위해 만든 것입니다.'고 하였다."

[64-8-2]

"孝宗小年極鈍, 高宗一日出對廷臣云, '夜來不得睡.' 或問, '何故?' 云, '看小兒讀書念不得,[48]

여 금나라 군사를 격퇴하였다. 그러나 금나라에 講和를 청하며 太原과 中山·河間 세 鎭을 할양하였다. 다음 해 금나라 군대에 의해 汴京이 함락되며, 아버지 휘종, 后妃들, 모두 함께 포로로 잡혀가며 北宋은 멸망하였다. 흠종은 南宋의 高宗 紹興 31년(서기 1161년)에 죽었다는 부음이 남송에 전해졌다.(『宋史』「欽宗本紀」)

44 『朱子語類』 권127, 33조목

45 播遷의 재앙: 북송의 수도인 汴京이 함락되며 흠종이 포로로 북경에 잡혀간 것을 이른다.

46 孝宗: 송나라 11대 천자. 이름은 趙昚이고, 송 태조의 7대 손자이다. 高宗이 아들이 없어 皇孫 중에서 뽑혀 궁궐에서 양육되었다. 등극한 뒤 북송 회복을 위해 張浚을 기용하고, 고종 때 무고한 죄를 입고 죽은 岳飛의 억울함을 풀어주었다. 그러나 등극한 다음 해인 隆興 원년(서기 1163년)에 北伐에 나선 군사가 符離에서 무너지자 다시 금나라와 강화하였다. 그 뒤 아무런 성취도 없이 지내다가, 태자 趙惇(光宗)에게 자리를 물려주었다.(『宋史』「孝宗本紀」)

47 『朱子語類』 권127, 69조목

48 看小兒讀書念不得: 『朱子語類』 권127, 60조목에는 '看小兒子讀書, 凡二三百遍, 更念不得.'이라고 하여, 아이

甚以爲憂.' 某人進云, '帝王之學, 只要知興亡治亂, 初不在記誦.' 上意方少解. 後來却恁地聰明."[49]

(주자가 말하였다.) "효종은 어린 시절에 매우 둔하였다. 고종이 하루는 조정에 나와 신료를 접견하시며, '밤에 잠을 자지 못했노라.'고 하셨다. 어떤 신하가 '무엇 때문이십니까?'라고 묻자, '아이가 글을 읽는데 외우지 못하는 것을 보고서 심히 걱정되어서다.'라고 하셨다. 어떤 신하가 나아와서 '제왕의 학문은 다만 흥망과 치란治亂만을 알려 해야지 애당초 외우는 데 있지 않습니다.'고 하자, 고종의 마음이 그제야 조금 풀리셨다. 그랬는데 나중에 저렇게 총명하였다."

寧宗 영종[50]

[64-9-1]

寧宗卽位踰月, 留揆以一二事忤旨, 特批逐之, 人方服其英斷. 朱子被召至上饒, 聞之, 有憂色曰: "人心易驕如此, 某今方知可懼."

或問曰: "某人專恣當逐, 何懼之有?"

曰: "大臣進退, 亦當存其體貌, 豈宜如此?"

又問: "恐是廟堂諸公難其去, 故以此勸上逐之."

曰: "亦不可如此. 何不使其徒, 諭之以物論不佳? 恐丞相久勞機務, 或欲均佚, 俟其請去而後許之, 則善矣. 幼主新立, 豈可導之以輕逐大臣邪?"[51]

영종이 즉위한 지 한 달을 넘겼을 때 유규留揆[52]가 한두 일로 영종의 뜻을 거슬러 특별 비지批旨로 내쫓기

가 글을 200~300번을 읽고서도 외우지 못해 잠을 이루지 못했다고 구체적인 숫자를 적었다.

49 『朱子語類』 권127, 60조목

50 寧宗 : 송나라 13대 천자. 이름은 趙擴이다. 아버지 光宗이 할아버지 孝宗의 죽음에 執喪을 피하자 趙汝愚와 韓侂胄에 의해 천자로 추대되었다. 등극한 慶元 원년(서기 1195년)에 조여우를 파직하며 道學을 금지시키고 한탁주를 신임하여 등용하였다. 開禧 2년(서기 1206년)에 조서를 내려 금나라를 공격하게 하였으나, 전쟁이 불리하자 금나라에 화친을 청해, 한탁주를 살해하고 歲幣를 올리며, 관계도 큰아버지와 조카 관계로 정립되었다. 후반기에 史彌遠을 등용시켜 정치를 맡기면서 남송의 형세가 기울었다.(『宋史』「寧宗本紀」)

51 『朱子語類』 권127, 75조목

52 留揆 : 유규는 당시 小傅 벼슬에 있던 留正을 이른다. 揆는 옛 벼슬 百揆를 지칭하는 말이고, 백규는 나라 일을 총괄하는 벼슬이다. 당시 유정이 이 벼슬에 해당하는 소부 직위에 있어서 이렇게 호칭한 것이다. 유규는 泉州 永春이고 자는 仲至이다. 高宗 연간에 進士가 되었고, 孝宗 연간에 여러 벼슬을 거쳐 右丞相에 오르고 光宗 연간에 左丞相에 올랐다. 효종이 죽고 광종이 집상을 피하여서, 영종이 즉위하려 할 때, 유정은 광종을 그대로 두고 영종을 監國에 임명하여 정사를 집행하게 하고, 3년상이 끝났을 때 만일 광종의 병이 나아지면 다시 복귀시킬 것을 주장하였다. 그리고 영종을 천자 지위에 등극시키려면 우선 영종을 황태자에 봉하는

자, 사람들이 비로소 영종의 영명한 판단에 심복하였다. 주자朱子가 부름을 받고 상요上饒에 이르러 이 소문을 듣고서는 근심스런 얼굴로 '사람 마음이 쉽게 교만해진다는 것이 이와 같으니, 내가 지금에야 비로소 두려워해야 한다는 것을 알았노라.'라고 하였다.

어떤 사람이 물었다. "그 사람은 멋대로 방종하게 굴다가 쫓겨났는데, 무슨 두려워할 것이 있습니까?"

(주자가) 대답하였다. "대신의 진퇴는 또한 당연히 그에 걸맞은 모양새가 있어야 하니, 어찌 이 같아서야 옳겠는가?"

또 물었다. "아마 조정의 여러 공경公卿들이 그를 내보내기가 어려운 까닭에, 이 방법을 천자께 권하여 내쫓았을 것입니다."

(주자가) 대답하였다. "역시 이 같은 일은 옳지 않다. 어찌하여 그들 무리에게 공론이 좋지 않음을 일러주게 하지 않았을까? 승상이 오랫동안 중요 업무에 고생하여 혹여 고루 편안하게 해주려는 것이었더라도 그가 떠나겠다는 청을 하도록 기다린 뒤에 허락하였다면 좋았을 것이다. 어린 군주가 새로 등극하였는데 어찌 대신을 가볍게 내쫓는 일로 인도해야 하겠는가?[53]"

일부터 밟아나가야 한다는 주장을 폈다. 황태자로 봉하는 것이 옳다는 주장이 조정에서 시비가 일자, 유정은 조정을 피해 도망쳐버렸다. 이런 과정을 거쳐 영종이 등극하며 유정은 좌승상 벼슬이 회복되고 소부 벼슬이 더하여졌다. 그리고 사람들에게 벼슬이 새로 내려졌다. 이에 유정은 "폐하께서 여러 신료들의 마음을 어쩔 수 없이 따르느라 천자 자리에 오르셨습니다. 당연히 일 처리를 간결하게 하셔서 천하에 어쩌지 못하는 마음을 보이셔야 할 것이지 작위를 내릴 시기가 실지로 아닙니다.(陛下勉徇羣情, 以登大寶. 當遇事從簡, 示天下以不得已之意, 實非頒爵之時.)"라고 하였다. 또 韓侂胄가 자주 都堂에 출입하는 것을 못마땅하게 생각하여 이를 비난하는 말을 하였다. 이때 한쪽에서 영종의 등극을 논의할 때 유정이 자신의 주장에 대해 조정이 시비하자 도망친 것은 棄國이라는 비판이 제기되었다. 그런데 유정이 영종에게 영종을 따라 조정에 들어온 사람들에게 벼슬을 내리기를 청하자, 영종은 "내가 부모 얼굴도 못 뵈는데 아랫사람들에게 은혜를 베풀 수 있겠는가?(朕未見父母, 可恩及下人耶?)"라고 하였다. 이런 몇 가지 일이 겹치자 영종은 손수 칙서를 내려 그를 좌승상에서 少師 觀文殿大學士 判建康府로 전직시켰다.(『宋史』 권391)

53 어린 군주가 … 하겠는가? : 『朱子語類』 권127, 75조목에는 이 글 뒤에 다음과 같은 문장이 이어진다. "상께서 즉위하신 지 한 달이 넘어가는데 어찌 대신을 가볍게 내쫓는 일로 인도해야 할 일이겠는가? 또 예컨대 陳源과 같은 자는 그의 죄악으로 말하면 당연히 목을 베어야 옳다. 그러나 군주가 새로 등극하였는데 다시 사람 죽이는 일을 가르친다니 나로서는 또한 감히 이같이 하지는 않겠다.(上卽位踰月, 豈可導之以輕逐大臣耶? 且如陳源之徒, 論其罪惡, 須是斬之乃善. 然人主新立, 復教以殺人, 某亦不敢如此做也.)" 이와 같이 아무리 중한 죄악이 있다 할지라도 등극한 지 얼마 되지 않은 군주에게 이런 일을 하게 한 것은 잘못이라고 비판하고 있다.

向敏中 상민중,[54] 王隨 왕수[55]

[64-10-1]

程子曰 : "本朝向敏中號有度量. 至作相, 却與張齊賢爭取一妻, 爲其有一萬囊槖故也. 王隨亦有德行, 仁宗嘗稱王隨德行, 李淑文章. 至作相, 蕭端公欲得作三路運使, 及退, 隨語堂中人曰, '何不以溺自照面? 看做得三路運使無.' 皆量所動也. 今人何嘗不動, 只得綾寫一卷便動, 又干他身分甚事?"[56]

정자가 말하였다. "우리 송宋나라 조정에서 상민중向敏中은 도량이 있다고 일러졌다. 상국이 되자 엉뚱하게 장제현張齊賢과 한 부인을 차지하려고 다투었으니, 그 부인에게 재물을 넣어둔 자루가 1만 개가 있어서였다.[57] 왕수王隨도 덕행이 있어 인종仁宗이 왕수의 덕행과 이숙李淑의 문장을 칭송한 적이 있었다. 상국이 되어서는 소단공蕭端公이 삼로전운사三路轉運使 벼슬을 얻으려 하다 물러가자, 왕수가 한방에 있

54 向敏中 : 송나라 開封 사람. 자는 常之이다. 太宗 초년에 進士에 올라, 여러 벼슬을 거치며 청렴과 곧음으로 명성을 얻어 右諫議大夫와 同知樞密院事에 발탁되었다. 지략이 있었고 민첩하여 변경 지역의 길과 도로 척후 등을 꿰뚫었다. 眞宗 초년에 兵部侍郞과 參知政事를 거쳐 右僕射兼門下侍郞에 올랐고 이어 左僕射에 올랐다. 당시 복야 벼슬이 없었는데 민중을 우대하여 특별하게 임명한 것이었으나, 상민중이 전연 기뻐하는 빛을 내보이지 않았고 집에서도 특별하게 잔치를 여는 일도 없었다.(『宋史』 권282 「向敏中傳」)

55 王隨 : 송나라 河南 사람. 자는 子正이다. 眞宗 초년에 진사에 올라 知制誥에 임명되었으나 문장에 능숙하지 못해 知應天府로 전직되었고, 이어 揚州를 거쳐 權知開封府에 임명되었다. 부임한 곳마다 은혜로운 정사를 폈다. 仁宗의 明道 연간에 參知政事, 景祐 2년(서기1035년)에 知樞密院事에 오르고 이어 同中書門下平章事에 임명되었다. 4년에 아무런 建白이 없다는 韓琦의 탄핵을 받고 判河陽으로 전직되었다.(『宋史』 권311 「王隨傳」)

56 『二程外書』 권10 「大全集拾遺」

57 張齊賢과 한 … 있어서였다. : 이를 편자가 불분명한 『宋史全文』 권5 「眞宗 · 咸平 5년」 10월의 기사에서 살피면 다음과 같다. "左領軍衛將軍 薛惟吉의 처 柴氏가 아들을 두지 못하였고, 유길은 아들 安上과 安民을 두었는데 본래부터 시씨와 관계가 원만하지 않았다. 시씨가 과부가 된 뒤 자신의 할아버지와 아버지의 재산을 모두 모아서 장제현에게 개가하고자 하였다. 안상이 開封府에 나아가 이 일을 하소연하였다. 개봉부가 이 내용을 진종께 아뢰자, 사건을 御史獄에 내려 조사하게 하였다. 그러자 시씨는 상민중이 설유길의 옛집을 싼값에 사들였고, 또 지난번에 자신에게 장가들고자 구하는 것을 허락하지 않았더니, 안상을 사주하여 어미를 무고하게 하고 또 몰래 두호하고 있다고 소송을 냈다. 진종이 이 내용을 민중에게 묻자, 민중은 사실대로 말하여 '안상의 집은 돈을 주고 사들였고, 근래에 상처하였으나 다시 혼인 말을 한 적이 없으며 시씨에게 혼인을 구한 적이 없습니다.'라고 아뢰었다. 시씨가 자신의 주장을 더 강력하게 주장하자 마침내 양쪽을 국문하기에 이르렀다. 그때 장제현의 아들 宗誨가 시씨가 할 말들을 교사하였다. 鹽鐵使 王嗣宗이 본래부터 상민중을 기피하였는데 증인으로 나서며 '상민중이 王承衍의 누이동생과 혼인 말이 오가 이미 몰래 약속이 정하여졌다.'고 하였다. 진종이 민중을 직접 대해 정직하지 못한 것을 질책하였다.(左領軍衛將軍薛惟吉妻柴氏無子, 惟吉有子安上 · 安民, 素與柴氏不協. 柴既寡, 盡畜其祖父金帛, 謀改適張齊賢. 安上詣開封府, 訴其事. 府以聞, 下其事於御史獄. 柴因訟向敏中賤貿惟吉故第, 又嘗求娶已不許, 以是教安上誣告母, 且陰庇之. 上以問敏中, 敏中言實, '以錢貿安上居第, 近喪妻, 不復議姻, 未嘗求婚於柴也.' 柴訟益急, 遂并鞫之. 乃齊賢子宗誨, 教柴爲詞. 鹽鐵使王嗣宗素忌敏中, 因對言, '敏中議娶王承衍女弟, 密約已定.' 上因面責敏中以不直.)"

던 사람들에게 '왜 오줌통에 자신의 얼굴을 비춰보지 않을까? 삼로전운사三路戰運使의 자격이 없다는 것을 볼 수 있을 터인데'라고 말했으니, 두 사람 모두 평가하려는 생각이 발동되어서다. 지금 사람들이라고 어찌 생각의 발동이 없겠는가? 단지 비단에 등사된 책 1권을 얻는 일에도 바로 발동되나 또한 그것들이 나 자신과 무슨 관계인가?"

楊億 양억[58]

[64-11-1]

朱子曰："楊億工於纖麗浮巧之文，已非知道者所爲．然資稟清介，立朝獻替，略有可觀．而釋子特以爲知道者，以其有八角磨盤之句耳．然旣謂之知釋氏之道，則於死生之際，宜亦有過人者．而方丁謂之逐萊公也，以他事召億至中書，億乃恐懼，至於便液俱下，面無人色．當此時也，八角磨盤果安在哉？"[59]

주자가 말하였다. "양억楊億은 섬세하고 화려한 실속 없는 교묘한 문장에 뛰어났으니, 이미 도道를 터득한 자가 할 일은 아니다. 그러나 자품이 맑고 개결하여 조정에서 옳은 것은 아뢰고 그른 것은 폐기시킨 것들에 그런대로 볼 만한 것이 있다. 불교도들이 특별하게 도를 아는 사람이라고 말하는 것은 그의 시에 팔각마반八角磨盤이란 시구가 있어서일 뿐이다.[60] 그러나 그가 이미 석씨釋氏의 도를 알았다고 말하려면 죽고 사는 일이 나뉠 즈음에 의당 또한 보통 사람을 초월했어야 한다. 그런데도 정위丁謂가 내공萊公을 축출하였을 때,[61] 다른 일로 양억을 불러 중서성中書省에 나오게 하자, 양억은 두려움에 자기도

58 楊億 : 송나라 建州 浦城 사람으로 자는 大年이고, 시호는 文이다. 11세 때 太宗이 불러서 시를 짓게 하고서는 秘書省正字에 임명하였다. 淳化 연간에 二京賦를 지어 올리고 進士 자격을 취득하였다. 眞宗 때 『太宗實錄』 편찬에 참여하였고, 王欽若과 『冊府元龜』를 감수하였으나 그의 공이 많았다. 두 차례 翰林學士를 지냈고, 史觀修撰을 끝으로 벼슬에서 물러났다. 李商隱의 시를 배웠으나 시사가 화려하여 그의 시를 西崑體라 불렀다. 저서로 『楊文公談苑』과 『武夷新集』이 있다.(『宋史』 권305 「楊億傳」)

59 『朱文公文集』 권43 「書 · 答李伯諫」 甲申

60 八角磨盤이란 시구가 … 뿐이다. : 팔각마반은 사람이 회전시키면 돌아가는 팔각형의 시설물이다. 돌 나무 쇠 등으로 만들며, 본래 용도는 어떤 것인지 알 수 없으나 지금의 중국 절 들에는 복을 비는 사람들이 누구나 한 번씩 돌려 매우 반질반질해진 모습을 볼 수 있다. 양억 운운의 팔각마반은 宋나라 승려 惠洪이 편찬한 『禪林僧寶傳』 권16 「翠嵒芝禪師」에 양억의 시가 전한다. "팔각마반이 혼자서 돌아가는 속에, 황금 털의 사자가 개로 변하였네. 꿈은 이 한 몸 북두성 속에 감추고 싶건만, 당연히 남두성에 합장한 뒤라야 하겠지.(八角磨盤空裏走, 金毛獅子變作狗. 擬欲藏身北斗中, 應須合掌南辰後.)"

61 丁謂가 萊公을 … 때, : 내공은 寇準을 이른다. 송나라 華州 下邽 사람으로 자는 平仲이다. 태종 초년에 진사에 올라 직간으로 명성을 얻으며 태종으로부터 나의 魏徵이라는 칭송을 들었다. 眞宗 때 상국에 임명되어 遼나라가 대거 군사를 동원하여 침입하자, 많은 사람의 반대를 물리치고 진종의 親征을 주장하여 澶州에서 화친을 맺고 돌아왔다. 王欽若과 불화로 상국에서 파직되어 외직으로 나갔다가 天禧 3년(서기 1019년)에 다시 재상에

모르게 오줌과 똥을 싸며 낯빛이 흙빛이 되었다.[62] 이때를 당하여 팔각마반이 과연 어디에 있는 것인가?"

范仲淹 범중엄[63]

[64-12-1]

程子曰："張橫渠謂'范文正才氣老成.'"[64]

정자程子[程顥]가 말하였다. "장횡거張橫渠가 범문정范文正을 일러 '재능과 기백이 노련하게 성숙되었다.'고

임명되었다. 진종의 병이 위중하자 은밀히 태자에게 자리를 전할 것을 아뢰며, 어린 태자를 보필할 신하로 丁謂를 두어선 안 된다고 하여 모든 것을 허락받았다. 이에 상소문을 楊億에게 짓게 하며 태자를 監國에 임명하고, 태자의 감국을 보필할 신하는 구준으로 정하려 하였다. 이 일이 세상에 알려지며 구준은 재상에서 파직되어 萊國公에 봉해졌다. 이때 정위가 이 사실을 확대시켜 계속 구준의 잘못을 캐내 결국 좌천되어 가는 길에서 죽었다.(『宋史』 권281 「寇準傳」)

62 양억은 두려움에 … 되었다.: 이 기사는 송나라 蘇轍의 『龍川別志上』에 자세히 기록되어 있다. "진종이 만년에 중풍을 앓아 스스로 낫지 못할 것이라 의심하며 늘 누워 지냈다. 환관 周懷正과 股與之가 모의하여 태자를 감국으로 임명하고자 하였다. 당시 주회정은 동궁의 관속이었다. 밖으로 나와 구준과 이 일을 상의하고 마침내 태자를 세우고, 劉氏(진종의 后)를 폐위시키고, 정위를 축출한다는 등의 일을 의논하였다. 양억을 시켜 이런 내용의 조서를 기초하게 하였다. 양억이 손아래 동서인 張演에게 '며칠 뒤이면 세상이 한바탕 바뀔 것이다.'라고 하였다. 이 소문이 조금 누설되자 정위는 밤에 부인이 타는 가마를 타고서 曹利用과 모의하여 회정의 목을 베고 구준을 축출하였다. 양억을 불러 중서성에 나오게 하자, 양억은 자기도 모르게 두려움에 오줌과 똥을 싸며 낯빛이 흙빛이 되었다. 정위는 본래 양억을 중시하여 해칠 의도가 없었다. 천천히 말하기를 '제가 관원을 바꿀 일이 있어 공에게 임명장에 쓸 좋은 문장을 부탁하려고 합니다.' 하였다. 양억은 그제야 조금 안도하였다.(眞宗晩年得風疾, 自疑不起, 嘗臥枕. 宦者周懷正股與之謀, 欲命太子監國, 懷正東宮官也. 出與冦準謀之, 遂議立太子, 廢劉氏, 黜丁謂等. 使楊億草具詔書. 億私語其妻弟張演曰, '數日之後事當一新.' 稍洩, 丁謂夜乘婦人車, 與曹利用謀之. 誅懷正黜準. 召億至中書, 億懼便液俱下, 面無人色. 謂素重億, 無意害之. 徐曰, '謂當改官, 煩公爲作一好麻耳.' 億乃少安.)"

63 范仲淹: 宋 蘇州 吳縣 사람으로 자는 希文이고, 시호는 文正이다. 眞宗 大中祥符 연간에 진사에 합격하여 秘閣校理와 右司諫·權知開封府를 역임하고, 仁宗 景祐 3년(서기 1036년)에 百官圖를 올려 인재 등용의 잘잘못을 말한 일로 呂夷簡의 비위를 거슬러 知饒州로 전직되어 두어 州를 전전하였다. 西夏의 이원호가 쳐들어오자 여이간의 추천으로 陝西經略按撫副使兼知延州에 임명되고, 이어 緣邊招討使가 되어, 몇 년 동안 서북쪽 변경의 수비를 전담하며 결국 서하의 이원호가 화친조약을 청하는 국면을 이끌어내 전쟁을 종식시켰다. 인종의 慶曆 3년(서기 1043년)에 樞密副使로 조정에 복귀하며 參知政事에 등용되자 十事疏를 올려 새로운 정치를 펴려다, 夏竦 등의 모함으로 파직되어 邠州知州事兼陝西西路按撫使로 전직되었다. 마지막 벼슬은 戶部侍郎이다. 詩文과 詞에 능하였으며, 특히 「岳陽樓記」의 "천하가 근심하기에 앞서 근심하고, 천하가 즐거워한 뒤에 즐거워한다.(先天下之憂而憂, 後天下之樂而樂.)"는 글귀는 세상에 널리 회자된다. 저서로 『范文正公集』이 전한다.(『宋史』 권314 : 『宋元學案』 권3)

64 『二程遺書』 권3 「謝顯道記憶平日語拾遺」

하였다.”

[64-12-2]
朱子曰：“范文正傑出之才.”[65]
주자가 말하였다. “범문정은 걸출한 인재다.”

[64-12-3]
“近得周益公書, 論呂·范解仇事, 曰, ‘初, 范公在朝, 大臣多忌之. 及爲開封府, 又爲百官圖以獻. 因指其遷進遲速次序曰, 「某爲超遷, 某爲左遷；如是而爲公, 如是而爲私.」意頗在呂相. 呂不樂, 由是落職, 出知饒州. 未幾, 呂亦罷相. 後呂公再入, 元昊方犯邊, 乃以公經略西事, 公亦樂爲之用. 嘗奏記呂公云, 「相公有汾陽之心之德, 仲淹無臨淮之才之力.」後歐陽公爲范公神道碑, 有「懽然相得, 戮力平賊」之語, 正謂是也.’

(주자가 말하였다.) “요사이 주익공周益公의 글을 보았는데 여이간呂夷簡[66]과 범중엄范仲淹의 원수 푼 일을 두고 말하기를 ‘처음 범공范公이 조정에 벼슬할 때 대신들이 대부분 그를 꺼려하였다. 권지개봉부權知開封府가 되면서 또 백관도百官圖[67]를 만들어 올렸다. 그 도표에서 벼슬에서 전직되고 진급하는 느리고 빠름의 순서를 지적하여 「누구는 건너뛴 전직이며 누구는 좌천이고, 이 같은 경우는 공정한 것이며 이 같은 경우는 사사로운 것이다.」고 하였다. 의도가 거의 여 상국呂相國[呂夷簡]을 가리킨 것이었다. 여 상국은 기분 나빠하였고, 이로 인해 벼슬에서 떨려나 요주지사饒州知事로 나가게 되었다. 얼마 지나지 않아 여 상국도 역시 상국에서 파직되었다. 그 뒤 여공呂公이 다시 들어왔는데. 원호元昊가 변경을 침범하자,[68]

65 『朱子語類』 권129, 15조목

66 呂夷簡 : 송나라 壽州 사람으로 자는 坦夫이고, 시호는 文靖이다. 眞宗 초년에 진사시에 합격하여 權知開封府를 지냈고, 仁宗이 즉위하며 右諫議大夫에 발탁되며 參知政事가 되었으며, 天聖 6년(서기 1028년)에 상국에 임명되었다. 인종이 투기가 심한 郭皇后에 진노한 것을 꼬투리로 곽황후의 폐위를 진언하였으나, 言官인 孔道輔와 范仲淹이 극심하게 반대하자 모두 외직으로 전직시켰다. 범중엄에게는 조정의 여러 일에 자주 진언하며 朋黨을 조성한다는 죄목을 붙여, 범중엄과 의기상통한 사람들까지 모두 조정에서 내보냈다. 이 공으로 그는 許國公에 봉해졌다. 상국을 두 차례 지내며 여러 비난을 샀으나, 인재를 끝내 버리지 않고 다시 곧 등용하여 인재를 부리는 능력이 있었다. 仁宗의 廟廷에 배향되었으며, 송대 명재상의 한 사람으로 꼽힌다. (『宋史』 권311)

67 百官圖 : 『朱子語類』 권129, 12조목에 이 백관도에 대해 “呂許公(여이간을 封號로 이르는 말)이 국정을 책임졌을 때 아무런 까닭 없이 등급을 건너뛰는 인재 등용이 있었던 까닭에 범공이 이 도표를 인종에게 올린 것이다. 이어 『詩經』의 시구인 ‘너에게 벼슬 차례를 가르쳐주노라.’라를 거론하며 ‘군주가 이러한 일을 또한 알지 않아선 안 됩니다.’고 하였다.(呂許公當國, 有無故躐等用人處, 故范公進此圖於仁宗. 因擧『詩』云, ‘誨爾序爵.’ ‘人主此事亦不可不知.’)”고 하였다.

68 元昊가 변경을 침범하자 : 원호는 西夏의 군주 李元昊를 이른다. 송나라에서 趙氏 성을 하사하고서 趙元昊라 불렀다. 어렸을 때 이름은 嵬理이고, 즉위한 뒤에 성은 嵬名 이름은 曩宵로 고쳐 이낭소로 부르기도 한다. 서하는 黨項의 추장 拓拔氏가 당나라 말기부터 중국의 서북지역을 차지하고서 국가를 형성하여 그들의 형세

마침내 공에게 서쪽 변경의 일을 맡아 다스리게 하였고, 공도 그가 써준 것을 즐겁게 여겼다. 일찍이 여공에게 올린 주기奏記[관아의 장관에게 올리는 의견서]에서 「상공은 곽분양郭汾陽의 마음과 덕이 있는데 중엄은 임회臨淮의 재능과 힘이 없습니다.」[69]고 하였다. 뒷날 구양공歐陽公[歐陽脩]이 범공范公의 신도비문神道碑文을 지으며 「즐겁게 서로 어울려 힘을 다해 적군을 평정하였다.」라고 했는데 바로 이를 두고 한 말이다.

公之子堯夫, 乃以爲不然, 遂刊去此語. 前書今集中亦不載, 疑亦堯夫所刪. 他如叢談所記, 說得更乖. 某謂呂公方寸隱微, 雖未可測, 然其補過之功, 使天下實被其賜, 則有不可得而掩者. 范公平日胸襟豁達, 毅然以天下國家爲己任. 旣爲呂公而出, 豈復更有匿怨之意? 況公嘗自謂平生無怨惡於一人, 此言尤可驗. 忠宣固是賢者, 然其規模廣狹, 與乃翁不能無間. 意謂前日旣排申公, 今日若與之解仇, 前後似不相應, 故諱言之. 却不知乃翁心事, 政不如此."[70]

공의 아들 요부堯夫[范純仁]가 그것을 그렇지 않다고 생각하여 마침내 이 말을 빼버렸다. 앞서 나온 책과 지금 문집 중에도 역시 실려 있지 않으니, 아마도 역시 요부가 삭제한 것인 성싶다. 그 일에 대해 『총담叢談』의 기록[71]은 말이 더욱 어긋난다. 나의 생각에는 여공의 마음이 불분명하여 헤아릴 수 없으나, 그가 허물을 보완한 공[72]은 실상 천하가 그의 은혜를 입었음은 숨길 수 없다. 범공은 평소 흉금이 활달하였고

에 따라 송나라와 화친과 배반을 거듭하다가, 송나라 仁宗 寶元 원년(서기 1038년)에 이낭소가 大夏皇帝를 자칭하며 西夏를 세웠다. 이후 3년 동안 송나라와 세 번의 전쟁을 일으켜 크게 승리하였다. 이후 전쟁으로 인해 국가의 재정과 인구가 줄자 송나라와 화친하며 송나라로부터 歲幣를 받았다.(『宋史』 권485)

69 상공은 郭汾陽의 … 없습니다. : 『朱子大全箚疑集補』 권38에 "분양은 郭子儀이고 임회는 李光弼이다. 두 사람이 처음에 원한이 있었으나 녹산의 난리가 나 국가의 일이 급해졌다. 그러자 옛 원한을 버리고 마음을 함께하고 힘을 다하여 중흥의 공을 이루었다.(汾陽臨淮 汾陽郭子儀, 臨淮李光弼. 二人初有怨, 及祿山之亂, 急於王事. 棄故怨, 同心戮力, 以成中興之功.)"고 하였다. 여기서 분양은 곽자의의 封號인 汾陽郡王을 이르고, 임회도 이광필의 봉호이나 실재 봉호는 臨淮王이다. 안록산이 반란을 일으키자, 현종은 곽자의에게 안록산 토벌의 책임을 맡기고 장수를 추천하게 하였다. 곽자의는 이광필을 추천하였고, 이광필은 큰 공을 세웠다. 안록산과 史思明의 연이은 반란을 평정한 것은 곽자의와 이광필의 공이었다.

70 『朱子語類』 권129, 13조목

71 『叢談』의 기록 : 『朱子大全箚疑集補』 권38에는 이를 『談叢』이라 표기하고 陳后山이 지은 책이라고 하였다.(談叢 陳后山所作.) 진후산은 宋나라 陳師道를 이르고 그가 지은 책 이름은 『後山談叢』이며 모두 4권이다. 그 책에는 다음과 같이 적고 있다. "여이간이 韓琦와 富弼과 범중엄이 미워 그들을 벼슬에서 완전히 제외시켜 버리고 싶었는데 그렇게 할 수 없었다. 적의 군대가 침공해오자, 한기와 범중엄에게 西夏를 담당하는 일과 북쪽 거란의 사신을 맡겼다. 이름은 원수를 등용한다는 것이었지만 실상은 그들의 흠점을 만들려는 것이었다.(某公惡韓富范三公, 欲廢之而不能. 軍興, 以韓范爲西帥, 遣富使北. 名用仇而寘間之.)" 여기서 여이간은 나라를 위해서 그들을 등용한 것이 아니라고 본 것이다. 그러나 이 진사도의 글은 그가 쓴 글이 아니라는 일설도 있다.

72 그가 허물을 … 공 : 여이간이 범중엄을 다시 등용하여 서하 이원호를 막게 한 일을 이른다. 송나라가 당시 북으로는 거란에 패하고 서북쪽에서는 서하의 이원호에게 계속 패하는 국면이었다. 여기에서 여이간이 옛날

천하 국가를 굳세게 자신의 책임으로 삼았다. 여공으로 인해 출정하게 되었는데 어찌 다시 원망의 마음을 담아두려는 의도가 있었겠는가? 더욱이나 공이 일찍이 '평생에 어느 한 사람을 원망하거나 미워한 적이 없다.'고 스스로 말하였으니, 이 말에서 더욱 알 수 있다. 충선공忠宣公(범순인의 謚號)은 본디 현자賢者이나, 그 인품의 기개와 재능의 크기가 그의 아버지와 차이가 없지 않다. 속마음에 전날 신공申公을 이미 배척하였는데[73] 오늘날 만일 그와 원수진 일을 풀었다고 한다면 서로 전후가 맞지 않는 까닭에 그 말을 숨겼을 것이다. 그러나 아버지의 마음을 알지 못하는 것이 꼭 이러지는 않았을 것이다."

[64-12-4]

"范文正公自做秀才時, 便以天下爲己任, 無一事不理會過. 一旦仁宗大用之, 便做出許多事業. 今則所謂負剛大之氣者, 且先一筆勾斷. 秤停到第四五等人, 器宇厭厭, 布列臺諫, 如何得事成? 故某向謂'姓名未出, 而內外已知其非天下第一流矣'."[74]

(주자가 말하였다.) "범 문정공이 수재秀才(進士의 별칭) 시절부터 천하를 자신의 책임으로 여겨 한 가지 일도 이해하지 않고는 넘기지 않았다. 어느 날 인종仁宗이 그를 크게 등용하여 수많은 사업을 이루어 냈다. 오늘날은 이른바 강직剛直하고 정대正大한 기상을 지닌 사람은 우선 딱 잘라 등용하지 않는다.[75] 그리고 제 4등급이나 5등급으로 어림되는, 기국이나 도량이 어리바리한 자들이 대간臺諫에 포진하여 있었으니 어떻게 일이 이루어질 수 있겠는가? 그래서 내가 지난번, '성명이 아직 발표되기도 전에 안팎이 이미 그가 천하의 일류 인물이 아닌 줄을 안다.'고 말한[76] 것이다."

[64-12-5]

問: "范文正公振作士大夫之功爲多.[77] 不知使范公處韓公受顧命之時, 處事亦能如韓公否?"
曰: "看范公才氣, 亦須做得."

자신의 잘못을 지적한 일로 지방으로 전직시킨 범중엄을 발탁하여 이원호를 막아 송나라 조정을 위기에서 벗어나게 한 것이 예전 잘못을 보완하고 송나라 모두에게 공을 세운 훌륭함이란 말이다.

73 전날 申公을 … 배척하였는데: 여이간이 인종의 郭皇后를 폐위하고 申公에 봉해졌고, 당시 범중엄은 右司諫으로 臺諫을 이끌고 대궐 문에 나아가 곽황후의 폐비를 완강하게 반대하였다. 여기서는 우사간 시절 범중엄이 그를 반대하여 배척받으며 동료들까지 모두 벼슬에서 물러나는 어려움을 겪었는데 후일 서하의 이원호를 방어하는 일로 서로 그간의 감정을 풀었다는 것이 앞뒤가 서로 맞지 않다고 생각했을 것이란 말이다.(『宋史』 권311「呂夷簡傳」)

74 『朱子語類』 권129, 16조목

75 딱 잘라버리고 … 않는다.: 이 글의 원문 '一筆勾斷'을 『朱子語類考文解義』 권33에서 一筆勾斷은 "딱 잘라 등용하지 않는다.(斷置不用)"고 풀이하였다.

76 지난번, '성명이 … 안다.: 『朱子語類考文解義』 권33에서 이 말은 "무신봉사에서 한 말이다.(即戊申奉事中語.)"고 하였다.

77 范文正公振作士大夫之功爲多.: 『朱子語類』 권129, 12조목에는 '先生前日, 曾論本朝惟范文正公振作士大夫之功爲多.'라고 하였다.

又曰："祖宗以來名相, 如李文靖·王文正諸公, 只恁地善, 亦不得. 至范文正時, 便大厲名節, 振作士氣, 故振作士大夫之功爲多."[78]

물었다. "범 문정공의 사대부를 진작시킨 공은 훌륭합니다. 범공께서 한공韓公이 고명顧命을 받든 때[79]를 만났어도 일 처리가 역시 한공처럼 능숙하였을지 모르겠습니다."

(주자가) 대답하였다. "범공의 재능과 기백을 본다면 또한 당연히 해냈을 것이다."

또 말씀하였다. "조종조 이래 명재상인 이 문정李文靖[80]과 왕 문정王文正[81] 같은 여러 공경이 저와 같이

78 『朱子語類』 권129, 12조목

79 韓公이 顧命을 … 때 : 한공은 송나라의 명 정승으로 꼽히는 韓琦를 이르고, 고명은 제왕이 臨終하기 전 남긴 명령을 이른다. 한기의 자세한 것은 아래 [64-13-1] 이하 참고. 한기가 嘉祐 연간에 同中書門下平章事에 임명되었다. 이때 인종이 중풍으로 병석에 누워 조회를 보지 못한 것이 몇 년이었는데, 황태자가 정해지지 않았다. 한때 이를 다급하게 여긴 많은 신하가 있었으나 5~6년의 세월이 지나며 이 논의는 시들해졌다. 가우 3년(서기 1058년)에 한기의 벼슬이 昭文館大學士監修國史에 오르며 儀國公에 봉해졌다. 이에 한기는 인종에게 "皇嗣는 천하의 安危가 달린 일로, 예부터 화난은 모두 책립을 일찍 확정하지 않은 데에서 기인하였습니다. 폐하께서 춘추가 높은데 아직 세우지 않고 계십니다. 왜 종실 가운데 현명한 자를 가려서 종묘사직을 위한 계책으로 삼으려 하지 않으십니까?(皇嗣者天下安危之所係, 自昔禍亂之起, 皆由策不早定. 陛下春秋高, 未有建立. 何不擇宗室之賢者, 以爲宗廟社稷計?)"라고 하였다. 인종은 "조금만 기다려라. 후궁 한 사람이 곧 아이를 낳을 것이다."고 하였다. 조금 지나 공주가 태어났다. 한기는 다시 재촉하였다. 인종은 마침내 후일의 英宗(趙曙)을 선택하였다. 그러나 趙曙는 자신이 아버지의 服喪 중이라며 한사코 이를 받아들이지 않았다. 인종이 마음을 바꾸려 하자 한기는 다시 영종에게 그대로 선택할 것을 간하였다. 인종이 죽고 영종이 즉위(서기 1063년)하였다. 영종은 즉위하며 병을 얻어 행동이 전과 달라지고 특히 환관들에게 각박하였다. 인종의 황후였던 황태후가 수렴청정하게 되었다. 환관들은 영종과 황태후 사이를 이간질하여 서로 틈이 크게 벌어졌다. 한기와 歐陽脩가 황태후에게 일을 아뢰려 나아가자 황태후는 눈물을 흘리며 근간의 사연을 말하였다. 한기는 "이 병이 본래 그렇습니다. 병이 나으면 반드시 그렇지 않을 것입니다. 아들이 병으로 그런데 어머니가 받아들이지 않을 수 있겠습니까?(此病固爾. 病已, 必不然. 子疾, 母可不容之乎?)"라고 하였다. 태후의 영종에 대한 태도가 누그러졌다. 며칠 뒤 한기가 영종을 알현하자, 영종은 "태후가 나를 대하는 것에 恩情이 없으시다.(太后待我無恩.)"고 하였다. 한기가 "예로부터 성덕을 가진 황제와 사리에 밝은 왕이 적지 않았으나 유독 순임금만을 大孝라고 칭하고 있습니다. 나머지 군왕은 모두 불효자여서 그렇겠습니까? 부모가 자애로운데 자식이 효도하는 것은 당연한 일이라서 말할 만한 것이 못 됩니다. 부모가 자애롭지 않은데도 자식이 효도의 도리를 잃지 않아야만 비로소 일컬어 말할 수 있습니다. 다만 폐하가 태후를 섬기는 일이 지극하지 못하여서이지 부모가 어찌 자애롭지 않음이 있겠습니까?(自古聖帝明王不爲少矣, 然獨稱舜爲大孝. 豈其餘盡不孝耶? 父母慈愛而子孝, 此常事, 不足道. 惟父母不慈而子不失孝, 乃爲可稱. 但恐陛下事之未至爾, 父母豈有不慈者哉?)"라고 하자 영종은 감동하고서 깨달았다. 영종의 병이 낫자 태후는 영종에게 정사를 넘겨주었다. 영종은 4년을 재위하고 병이 들었다. 한기는 다시 태자를 정할 것을 건의하였다. 영종은 그의 제안을 받아들여 神宗(趙頊)으로 정하였다. 이 두 제왕의 후사를 정하는 과정에서 여러 신료의 시기를 받아 신종이 즉위한 뒤 한기의 跋扈를 탄핵하는 상소가 올라오자, 한기는 中書省에 다시 출입하지 않고 벼슬에서 물러났다.(『宋史』 권312 「韓琦傳」)

80 李文靖 : 송나라 李沆을 그의 시호로 이르는 말이다. 이항은 洺州 肥鄕 사람으로 자는 太初이다. 태종 초년에 진사시에 합격하여 右補闕 知制誥 등의 벼슬을 거쳐 淳化 2년(서기 991년)에 參知政事에 올랐다. 眞宗이 즉위하며 平章事監修國史에 오르고 이어 尙書右僕射에 임명되어 국정을 책임졌다. 상국으로 法制를 따르고 실없이 일 만들기를 좋아하는 자의 임용을 반대하며, 늘 천하의 어려움을 진종에게 아뢰어 사치로 흐르려는

훌륭하지만 또한 (한공처럼은) 해내지 못했다. 범 문정공 때에 이르러 명분과 절의를 크게 가다듬어 선비의 기상을 진작시켰으니, 그런 까닭에 사대부를 진작시킨 공이 훌륭한 것이다."

韓琦 한기[82]

[64-13-1]

程子嘗與韓公·范公泛舟於潁湖, 有屬吏求見韓公. 公旣已見之, 退而不悅曰, "謂其以職事來也, 乃求薦擧耳."

程子曰: "公爲州太守不能求之, 顧使人求君乎?"

范公曰: "子之固, 每若是也. 夫今世之仕者, 求擧於其上, 蓋常事耳."

程子曰: "是何言也? 不有求者, 則遺而不及知也. 是以使之求之歟?" 韓公無以語, 愧且悔者久之. 程子顧范公曰, "韓公可謂服義矣."[83]

정자가 한번은 한공韓公[韓琦]·범공范公[范仲淹][84]과 영호潁湖에 배를 띠우고 노니는데, 어떤 소속 관원이

군주의 마음을 막아 당시 聖相으로 일컬어졌다.(『宋史』 권282 「李沆傳」)

81 王文正: 송나라에서 王氏로 文正의 시호를 받은 사람은 王旦과 王曾 두 사람이다. 먼저 왕단은 大名莘縣 사람으로 자는 子明이다. 태종 초년에 진사시에 합격하여 著作郞으로 『文苑英華』의 편찬에 참여하였다. 진종 때 同知樞密院事參知政事에 올랐다. 거란이 침입하였을 때 진종이 친정에 나서자 따라 澶州에 나갔다가 東京留守가 갑자기 죽자 급히 돌아와 유수의 직을 수행하였다. 景德 3년(서기1006)에 상국에 올라 진종에게 祖宗朝에서 내려온 전통을 이어받고 바꾸기에 신중할 것을 권하였다. 인재를 알아보는 안목을 가져 많은 중후한 인재들을 천거하였다.(『宋史』 권282 「李沆傳」)
왕증은 靑州 사람으로 자는 孝先이다. 眞宗 초년에 진사시에 장원하였고 吏部侍郞과 參知政事를 역임하며, 진종이 天書(天神이 내린 글)를 조작하는 것을 간하였다. 仁宗이 즉위하며 劉太后(진종의 황후)가 수렴청정할 때, 中書侍郞同中書門下平章事에 임명되어 태후의 친척들 등용을 반대하다가 知靑州로 전직되었다. 景祐 원년(서기1034년)에 다시 상국으로 복직하며 沂國公에 봉해졌다. 呂夷簡과 不和하다가 함께 파직되었다.(『宋史』 권310 「王曾傳」)

82 韓琦: 한기는 相州 사람으로 자는 稚圭이고, 호는 贛叟이며, 시호는 忠獻이다. 仁宗 초기에 진사시에 합격하고, 여러 벼슬을 거쳐 右司諫에 등용되자, 상소문을 올려 당시 상국이던 王隨와 陳堯佐·韓億·石中立 등을 파직시켰고, 益州와 利州에 흉년이 들었을 때 體量按撫使로 임명되자 여러 정책으로 굶주린 백성 90만을 살려냈다. 寶元 연간에 陝西四路經略按撫招討使로 范仲淹과 西夏를 잘 막아내 명성이 온 천하에 드날렸다. 嘉祐 연간에 同中書門下平章事에 임명되었다. 범중엄과 함께 송나라 명 재상으로 이름을 함께했다. 죽은 뒤 尙書令이 증직되고 魏郡王에 봉해졌다. 위 [64-12-5]의 주석 참고.(『宋史』 권312 「韓琦傳」)

83 『二程粹言』 권上 「論政篇」

84 정자가 한번은 韓公(韓琦)·范公(范仲淹): 정자는 형제 중 누구인지 분명하지 않으나 형인 정호는 서기 1032~1085년이 생몰년이고, 한공은 서기 1008~1075년이 생몰년이고, 범공은 서기 989~1052년이 생몰년이다.

한공 뵙기를 청하였다. 공이 만나고 와서는 '직무에 관한 일로 찾았는가 하였더니 천거해 주기를 구하는 일이었다.'고 불쾌해 하였다.
정자가 "공이 주州의 태수太守가 되었으면서 인재를 찾으려 하지 않고 거꾸로 사람들이 그대를 찾게 하십니까?" 하였다.
범공이 "그대의 고루함은 매번 이렇다. 지금 세상에서 벼슬하려는 자가 그 상관에게 천거해 주기를 구하는 것은 일상사이네."라고 하였다.
정자가 "이 무슨 말씀인가요? 찾아나서는 자가 없으면 버려져 알려지지 않습니다. 그런 까닭에 그들이 찾아 나서도록 한 것입니다." 하자, 한공이 할 말을 찾지 못하며 한참을 부끄러워하고 후회하였다. 정자가 범공을 돌아보며 "한공은 의리를 따른다 말할 수 있겠습니다."라고 하였다.

[64-13-2]

朱子曰 : "韓魏公爲相, 或謂'公之德業無愧古人, 但文章有所不逮.' 公曰, '某爲相, 歐陽永叔爲翰林學士, 天下之文章莫大於是.'"[85]

주자가 말하였다. "한위공韓魏公(韓琦의 封號)이 정승이 되었을 때, 어떤 사람이 '공의 마음의 덕과 행한 일은 옛사람에게 부끄러울 것이 없으나 다만 문장文章만은 미치지 못함이 있습니다.'라고 하자, 한공이 대답하기를 '내가 상국이었을 때 구양영숙歐陽永叔[86]이 한림학사翰林學士였으니 천하의 문장이 이때보다 더 훌륭할 때는 없었다.'고 하였다."

[64-13-3]

"韓魏公作相, 温公在言路, 凡事頗不以魏公爲然, 魏公甚被他激撓. 後來温公作魏公祠堂記, 却說得魏公事分明, 見得魏公不可及處, 温公方心服他. 記中所載魏公之言曰, '凡爲臣者, 盡力以事君, 死生以之, 顧事之是非何如耳. 至於成敗, 天也. 豈可豫憂其不成, 遂輟不爲哉?' 公爲此言時, 乃仁宗之末, 英宗之初, 蓋朝廷多故之時也."[87]

(주자가 말하였다.) "한위공이 정승이었을 때, 사마온공司馬溫公[88]이 언로言路의 관원으로 재직하며 여러 일들에서 위공魏公이 하는 일을 매우 못마땅하게 여겨, 위공이 심하게 시달렸다. 나중에 사마온공이 지은 위공의 사당기祠堂記[89]에서 위공의 일을 매우 분명하게 말한 것은, 위공의 따라잡을 수 없는 면을 보고서 사마온공이 바야흐로 그에게 심복하여서다. 그 사당기 가운데 실린 위공의 말에 '신하가 힘을 다해 군주를 섬기는 일은, 죽거나 살거나 한결같아야 하니 일의 옳고 그름이 어떤지 만을 생각해야 한다. 성공과 실패에 이르러선 하늘에 달렸다. 어찌 이루어지지 않을 것을 미리 걱정하고 마침내 중지하

85 『朱子語類』 권135, 34조목
86 歐陽永叔 : 당송팔대문장가의 한 사람으로 꼽히는 歐陽脩를 字로 호칭한 말이다.
87 『朱子語類』 권106, 34조목
88 司馬溫公 : 아래 [64-14-1] 이하 참고
89 위공의 祠堂記 : 사마광의 문집 『傳家集』 권71에 「韓魏公祠堂記」가 있다.

고 않을까보랴?' 하였다. 공이 이 말을 할 무렵은 바로 인종의 말년이자 영종의 초년으로, 조정에 일이 많은 시기였다."[90]

[64-13-4]

南軒張氏曰 : "韓魏公登第時, 唱名未終, 太史奏五色雲見, 未幾, 色映殿庭, 此不偶然. 魏公後來果有大功於社稷."

남헌 장씨南軒張氏[張栻]가 말하였다. "한위공이 과거에 급제하였을 때 급제자를 호명하는 일이 아직 끝나지 않았는데 태사관太史官이 오색구름이 떴음을 알리더니, 얼마 지나지 않아 그 구름 빛이 궁궐 뜰을 비추었으니, 이는 우연이 아니다. 위공이 나중에 과연 사직에 큰 공을 세웠다."

司馬光 사마광[91]

[64-14-1]

程子曰 : "司馬君實能受盡言, 故與之言必盡."

又曰 : "能受盡言, 儘人迕逆終不怒, 便是好處."[92]

90 인종의 말년이자 … 시기였다. : 이를 『宋史』 권312 「韓琦傳」에서 살피면 다음과 같다. "한공이 嘉祐(인종의 말년의 연호) 연간과 治平(영종의 연호) 연간에 거푸 제왕 책립을 결정하여 사직을 안정시켰다. 이 당시 조정에 일이 많았는데 한기가 의심과 위험이 도사리던 즈음에 자신이 알고 있는 도리는 모두 실행하였다. 어떤 사람이 간하기를 '공께서 하신 일이 참으로 옳지만 만일 삐끗하게 되면 공의 몸만 보전하지 못할 뿐이 아니라 아마 집안도 어떻게 될 줄 모릅니다.'라고 하자, 바로 이렇게 대답하였다. 그러자 말했던 사람이 부끄러워하며 심복하였다.(韓公嘉祐治平間, 再決大策, 以安社稷. 當是時, 朝廷多故, 琦處危疑之際, 知無不爲. 或諫曰, '公所爲誠善, 萬一蹉跌, 豈惟身不自保, 恐家無處所.' 琦歎曰, '是何言也. 今臣盡力事君, 死生以之. 至於成敗, 天也. 豈可豫憂其不濟, 遂輟不爲哉. 聞者愧服.)" 자세한 것은 위 [64-12-5]의 주석 참고

91 司馬光 : 송나라 陝州 夏縣 사람으로 자는 君實이고, 시호는 文正이다. 아버지의 후광으로 將作監主簿 벼슬에 임명되었다가 仁宗의 寶元 연간에 진사시에 합격하였다. 知諫院과 翰林兼侍讀學士를 지내며 王安石이 주장하는 新法을 "조종조에서 내려온 법은 바꿀 수 없다.(祖宗之法不可變)"라며 극력 반대하다 知永興軍으로 전직되었다. 神宗 熙寧 4년(서기 1071년)에 判西京御史臺를 자청해 洛陽에 돌아와 이후 15년 동안을 『자치통감』 편찬에 매진하며 시사를 입에 올리지 않았다. 哲宗이 등극하여 太皇太后高氏(英宗의 皇后)가 수렴청정하며 門下侍郎에 등용되고 左僕射에 임명되어 조정의 정사를 관장하였다. 신법을 모두 없애고 劉摯 · 范純仁 · 范祖禹 · 呂大防 등을 기용하였다. 정승이 된 지 8개월 만에 죽자, 太師가 증직되고 溫國公에 봉해졌다. 이후 사마광은 君實, 또는 溫公으로 불렸다. 저서로 『溫國文正公文集』과 『稽古錄』 등이 있다.(『宋史』 권336 「司馬光傳」)

92 이 글은 여기서는 한 단락으로 모아져 있지만 본래 글은 두 책에 나뉘어져 있다. 먼저 앞 단락의 말은 『二程粹言』 권下 「聖賢篇」의 글이고, 又曰 이하는 『二程遺書』 권19 「楊遵道録」의 글이다. 「楊遵道録」의 글은 伊川의 말씀을 기록한 것이고, 앞 단락은 정자 형제 분 중 누구의 말인지 알 수 없다.

정자가 말하였다. "사마 군실司馬君實은 하는 말을 남김없이 잘 들어준 까닭에 그와 말할 적에는 반드시 말을 남김없이 다 한다."
또 말하였다. "하는 말을 남김없이 잘 들어주고 사람이 거슬려도 끝까지 성내지 않으니, 이는 훌륭한 점이다."

[64-14-2]

"君實之語, 自謂如人參 · 甘草, 病未甚時, 可用也, 病甚, 則非所能及. 觀其自處, 必是有救之之術."[93]

(정호程顥가 말하였다.) "군실의 말에, 자신이 인삼이나 감초와 같다 할지라도 병이 심하지 않을 때는 쓸 수 있으나 병이 심한 경우에는 소용없다고 하였다. 그의 자신에 대한 몸가짐을 살펴보면 반드시 (세상) 구제하는 방법이 있었을 것이다."

[64-14-3]

問 : "司馬公辭副樞, 名冠一時, 天下無賢不肖, 浩然歸重. 呂申公亦以論新法不合, 罷歸. 熙寧末, 取公起知河陽, 先生以詩送行, 復爲詩與温公, 蓋恐其以不出爲高也. 及申公自河陽乞在京宮祠, 神宗大喜, 召登樞府. 人以二公出處爲優劣."

曰[94] : "呂公世臣, 不得不歸見上 ; 司馬公諍臣, 不得不退處."[95]

물었다. "사마공司馬公이 추밀원 부사樞密院副使 벼슬을 사양하자[96] 명성이 한 시대를 뒤덮으며 천하의

93 『二程遺書』 권10 「洛陽議論」. 이 말은 『二程粹言』 권下 「聖賢篇」에도 비슷한 말이 실려 있다. 다음과 같다. 子曰 : "君實謂其應世之具, 猶藥之參苓也. 可以補養和平, 不可以攻治沉痼. 自處如是, 必有救之之術矣." 여기서 子曰의 子는 정자를 이른다.

94 曰 : 『二程外書』 권11 「時氏本拾遺」에는 '二先生曰'로 되어 있다.

95 『二程外書』 권11 「時氏本拾遺」

96 司馬公이 樞密院副使 … 사양하자 : 신종이 등극하여 왕안석을 등용하고 예전의 법을 바꿔 새로운 여러 제도를 실시하려 하자, 韓琦가 이를 반대하는 상소를 올리고 벼슬에 나오지 않았다. 신종은 이에 사마광을 그 자리에 임명하고자 하여 사마광을 추밀원 부사에 임명하였다. 이에 사마광은 이를 사양하는 상소를 올렸다. 이 상소문에서 사마광은 "폐하께서 신을 등용하시려는 까닭은 신의 뜻이 크고 솔직함을 살피시고서 국가에 조금은 도움이 될 것으로 생각하여서입니다. 만일 단지 녹봉과 자리로써 영화롭게 하고 그 사람의 말은 채용하지 않는다면, 이는 하늘이 내린 벼슬을 걸맞지 않은 사람에게 사사롭게 주는 것입니다. 신도 다만 녹봉과 지위로써 자신만을 영화롭게 하고 생민의 환난을 구원하지 않는다면, 이는 爵位와 작위에 따라 지급되는 용구를 도둑질하여 자신의 몸만 사사롭게 하는 것입니다. 폐하께서 참으로 制置條例司를 없애고 提擧官을 다시 두고 青苗와 助役 등 법을 시행하지 않으신다면, 신은 등용해 주시지 않아도 많은 은혜를 입은 것입니다.(陛下所以用臣, 蓋察其狂直, 庶有補於國家. 若徒以祿位榮之, 而不取其言, 是以天官私非其人也. 臣徒以祿位自榮, 而不能救生民之患, 是盜竊名器以私其身也. 陛下誠能罷制置條例司, 追還提擧官, 不行青苗, 助役等法, 雖不用臣, 臣受賜多矣.)"라며 왕안석이 시행하려는 새 법을 극력 반대하였다. 사마광의 이 요구는 신종이 받아들이지 않았으나, 사마광의 명성은 더욱 빛났다.(『宋史』 권336 「司馬光傳」)

어질거나 어질지 않은 사람 없이 모두가 훌륭히 떠받들었습니다. 여신공呂申公[97]도 역시 신법新法의 맞지 않음을 논하다가 파직되어 돌아갔습니다. 희녕熙寧(神宗의 연호) 말년에 신공申公을 불러 지하양知河陽에 기용하자 선생이 시를 지어 떠나는 것을 전송하고, 다시 시를 지어 사마온공에게 보냈으니[98] 그가 벼슬에 나서지 않는 것을 훌륭한 것으로 여길까 해서입니다. 신공이 하양에서 서울의 궁사宮祠 벼슬에 임명해 줄 것을 빌자 신종은 크게 기뻐하여 불러서 추부樞府에 등용하였습니다.[99] 그러자 사람들은 두 분이 한 사람은 나와서 벼슬하고 한 사람은 벼슬에 나오지 않은 것을 가지고 우열을 삼고 있습니다."
(정자가) 대답하였다. "여공呂公은 대대로 벼슬해오던 집안이라 돌아와 군주를 알현하지 않을 수 없고, 사마온공은 간쟁하는 신하라 물러나 있지 않을 수 없다."

[64-14-4]

朱子曰:"温公可謂知·仁·勇, 他那活國救世處, 是甚次第. 其規模稍大, 又有學問, 其人嚴而正."[100]

주자가 말하였다. "사마온공은 지혜롭고[知]·이理에 환하고[仁]·용맹스럽다[勇][101]고 말할 수 있으니, 그가 나라를 살리고 세상을 구제하는 일에 매우 질서가 있었을 것이다. 그는 규모가 매우 크고 또 학문도 있으며, 그의 사람됨은 엄숙하고 바르다."

97 呂申公: 송나라 呂公著를 封號로 이르는 말. 자세한 것은 아래 [64-15-1] 이하 「呂公著」 참고

98 申公을 불러 … 보냈으니: 『伊洛淵源錄』 권3 「明道先生·遺事」에서 "元豐(神宗의 연호) 연간에 조서를 내려 여신공과 사마온공을 등용하였으나 온공은 나가지 않았다. 明道(程顥)가 시를 지어 신공을 전송하고, 또 시를 온공에게도 보냈다.(元豐中有詔, 起呂申公·司馬温公, 温公不起. 明道作詩送呂申公, 又詩寄温公.)"고 하였다. 이 시는 『明道文集』 권3 「銘詩」에 '여회숙이 하양으로 부임하는 것을 전송하며(送呂晦叔赴河陽)'라는 제목으로, "새벽 아침 도성 문에 깃발이 나부끼니, 석양나절이면 피리젓대에 三城(하양의 다른 지명)에 들리라. 공께서 거듭 백성을 위해 몸을 일으키니, 하찮은 자사의 부임이 아니리라.(曉日都門颭旆旌, 晩風鐃吹入三城. 知公再爲蒼生起, 不是尋常刺史行.)"라고 하였고, '사마군실에게 준다[贈司馬君實]'라는 제목으로, "두 마리 용 한가하여 낙수 물이 맑더니, 오늘 도성문에 혼자서 떠나는 길 전송했소, 소원은 당신께서도 출처를 함께 하였다면, 백성 생각하는 깊은 마음 비로소 알련만! (二龍閒卧洛波清, 今日都門獨餞行. 願得賢人均出處, 始知深意在蒼生.)"이라고 하였다.

99 신공이 하양에서 … 등용하였습니다.: 『宋史』 「呂公著傳」에는 "지하양에 기용하였다가 경성으로 불러서 提擧中太一宮으로 삼았다가 遷翰林學士承旨로 전직시키고 端明殿學士知審官院을 삼아 철종이 조용히 그와 정치의 도리를 논하였다.(起知河陽, 召還, 提擧中太一宮, 遷翰林學士承旨, 改端明殿學士知審官院, 帝從容與論治道.)"고 하였다.

100 『朱子語類』 권130, 28조목

101 지혜롭고[知]·理에 환하고[仁]·용맹스럽다[勇]: 이 말은 『論語』 「子罕」에서 공자가 한 말에 의거하여 사마광의 덕을 설명한 말이다. 공자는 "지혜로운 사람은 의혹에 빠지지 않고, 理에 밝은 사람은 근심하지 않고, 용맹한 사람은 두려워하지 않는다.(知者不惑; 仁者不憂; 勇者不懼.)"라고 하였다. 이를 주자는 "밝아서 이치에 환하니 의혹에 빠지지 않고, 이치가 사사로움을 이겨내니 근심하지 않고, 기개가 도의와 짝하니 두려워하지 않는다.(明足以燭理故不惑; 理足以勝私故不憂; 氣足以配道義故不懼.)"라고 하였다.

[64-14-5]

南軒張氏曰 : "司馬温公改新法, 或勸其防後患. 使他人答之, '必曰苟利社稷, 遑恤其他,' 只如此說已自好. 使某答之, 亦不過如此. 温公乃曰, '天若祚宋, 必無此事.'更不論一己利害. 想其平日所養, 故臨事發言能如是中理. 雖聖人不過如此說, 近於終條理者矣."

남헌 장씨가 말하였다. "사마온공이 신법[102]을 고치려고 하자 어떤 사람이 후환을 대비할 것을 권하였다.[103] 다른 사람을 시켜서 답변하기를 '진실로 사직에 이롭다면 기타의 일이야 걱정하겠는가?'라고 하였으니, 이 대답만으로도 벌써 훌륭하다. 나에게 대답하게 하여도 역시 이같이 말할 수밖에 없다. 사마온공이 '하늘이 만일 송나라에 복을 내린다면 반드시 이런 일은 없을 것이다.'[104]라고 말하고, 자신 한 몸의 이해는 다시 말하지 않았다. 아마 평소 수양이 있었던 까닭에 눈앞에 일이 닥쳤을 때 하는 말이 이처럼 이치에 부합하였다고 상상할 수 있다. 성인이라 할지라도 이같이 말할 수밖에 없었을 것이니, 종조리終條理[105]에 거의 가깝다."

---

102 신법 : 왕안석이 시도한 개혁을 내건 여러 정책을 이른다. 자세한 것은 아래 주석 108번 참고

103 어떤 사람이 … 권하였다. : 『鶴林玉露』 권7에는 '어떤 사람'은 傅欽之(傅堯俞)와 蘇子瞻(蘇軾)이라고 말하고 있다(如更新法, 傅欽之 · 蘇子瞻勸其防後患.)

104 '하늘이 만일 … 것이다.' : 철종이 즉위하자 철종의 할머니인 영종의 황후 고씨가 수렴청정하며 사마광을 등용하였다. 사마광은 철종의 아버지 신종 때 왕안석이 예전 법을 바꾸고 새로 시행한 법들을 모두 다시 환원시켰다. 이를 『宋史』「司馬光傳」에서 살피면 다음과 같다. "어떤 사람이 사마광에게 '熙寧(신종의 처음 연호)과 元豐(신종의 나중 연호) 연간의 옛 신하는 대부분 간사하고 교묘한 속임수가 있는 소인들인데, 후일 아버지 신종과 아들 철종 사이의 의리를 가지고 철종을 이간질한다면 환난이 일어날 것입니다.'고 하자, 사마광이 정색하며, '하늘이 만일 송나라 종묘사직에 복을 내린다면 반드시 이런 일은 없을 것이다.'라고 하였다. 이에 천하가 마음을 풀며 '이것이 선제 신종의 본래 뜻이다.'라고 하였다.(或謂光曰, '熙豐舊臣多憸巧小人, 他日有以父子義, 間上, 則禍作矣.' 光正色曰, '天若祚宗社, 必無此事.' 於是天下釋然曰, '此先帝本意也.')" 여기서 철종을 이간질한다는 말은, 철종에게 아버지 신종이 시작한 일을 사마광의 주장에 따라 신종 시대에 행해진 왕안석의 신법을 고치는 것은 불효라는 말로 충동질하여 환난을 일으킬 수 있다는 말이다.

105 終條理 : 이 말은 『孟子』「萬章下」에 있는 말을 가져다 사마광을 높여 聖德을 가진 사람으로 말한 것이다. 맹자가 伯夷 · 伊尹 · 柳下惠 · 孔子의 聖德을 설명하고, 각기의 성덕을 다시 결론지으며 공자의 성덕을 이렇게 말하였다. "백이는 성인 가운데 淸德을 가진 분이고, 이윤은 성인 가운데 천하를 자임하려 한 분이고, 유하혜는 성인 가운데 和德을 가진 분이고, 공자는 성인 가운데 時中의 덕을 가진 분이다. 공자는 集大成이라고 말할 수 있으니, 집대성은 징소리를 울려 음악 연주를 시작하게 하고 玉 소리를 내 음악 연주를 거두어 잡게 하는 것이다. 징소리를 내는 것은 음악 연주를 처음 시작시키는 일[始條理]이고, 옥 소리를 내는 것은 음악 연주를 거두어 잡게 하는 일[終條理]이다. 시조리는 지혜에 해당한 일이고 종조리는 성덕에 해당한 일이다.(伯夷聖之淸者也 ; 伊尹聖之任者也 ; 柳下惠聖之和者也 ; 孔子聖之時者也. 孔子之謂集大成, 集大成也者, 金聲而玉振之也. 金聲也者, 始條理也 ; 玉振之也者, 終條理也. 始條理者, 智之事也 ; 終條理者, 聖之事也.)" 맹자가 공자의 집대성한 성덕을 종조리라는 말로 특징지었는데, 남헌 장씨가 사마광의 덕을 이에 빗대 높인 것이다.

呂公著 여공저[106]

[64-15-1]

呂申公嘗薦處士常秩, 秩旣起, 他日稍變其節. 申公謂知人實難, 以語程子,[107] 且告之悔. 程子曰 : "然不可以是而懈好賢之心也." 申公矍然謝之.[108]

여신공呂申公(여공저의 봉호)이 한번은 벼슬하지 않고 있던 사람을 예사 벼슬에 추천하여 벼슬에 기용되었는데, 후일 그가 절의를 차츰 바꾸었다. 신공은 사람 알아보는 것이 참으로 어렵다면서, 이를 정자程子[明道]에게 말하고 또 후회하고 있음을 말하였다.

정자가 대답하였다. "그러나 이를 이유로 어진 사람을 좋아하는 마음이 게을러져서는 안 됩니다."고 하자, 신공은 깜짝 놀라 사과하였다.

[64-15-2]

上蔡謝氏曰 : "申公寡言. 在中書議事, 衆人議畢, 然後以一語去取之. 人亦不能易其議. 至於用人, 於己分合除得若干人, 須敎是當. 初自洛中上君道十篇, 不止可用於當時, 爲君之道幾無出此."

상채 사씨上蔡謝氏[謝良佐]가 말하였다. "신공은 말수가 적었다. 중서성中書省에서 일을 의논할 적에 여러 사람의 의논이 끝난 뒤에 한 마디 말로 결정을 내렸다. 사람들이 또한 그의 의견을 바꿀 수 없었다. 사람을 등용하는 일에 이르러서도 자신의 권한에서 당연히 임명할 수 있는 약간 명이었고 당연히 합당하게 하였다. 지난 날 낙양洛陽에서 올린 군도君道 10편은 단지 당시에만 쓸 수 있는 것이 아니었으니 군주 된 자의 도리에 대해서는 거의 이를 넘어설 수 없을 것이다."

106 呂公著 : 呂夷簡의 아들로 자는 晦叔이고, 시호는 正獻이다. 仁宗 때 진사시에 합격하여, 英宗 때 知蔡州를 지내고, 神宗 때 御史中丞으로 王安石의 靑苗法을 반대하고 呂惠卿의 간사함을 논하였다가 知潁州로 전직되었다. 熙寧 8년(서기 1085년)에 知河陽으로 등용되었다. 哲宗 때 尙書右僕射兼中書侍郎에 등용되어 사마광과 함께 정사를 보필하였다. 죽은 뒤 太師가 증직되고 申國公에 봉해졌다. 형제가 4명인데 3명과 아들 형제 希哲과 希純이 『宋史』에 傳을 남길 정도로 명문거족이다.(『宋史』 권336 「呂公著傳」)

107 以語程子 : 『二程粹言』 권上 「論事篇」에는 '程子'가 '明道'로 되어 있다. 아래 '程子曰'도 역시 '明道曰'로 되어 있다.

108 『二程粹言』 권上 「論事篇」

王安石 왕안석[109]

[64-16-1]

程子曰 : "介甫之言道, 以文焉耳矣. 言道如此, 己則不能然, 是己與道二也. 夫有道者, 不矜於文學之門, 啓口容聲, 皆至德也."[110]

정자가 말하였다. "개보介甫의 도에 대한 말은 문장일 뿐이다. 도에 대해서 이같이 말하고서 자신은 그렇지 않으니 이는 자신과 도가 따로따로다. 도를 몸에 지닌 자는 문학文學은 즐겨하지 않으니, 입을 열어 하는 말과 행동들이 모두 지극한 덕이다."

[64-16-2]

或曰 : "未有大臣如介甫得君者."

曰 : "介甫自知之. 其求去, 自表於上曰, '忠不足取信, 事事待於自明.' 使君臣之契果深, 而有是言乎?"[111]

어떤 사람이 말하였다. "개보처럼 대신으로 군주의 신임을 얻은 사람은 있지 않을 것입니다."
(정자가) 대답하였다. "개보 자신이 알 것이다. 그가 떠나기를 구하면서 스스로 천자에게 표문을 올려, '충성은 믿음을 사지 못해 일마다 스스로 그것을 밝히는 말을 해야 했습니다.'[112]라고 하였다. 군주와 신하 사이의 관계가 과연 깊었다면 이런 말을 했겠는가?"

....

109 王安石 : 宋 撫州 臨川 사람으로 자는 介甫이고, 어렸을 때 이름은 獾郞이었으며, 호는 半山이고, 시호는 文이다. 어렸을 때부터 눈에 한 번 거친 글은 평생 잊지 않았고, 붓을 잡으면 나는 듯이 써내려가는데도 문장이 한 곳도 흠이 없었다. 仁宗 慶曆 연간에 진사시에 합격하였고, 知鄞縣 시절 탁월한 치적을 남겼다. 嘉祐 3년(서기 1058년) 三司度支判官에 등용되자 1만 글자에 달하는 상소문을 올려 법을 바꾸는 개혁과 인재 배양을 주장하였으나 받아들여지지 않았다. 神宗 熙寧 2년(서기 1069년)에 參知政事에 발탁되자 新法 실시를 강력 주장하며 신종과 의기투합하여 이를 위해 三司條例司를 설치하였다. 희녕 3년에 同中書門下平章事에 임명되며, 青苗 · 水利 · 均輸 · 保甲 · 募役 · 市易 · 保馬 · 方田 · 均稅 등의 新法을 실시하며 과거와 학교 제도의 개혁을 주장하였다. 희녕 7년(서기 1074년)에 司馬光 · 文彦博 · 韓琦의 강한 반대를 만나며 상국에서 파직되어 知江寧府로 전직되었다. 8년에 다시 재상직에 복귀하였다가 9년에 다시 파직되어 判江寧府로 전직되었다. 元豐 3년(서기 1080년)에 荊國公에 봉해졌다. 만년에 金陵으로 물러나 살면서 금릉으로 불리기도 한다. 학문에 조예가 깊어 『詩經』 · 『書經』 · 『周官』을 풀이한 『三經新義』와 唐宋八大家의 한 사람에 선정될 정도로 문장이 아름다운 『臨川集』이 있다. 이 밖에 『老子注』 · 『字說』 등이 있다.(『宋史』 권327 『名臣碑傳琬琰集』 下 · 권14)

110 『二程粹言』 권上 「論道篇」

111 『二程粹言』 권하 「君臣篇」

112 '충성은 믿음을 … 했습니다.' : 왕안석이 熙寧 8년(서기 1075년)에 올린 상소문의 일부이다. 그의 문집 『臨川集』 권60 「表 · 乞罷政事表一十三道」 중 乞退表의 3번째 표문이다.

[64-16-3]

"王介甫當初, 只是要行己志. 恐天下有異同, 故只去上心上把得定, 他人不能搖. 以是拒絶言路, 進用柔佞之人, 使之奉行新法. 今則是他已去, 不知今日却留下害事."[113]

(정자가 말하였다.) "왕개보는 처음에 단지 자신의 뜻을 행하고자 하였다. 천하에 반대가 있을까 두려웠던 까닭에 줄곧 군주의 마음을 확정 지어 다른 사람이 흔들 수 없게 하려고 하였다. 이런 까닭에 언로言路를 단절시키고 여리고 아첨하는 자들을 등용해서 신법을 받들어 시행하게 하였다. 지금은 이들이 이미 제거되었으나 오늘날에도 남아서 일을 방해하고 있는지 알지 못하겠다."

[64-16-4]

涑水司馬氏曰: "介甫文章節義過人處甚多, 但性不曉事而喜遂非, 致忠直疎遠, 讒佞輻輳, 敗壞百度以至于此."[114]

속수 사마씨涑水司馬氏[司馬光]가 말하였다. "개보의 문장이며 절의는 남을 뛰어넘는 점이 매우 많은데 다만 천성적으로 사리를 파악하지 못하면서 잘못을 끝까지 주장하기를 좋아하여, 충직한 사람은 소원해지고 참소하고 아첨하는 자들만 폭주하면서, 모든 것을 무너뜨려버림이 이 지경에 이르렀다."

[64-16-5]

龜山楊氏曰: "神宗嘗問伯淳, '王安石如何人?' 伯淳云, '安石博學多文則有之, 守約則未也.' 又嘗問'是聖人否?' 伯淳云, '詩稱周公「公孫碩膚, 赤舃几几,」 聖人蓋如此.'若安石剛褊自任, 恐聖人不然."[115]

구산 양씨가 말하였다. "신종이 한 번은 백순伯淳[116]에게 묻기를 '왕안석은 어떤 사람입니까?'하자, 백순은 '안석은 박학하고 문장에 뛰어난 점은 있지만 지키는 간결함이 없습니다.[117]'라고 하였다. 또 한 번 묻기를, '안석은 성인입니까?'하니, 백순은 '『시경』에 주공周公을 칭하여 「주공의 사양하심이여 크고도 아름다워 면복冕服에 갖추어 신은 신이 든든하도다.」[118]라고 하였으니 성인은 이러합니다. 안석 같은

113 『二程遺書』 권2上 「元豐己未呂與叔東見二先生語」

114 『傳家集』 권60 「書啓 · 與呂晦叔第二簡」

115 『龜山集』 권12 「餘杭所聞」

116 伯淳: 정자 형제 중 형인 程顥의 字이다.

117 지키는 간결함이 없습니다.: 이 글의 원문은 守約이다. 수약은 『孟子』 「公孫丑上」의 浩然之氣를 설명하는 글에서 "孟施舍는 曾子와 유사하고, 北宮黝는 子夏와 유사하다. 두 사람의 용맹이 누가 나은지는 모르겠지만 그러나 맹시사는 지키는 것이 간결하다.(孟施舍似曾子, 北宮黝似子夏. 夫二子之勇, 未知其孰賢, 然而孟施舍守約也.)"고 하였다. 또 「盡心下」에서 "말이 천근하나 뜻이 원대한 말은 훌륭한 말이고, 지키는 것은 간결하나 베풀어짐이 넓은 것은 훌륭한 도이다.(言近而指遠者, 善言也; 守約而施博者, 善道也.)"라고 하였다. 왕안석의 박식이 세상으로부터 칭찬 받고 있지만 그것을 묶어낸 一以貫之의 공통분모를 찾아내지 못했음을 지적한 말이다.

118 「주공의 사양하심이여 … 든든하도다.」: 이 시는 『詩經』 「豳風 · 狼跋」의 시이다. 朱子는 이 시에 대해서

사람은 강퍅함을 자임하고 있으니, 아마도 성인은 그러하지 않을 것입니다.'라고 하였다."

[64-16-6]

"荊公云, '利者, 陰也, 陰當隱伏 ; 義者, 陽也, 陽當宣著.' 此說源流發於董仲舒. 然此正是王氏心術之蔽. 觀其所爲, 雖名爲義, 實爲利. 以此觀王氏之學, 其治天下專講求法度. 如彼修身之潔, 宜足以化民矣. 然卒不逮王文正 · 呂晦叔 · 司馬君實諸人者, 以其所爲無誠意故也. 明道嘗曰, '有關雎麟趾之意, 然後可以行周官之法度.' 蓋深達乎此."[119]

(구산 양씨가 말하였다.) "형공이 '이익은 음陰이니 음은 당연히 숨겨야 하고, 의리는 양陽이니 양은 당연히 환히 드러내야 한다.'라고 하였다. 이 말의 원류는 동중서董仲舒로부터 나온 것이다.[120] 그러나 이는 바로 왕씨王氏의 심술을 개괄한 것이다.[121] 그가 한 일을 살펴보면 명분은 의리를 위한 것이었지만 실상은 이익을 위한 것이었다. 이러한 점으로 왕씨의 학문을 살펴보면, 그는 천하를 다스리면서 오로지 법도만을 강구하였다. 저와 같이 깨끗하게 수신修身하였다면 의당 백성을 교화하기에 충분하였을 것이다. 그러나 끝내 왕 문정王文正[122] · 여 회숙呂晦叔[呂公著] · 사마 군실司馬君實[司馬光] 등 몇 사람에게 미치지 못하니, 그가 한 일들에 정성된 뜻이 없는 까닭에서다. 명도明道가 일찍이 '관저關雎와 인지麟趾의 뜻이 담긴 뒤라야 주관周官[周禮]의 법도를 행할 수 있다.'[123]라고 하였으니, 이러한 의미를 깊이 깨달은 것이

"주공이 의심과 비방을 받았으나 이를 대처하시는 일에서 본래의 모습을 잃지 않았다. 때문에 시인이 이를 찬미하였다.(周公雖遭疑謗, 然所以處之, 不失其常. 故詩人美之.)"라고 하였다. 이때 주공은 어린 成王을 攝政하다, 형제들이 殷나라의 武庚과 유언비어를 퍼뜨리며 반란을 일으키자, 이를 진압하기 위해 동쪽 정벌에 나서 있었다.

119 이 문장은 『龜山集』 권11 「語錄」에 실려 있으나, 앞쪽의 '荊公云'에서 '實爲利'까지는 「京師所聞」의 문장이고, 그 뒤쪽 '觀王氏之學' 이하는 똑같은 권의 「餘杭所聞」의 문장이다. 서로 단락이 다른 문장을 하나로 만들기 위해 '實爲利'와 '觀王氏之學' 사이에는 '以此' 두 글자를 임의로 덧붙였다.

120 董仲舒로부터 나온 것이다. : 동중서는 漢나라 武帝 전후 시대를 살다간 학자이다. 春秋公羊學을 연구하여 武帝에게 儒學을 국교로 삼도록 하였으며, 陰陽五行論을 바탕으로 하늘과 사람의 밀접한 관계를 강조하는 天人感應說을 확립하였다. 그의 저서 『春秋繁露』 권11의 「陽尊陰卑」에서 이에 대해서 길게 설명하였다.

121 王氏의 심술을 … 것이다. : 왕안석이 주장하는 이익은 숨기고 의리는 드러낸다는 말을 楊時는 왕안석이 주장하는 개혁에 대해 『龜山集』 「辨 · 神宗日錄辨」에서 다음과 같이 비판하고 있다. "당연히 취해야 할 것을 취한다면 그 이익은 바로 의리이다. 그러므로 (『大學』)에서는 '나라는 이익을 이익으로 삼지 아니하고 의리로 이익을 삼는다.'고 한 것이니, 의리와 이익은 전혀 두 가지가 아니다. 왜 드러낸다느니 숨긴다는 것이 있어야 하는가? 선을 행한다는 명분을 드러내면서 몰래 이익이 되는 실재를 거두어들이는 것은 五霸가 仁義의 이름을 빌리는 술법이다. 王道로 다스린 자는 이런 일을 하지 않는다. 그러므로 靑苗法의 의도는 이자를 불리는 것에 있으면서도 (백성을) 보조한다는 명분을 붙이고, 市易은 상인들의 이익을 모두 독점하는 것이면서도 가난하고 어려운 백성을 똑같이 구제하는 것이라 말한다. 모두 이런 의도이다.(取其所當取, 則利即義矣. 故曰'國不以利爲利, 以義爲利.' 則義利初無二致焉. 何宣著隱伏之有. 若夫宣著爲善之名, 而陰收爲利之實, 此五霸假仁義之術. 王者不爲也. 故靑苗意在於取息, 而以補助爲名 ; 市易欲盡籠商賈之利, 而以均濟貧苦爲說. 皆此意也.)"

122 王文正 : 위 [64-12-5]의 주석 참고

다."

[64-16-7]

元城劉氏謂馬永卿曰 : "金陵有三不足之說, 聞之乎?"

永卿曰 : "未聞."

曰 : "金陵用事, 同朝起而攻之. 金陵闢衆論, 進言於上曰, '天變不足懼 ; 祖宗不足法 ; 人言不足卹.' 此三句, 非獨爲趙氏禍, 乃爲萬世禍也. 司馬温公嘗云,[124] '人主之勢, 天下無能敵者. 或有過擧, 人臣欲回之, 必思有大於此者, 把攬, 庶幾可回也.' 天子者, 天之子也. 今天變, 乃天怒也. 必有災禍, 或可回也. 今乃教人主使不畏天變, 不法祖宗, 不卹人言, 則何等事不可爲也?"

永卿曰 : "此言爲萬世禍, 或有術可以絶此言, 使不傳於後世乎?"

曰 : "安可絶也? 此言一出, 天下人皆聞之. 不若著論明辨之曰, '此乃禍天下後世之言, 雖聞之, 不可從也.' 譬如毒藥不可絶, 而神農與歷代名醫言之曰, '此乃毒藥, 如何形色. 食之必殺人.' 故後人見而識之, 必不食也. 今乃絶之, 不以告人. 旣不能絶, 而人誤食之, 死矣."[125]

원성 유씨元城劉氏[劉安世]가 마영경馬永卿에게 물었다. "금릉金陵의 세 가지 두려워 할 것이 없다는 말을 들었는가?"

영경이 대답하였다. "듣지 못하였습니다."

(원성 유씨가) 말하였다. "금릉이 집권하자 온 조정이 일어나 그를 공격하였다. 금릉은 여러 사람의 의견을 물리치고 신종에게 진언하기를 '천변天變도 두려워할 것이 없고, 조종조도 법 삼을 것이 없고, 사람들의 말도 걱정할 것이 없습니다.'고 하였다. 이 세 말은 단지 조씨의 송나라에만 재앙이 되는 말이 아니고, 만세에 재앙이 될 말이다. 사마온공이 일찍이 '군주의 형세는 천하에 맞수가 없다. 혹여 잘못된 일을 하였을 때 신하가 그것을 되돌리고자 하면, 반드시 그보다 더 큰 것을 생각해서 가지고 있어야만 거의 되돌릴 수 있다.'라고 하였다. 천자天子는 하늘의 아들이다. 지금의 천변은 바로 하늘의 노여움이다. 반드시 재앙이나 환난이 있어야 혹여 되돌릴 수 있을 것이다. 지금 군주에게 천변도 두려워하지 말고, 조종조도 법 삼지 말고, 사람들의 말도 두려워하지 말라 한다면, 무슨 일을 하지 못하겠는가?"

영경이 말했다. "이 말은 만세에 재앙이 될 것이니, 혹여 어떤 방법으로 이 말을 완전히 없애 후세에 전해지지 않도록 할 수 없겠습니까?"

123 '關雎와 麟趾의 … 있다.' : 이는 『二程外書』 권12 「傳聞雜記」에 실려 있다. 다만 '可以行周官之法度'는 '可行周公法度'로 되어 있다. 진실된 마음이 먼저고 제도의 시행은 그 마음을 바탕으로 행해진다는 말이다. 관저와 인지는 위 [64-12-5] 주석 참고

124 司馬温公嘗云 : 『元城語錄解』 권上에는 '老先生嘗云'으로 되어 있다. 사마광은 유안세의 스승이어서 이렇게 쓴 것인데 『性理大全書』를 편집하며 이렇게 고친 듯하다.

125 『元城語錄解』 권上

(원성 유씨가) 대답하였다. "어떻게 완전히 없앨 수 있겠는가? 이 말이 한 번 제기되자 천하 사람이 모두 그 말을 들었다. 드러내 논란하여 분명하게 변별하기를 '이 말은 천하 후세에 재앙이 될 말이니, 설사 듣더라도 따라서는 안 된다.'라고 하는 것만 못하다. 비유하자면 독약은 없앨 수 없기에, 신농씨神農氏[126]와 역대 명의가 '이는 독약으로 어떤 모양이고 어떤 빛이다. 먹으면 반드시 사람을 죽인다.'고 하였다. 그런 까닭에 후세 사람이 보게 되면 알아보고서 반드시 먹지 않았다. 지금 완전히 없애고 사람들에게 말해주지 않았다가 없앨 수가 없어서 사람이 잘못 먹게 되면 죽는다."

[64-16-8]

樂菴李氏曰 : "荊公長處甚多, 亦不易得. 方其執政時, 豈有意壞亂天下? 第所見有不到處. 故溫公曰, '介甫無他, 但執拗爾.' 此言正中荊公之病. 可謂公論."

낙암 이씨樂菴李氏[李衡]가 말하였다. "형공은 장점이 참 많으니, 또한 쉽게 얻을 수 있는 인물이 아니다. 그가 정사를 집행하고 있을 때 어찌 천하를 무너뜨리고 어지럽힐 의도를 가졌겠는가? 다만 견해가 보지 못한 곳이 있어서일 뿐이다. 그런 까닭에 사마온공이 '개보는 다른 것이 아니고 단지 집요했을 뿐이다.'고 하였다. 이 말이 형공의 병통을 꼭 맞춘 것이니, 공정한 말이라 할 수 있다."

[64-16-9]

或論荊公云,[127] '他當時不合於法度上理會.'

朱子曰 : "法度如何不理會? 只是他所理會, 非三代法度耳."[128]

어떤 사람은[129] 형공에 대해, '그가 당시에 법도에서 이해하려 한 것이 합당하지 않다.'고 말했습니다. 주자가 대답하였다. "법도를 왜 이해하지 않아야 하는가? 다만 그가 이해하려고 한 것은 삼대三代 시절의 법도가 아니었을 뿐이다."

[64-16-10]

問 : "荊公節儉恬退, 素行亦好."

曰 : "他當時作此事, 已不合中. 如孔子於飲食衣服之間, 亦豈務滅裂? 他當初便只苟簡, 要似一苦行然."[130]

물었다. "형공은 절약하고 검소하였으며 명리名利에 욕심 없이 물러났고 평소의 행실도 또한 좋았습니

126 神農氏 : 전설상의 제왕으로 三皇의 한 사람이다. 최초로 쟁기·보습을 만들어 백성에게 농업을 가르쳤고, 사람 몸에 소 머리[人身牛首]의 형태를 가진 사람이어서, 온갖 풀을 맛보아 약재를 찾아내 질병을 치료하고 毒草를 변별하였다. 火德으로 제왕이 되었다 하여 炎帝라고도 일컫는다.

127 或論荊公云 : 『朱子語類』 권130, 10조목에는 '陸子靜云'이라고 하였다.

128 『朱子語類』 권130, 10조목

129 어떤 사람은 : 『朱子語類』 권130, 10조목에 따라 육자정이다. 육자정은 陸九淵을 字로 이른 말이다.

130 『朱子語類』 권130, 10조목. 위 [64-16-9]와 『朱子語類』에는 한 조목으로 구성되어 있다.

다."
(주자가) 대답하였다. "그가 당시에 이런 일을 행한 것이 이미 중도에 맞지 않다. 예컨대 공자가 음식과 의복에 대해 또한 거칠고 대충대충 하려 힘쓰셨던가?[131] 그는 처음부터 단지 구차하고 간략하게[132]만 하려 하였으니 하나의 고행苦行[133]과 유사한 것을 구하였을 뿐이다."

[64-16-11]

問: "王介甫其心本欲救民. 後來弄壞者, 乃過誤致然."

曰: "不然. 正如醫者治病, 其心豈不欲活人? 却將砒霜與人喫, 及病者死, 却云'我心本欲捄其病, 死非我之罪', 可乎? 介甫之心固欲捄人, 然其術足以殺人. 豈可謂非其罪?"[134]

물었다. "왕개보 자신의 마음은 본래 백성 구제였습니다. 후일 무너뜨린 것은 과오에 의한 것입니다."
(주자가) 대답하였다. "그렇지 않다. 바로 의사가 병자를 치료하는 것과 같으니 그 사람 마음이야 왜 사람을 살리고자 하지 않았겠는가? 비상을 가져다 사람에게 주어 먹게 하고서는 병자가 죽으면 '내 마음은 본래 그의 병을 낫게 하려는 것이었으니, 죽음은 나의 죄가 아니다.'라고 한다면, 맞겠는가? 개보의

131 공자가 음식에 … 힘쓰셨던가?: 공자의 음식과 의복 등의 예절은 『論語』「鄕黨」에 잘 나타나 있다. 대표적으로 이른다면 "밥이 더위에 변해 습기가 돌거나 쉬었으면 먹지 않았고, 생선이 부패하여 문드러지거나 고기가 부패하였으면 먹지 않았으며, 색깔이 변했으면 먹지 않았고, 냄새가 부패한 듯 하면 먹지 않았고, 설익었으면 먹지 않았고, 덜 영글었으면 먹지 않았고, 저민 것이 똑 바르지 않으면 먹지 않았고, 그 음식에 맞는 장이 없으면 먹지 않으셨다.(食饐而餲; 魚餒而肉敗不食, 色惡不食; 臭惡不食; 失飪不食; 不時不食; 割不正不食; 不得其醬不食.)"고 하였다. 의복에 대해서도 "공자는 감색과 엳은 붉은 색 비단으로 옷의 가장자리에 선두르지 않았으며, 홍색과 자색의 옷감으로 평상복을 짓지 않았다. 더위에는 홑 감의 가는 갈포베와 거친 갈포베로 지은 옷을 언제나 겉옷으로 입으셨다. 검은 옷에는 검은 양가죽으로 지은 가죽옷을 입었고, 흰옷에는 흰 노루 가죽으로 지은 가죽옷을 입었고, 누른 옷에는 여우가죽으로 지은 가죽옷을 입었다 … 두터운 여우와 담비 가죽 털로 지은 옷을 입고 생활하였다.(君子不以紺緅飾, 紅紫不以為褻服. 當暑, 袗絺綌, 必表而出之. 緇衣羔裘; 素衣麑裘; 黃衣狐裘 … 狐貉之厚, 以居.)"라고 하였다.

132 구차하고 간략하게: 이 글의 원문 苟簡을 『朱子語類考文解義』 권33에서 "전연 점검하지 않음을 이르니 예컨대 낚시 밥을 식사로 알고 먹은 일 등이다.(謂全不點檢 如食釣餌等.)"고 하였다. 낚싯 밥 운운은 『朱子語類』 권130, 63조목에 다음과 같이 말하고 있다. "형공의 기질은 본래부터 몸뚱이를 훨훨 털어버리고 속세를 떠난 모양을 해보려고 하여 음식을 먹어도 배가 부른지 고픈지를 알지 못했다. 어떤 글에서 한 번 본 적이 있는데, 공에 대해서 '음식에 있어 전연 좋아하는 것이 없었고 가까이 놓인 음식만을 기어코 다 먹어치웠다. 좌우에서 그가 좋아하는 것인가 의아해하고서는 다음 날 다른 음식으로 바꾸어 놓고 그 음식은 멀리 놓아두었더니 먹지 않았으며, 가끔은 음식을 먹으면서도 음식 맛을 알지 못하였다. 심지어 낚시 미끼를 먹었다는 것은 당시에 속이는 말로 생각하였으나 실제 자신이 몰랐었다.'고 하였다.(荊公氣習, 自是一箇要遺形骸·離世俗底模樣, 喫物不知飢飽. 嘗記一書, 載公於飮食絶無所嗜, 惟近者必盡. 左右疑其爲好也, 明日易以他物, 而置此品於遠, 則不食矣, 往往於食未嘗知味也. 至如食釣餌, 當時以爲詐, 其實自不知了.)"

133 苦行: 『朱子語類考文解義』 권33에서 고행은 "승려가 매우 고난스러운 것을 행하는 것을 이른다.(謂僧行苦切者.)"라고 하였다. 승려의 행동과 비슷하였다는 말이다.

134 『朱子語類』 권130, 9조목

마음은 진실로 백성을 구제하고자 하였겠지만, 그 방법은 사람을 죽이기에 충분하였다. 어떻게 그의 죄가 아니라 할 수 있겠는가?"

[64-16-12]

南軒張氏曰 : "王介甫執拗, 只是不曉事. 若是曉事, 言有當於吾心者, 當幡然而改矣."

남헌 장씨가 말하였다. "왕개보는 집요하였고 단지 사리에 밝지 못하였다. 만일 사리에 밝았다면 말들 중 자신의 마음에 합당한 말이 있었으면 당연히 뒤집고 바꾸었을 것이다."

范純仁 범순인[135]

[64-17-1]

程子曰 : "范公堯夫之寬大也, 昔余過成都, 公時攝帥. 有言公於朝者. 朝廷遣中使降香峨眉, 實察之也. 公一日訪予欵語, 予問曰, '聞中使在此, 公何暇也?' 公曰, '不爾則拘束.' 已而中使果怒, 以鞭傷傳言者耳. 屬官喜, 謂公曰, '此一事, 足以塞其謗, 請聞於朝.' 公旣不折言者之爲非, 又不奏中使之過. 其有量如此."[136]

정자程頤가 말하였다. "범공 요부堯夫의 관대함은 예전 내가 성도成都를 방문하였을 적에 공은 당시 섭수攝帥[137]였다. 공에 대해서 조정에서 어떤 말을 한 자가 있었다. 조정에서 중사中使(환관)를 보내 아미산峨眉山 제사에 쓸 향을 내렸는데, 실상은 공의 죄를 살피려는 것이었다. 공이 하루는 나를 찾아와 정답게 말을 하기에, 내가 묻기를 '중사가 이곳에 와 있다고 들었는데 공께서 어떻게 틈을 내셨습니까?' 하니, 공은 '잘못되었으면 구속하겠지요.'라고 하였다. 이윽고 중사가 과연 성을 내며, 말을 전한 자의 귀를 채찍으로 상처를 입혔다. 공 휘하의 관원이 기뻐서 공에게 '이 한 가지 일로 비방하는 말을 틀어막기에

135 范純仁 : 宋 蘇州 吳縣 사람으로, 자는 堯夫이고, 시호는 忠宣이다. 송의 명 재상인 范仲淹의 둘째 아들이다. 仁宗의 皇祐 연간에 進士試에 합격하였다. 아버지의 제자인 胡瑗·孫復과 從遊하며 학문에 밤낮으로 노력하였다. 아버지가 죽은 뒤에 벼슬에 나와, 侍御史와 同知諫院을 지내며 왕안석의 신법을 끝까지 반대하다 成都로 멀리 전직되었고, 哲宗이 즉위하며 給事中을 거쳐 元祐 원년(서기 1086년)에 同知樞密院事에 오르고 재상직에 임명되었다. 저서로 『范忠宣公集』이 있다.(『宋史』 권314 「范純仁傳」 : 『宋元學案』 권3)

136 『二程遺書』 권21上 「師說」

137 攝帥 : 여기서 帥는 宋元시대에 한 지역의 군대와 백성 다스리는 일을 맡은 관원을 이른다. 攝은 '관장하다.' 또는 '맡다.'라는 뜻이다. 범순인이 왕안석의 잘못을 지적하는 말을 계속 올리자 왕안석은 그를 知河中으로 전직시켰다가 다시 西蜀의 成都路轉運使로 멀리 보내버렸다. 범순인은 성도에 부임하여 왕안석의 신법이 불편하다며 州縣에 단번에 거행하려 하지 말라는 명령을 전하였다. 이때 범순인의 잘못을 조정에 말하는 자가 생겨났다. 이에 조정에서 그 말의 허실을 살피기 위해 중사를 내보내며 서촉에 있는 아미산 제사에 향을 내린다는 명목을 붙인 것이다.(『宋史』 권314 「范純仁傳」)

충분하니, 청컨대 조정에 아뢰도록 하십시오.'라고 말하였으나, 공은 그 말한 자를 잘못이라고 막지도 않았고, 또 중사의 잘못을 아뢰지도 않았다. 그 도량이 이 정도다."

鄒浩 추호[138]

[64-18-1]

或曰 : "鄒浩以極諫得罪, 世疑其賣直也."

程子曰 : "君子之於人, 當於有過中求無過, 不當於無過中求有過."[139]

어떤 사람이 말하였다. "추호는 간쟁의 일을 끝까지 다 하다가 죄를 얻었는데, 세상에서 매직賣直[140]이라 의심하고 있습니다."

정자가 대답하였다. "군자가 사람들에서, 당연히 허물 속에서 허물이 아닌 부분을 찾아야지, 허물이 없는 속에서 허물이 있는가를 찾는 것은 옳지 않다."

曾肇 증조[141]

[64-19-1]

龜山楊氏曰 : "曾子開不以顔色語言假借人, 其愼重爲得大臣之體. 於今可以庶幾前輩風流

138 鄒浩 : 송나라 常州 晉陵 사람으로 자는 志完이고 호는 道鄕居士이며, 시호는 忠이다. 神宗의 元豐 원년(서기 1078년)에 진사시에 합격하고 襄州敎授를 지냈다. 哲宗 때 章惇이 홀로 재상 자리를 지키며 獨斷하자, 右正言으로 여러 차례 그의 失政을 탄핵하는 상소를 올렸으나 받아들여지지 않았다. 철종이 황후 孟氏를 폐하고 賢妃 劉氏를 황후로 세우자, 철종의 잘못을 지적하는 상소를 올렸다가 미움을 사 羈管神州로 전직되었다. 이때 장돈이 추호를 전송하는 사람을 찾아내 그들까지 벼슬에서 전직시켰다. 徽宗이 등극하며 우정언으로 복직시켰다. 추호는 여전히 휘종의 잘못을 다시 지적하는 상소를 올렸다. 그러나 휘종은 추호를 中書舍人으로 승진시켰다. 휘종이 처음 추호를 우정언에 복직시키며 유씨 황후를 반대한 그의 상소문을 장하게 여기고서 그것을 보고자 추호에게 초본을 가져오라고 하였다. 추호는 이미 불살라 없다고 하였다. 이때 추호를 꺼리던 재상 蔡京은 추호의 상소문을 가짜로 만들게 하며, 유씨가 남의 자식을 데려다 자신의 아들로 삼았다는 허황된 내용을 넣게 하였다. 이 일로 추호는 다시 지방으로 전직되었다.(『宋史』 권345 「鄒浩傳」)

139 『二程遺書』 권21上 「師說」

140 賣直 : 일부러 공정하고 충직한 양 가장하여, 명성을 취하려는 것을 비판하는 말이다.

141 曾肇 : 송나라 建昌軍 南豐 사람으로 자는 子開이고, 시호는 文昭이다. 英宗 연간에 진사시에 합격하고, 崇文院校書를 거쳐 哲宗 연간에 『神宗實錄』 편찬에 檢討로 참여한 공으로 中書舍人에 올랐다. 葉康直이 知秦州로 재직할 때의 잘못을 탄핵하였다가 執政官이 자신에게 먼저 말하지 않은 책임을 물으려 하자, 范純仁이

者, 惟此一人耳."[142]

구산 양씨가 말하였다. "증자개는 남에게 낯빛이나 말로 너그럽게 하지 않았으니, 그의 신중함은 대신의 체통을 얻었다. 오늘날 옛사람의 풍류風流[法度]에 가까운 사람은 이 한 사람뿐이다."

宗澤 종택,[143] 李綱 이강[144]

[64-20-1]

朱子曰: "宗澤守京城, 治兵禦戎, 以圖恢復之計, 無所不至. 上表乞回鑾, 數十表乞不南幸,

막아주었고, 門下侍郎 韓維가 范百祿의 일을 탄핵하자 知鄧州로 전직시키며 그 임명장을 증조에게 쓰게 하자, 옳지 않은 인사의 임명장을 쓸 수 없다며 붓을 잡지 않았다. 또 諫議大夫 王覿이 胡宗愈를 비판한 일로 潤州로 전직되자, 증조가 대신은 국가의 心腹이고 臺諫은 국가의 耳目인데 왜 대신은 비호하고 대간은 무시하느냐고 간언하여 왕적을 直龍圖閣에 다시 임명하게 하였다. 이어 知鄧州 등 지방 수령을 지내며 선정을 남기고, 吏部侍郎에 올랐다. 徽宗이 등극하며 다시 조정으로 돌아오게 되자, 元祐黨人으로 이미 죽은 사람들의 공을 기록하여 남겼고, 翰林學士兼侍讀에 올랐으나 형 曾布가 재상이 되자 避嫌하여 提擧中太一宮으로 물러났다. 禮에도 밝아 천자가 后土의 神에게 제사하도록 처음으로 제정하기도 하였다. 저서에『曲阜集』이 있다.(『宋史』 권319「曾布傳」)

142 『龜山集』 권12「餘杭所聞」

143 宗澤: 송나라 婺州 義烏 사람으로 자는 汝霖이고 시호는 忠簡이다. 哲宗 元祐 연간에 진사시에 합격하고 여러 州縣의 수령을 지내며 치적으로 명성이 높았다. 欽宗의 靖康 원년(서기 1126년)에 知磁州를 지내며 성곽과 병장기를 수선하고 의병을 모집하여 북쪽의 금나라 군대가 남쪽으로 내려오는 길을 막은 공으로 河北義兵都摠管에 임명되었다. 康王(후일의 高宗, 이름은 趙構)이 河北兵馬大元帥府가 되었을 때 副元帥가 되어 금나라의 공격으로 포위된 汴京을 구원하려 하였으나 왕백언과 황잠선의 방해로 이루지 못하였다. 이후 송나라는 수도 변경이 함락되며 徽宗과 欽宗이 북쪽으로 잡혀 갔고, 금나라는 張邦昌을 천자로 세우고 새로 나라를 세워 國號를 송에서 楚로 바꾸었다. 이에 흠종의 아우 조구가 南京에서 즉위하니, 바로 고종이다. 이후의 행적은 다음 문장에 자세하다. 종택이 죽을 때 나이가 70세였는데, 경사 汴京을 책임지고 있는 장수이자 관원으로 고종의 還宮을 간하는 상소가 黃潛善 등 간신의 저지로 실현되지 않자, 등창이 나 죽었다. 저서로『宗忠簡公集』이 있다.(『宋史』 권360「宗澤傳」)

144 李綱: 송나라 邵武 사람으로 자는 伯紀이고 호는 梁溪이며 시호는 忠定이다. 徽宗 政和 연간의 진사이다. 휘종 말년 太常少卿으로 재직 중 금나라 군대가 침공해 오자 팔뚝의 피로 상소문을 써서, 휘종에게 태자 흠종에게 선위하여 천하의 영웅호걸을 불러 모을 수 있는 계기를 만들어야 금나라를 물리칠 수 있다고 설득하여 흠종을 등극시켰다. 곧 兵部侍郎·東京留守·親征行營使를 거치며 금나라와 싸우기를 주장하고 遷都 주장을 강력 반대하다가 황잠선과 왕백언 등의 화의 주장에 밀려나기도 하였다. 高宗이 등극하며 尙書左僕射兼門下侍郎에 임명되며 다시 河東과 河西의 의병을 모으고 宗澤을 추천하여 금나라 군대에 대비했으나, 화의 주장을 받아들인 고종에 의해 재상에 오른 지 75일 만에 해직되었다. 흠종이 수도 변경을 떠나려 차비하고 나서는 것을 만류하고, 고종이 변경을 버리고 南京에 머무는 것을 설득해 변경으로 귀환하자고 했지만 끝내 관철시키지 못하였다. 이후 송나라는 기울어져 고종은 재위 기간 이곳저곳을 떠돌아야 했다. 저서로

乞修二聖宮殿, 論不割地. 其所建論, 所謀畫, 是非利害, 昭然可觀. 觀其勢, 駸駸乎中興之基矣. 耿南仲沮之於南京時, 使不歸京城. 汪黃沮之淮甸時, 動相掣肘, 使不得一有所爲."[145]

주자가 말하였다. "종택宗澤이 경성 유수京城留守로[146] 병장기를 손질하고 적을 방어하며, 국토 회복을 위한 계책 도모에 지극하지 않은 것이 없었다. 표문을 올려 난가鸞駕가 돌아오기를 구하였고, 수십 장의 표문으로 남쪽 순행巡行에 나서지 말기를 구하였으며,[147] 두 천자의 궁궐을 짓고, 국토를 할양하지 않아야 함을 말하였다.[148] 그가 건의한 말과 획책한 것은 옳음과 그름, 이로움과 해로움을 환히 알아볼 수

『易傳內外篇』·『論語常說』·『梁溪集』 등이 있다.(『宋史』 권358~359 「李綱傳」)

145 『朱子語類』 권132, 1조목

146 京城留守로 : 종택은 고종이 등극하며 李綱의 추천으로 기왕의 벼슬 知開封府에서 다시 東京留守兼開封尹에 임명되었다. 이때 뒤에 나열된 여러 일을 진행하였다.(『宋史』 권360 「宗澤傳」)

147 표문을 올려 … 구하였으며 : 고종은 송나라 태조 趙匡胤의 발상지인 南京에서 등극한 뒤 그곳에 머물렀다. 종택은 이보다 앞서 지개봉부에 임명되자 汴京의 치안을 확립시키기 위해 도둑질하는 자를 軍法으로 다스렸다. 다음으로 개봉부 주위에서 군사를 길러 권력을 휘두르는 자들을 설득하여 귀순하게 하였다. 河東에서 무리 70만을 거느리고 수도를 넘보던 王善을 단기필마로 설득하였고, 30만의 무리를 거느린 楊進, 수만 명을 거느린 王再興, 李貴 등을 귀순시켜 수도 치안을 안정시켰다. 종택은 이렇게 수도가 어느 정도 자리 잡히자, 당시 남경에 머물고 있던 고종에게 수도 변경으로 돌아오기를 청하는 상소를 올렸다. 고종은 荊州·襄州·江州·淮州 등지를 순행해야 한다며 청을 거절하였다. 순행은 사실상 금나라 군대를 피하는 피난이었다. 그러자 아들 穎을 보내 "지금 伊洛 지역을 회복하였고, 주변 군사들이 송나라를 위해 충성을 다하고자 하니 고종이 돌아온다면 中興을 이룰 수 있다."고 설득하였다. 이후에도 수없이 고종의 還都를 설득하였으나 고종은 따르지 않았다.(『宋史』 권360 「宗澤傳」)

148 두 천자의 … 말하였다. : 종택은 고종이 환도를 망설이자, 이러한 상소를 올렸다. "성인은 자신의 어버이를 사랑하여 그 마음이 남의 어버이에게까지 미치니 이는 사람들에게 효성을 가르치고, 자신의 형을 공경하여 그 마음이 남의 형에게까지 미치니 이는 사람들에게 공손을 가르치는 것입니다. 폐하께서 당연히 忠臣義士와 계책을 함께하고 힘껏 토벌하여 두 군주를 맞이해 돌아오게 해야 합니다. 지금 上皇(휘종)이 사셨던 龍德宮은 옛날처럼 의젓한데, 淵聖皇帝(흠종)는 궁실도 없으니 바라건대 寶籙宮을 개수해 맞이하고 받들 궁궐로 삼음으로써, 천하가 어버이에게 효도하고 형에게 공손히 함을 알게 해야 하니, 이는 바로 행동으로 가르치는 것입니다.(聖人愛其親, 以及人之親, 所以教人孝 ; 敬其兄, 以及人之兄, 所以教人弟. 陛下當與忠臣義士合謀肆討, 迎復二聖. 今上皇所御龍德宮, 儼然如舊 ; 惟淵聖皇帝未有宮室, 望改脩寶籙宮, 以爲迎奉之所, 使天下知孝於父弟於兄, 是以身教也.)" 이에 고종은 변경으로의 귀환을 약속하였으나 끝내 지켜지지 않았다. 국토 운운은, 徽宗의 말년이자 欽宗의 즉위년인 宣和 7년(1125년)에 금나라는 이미 송나라 침공에 나서, 흠종의 政綱 원년(서기 1126년)에 금나라는 송나라 수도를 공격하여 송나라는 위험에 빠졌다. 그리고 사신을 보내 太原·中山·河間 세 鎮의 割讓을 요구하였다. 결국 이 땅은 금나라에 할양하였다가 다시 돈을 바치고 되돌려 왔다. 그 뒤 금나라는 황하로 두 나라의 경계를 삼자는 요구를 하였다. 고종 紹興 8년(서기 1138년)에 다시 河南과 陝西의 옛 지역을 모두 할양해 줄 것을 요청하였다. 종택은 이를 반대하였다. (『宋史』「宗澤傳」)에 의거해 살피면 다음과 같다. "金나라 사람이 割地의 논의가 있음에 종택은 다음과 같이 상소하였다. '천하는 태조와 태종의 천하이니, 폐하께서는 조심조심 두려워하며 만세에 전할 것을 생각하셔야 합니다. 어찌하여 선뜻 河東과 河西의 할양을 말씀하시고, 또 陝西의 蒲와 解 지역의 할양을 말씀하십니까?'(金人有割地之議, 澤上疏曰, '天下者太祖太宗之天下, 陛下當兢兢業業, 思傳之萬世. 奈何遽議割河之東西, 又議割陝之蒲解乎?')"(『宋史』 권360 「宗澤傳」)

있다. 그 당시의 형세도 점차 중흥의 기반이 잡혀감을 살필 수 있다. 경남중耿南仲[149]은 남경南京에 있을 때 저지하여 경성으로 돌아올 수 없게 하였고,[150] 왕황汪黃은 회전淮甸에 있을 때 저지하여,[151] 하는 일마다 방해해 한 가지 일도 할 수 없게 하였다."

[64-20-2]

"惟天下之義, 莫大於君臣. 其所以纏綿固結而不可解者, 是皆生於人心之本然, 而非有所待於外也. 然而世衰俗薄, 學廢不講, 則雖其中心之所固有, 亦且淪胥陷溺, 而爲全軀保妻子之計, 以後其君者, 往往接迹於當世. 有能奮然拔起於其間, 如李公之爲人, 知有君父, 而不知有其身. 知天下之有安危, 而不知其身之有禍福. 雖以讒間竄斥, 屢瀕九死, 而其愛君憂國之志, 終有不可得而奪者. 是亦可謂一世之偉人矣."[152]

149 耿南仲 : 경남중은 송나라 開封 사람으로, 자는 晞道이다. 神宗 元豐 연간의 進士로, 太子右庶子로 欽宗을 10년 동안 교육하였다. 흠종이 즉위하며 門下侍郎에 등용하였다. 경남중은 흠종이 자신을 우대할 것으로 생각하였는데, 다른 사람에 비해 낮은 자리에 임명 되자, 당시 화의를 반대한 李綱의 주장을 반대하며 국토의 割讓을 건의하였다. 고종이 등극하며 흠종을 잘못 보좌한 공으로 安置刑에 처해져 가는 길에 죽었다. 저서로 『周易新講義』가 있다.(『宋史』 권 352 ; 『宋元學案』 권98)

150 南京에 있을 … 하였고 : 남경은 당시 河北兵馬大元帥인 후일의 高宗(趙構)이 업무를 개시한 곳이자, 송태조의 발상지이다. 종택은 당시 부원수로 조구를 보필하였다. 이때 금나라가 송나라의 수도 汴京을 포위하고 있어, 흠종은 조구를 하북병마대원수로 임명하며 변경의 포위를 풀도록 조서를 내렸다. 조구가 변경으로 출발할 때 다시 흠종의 조서가 내려져 "'금나라 군사가 성을 압박하며 포위를 풀지 않는데 지금 화친에 대한 논의가 무르익고 있으니 수도 근방에 주둔하고 가볍게 움직이지 말라.'고 하였다. 汪伯彥 등은 모두 화친 논의를 믿었으나, 종택만은 곧바로 澶淵 지역으로 나아가 兵營의 거점으로 삼고 점차 수도 변경의 포위를 푸는 것이 옳다고 하였다. 왕백언과 耿南仲이 군사를 東平으로 옮기자고 청하자, 조구는 종택에게 군사 1만 명을 주어 단연으로 나아가 주둔하게 하며 흠종은 군영 안에 있다는 소문을 퍼뜨리게 하였다. 이로부터 종택이 다시 조구의 진영 일에 참여하지 못하였다.(詔至云金人登城不下, 方議和好, 可屯兵近甸, 毋輕動. 汪伯彥等皆信和議, 惟宗澤請直趨澶淵爲壁, 次第解京城之圍, 伯彥南仲請移軍東平, 帝遂遣澤以萬人進屯澶淵, 揚言帝在軍中. 自是澤不復預府中.)"고 하였다. 이때 만일 남경중이 반대하지 않아 종택의 의견을 따랐다면 후일 변경의 포위를 풀고 다시 수도를 회복하였을 것이란 말이다.(『宋史』「欽宗本紀 · 高宗本紀 · 宗澤傳」)

151 汪黃은 淮甸에 … 저지하여 : 왕황은 王伯彥과 黃潛善을 이르고, 회전은 南宋의 수도였던 臨安지역이 淮水의 유역이어서 이른 말이다. 이를 『歷朝通略』 권4 「南宋」에 의거해 살피면 다음과 같다. 남송은 고종을 옹립하고 금나라와 회수와 秦嶺을 국경으로 삼아 대치하였다. 왕백언과 황잠선은 화의를 주장하였다. 고종이 등극하며 상국으로 임명한 李綱을 참소로 75일 만에 파직시켰고, 이강이 파직되며 종택도 의지할 사람이 없어 결국 등창이 나 죽었다. 종택의 斥和 상소에 대한 왕황의 태도를 『宋史』「宗澤傳」에서 살피면 다음과 같다. "그가 상소를 올리며 따로 다섯 가지 조목을 말하였는데, 그 하나는 황잠선과 왕백언이 남쪽 순행(사실상의 도망치는 일임)을 찬동한 것에 대한 잘못이었다. 종택이 앞뒤 건의한 말은 三省과 樞密院을 경유하게 되어 있어서 번번이 황잠선에 의해 억제되었다. 그들이 종택의 상소를 볼 적마다 모두 미친 자라고 비웃었다.(又條上五事, 其一, 言黃潛善汪伯彥贊南幸之非. 澤前後建議, 經從三省 · 樞密院, 輒爲潛善等所抑. 每見澤奏疏, 皆笑以爲狂.)"

152 『朱文公文集』 권79 「記 · 邵武軍學丞相隴西李公祠記」

(주자가 말하였다.) “천하에 군주와 신하의 의리보다 큰 것은 없다. 그것이 칭칭 굳게 감겨져 벗어버릴 수 없는 까닭은 이것이 모두 사람 마음의 본연本然에서 나오고 외부의 어떤 것에 의지되지 않아서다. 그러나 세상이 쇠락하고 세속이 야박하여 학문이 버려지고 읽혀지지 않으면서, 속마음에 본디 존재하고 있는 것이건만 또한 빠져나올 길 없는 구렁텅이로 빠져, 자신 한 몸 온전히 하고 처자식 보전하는 계책만 행하고 군주는 뒷전인 자들이 당시 세상에 곳곳마다 연이어졌다. 그러한 속에서 분연히 몸을 일으켰으니, 예컨대 이공李公[李綱]의 사람됨은 군주의 존재만을 알고 자신의 존재를 알지 못하였으며, 천하가 입을 위험만을 알고 자신에게 닥칠 재앙은 알지 못하였다. 참소와 이간에 의해 쫓겨나고 배척당해 구사일생의 경지를 여러 차례 겪으면서도 군주를 사랑하고 나라를 걱정하는 뜻을 끝내 빼앗을 수 없었으니, 이분 또한 한 시대의 위대한 사람이라 말할 수 있다.”

汪伯彦 왕백언,[153] 黃潛善 황잠선[154]

[64-21-1]

朱子曰 : “舜擧十六相, 誅四凶, 如此方恰好, 兩邊方停勻. 後世都不然, 惟小人得志耳. 方天下無事之時, 則端人正士, 行義謹飭之士, 爲小人排擯, 不能一日安于朝廷, 遷竄貶謫. 及擾攘多故之秋, 所謂忠臣義士者, 犯水火, 蹈白刃, 以捐其軀 ; 而小人者, 平世固是他享富貴, 及亂

153 汪伯彦 : 송나라 徽州 祈門 사람으로 자는 廷俊이고, 호는 新安居士이며, 시호는 忠定이다. 휘종 연간에 진사시에 합격하고 虞都郎官에 임명되었다. 흠종 연간에 변경 방위에 대한 열 가지 계책을 올리고 直龍圖閣知相州에 올랐다. 훗날 고종이 된 趙構가 당시 康王의 신분으로 금나라에 화의를 논의하려 가며 磁州에 머무르고 있을 때, 편지를 보내 신변이 위태로우니 相州로 거처를 옮길 것을 건의하며 고종의 신임을 샀다. 고종이 즉위하면서 知樞密院事에 등용되어 재상이 되었다. 그러나 1년이 넘도록 황잠선과 함께 재상직에 있으면서도 아무런 계책을 세우지 않아, 탄핵을 받다가 建炎 3년(서기 1129년) 2월 揚州가 금나라 공격으로 불타자 황잠선과 함께 벼슬에서 떨어져 永州에서 살았다. 이들 소동이 진정된 紹興 초년에 知知州로 다시 기용되어 檢校傅를 거쳐 普信軍節度使를 지냈다. 고종이 사방을 전전하던 시기에 왕백언은 벼슬에서 물러나 평화롭게 지낸 것이다. 저서로 『春秋大義』와 『集三傳本末』이 있다.(『宋史』 권473 「奸臣傳 · 汪伯彦」)

154 黃潛善 : 송나라 邵武 사람으로 자는 茂和이다. 진사시에 합격하였다. 휘종 연간에 등용되어 左司郎을 지내고, 고종이 즉위하며 右僕射兼中書侍郎에 올라 왕백언과 함께 화의를 주장하며 재상 李綱과 御史 張所를 파직시키고, 자신의 잘못을 지적한 여러 사람을 죽이거나 벼슬에서 떨어뜨렸다. 泗州가 금나라에 함락되어 고종이 양자강을 건널 준비를 하는데도 왕백언과 함께 승려의 說法을 듣거나 함께 밥을 먹으며 두려워할 것이 없다고 태연하였다. 이때 피난 행렬에 司農卿 黃鍔이 휩쓸렸다가 이 사람이 황잠선이라는 말에 군인들이 칼을 들고 대들어 자신이 그 사람이 아님을 설명하다가 결국 목이 잘려 죽을 정도로 그에 대한 평은 좋지 않았다. 고종을 잘못 인도한 죄로 탄핵받아 觀文殿學士로 강등되었고, 나라를 잘못 인도한 죄가 왕백언보다 크다며 죽여야 한다는 주장이 이어졌으나, 고종의 비호로 목숨을 부지하다 梅州에서 죽었다.(『宋史』 권473 「奸臣傳 · 黃潛善」)

世亦是他獨寬, 縱橫顚倒, 無非是他得志之日. 君子者常不幸, 而小人者常幸也! 如汪黃在高宗初年爲宰相, 後來竄廣中, 正中原多故之日, 却是好好送他去廣中避盗. 及事稍定, 依舊取他出來爲官. 高宗初啓中興, 而此等人爲宰相, 如何有恢復之望? 在維揚時, 番人兵矢簇在胸前了, 他猶自不管, 世間有此愚人"[155]

주자가 말하였다. "순임금이 재상 16명을 등용하고,[156] 사흉四凶의 죄를 다스렸으니[157] 이 같아야 비로소 합당하고 양쪽이 비로소 균형이 맞는다. 후세에는 도무지 그러지 않아 소인만 만족했을 뿐이다. 천하에 변고가 없을 때면 단정한 사람과 올바른 인재, 의리를 행하고 신중히 몸단속을 하는 사람은 소인의 배척을 받아 하루도 조정에서 편안히 머무르지 못해, 전직되고 쫓겨나고 강등되고 귀양 간다. 혼란하고 일이 많을 때면 이른바 충신과 의사義士는 물과 불구덩이에 뛰어들고 전쟁터를 누비며 자신의 한 몸을 버리는데, 소인은 평안한 세상에선 굳건하게 저토록 부귀를 누리고 난세에 미쳐서도 또한 홀로 여유작작하여, 이리 엎어지건 저리 엎어지건 어느 때도 그들한테는 만족스러운 날이다. 군자는 늘 불행하고 소인은 늘 행복하다! 예컨대 왕백언과 황잠선은 고종高宗 초기에 재상이 되었다가 나중에 광중廣中으로 쫓겨났는데, 바로 중원中原에 변고가 많을 때여서 너무도 광중으로 잘 내보내 도적떼를 피하게 한 것이다. 일이 조금 평정되자 옛날처럼 그를 등용하여 나와 벼슬하게 하였다. 고종 초기 중흥을 연다면서 이런 부류의 사람으로 재상을 삼았으니, 어떻게 회복의 희망을 가질 수 있겠는가? 유양維揚에 있을 때[158] 오랑

155 『朱子語類』 권131, 6조목

156 순임금이 재상 … 등용하고 : 16명은 세상에서 말하는 八元과 八愷이다. 이를 『史記』「五帝本紀」에서 살피면 다음과 같다. "옛날 高陽氏에게 재주 있는 8명의 아들이 있었는데 대대로 그 사람들에 의해 좋은 이익을 누리게 되어 세상에서 팔개라고 불렀다. 高辛氏에게 재주 있는 8명의 아들이 있었는데 세상에서 그들을 팔원이라고 일렀다. 이들 16명의 가족이 대대로 그들 집안의 아름다운 명성을 유지하여 그 명성을 떨어뜨리지 않았다. 요임금 시대에 이르러 요가 그들을 등용하지 않았다. 순임금이 팔개를 등용하여 땅에 관한 일을 맡겨 온갖 일을 살피게 하자 시절의 차례대로 질서가 서지 않음이 없었다. 팔원을 등용하여 사방에 五倫의 가르침을 펼치게 하자 아버지는 의롭고 어머니는 자애롭고 형은 우애하고 아우는 공손하고 아들은 효도하여 나라 안이 화평하고 나라 밖은 교화가 이루어졌다.(昔高陽氏有才子八人, 世得其利, 謂之八愷. 高辛氏有才子八人, 世謂之八元. 此十六族者, 世濟其美, 不隕其名. 至於堯, 堯未能舉. 舜舉八愷, 使主后土, 以揆百事, 莫不時序. 舉八元, 使布五教于四方, 父義母慈兄友弟恭子孝, 內平外成.)" 이들 팔개를 『春秋左傳』「文公 18년」 杜預의 注에 "蒼舒 · 隤敳 · 檮戭 · 大臨 · 尨降 · 庭堅 · 仲容 · 叔達이라 하였고, 팔원은 위 두예의 주에 伯奮 · 仲堪 · 叔獻 · 季仲 · 伯虎 · 仲熊 · 叔豹 · 季貍라고 하였다.

157 四凶의 죄를 다스렸으니 : 사흉은 순임금이 섭정시에 형벌을 내린 네 사람이다. 『書經』「舜典」에 의거하여 살피면 다음과 같다. "共工을 북쪽 끝 幽洲로 멀리 유배하고, 驩兜를 남쪽 끝 崇山에 安置 시키고, 三苗族을 서쪽 끝 三危로 몰아내 감금시키고, 鯀을 동쪽 끝 羽山에 구금하여 고생시키는 네 사람에 대한 죄를 내리자 천하가 모두 복종하였다.(流共工于幽洲, 放驩兜于崇山, 竄三苗于三危, 殛鯀于羽山, 四罪, 而天下咸服.)"

158 維揚에 있을 때 : 고종은 남경에서 등극한 뒤 수도 변경으로 돌아오지 못하고 금나라의 공격을 피해 揚州로 옮겨 갔다. 유양은 역사에서 維揚之變이라 이르고, 송의 고종에게는 뼈아픈 패배였다. 이를 『中興小紀』 권12에서 살피면 다음과 같다. "지난번 유양지변에서 병장기 10분의 8~9를 잃었다. 그리고 얼마 되지 않아 적군이 세 길로 나누어 江浙 지역을 침략해 왔다.(昨自維揚之變, 兵械十亡八九. 未幾, 敵分三路, 入攻江浙)" 유양지변은 『宋史』 권65 「五行志 · 木」에서 "다음 해 2월에 금나라가 유양을 침범하였다.(明年二月金人犯維揚.)"고

캐 군사의 화살이 가슴으로 비 오듯 쏟아지는데 그는 여전히 관심을 기울이지 않았으니, 세상에 이런 어리석은 사람도 있다."

趙鼎 조정[159]

[64-22-1]

或問: "中興賢相, 皆推趙忠簡公, 如何?"

朱子曰: "看他做來做去, 亦只是王茂洪規模. 當時廟論, 大槩亦主和議. 使當國久, 未必不出於和. 但就和上, 却須有些計較. 如歲幣·稱呼·疆土之類, 不至一一聽命, 如秦檜之樣草草地和了. 後來秦沒意智, 乃以'不合沮撓和議'爲詞貶之, 却十分送箇好題目與他."

問: "趙好處何如?"

曰: "意思好. 又孜孜汲引善類. 但其行事, 亦有不强人意處."[160]

어떤 사람이 물었다. "중흥中興 시기[161]의 현명한 재상으로 모두가 조충간공趙忠簡公[趙鼎]을 꼽는 것은

하는 기사가 있다. 이 다음 해는 바로 建炎 3년(서기 1129년) 2월이다. 그러나 고종의 이 2월 기사에는 정작 유양이라는 지명은 없다. 다만 「高宗本紀」의 건염 3년 2월 기사를 보면 송나라의 실패를 살펴볼 수 있다. 간추리면 다음과 같다. 초3일에 내시 鄺詢이 금나라 군대가 쳐들어온다는 말을 전하였다. 고종은 갑옷을 입고 말을 몰아 鎭江府로 달려갔다. 이날 금나라 군대가 楊子橋를 넘어섰다. 초4일에 太常少卿 季陵이 太祖의 神主를 모시고 길을 나섰다가 금나라 군대가 뒤쫓자 태조의 신주를 잃어버렸다. 王淵이 杭州로 떠나기를 청하였다. 朱勝非를 남겨 진강을 지키게 하였다. 그리고 이부상서 呂頤浩와 都巡檢使 劉光世를 시켜 진강부에 주둔하여 강어귀를 지키게 하였다. 고종은 이날 밤 진강을 출발하여 呂城鎭에 머물렀다. 초5일에 고종은 常州, 초7일에 平江府, 초9일에 五江縣에 머물렀다. 초10일에 秀州, 11일에 崇德縣, 13일에 후일 臨安으로 이름을 바꾼 杭州에 도착하는 먼 고행을 전전하였다. 그러나 고종의 피난길은 연이어져 常州, 越州로 다시 樓船을 타고 定海縣으로 건너갔다가, 다시 昌國縣으로 떠나는 행군을 계속하였으며, 건염 4년 정월 설날은 정해현의 바다[船上]에서 맞이하는 고초를 겪었다. 송나라가 당시 창졸간에 당한 어려움을 짐작할 수 있지만, 고종이 단기필마로 피난길에 올라야 할 정도의 급박함을 재상이나 장수가 아닌 환관에게 듣게 되었는가는 역사에서 문제로 논의되었다.

159 趙鼎: 송나라 解州 聞喜 사람으로 자는 元鎭이고, 호는 得全居士이며, 시호는 忠簡이고, 봉호는 豐國公이다. 徽宗 崇寧 연간의 진사 시험 對策에서 章惇이 나라를 잘못 이끌고 있음을 통렬히 비판한 일로 간신히 합격하였다. 高宗이 등극하며 右司諫과 殿中侍御史에 임명되어 전쟁·수비·피난 등 세 계책을 진언한 일로 御史中丞, 이어 紹興 4년(서기 1134년)에 참지정사에 올랐다. 岳飛를 추천하여 襄陽을 회복시켰고, 知樞密院事에 임명되며 都督川陝諸軍事를 맡았다. 5년에 左相에 올랐으나 右相 張浚과의 불화로 知紹興으로 전직되었다. 7년에 좌상에 복직하였으나 금나라와의 화의에 반대하며 秦檜의 헐뜯음을 입고 潮州에 安置 되었다가 吉陽軍으로 옮겨지자 음식을 끊고 죽었다. 저서로 『忠正德文集』이 있다.(『宋史』 권360)

160 『朱子語類』 권131, 13조목

무엇 때문입니까?”

주자가 대답하였다. “그가 한 여러 가지 일을 보면 또한 단지 왕무홍王茂洪 정도의 인물이다.[162] 당시 조정朝廷의 논의는 대체로 또한 화의를 주장하는 것이었다. 국정을 오래 책임지게 되었으면 결국 화의 쪽으로 나갈 것만은 아니었을 것이다. 다만 화의의 관점에서라도 틀림없이 계책은 있었을 것이다. 예컨대 세폐歲幣 · 칭호稱號 · 강토疆土와 같은 것[163]에서 오랑캐(금나라) 명령을 일일이 따르기를 진회秦檜[164] 모양으로 구차하게 화친을 진행하지는 않았을 것이다. 뒷날 진회는 전연 멍청하여[165] ‘화친 논의를 저지하고 방해하는 것이 합당하지 않다.’는 말로 그를 폄하하였으나, 십분 좋은 평가를 그에게 붙여준 셈이다.”

물었다. “조정의 훌륭한 점은 어떤 것입니까?”

(주자가) 대답하였다. “생각이 훌륭하다. 또 선한 사람을 노력해 발탁하였다. 다만 그가 한 일은 또한 사람 마음에 들지 않은 점이 있다.”

[64-22-2]

“趙丞相中興名臣一人而已, 然當時不滿人意處亦多. 且如好伊洛之學, 又不大段理會得, 故皆爲人以是欺之.”[166]

(주자가 말하였다.) “조승상이 중흥 시대의 명신 중 첫째이나 당시 사람들 마음에 불만스러운 것도 또한 많았다. 예컨대 이락伊洛의 학문[167]을 좋아하였지만 또한 크게 이해한 것은 아니었던 까닭에 모든 그의

161 中興 시기 : 송나라에서의 중흥 시기는 역사에서 일컫는 북송이 망한 뒤, 남송을 세워 송나라의 옛 국토를 회복하려고한 고종 시대를 이른다.

162 王茂洪 정도의 인물이다. : 왕무홍은 晉나라의 王導를 字로 지칭한 말이다. 晉나라가 八王의 난리를 겪다가 五胡 시대를 만나 흉노족이 세운 漢나라에게 西晉이 멸망당하며 북쪽의 국토를 잃었다. 이에 司馬睿가 남쪽에서 나라를 일으켜 建康(지금의 南京)에 도읍할 때 왕도는 원제를 보좌하여 나라를 세우는데 크게 공헌하였다. 그러나 왕도와 원제는 북쪽의 故土를 찾는 원대한 계획을 세우지 못하고 건강에서 명맥을 유지하는데 급급하였다. 왕도는 유명을 받아 明帝와 成帝를 보필하였다. 자세한 것은 위 [63-1-1] 이하 참고

163 歲幣 · 稱號 · 疆土와 같은 것 : 송나라는 금나라의 침공을 막아낼 수 없자 화의를 청하였다. 이에 금나라에서는 조건을 제시하였다. 그 대표적인 것이 이 세 가지다. 세폐는 처음 歲貢이라는 말로 쓰였다가 송나라가 세폐로 쓰기를 요구하였다. 사실상 신하 국가로 천자 국가에 바치는 것을 이르는 말이다. 칭호는 叔姪 관계를 쓰기를 원하였다. 송나라는 조카의 나라, 금나라는 숙부의 국가로 받들라는 것이었다. 강토는 처음부터 계속 야금야금 할양을 요구하여 주고나면 다시 또 요구하여 끝이 없었다. 그리하여 나중에는, 할양할 땅이 없어도 그들의 요구는 계속될 것이라는 신하들의 반대가 이어졌다.

164 秦檜 : 뒤 [64-25-1] 이하 참고

165 뒷날 진회는 … 멍청하여 : 이글의 원문 ‘秦沒意智’에 대해 『주자어류고문해의』 권34에는 “진회가 그를 폄직시키는 것이 그를 영화스럽게 하는 것인 줄 몰랐다. 이것이 계책이 없는 것이다.(秦不知貶之, 乃所以榮之. 是無計慮也.)”라고 하였다.

166 『朱子語類』 권131, 17조목

167 伊洛의 학문 : 이락은 伊水와 洛水를 이르는 말이며 이 두 강물이 흐르는 유역을 이르기도 한다. 이 두 물이 지금의 洛陽 지역에서 서로 합류한 데에서, 宋代 이 지역에서 강학하여 송나라 理學을 발전시킨 明道(程

사람됨이 이를 가지고 속였다."

[64-22-3]

"沈公雅言'趙丞相鎭靜德量之懿, 而諳練事機, 則恐於秦公不逮.'張子恭以爲不然,[168] 且曰, '燾在都司日, 忠簡爲相, 有建議者, 公必計曰, 「如是則利在上而害在民, 如是則害在上而利在民, 今須如此行, 則利澤均而公私便.」至秦公, 則僚屬凡有關白, 黙無一語, 而屬諸吏. 事出, 則皆吏輩所爲, 而非復前日之所擬.'"[169]

(주자가 말하였다.) "심공아沈公雅[170]는 '조승상은 진중하고 차분하여 덕량이 아름답지만, 일의 기틀을 잘 파악하는 것은 아마도 진공秦公[秦檜]에게 미치지 못할 것이다.'고 하였는데, 장자공張子恭은 그렇지 않다고 여겨, 말하기를, '도燾(장자)공가 도사都司로 있을 때 충간공忠簡公(조정의 시호)이 재상이었는데 건의하는 자가 있으면, 공은 반드시 따져보아 「이같이 하면 이로움은 군상에게 있고 해로움은 백성에게 있으며, 이같이 하면 해로움은 군상에게 있고 이로움은 백성에게 있으니, 지금 당연히 이같이 행해야 이로움과 혜택이 똑같아 공적으로나 사적으로 편리하다.」고 하였다. 진공의 경우는 휘하 관원이 어떤 아뢰는 말이 있으면 묵묵히 한 마디도 하지 않고 관리에게 넘겨버렸다. 그 일이 시행되게 되면 모두 관리가 한 말이었는데도 다시 전날 관리와 헤아리던 태도가 아니었다.'고 하였다."[171]

[64-22-4]

或問趙忠簡公, 南軒張氏曰: "人品甚高, 如元祐黨籍至忠簡始除."

어떤 사람이 조충간공을 묻자, 남헌 장씨가 대답하였다. "인품이 매우 높으니, 예컨대 원우당적元祐黨籍[172]이 충간공에 이르러 비로소 해제되었다."

顥)·伊川(程頤) 형제의 학문을 이르는 대명사로 쓰였다. 세상에서 洛學이라 이르기도 한다. 이들 학문을 전수한 학자들의 학통을 모은 『伊洛淵源錄』이 전하기도 한다.

168 張子恭以爲不然. : '張子恭'은 『朱子語類』 권131, 19조목에는 '張子功'으로 쓰여 있다.

169 『朱子語類』 권131, 19조목

170 沈公雅 : 송나라 湖州 武康 사람. 공아는 字이고 이름은 度이다. 高宗의 紹興 연간에 餘干의 수령으로 선정을 행해 명성을 얻었다. 이어 直秘閣과 平江府知事를 역임하고, 孝宗 연간에 直龍圖閣으로 建寧府知事를 역임하였다. 朱子가 崇安에서 社倉을 만들 때 도왔다. 마지막 벼슬은 兵部尙書이다.(『萬姓通譜』 권89)

171 『朱子語類』 권131, 19조목에는 이글 다음에 小注 형태로 다음과 같은 말이 이어져 이글의 이해에 도움을 준다. 僩錄云: "嘗見沈公雅云, '某嘗問張子功, 趙忠簡與秦丞相二公孰能辦事? 某以秦公爲能.' 子功曰, '不然. 某嘗爲都司, 事二公. 每百官有稟白事件, 趙公必當面剖析商量, 此事合如何行. 如此行則利國, 如此行則利民, 如此則利民而害國, 如此則利國而害民, 如此則國與民俱利. 當面便商量判斷了, 僚屬便奉承以行. 及至秦公, 則百官凡有所稟白, 無酬酢, 略不可否, 但付與吏人, 少間更沒理會, 此事便沉埋了. 如此, 謂之秦公勝趙公, 可乎?"

172 元祐黨籍 : 宋哲宗 元祐 연간에 王安石의 新法에 반대한 문인 학자를 奸黨으로 지목하는 말. 원우는 송나라 哲宗의 연호(서기 1086~1094년)다. 徽宗이 등극하며 원우 연간에 정사에 해를 끼친 사람을 벼슬에서 빠뜨림이 없이 내쫓았다. 그리고 그들 명단 98명의 이름을 친히 써서 端禮門에 세웠다. 그러자 당시 尙書左僕射인

[64-22-5]

"五峯云, '過江來, 如趙丞相, 做得五分宰相. 若充之以學, 須做成十分.'"

(남헌 장씨가 말하였다.) "오봉五峯[173]이 '양자강을 넘어온 이후[174] 조승상 같은 재상은 재상직분의 반 정도를 해냈다. 만일 학문이 있었다면 틀림없이 재상직을 완벽하게 해냈을 것이다.'고 하였다."

洪皓 홍호[175]

[64-23-1]

西山眞氏曰 : "蘇武之還自匈奴也, 詔拜爲典屬國, 賜錢百萬緡, 田宅副焉. 洪忠宣公之節, 亡

蔡京이 이들 명단을 큰 글씨로 써서 전국 곳곳에 이 비를 세우게 하며, 자신의 마음에 들지 않는 자들을 첨가하여 그 숫자를 309명으로 늘렸다. 이것이 崇寧(徽宗의 연호) 4년(서기 1105년)이었다. 그 비문은 『六藝之一録』 권93에 의거하면 다음과 같다. "황제가 자리를 이으신 5년 동안, 착하고 사특한 자를 구분지어 상벌을 명확하고 분명하게 하여, 원우 연간에 정사를 해친 자를 축출하였는데 한 사람의 잘못된 형벌이 없었다. 그리고 유사에게 명하여 그들 죄상을 공평히 조사해 우두머리와 따른 자의 등급을 나누어 아뢰게 하여 309명이 정하여졌다. 황제께서 이를 써서 빗돌에 열거하고, 文德殿의 동쪽 벽에 세워서 만세에 영원토록 신하가 거울삼아 경계하게 하였다. 또 臣 채경에게 명하여 이를 천하에 반포하도록 하셨다. 신이 삼가 생각건대 폐하는 仁聖하고 영명한 과단성으로 예전 제도를 따르고 공훈을 선양하여, 선을 드러내고 악을 탄압해 선왕의 공훈을 빛내셨다. 신이 감히 폐하의 아름다운 명령을 나부터 천하에 드러내, 폐하가 선왕의 마음을 이어 발전시키려는 뜻을 우러러 받들지 않을 수 있겠는가? 사공상서좌복야 채경은 삼가 쓴다.(皇帝嗣位之五年, 旌別淑慝, 明信賞刑, 黜元祐害政之人, 靡有佚罰. 乃命有司夷考罪狀, 第其首惡與其附麗者以聞, 得三百九人. 皇帝書而列之石, 置于文德殿門之東壁, 永爲萬世臣子之戒. 又詔臣京書之, 将以頒之天下. 臣竊惟陛下仁聖英武, 遵制揚功, 彰善癉惡, 以昭先烈. 臣敢不對揚休命, 仰承陛下繼述之志? 司空尚書左僕射兼門下侍郎蔡京謹書.)" 앞서의 말과 약간 다른 것은 『金石文考畧』 권13의 "徽宗書之, 立石端禮門. 其初九十八人爾. 既而蔡京復大書頒郡縣, 以上書人及己所不喜者, 作附麗人添入. 凡三百九人."에 근거한 것이다. 여기에는 송나라 당시 司馬光을 위시해서 文彦博, 程頤(伊川先生), 蘇轍 등이 모두 포함되어, 송나라에서는 이름이 여기에 오른 것을 도리어 명예로 여겼다. 高宗의 紹興 초기에 그동안 금고하던 이들을 오히려 표창하고 자손을 등용하였는데 이때가 조충간공의 집권시기다.

173 五峯 : 송나라 胡宏의 호. 松 建寧 崇安 사람으로 자는 仁仲이다. 胡安國의 아들로, 楊時와 侯仲良에게 배우고 부친의 학문을 계승하였다. 衡山 아래에서 20여년을 강학하며 張栻(남헌장씨)을 제자로 키웠다. 저서로 『知言』, 『皇王大紀』, 『五峰集』이 있다.(『宋史』 권435)

174 양자강을 넘어온 이후 : 송나라가 양자강 남쪽으로 피난한 이후의 남송 시대를 이른다.

175 洪皓 : 宋나라 饒州 鄱陽 사람으로, 자는 光弼이고, 시호는 忠宣이다. 徽宗의 政和 연간에 進士試에 합격하고, 秀州司錄 시절 홍수를 만난 백성에게 선정을 베풀어 '홍 부처님[洪佛子]'으로 불려졌다. 고종 建炎 3년(서기 1129년)에 金나라에 사신으로 가서 금나라의 제재로 太原에서 1년간 지체하다 雲中에 도착하였으나, 금나라의 粘罕이 당시 금나라가 세운 大齊의 천자 劉豫에게 나아가 벼슬할 것을 강압하였다. 차라리 죽을지언정 못하겠다고 버티다가 점한에게 죽임을 당하려는 순간, 한 추장의 도움으로 살아나 冷山으로 유배되었다. 운중에

媿蘇武, 而高宗皇帝之所以寵錫者, 有過漢庭. 其褒表忠義, 皆可爲後世法. 然武不幸見抑於霍光, 公亦不幸逢怒於秦檜. 武之見抑, 不過不爲公卿爾. 而公方違陰山之北, 復貶瘴海之南. 是公之不幸, 視子卿爲甚. 而檜之罪, 又浮於博陸也."[176]

서산 진씨西山眞氏[眞德秀]가 말하였다. "소무蘇武[177]가 흉노로부터 돌아오자, 조서를 내려 전속국典屬國에 임명하고 돈 1백 만 민緡을 하사하였으며, 농토와 주택도 주었다. 홍충선공洪忠宣公의 절의는 소무에게 부끄러울 것이 없고 고종황제의 총애와 하사한 선물도 한나라 조정을 능가하였다. 그들 두 사람의 충성과 의리를 표창하고 드러나게 한 일은 모두 후세의 법이 될 만하다. 그러나 소무는 불행히 곽광霍光에게 견제 당하였고,[178] 공 역시 불행히도 진회에게 노여움을 샀다. 소무가 당한 견제는 공경公卿이 되지 못한 것에 불과할 뿐이다. 그런데 공은 바야흐로 음산陰山의 북쪽[179]에서 추위를 겪어야 했고 다시 장기瘴氣가 서린 바닷가 남쪽으로 폄직되었다. 이는 공의 불행이 자경子卿(소무의 字)에 비해 심한 것이다. 진회의 죄는 또한 박륙후博陸侯(곽광의 封號)보다 더하다.[180]"

있는 동안 五國城에 붙잡혀 있는 휘종과 흠종에게 소식을 전하여 휘종과 흠종은 그제야 자신들이 붙잡혀온 뒤 고종이 등극하였음을 알았다. 紹興 10년(서기 1140년)에 趙德에게 10만 자에 달하는 금나라의 기밀을 적어 솜뭉치에 숨겨 전하였고, 11년에 태후의 편지를 얻어 송나라에 보내자 고종은 크게 기뻐하며 "짐이 태후의 안부를 모른 지 거의 20년이다. 사신 1백 명을 보냈으나 이 편지 한 장 얻은 것만 못하다.(朕不知太后寧否幾二十年. 雖遣使百輩, 不如此一書.)"고 하였다. 다시 겨울에 금나라의 내밀한 사정을 적어 보내 금나라가 전쟁에 싫증을 내고 있으니 금나라와의 화의보다는 국토의 탈환을 서두르라는 뜻을 전달하였다. 아울러 胡銓의 封事가 금나라도 깜짝 놀라 송나라에 인재가 있음을 알고 두려워한다며 호전을 중용할 것을 개진하기도 하였다. 그 뒤로도 휘종의 梓宮이 귀환하고 태후가 돌아가게 될 것이라는 소식을 제일 먼저 송나라에 전하였다. 소흥 13년(서기 1143년)에 금나라의 熙宗이 公子를 얻은 기념으로 내려진 사면령에 따라 송나라로 돌아왔다. 전후 15년의 세월이었다. 돌아와 秦檜와 며칠에 걸쳐 자신의 의견을 말한 것이 모두 진회의 미움을 사서 결국 徽猷閣直學士와 提擧萬壽觀兼權直學士院의 벼슬이 주어졌다. 연이어 진회와 의견이 서로 부딪치며 벼슬이 점점 강등되어 9년 동안 英州에 安置되었다가 다시 등용되어 知袁州로 전직되어 가는 길에 죽었다. 저서로 『鄱陽集』·『帝王通要』·『松漠紀聞』·『金國文具錄』 등이 있다.(『宋史』 권373)

176 『西山文集』 권36 「跋高宗皇帝賜洪忠宣公冬服手詔」

177 蘇武: 漢나라 京兆 杜陵 사람으로 자는 子卿이고, 봉호는 關內侯이다. 匈奴에 사신으로 갔다가 붙잡혀 19년 동안 억류되어 北海 부근에서 양을 치면서도 절개를 변치 않았다. 귀국하여 典屬國에 임명되고, 宣帝의 옹립에 가담한 공으로 關內侯에 봉해졌다.(『漢書』 권54)

178 소무는 불행히 … 당하였고: 소무가 昭帝 때 흉노와의 관계가 우호적으로 변하며 돌아와 얻은 벼슬이 전속국이었다. 이를 『漢書』「蘇建傳(소건은 소무의 아버지임)에 의하여 살피면 "上官桀이 아들 上官安과 함께 대장군 곽광과 권세를 다투며 여러 차례 곽광의 잘못을 적어 燕王에게 보내 소제에게 글을 올려 아뢰게 하였다. 또 '소무는 흉노에게 사신 가서 20년 동안 항복하지 않았는데도 돌아와 전속국이 되었는데 대장군의 長史인 楊敞은 공훈도 없이 搜粟都尉가 되었으니 곽광의 권력을 독점하는 것이 이와 같다.'라고 하였다.(初, 桀安與大將軍霍光爭權, 數疏光過失予燕王, 令上書告之. 又言蘇武使匈奴二十年不降, 還廼爲典屬國, 大將軍長史無功勞, 爲搜粟都尉, 光顓權自恣.)"고 하였다. 곽광은 권61 [61-16-1] 이하 참고

179 陰山의 북쪽: 홍호가 금나라에 사신 갔다가 冷山으로 유배 가서 15년 동안 지낸 것을 이른 말이다. 이곳은 4월이 되어야 풀이 돋아나고 8월이면 눈이 내린다고 『宋史』 권373 「洪皓傳」에 기술되어 있다.

180 진회의 죄는 … 더하다.: 진회는 자신의 행위가 불충을 저질렀고, 곽광은 자신이 불충한 것이 아니라 아내와

張浚 장준, 張俊 장준, 韓世忠 한세충, 劉光世 유광세, 岳飛 악비

[64-24-1]

朱子曰 : "張魏公材力雖不逮, 而忠義之心, 雖婦人孺子亦皆知之. 故當時天下之人, 惟恐其不得用."[181]

주자가 말하였다. "장위공張魏公[182]의 재능과 역량은 부족하였으나 충의에 대한 마음은 아낙네와 어린이들도 모두 알았다. 그런 까닭에 당시 천하 사람들이 그가 등용되지 않을까 두려워하였다."

[64-24-2]

"張魏公不與人共事, 有自爲之意. 也是當時可共事之人少, 然亦不可如此. 天下事未有不與人共而能濟者."[183]

(주자가 말하였다.) "장위공은 남들과 일을 함께 하려 하지 않고 혼자서 해내려는 뜻이 있다.[184] 그것은 당시에 함께 일할 수 있는 사람이 적어서겠지만 그러더라도 또한 이 같아선 안 된다. 천하의 일이 남과 함께하지 않고서 이뤄진 일은 있지 않다."

[64-24-3]

問 : "如張·韓·劉·岳之徒, 富貴已極, 如何責他死了? 宜其不可用. 若論數將之才, 則岳飛爲勝. 然飛亦横, 只是他猶欲向前厮殺."

아들들이 불충을 저질러 국가를 망쳤기 때문에 진회의 죄가 더 크다고 한 것이다.

181 『朱子語類』 권131, 24조목

182 張魏公(1094~1164) : 송나라 漢州 綿竹 사람으로 자는 德遠이고 이름은 浚이며 시호는 忠獻이다. 위공은 그의 봉호 魏國公을 줄여 이른 말이고, 세상에서 紫巖先生이라 불렀다. 張栻(南軒)의 아버지다. 徽宗의 政和 연간에 진사시에 합격하였고, 고종의 建炎 연간에 禮部侍郎에 올랐다. 3년(1129)에 금나라가 쳐들어오자 吳門에서 軍馬를 지휘하였고, 苗傅와 劉正彦이 변란을 일으키자, 張俊·韓世忠을 기용하여 고종의 천자 지위를 다시 이어가게 하였다. 금나라의 세력이 關中과 蜀 땅으로 진출을 막아야함을 주장하여 川陝宣撫處置使에 임명되었으나, 정작 싸움에서 져서 지켜내지 못하자 스스로 죄를 청해 벼슬이 강등되기도 하였다. 고종의 신임으로 실권을 장악하여, 잃어버린 옛 국토의 회복을 명분으로 내걸며 많은 전쟁을 수행하고 많은 인재를 발탁하여 조정에 벼슬하게 하고 장수로 등용하였다. 秦檜가 등용되자 20여년을 한직으로 밀려나 있다가, 진회가 죽으며 孝宗에게 다시 발탁되었다. 그러나 主和派의 배척을 받아 오래지 않아 죽었다. 樞密使, 都督, 特進 등 많은 벼슬을 역임하였다. 저서로 『易解』·『雜說』·『文集』이 전한다.(『宋史』 권361)

183 『朱子語類』 권131, 31조목

184 혼자서 해내려는 … 있다. : 『朱子語類』 권131, 31조목에는 이 글 다음에 다음과 같은 글이 더 있다. "汪明遠(汪澈)이 천자의 명령을 얻어 荊과 襄陽 지역에 대한 조치를 내리고자 建康으로 길을 우회하게 해줄 것을 빌어 장위공을 찾아뵈었다. 그런데 장위공은 그와 말을 나누려 하지 않았고 물어도 대답도 해주지 않았다. (汪明遠得旨, 出措置荊襄, 奏乞迂路過建康, 見張公. 張公不與之言, 問亦不答.)"

曰: "便是如此. 有才者又有些毛病, 然亦上面人不能駕馭他. 若撞著周世宗·趙太祖, 那裏怕? 他駕馭起皆是名將. 緣上之擧措無以服其心, 所謂'得罪於巨室'者也."[185]

물었다. "장준張俊[186]·한세충韓世忠[187]·유광세劉光世[188]·악비岳飛[189]와 같은 무리는 부귀가 이미 극에 달했는데 어떻게 그들에게 목숨을 거는 일을 책임지울 수 있겠습니까? 그들을 쓸 수 없는 것은 당연합니다. 만일 몇 사람 장수의 재능을 논한다면 악비가 나을 것입니다. 그러나 악비는 사납기만 하여 단지 그는 진격하여 싸우고 죽이려고만 했습니다."

(주자가) 대답하였다. "그 같은 점은 있다. 재능이 있는 자에게 약간의 병통도 있는 것이지만 또한 윗사람이 그를 잘 부려 쓰지 못하였다. 만일 후주 세종後周世宗이나 조 태조趙太祖를 만났다면[190] 무엇을 두려

185 『朱子語類』 권131, 21조목에는 '是夜因論爲政不得罪於巨室, 語及此.'가 더 있다.

186 張俊(1086~1154): 송나라 鳳翔府 成紀 사람으로 자는 伯英이고 시호는 忠烈이며 봉호는 淸河郡王이다. 도적 떼에 휩쓸려 지내다 나이 16세 때 弓箭手로 발탁되며 西夏와 金나라와의 여러 전투에서 남다른 공을 세웠다. 苗傅와 劉正彦의 난 평정과 李成의 변란 진압에 공을 세워 樞密使에 등용되었다. 조정에서 화의론이 무르익으며 군사를 해산하려는 조짐이 일자 자진해서 자신의 군사를 조정에 귀속시키고 화의론을 적극 지지하였다. 남송 말기 한세충·劉錡·악비 등과 四大名將으로 회자되면서도 진회를 도운 일로 비난을 샀다.(『宋史』 권369)

187 韓世忠(1089~1151): 송나라 延安 사람으로 자는 良臣, 호는 淸凉居士, 시호는 忠武, 봉호는 蘄王이다. 가난 속에서 군대에 자원하여 발군한 실력을 인정받아 欽宗 즉위와 함께 武節大夫에 올랐다. 고종 연간에 苗傅와 劉正彦의 반란을 평정하며 그들을 포로로 잡아 行在所로 보내 사살하게 하였다. 鎭江을 수비하며 8천의 군사로 금나라 10만 군대의 渡江을 막고, 大儀鎭에서 금나라와 劉豫(齊나라의 군주)의 군사를 격파한 것은 고종 시대 세워진 武功의 첫 손가락에 꼽힌다. 고종의 紹興 11년(1141)에 화의론에 따라 악비 등과 함께 조정으로 돌아와 樞密使에 임명되며 군사 지휘권을 잃자, 화의론을 비판하고 상소문을 올려 진회가 나라를 그르침을 비판하였다.(『宋史』 권364)

188 劉光世(1089~1142): 송나라 保安軍 사람으로 자는 平叔이고 봉호는 楊國公이다. 徽宗 연간에 일어난 方臘의 난을 평정하는 공을 세우며 鄜延路兵馬鈐轄에 등용되었다. 이후 금나라와의 여러 차례 전투에서 아예 싸움을 포기하거나 군대가 강을 건너 남쪽을 침략하는데도 알지 못하는 실책을 저질러 紹興 7년(1137)에 탄핵을 받아 파직되었다. 벼슬은 少師를 지냈다.(『宋史』 권369)

189 岳飛(1103~1142): 송나라 相州 湯陰 사람으로 자는 鵬擧이며 시호는 武穆이고 봉호는 鄂王이다. 가난한 농부의 아들로 태어나 徽宗 연간에 군대를 자원해 세운 공으로 秉義郎에 올랐다. 汪彦과 宗澤 휘하에서 활동하다 建炎 4년(1130)에 常州와 鎭江에서 승리를 거두고 建康을 수복하고, 토호세력인 李成과 曹成 등의 반란을 평정한 공으로 都統制에 올랐다. 紹興 4년(1134)에 금나라 군사와 금나라가 세운 齊나라의 劉豫를 대파하고 襄陽 등 6개 郡을 수복하였고, 6년에 洛陽 남서쪽 지역을 수복하였다. 10년(1140)에 마침내 북쪽을 공격하여 兀术을 연파하며 郾城大捷을 일궜다. 고종이 진회와 화의를 추진하며 행여 악비의 공격이 방해될까 하여 하루에 12차례 金字牌(긴급 명령을 전하는 일종의 패찰)를 내려 소환하자 눈물을 흘리며 되돌아왔다. 11년에 군사 지휘권을 박탈당한 뒤 樞密副使에 임명되었고, 진회가 자신의 화의론 추진에 걸림돌이 될 것을 두려워하여 사주한 여러 奸臣들의 모함에 빠져 아들 雲과 함께 감옥에서 죽었다. 그가 모함에 걸렸을 때 자신의 등에 새긴 盡忠報國 네 글자는 그의 속마음을 알리는 징표로 유명하다.(『宋史』 권365)

190 후주 世宗이나 … 만났다면: 후주는 五代 시대에 郭威가 세운 周나라를 역사에서 이른 말이다. 세종은 『舊五代史』 권115~120 「世宗本紀」와 『新五代史』 권12 「世宗本紀」 등에서 살피면 다음과 같다. 郭威의 처조카로

워하였겠는가? 두 군주가 부려 쓰고 등용한 자는 모두 명장이었다. 군주가 행한 일이 그의 마음을 복종시키지 못한 데에서 기인된 것이니, 이른바 '거실巨室에 죄를 졌다.'[191]는 것이다."

又問: "劉光世本無能, 然却軍心向他, 其裨將亦多可用者.[192] 張魏公撫師淮上, 督劉光世進軍. 是時虜人正大擧入寇, 光世恐懼, 遂背後懇趙忠簡. 是時趙爲相, 折彦質爲樞密, 折助之請樞密院, 遂命劉光世退軍. 魏公聞之大怒, 遂趕回劉光世, 約束云,[193] '如一人一馬渡江者, 皆斬!' 光世遂不敢渡江, 便回淮上. 樞府一面令退軍, 而宣撫令進軍淮上,[194] 然終退怯. 魏公旣還朝, 遂力言光世巽懦不堪用, 罷之, 而命呂安老董其軍. 及安老爲瓊等所殺, 降劉豫, 魏公由是得罪, 而趙忠簡復相. 趙旣相, 遂復擧劉光世爲將, 都弄成私意. 魏公已自罷得劉光世好了, 雖呂安老敗事, 然復擧能者而任之, 亦足矣. 何必須光世哉? 此皆趙之私意. 以某觀之,[195] 必竟魏公去得光世是, 而趙所爲非. 豈有虜人方入, 你却欲掉了去, 一邊令進軍, 一邊令退軍, 如何作事?"

또 물었다. "유광세는 본래 무능한데 군대의 마음이 그에게로 쏠렸고 그 휘하 비장들에도 쓸 만한 자가 많았습니다. 장위공이 회수 유역에서 군사를 지휘하며 유광세에게 진격할 것을 독촉하였습니다. 이 시기에 금나라 오랑캐가 바로 군사를 크게 동원하여 침입해 노략질하자, 유광세는 두려워 마침내 뒷전으로 조충간공趙忠簡公[趙鼎]에게 간청하였습니다. 이때 조충간공은 재상이고 절언질折彦質은 추밀사樞密使였는

나중에 곽위의 양자가 되어 주나라의 천자가 된 柴榮이다. 곽위의 제위를 물려받아 당시 복종하지 않은 吳와 蜀 지역을 평정하고 나라를 안정시켰다. 『宋史』「胡銓列傳」에 孝宗에게 "호전이 또 말하기를 '예전에 주나라의 세종은 劉旻에게 패하자 전쟁에 진 장수 何徽 등 71명을 목 베었습니다. 군사의 사기가 크게 일어나 마침내 유민의 군대를 이기고 淮南을 취하여 三關 지역을 평정하였습니다. 하루에 70명 장수를 죽였으니 어찌 다시 쓸 만한 장수감이 있겠습니까만 세종은 끝내 회복시켰습니다. 용렬하고 겁쟁이를 물리치지 않으면 용감한 자가 나올 수 있겠습니까?(銓又言昔周世宗爲劉旻所敗, 斬敗將何徽等七十人. 軍威大震, 果敗旻, 取淮南定三關. 夫一日戮七十將, 豈復有將可用, 而世宗終能恢復. 非庸懦者去則勇敢者出耶?)"라고 하였다. 세종이 장수를 구하는데 제약이 없었음을 살필 수 있는 말이다. 조태조는 송나라 시조 趙匡胤을 이른다. 조광윤은 後周의 장군으로 송나라를 건국하였다. 이때 북쪽에 遼나라, 북서쪽에 西夏가 있어 많은 전쟁을 치렀다.

191 '巨室에 죄를 졌다.': 이는 『孟子』「離婁上」의 말이다. 맹자는 "정치는 어렵지 않으니, 거실에게 죄를 짓지 않아야 한다. 거실이 원하는 것은 온 나라가 원한다.(爲政不難, 不得罪於巨室. 巨室之所慕, 一國慕之.)."고 하였다. 주자는 "巨室은 대대로 벼슬하는 경대부 집안이다. 죄를 짓는다는 것은 군주 자신이 바르지 않아 원망과 노여움을 사는 것을 말한다.(巨室, 世臣大家也. 得罪, 謂身不正而取怨怒也.)."고 하였다. 여기서 거실은 바로 악비를 지칭한다. 곧 악비 등의 마음에 흡족한 정책을 고종이 폈다면 악비가 그렇게 싸우려고만 하지 않고 조정의 정책에 고분고분하였을 것이란 말이다.

192 『朱子語類』 권131, 21조목에는 '曰他本將家子云云.'이 더 있다.

193 約束云: 『朱子語類』 권131, 21조목에는 '出榜約束云'으로 되어 있다. 곧 방을 걸어 그를 단속시켰다는 말이다.

194 而宣撫令進軍淮上: '宣撫'는 『朱子語類』 권131, 21조목에는 '宣府'으로 되어 있으나 '宣撫'가 맞는 것 같다.

195 以某觀之: 『朱子語類』 권131, 21조목에는 '以某觀'으로 되어 있다.

데 절언질이 그를 도와 추밀원樞密院에 청하여 마침내 유광세에게 군사의 퇴각을 명하였습니다. 장위공이 그 소식을 듣고 크게 화를 내 마침내 유광세의 군대를 긴급히 되돌려 단속하기를 '만일 군사 한 사람, 말 한 필이라도 강을 건너면 모두 목을 벨 것이다!'고 하였습니다. 유광세가 마침내 감히 강을 건너지 못하고 바로 회수로 되돌아왔습니다. 추밀원이 한쪽으로 군사를 퇴각하게 한 것을 선무사宣撫使가 회수로 군사를 진격시키도록 하였으나 끝내 뒷걸음질 치며 겁을 먹었습니다. 장위공이 조정으로 돌아온 뒤 마침내 유광세는 겁쟁이라서 직위를 감당할 수 없음을 역설하여 파직시키고, 여안로呂安老[196]를 임명하여 그 군대를 지휘하게 하였습니다. 여안로가 역경酈瓊 등에게 살해되어 유예劉豫에게 항복하자 장위공은 이로 인해 죄를 얻었고, 조충간공이 다시 상국이 되었습니다. 조충간공이 상국이 된 뒤 마침내 다시 유광세를 등용하여 장수로 삼으니 모두 사사로운 뜻이 이뤄진 것입니다. 장위공이 유광세를 파직시킨 것은 좋은 일이었으니, 여안로가 일에 실패하였더라도 다시 재능 있는 자를 등용하여 일을 맡겼다면 또한 좋았을 것입니다. 하필 유광세를 쓸 일이겠습니까? 이는 모두 조충간공의 사사로운 마음입니다. 제가 보기에는 결국 장위공의 유광세 제거는 옳았고 조충간공의 행위는 잘못된 것입니다. 어떻게 금나라의 오랑캐 군대가 한창 침입하여오는데 갑작스럽게 몸을 돌려 떠나려 할 수 있으며, 한편으로 군사를 진격하게 하고 한편으로 군사를 퇴각시켰으니 어떻게 일을 할 수 있겠습니까?"

因言諸將驕橫.[197] "張與韓較與高宗密, 故二人得全. 岳飛較疎, 高宗又忌之, 遂爲秦所誅, 而韓世忠破膽矣. 只有韓世忠在大儀鎭, 筭殺得虜人一陣好. 高宗初遣魏良臣往虜中講和, 令韓世忠退師渡江. 韓聞魏將至, 知其欲講和也, 遂留之, 云'某方在此措置得略好, 正抵當得虜人住. 大功垂成, 而主上乃令追還, 何也?' 魏云, '主上方與大金講和, 以息兩國之民, 恐邊將生事敗盟, 故欲召公還. 愼勿違上意.' 韓再三嘆息, 以爲可惜.

이어서 여러 장수들의 교만과 방종에 대해 말하였다. "장준張俊과 한세충은 비교적 고종高宗과의 사이가 친밀하였던 까닭에 두 사람은 온전할 수 있었습니다. 악비는 비교적 소원하고 고종이 또 그를 꺼렸던 까닭에 마침내 진회에 의해 죽임을 당하였고 한세충은 간담이 서늘해졌습니다. 한세충에게는 대의진大儀鎭에서 금나라 오랑캐를 한바탕 잘 싸워 죽인 일만을 꼽을 수 있을 뿐입니다. 고종이 처음에 위양신魏良臣을 보내 금나라 오랑캐를 찾아가 화의를 논의하도록 하고, 한세충에게는 군사를 퇴각시켜 장강을 건너오게 하였습니다. 한세충은 위양신이 온다는 소식을 듣자 그가 화의를 논의하려 한다는 것을 알아채고 마침내 위양신을 붙잡아두고서 '내가 이곳에 있으며 조치한 일이 그런 대로 잘 이루어져, 금나라

196 呂安老: 송나라 建州 建陽 사람으로 이름은 祉이고, 안로는 字이다. 휘종 연간에 上舍生으로 벼슬길에 올라 正言을 역임하였다. 유광세를 파직시킨 張浚이 王德을 都統制로 酈瓊을 副統制로 추천하였으나 두 사람이 불화하여 소송을 벌이자 왕덕을 해임시키고 여지를 보내 다스리게 하였다. 그러나 역경이 계속해서 왕덕과의 소송을 중지하지 않자 여지가 이를 설득하여 잠재우고서는 고종에게 역경의 해임을 건의하는 글을 올렸다. 역경이 이 문서를 중간에 가로채 보고서는 반란을 일으켜 여지를 사로잡아 齊나라의 劉豫에게 항복하였다. 여기서 여지는 끝까지 역경을 꾸짖다 살해되었다.(『宋史』 권370)

197 因言諸將驕橫. : 『朱子語類』 권131, 21조목에는 다음과 같다. 云云. 又言: "諸將驕橫"

오랑캐를 막아내 붙잡아두고 있습니다. 큰 공이 거의 이루어져 가는데 주상께서 돌아오라고 명령을 내리시니 어인 까닭이오?'하니, 위양신이 '주상은 지금 한창 대금大金과 화의를 논의하여 두 나라 백성을 쉬게 하려는데, 변경의 장수가 사단을 일으켜 맹약을 깨뜨릴까 두려운 까닭에, 공을 불러 돌아오게 하려는 것입니다. 신중히 생각하여 주상의 뜻을 어기지 마십시오.'라고 하였습니다. 한세충으로서는 재삼 탄식하며 안타까워할 수밖에 없었습니다.

又云, '旣上意如此, 只得抽軍歸耳.' 遂命士卒束裝, 卽日爲歸計. 魏遂渡淮, 兀朮問以'韓世忠已還否?' 魏答以'某來時韓世忠正治疊行, 卽日起離矣.' 兀朮再三審之, 知其然, 遂稍弛備. 世忠乘其懈, 回軍奮擊之, 兀朮大敗. 魏良臣皇恐無地, 再三求哀, 云, '實見韓將回, 不知其紿己.' 乃得免."[198]

또 말하기를 '주상의 뜻이 이미 이와 같으니 군사를 뽑아내 돌아가는 길 뿐이다.'하고 마침내 군사들에게 행장을 꾸리도록 명령하여 그날로 돌아갈 계책을 차리게 하였습니다. 위양신이 마침내 회수를 건너가자, 올출兀朮은 '한세충은 이미 돌아갔습니까?'라고 물었고, 위양신은 '내가 이곳으로 올 때 한세충은 바로 행장을 꾸려 그날 길을 나서 떠났습니다.'라고 하였습니다. 올출이 재삼 확인하여 그 사실을 알고서는 마침내 방비를 차츰 느슨히 하였습니다. 한세충은 그들이 해이해진 기회를 노려 군사를 되돌려 맹렬히 공격하자 올출이 대패하였습니다. 위양신이 두려움에 몸 둘 바를 몰라 재삼 '한세충 장군이 돌아가는 것을 실지 보았는데 그가 나를 속이리라고는 알지 못했습니다.'라고 애원하고서야 겨우 죽음을 면할 수 있었습니다.[199]"

[64-24-4]

"岳飛恃才不自晦, 郭子儀晚節保身甚闒茸. 然當緊要處, 又不然, 單騎見虜是也.[200] 飛作副樞, 便直是要去做, 張韓知其謀, 便只依違. 然便不做亦不免, 直是忠勇故也.[201]"[202]

(주자가 말하였다.) "악비는 재주를 믿고서 자신을 감추려 들지 않았고, 곽자의郭子儀[203]는 늘그막에 몸을

198 『朱子語類』 권131, 21조목

199 겨우 죽음을 … 있었습니다. : 이는 한세충이 대의진에서 거둔 승리의 전후를 기록한 것이다.

200 單騎見虜是也. : '是也'는 『朱子語類』 권132, 8조목에는 '云云'으로 되어 있다.

201 直是忠勇故也. : 直是 앞에 『朱子語類』 권132, 8조목에는 '其用心如此' 한 구절이 더 있고 '故也'는 '也'자로 되어 있다.

202 『朱子語類』 권132, 8조목

203 郭子儀 : 唐나라 華州 鄭縣사람으로 시호는 忠武이고, 봉호는 汾陽郡王이다. 武科 급제로 벼슬길에 올랐다. 玄宗 때 安祿山이 반란을 일으키자 朔方節度使에 임명되어 史思明을 河南에서 이겼다. 肅宗이 즉위하며 關內河東副元帥에 올라 回紇 군사와 함께 長安과 洛陽을 수복하였다. 이 공으로 中書令에 오르고 분양군왕에 봉해졌다. 代宗 때 僕固懷恩이 회흘·吐蕃과 연합하여 일으킨 반란을 단신으로 수습하는 기지를 보이기도 하였다. 德宗이 등극하여 尙父로 높이며 太尉 벼슬을 내리고 그에게 내려진 다른 모든 벼슬과 병권을 거두었다.(『舊唐書』 권120)

보호하느라 매우 바보처럼 지냈다. 그러나 긴요한 곳에서는 또 그렇지도 않았으니, 혼자 몸으로 오랑캐를 만난 일이 그것이다.[204] 악비는 부추副樞에 임명되자 곧바로 떠나려 하였고[205] 장준張俊과 한세충은 진회의 계책을 알고서도 따를 뿐이었다. 그러나 떠나려 하지 않았어도 또한 화를 면하지 못하였을 것이니 바로 충성과 용맹스러움 때문이다."

秦檜 진회

[64-25-1]

或問 : "胡文定公與秦丞相厚善之故."

204 혼자 몸으로 … 그것이다. : 代宗의 永泰 원년(765)에 복고회은이 회흘 · 토번과 여러 부족을 설득하여 30만 군대로 당나라를 공격하였다. 이때 대종은 곽자의를 급히 불러 이를 수습하게 하였다. 곽자의 군대는 겨우 1만이었다. 곽자의는 회흘의 장수를 직접 설득하기 위해 그들의 진영을 기병 몇 십 명을 데리고 길을 나섰다. 이를 『新唐書』 권137에서 살피면 다음과 같다. "좌우에서 '오랑캐의 야심은 믿을 수 없습니다.' 고 하자 곽자의는 다음과 같이 말하였다. '오랑캐의 군사가 수십 배이니 지금의 힘으로는 상대할 수 없다. 내가 지극한 정성을 보일 것이다.'(左右諫, 戎狄野心, 不可信. 子儀曰, 虜衆數十倍, 今力不敵. 吾將示以至誠.)" 이렇게 길을 떠나 마침내 그들을 설득하여 오히려 함께 토번을 공격하는 약속을 받아내 마침내 복고회은의 거대한 세력을 꺾고 당나라의 사직이 이어질 수 있게 하였다.

205 악비가 副樞에 … 하였는데 : 副樞는 樞密院副使를 이른다. 악비는 소흥 10년(1140)에 금나라 군사를 여러 곳에서 이겨 송나라의 옛 수도 汴京을 45리까지 압박하여 당시 금나라 태자 兀术은 변경을 포기하고 도망치려 하였다. 악비가 황하를 건너 공격할 날을 마음속에 잡아두고 있는데, 당시 집정 대신 진회는 淮水 이북 지역을 금나라에 주는 것을 상정하고 화의를 진행하였다. 그리하여 臺官들을 사주하여 철군을 주장하게 하였다. 악비는 고종에게 상소하여 "금나라의 날카롭던 기운이 꺾이며 여러 군비물자를 모두 버리고 황하를 넘어 쏜살같이 도망치고 있습니다. 그리하여 호걸들이 바람처럼 우리에게 몰려오고 군사들은 목숨을 바치려 하고 있습니다. 때는 다시 오지 않을 것이니 기회를 가볍게 잃기 어렵습니다.(金人銳氣沮喪, 盡棄輜重, 疾走渡河, 豪傑向風, 士卒用命. 時不再来, 機難輕失.)"고 하였다. 이에 천자의 金字牌(급보를 알리는 패)를 하루 동안에 열 두 차례 내려 악비의 회군을 압박하였다. 악비는 "10년을 갈고 닦은 힘이 하루아침에 무너지는구나!(十年之力, 廢於一旦)"하고, 돌아와 고종에게 자신의 모든 兵權을 거두어 줄 것을 청하고 고종이 묻는 정세에 관한 일체의 말에 대답하지 않았다. 이때 금나라가 군사를 나누어 회수를 건너 총공세에 나섰다. 이에 고종은 열일곱 차례나 글을 보내 악비의 출전을 재촉하였다. 악비는 글을 올려 "금나라가 온 나라의 힘을 모아 남쪽으로 오고 있으니 안방은 반드시 비었을 것입니다. 만일 멀리 군사를 동원하여 汴京과 洛陽을 짓밟는다면 저들은 여기저기의 명령에 뛰어다니게 될 것이니 앉아서 저들을 지치게 할 수 있습니다.(金人舉國南来, 巢穴必虛, 若長驅京洛以擣之, 彼必奔命, 可坐而敝.)"고 하였다. 고종은 허락하였다. 악비가 廬州에 이르자 금나라 군사는 바라만보고서도 도망쳤다. 그 과정에서 싸움에 패한 楊沂中의 군대를 구원하기도 하였다. 이때 화의는 이미 마무리 단계에 접어들었다. 이에 진회는 악비 · 한세충 · 장준을 불러들여 악비에게 추밀원부사 벼슬을 내렸다. 악비는 이때 자신의 병권에 관한 모든 벼슬을 환수해 줄 것을 청하였고, 한세충 · 장준은 그 벼슬을 그대로 받았다.

朱子曰：“秦會之嘗爲密教，翟公巽時知密州，薦試宏詞．游定夫過密，與之同飯于翟，奇之．後康侯問人才於定夫，首以會之爲對，云‘其人類荀文若．’又云無事不會．京城破，虜欲立張邦昌．執政而下，無敢有異議，惟會之抗疏以爲不可．康侯亦義其所爲，力言於張德遠諸公之前．後會之自海上歸，與聞國政．康侯屬望尤切，嘗有書疏往來，講論國政．康侯有詞掖講筵之召，則會之薦也．然其雅意堅不欲就，是必已窺見其微隱有難處者，故以老病辭．後來會之做出大疏脫，則康侯已謝世矣．定夫之後，及康侯諸子，會之皆擢用之．”

어떤 사람이 물었다. “호문정공胡文定公[206]과 진 승상秦丞相[207]이 서로 사이가 두터웠던 까닭을 묻습니다.” 주자가 대답하였다. “진회가 일찍이 밀주密州의 교수敎授였을 때 책공손翟公巽이 당시 밀주의 지주사知州事였는데 굉사과宏詞科에 천거하여 응시하게 하였다. 유정부游定夫[208]가 밀주를 방문하여 그와 함께 책공손과 밥을 먹고서는 그를 기재奇才로 여겼다. 뒷날 강후康侯(胡安國의 字)가 유정부에게 인재를 묻자, 맨 먼저 진회를 천거하며 ‘그 사람은 순문약荀文若(荀彧의 字, 曹操의 謀臣)과 같다.’고 하였다. 또 ‘모르는 것이 없다.’고도 하였다. 수도가 함락되어 금나라가 장방창張邦昌[209]을 (천자로) 세우고자 하였을 때 집정執政 이하의 관원들 누구도 감히 다른 말을 하는 자가 없었는데 회지會之(진회의 字) 만은 상소하여 불가함을 말하였다. 강후도 그의 행위를 의롭게 여겨 장덕원張德遠(덕원은 張浚의 字) 등 여러 사람들 앞에서 이

206 胡文定公(1074~1138)：宋나라 建州 崇安 사람. 이름은 安國, 자는 康侯, 호는 武夷先生・草庵居士이며, 문정공은 그의 시호이다. 哲宗 紹聖 연간의 進士로, 太學博士와 成都學事를 지내며 蔡京과 耿南仲에게 미움을 샀다. 高宗이 즉위하며 給事中과 中書舍人에 등용되어 고토 회복을 주장하였다. 程伊川에게 배워서 居敬窮理의 학문을 중히 여기고, 특히 『春秋』에 심혈을 기울였다. 저서로 『春秋傳』・『資治通鑑學要補遺』・『上蔡語錄』 등이 있다.(『宋史』 권435, 『宋元學案』 권34)

207 秦丞相(1090~1155)：宋나라 江寧 사람인 秦檜를 그의 벼슬로 부르는 말이다. 자는 會之이고, 시호는 忠獻이며 封爵은 申王이다. 徽宗의 政和 연간의 進士. 欽宗의 靖康 2년(1127)에 수도 汴京이 금나라에 함락당하며 휘종과 흠종이 포로로 잡혀가고 금나라가 임시 천자 張邦昌을 세우려 하자 강력히 반대하였다. 이 일로 금나라에 잡혀갔으나 금나라 군주의 아우인 撻懶에게 믿음을 사서 결국 풀려나 돌아왔다. 그러나 돌아와서는, 자신을 감시하는 자를 죽이고 돌아왔다고 거짓말하였다. 高宗의 紹興 원년(1131)에 참지정사로 등용되었다가 이내 相國이 되었다. 한때 상국에서 밀려났으나 다시 상국에 기용되어 전후 19년 동안 집권하며, 岳飛를 죽이고 主戰派를 탄압하며 金과의 굴욕적인 화친 조약을 성사시켰다. 죽은 뒤 孝宗이 그에게 내려진 申王 왕작을 추탈하고 시호도 謬醜로 고쳤다.(『宋史』 권473)

208 游定夫(1053~1123)：宋나라 建州 建陽 사람으로 정부는 그의 자이고 이름은 酢이다. 자를 子通으로 쓰기도 한다. 神宗의 元豐 연간의 進士로 벼슬은 大學博士와 漢陽軍 및 和州・舒州・濠州 등의 수령을 지냈다. 明道와 伊川의 문하에서 수학하여, 謝良佐 등과 함께 程門四先生으로 불린다. 세속에서 廌山先生, 또는 廣平先生이라 불렀다. 저서로 『易說』・『詩二南義』・『中庸義』・『論語孟子雜解』・『廌山文集』 등이 있다.(『宋史』 권428；『宋元學案』 권26)

209 張邦昌：송나라 사람. 금나라와의 화친을 주장하였는데 汴京이 함락되자 금나라에 의해 황제로 옹립되어 국호를 大楚라고 하였으나 금나라 군대가 북으로 물러가자 스스로 물러났으며, 송나라는 康王이 즉위하여 남송의 高宗이 되었다. 抗戰派의 대표적인 인물인 李綱이 재상이 되자 장방창의 죄를 논하여 潭州에 안치시켰다가 賜死하였다.(『宋史』 권117)

일을 역설하였다. 뒷날 회지가 해변海邊에서 돌아와 국가 정사에 참여하자,[210] 강후의 기대는 더욱 간절하여, 늘 편지를 주고받으며 국가 정사를 강론하였다. 강후에게 내려진 사액詞掖과 강연講筵[211]의 부름은 회지의 추천이다. 그러나 그의 평소 뜻이 한사코 나가려 하지 않았으니 이는 필시 그 가운데 조금 난처한 일이 있을 것을 간파했던 까닭에 늙고 병들었음을 핑계했을 것이다. 나중에 회지가 크게 활약할 때에 강후는 이미 세상을 떠난 뒤였다. 유정부의 후손과 강후의 여러 아들은 회지가 모두 발탁하여 등용시켰다."

又曰："此老當國，却留意故家子弟，往往被他牢籠出去，多墜家聲．獨胡明仲兄弟却有樹立，終是不歸附他．嘗問和仲先世遺文，因曰，'先公議論好，但只是行不得.' 和仲曰，'聞之先人，所以謂之好議論，政以其可以措諸行事．何故却行不得?' 答曰，'公不知．便是六經，也有說得行不得處.' 此是這老子由中之言．看來聖賢說話，他只將做一件好底物事安頓在那裏."

(주자가) 또 말하였다. "이 늙은이가 나라 정사를 맡았을 때 대대로 벼슬하던 집안 자손에게 마음을 써서, 간혹 그 농락에 걸려 벼슬에 나섰으나 대부분 집안 명성을 추락시켰다. 다만 호명중胡明仲 형제[212]는 확립된 마음이 있었기에 끝내 그에게 귀의하여 붙지 않았다. (진회가) 한번은 화중和中(胡寧의 字, 호안국의 셋째아들)에게 조상이 남긴 글에 대해 묻고, 이어 말하기를 '선공先公의 말씀은 좋기는 한데 다만 시행할 수는 없습니다.'고 하자, 화중이 '선인先人에게 들었는데 「세상에서 이르는 좋은 말이란 바로 일로 행할 수 있어야 한다.」라고 하셨는데, 어떤 이유로 행할 수 없단 말입니까?'라고 하니, 대답하기를

210 회지가 海邊에서 … 참여하자 : 진회가 소흥 2년(1132)에 상국에 올랐으나 觀文殿學士와 提擧江州太平觀으로 좌천되었다. 강주태평관으로 전직된 것을 해변에 봉직한 것으로 말한 것이다. 잠시 후 소흥 6년 7월에 行宮留守에 다시 기용되어 尙書와 樞密院을 드나들며 국가 정사에 참여하였다. 진회는 소흥 2년에 상국에 등용되려고 "내게 있는 두 가지 책략은 천하를 깜짝 놀라게 할 수 있다.(我有二策，可聳動天下.)"고 하여 천하의 이목을 자신에게 쏠리게 하였다. 고종이 그를 등용하였으나 그는 그 계책을 내놓지 않고, 함께 상국이 된 呂頤浩를 제거하고자 하였다. 이에 여이호는 진회를 제거하기 위해서 朋黨 죄목을 제기하고, 괴수로 호안국을 거론하였다. 마침내 호안국이 벼슬에서 파직되자, 천하를 놀라게 하는 아무런 계책을 내놓지 못한 진회도 파직되어 좌천되었다.(『宋史』 권473)

211 詞額과 講筵 : 사액은 詞臣이 벼슬하는 官署를 이르니, 호안국이 고종 초기에 右文殿修撰을 지낸 것을 이르고, 강연은 나중에 侍講과 侍讀 벼슬을 지내며 고종에게 『春秋』를 강한 일을 이른다.(『宋史』 권435)

212 胡明仲 형제 : 명중은 호안국의 아들 胡寅의 자이다. 호안국은 인과 宏, 寧 등 3형제를 두었다. 첫째 호인은 시호는 文忠이고, 존칭은 致堂先生이며, 楊時의 제자이다. 본래 安國의 조카였으나 호안국이 데려다 키워 아들이 되었다. 宣和 연간에 진사시에 합격하여, 中書舍人·禮部侍郎兼直學士院 등을 지냈다. 金과의 화친을 극력 반대하여 秦檜가 정권을 잡자 귀양 갔다가 진회가 죽은 뒤에 복직되었다. 저서로 『論語詳說』·『讀史管見』·『斐然集』이 있다. 둘째 굉은 자는 仁仲이고, 호는 五峰이며, 楊時와 侯仲良에게 배우고 부친의 학문을 계승하였다. 衡山 아래에서 20여년을 강학하며 張栻을 제자로 키웠다. 저서로 『知言』·『皇王大紀』·『五峰集』이 있다. 셋째 녕은 자는 和仲이고, 존칭은 茅堂先生이다. 벼슬은 太常丞과 祠部郎中을 지냈다. 형 寅이 秦檜의 미움을 사서 좌천되자 벼슬에 나가지 않고 臺州의 崇道觀을 주관하였다. 아버지가 지은 『春秋傳』을 혼자 정리하고 교열하였다. 저서로 『春秋通旨』가 있다.(『宋史』 권435 ; 『宋元學』 권25 ; 권34 ; 권41 ; 권42)

'공은 모르고 계십니다. 바로 육경六經도 그 말을 실행할 수 없는 곳이 있습니다.'고 하였다. 이는 이 늙은이의 마음에서 우러나온 말이다. 성현의 말씀 보기를 그는 다만 한 가지 좋은 것이 그 속에 담겨있다고 여겼을 뿐이다."

又曰: "此老千鬼百怪. 如不樂這人, 貶竄將去, 却與他通慇懃不絶. 一日, 忽招和仲飯, 意極拳拳. 比其還家, 則臺章已下, 又送白金爲贐. 如欲論去之人, 章疏多是自爲, 以授言者, 做得甚好. 傅安道諸公往往認得, 如見彈洪慶善章, 曰'此秦老筆也.'"[213]

(주자가) 또 말하였다. "이 늙은이는 갖은 귀신 짓과 온갖 괴이한 짓을 저질렀다. 예컨대 마음에 들지 않은 사람을 폄직시켜 내쫓으려면 그 사람과 은근한 정을 나누며 끊지 않았다. 하루는 뜬금없이 화중을 불러 식사를 함께하며 마음 쏟음이 더없이 극진하였다. 그가 자신의 집에 돌아왔을 적에 어사대御史臺의 탄핵이 이미 내려와 있었는데, 또 백금白金을 보내 노잣돈을 삼게 하였다. 논박하여 내보내고자하는 사람 같은 경우는 상소문 대부분을 자신이 작성하여 언관言官에게 건네주었는데 문장이 매우 좋았다. 부안도傅安道 등 몇 사람이 간혹 이를 간파하였으니, 홍경선洪慶善에 대한 탄핵 소장[214]을 보고서 '이는 진회 늙은이의 글이다.'[215]고 한 것과 같은 경우이다."

[64-25-2]

"秦老倡和議以誤國,[216] 挾虜勢以邀君, 終使彝倫斁壞, 遺親後君, 此其罪之大者. 至於戮及元老, 賊害忠良, 攘人之功以爲己有, 又不與也."[217]

(주자가 말하였다.) "진회 늙은이는 화의론을 선창하여 나라를 그르치고 금나라 오랑캐의 형세를 끼고 군주를 협박하여, 결국 하늘로부터 받은 떳떳한 도리를 무너지게 하며 어버이를 버리고 군주를 뒷전이 되게 하였으니 이것이 그의 죄 가운데 큰 죄다. 살육이 원로에 미치고, 충신과 양신良臣이 해를 입고, 남의 공훈을 빼앗아 자신의 것으로 삼은 것은, 또 거기에 끼이지 못할 것이다."

---

213 『朱子語類』 권131, 36조목

214 洪慶善에 탄핵하는 … 소장: 홍경선(1090~1155)은 송나라 洪興祖를 字로 부른 말이다. 그가 龍圖閣學士를 지낸 程瑀의 저서 『論語解』에 쓴 서문에 원망하는 뜻이 담긴 것이 진회의 미움을 사서 昭州로 귀양 갔다. (『宋史』 권433)

215 '이는 진회 … 글이다.': 『宋史』 권473의 「秦檜傳」에서 살피면 "사람을 논박하는 글은 모두 진회 자신이 지어서 언관에게 건네주었다. 알아보는 자들이 '이는 진회 늙은이의 글이다.'고 하였다.(論人章疏, 皆檜自操, 以授言者. 識之者曰, '此老秦筆也.')"고 하였다.

216 秦老倡和議以誤國: '秦老'는 『朱子語類』 권131, 42조목에 '秦檜'로 되어 있다.

217 『朱子語類』 권131, 42조목

胡銓 호전

[64-26-1]

南軒張氏語門人曰 : "胡澹庵大節極好. 曾見其諫書否?"

門人對曰 : "見之."

曰 : "雖與日月爭光, 可也."

남헌장씨南軒張氏[張栻]가 문인에게 말하였다. "호담암胡澹庵[胡銓][218]의 큰 절의는 더없이 좋다. 그가 간한 글[219]을 보았는가?"
문인이 대답하였다. "보았습니다."
(남헌장씨가) 말하였다. "해와 달과 빛을 다툴 수 있을 것이다."

張九成 장구성, 李椿 이춘

[64-27-1]

朱子曰 : "張子韶人物甚偉, 高廟時除講筵. 嘗有所奏陳, 上云'朕只是一箇至誠.' 張奏云, '陛下對群臣時如此, 退居禁中時不知如何?' 云,'亦只是箇誠.' 又問, '對宮嬪時如何?'上方經營答語間, 張便奏云, '只此便是不誠.' 蓋高宗容諫, 故臣下得以盡言."[220]

주자가 말하였다. "장자소張子韶[221]는 인물이 매우 위대하여 고종高宗 때 강연講筵에 임명되었다.[222] 한번은 어떤 말을 아뢰는데, 고종이 '짐은 단지 하나의 지극한 성실[至誠]뿐이다.'고 하였다. 장자소가 아뢰기

218 胡澹庵(1402~1180) : 호전을 그의 號로 이르는 말이다. 호전은 宋 吉州 廬陵 사람으로 자는 邦衡이고, 澹齋老人이라는 호를 쓰기도 한다. 시호는 忠簡이다. 고종 建炎 연간의 進士로, 소흥 8년(1138)에 樞密院編修官 신분으로 秦檜의 화의 주장을 반대하여 진회와 參政 孫近, 사신 王倫을 참수하라는 名文의 상소문을 올려 천하에 명성이 높았다. 昭州로 귀양갔다가 다시 吉陽郡으로 옮겨졌다. 진회가 죽은 뒤 효종이 즉위하며 돌아와 兵部侍郎과 資政殿學士 등 벼슬을 하였다. 저서로 『澹庵集』이 있다.(『宋史』 권374 ; 『宋元學案』 권34 ; 권45)

219 간한 글 : 호전의 문집 『澹庵集』 권2에 실린 「上高宗封事」를 이른다.

220 『朱子語類』 권127, 56조목

221 張子韶(1092~1159) : 장자소는 장구성을 字로 이르는 말이다. 宋나라 杭州 錢塘 사람으로 호는 橫浦居士이고 시호는 文忠이며, 봉호는 崇國公이다. 楊時의 제자이다. 고종 연간에 진사시에 장원하였다. 著作郎과 예부·병부의 侍郎을 지냈다. 진회와 불화하여 南安軍에서 14년을 지내다 진회가 죽은 뒤 知溫州로 돌아왔다. 저서로 『橫浦集』·『孟子解』가 있다.(『宋史』 권374)

222 講筵에 임명되었다. : 장구성이 宗正少卿權禮部侍郎兼侍講 벼슬을 역임하였다.

를 '폐하께서 뭇 신하를 대하실 적에 이 같을지라도 물러나 금중禁中(천자가 거처하는 궁내)에 거처하실 때에는 어떠신지 모르겠습니다.'하니, '역시 단지 성실[誠]일 뿐이다.'라고 하였다. 또다시 '궁중의 비빈妃嬪을 대하실 때 어떻습니까?'고 물어, 고종이 답변할 말을 찾는 사이 장자소가 바로 '이것이 바로 성실하시지 못하신 것입니다.'고 아뢰었다. 고종이 간하는 말을 받아준 까닭에 신하가 말을 다할 수 있었던 것이다."

[64-27-2]

"直敷文閣李公椿, 莊重簡淡, 嶷然有守, 泊然無欲, 喜怒不形見於色, 故人不可得而親踈, 而中夷易平直. 廉不近名, 介不絶物. 應事存心, 悉主於厚. 平生未嘗失節於權倖, 然非有意以矯厲爲高也."[223]

(주자가 말하였다.) "부문각 직학사敷文閣直學士 이춘李椿[224]은 엄숙 중후하고 간결 담박하였으며 우뚝하게 지조가 있고 담박하게 욕심이 없어, 즐거움과 노여움이 낯빛에 드러나지 않았다. 그러므로 사람들이 친히 하거나 멀리 할 수 없었으나, 마음이 평화롭고 겸손하며 공평하고 솔직하였다. 청렴하여 명예를 가까이하려 하지 않았고 지조가 뚜렷하였지만 사람들과의 사귐을 끊지 않았다. 일에 대한 대처와 마음가짐에서 모두 두텁고자 하였다. 평소에 권세를 가졌거나 천자의 총애를 받은 사람에게 절의를 잃지 않았지만 근엄한 척 가장하여 고고하려 하지 않았다."

總論 총론

[64-28-1]

程子曰 : "熙寧中洛陽以淸德爲朝廷尊禮者, 大臣曰富韓公 ; 侍從曰司馬温公·呂申公. 位卿監以淸德早退者十餘人, 好學樂善有行義者幾二十人. 邵先生隱居謝聘皆相從. 忠厚之風聞於天下. 里中後生皆知畏·廉·恥, 欲行一事, 必曰'無爲不善! 恐司馬端明·邵先生知.'"

정자가 말하였다. "희녕熙寧(송나라 신종神宗의 연호) 연간에 낙양에서[225] 청덕淸德으로써 조정이 존경하여

223 『朱文公文集』 권94 「敷文閣直學士李公墓誌銘」

224 李椿(1111~1183) : 송나라 洺州 永年 사람으로 자는 壽翁이다. 가난하여 나이 30이 넘어서야 『周易』을 배우고서는 평생 『周易』의 가르침에 의거하여 생활하였다. 張浚이 制司準備差遣에 등용하고 늘 곁에 두고 자신을 돕게 하였다. 司農卿·兼知臨安府 벼슬을 지내고, 吏部侍郞에 등용되어 孝宗에게 宦官의 폐해를 極論하였다. 부문각 직학사는 그의 마지막 벼슬이다. 주자는 그의 墓誌銘에 "일의 성패를 미리 알았으나 점괘의 힘을 빌리지 않았으며, 군주의 好惡에 아부하지 않았고 시대의 명예를 구하지 않았다.(逆知得失, 不假蓍龜, 不阿主好, 不詭時譽.)"고 하였다.(『宋史』 권389)

225 낙양에서 : 사마온공은 이곳이 고향은 아니나 이곳의 명사로 활동하였다. 洛陽耆英會라는 모임이 있었는데

예우한 사람은 대신大臣에서는 부필富弼 · 한기韓琦, 시종신侍從臣에서는 사마온공司馬溫公 · 여신공呂申公[呂公著]이다. 경감卿監[226]의 지위에 있으면서 청덕을 지녀 벼슬에서 일찍 물러난 사람이 10여 명이고, 학문을 즐기고 선善을 즐거워하며 의義로움을 실행한 사람은 거의 20명이었다. 소선생邵先生[邵雍]은 은거하여 모든 초빙을 거절하였는데도 모두가 서로 따라서 충후한 풍모가 천하에 드러났다. 마을의 젊은이들마저 모두가 두려움 · 청렴 · 부끄러움을 알아, 어떤 일을 하려 할 때이면 반드시 '불선한 짓을 하지 말라! 사마 단명司馬端明[司馬光][227]과, 소선생이 알까 두렵다.'고 하였다."

[64-28-2]

"嘗觀自三代而下,[228] 本朝有超越古今者五事. 如百年無內亂; 四聖百年; 受命之日, 市不易肆; 百年未嘗誅殺大臣; 至誠以待夷狄. 此皆大抵以忠厚廉恥爲之綱紀, 故能如此. 蓋睿主開基, 規模自別."[229]

(정자程子[程頤]가 말했다.) "예전에 삼대三代 이후의 역사를 살펴보니, 우리 송나라 왕조에 고금의 역사에서 뛰어난 다섯 가지가 있다. 1백 년 동안 내란內亂이 없었던 것, 네 천자가 1백년을 재위한 것,[230] 송나라가 건국될 때 저자의 가게들이 변동이 없었던 것,[231] 1백 년 동안 대신을 죽이는 일이 없었던 것, 지극한 정성으로 오랑캐를 대한 것 등이다. 이 모두는 충후忠厚와 염치를 나라의 기강으로 삼았기 때문에 이 같을 수 있었던 것이다. 슬기로운 군주가 나라의 기틀을 세우며 규모가 특별하여서다."

[64-28-3]

武夷胡氏曰: "自熙寧 · 元祐 · 靖國間, 事變屢更. 當其時, 固有名蓋天下, 致位廟堂, 得行所學者. 然夷考其事, 猶有憾焉. 如張天祺 · 朱光挨等可謂奮不顧身, 盡忠許國, 而議論亦多過矣. 내知理未易窮, 義未易精, 言未易知, 心未易盡, 聖賢事業未易到也."[232]

무이 호씨武夷胡氏[胡安國]가 말하였다. "희녕熙寧(신종神宗의 연호) · 원우元祐(철종哲宗의 연호) · 정국靖國(휘종徽宗의 연호) 연간에 사변事變을 여러 차례 겪었다. 그러한 시절을 만났으면서도 분명하게 명성이 천하를 뒤덮고 조정의 높은 지위에 올라 자신의 학문을 실행한 자가 있다. 그러나 그들이 한 일을 공평히 살펴보

사마온공을 비롯한 文彦博 富弼 등 낙양의 원로들이 주축이었다. 또 소강절은 낙양 사람으로 그의 집을 安樂窩라고 하였다.

226 卿監: 太卿監과 少卿監으로 나뉘는데 태경감은 中散大夫나 中大夫의 반열이고, 소경감은 朝議大夫의 반열이다.

227 司馬端明(司馬光): 사마광이 端明殿學士 벼슬을 역임한 데에서 그를 이르는 호칭으로 쓰였다.

228 嘗觀自三代而下: '而下'는 『二程遺書』 권15 入關語錄에 '而後'로 되어 있다.

229 『二程遺書』 권15 「入關語錄」

230 네 천자가 … 것: 송나라는 태조 趙匡胤이 後周를 이어 나라를 세워 연호를 乾隆 원년(960)으로 시작한 뒤 2대 太宗, 3대 眞宗, 4대 仁宗 嘉祐 8년(1063)년까지 약 1백년이 이어졌다.

231 가게들이 변동이 … 것: 건국 과정에 백성들에게 난리를 겪게 하는 큰 소란이 없이 순탄하였음을 표현한 말이다.

232 『伊洛淵源錄』 권7

면 여전히 유감스러운 것이 있다. 예컨대 장천기張天祺[233] · 주광섬朱光掞[234] 등은 한 몸 돌보지 않고 분발하였으며, 충성을 다하고 나라를 위해 목숨을 내놓았다 할 수 있을 것이나, 그들 주장에는 또한 지나친 말이 많다. 이에 이치는 쉽게 규명할 수 없고, 의리는 쉽게 정밀한 경지에 이를 수 없으며, 말은 쉽게 알아낼 길 없고, 마음은 쉽게 다할 수 없어서, 성현이 하신 일은 쉽게 따라잡을 수 없음을 비로소 알 수 있다."

[64-28-4]

臨川吳氏曰："韓司徒張文成侯 · 漢丞相諸葛忠武侯 · 唐司空狄文惠公 · 宋參知政事范文正公, 四人之功業不盡同, 而其爲百代殊絶之人物則一. 文成身事漢, 而心在報韓仇；文惠身事周, 而心在復唐祚, 常人莫能測知, 卒克遂其志. 故邵子稱其忠且智焉. 忠武扶漢於末造, 文正佐宋於盛際, 器局公平廣大, 設施精審詳密. 心事如青天白日. 遘時雖異, 易地則皆然. 故朱子稱其磊磊落落, 無纖芥之可疑也."[235]

임천 오씨臨川吳氏[吳澄]가 말하였다. "한韓나라의 사도司徒 장문성후張文成侯[張良], 한漢나라의 승상丞相 제갈충무후諸葛忠武侯[諸葛亮], 당唐나라의 사공司空 적문혜공狄文惠公[狄仁傑], 송宋나라의 참지정사參知政事 범문정공范文正公[范仲淹] 네 사람의 공훈과 업적은 모두 똑같지 않지만, 그들이 1백 대代에 매우 뛰어난 인물인 것은 동일하다. 문성후는 몸은 한漢나라를 섬기면서도 마음은 한韓나라의 원수 갚음에 있었고, 문혜공은 몸은 주周(측천무후가 당唐을 개명改名한 칭호)를 섬겼으나 마음은 당唐나라 왕실 회복에 두고서 사람들이 눈치 채지 못하게 하며 마침내 자신의 뜻을 이루었다. 그러므로 소자邵子[邵雍]는 그의 충성스럽고 또 지혜로움을 칭송하였다. 충무후는 한漢나라의 말기를 붙잡아 세웠고 문정공은 송나라를 융성한 시절에 도왔으니 재능과 도량이 공평 정직하고, 베풀어 시행한 일도 꼼꼼하고 물샐틈없이 자세하다. 마음도 푸른 하늘의 태양과 같다. 처한 시기는 서로 다르지만 처지가 바뀌었다면 다들 그렇게 하였을 것이다. 그러므로 주자가 그들을 '마음에 티끌하나 없었으니 지푸라기만큼도 의심할 것이 없다.'고 칭송한 것이다.

233 張天祺 : 송나라 張戩을 字로 이르는 말이다. 鳳翔 眉縣 사람으로 橫渠 張載의 아우다. 진사시에 합격한 뒤 知金堂으로 나가 선정을 베풀었다. 神宗의 熙寧 초기에 王安石의 新法을 반대하며, 신법에 동조한 韓絳과 呂惠卿 등을 상소문이나 조정의 토론에서 수없이 비판하였다. 이 일로 좌천되어 鳳翔府司竹監이 되며 온 식구가 죽순을 먹지 않았다.(『宋史』 권427)

234 朱光掞 : 송나라 朱光庭을 그의 字로 이르는 말이다. 河南 偃師 사람으로 胡瑗과 孫復에게 배웠으며, 程頤를 스승으로 받들어 洛黨의 우두머리로 일컬어졌다. 仁宗 嘉祐 연간에 진사시에 합격하여 여러 주군의 수령을 거쳤다. 희녕 연간에 왕안석의 신법을 반대하다 簽書河陽判官으로 좌천되었다. 哲宗이 등극하며 사마광의 추천으로 左正言에 올라 신법 중에서도 青苗法과 保甲法의 철폐를 주장하며 章惇 · 蔡確 등 新黨 인물을 탄핵하였다. 마지막 벼슬은 給事中이다.(『宋史』 권333 ; 『伊洛淵源錄』 권7 「朱給事墓誌銘」)

235 『吳文正集』 권61 「題跋 · 跋張葛狄范四公傳」

性理大全書卷之六十五

성리대전서 권65

君道 군도

君道
군주의 도리

[65-1-1]

程子曰 : "君道以至誠仁愛爲本."[1]

又曰 : "大要以正心窒欲, 求賢育材爲先."[2]

又曰 : "人主當防未萌之欲."[3]

정자程子[程顥]가 말하였다. "군주의 도리는 지성至誠과 인애仁愛로 근본을 삼아야 한다."
(정자가) 또 말하였다. "큰 요점은 바른 마음으로 욕심을 막고, 현인賢人을 구하고 인재를 기르는 것으로 우선을 삼아야 한다."
(정자가) 또 말하였다. "군주는 마땅히 아직 싹트지 않은 욕심을 막아야 한다."

[65-1-2]

"君道以人心悅服爲本"[4]

(정자程子[程顥]가 말하였다.) "군주의 도리는 백성의 마음이 기쁘게 따르는 것으로 근본을 삼아야 한다."

[65-1-3]

"君道稽古正學,[5] 明善惡之歸, 辨忠邪之分, 曉然趨道之至正. 君志定而天下之治成矣.[6] 夫義

1 『二程粹言』 권하 「君臣篇」
2 『伊川文集』「明道先生行狀」
3 『二程粹言』 권하 「君臣篇」. 명도선생이 神宗에게 고한 말이다.
4 『二程粹言』 권하 「君臣篇」
5 君道稽古正學 : 이 글은 『二程粹言』 권하 「君臣篇」에 의거하면 이 글 앞에 "神宗이 맨 먼저 伯淳을 불러 먼저 致治의 요점을 물었다. 정자가 대답하였다.(神宗首召伯淳, 首訪致治之要. 子對曰 …)"로 시작하고 있다. 따라서 이 글은 明道가 신종에게 대답한 말이다. 그러나 번역은 신종에게 대답한 형식을 취하지 않았다.
6 君志定而天下之治成矣. : 『二程粹言』 권하 「君臣篇」에 의거하면 이 글 다음에 "신종이 '의지를 정하는 길은 어떤 것입니까?'하니 정자가 대답하기를 '마음을 바르게 하고 뜻을 성실히 하며 선을 택하여 굳게 잡아야합니

理不先定, 則多聽而易惑；志意不先定, 則守善而或移. 必也以聖人之訓爲先當從, 以先王之治爲必可法；不爲後世駁雜之政所牽滯, 不爲流俗因循之論所遷改. 信道極於篤, 自知極於明, 去邪勿疑, 任賢勿貳, 必期致治如三代之隆而後已也.

(정자程子[程顥]가 말하였다.) "군주의 도리는 옛 정학正學에서 고증하여, 선악의 귀결을 밝히고 충성과 사특의 갈림길을 변별하여 뚜렷이 도道의 지극한 바른길로 나가야 한다. 군주의 의지가 확정되어야 천하의 정치는 이루어진다. 의리가 앞서 확정되어 있지 않으면 말을 많이 들을수록 쉽게 의혹에 빠져들고, 의지가 앞서 확정되어 있지 않으면 선善한 길을 지키다가도 혹 바꾸어버린다. 반드시 성인의 가르침으로 우선 당연히 따라야 할 것을 삼고 선왕의 정치로 반드시 본받아야 할 것을 삼아야, 후세의 뒤죽박죽인 정치에 붙잡히거나 막히지 않고 유행하는 풍속이나 인습을 따르는 주장에 바뀌고 변하지 않는다. 도를 믿음이 더없이 도탑고 자신을 앎이 더없이 분명하여 사특을 제거함에 의심이 없고 어진이를 임용함에 두 마음을 갖지 않아, 반드시 이룩한 정치가 삼대三代(夏殷周 성왕 시대)의 융성함과 같기를 기약한 뒤에 그쳐야 한다.

然患常生於忽微, 而志亦戒乎漸習. 故古之人君雖從容燕閒, 必有誦訓箴諫, 左右前後罔匪正人, 輔成德業. 誠能尊禮老成, 訪求儒學之士, 不必勞以官職, 俾日親便坐, 講論道義. 又博延俊彦, 陪侍法從, 朝夕延見, 講磨治體, 則睿智益明, 王猷允塞矣."[7]

그러나 환난은 늘 극히 사소한 곳에서 생겨나고 의지도 또한 차츰 물들여지는 것을 경계해야 한다. 그러므로 옛 군주는 느긋하고 한가할 적이라도 반드시 성현의 가르침을 외우고 경계해 간하는 신하를 두었으니, 전후좌우가 올곧지 않은 사람이 없어 덕업德業을 도와 성취시켰다. 원로를 참으로 잘 존경해 예우하고 유학儒學을 공부한 사람을 찾아 구하여, 굳이 관직官職을 맡겨 수고롭게 하지 말고 날마다 편한 자리에 가까이 두고서 도의를 강론해야 한다. 또 걸출한 인재를 널리 맞이하여 황제의 좌우에서 모시거나 따르게 하고, 조석으로 맞이해 접견하여 정치의 요체를 갈고 닦아야 하니 그러면 슬기로운 지혜가 더욱 밝아져, 왕도王道가 참으로 알찰 것이다."

[65-1-4]

"人君欲附天下, 當顯明其道, 誠意以待物, 恕己以及人, 發政施仁, 使四海蒙其惠澤可也. 若乃暴其小惠, 違道干譽, 欲致天下之親己, 則其道狹矣."[8]

(정자가 말하였다.) "군주는 천하가 자신을 따르게 하려면 마땅히 군주의 도리를 밝게 드러내서, 정성된 뜻으로 사물을 대하고 자신을 미루어 백성에게 미쳐가야 하며, 인정仁政을 펴서 천하가 그 혜택을 입을

다.'라고 하였다.(上曰, '定志之道何如?' 子對曰, '正心誠意, 擇善而固執之也.')"라는 말이 있고 지금의 이 문장으로 이어지고 있다.

7 『二程粹言』 권하 「君臣篇」

8 『二程粹言』 권하 「君臣篇」

수 있게 해야 옳다. 만일 조그만 은혜를 드러내고 도리를 어기고 명예를 구해서, 천하가 자신을 친하게 하려 한다면 그 방법은 너무 하찮다."

[65-1-5]

"古之聖王所以能化姦宄爲善良,[9] 綏仇敵爲臣子者, 由弗之絶也. 苟無含弘之道, 而與己異者一皆棄絶之, 不幾於棄天下以讎君子乎? 故聖人無棄物, 王者重絶人."[10]

(정자가 말하였다.) "옛 성왕聖王이 나라 안팎에서 겁탈하고 사람을 죽인 자[11]를 교화하여 선량하게 하고, 원수를 다독여 신하로 삼는 것은 그들을 끊어버리지 않았기 때문이다. 진실로 포용하고 너그러운 도리[12]가 없이 나와 다른 자를 하나같이 모두 버리고 끊어버린다면 천하 사람을 내버려 군자를 원수로 여기게 하는 것에 가깝지 않겠는가?[13] 그러므로 성인은 사물을 버림이 없고 제왕은 사람 끊는 일을 어렵게 여긴다."

[65-1-6]

涑水司馬氏曰 : "夫道者, 萬世無弊. 夏 · 商 · 周之子孫, 苟能常守禹 · 湯 · 文武之法, 何衰亂之有乎? 故武王克商曰, 乃'反商政, 政由舊.' 然則雖周室亦用商之舊政也. 『書』曰'無作聰明亂舊章', 『詩』曰'不愆不忘, 率由舊章', 然則祖宗舊法何可廢也?"[14]

속수 사마씨涑水司馬氏[司馬光]가 말하였다. "도道는 만세에 영원토록 폐해가 없다. 하夏 · 상商 · 주周의 자손이 진실로 우禹 · 탕湯 · 문무文武의 법을 늘 지켰다면 어찌 쇠약과 혼란이 빚어졌겠는가? 그런 까닭에

9 古之聖王所以能化姦宄爲善良 : '姦宄'는 『二程粹言』 권상 「論政篇」에는 '姦惡'으로 되어 있다.

10 『二程粹言』 권상 「論政篇」

11 나라의 안팎에서 … 자 : 이글의 원문 '姦宄'는 『書經』「舜典」의 "순임금이 말하였다. '고요야! 오랑캐가 중국을 어지럽혀 겁탈하고 사람을 죽이는 일을 나라의 안과 밖에서 행하고 있다.'(帝曰, '皐陶! 蠻夷猾夏, 寇賊姦宄.')"에서 연유한 말이다. 蔡沈의 『集傳』에는 "사람을 겁탈하는 것을 寇, 사람을 죽이는 것을 賊, 나라 밖에서 저지르는 것을 姦, 나라 안에서 저지르는 것을 宄라 한다.(劫人曰寇; 殺人曰賊; 在外曰姦; 在内曰宄.)"고 하였다.

12 포용하고 너그러운 도리 : 이글의 원문 '含弘'은 『周易』「坤卦 · 彖傳」의 '含弘光大, 品物咸亨.'의 일부이다. 정자의 『易傳』은 "함은 포용, 홍은 관유이다.(含, 包容也 ; 弘, 寬裕也.)"라고 하였다. 땅의 덕을 이 말로 상징한 것이다.

13 천하 사람을 … 않겠는가? : 이는 『周易』「睽卦」 初九爻의 "악인을 만나면 허물이 없을 것이다.(見惡人无咎.)"의 程傳의 말이다. 다음과 같다. 그 말은 "서로 어긋나 흩어질 때를 만났으니 마음이 같은 사람들끼리 서로 돕는다하여도, 소인으로 삐뚤어진 자가 매우 많다. 만일 이들을 모두 내버려 끊어버린다면 천하사람 모두가 군자를 원수로 여기게 하는 것에 가깝지 않겠는가? 이같이 하는 것은 널리 감싸야 하는 의리를 잃는 것이자 재앙을 부르는 일이다.(當睽之時, 雖同德者相與, 然小人乖異者至衆. 若棄絶之, 不幾盡天下以仇君子乎? 如此則失含弘之義, 致凶咎之道也.)"

14 이는 사마광이 神宗에게 올린 말이다. 송나라 范祖禹가 지은 『帝學』 권8 「神宗英文烈武聖孝皇帝下」에는 熙寧 3년(1070)에 경연에서 한 말로 실려 있으나 내용은 몇 글자가 다르다.

무왕이 상나라를 이기고서 마침내 '상나라의 학정虐政을 되돌려 정사는 옛 정사를 따른다.'[15]고 하였다. 그렇다면 주나라 왕조도 역시 상나라의 옛 정치를 시행한 것이다. 『서경』에 '총명한 재능을 짜내 예전 법도를 혼란시키지 말라.'[16]고 하였고, 『시경』에 '어기지도 말고 잊지도 말고서 선왕의 예악 법도를 따른다.'[17]고 말하였다. 그렇다면 선왕시대의 옛 법을 어찌 폐할 수 있겠는가?"

[65-1-7]

元城劉氏曰 : "『書』稱堯之德曰, '稽于衆, 舍己從人.' 舜戒其臣曰, '予違汝弼, 汝無面從, 退有後言.' 伊尹之告太甲曰, '有言逆于汝心, 必求諸道 ; 有言遜于汝志, 必求諸非道.' 傅說之復于高宗曰, '惟木從繩則正, 后從諫則聖.' 然則古之聰明睿智之君, 所以能大過於人者, 未有不以求諫爲先務也."[18]

원성 유씨元城劉氏[劉安世]가 말하였다. 『서경』에서 요임금의 덕을 칭송하여, '여러 사람에게서 살펴 자신의 생각을 버리고 남의 의견을 따랐다.'[19]고 하였고, 순임금이 신하를 경계시켜, '내가 잘못한 것을 너희가 바로잡아야 하니, 너희는 면전에서 옳다하여 따르다가 물러나서 뒷말하는 일이 없어야 한다.'[20]고 하였으며, 이윤伊尹은 태갑太甲에게 고하기를, '어떤 말이 당신의 마음에 거슬리거든 반드시 도道인지 생각해보고 어떤 말이 당신의 뜻에 솔깃하거든 반드시 도가 아닌지 생각해보십시오.'[21]라고 하였으며, 부열傅說은 고종에게 아뢰기를, '나무가 먹줄을 따라 깎이면 곧아지고 군주가 간하는 말을 따르면 성왕이 됩니다.'[22]라고 하였다. '그렇다면 옛 총명하고 슬기로운 군주가 보통 군주보다 훨씬 훌륭한 까닭은 간하는 말을 구하는 것을 급선무로 삼지 아니함이 없기 때문이다."

[65-1-8]

"昔之聖人深居九重, 以謂'竭其聰明, 猶不足以盡天下之聞見,' 遂以耳目之任, 付之臺諫之官. 而臺諫之論, 每以天下之公議爲主. 公議之所是, 臺諫必是之 ; 公議之所非, 臺諫必非之. 人君所以不出户庭, 而四海九州之遠物, 無遁情者, 用此道也."[23]

(원성 유씨가 말하였다.) "옛날 성군聖君이 구중궁궐 깊숙이 살면서 '나의 총명을 다하여도 여전히 천하를

15 '상나라의 虐政을 … 따른다.' : 『書經』「武成」의 말이다. 무왕이 상나라를 이기고서 행한 정치를 편집자가 서술한 여러 말들 속에 있는 한 구절이다. 여기서 '상나라의 학정을 되돌려' 운운은 蔡沈의 『集傳』에는 "주의 학정을 되돌려 상나라 선왕의 옛 정치를 따랐다.(反紂之虐政, 由商先王之舊政也.)"고 하였다.
16 '총명한 재능을 … 말라.' : 『書經』「蔡仲之命」에 있는 成王의 말이다.
17 '어기지도 않고 … 따른다.' : 『詩經』「大雅 · 假樂篇」의 한 구절로 주나라의 건국과 발전을 노래한 시다.
18 『盡言集』 권1 「初除右正言第一章」
19 '여러 사람에게서 … 따랐다.' : 『書經』「大禹謨」에서 순임금이 요임금의 덕을 칭송한 말이다.
20 '내가 잘못한 … 한다.' : 『書經』「益稷」에서 순임금이 여러 신하들에게 한 말이다.
21 '어떤 말이 … 생각해보십시오.' : 『書經』「太甲下」
22 '나무가 먹줄을 … 됩니다.' : 『書經』「說命上」
23 『盡言集』 권3 「論胡宗愈除右丞不當第十」

다 보고 다 듣기에 부족하다.'고 생각하고서 마침내 귀와 눈이 되어줄 책임을 대간臺諫의 관리에게 맡겼다. 그러니 대간의 말은 매양 천하의 공의公議로 주장을 삼아야 한다. 공의가 옳다는 것은 대간도 반드시 이를 옳다하고 공의가 그르다는 것은 대간도 반드시 이를 그르다 해야 한다. 군주가 문밖을 나가지 않으면서도 천하 구주九州의 먼 곳의 일이 은폐됨이 없는 것은 이러한 방법을 쓰기 때문이다."

[65-1-9]

龜山楊氏曰 : "人君所以御其臣, 只有一箇名分不可易. 名分旣正, 上下自定. 雖有幼冲之主在上, 而臣下不亂. 若以智籠臣下, 智有時乎困, 則彼不爲用矣."[24]

구산 양씨龜山楊氏[楊時]가 말하였다. "군주가 신하를 부릴 수 있는 까닭은 다만 한 가지 명분을 바꿀 수 없다는 것이 있어서다. 명분이 바르면 군주와 신하는 저절로 안정된다. 아무리 나이 어린 군주가 군주자리에 있어도 신하가 어지럽힐 수 없다. 만일 신하를 지혜로 휘잡으려다가는 지혜가 어느 때 곤궁해졌을 적에 저 신하는 따라주지 않는다."

[65-1-10]

問 : "或謂人主之權, 當自主持, 是否?"

曰 : "不爲臣下奪其威柄, 此固是也. 『書』稱湯曰, '用人惟己,' 而『孟子』亦曰, '見賢焉, 然後用之'. 則人君之權, 豈可爲人所分? 然『孟子』之論'用人 · 去人 · 殺人', 雖不聽左右諸大人之毁譽, 亦不聽國人之公, 因國人之公, 是非吾從而察之, 必有見焉而後行. 如此則權常在我矣. 若初無所見, 姑信己意爲之, 亦必終爲人所惑, 不能固執矣."[25]

물었다. "어떤 사람이 '군주의 권한은 마땅히 자신이 주장해야 한다.'고 말하는데, 맞는 말입니까?"
(구산 양씨가) 말하였다. "신하에게 자신의 권한을 빼앗기면 안 된다는 말은 참으로 옳은 말이다. 『서경』에서 탕임금에게 일컫기를 '인재 등용을 자신이 하십시오.'[26]라고 하였고, 『맹자』에도 역시 '현명함을 직접 보고난 뒤에 등용하십시오.'[27]라고 하였다. 그렇다면 군주의 권한이 어떻게 남에 의하여 나뉠 수

---

24 『龜山集』 권13 「語錄 · 南都所聞」

25 『龜山集』 권12 「語錄 · 餘杭所聞」

26 '인재 등용을 … 하십시오.' : 『書經』 「仲虺之誥」에서 신하 중훼가 군주 탕에게 한 말의 일부이다. 그러나 蔡沈의 「集傳」에는 "인재 등용은 자신처럼 하여 인재에게 훌륭한 점이 있으면 모두 수용하라.(用人惟己, 而人之有善者, 無不容)"라고 하였다. 여기서는 군주의 권한에 대한 말이기에 이렇게 바꾸었다.

27 '현명함을 직접 … 등용하십시오.' : 『孟子』 「梁惠王下」에 있는 말이다. 아래 이어지는 사람을 등용하고 운운도 똑같은 한 章의 말이다. 맹자가 齊나라의 宣王에게 사람을 벼슬에 등용하고 벼슬에서 내보내고 사람을 형벌하는 기준을 설명한 말이다. 여기서 맹자는 "측근의 신하들이 모두 현명하다고 말하더라도 아직은 옳지 않다고 생각하고, 여러 대부가 모두 현명하다고 말하더라도 아직은 옳지 않다고 생각하고, 나라 사람들이 모두 현명하다고 말하거든 그런 뒤에 살펴서 현명함을 직접 보고난 뒤에 그를 등용해야 한다.(左右皆曰賢, 未可也 ; 諸大夫皆曰賢, 未可也 ; 國人皆曰賢, 然後察之, 見賢焉, 然後用之.)"라고 하였다. 다음에 이어지는 벼슬에서 내보내는 일과 형벌을 행사하는 기준도 역시 이 같이 하여야 한다고 하였다.

있는 것이겠는가? 그러나 『맹자』에서 논한 '사람을 등용하고, 사람을 내보내고, 사람을 죽이는 일'에서 좌우의 측근과 여러 공경대부의 헐뜯음이나 기리는 말을 따르지 말고, 또 나라사람들의 공론도 따르지 않아야 하지만, 나라 사람들의 공론에 의거하여 옳고 그름을 내가 그들 말에 따라 살펴서, 반드시 그런 점이 있음을 보고 난 뒤에 행해야 한다. 이같이 한다면 권한은 항상 나에게 있을 것이다. 만일 전연 보지도 않고서 우선 나의 생각만을 믿고 행하려 든다면, 또한 반드시 결국에는 남에게 홀려 소신을 굳게 지니지 못할 것이다."

[65-1-11]

上蔡謝氏曰 : "帝王之功, 聖人之餘事. 有內聖之德, 必有外王之業. 其所以存心, 一言以蔽之曰公而已."[28]

상채 사씨上蔡謝氏[謝良佐]가 말하였다. "제왕의 공덕이란 성인에게 있어 부수적인 일이다. 마음에 성인의 덕이 있어야 반드시 밖으로 제왕의 공업이 있게 된다. 그에 대한 마음가짐을 한마디로 단언하면 공정일 따름이다."

[65-1-12]

華陽范氏曰 : "人君以一人之身, 而御四海之廣, 應萬務之衆. 苟不以至誠與賢, 而役其獨智以先天下, 則耳目心志之所及者, 其能幾何? 是故人君必淸心以涖之, 虛己以待之, 如鑑之明, 如水之止, 則物至而不能罔矣. 夫權衡設而不可欺以輕重者, 唯其平也; 繩墨設而不可欺以曲直者, 唯其正也. 我以其正, 彼以其邪; 我以其眞, 彼以其僞, 何患乎邪之不察, 佞之不辨? 一爲不誠, 則心且蔽矣, 邪正何能辨乎? 是故鑑垢則物不能察也, 水動則形不能見也, 己不明故也. 且待物以誠, 猶恐其不動也, 況不誠而能動物乎?"[29]

화양 범씨華陽范氏[范祖禹]가 말하였다. "군주는 혼자 몸으로 넓은 천하를 다스리고 수많은 온갖 일을 대응해야 한다. 만약 지극한 정성으로 현명한 사람과 함께하지 않고, 혼자의 지혜를 써서 천하를 이끌려 한다면 (내 한 몸의) 눈과 귀, 마음과 뜻이 미칠 수 있는 것이 고작해야 얼마나 되겠는가? 그러므로 군주는 반드시 마음을 맑게 하여 정사에 임하고 자신을 비우고 남을 대해야 하는 것이니, 거울처럼 밝고 물처럼 고요하면 사물이 이르러 나를 속이지 못한다. 저울로 달아보면 무게를 속일 수 없는 것은 (그 저울이) 공평하기 때문이고, 먹줄을 치면 곧기를 속일 수 없음은 (그 먹줄이) 바르기 때문이다. 나는 바르고 상대방은 사특하며, 나는 참되고 상대방은 거짓이라면, 사특을 살펴내지 못함과 재주 피움을 변별해 내지 못하는 것쯤이야 무슨 걱정이겠는가? 만에 하나라도 정성스럽지 못하면 마음이 우선 가려져 있는데 사특함과 바름을 어떻게 변별해 낼 수 있겠는가? 이러므로 거울은 때가 끼면 사물을 비출

28 『論語』「堯曰」의 "周有大賚, 善人是富, 雖有周親, 不如仁人, 百姓有過, 在予一人."의 『論語精義』의 注에 '謝氏曰'로 쓰여 있다.

29 『唐鑑』 권3 「貞觀 1 · 원년」

수 없고 물은 흔들리면 형상을 비춰낼 수 없는 것이니 자신이 밝지 못하기 때문이다. 또 남을 정성스럽게 대하여도 여전히 감동시키지 못할까 두려운데, 하물며 정성스럽지도 않고서 상대를 감동시킬 수 있겠는가?[30]"

[65-1-13]

"『易』曰, '天下之動貞夫一.' 朝廷者, 四方之極也. 非至公無以絶天下之私, 非至正無以止天下之邪. 人君一不正其心, 則無以正萬事. 苟以術御下, 是自行詐也, 何以禁臣下之欺乎? 是術行而欺愈多,[31] 智用而心愈勞, 蓋以詐勝詐, 未有能相一者也. 『禮』曰, '王中心無爲也, 以守至正.' 夫惟正不可得而欺, 欺則不容於誅矣, 豈不約而易守哉?"[32]

(화양 범씨가 말하였다.) "『주역』에서 '천하의 움직임은 항상 하나의 이치일 따름이다.'[33]고 하였다. 조정은 사방 천하의 표준이다. 지극한 공정이 아니면 천하의 사사로움을 끊을 수 없고 지극한 바름이 아니면 천하의 사악을 그치게 할 수 없다. 군주가 한번이라도 자신의 마음을 바르게 갖지 않으면 수많은 일을 바르게 할 수 없다. 만일 술수로 신하를 부리면 자신부터 속임수를 행하는 것인데, 신하의 속임수를 어떻게 금할 수 있겠는가? 그러므로 술수를 행하게 되면 속임수는 더욱 많아지고, 지혜를 쓰게 되면 마음은 더욱 고생스러워지는 것이니, 속임수로 속임수를 이겨내는 방법으로 서로 합일된 자는 없다. 『예기』에 '왕은 속마음에 아무런 생각도 하지 않고 지극히 바름만 지켜야 한다.'[34]고 하였다. 올 바르게 해야만이 신하가 속일 수 없고 속임수를 쓰면 용서 없이 죽임을 당하니, 어찌 간단하면서 지키기 쉬운 일이 아닌가?"

[65-1-14]

"鼂錯有言, '五帝神聖, 其臣莫能及, 故自親事.' 此本刑名之言也, 豈足以知帝王之道哉? 然而後世, 或稽其說以諛人主, 至使爲上者行有司之事. 宰相失職, 天下不治, 由其臣不學之過也. 夫人主任一相, 一相擧賢材, 賢者各引其類, 豈不易而有成功乎? 是故上不可代其下, 下不可

30 남을 정성스럽게 … 있겠는가?: 이는 『孟子』「離婁上」의 말을 인용한 것이다. 자세한 것은 다음과 같다. "지극한 정성을 들이고서 감동시키지 못하는 것은 있지 않고 정성을 들이지 않고서 감동시킬 수 있는 것은 있지 않다.(至誠而不動者, 未之有也, 不誠, 未有能動者也.)"

31 是術行而欺愈多,: '是'가 『唐鑑』 권20 武宗 會昌 3년 8월에는 '是以'로 되어 있다.

32 『唐鑑』 권20 「武宗 會昌 3년」 8월

33 '천하의 움직임은 … 따름이다.': 『周易』「繫辭下」 제1장의 말이다. 주자의 本義에 "貞은 바름이자 항상이다. 사물은 바른 것으로 항상을 삼는다.(貞, 正也; 常也. 物以其所正爲常者也.)"고 하였다. 一은 주자의 본의에 "천하의 움직임은 그 변화가 무궁하다. 그러나 이치에 순종하면 길하고 이치를 거스르면 흉하니 그 바르고 항상한 것은 또한 하나의 이치일 뿐이다.(天下之動, 其變无窮. 然順理則吉, 逆理則凶, 則其所正而常者, 亦一理而已矣.)"고 하였다.

34 '왕은 속마음에 … 한다.': 『禮記』「禮運」

勤其上. 若爲上而親有司之事, 豈獨治天下不可爲也? 一縣亦不可爲也. 奚獨一縣也? 一家亦不可爲也."[35]

(화양 범씨가 말하였다.) "조조鼂錯가 말하기를 '오제五帝는 신성神聖하여 그들 신하가 따라잡을 수 없었던 까닭에 자신이 직접 정무를 처리하였다.'고 하였다.[36] 이는 본래 형명가刑名家의 말이다. 어찌 제왕의 도를 알고 한 말이겠는가? 그런데도 후세에 그 주장을 근거로 군주에게 아첨하여 군주 된 자에게 유사有司의 일을 행하게 하는 지경에 이르렀다. 재상이 자신이 해야 할 직분을 잃고 천하가 다스려지지 않은 것은, 신하가 학문이 없는 잘못에서 기인한다. 군주가 한 사람 재상을 임용하고, 재상 한 사람이 현명한 인재를 천거하고, 현명한 자들이 각기 자신의 무리를 끌어낸다면 어찌 쉽사리 성공할 수 있지 않겠는가? 그러므로 군주는 신하의 일을 대신하여서는 안 되고 신하는 군주를 수고롭게 해선 안 된다. 만일 군주가 되어 유사의 일을 직접 행한다면 어찌 다만 천하 다스리는 일만 할 수 없겠는가? 한 고을도 다스릴 수 없을 것이다. 어찌 다만 한 고을뿐이겠는가? 한 집안도 다스릴 수 없을 것이다."

[65-1-15]

武夷胡氏曰 : "君遇臣下, 恩禮雖一, 而崇高嚴恪, 常行於介胄爪牙之夫, 以折其驕悍難使之氣 ; 柔遜謙屈, 必施於林壑退藏之士, 以礪其廉靖無求之節. 乃能駕馭人才, 表正風俗.[37] 威有所當加, 勢有所可屈. 加於所當加以立威, 則强 ; 屈於所可屈以忘勢, 則昌."[38]

무이 호씨武夷胡氏[胡安國]가 말하였다. "군주의 신하 대접에 은혜로움과 예우가 한결같아야 하나 높이고 엄격함이 갑옷투구를 차리고 군무軍務에 종사하는 사람들에게 늘 시행되어 그들의 교만하고 사나워 부리기 어려운 기를 꺾어야 하고, 부드럽게 공손하고 겸손히 굽히는 것이 산간 골짜기로 물러난 숨은 선비들에게 반드시 베풀어져 그들의 청렴하고 고요하여 욕심 없는 절의를 북돋워야 한다. 그래야 비로소 인재를 부려 쓸 수 있고 풍속의 의표이자 바름이 될 수 있다. 위엄은 당연히 세워야 할 곳이 있고 형세는 굽혀야 할 곳이 있다. 마땅히 세워야 할 곳에 세워져 위엄이 서면 강하게 되고, 굽혀야 할 곳에 굽히며 자신이 가진 권세를 잊어버리면 번창하게 된다."

35 『唐鑑』 권17 「憲宗 · 元和 원년」 2월

36 鼂錯가 말하기를 … 처리하였다. : 조조(서기전200~서기전154)는 전한의 潁川사람으로 申不害와 商鞅의 형명학을 익혔다. 文帝 때 등용되어 伏生에게 『書經』을 今文으로 익혀 전하였다. 太子家令으로 景帝의 스승이 되자 당시 치세에 필요한 급선무를 우선 가르쳤다. 여기서 언급된 말은 문제가 자신의 재위 15년(서기전165)이 되던 9월에 내린 책문에 대한 대책문에서 한 말이다. 조조는 중앙 정부의 강화에 뜻을 두어 친정체제 구축에 힘을 기울였다. 이로 인해 후일 吳楚七國의 반란의 빌미를 제공한 일로 논죄되어 죽었다.(『漢書』 권47 「鼂錯傳」)

37 表正風俗. : 이글과 다음 글 '威有所' 사이에 『斐然集』 권25 「先公行狀」에는 表正風俗을 이어 설명하는 긴 문장이 더 있다.

38 『斐然集』 권25 「先公行狀」. 여기서 『斐然集』은 호안국의 아들 胡寅의 문집이다. 따라서 여기서 先公은 호인의 아버지 호안국을 이른다. 이글은 호안국의 주장을 行狀에서 발췌하여 한 문장으로 만든 것이다.

[65-1-16]

致堂胡氏曰："夫以違拂對順從，則有恭與不恭之似；以恣肆對儆戒，則有樂與不樂之殊．惟聰明睿智之君，則知違拂之爲恭，而順從之爲大不恭也；知儆戒之可樂，而恣肆之有大不樂也．"

치당 호씨致堂胡氏[胡寅]가 말하였다. "어김을 순종에 대비시키면[39] 공손과 공손치 않은 비슷함이 있고, 방종케 함을 경계시킴에 대비시키면[40] 즐겁고 즐겁지 않은 차이가 있다. 총명하고 슬기로운 군주만이 어김이 공손함이고 순종은 결코 공손함이 아님을 알며, 경계시키는 것이 즐거워할 수 있고 방종하게 하는 것에는 결코 즐거워할 수 없음을 안다."

[65-1-17]

五峰胡氏曰："人皆生於父，父道本乎天，謂人皆天之子可乎？曰不可！天道至大至正者也．王者至大至正，奉行天道，乃可謂之天之子也．"[41]

오봉 호씨五峰胡氏[胡宏]가 말하였다. "사람은 모두 아버지에게서 태어났고 아버지 도리는 하늘에 근본하였으니, 사람마다 모두 하늘의 아들이라 말해도 되는가? 안 된다! 하늘의 도道는 지극히 크고 지극히 공정하다. 제왕이 지극히 크고 지극히 공정하게 하늘의 도를 받들어 행하여야 비로소 하늘의 아들이라 말할 수 있을 것이다."

[65-1-18]

"養天下而享天下之謂君，先天下而後天下之謂君．反是者有國危國，有天下危天下．"[42]

(오봉 호씨가 말하였다.) "천하를 길러 천하를 누리는 것을 군주라 하고, 천하보다 앞서 하고 천하보다 뒤에 하는 것[43]을 군주라 한다. 이와 반대인 자는 나라를 소유하면 나라를 위험에 빠뜨리고 천하를 소유하면 천하를 위험에 빠뜨린다."

39 어김을 순종에 대비시키면 : 이는 신하들의 군주에 대한 태도를 이른 말이다.

40 방종케 함을 … 대비시키면 : 이는 군주가 지녀야할 태도를 이른 말이다. 『書經』「大禹謨」에 신하 益이 순임금에게 "걱정이 없을 때 경계하소서.(儆戒無虞.)"라는 말이 있다.

41 『知言』 권5

42 『知言』 권5

43 천하보다 앞서 … 것 : 이는 宋나라의 정승이자 名賢인 范仲淹의 말을 인용한 것이다. 『宋名臣言行錄前集』 권7 「范仲淹文正公」에서 "공은 젊었을 적에 큰 절의가 있어 부귀와 빈천, 비방과 칭송, 환희와 슬픔에는 조금도 마음을 두지 않았다. 개연히 천하에 뜻을 두어 늘 혼자서 '선비는 천하가 근심하기에 앞서 근심하고 천하가 즐거워한 뒤에 즐거워해야 한다.'를 읊조렸다.(公少有大節，其於富貴貧賤毁譽歡戚，不一動其心．而慨然有志於天下，常自誦曰，士當先天下之憂而憂，後天下之樂而樂也.)"고 하였다.

[65-1-19]

"人君不可不知乾道. 不知乾道, 是不知君道也. 君道如何? 曰'天行健', 人君不可頃刻忘其君天下之心也. 如天之行, 一息或不繼, 則天道壞矣."[44]

(오봉 호씨가 말하였다.) "군주는 건도乾道(하늘의 道)를 알지 않아서는 안 된다. 건도를 모르는 것은 군주의 도리를 알지 못하는 것이다. 군주의 도리는 어떤 것인가? '하늘의 운행이 굳세다.'[45]고 하였으니, 군주는 경각이라도 자신이 천하의 군주란 마음을 잊어선 안 된다. 예컨대 하늘의 운행이 한 순간이라도 혹여 이어지지 않으면 하늘의 도는 무너지는 것과 같다."

[65-1-20]

"天下有三大, 大本也, 大幾也, 大法也. 大本, 一心也; 大幾, 萬變也; 大法, 三綱也. 有大本, 然後可以有天下; 見大幾, 然後可以取天下; 行大法, 然後可以理天下. 是故君克以天下自任, 則皇天上帝畀付以天下矣; 君以從上列聖之盛德大業自期, 則天下仁人爭輔之矣; 君以保養天下爲事而不自奉養, 則天下黎民趨戴之矣. 上得天心, 中得聖賢心, 下得兆民心, 夫是之謂一心. 心一, 天下一矣. 天下之變無窮也, 其大幾有四, 一曰救弊之幾, 二曰用人之幾, 三曰應敵之幾, 四曰行師之幾. 幾之來也變動不測, 莫可先圖. 必寂然不動, 然後能應也. 其大法有三, 一曰君臣之法, 二曰父子之法, 三曰夫婦之法. 夫婦有法, 然後家道正; 父子有法, 然後人道久; 君臣有法, 然後天地泰. 天地泰者, 禮樂之所以興也, 禮樂興, 然後賞罰中而庶民安矣."[46]

(오봉 호씨가 말하였다.) "천하에는 세 가지 큰 것이 있으니, 대본大本·대기大幾·대법大法이다. 대본은 '한 마음[一心]'이고, 대기는 '갖은 변화[萬變]'이고, 대법은 삼강三綱이다. 대본이 확립된 뒤라야 천하를 지닐 수 있고, 대기를 안 다음이라야 천하를 취할 수 있고, 대법을 시행한 뒤라야 천하를 다스릴 수 있다. 그러므로 군주가 능히 천하를 자신의 책임으로 삼으면 하늘의 상제上帝가 천하를 맡겨주고, 군주가 앞 시대 열성조列聖祖의 훌륭한 덕과 큰 공적을 따르기로 스스로 기약하면 천하의 어진 사람들이 다투어 보필하고, 군주가 천하를 보호해 양육하는 일을 일삼고 제 한 몸만을 봉양하지 않으면, 천하의 백성들이 달려와 받들 것이다. 위로 하늘의 마음을 얻고 중간으로 성현의 마음을 얻고 아래로 수많은 백성의 마음을 얻는 것, 이를 일러 한 마음[一心]이라 한다. 마음이 하나가 되면 천하는 하나가 된다. 천하의 변화는 무궁하나 그 대기大幾[47]는 네 가지이니 첫째는 폐단을 구제하는 시점[幾], 둘째는 사람을 등용하는

44 『知言』 권6

45 '하늘의 운행이 굳세다.' : 『周易』「乾卦」의 象辭이다.

46 『知言』 권5

47 大幾 : 여기서 幾자는 『書經』「皐陶謨」에서 皐陶가 군주 우임금에게 "안일과 욕심을 제후들에게 본보이지 말아서 조심조심하고 두려워 두려워하십시오. 하루와 이틀 사이가 만 가지의 기미가 일어납니다.(無敎逸欲有邦, 兢兢業業. 一日二日萬幾.)"라고 한 말에서 기원한 말이다. 여기서 蔡沈은 "幾는 은미함이다. 『周易』에

상황[幾], 셋째는 적에 응수하는 시점[幾], 넷째는 군사 출동의 시점[幾]이니 기幾가 임박하였을 적에는 변동을 예측할 수 없어 앞장서 도모할 수 없다. 반드시 아무런 동요 없이 고요한 뒤라야 능히 대응할 수 있다. 그 대법大法은 세 가지이니 첫째는 군주와 신하 사이의 법도, 둘째는 아버지와 아들 사이의 법도, 셋째는 지아비와 지어미 사이의 법도이다. 지아비와 지어미 사이에 법도가 있은 뒤에 집안을 다스리는 도리가 바르게 되고, 아버지와 아들 사이에 법도가 있은 뒤에 인간의 도리가 오래 지탱되고, 군주와 신하 사이의 법도가 있은 뒤에 하늘과 땅이 통하게 된다. 하늘과 땅이 통하게 되는 것이 예악禮樂이 일어나게 되는 까닭이고 예악이 일어나야 상벌이 적절하여 서민이 편안해진다.[48]"

[65-1-21]

"**人君盡下則聰明開, 而萬里之遠, 親於袵席. 偏信則昏亂, 而父子夫婦之間, 有遠於萬里者矣. 人君欲救偏信之禍, 莫先於窮理, 莫要於寡欲. 窮理寡欲, 交相發者矣.**"[49]

(오봉 호씨가 말하였다.) "군주가 아랫사람들을 너그럽게 믿어주면 총명이 열려 1만 리 떨어진 먼 곳이라도 자리를 맞대한 것보다 가깝고, 한쪽만을 믿으면 혼란에 빠져 아버지와 아들, 지아비와 지어미 사이일지라도 1만 리 떨어져 있는 사람보다 멀게 된다. 군주가 한쪽만을 믿으려는 재앙을 고치려면 이치를 궁리하는 일보다 앞선 것이 없고 욕심을 적게 갖는 일보다 요긴한 것이 없다. 이치를 궁리하는 일과

'은미한 까닭에 천하의 일을 이룬다.'고 하였다. 재앙과 환난의 기미는 세미한 곳에 감춰져 보통사람이 앞서 볼 수 없다. 그러나 그것이 드러났을 적에는 지혜로운 사람일지라도 그 뒷수습을 잘 해낼 수 없는 까닭에 성인은 기미에서 조심하고 두려운 마음으로 도모한다. 이른바 '어려운 일은 손쉬웠을 적에 도모하고, 큰일은 그것이 하찮았을 적에 다스린다.'가 이것이다. 하루와 이틀은 그 날수가 지극히 많지 않음이고, 온갖 변화는 기미를 이루는 일이 지극히 많음이다. 하루 이틀 사이에 일의 기미가 찾아든 것이 또 만 가지에 이르니 하루라도 욕심대로 할 수 있겠는가?(幾, 微也. 易曰, 惟幾也故能成天下之務. 蓋禍患之幾, 藏於細微, 而非常人之所豫見. 及其著也, 則雖智者不能善其後, 故聖人於幾, 則兢業以圖之. 所謂圖難於其易, 爲大於其細者此也. 一日二日者, 言其日之至淺 ; 萬幾者, 言其幾事之至多也. 蓋一日二日之閒, 事幾之來, 且至萬焉. 是可一日而縱欲乎?)" 라고 하였다. 여기서 기원된 幾자가 다음에 거론된 네 가지 幾자에 공통으로 통용되는 번역어를 찾기가 쉽지 않다. 첫째 폐단을 구제하는 기는 '시점의 때'라 할 수 있고, 둘째의 사람을 등용하는 기는 '상황'이라 할 수 있고, 셋째와 넷째는 '기회의 시점'이라 할 수 있다. 그래서 기자 한 글자를 각기 다르게 번역할 수밖에 없었다.

48 상벌이 적절하여 … 진다. : 이는 『論語』「子路」에서 공자가 자로에게 한 말에 근거한 말이다. 자로가 당시 부자 사이에 군주 자리다툼을 벌이며 아버지 蒯聵의 귀국을 막고 있는 衛나라 군주 出公輒이 공자에게 정책을 자문하여 시행하고자 하니 선생님께서는 무엇을 우선 말하려고 하시느냐고 물었다. 그러자 공자는 명칭을 바로잡는 일이라고 하였다. 곧 출공 첩이 할아버지 靈公을 아버지로 부르고 있는 위나라의 잘못된 명칭을 바로잡겠다는 뜻이었다. 자로는 이를 선생님의 현실인식이 동떨어진 것으로 보았다 그래서 어떻게 그것을 바로잡겠다는 말씀이냐고 물었고 공자는 자로의 경솔함을 나무라며 다음과 같은 말을 하였다. "명칭이 바르지 않으면 말이 순리적이지 못하고 말이 순리적이지 못하면 일이 이루어지지 못하고 일이 이루어지지 못하면 예악이 일어나지 못하고, 예악이 일어나지 못하면 형벌이 (죄와) 맞지 않고 형벌이 죄와 맞지 않으면 백성들이 손과 발을 놓아둘 곳이 없게 된다.(名不正則言不順, 言不順則事不成, 事不成則禮樂不興, 禮樂不興, 則刑罰不中, 刑罰不中, 則民無所措手足.)"

49 『知言』 권3

욕심을 적게 가지는 일은 두 가지가 서로 계발되는 것이다."

[65-1-22]

"天下有二難. 以道義服人難, 難在我也; 以勢力服人難, 難在人也. 由道義而不舍, 禁勢力而不行, 則人心服而天下安."[50]

(오봉 호씨가 말하였다.) "천하에는 두 가지 어려움이 있다. 도의로 남을 복종시키기가 어려우니 그 어려움은 나에게 달려있고, 세력으로 남을 복종시키기가 어려우니 그 어려움은 남에게 달려있다. 도의를 따라 행하고 버리지 않으며, 세력 쓰는 것을 금하고 행하지 않으면 백성들 마음이 복종하면서 천하가 편안해질 것이다."

[65-1-23]

"『易』·『詩』·『春秋』者, 聖人之道也. 聖人之道若何? 曰聖人者, 以一人理億兆人之德性, 息其爭奪, 遂其生養者也."[51]

(오봉 호씨가 말하였다.) "『주역周易』·『시경詩經』·『춘추春秋』는 성인의 도가 실린 책이다. 성인의 도는 어떤 것인가? 성인은 혼자서 수많은 백성을 다스릴 수 있는 덕성德性을 가지고 그들의 다툼을 종식시키고 그들의 생육을 이루어주는 사람이다."

[65-1-24]

"天下之臣有三. 有好功名而輕爵祿之臣, 是人也名得功成而止矣. 有貪爵祿而昧功名之臣, 是人也必忘其性命矣, 鮮不及哉! 有由道義而行之臣, 是人也爵祿功名得之不以爲重, 失之不以爲輕, 顧吾道義如何耳. 君天下, 臨百官, 是三臣者雜然並進, 爲人君者烏乎知而進退之? 孟子曰君仁莫不仁."[52]

(오봉 호씨가 말하였다.) "천하의 신하에는 세 가지 부류가 있다. 공명을 좋아하고 작록은 가볍게 여기는 신하가 있으니, 이 사람은 명예를 얻고 공훈이 이뤄져야 그친다. 작록을 탐하고 공명에는 어두운 신하가 있으니 이 사람은 반드시 자신의 생명조차도 잊어버려서 재앙을 만나지 않음이 드물 것이다![53] 도의를 따라 행하는 신하가 있으니 이 사람은 작록과 공명을 얻어도 대단한 것으로 여기지 않고 잃어도 하찮은

50 『知言』 권4

51 『知言』 권6

52 『知言』 권2

53 재앙을 만나지 … 것이다. : 이는 『周易』「繫辭下」 5장의 "덕은 하찮은데 지위가 높으며 지혜는 적은데 꾀함이 크며 힘은 약한데 짐이 무거우면 (재앙을) 만나지 않음이 적다.(德薄而位尊; 知小而謀大; 力小而任重, 鮮不及矣.)"에 의거한 말이다. 여기서 '만나지 않음이 적다.'에 대해 大全의 漢上朱氏는 "소인은 얻는 것에만 뜻이 있을 따름이어서 나라에서 만에 하나의 요행을 구하니 재앙을 만나지 않음이 드물다.(小人志在於得而已, 以人之國, 徼倖萬一, 鮮不及禍.)"라고 하였다.

것으로 생각지 않아 다만 내가 행하고 있는 도의가 어떤지 만을 살핀다. 천하의 군주가 되어 백관을 다스리면 이들 세 부류의 신하가 뒤섞여 함께 진출하는데 군주 된 자 어떻게 알아보고 그들을 등용하거나 물리칠 것인가? 맹자가 '군주가 어질면 어질어지지 않은 자가 없다.[54]'고 하였다."

[65-1-25]

"義理, 群生之性也. 義行而理明, 則群生歸仰矣. 敬愛, 兆民之心也. 敬立而愛施, 則人心誠敬矣. 感應, 鬼神之情性也. 誠則能動, 而鬼神來格矣."[55]

(오봉 호씨가 말하였다.) "의義와 리理는 뭇 생명의 성性이다. 의가 행해지고 리가 밝아지면 뭇 생명이 귀의하여 우러러본다. 공경[敬]과 사랑[愛]은 수많은 백성의 마음이다. 공경이 확립되고 사랑이 베풀어지면 백성들의 마음이 참으로 공경하게 된다. 감응感應은 귀신의 속성[情性]이다. 성실하면 감동시킬 수 있어 귀신이 이르러 온다."

[65-1-26]

豫章羅氏曰 : "祖宗法度不可廢, 德澤不可恃. 廢法度, 則變亂之事起. 恃德澤, 則驕佚之心生. 自古德澤最厚, 莫若堯舜. 向使子孫可恃, 則堯舜必傳其子. 至於法度, 則莫若周家之最明. 向使子孫世守, 則歷年至今猶存可也."[56]

예장 나씨豫章羅氏[羅從彦]가 말하였다. "조종조祖宗朝의 법도는 폐기해서는 안 되고 은덕과 혜택은 의지할 수 없다. 법도를 폐기하면 변란이 일어나고 은덕과 혜택을 의지하면 교만한 마음이 생겨난다. 예로부터 은덕과 혜택이 가장 두텁기는 요순만 한 이가 없다. 만일 자손이 (이를) 의지할 수 있었다면 요순은 반드시 아들에게 자리를 물려주었을 것이다.[57] 법도의 경우에는 주周나라 왕실만큼 가장 밝았던 나라가 없다. 만일 자손이 (이를) 대대로 지켰다면 지내오는 연수가 지금까지도 여전히 존속할 수 있었을 것이다."

54 '군주가 어질면 … 없다.' : 이는 『孟子』「離婁上」에 있는 맹자의 말이다. 자세히 보면 다음과 같다. "등용하는 사람마다의 잘못을 지적할 수 없고 시행하는 정책마다를 흠잡을 수 없다. 오직 대인만이 군주 마음의 잘못을 바로잡을 수 있으니 군주가 어질면 어질어지지 않은 것이 없고, 군주가 의로우면 의로워지지 않은 것이 없으며, 군주가 바르면 바르게 되지 않은 것이 없다. 한번 군주를 바로잡으면 나라가 안정된다.(人不足與適也 ; 政不足閒也, 惟大人爲能格君心之非. 君仁莫不仁 ; 君義莫不義 ; 君正莫不正. 一正君而國定矣.)"

55 『知言』 권4

56 『豫章文集』 권11 「雜著 · 議論要語」

57 요순은 반드시 … 것이다. : 요임금의 아들은 丹朱이고, 순임금의 아들은 商均이다. 이들은 모두 아버지의 덕만 못하여 임금 자리를 물려받지 못하고, 요임금은 순임금에게 순임금은 夏나라의 시조로 불리우는 禹에게 자리를 물려주었다.

[65-1-27]

"人君納諫之本, 先於虛己. 禹拜昌言, 故能納諫; 德宗強明自任, 故能拒諫."[58]

(예장 나씨가 말하였다.) "군주가 간쟁하는 말을 받아들이는 근본은 먼저 자신을 비우는 것이다. 우임금은 좋은 말에 절을 하였던[59] 까닭에 간쟁을 받아들일 수 있었고, 덕종德宗은 힘과 지혜를 자부自負한 까닭에 간쟁을 거부할 수 있었다.[60]"

[65-1-28]

朱子曰: "天下之紀綱不能以自立, 必人主之心術公平正大, 無偏黨反側之私, 然後紀綱有所繫而立. 君心不能以自正, 必親賢臣, 遠小人, 講明義理之歸, 閉塞私邪之路, 然後乃可得而正."[61]

주자가 말하였다. "천하의 기강은 혼자서 설 수 없으니, 반드시 군주의 마음 씀이 공평 정대하여, 치우치거나 무리 지으며 정도에 반하거나 공평하지 않은 사사로움이 없는 뒤에 기강이 그것에 매여 설 수 있다. 군주의 마음도 혼자서 바르게 될 수 없으니, 반드시 어진 신하를 가까이하고 소인을 멀리하며, 의리의 귀추를 강론해 밝히고 사사로움과 사악한 길을 막은 뒤에 비로소 바르게 될 수 있다."

58 『豫章文集』 권11 「雜著 · 議論要語」

59 우임금은 좋은 … 하였던 : 우임금의 가장 훌륭한 덕으로 칭송되는 말이다. 『書經』「大禹謨」에서 살피면 다음과 같다. 요임금과 순임금의 나라에서 苗族의 나라가 자신의 나라가 위치하고 있는 지리적 험준함을 믿고서 순종과 반란을 밥 먹듯이 하였다. 이에 순임금은 우를 시켜 묘족의 나라를 토벌하게 하였다. 우가 치기 시작하였으나 30일을 버티며 그들은 항복하지 않았다. "(이때 益이 우에게) '덕은 하늘을 움직여 어느 먼 곳도 이르지 못함이 없습니다. 자만하면 손실을 초래하고 겸손하면 도움을 받는 것이 하늘의 도입니다. … 지극한 정성은 신도 감동시키는데 하물며 저들 묘족이겠습니까?'라고 하자, 우는 훌륭한 말에 절을 하며 '그렇다!'하고서 군사를 정돈하여 회군하였다.('惟德動天, 無遠弗屆. 滿招損, 謙受益, 時乃天道. … 至誠感神, 矧玆有苗?' 禹拜昌言曰, '俞!' 班師振旅.)"

60 德宗은 힘과 … 있었다. : 덕종은 당나라 황제 李适을 이른다. 이괄은 安祿山의 난을 평정한 代宗의 맏아들로, 재위 26년 동안에 처음에는 아버지 대종의 잘못을 바로잡아 환관들의 폐단을 개혁하였으나 힘의 강함과 지혜의 밝음을 자부하고서 신하의 간하는 말을 들으려 하지 않았다. 간신 盧杞를 등용하며 정사의 어지러움을 초래해 李希烈의 반란으로 수도 장안이 함락되자 奉天으로 피신하였다가 돌아오기도 하였다. 이를 『新唐書』「德宗本紀贊」에서 이렇게 말하고 있다. "덕종은 시기하는 마음이 각박하고 힘과 지혜를 자부하였다. 정론에 說服 당하는 것을 부끄럽게 여기면서도 간사하고 아첨하는 무리에게 속임 당하는 일은 잊어버렸다. 그리하여 蕭復이 자신을 가볍게 여긴다고 의심하고, 姜公輔를 일부러 충직한 척하는 사람이라 생각하여 받아들이지 않았다 … 奉天의 환난에 미쳐서야 깊이 스스로를 경계해 다스려 마침내 고식적인 정책을 시행하였다. 이로 인해 조정이 더욱 약화되고 지방의 장수들이 더욱 강해져 당나라가 망하기에 이르렀으니 그 환난은 이러한 때문이었다.(德宗猜忌刻薄, 以彊明自任. 恥見屈於正論, 而忘受欺於姦諛. 故其疑蕭復之輕己, 謂姜公輔爲賣直, 而不能容 … 及奉天之難, 深自懲艾, 遂行姑息之政. 由是朝廷益弱, 而方鎮愈彊, 至於唐亡, 其患以此.)" 우임금은 결국 나라를 발전시켜 이어가게 하였고, 덕종은 나라를 망하게 한 계기를 제공한 것이 간쟁을 대하는 태도에서 갈렸음을 지적한 말이다.

61 『朱文公文集』 권11 「庚子應詔封事」

[65-1-29]

"天子至尊無上, 其居處則內有六寢六宮, 外有三朝五門. 其嬪御侍衛, 飮食衣服貨賄之官, 皆領於冢宰; 其冕弁車旗, 宗祝巫史, 卜筮瞽侑之官, 皆領於宗伯. 有師以道之教訓; 有傅以傅其德義; 有保以保其身體. 有師氏以媺詔之; 有保氏以諫其惡. 前有疑, 後有丞, 左有輔, 右有弼. 其侍御僕從, 罔匪正人, 以旦夕承弼厥辟. 出入起居, 罔有不欽; 發號施令, 罔有不臧.

(주자가 말하였다.) "천자는 더 높을 수 없는 지존이라서, 거처하는 집도 안에는 육침六寢과 육궁六宮[62]이 있고, 밖에는 삼조三朝와 오문五門[63]이 있다. 빈어嬪御와 시위侍衛,[64] 음식이며 의복과 재화에 관한 관원은 총재冢宰에게 지휘 받고, 면변冕弁[65]과 거가와 깃발, 종축宗祝과 무사巫史,[66] 복卜·서筮·고瞽·유侑[67]의

62 六寢과 六宮 : 이 글의 출전인 『朱文公文集』 권69 「雜著·天子之禮」에는 이글을 설명하는 말이 이어져 있다. 살펴보면 다음과 같다. "육침과 육궁은 왕의 大寢은 하나, 小寢이 다섯이다. 대침은 정사를 다스리는 곳인 까닭에 밝은 남쪽을 향하고 다스리는 곳인 까닭에 앞쪽에 있고, 소침은 朝服을 벗어놓고 편히 쉬는 곳인 까닭에 뒤쪽에 있다. 그 소침은 한 소침은 한가운데 있고 네 소침은 사방 모서리에 있다. 봄에는 동북쪽 모서리의 소침에서 거처하고, 여름에는 남동쪽 모서리의 소침에서 거처하고, 가을에는 남서쪽 모서리의 소침에서 거처하고, 겨울에는 북서쪽 모서리의 소침에서 거처하며 土旺(여름에서 가을로 넘어가는 6월의 마지막 18일을 이른다.)의 달에는 중앙 소침에 거처한다. 왕후의 육궁은 正宮은 앞쪽에 있고 다섯 궁은 뒤쪽에 있다. 그 제도는 왕의 五寢과 같다.(六寢六宮, 曰王大寢一, 小寢五. 大寢聽政故嚮明, 而治故在前; 小寢釋服燕息也故在後. 其小寢, 一寢在中, 四寢在於四角. 春居東北, 夏居東南, 秋居西南, 冬居西北, 土王之月居中. 后之六宮, 正宮在前, 五宮在後. 其制如王之五寢.)" 육침과 육궁의 연원에 대해 살펴보면 『周禮』 「天官·宮人」에, 궁인이 담당하는 일을 "왕의 육침 청소를 관장한다.(掌王之六寢之脩)."라고 하고, 이를 鄭玄은 "육침은 노침이 하나, 소침이 다섯이다 … 노침은 정사를 다스리는 곳이고 소침은 때로 쉬는 곳이다.(六寢者, 路寢一, 小寢五 … 是路寢以治事, 小寢以時燕息焉.)"라고 하였고, 육궁은 『禮記』 「昏義」에 "예전에 천자의 황후는 육궁을 세웠다.(古者, 天子后立六宮)"라고 하였다.

63 三朝와 五門 : 위 六寢과 六宮의 주석처럼 『朱文公文集』 권69 「雜著·天子之禮」에서 살펴보면 다음과 같다. "무엇을 삼조와 오문이라 하는가? 첫 문을 皐門, 두 번 째 문을 雉門, 세 번 째 문을 庫門, 네 번째 문을 應門, 다섯 번째 문을 路門이라 한다. 조정은 치문의 밖에 있는 것을 外朝, 노문의 안에 있는 것을 治朝, 노침의 조정을 內朝라고 한다.(何謂三朝五門? 曰王宮之外門, 一曰皐門; 二曰雉門; 三曰庫門; 四曰應門; 五曰路門. 其朝, 在雉門之外者曰外朝, 在路門之外者曰治朝, 路寢之廷曰內朝.)" 삼조의 연원을 살펴보면 『周禮』 「秋官·朝士」에서 "조사는 나라의 외조 세우는 법을 관장한다.(朝士掌建邦外朝之法.)"라고 하고, 이를 정현은 "주나라의 천자와 제후는 모두 조정이 세 곳이다. 외조가 하나, 內朝가 두 곳이다. 내조에서 路門 안에 있는 것을 혹 燕朝라 부르기도 한다.(周天子諸侯, 皆有三朝. 外朝一, 內朝二. 內朝之在路門內者, 或謂之燕朝.)"라고 하였다. 더 자세히 살피면 송나라 葉夢得의 『石林燕語』 권2에는 "예전에 천자는 조정이 세 곳이었으니 외조·내조·연조이다. 외조는 왕궁의 庫門 밖에 있으니 비상한 일이 발생했을 때 궁중에서 만백성에게 자문하는 곳이다. 내조는 노문 밖에 있고, 연조는 노문 안에 있다. 내조에서는 뭇 신하를 접견하니 혹 路朝라 부르기도 하며, 연조는 정사를 듣는 곳이니 혹 燕寢이라 이르기도 한다.(古者天子三朝, 外朝·內朝·燕朝. 外朝在王宮庫門外, 有非常之事, 以詢萬民於宮中. 內朝在路門外, 燕朝在路門內. 蓋內朝以見群臣, 或謂之路朝, 燕朝以聽政, 猶今之奏事, 或謂之燕寢.)"라고 하였다.

64 嬪御와 侍衛 : 빈어는 궁중의 낮은 직급의 內官이고, 시위는 좌우에서 모시고 따라다니며 신변을 보호해 지키는 사람이다.

관원은 모두 종백宗伯[68]에게 지휘 받는다. 사師[69]가 있어 좋은 교훈으로 인도하고 부傅[70]가 있어 덕의德義로 보좌하고 보保[71]가 있어 신체를 보호한다. 사씨師氏[72]는 좋은 일을 일러주고 보씨保氏[73]는 악한 일을 간한다. 앞에는 의疑, 뒤에는 승丞, 왼쪽에는 보輔, 오른쪽에는 필弼이 있다.[74] 모시며 따르는 자들이

65 冕弁 : 冕은 면류관이고 弁은 皮弁이니 모두 冠의 일종이다. 면류관은 군주 이하 大夫가 정식 예절을 차릴 때 갖추는 관인데, 작위의 높낮이에 따라 드리우는 줄이 차이가 있다. 예를 들면 천자는 12줄, 제후는 9줄이다. 피변은 흰 사슴 가죽으로 만든 관으로 『周禮』「春官 · 司服」에 "조회를 볼 때 피변복을 차린다.(視朝, 則皮弁服.)"라 하고, 孫詒讓의 『正義』에는 "피변은 천자가 조회 때 입는 옷이다.(皮弁爲天子之朝服)"라고 하였다.

66 宗祝과 巫史 : 종축은 종묘 제사의 祝官이다. 곧 太祝, 또는 大祝으로 불리는 사람이다. 태축은 제사에서 신에게 기도하는 일과 신의 뜻을 전달하는 일을 맡은 사람으로, 후세에는 祝文을 읽는 사람의 뜻으로 쓰였다. 巫史는 『禮記』「禮運」에 "왕의 앞쪽은 무가 자리하고 뒤쪽은 사가 자리하며 복서와 고유가 모두 좌우에 자리한다.(王前巫而後史, 卜筮瞽侑皆在左右.)"고 하였는데 陳澔의 『集說』에서는 "무는 조문하는 예를 관장함으로 앞에 자리하고 사는 말과 행동의 실재를 기록해야 함으로 뒤에 자리한다.(巫主弔臨之禮而居前, 史書言動之實而居後.)"라고 하였다. 그러나 『陳氏禮記集說補正』 권13 「예운」에서 納喇性德은 嚴陵方氏의 설을 인용하여 "상서롭지 않은 일은 미연에 물리쳐야 하므로 무가 앞에 자리하고, 말과 행실은 지난 뒤에 기록해야 하므로 사는 뒤에 자리해야 한다. 「玉藻」의 글로 살피면 사는 좌우에 있는데 여기서 사가 뒤에 자리한다고 한 것은, 앞에 자리한 무를 상대해 말하면 뒤가 되여서이며 뒤에서 자연히 좌우로 나뉜다.(不祥却於未然, 故前巫, 言行紀於已然, 故後史. 以「玉藻」考之, 史有左右, 而此言後史者, 對前巫言則爲後, 而後自分左右也.)"라고 하였다.

67 卜筮瞽侑 : 위 宗祝과 巫史의 주석에 의거하여 『禮記』「禮運」의 진호의 『集說』에서 살피면 다음과 같다. "고는 악사이고, 유는 四輔이다. 혹 음악 소리를 변별하고 혹 임금의 위의를 돕는다.(瞽爲樂師, 侑爲四輔. 或辨聲樂, 或贊威儀.)"라고 하였다. 여기서 사보는 疑丞輔弼이다. 그런데 의 · 승 · 보 · 필은 이어지는 아래 글에 다시 나온다. 따라서 진호의 이 주석은 맞지 않은 듯하다. 다시 『진씨예기집설보정』 권13 「예운」에서 納喇性德의 주장을 살피면 다음과 같다. "고는 음악을 관장하고 유는 음식 권하는 일을 이른다. (『周禮』) 「膳夫」에서 살피면 '왕은 하루에 한 끼를 성대하게 먹어 樂官이 음식 먹는 것을 권하는 음악을 연주한다.'고 하였다. 여기서 瞽侑는 고는 그 사람을 말한 것이고, 유는 그 일을 말한다.(瞽以典樂, 侑謂侑食. 以「膳夫」考之, 王日一擧, 以樂侑食. 瞽侑者, 瞽言其人 ; 侑言其事耳.)"라고 하였다. 이 글에 卜筮에 대한 말이 없는데 石梁王氏는 "무는 제사 지낼 때 쓰이고 복서는 일이 있을 때 자문한다.(巫, 祭祀方用 ; 卜筮, 有事方問.)"라고 하였다. 여기서 卜은 거북껍질에 불을 지져 치는 점이고 筮는 시초점을 이른다.

68 宗伯 : 周나라 때는 六卿의 하나로 종묘와 나라의 각종 제사를 주관하는 관서와 그 관서의 우두머리 벼슬을 이름으로 함께 쓰였다. 후대에 이 관서는 禮部로 이름이 바뀌어 중국에서는 禮部尙書를, 조선시대는 예조판서를 이르는 별칭으로 쓰였다. 아울러 大宗伯이라 불리기도 한다.

69 師 : 太師 벼슬을 줄여 이른 말이다. 三公의 하나에 해당하는 높은 벼슬이다.(『書經』「周官」)

70 傅 : 太傅 벼슬을 줄여 이른 말이다. 三公의 하나에 해당하는 높은 벼슬이다.(『書經』「周官」)

71 保 : 太保 벼슬을 줄여 이른 말이다. 三公의 하나에 해당하는 높은 벼슬이다.(『書經』「周官」)

72 師氏 : 『周禮』「地官 · 師氏」에 이 벼슬에 관한 내용이 실려 있다. 賈公彦의 疏에 "媺는 아름다움이다. 사씨는 앞 시대의 아름답고 선한 도리를 왕에게 일러준다.(媺, 美也. 師氏掌以前世美善之道, 以詔告於王.)"고 하였다.

73 保氏 : 『周禮』「地官 · 保氏」에 이 벼슬에 관한 내용이 실려 있다.

74 앞에는 疑 … 있다. : 四輔로 알려진 벼슬로, 천자의 전후좌우에서 보필하는 신하들이다. 『書經』의 「洛誥」에서 이 四輔란 말이 처음 등장하였으나 천자를 측근에서 보좌하는 뜻으로 「益稷」에서 이미 四鄰이란 말이 쓰였음을 볼 수 있다. 이에 대한 자세한 내용은 『禮記』「文王世子」에 "虞 · 夏 · 商 · 周나라에 師 · 保가 있고, 疑 · 丞이 있다. 四輔와 三公을 두었으나 꼭 사람을 채우지는 않았다.(虞 · 夏 · 商 · 周, 有師 · 保, 有疑 · 丞,

바르지 않은 사람이 없고 아침저녁으로 그 군주를 받들어 보필하니 출입과 행동이 공경치 않음이 없고 내리는 명령이 선하지 않음이 없다.

在輿有旅賁之規,旅賁勇士, 掌執戈楯, 夾車而趨. 位宁有官師之典,門屛之間謂之宁. 倚几有訓誦之諫,[75] 工師所誦之諫, 書之於几也. 居寢有暬御之箴,[76]暬, 近也. 臨事有瞽史之道, 宴居有工師之誦. 史爲書, 太史, 君擧則書. 瞽爲詩, 工誦箴諫, 大夫規誨, 士傳言, 庶人謗, 商旅于市,旅, 陳也. 陳其貨物, 以示時所貴尙 百工獻藝.獻其技藝, 以喩政事 動則左史書之. 言則右史書之.其書, 春秋尙書有存者 御瞽幾聲之上下.幾, 猶察其樂 不幸而至於有過, 則又有爭臣七人, 面列廷爭以正捄之. 蓋所以養之之備, 至於如此.

거가에 타고 있을 때에는 여분旅賁[77]의 간하는 말이 있고[78] 여분旅賁은 용맹한 군인이다. 창과 방패를 들고 거가를 좌우에서 감싸 호위하는 일을 한다. 위저位宁[79]에 있을 때에는 관사官師[80]의 떳떳한 법이 있고 문과 병屛[81] 사이를 저宁라 한다. 궤几에 기대어 있을 때에는 훈송訓誦[82]의 간하는 말이 있고 공사工師가 넌지시 간하는 말을

設四輔及三公, 不必備.)"라고 하고 孔穎達의 疏에 "사보는 『尙書大傳』에 '옛날 천자는 반드시 四隣이 있었으니 앞은 疑, 뒤는 丞, 왼쪽은 輔, 오른쪽은 弼이라고 한다.'라고 했다.(其四輔者, 案『尙書大傳』云, '古者天子必有四鄰, 前曰疑, 後曰丞, 左曰輔, 右曰弼')"고 하였다.

75 倚几有訓誦之諫 : 이 문장의 '訓誦'은 『國語』「楚語上」에 이 말의 전후가 그대로 실려 있는데 '誦訓'으로 바뀌어 쓰여 있다. 그리고 주자가 이 문장의 주석으로 단 '工師所誦之諫'운운은 『國語』「楚語上」에 있는 위소의 주석을 그대로 가져다 쓴 것이다. 따라서 '訓誦'은 『國語』의 뜻을 따랐다.

76 居寢有暬御之箴 : 暬은 『朱文公文集』에는 '褻'자로 쓰였다. 조선시대 哲宗 10년(1859) 己未년에 整理字로 간행한 『國語』「楚語上」에도 '褻'자로 쓰고 그 注에 "暬의 音은 薛이다. 暬은 가깝다."(暬, 音薛. ○暬, 近也.)"라고 하였다. 지금은 보통 褻자를 쓴다.

77 旅賁 : 『周禮』 夏官 「旅賁氏」에 이 벼슬에 관한 규정이 실려 있다.

78 거가에 타고 … 있고 : 이 말부터 아래 '工師의 외워 전하는 말이 있다.'까지는 『國語』「楚語上」의 말을 인용한 것이다. 『國語』에는 「左史倚相儆申公子亹」라는 제목에 실린 말이고, 그 내용은 左史 벼슬의 倚相이 申公子亹에게, 周나라 시대 衛나라 제후 武公은 나이 90이 넘어서도 정사에 노력하여 즐겨 간하는 말을 들으려 한 고사 중의 하나로 이를 말하였다.

79 位宁 : 『國語』「楚語上」에 주자가 말하고 있는 문장 '在輿有旅賁之規, 位宁有官師之典'이 이대로 실려 있는데 韋昭는 "조정 뜰 중앙의 좌우를 位라 하고, 문과 병 사이를 宁라 한다.(中庭之左右謂之位, 門屛之間謂之宁.)"고 하였다. 그런데 여기서 앞의 位에 대한 위소의 주석을 주자가 인용하지 않은 것은 위소의 조정 뜰 중앙 운운을 취하지 않고, 位를 宁에 '자리했을 때'의 뜻으로 본 듯하다. 우선은 위소의 주석을 따라 처리하였다.

80 官師 : 위 位宁 주석에 의거해 살피면, "師는 우두머리이고, 典은 떳떳한 도리이다.(師, 長也 ; 典, 常也.)"라고 하였다. 따라서 관사는 한 관서의 우두머리 관원이다.

81 屛 : 대문에 마주하여 설치한 낮은 담장으로 안과 밖을 가리기 위해 쌓은 것이다. 이를 『荀子』「大略」에는 "천자는 外屛을 제후는 內屛을 설치한다.(天子外屛, 諸侯內屛.)"라고 하였고, 『儀禮集釋』 권16 「覲禮」의 "후씨가 재배하여 이마를 땅에 조아리고서 屛으로부터 나간다.(侯氏再拜稽首, 出自屛.)"에서 宋나라의 李如圭는 "천자는 외병을 하고 제후는 내병을 한다. 내병은 路門의 안에 있고 외병은 노문의 밖에 있다.(天子外屛, 諸侯內屛. 內屛在路門之內, 外屛在路門之外."라고 하였다.

궤에 써놓은 것이다. 침소에 들었을 때에는 설어暬御[褻御][83]의 권유하여 경계하는 말이 있고 설暬은 가까움이다. 일을 만났을 때에는 고사瞽史[84]의 인도함이 있고, 한가로이 거처할 때에는 공사工師[85]의 외워 전하는 말이 있다. 사관은 기록하고[86] 태사太史가 군주의 거동을 기록한다. 소경은 시詩를 지어 풍자하고,[87] 악공樂工은 간하는 옛 글을 낭송하고,[88] 대부는 바로잡아 가르치고,[89] 사士는 말을 전하고,[90] 서민은 잘잘못을 흠잡고,[91] 장사하는 사람은 저자에 벌려[旅]놓고, 려旅는 벌려놓음이다. 팔 물건을 벌려놓아 당시 품귀가 된 물건들을 보여준다. 온갖 장인은 자신의 기예에 뜻을 담아 연출한다.[92] 기예를 연출하며 정사에 대한 뜻을 내비친다. 행동은 왼쪽의 사관이 기록하고[93] 말은 오른쪽 사관이 기록하며 그 글은 『춘추春秋』와 『상서尙書』에 보존되어

82 訓誦 : 앞의 교감에 따라 誦訓을 따른다. 송훈은 주자가 인용하고 있는 『國語』 위소의 주석 '工師'를 지칭하는 말로 보는 것이 옳을 듯하다. 다만 工師가 이어지는 다음 문장에 다시 언급되고 있어 두 工師를 똑같은 관원으로 보기는 무리다. 이어지는 문장의 工師는 樂官이 분명한 이상, 이곳의 공사는 匠人의 우두머리로 보는 것이 옳을 듯하다. 장인의 우두머리로 보는 것은 『禮記』「月令」 孟冬之月에 "공사에게 명하여 하고 있는 일의 성과를 내보이게 한다.(命工師效.)"라고 하였고 이를 鄭玄은 "공사는 일을 맡은 관서의 우두머리이다.(工師, 工官之長也.)."라고 하였다. 곧 토목공사를 관장하는 장인의 우두머리인 것이다.

83 褻御 : 군주를 가장 가까이서 모시는 사람들이다. 내시 정도의 사람들을 이른다.

84 瞽史 : 瞽는 樂官의 우두머리인 太師, 史는 역사와 典籍, 曆象 등의 일을 관장하는 관서의 우두머리인 太史이다. 『國語』「周語上」의 "고사가 가르친다.(瞽史教誨.)"의 韋昭의 주에 "고는 음악을 맡는 태사이고, 사는 태사이다.(瞽, 樂太師 ; 史, 太史也.)"라고 하였다.

85 工師 : 樂工을 이른다.

86 사관은 기록하고 : 이 말부터 아래 '온갖 장인은 자신의 기예에 뜻을 담아 연출한다.'까지는 『春秋左傳』「襄公 14년」의 기사를 인용한 것이다. 그 내용은 춘추시대 晉나라의 樂官 師曠이 군주인 晉侯가 "衛나라 사람들이 군주를 내쫓은 것은 너무 심하지 않은가?"라고 하자, 그 말에 대한 대답으로 군주의 잘못을 지적하는 사람들이 각 방면에서 노력하여 군주의 잘못이 잡혀지고 그로 인해서 백성들의 안정된 삶이 유지됨을 설명하는 말 가운데 한 예다.

87 소경은 詩를 … 풍자하고 : 이글의 원전 『春秋左傳』「襄公 14년」 "瞽爲詩"의 杜預 注에 "瞽는 소경이다. 시를 지어 (임금이 하는 일의 잘잘못을) 풍자한다.(瞽, 盲者. 爲詩以風刺.)"라고 하였다.

88 樂工은 간하는 … 낭송하고 : 이글의 원전 『春秋左傳』「襄公 14년」 "工誦箴諫"의 두예 주에 "工은 樂官이다. 간하는 옛 글을 낭송한다.(工, 樂人也. 誦箴諫之辭.)"라고 하였다. 楊伯峻은 "誦은 노래하거나 읽는 것이다.(誦, 或歌或讀.)"라고 하였다.

89 대부는 바로잡아 가르치고 : 이글의 원전 『春秋左傳』「襄公 14년」 "大夫規誨"의 두예 주에 "군주를 바로잡아 가르친다.(規正諫誨其君.)"라고 하였다.

90 士는 말을 전하고 : 이글의 원전 『春秋左傳』「襄公 14년」 "士傳言"의 두예 주에 "사는 신분이 낮아 곧바로 자신의 의견을 군주에게 전달할 수 없다. 그래서 군주의 잘못을 들으면 대부에게 전하여 말한다.(士卑, 不得徑達. 聞君過失, 傳告大夫.)"라고 하였다.

91 서민은 잘잘못을 흠잡고 : 이글의 원전 『春秋左傳』「襄公 14년」 "庶人謗"의 두예 주에 "서인은 정사에 참여하지 못하므로, 군주의 잘못을 들으면 비방한다.(庶人不與政, 聞君過則誹謗.)"라고 하였다.

92 온갖 장인은 … 연출한다. : 이는 『左傳』「襄公 14년」보다 먼저 『書經』「胤征」에서 夏나라의 군주 仲康의 명을 받아 羲和를 정벌하러 나선 胤后가 한 말이다. 그 내용은 다음과 같다. "百工은 기예를 연출하며 간하도록 하라. 혹여 공손하지 않음이 있으면 나라에 규정된 형벌이 있을 것이다.(工執藝事以諫. 其或不恭, 邦有常刑.)"

93 행동은 왼쪽의 … 기록하고 : 이 말부터 아래 '음악 소리의 높낮음을 살핀[幾]다.'까지는 『禮記』「玉藻」의 말을

있다. 어고御瞽[94]는 음악 소리의 높낮음을 살핀[幾]다. 기幾는 연주되는 음악을 살피는 것과 같다. 불행하게 허물이 있게 되면 또다시 간쟁하는 신하 7명이[95] 면전에 늘어서서 조정 뜰에서 간쟁하여 바른 도리로 구제함이 있다. 군주를 길러내는 방법의 구비됨이 이 정도 수준이다.

是以恭己南面, 中心無爲以守至正, 而貌之恭足以作肅, 言之從足以作乂, 視之明足以作哲, 聽之聰足以作謀, 思之睿足以作聖. 然後能以八柄馭群臣, 八統馭萬民. 而賞無不慶, 刑無不威, 遠無不至, 邇無不服. 傅說所謂'奉若天道, 建邦設都, 樹后王君公, 承以大夫師長, 不惟逸豫, 惟以亂民'; 武王所謂'亶聰明作元后, 元后作民父母'; 所謂'天降下民, 作之君作之師, 惟其克相上帝, 寵綏四方'; 箕子所謂'皇建其有極, 斂時五福, 用敷錫厥庶民, 惟時厥庶民于汝極, 錫汝保極'; 董子所謂'正心以正朝廷, 正朝廷以正百官, 正百官以正萬民, 正萬民以正四方者', 正謂此也."[96]

이런 까닭에 공손히 군주 자리에서 속마음에 아무 다른 마음을 둠이 없이 지극히 바른 도리를 지켜, 모습은 공손하여 충분히 엄숙하고, 말은 이치에 순하여 충분히 조리 있고, 보는 밝음은 지혜로워 충분히 지혜롭고, 들음의 귀 밝음은 충분히 헤아려 꾀할 수 있고, 생각의 슬기로움은 충분히 성인이 될 수 있다.[97] 그런 뒤에 팔병八柄[98]으로 뭇 신하를 다스릴 수 있고 팔통八統[99]으로 만백성을 다스릴 수 있다.

인용한 것이다.

94 御瞽 : 이글의 원전 『禮記』「玉藻」 '御瞽'의 孔穎達의 疏에 "御는 모심이다. 소경으로 곁에서 모시게 하는 까닭에 御瞽라고 한다. 幾는 살핌이다. 소경이 音에 밝으므로, 음악 소리의 높낮이와 슬픔과 즐거움을 살핀다. 만일 정치가 화평하면 음악소리가 즐겁고, 정치가 혹독하면 음악소리가 슬프다. 슬픔과 즐거움을 살펴 군주의 잘못을 방지한다.(御者, 侍也. 以瞽人侍側, 故云御瞽 … 幾, 察也. 瞽人審音, 察樂聲上下哀樂. 若政和則樂聲樂, 政酷則樂聲哀. 察其哀樂, 防君之失.)"라고 하였다.

95 간쟁하는 신하 7명이 : 『孝經』「諫諍章」에 "증자가 '아버지의 명을 따르는 것을 孝라 말할 수 있습니까?'라고 하자 공자가 '이 무슨 말인가! 이 무슨 말인가! 예전에 천자에게 간쟁하는 신하 7명이 있으면 무도하여도 천하를 잃지 않고, 제후가 간쟁하는 신하 5명이 있으면 무도하여도 나라를 잃지 않고, 대부가 간쟁하는 신하 3명이 있으면 무도하여도 대부의 지위를 잃지 않고, 士가 간쟁하는 벗이 있으면 몸에서 아름다운 명성이 떠나지 않았다.'라고 하였다.('從父之令, 可謂孝乎?' 子曰, '是何言與! 是何言與! 昔者, 天子有爭臣七人, 雖無道, 不失其天下; 諸侯有爭臣五人, 雖無道, 不失其國; 大夫有爭臣三人, 雖無道, 不失其家; 士有爭友, 則身不離於令名.')"고 하였다.

96 『朱文公文集』 권69 「雜著 · 天子之禮」

97 모습은 공손하여 … 있다. 『書經』「洪範」 중 두 번째 군주가 공경히 행해야 할 다섯 가지 일[二曰敬用五事]을 인용하여 한 말이다. 자세히 보면 다음과 같다. "두 번째 다섯 가지 일은, 첫째 모습, 둘째 말, 셋째 봄, 넷째 들음, 다섯째 생각이다. 모습은 공손하고, 말은 이치에 순하고, 봄은 보지 못함이 없이 밝고, 들음은 듣지 못함이 없이 귀 밝고, 생각은 환히 슬기로워야 한다. 공손함은 엄숙하고, 이치에 순함은 조리 있고, 눈 밝음은 지혜롭고, 귀 밝음은 헤아려 꾀할 수 있고, 슬기로움은 성인이 된다.(二五事, 一曰貌; 二曰言; 三曰視; 四曰聽; 五曰思. 貌曰恭; 言曰從; 視曰明; 聽曰聰; 思曰睿. 恭作肅, 從作乂, 明作哲, 聽作謀, 睿作聖.)"라고 하였다.

그리하여 상을 내리면 경사로 여기지 않음이 없고 형벌을 내리면 위엄이 서지 않음이 없어, 아무리 먼 곳도 미쳐가지 않음이 없고 가까운 곳은 복종하지 않음이 없다. 부열傅說의 '천도天道를 순히 받들어 나라를 세우고 도읍을 정하며 천자와 제후를 세우고, 대부大夫와 각 관아의 책임자에게 받들도록 한 것은 (군주를) 편안하게 하려는 것이 아니고 백성을 다스리려 함이다.'[100]라고 한 말과, 무왕武王의 '진실로 총명한 사람이 천자가 되고 천자는 백성의 부모가 된다.'[101]라고 한 말과, '하늘이 백성을 이 땅에 만들어내고 군주를 세우고 스승을 세운 것은 상제上帝를 잘 도와 천하를 사랑으로 편안히 하려함이다.'[102]라고 한 말과, 기자箕子의 '군주가 지극한 표준을 세워야 하니, 오복五福이 될 수 있는 일을 거두어 모아 그것을 저들 서민에게 펴면, 이 서민들은 네가 세운 표준들을 네가 세운 표준대로 보전함을 너에게 줄 것이다.'[103]라고 한 말과, 동자董子의 '마음을 바르게 하여 조정을 바르게 하고, 조정을 바르게 하여 백관百官을 바르게 하고, 백관을 바르게 하여 만백성을 바르게 하고, 만백성을 바르게 하여 천하 사방을 바르게 한다.'[104]라고 한 말이 바로 이를 말한 것이다."

[65-1-30]

"天無私覆；地無私載；日月無私照. 故王者奉三無私以勞於天下, 則兼臨博愛, 廓然大公, 而天下之人, 莫不心悅而誠服. 儻於其間, 復以新舊而爲親疎, 則其偏黨之情, 褊狹之度, 固已使

98 八柄 : 제왕이 신하를 거느리는 여덟 가지 수단. 『周禮』「天官 · 大宰」에서 태제가 해야 할 일을 "여덟 가지 수단을 왕에게 말씀드리고 도와 뭇 신하를 다스린다. 첫째는 작위(공후백자남 등)이니 그 귀하게 하는 것으로 다스리고, 둘째는 녹봉이니 그 부유하게 하는 것으로 다스리고, 셋째는 내려줌이니 그 말과 행동이 선한 사람을 총애하는 것으로 다스리고, 넷째는 벼슬에 앉힘이니 그 행동이 어진 사람을 표창하는 것으로 다스리고, 다섯째는 봉양하여 살림이니 나이 늙은 현명한 신하를 복록을 내리는 것으로 다스리고, 여섯째는 빼앗음이니 죄 있는 신하를 가난하게 하는 것으로 다스리고, 일곱째는 멀리 내침이니 죄 있는 자를 다스림이고, 여덟째는 꾸짖음이니 허물이 있는 자를 다스린다.(以八柄詔王馭群臣. 一曰爵, 以馭其貴；二曰祿, 以馭其富；三曰予, 以馭其幸；四曰置, 以馭其行；五曰生, 以馭其福；六曰奪, 以馭其貧；七曰廢, 以馭其罪；八曰誅, 以馭其過.)"라고 하였다.

99 八統 : 백성을 다스리는 통치 방법. 『周禮』「天官 · 大宰」에서 태제가 해야 할 일을 "여덟 가지 통치 방법을 왕에게 말씀드리고 도와 만백성을 다스린다. 첫째는 친족을 친하게 대하는 일, 둘째는 친구를 공경하는 일, 셋째는 현명한 사람을 등용하는 일, 넷째는 능력 있는 사람을 쓰는 일, 다섯째는 공훈이 있는 사람을 보호하는 일, 여섯째는 존귀한 사람을 받드는 일, 일곱째는 애쓰는 관리를 현달하게 하는 일, 여덟째는 외국의 사신을 예우하는 일이다.(以八統詔王馭萬民. 一曰親親；二曰敬故；三曰進賢；四曰使能；五曰保庸；六曰尊貴；七曰達吏；八曰禮賓.)"라고 하였다.

100 '天道를 순히 … 함이다.' : 『書經』「說命中」에 있는 말로, 高宗의 재상인 傅說이 고종에게 한 말이다.

101 '진실로 총명한 … 된다.' : 『書經』「泰誓上」의 말을 인용한 것이다.

102 '하늘이 백성을 … 하려함이다.' : 『書經』「泰誓上」의 말을 인용한 것이다. 앞의 말 조금 뒤에 이어 한 말인데, 여기서 독립시켜 인용하였다.

103 표준대로 보전함을 … 것이다. : 『書經』「洪範」 중 다섯 번째 皇極을 인용한 것이다.

104 '마음을 바르게 … 한다.' : 武帝가 실시한 賢良科에서 동중서가 올린 對策文 중의 한 글귀이다. 동중서는 이 대책문으로 단번에 江都 易王의 相國으로 발탁되었다.(『漢書』 권56)

人惆然有不服之心, 而其好惡取舍, 又必不能中於義理. 而甚則至於沮謀敗國, 妨德亂政, 而其害有不可勝言者."[105]

(주자가 말하였다.) "하늘은 사사로이 덮어줌이 없고 땅은 사사로이 실어줌이 없으며 해와 달은 사사로이 비춰줌이 없다. 그러므로 제왕이 이 세 가지 사사로움이 없음을 받들어서 천하의 일에 애쓴다면, 고르게 대하여 널리 사랑하고 텅 빈 하늘처럼 크게 공정하여 천하 백성이 진심으로 기뻐하고 복종하지 않음이 없을 것이다. 혹여 그 사이에 다시 새사람이니 예전사람이니 하는 것으로 가까이 하거나 멀리한다면 당파에 치우친 마음과 편협한 기풍은 너무도 뻔히 사람들을 불안하게 만들어 복종하지 않으려는 마음을 가질 것이고, 좋아하고 미워하며 등용하고 버리는 것도 또 반드시 의리에 맞지 않을 것이다. 심하면 계획을 저지하고 나라를 망치며 덕 있는 사람을 방해하고 정사를 혼란에 빠뜨리는 데까지 이르러 그 폐해는 말로 다할 수 없을 것이다."

[65-1-31]

"天下之本在國, 國之本在家. 故人主之家齊, 則天下無不治. 人主之家不齊, 則未有能治其天下者也. 是以三代之盛, 聖賢之君能修其政者, 莫不本於齊家. 蓋男正位乎外, 女正位乎內, 而夫婦之別嚴者, 家之齊也; 妻齊體於上, 妾接承於下, 而嫡庶之分定者, 家之齊也; 采有德, 戒聲色, 近嚴敬, 遠技能者, 家之齊也; 內言不出, 外言不入, 苞苴不達, 請謁不行者, 家之齊也. 然閨門之內恩常掩義, 是以雖以英雄之才, 尚有困於酒色, 溺於情愛而不能自克者. 苟非正心修身, 動由禮義, 使之有以服吾之德, 而畏吾之威, 則亦何以正其宮壼, 杜其請託, 檢其姻戚, 而防禍亂之萌哉? 『書』曰, '牝雞之晨, 惟家之索.' 傳曰, 福之興莫不本乎室家, 道之衰莫不始乎梱內."[106]

(주자가 말하였다.) "천하의 근본은 나라에 있고 나라의 근본은 집안에 있다. 그러므로 군주의 집안이 가지런하면 천하는 다스려지지 않음이 없다. 군주의 집안이 가지런하지 않고 천하를 잘 다스릴 수 있는 자는 있지 않다. 그러므로 삼대의 융성했던 시절에 성군聖君과 현군賢君으로 정치를 잘 다스렸던 군주는 집안을 가지런히 하는 일에 근본하지 않음이 없었다. 남자는 밖에서 자리를 바르게 지니고 여자는 안에서 자리를 바르게 지녀서[107] 지아비와 지어미의 분별이 엄정한 것이 집안의 가지런함이고, 정실부인은 위에서 지아비와 체통을 나란히 하고[108] 첩은 아래에서 가까이 받들어서 정실부인과 첩의 분수가 정하여진 것이 집안의 가지런함이고, 덕스러운 사람을 채택하고 아름다운 음악과 여색女色을 경계하며 엄정하

105 『朱文公文集』 권12 「己酉擬上封事」

106 『朱文公文集』 권12 「己酉擬上封事」 중 修身에 관한 내용이다.

107 남자는 밖에서 … 지녀서 : 『周易』「家人卦」의 彖辭이다.

108 정실부인은 위에서 … 하고 : 이글의 '지아비와 체통을 나란히 하고'의 원문 '齊體'는 『白虎通』「嫁娶」에서 "아내는 나란함이다. 지아비와 '체통이 나란함[齊體]'은 천자로부터 서인에 이르기까지 그 의리가 똑같다.(妻者, 齊也. 與夫齊體, 自天子下至庶人, 其義一也.)"라는 글에 보인다.

고 공경한 사람을 가까이 하고 기능만을 가진 자를 멀리 하는 것[109]이 집안의 가지런함이고, 부인의 말이 바깥 남자의 일에 나서지 않고 남자의 말이 안 여자의 일을 간섭하지 않으며[110] 꾸러미 선물에 의해 목적이 달성되지 않고 청탁이 행해지지 않은 것[111]이 집안의 가지런함이다. 그러나 규문閨門 안에서는 은혜가 언제나 의리를 가려 영웅의 재능을 가진 자라도 여전히 주색酒色에 곤욕을 치르고 사랑과 정에 빠져 스스로를 극복해내지 못한 자들이 있다. 진실로 마음을 바르게 하고 몸을 닦아서 행동이 예의에서 비롯되어 나의 덕에 복종하게 하고 나의 위엄을 두려워하도록 하지 않는다면, 또한 무엇으로 저들 후비后妃를 바로잡고, 저들 청탁을 막고, 인척을 단속시켜서 재앙과 혼란의 싹이 트지 않게 할 수 있겠는가? 『서경』에 '암탉이 새벽에 우는 것은 집안이 기운다.'[112]라고 하였고, 어느 책에는 '복이 만들어지는 것이 집안에 근본하지 않음이 없고, 도가 쇠해지는 것이 안방에서 시작되지 않음이 없다.'[113]고 하였다."

[65-1-32]

"一念之萌, 則必謹而察之, 此爲天理耶, 爲人欲耶. 果天理也, 則敬以擴之而不使其少有壅閼; 果人欲也, 則敬以克之而不使其少有凝滯. 推而至於言語動作之間, 用人處事之際, 無不以是裁之. 知其爲是而行之, 則行之惟恐其不力, 而不當憂其力之過也. 知其爲非而去之, 則去之惟恐其不果, 而不當憂其果之甚也. 知其爲賢而用之, 則任之惟恐其不專, 聚之惟恐其不衆, 而不當憂其爲黨也. 知其爲不肖而退之, 則退之惟恐其不速, 去之惟恐其不盡, 而不當憂其有偏也. 如此則聖心洞然, 中外融徹, 無一毫之私欲得以介乎其間. 而天下之事, 將惟所欲爲, 無不如志矣."[114]

(주자가 말하였다.) "한 생각이 일어날 때 반드시 조심스럽게 그 생각을 살펴 이 생각이 하늘의 이치인지

109 덕스러운 사람을 … 것: 이는 『漢書』「匡衡傳」에서 광형이 成帝에게 올린 상소문 중 부부의 덕에 관해서 한 말 가운데 일부이다.

110 부인의 말이 … 않으며: 『禮記』「曲禮上」의 말이다.

111 꾸러미 선물에 … 것: 꾸러미의 원문 '苞苴'는 본래 물건을 싸는 풀이다. 대체로 갈대나 띠 풀 따위가 여기에 쓰였다. 『禮記』「少儀」의 "苞苴"의 鄭玄 注에 "갈대를 엮어 생선이나 고기를 싸는 것을 이른다.(謂編束萑葦以裹魚肉也.)"라고 하였다. 이것들이 선물 포장으로 쓰인 데에서 뇌물이나 선물의 뜻으로 쓰였다. 『荀子』 권19 「大略」에서 湯임금이 가물이 심하여 기도하면서 자신의 정치에 잘못이 있었는지 되돌아보는 말에 "부인네의 청탁이 성하였는가? 어찌하여 비가 오지 않음이 이 극도에 이르는가? 꾸러미가 돌아다녔는가? 참소하는 사람들이 생겨났는가? 어찌하여 비가 오지 않음이 이 극도에 이르렀는가?(婦謁盛與? 何以不雨至斯極也; 苞苴行與? 讒夫興與? 何以不雨至斯極也?)"라고 하며 그 잘못 일곱 가지 조목을 들었다. 탕임금의 기도문에는 여인네의 청탁이라고 구체적으로 지적한 것을 주자는 구체적인 여인네를 빼고 청탁이라는 말로 바꾸어 썼음을 볼 수 있다.

112 '암탉이 새벽에 … 기운다.': 『書經』「牧誓」의 말로 은나라를 치러 간 武王이 은나라의 군주 紂가 妲己의 말만을 들어 정사를 어지럽힌 것을 지적하면서 한 말이다.

113 '복이 만들어지는 … 없다.': 『漢書』「匡衡傳」에서 광형이 元帝에게 올린 상소문 가운데 일부이다.

114 『朱文公文集』 권14 「延和奏劄五」

인간의 욕심인지를 살펴야 한다. 만일 하늘 이치라면 공경하여 그 생각을 발전시켜 조금도 막힘이 없게 하고, 만일 사람의 욕심이면 공경하여 이겨내 조금도 남아있지 않게 해야 한다. 이를 미루어서 말하고 행동하는 순간과 사람을 등용하고 일 처리하는 즈음까지도 모두 이로써 재제해야 한다. 그것이 옳은 것인 줄 알고 행하려 하였으면 행하면서 오직 힘쓰지 못하게 될까 걱정하고, 자신이 힘쓰는 것이 지나칠까를 걱정하지 않아야 한다. 그것이 그른 것인 줄 알고 버리려 하였으면 버리면서 오직 과단성이 없을까를 걱정하고 자신의 과단성이 심할까를 걱정하지 않아야 한다. 그가 어진 사람인줄 알고서 등용하려 하였으면, 일을 맡기고서 그를 오로지 신임하지 못할까를 걱정하고 그런 사람을 모아들이면서 그들이 많지 못할까를 걱정해야지, 그들이 무리를 지을까 걱정하지 않아야 한다. 그가 불초한 줄 알고서 물리치기로 하였으면, 물리치는데 오직 속히 물리치지 못할까를 걱정하고, 버리는데 오직 남김없이 못할까를 걱정해야지 치우침이 있을까 걱정하지 않아야 한다. 이 같이 한다면 성스러운 마음이 환하여지고 안팎이 완전히 하나가 되어, 조금의 사사로운 욕심도 그 사이에 끼어들 수 없을 것이다. 그리하여 천하의 일이 하고자하는 대로 이루어져 일마다 뜻과 같지 않음이 없을 것이다."

[65-1-33]

"古先聖王所以立師傅之官, 設賓友之位, 置諫諍之職, 凡以先後縱臾, 左右維持, 惟恐此心頃刻之間, 或失其正而已. 原其所以然者, 誠以天下之本在是. 一有不正, 則天下萬事將無一物得其正者, 故不得而不謹也."[115]

(주자가 말하였다.) "예전의 성왕聖王이 사부師傅의 관직[116]을 두고 빈우賓友의 자리[117]를 설치하고 간쟁하는 직책을 두어, 앞뒤에서 종용하고 좌우에서 붙잡게 한 것은 오직 마음이 경각 사이라도 혹여 그 바름을 잃어버릴까 걱정할 따름이다. 그 까닭을 추구해보면 진실로 천하 (치란의) 근본이 여기에 있다. 조금이라도 바르지 않으면 천하만사의 어느 한 가지도 그 바름을 얻을 수 없으니, 그런 까닭에 삼가지 않을 수 없는 것이다."

[65-1-34]

"天下之事, 千變萬化, 其端無窮, 而無一不本於人主之心者, 此自然之理也. 故人主之心正, 則天下之事, 無一不出於正 ; 人主之心不正, 則天下之事, 無一得由於正. 蓋不惟其賞之所勸, 刑之所威, 各隨所向, 勢有不能已者. 而其觀感之間, 風動神速, 又有甚焉. 是以人主以眇然之身, 居深宮之中, 其心之邪正, 若不可得而窺者. 而其符驗之著於外者, 常若十目所視, 十手所

115 『朱文公文集』 권11 「庚子應詔封事」

116 師傅의 관직 : 太師와 太傅, 少師와 少傅를 이르는 말이다.

117 賓友의 자리 : 賓客과 朋友를 칭하는 말이다. 『晉書』「鄭袤傳」에 "魏 武帝가 처음에 여러 아들을 侯에 봉하고 賓友를 정하게 가려 선발하였다.(魏武帝初封諸子爲侯, 精選賓友.)"라고 하였다. 또 『晉書』「職官志」에는 "왕이 師와 友와 文學 각기 한 사람을 둔다. 友는 文王과 仲尼에게 四友가 있었다는 명칭을 따른 것이다.(王置師 · 友 · 文學各一人 … 友者, 因文王 · 仲尼四友之名號.)"라고 하여 임금이 友 벼슬을 두었음을 말하고 있다.

指, 而不可掩. 此大舜所以有惟精惟一之戒, 孔子所以有克己復禮之云, 皆所以正吾此心, 而爲天下萬事之本也.

(주자가 말하였다.) "천하의 일은 끝없이 변화하여 그 단서가 무궁하지만 어느 한 가지도 군주의 마음에 뿌리하고 있지 않음이 없으니 이는 자연스러운 이치다. 그러므로 군주의 마음이 바르면 천하의 일이 한 가지도 바름에서 나오지 않을 것이 없고, 군주의 마음이 바르지 않으면 천하의 일이 한 가지도 바를 것이 없다. 상을 내려 권면하고 형벌을 내려 위엄을 보이는 일뿐만 아니고, 각각 향하여 하는 일마다 중지할 수 없는 형세가 있다. 그 보고 감동을 일으키는 관계란, 바람에 따라 움직이고[118] 신의 빠름보다도 또 심함이 있다. 그러므로 군주는 아주 조그마한 한 몸으로 깊은 궁중 안에 머물고 있으니, 그 마음의 사악함과 바름을 엿볼 수 없을 것 같다. 그렇지만 부절符節[119]처럼 밖으로 드러나는 것이 늘 열 개의 눈이 보고 열 개의 손가락이 가리킨 것[120]과 같아서 가릴 수 없다. 이것이 대순大舜이 유정유일惟精惟一의 경계[121]를 한 까닭이고 공자가 극기복례克己復禮란 말[122]을 한 까닭이니, 모두가 나의 이 마음을 바로잡아서 천하만사의 근본이 되는 것이다.

此心旣正, 則視明聽聰, 周旋中禮, 而身無不正. 是以所行無過不及而能執其中, 雖以天下之大, 而無一人不歸吾之仁者. 然邪正之驗著於外者, 莫先於家人, 而次及於左右, 然後有以達於朝廷, 而及於天下焉. 若宮闈之內, 端莊齊肅, 后妃有關雎之德, 後宮無盛色之譏, 貫魚順序, 而無一人敢恃恩私以亂典常, 納賄賂而行請謁, 此則家之正也.

이 마음이 바르게 되면 보는 것이 밝아지고 듣는 것이 귀 밝아져서 행동이 예에 부합하여 몸이 바르지 않음이 없다. 그러므로 행동하는 것마다 지나치거나 미치지 못하는 일이 없이 '중용의 도[中道]'를 잡아,

118 바람에 따라 움직이고 : 이는 바람 따라 사방 모든 것이 쓰러지듯, 어떤 영향에 의해 모두가 함께 따르는 것을 이른다. 『書經』「大禹謨」에서 순임금이 皐陶에게 "나에게 원하는 바를 따라 다스려지도록 하여 사방이 바람에 따라 움직이는 것과 같게 한 것은 너의 아름다움이다.(俾予從欲以治, 四方風動, 惟乃之休.)"라고 한 말을 인용한 것이다.

119 符節 : 이글의 원문 '符驗'은 『荀子』「性惡」의 "부험이 있다.(有符驗)"의 王先謙의 集解에 "혹 부절 혹 부험 혹 부신이라고 하는 말은 동일한 말이다.(或言符節, 或言符驗, 或言符信, 一也.)"라고 하였다.

120 열 개의 … 것 : 이는 숨기고자 해도 숨길 수 없음을 이른 말이다. 『大學』「傳六章」에서 증자가 "열 개의 눈이 보는 바고 열 개의 손가락이 가리키는 바니 그 숨길 수 없음이 엄정하다.(十目所視 ; 十手所指, 其嚴乎!)"라고 한 말을 인용한 것이다.

121 大舜이 惟精惟一의 경계 : 大舜은 순임금을 높여서 이른 말이고, 惟精惟一은 순임금이 禹에게 임금 자리를 물려주면서 한 말이다. 『書經』「大禹謨」에 "人心은 위태하고 道心은 은미하니 정밀하게 살피고 한결같이 하여 진실로 그 중용의 도를 잡아야 한다.(人心惟危, 道心惟微, 惟精惟一, 允執厥中.)"라고 하였다. 이에 대한 자세한 설명은 주자의 「中庸章句序」에 자세하다.

122 克己復禮란 말 : 이는 공자가 제자 顔淵의 仁에 대한 물음에 답한 말이다. 자세히 보면 다음과 같다. "안연이 인을 묻자 공자가 말했다. '사욕을 이겨내고 예를 회복하는 것이 인을 온전히 하는 것이다. 어느 날 사욕을 이겨내면 천하가 인을 허여할 것이다. 인을 온전히 하는 것이 나에게 달린 것이지 남에게 달린 일이겠는가?' (顔淵問仁, 子曰, '克己復禮爲仁. 一日克己復禮, 天下歸仁焉. 爲仁由己, 而由人乎哉?)"

천하가 크지만 어느 한 사람 나의 인仁에 귀의하지 않음이 없게 된다. 그러나 사악함과 바름이 밖에서 증험되어 드러나는 일은 가인家人(부인)보다 우선할 것이 없고, 다음은 좌우의 측근에 미칠 것이고, 그 뒤에 조정에 이를 것이며 천하에 미쳐 갈 것이다. 만일 내궁內宮의 안이 단정 장중하고 가지런히 엄숙하여 후비后妃에게는 관저關雎의 덕[123]이 있고 후궁後宮에서는 미색美色이 많다는 비난이 없이,[124] 물고기 꿰미처럼 순서가 있고[125] 어느 한 사람 감히 은총을 믿어서 떳떳한 법도를 어지럽히고 뇌물을 돌려 청탁을 행함이 없어야 하니, 이것이 집안의 바름이다.

退朝之後, 從容燕息, 貴戚近臣, 攜僕奄尹, 陪侍左右, 各恭其職, 而上憚不惡之嚴, 下謹戴盆之戒, 無一人敢通內外, 竊威福, 招權市寵以紊朝政, 此則左右之正也. 內自禁省, 外徹朝廷, 二者之間, 洞然無有毫髮私邪之間, 然後發號施令, 群聽不疑, 進賢退姦, 衆志咸服. 紀綱得以振而無侵撓之患, 政事得以修而無阿私之失. 此所以朝廷百官六軍萬民, 無敢不出於正, 而治道畢也.

조정에서 물러나온 뒤 조용히 편안하게 쉴 적에는 귀척貴戚(제왕의 집안사람), 가까운 신하, 휴복攜僕,[126] 엄윤奄尹[127]이 좌우에서 가까이 모시며 각기 자신의 직책을 공손히 수행하여, 위에서는 험한 말로 하지

123 后妃에게는 關雎의 덕 : 關雎는 『詩經』「國風 · 周南」의 맨 머리 편 시 제목이다. 이 시는 문왕이 후비 太姒를 맞이하자 그의 閒雅한 德을 본 주나라 백성들이 문왕의 聖德에 잘 맞는 배필임을 알고서 그 아름다움을 칭송한 시이다. 자세히 보면 다음과 같다. "암컷 수컷 주고받으며 우니는 雎鳩새여! 황하의 물가에서 정답게 노닐도다. 얌전한 숙녀여 군자의 좋은 짝이로다.(關關雎鳩! 在河之洲. 窈窕淑女, 君子好逑.)" 이 시는 부부의 바른 덕을 노래한 전범으로 부부의 덕이 올바른 데에서 齊家가 이루어지고 이것이 발전하여 平天下에 이르렀으니 곧 주나라가 세워진 기초가 여기서 비롯되었음을 칭송한 것이다.

124 後宮에서는 美色이 … 없이 : 미색이 많다는 비난의 원문 '盛色之譏'는 『漢書』「賈捐之傳」에서 南越의 珠厓가 武帝 때부터 반란을 반복하다가 元帝 초년에 이르러 6차에 걸쳐 연이어 반란을 일으키자 군사를 크게 동원하여 정벌할 것을 논하였다. 이때 가연지는 이를 반대하였다. 이에 원제는 가연지의 이 주장을 반박하며 합당한 대답을 요구하였다. 가연지가 이에 대답하여 "후궁에 어여쁜 미인이 많으면 어진 사람은 숨고, 영악한 사람이 정책을 좌지우지하면 간쟁하는 신하는 입을 닫습니다. 文帝는 이런 일을 시행하지 않았기에 시호를 孝文, 廟號를 太宗이라 하였습니다.(夫後宮盛色, 則賢者隱處 ; 佞人用事, 則諍臣杜口. 而文帝不行, 故謚爲孝文 ; 廟稱太宗.)"라고 하였다. 곧 이런 일이 없어야 어진 인재가 조정에서 벼슬하게 된다는 뜻을 넌지시 암시하고 있는 것이다.

125 물고기 꿰미처럼 … 있고 : 이는 內宮에 편애와 시샘이 없는 것을 이르는 말이다. 『周易』「剝卦(䷖)」 六五의 爻辭에 "육오 효는 물고기를 꿰듯 하여 궁인이 총애를 받으면 이롭지 않음이 없으리라.(六五, 貫魚, 以宮人寵, 無不利.)"한 말에서 인용하였다. 곧 물고기의 꿰미처럼 순서를 넘어섬이 없어야 모든 것이 순조롭다는 뜻이다.

126 攜僕 : 제왕의 근신 중 여러 잡일을 맡는 신하이다. 『書經』「立政」에서 周公이 成王에게 近臣의 중요성을 말한 가운데 한 가지 일을 담당하는 벼슬로 나열한 중에 한 가지 벼슬이다. 攜僕에 대하여 蔡沈은 "잡스런 일을 하는 사람들이다.(攜持雜御之人)"라고 하였다.

127 奄尹 : 환관의 우두머리나 환관을 두루 이르는 말이다. 『禮記』「月令」 仲冬之月의 일에 "엄윤을 명하여 궁궐의 영을 다진다.(命奄尹, 申宮令.)"라고 하고, 鄭玄의 注에 "奄尹은 환관을 거느리는 관원이다. 周나라에서는

않고 엄하게 대하며[128] 아래서는 동이를 머리에 인 경계[129]를 삼가게 해서, 어느 한 사람도 감히 안팎을 오가며 위엄과 복을 내리는 (군주의) 권위를 훔치고 권세에 빌붙고[130] 총애를 팔아 조정 정무를 문란하게 함이 없어야 하니, 이것은 좌우 측근의 바름이다. 안의 황궁皇宮[131]으로부터 밖의 조정까지 두 곳 사이가 환히 털끝만큼의 사사로운 사악도 없는 다음이라야 호령을 펼 때 듣는 뭇 사람이 의심하지 않고, 어진 사람을 등용하고 간악한 사람을 물리칠 때 백성의 뜻이 모두 감복한다. 그래야 기강이 떨쳐져 침해받거나 방해받지 않아, 정치가 닦아질 수 있고 사사롭게 아부하는 잘못이 없게 된다. 이것이 조정 · 백관百官 · 육군六軍[132] · 만백성이 감히 바름에서 나오지 아니함이 없는 것이니 다스리는 도리의 끝이다.

心一不正, 則是數者固無從而得其正. 是數者一有不正, 而曰心正, 則亦安有是理哉? 是以古先聖王兢兢業業持守此心. 雖在紛華波動之中, 幽獨得肆之地, 而所以精之一之, 克之復之, 如對神明, 如臨淵谷, 未嘗敢有須臾之怠. 然猶恐其隱微之間, 或有差失而不自知也. 是以建師保之官以自開明, 列諫諍之職以自規正. 而凡其飮食酒漿, 衣服次舍, 器用財賄, 與夫宦官宮妾之政, 無一不領於冢宰之官. 使其左右前後, 一動一靜, 無不制以有司之法. 而無纖芥之

內宰이니 왕궁의 內政을 관장한다.(奄尹, 主領奄豎之官也. 於周則爲內宰, 掌治王之內政.)"고 하였다.

128 험한 말로 … 대하며 : 『周易』「遯卦(䷠)」의 象辭에서 인용한 말이다. 자세히 보면 다음과 같다. "하늘 아래 산이 遯卦의 卦象이니 군자는 이를 법 받아 소인을 멀리하되 험한 말로 하지 않고 엄하게 대한다.(天下有山, 遯. 君子以, 遠小人, 不惡而嚴.)"라고 하고, 程頤의 傳에 "소인을 멀리하는 도리는 만일 험한 말과 노여운 낯빛으로 대하면 다만 그의 원망과 울분만을 사므로, 오직 점잖고 장엄하며 위엄차게 함이 있어야 하니 공경하고 두려워할 줄 알게 하면 저절로 멀어진다.(遠小人之道, 若以惡聲厲色, 適足以致其怨忿, 唯在乎矜莊威嚴, 使知敬畏, 則自然遠矣.)"고 하였다.

129 동이를 머리에 … 경계 : 신하로서 다른 마음을 갖지 않고 노력하여야 함을 이른 말이다. 『漢書』「司馬遷傳」에서 사마천이 친구 任少卿(任安)에게 보낸 답장 편지에, 李陵을 변호하다 자신이 宮刑을 당한 연유를 말하기에 앞서 자신이 국가의 일에 충성을 다하였음을 말하며 "저는 동이를 머리에 이었는데 어떻게 하늘을 쳐다볼 수 있겠는가라고 생각한 까닭에, 친구들과의 왕래를 끊고 집안의 일조차도 잊어버렸습니다.(僕以爲戴盆何以望天, 故絶賓客之知, 亡家室之業.)"라고 하였는데, 이를 李善은 "사람이 동이를 머리에 이면 하늘을 쳐다볼 수 없고 하늘을 쳐다보게 되면 동이를 머리에 일 수 없으니 두 가지 일을 겸해서 할 수 없음을 말한 것이다.(言人戴盆則不得望天, 望天則不得戴盆, 事不可兼施.)"라고 하였다.

130 권세에 빌붙고 : 이 글의 원문 招權은 『史記』「季布傳」의 "초나라 사람 조구생은 변사였는데 자주 권세에 빌붙어 금전을 얻었다.(楚人曹丘生, 辯士, 數招權顧金錢.)"를 설명한 裴駰의 『史記集解』에 "招는 구함이다. 금전으로 권력 있는 사람을 섬겨 그들의 형세를 얻어 자신을 빛나게 하는 것이다.(招, 求也. 以金錢事權貴, 而求得其形勢以自炫燿也.)"라고 하였다.

131 皇宮 : 이글의 원문 禁省은 禁中과 省中을 이르는 말이다. 『文選』 左思의 「魏都賦」의 "禁臺省中"의 李善注에 "한나라 제도에서 왕이 사는 곳은 금중, 여러 왕자들이 사는 곳은 성중이라 한다.(漢制, 王所居曰禁中, 諸公所居曰省中.)"라고 하였다.

132 六軍 : 천자가 거느리는 군대를 이른다. 『周禮』「夏官 · 序官」에 "군대에 관한 제도는 1만 2500명이 1軍이다. 천자는 6군, 큰 제후국은 3군, 다음 제후국은 2군, 작은 나라는 1군이다.(凡制軍, 萬有二千五百人爲軍. 王六軍, 大國三軍, 次國二軍, 小國一軍.)"라고 하였다.

隙, 瞬息之頃, 得以隱其毫髮之私. 蓋雖以一人之尊, 深居九重之邃, 而懍然常若立乎宗廟之中, 朝廷之上. 此先王之治所以由內及外, 自微至著, 精粹純白, 無少瑕翳. 而其遺風餘烈, 猶可以爲後世法程也."[133]

마음이 조금이라도 바르지 않으면 이들 몇 가지는 절대 그 바름을 얻을 수 있는 길이 없다. 이들 몇 가지에 하나라도 바르지 않음이 있는데 '마음이 바르다.'고 말한다면 또한 어찌 이럴 이치가 있겠는가? 그러므로 예전의 성왕聖王은 조심조심 두려워하며 이 마음을 간직해 지켰다. 수많은 화려함이 물결처럼 일렁이는 속이나 고요히 혼자서 마음대로 방종할 수 있는 곳에서도 정밀하게 살피고 한결같이 지켜내며, 사심을 이겨내고 본심을 회복하는 일을 신명神明을 마주한 것처럼 깊은 연못에 다다른 것처럼 하며 감히 잠깐의 나태함도 두지 않았다. 그러나 그 은미한 속에서라도 혹여 잘못이 있으면서 스스로 알지 못할까 두려워하였다. 그러므로 사보師保의 관원을 두어 스스로의 지혜를 열어 밝게 하고 간쟁하는 직책을 늘어 세워 스스로를 바로잡았다. 그리하여 갖가지의 음식, 술, 음료수, 의복, 잠시 쉬는 곳, 그릇, 일상용품, 재화財貨들과 환관과 궁첩宮妾[宮女]에 대한 정사를 어느 하나도 총재冢宰에게 지휘 받지 않음이 없었다. 그리하여 좌우 전후와 행동 하나 쉬는 일 하나도 해당 관원의 법도에 제재되지 않음이 없도록 하여, 실밥 하나의 틈새와 눈 깜짝 숨 한번 쉬는 잠깐 시각에도 털끝만큼의 사사로움이 숨겨질 수 없었다. 한사람의 존귀한 신분으로 구중궁궐 깊숙이 머물고 있지만 위태로워함이 항상 종묘나 조정에 임하여 있는 것 같이 하였다. 이것이 선왕先王의 정치가 안으로부터 밖으로 뻗어나가고 은미한 곳에서 드러나는 데 이르기까지 더없이 정수精粹하고 순백純白하여 조금도 흠이 없는 까닭이다. 그것들의 남아 전하여진 바람과 공훈은 여전히 후세의 법칙이 될 만하다."

[65-1-35]

"人主當務聰明之實, 而不當求聰明之名. 信任大臣, 日與圖事, 反覆辯論以求至當之歸, 此聰明之實也 ; 偏聽左右, 輕信其言, 此聽明之名也. 務其實者, 今雖未明, 久必通悟 ; 務其名者, 或一時可以竦動觀聽, 然中實未明, 愈久而愈暗矣. 二者之間所差毫釐, 而其得失則有大相遠者."[134]

(주자가 말하였다.) "군주는 총명의 실제에 힘써야지 총명하다는 명성을 구하여서는 안 된다. 대신을 신임해 날마다 함께 일을 도모하며 반복해 분석하고 의논하여 당연한 귀결점을 구하는 것은 총명의 실제이고, 좌우 측근의 한쪽 말만을 듣고 그들 말을 경솔하게 믿는 것은 총명하다는 명성이다. 실제에 힘쓰는 군주는 지금은 지혜가 밝지 못하더라도 오래가면 반드시 환히 깨달아 알고, 명성에 힘쓰는 군주는 혹 한때는 소문이 진동할 수 있겠지만 그러나 속은 실상 밝지 못하여 세월이 갈수록 더욱 어두워진다. 두 일 사이의 차이는 털끝 만하지만 그 성공과 실패는 크게 서로 동떨어진다."

133 『朱文公文集』 권11 「戊申封事」
134 『朱文公文集』 권14 「經筵留身面陳四事劄子」

[65-1-36]

"講學所以明理而導之於前, 定計所以養氣而督之於後, 任賢所以修政而經緯乎其中, 天下之事無出乎此者矣."[135]

(주자가 말하였다.) "학문을 익히는 일은 이치를 밝혀 앞에서 인도하게 하는 것이고, 계획을 세우는 것은 기운을 길러 뒤에서 독려하게 하는 것이며, 어진이를 임용하는 것은 정사를 닦아 그 안에 있는 것을 다스리는 것이니, 천하의 일은 이것에서 벗어나지 않는다."

[65-1-37]

問 : "聖人兼三才而兩之."

曰 : "上至天, 下至地, 中間是人. 塞于兩間者, 無非此理. 雖是聖人出來左提右挈, 原始要終, 無非欲人有以全此理, 而不失其本然之性 ; 天佑下民, 作之君, 師之師, 只是爲此道理, 所以作箇君師, 以輔相裁成左右民, 使各全其秉彛之良, 而不失其本然之善而已. 故聖人以其先得諸身者, 與民共之, 只是爲這一箇道理."

물었다. "'성인이 삼재三才를 거듭하여 둘씩 만들었다.'[136]라고 하였습니다."

(주자가) 대답하였다. "위로는 하늘에 이르고, 아래로는 땅에 이르며, 중간은 사람이다. 두 사이를 채우고 있는 것은 리理 아님이 없다. 성인이 세상에 나와 좌우에서 붙잡아 돕고 시원을 추구하여 결론을 찾아낸 것[137]은 사람들이 이 이치를 온전히 하여 본연의 성품을 잃지 않게 하고자 한 것이다. 하늘이 백성을 도와 군주를 세우고 스승을 세운 것도 단지 이 도리를 위한 것일 뿐이니, 이들 군주와 스승을 세워 보상輔相하고 재성裁成하여[138] 백성들을 도와 각기 그들이 '지닌 떳떳한 본성[秉彛]'을 온전히 하여 본연의

135 『朱文公文集』 권11 「壬午應詔封事」

136 '성인이 三才를 … 만들었다.' : 이는 易의 한 卦를 설명한 말이다. 여기서 三才는 天地人을 이르고, 거듭이란 卦가 처음 세 爻로 만들어졌을 때 이미 세 효에 천지인이 담겼는데, 이를 다시 거듭시켜 여섯 효로 만들며 하늘을 상징하는 효가 두 효, 땅을 상징하는 효가 두 효, 사람을 상징하는 효가 두 효씩 되었다는 말이다. 한 괘에서 제일 아래 두 효는 땅, 중간의 두 효는 사람, 위의 두 효는 하늘을 상징한다. 이들 말은 『周易』「繫辭下」 제10장에서 인용한 것이다. 자세히 보면 다음과 같다. "『周易』의 책에 광대한 것이 모두 갖추어져 天道도 있고, 人道도 있고 地道도 있다. 삼재를 거듭하여 둘씩 한 까닭에 여섯 효이다. 여섯 효는 다른 것이 아니고 삼재의 도리이다.(易之爲書也, 廣大悉備, 有天道焉 ; 有人道焉 ; 有地道焉. 兼三才而兩之, 故六. 六者非它也, 三才之道也.)"고 하였다.

137 시원을 추구하여 … 것 : 이 글의 원문 '原始要終'은 어떤 현상에 대해서 그 시작을 추구하여 그 결과를 알아냄을 이르는 말이다. 『周易』「繫辭上」 제9장에 "『周易』의 책은 시원을 거슬러 올라가 결과를 찾아내서 그것을 바탕으로 삼는다.(易之爲書也, 原始要終, 以爲質也.)"고 하였다.

138 輔相하고 裁成하여 : 이는 『周易』「泰卦」의 象辭, "천지가 어우러져 조화를 이룬 것이니 군주가 이를 법 받아 하늘과 땅의 도리를 재성하고 하늘과 땅의 마땅함을 도와 백성을 돕는다.(天地交泰, 后以, 財成天地之道, 輔相天地之宜, 以左右民.)"를 인용한 말이다. 여기서 이 글의 '裁成'이 『周易』에 '財成'으로 쓰였음을 볼 수 있다. 裁는 財자와 通用字이다. 이를 程頤의 傳에서 "재성은 천지가 어우러져 조화를 이룬 도리를 본받아서 시행할 방법을 만든 것이다.(財成, 謂體天地交泰之道, 而成其施爲之方也)"고 하였고, 보상은 "하늘과 땅의

선善을 잃지 않게 하고자 한 것이다. 그러므로 성인이 자신의 몸에서 먼저 터득한 것을 백성들과 함께하는 것도 단지 이 하나의 도리일 뿐이다."

[65-1-38]

南軒張氏曰 : "人主尤不可孤立. 堯舜明四目, 達四聰, 通天下爲一身. 若紂則爲獨夫矣."

남헌 장씨南軒張氏[張栻]가 말하였다. "군주는 더욱 더 외톨이로 존재해서는 안 된다. 요순堯舜은 사방으로 보는 눈을 밝게 하고 사방으로 듣는 귀를 막힘이 없게 하여[139] 온 천하를 한 몸으로 삼았다. 그런데 주紂는 독부獨夫[140]가 되었다."

[65-1-39]

"漢武謂多欲不宜君國子民, 此言極是. 旣是多欲, 豈可使之君國子民? 武帝雖能言此, 他却亦自多欲. 然此言不可以人廢."[141]

(남헌 장씨가 말하였다.) "한 무제漢武帝가 '욕심이 많은 것은, 나라의 군주가 되고 백성을 사랑하기에 좋지 않다.'라고 하였으니, 이 말이 매우 좋다. 이미 욕심이 많은데 어떻게 나라의 군주가 되어 백성을 사랑하게 할 수 있겠는가? 무제가 말은 이렇게 하였으나 그 또한 욕심이 많다. 그러나 이 말은 사람으로 인해서 그 말까지 버릴 수는 없다.[142]"

[65-1-40]

"人主不可以蒼蒼者便爲天, 當求諸視聽言動之間. 一念纔是, 便是上帝臨汝, 上帝臨汝, 簡在帝心 ; 一念纔不是, 便是上帝震怒."[143]

도가 통하여 만물이 무성하여지면 군주가 이를 본받아 법제를 제정하여 백성들에게 자연계의 철에 따라 농사짓고 땅의 특성대로 따르게 하여, 하늘과 땅의 잉태시키고 기르는 일을 도와 풍성하고 아름다운 이로움이 이루어지게 한다.(天地通泰, 則萬物茂遂, 人君體之而爲法制, 使民用天時因地利, 輔助化育之功, 成其豊美之利也.)"고 하였다.

139 사방으로 보는 … 하여 : 이 말은 『書經』「舜典」의 "四岳에게 물어, 사방의 문을 열고 사방으로 보는 눈을 밝게 하고 사방으로 듣는 귀를 막힘이 없게 하였다.(詢于四岳, 闢四門 ; 明四目 ; 達四聰.)"에서 인용한 말로 본래는 순임금의 일인데, 여기서 요임금까지 거슬러 올라간 것은 요순을 같은 도를 행한 군주로 보아서이다.

140 獨夫 : 紂(주)는 商나라의 마지막 군주이다. 독부는 『書經』「泰誓下」에 "독부 受가 크게 위엄을 부리니 너희들의 대물린 원수이다.(獨夫受, 洪惟作威, 乃汝世讎.)"라고 한 말에서 망국의 군주인 주를 지칭하는 말이 되었다. 이를 蔡沈 「集傳」에 "독부는 천명이 이미 끊기고 백성들 마음이 이미 떠나 단지 한 사람의 독부였을 뿐이다.(獨夫, 言天命已絶, 人心已去, 但一獨夫耳.)"고 하였다.

141 『西山讀書記』 권25에 남헌 장씨의 말로 실려 있다.

142 사람으로 인해서 … 없다. : 『論語』「衛靈公」에 공자가 "군자는 말을 기준삼아 사람을 등용하지 않고, 사람을 기준삼아 말을 버리지 않는다.(君子不以言擧人, 不以人廢言.)"고 하였다.

143 『宋名臣言行錄』 外集 권13 「張栻南軒先生宣公」

(남헌 장씨가 말하였다.) "군주는 푸른 것을 하늘이라고 생각해서는 안 되니 당연히 보고 듣고 말하고 행동하는 사이에서 구해보아야 한다. 한 생각이 옳으면 상제가 보고 계시고, 상제가 너에게 임해 있어 점고하심이 상제의 마음에 달려있을 것[144]이라 생각하고, 한 생각이 옳지 않으면 상제가 진노할 것이라고 생각해야 한다."

[65-1-41]

西山眞氏曰: "知父母之心者, 可以知天心; 知人君之道者, 可以知天道. 蓋父母之於子也, 鞠育而遂字之, 仁也; 鞭扑而敎戒之, 亦仁也. 君之於臣也, 爵賞以褒勸之, 仁也; 刑罰以聳礪之, 亦仁也. 天佑民而作之君, 其愛之深, 望之切, 無異親之於子, 君之於臣也. 故君德無媿, 則天爲之喜, 而祥瑞生焉; 君德有闕, 則天示之譴, 而災異形焉. 災祥雖異, 所以勉其爲善一也. 天之愛君如此, 爲人君者其可不以天之心爲心乎?"[145]

서산 진씨西山眞氏[眞德秀]가 말하였다. "부모의 마음을 아는 사람은 하늘의 마음을 알 수 있고, 군주의 도리를 아는 군주는 하늘의 도리를 알 수 있다. 부모가 자식에게 길러서 성장시키는 것도 인仁이고, 매를 때려 가르치고 경계시키는 것도 인이다. 군주가 신하에게 작위와 상으로 표창하고 권면하는 것도 인이고 형벌로 바짝 가다듬는 것도 역시 인이다. 하늘이 백성을 도우려 군주를 세웠으니 그 사랑의 깊음과 바람의 간절함은 어버이에게서의 자식, 군주에게서의 신하와 다를 바 없다. 그러므로 군주의 덕에 부끄러울 것이 없으면 하늘이 기뻐하여 상서祥瑞가 생겨나고, 군주의 덕에 모자람이 있으면 하늘이 꾸짖음을 보여 재이災異가 나타난다. 재이와 상서는 다르지만 선한 일을 하도록 권면하는 것은 마찬가지다. 하늘의 군주 사랑이 이 같은데 군주 된 자가 하늘의 마음으로 자신의 마음을 삼지 않을 수 있겠는가?"

[65-1-42]

鶴山魏氏曰: "古之人君以天位爲至艱至危, 如履虎尾, 如蹈春氷, 如恫瘝乃身. 是故師氏司朝, 僕臣正位, 太史奉諱, 工師誦詩, 御瞽幾聲, 巫史後先, 卜筮左右, 人主無一時可縱弛也. 虞賓在位, 三恪助祭, 夏士在庭, 殷士在廟, 隸民在甸, 夷隸在門, 人主無一事不戒懼也. 蟲飛而會盈, 日出而視朝, 朝退而路寢聽政, 日中而考政, 夕而糾虔天刑, 日入而絜奉粢盛, 然後卽安, 人主無一刻可暇逸也. 后妃御見有度, 應門擊柝, 鼓人上堂, 女史授環, 彤管記過, 人主無一息可肆欲也.

학산 위씨鶴山魏氏[魏了翁]가 말하였다. "예전의 군주는 천자 자리를 지극히 어렵고 지급히 위험한 것으로

144 점고하심이 상제의 … 것: 『書經』「湯誥」에 탕임금이 하나라를 치기 위해 군사를 모아두고 맹세한 말 가운데 "남에게 훌륭한 점이 있으면 내가 감히 가리지 않을 것이고, 죄가 내 몸에 있는 것은 감히 내 자신이 이를 용서하지 않을 것이니 점고하는 일은 상제의 마음에 달려있다.(爾有善, 朕弗敢蔽, 罪當朕躬, 弗敢自赦, 惟簡在上帝之心.)"고 하였다. 바로 상제가 훌륭한 일을 마음에 담아두고 평가할 것이란 말이다.

145 『西山文集』 권2 「對越甲藁 · 辛未十二月上殿奏劄一」

생각하여 마치 호랑이 꼬리를 밟은 듯, 마치 봄 어름을 밟은 듯, 몸에 아픈 병을 앓는 것처럼 여겼다. 이런 까닭에 사씨師氏는 조정을 맡고,[146] 시중드는 신하는 바르게 자리하고,[147] 태사太史는 휘諱하는 일을 고하고,[148] 공사工師는 시를 외우고,[149] 어고御瞽는 음악 소리를 살피고,[150] 무사巫史는 앞뒤에 자리하고[151] 복서卜筮는 좌우에 늘어서 있어[152] 군주가 한때도 긴장을 풀 수 없다. 우빈虞賓이 자리하여 있고[153] 삼각三恪이 제사를 도와[154] 하夏나라 신하는 뜰에 자리하고, 은나라 신하는 종묘에 자리하여,[155] 원수가 된 백성[156]은 전甸에 자리하고,[157] 이례夷隸는 문에 있으니[158] 군주가 한 가지 일도 경계하고 두려워하지

146 師氏는 조정을 맡고 : 사씨는 周나라의 벼슬 이름이다. 『書經』「顧命」에 이 벼슬 이름이 나오는데 蔡沈「集傳」에 "大夫가 맡는 벼슬이다.(大夫官)"고 하였고, 『詩經』「小雅 · 十月之交」 "楀維師氏, 豔妻煽方處."의 朱子「集傳」에는 "사씨는 역시 중대부가 맡는 벼슬이다. 조정 일의 잘잘못을 관장한다.(師氏, 亦中大夫, 掌司朝得失之事者也.)"라고 하였다.

147 시중드는 신하는 … 자리하고 : 『書經』「冏命」에 "시중드는 신하가 바르면 그 군주가 바르다.(僕臣正, 厥后克正.)"라고 하였다.

148 太史는 諱하는 … 고하고 : 『禮記』「王制」에 "태사가 예에 관한 책을 관장하여 (국가에 의전 행사가 있을 경우) 책에 기록된 예의와 당연히 알아야 할 종묘의 諱(선왕의 이름), 제사 날짜[惡] 따위를 천자에게 고하면 천자는 그것을 재계하고 받는다.(大史典禮, 執簡記, 奉諱惡, 天子齊戒, 受諫.)"라고 하였다.

149 工師는 시를 외우고 : 공사는 樂官이고 시는 예전의 귀감이 될 만한 시를 임금에게 외워 전하여 임금의 심성을 도야하는 일을 이른다.

150 御瞽는 음악 … 살피고 : 위 [65-1-29] 御瞽 주석 참고

151 巫史는 앞뒤에 자리하고 : 위 [65-1-29] 宗祝과 巫史 주석 참고

152 卜筮는 좌우에 … 있어 : 위 [65-1-29] 卜筮瞽侑 주석 참고

153 虞賓이 자리하여 있고 : 우빈은 요임금의 아들 丹朱를 이른다. 『書經』「益稷」에 "우나라의 손님이 자리하여 뭇 제후들과 덕스럽게 사양한다.(虞賓在位, 群后德讓.)"라고 하였고 채침의 『集傳』에 "우빈은 단주이다.(虞賓, 丹朱也.)"라고 하였다. 순임금이 요임금으로부터 제왕의 자리를 물려받아 제사를 지낼 때 요임금의 아들 단주가 우나라 손님의 예우를 받으며 참여하였음을 이른다. 이 문장 우빈에서부터 夷隸까지는 군왕에게 늘 마음 놓을 수 없는 사람이 있어 공경하는 마음을 한시도 풀어놓을 수 없음을 설명한 것들이다. 따라서 인용된 글이 시대에 상관없이 인용되었음을 살필 수 있다.

154 三恪이 제사를 도와 : 삼각은 주나라 시대 예전 왕조의 자손에게 왕후의 명칭을 주고 공경히 받든 데에서 이들 세 왕조의 왕을 지칭하는 말로 썼다. 『左傳』「襄公 25년」 정나라의 子産이 "예전에 虞閼父가 周나라의 陶正 벼슬을 하며 우리 주나라의 武王을 잘 섬겼습니다. 우리 선왕께서 그가 잘 만든 그릇이며 일상용품의 덕을 보셨고 그가 신명한 순(임금의) 후손이라고 하여 맏 공주 太姬를 胡公(우알보의 아들)의 짝으로 삼고 陳나라에 봉하여 三恪의 숫자에 들었습니다.(昔虞閼父爲周陶正, 以服事我先王. 我先王賴其利器用也, 與其神明之後也, 庸以元女大姬配胡公, 而封諸陳, 以備三恪.)"라고 하였는데 杜預의 注(『춘추좌전주소』)에 "주나라가 천하를 얻고서 하나라와 은나라의 후손을 봉하고, 또 순임금의 후손을 봉하여 恪이라고 부르니 두 왕조의 후손과 세 나라가 되었다.(周得天下, 封夏 · 殷二王後, 又封舜後, 謂之恪, 并二王後爲三國.)"라고 하였다.

155 夏나라 신하는 … 자리하여 : 하나라 신하 운운은 고증하기 어렵고, 『詩經』「大雅 · 文王」에 "은나라의 아름답고 재빠른 대부가 주나라 서울에 와서 降神禮를 돕는다.(殷士膚敏, 祼將于京.)"라고 하였다. 곧 주나라의 제사에 은나라 대부가 참여하는 것으로 제왕의 경각심을 늦추어서는 안 됨을 설명한 것이다.

156 원수가 된 백성 : 이글의 원문 '讎民'은 『書經』「召誥」에 "저(召公)는 감히 왕[成王]과 원수가 된 백성과 여러

않을 수 없다. 벌레가 날아 조정의 뜰이 꽉 차고[159] 해가 뜨면 조회를 살피고, 조회에서 물러나서는 노침路寢에서 정사를 듣고,[160] 한낮이면 정사를 살피고, 석양이면 하늘의 법칙을 공경히 살피고[161] 해가 지면 자성粢盛[제수에 쓸 음식]을 깨끗이 받들게 하고,[162] 그 뒤에야 편안히 쉬니 군주가 어느 한 시각도 겨를을 내 편안할 수 없다. 후后와 비妃가 군주를 뵙는 것에도 법도가 있어 응문應門[궁궐 정문]에서 딱따기를 치고,[163] 고인鼓人[樂官]이 당堂에 오르고, 여사女史가 반지를 건네주고,[164] 동관彤管이 허물을 기록하

덕있는 사람들과(予小臣, 敢以王之讎民·百君子)"의 채침 『集傳』에 "원수가 된 백성은 은나라의 고집불통의 백성과 三監과 반란을 일으킨 자(讎民, 殷之頑民, 與三監叛者)"라고 하였다.

157 甸에 자리하고 : 전은 여러 설이 있다. 『周禮』「地官·載師」에 "公邑(제후가 직할하는 땅)의 전답에 전지를 둔다.(以公邑之田任甸地)"라고 하고 賈公彦 疏(『주례주소』)는 "전은 원교의 바깥에 있다.(甸在遠郊之外.)"라고 하였고, 孫詒讓의 『正義』에는 "司馬法에 '(수도에서) 1백리가 원교이다.'라고 하였고, 지금 전은 원교 밖에 있다고 하였으니 2백리 안이다.(司馬法'百里爲遠郊.' 今言甸在遠郊外, 則是二百里中.)"라고 하였다. 또 『禮記』「王制」에 "1천리 안이 전이고 수도는 그 안에 있다.(千里之內曰甸, 京邑在其中央.)"고 하고 孫希旦의 『集解』에 "전은 전답이다. 1천리의 안은 세금을 천자에게 내야 하므로 그곳을 전이라고 부른다.(甸, 田也. 千里之內, 其田賦入於天子, 故謂之甸.)"라고 하였다. 『周禮』의 설을 따르면 수도 주위 2백리 안이고, 『禮記』의 설을 따르면 1천리 안이다. 그러한 범위 안에 원수가 된 백성이 있어 방심할 수 없다는 말이다.

158 夷隷는 문에 있으니 : 이례는 『周禮』에서 「秋官」에 소속되어 궁궐 문을 관장하는 사람들이다. 이글의 일부 주석에 이례는 동쪽 지역 정벌에서 포로로 잡아온 사람들이라고 하였다. 모두 마음 놓을 수 없음을 설명한 것이다.

159 벌레가 날아 … 차고 : 여기서 벌레는 아침이 밝아오며 날기 시작한 벌레들이다. 『詩經』「齊風·鷄鳴」 제3장에 "벌레가 날아 앵앵거릴 적에 그대와 함께 단꿈 꾸고 싶건만 (조정에) 모여들었던 신하들 돌아가기라도 하면 행여 나로 해서 당신이 미움 사지 않겠소.(蟲飛薨薨, 甘與子同夢, 會且歸矣, 無庶予子憎.)"라고 하고, 또 이 시의 첫 章 "닭이 홰를 쳤으니 조정에 신하들이 이미 꽉 차 있겠소이다.(雞既鳴矣, 朝既盈矣.)"라고 한 것에서 인용한 말이다.

160 路寢에서 정사를 듣고 : 노침은 군주가 정사를 다스리는 正殿이다. 자세한 것은 위 [65-1-29]의 六寢과, 三朝와 五門의 주석 참고

161 석양이면 하늘의 … 살피고 : 『國語』「魯語下·公父文伯之母論勞逸」에 "少采服(세 가지 색깔로 지은 옷)을 입고 석양에는 달을 맞이하여 태사와 天文을 살펴 하늘의 법칙을 공경히 살핀다.(少采夕月, 與太史司載, 糾虔天刑.)"라고 하였다. 천문을 살펴 어떤 재앙의 조짐이 있는지 살피는 것이다.

162 해가 지면 … 하고 : 이글도 위 주석처럼 『國語』「魯語下·公父文伯之母論勞逸」에서 인용한 것이다. 『국어』는 "해가 지면 九御를 살펴서 禘 제사와 郊 제사에 쓸 자성을 깨끗이 받들게 하고 그 뒤에 편안한 곳으로 나아간다.(日入監九御, 使潔奉禘郊之粢盛, 而後即安.)"라고 하였다.

163 后와 妃가 … 치고 : 『尚書大傳』 권3 「多士傳」에 "예전에 后와 夫人이 군주를 모시려면 앞서 촛불을 꺼트렸다가 나중에 촛불을 밝히고 군주가 있는 방에 이르러 朝服을 벗고 일상복으로 갈아입고서 그 뒤에 들어가 군주를 모신다. 첫닭이 홰를 치면 太師가 섬돌 아래에서 첫닭이 홰를 쳤음을 아뢰고 부인은 방안에서 佩玉을 울려서 떠나감을 알린다. 그 뒤에 응문에서 딱따기를 쳐서 조정의 문이 열렸음을 알리고 그 뒤에 少師가 섬돌 아래에서 동이 텄음을 아뢰며 그 뒤에 부인이 조정 뜰로 들어가면 군주는 조정으로 나온다.(古者后夫人將侍君, 前息燭, 后舉燭. 至房中, 釋朝服襲燕服, 然後入御于君. 鷄初鳴, 太師奏鷄鳴於陛, 夫人鳴佩玉於房中, 告去也. 然後應門擊柝, 告闢也. 然後少師告質明於陛下, 然後夫人入庭, 君出朝.)"라고 하였다.

164 女史가 반지를 건네주고 : 여사는 왕실의 女官 중의 한 가지 벼슬이다. 『尚書大傳』 권3 「多士傳」에 "9명의

니[165] 군주가 어느 한 숨 쉴 사이도 욕심 부릴 수 없다.

夫以貴爲天子, 富有四海之內, 而自朝至昃,[166] 兢兢業業居內之日常少, 居外之日常多. 蓋所以養壽命之源, 保身而保民也. 豈惟可以保民? 雖子孫千億亦自此始. 自秦人蕩滅古制, 爲人上者深居穆清而受事於婦寺, 出令於房闥. 四方文書, 非暬御之臣不得上聞. 千數百年以來, 相尋一轍. 於是宦官外戚, 女寵嬖倖, 代操政柄, 人主僅擁虛器以寄于民上. 其接士大夫不過視朝數刻之外, 凡以傷生伐性者畢陳於前. 豈惟湮政事之原? 抑以傷壽命之本. 身不得康, 嗣不得蕃, 凡以是耳."[167]

귀한 신분으로는 천자이고 부유함으로는 사해四海를 소유하였으나 아침부터 해가 기울도록 조심조심 두려워하며 내전內殿에 거처하는 시간은 늘 적고 외전外殿에 머무르는 시간은 늘 많다. 이는 수명을 기르는 근원이자 몸을 보호하고 백성을 보호하는 일이다. 어찌 백성만 보호함이겠는가? 자손이 천 명 억 명으로 불어나는 일[168]도 여기에서 비롯된다. 진秦나라가 예전의 제도를 씻은 듯 없애면서부터 군주가 안온하고 깨끗하게 깊숙한 곳에 머물며, 부녀와 환관에게 나라 일을 받아보고 안방에서 명령을 내렸다. 천하에서 모여드는 문서도 가까이서 시종 드는 신하가 아니면 군주에게 아뢸 수 없다. 천 수백 년 이래 똑같은 자취를 서로 이어오고 있다. 이로 인해 환관과 외척과 총애 받는 여인네가 정권을 대신 가로채 군주는 겨우 빈껍데기를 부둥켜안고서 백성들의 윗자리에 붙어 있다. 사대부를 접견하는 것은 조회를 보는 수각數刻에 불과하고 그 밖에는 생명을 갉아먹고 본성을 말살하는 것들이 눈앞에 한꺼번에 벌려져 있다. 어찌 정사의 근원만 막을 뿐이겠는가? 수명을 손상시키는 근본이기도 하다. 몸이 편안할 수 없고 후사가 번창할 수 없는 것은 모두 이런 까닭에서다."

嬪 이하 81명의 女御까지 임금님을 모신다. 여어 81명은 9일 밤을 배당받고, 世婦 27명은 3일 밤을 배당받고, 9명의 빈은 하룻밤을 배당받고, 3명의 夫人은 하룻밤을 배당받고, 后는 하룻밤을 배당받아 15일이면 한 바퀴가 돌아간다. 보름이 지난 뒤에는 그대로 반복한다. 군주의 침소에 나아가는 것은 여사가 반드시 그 달과 날짜를 기록한 반지를 건네주어 순서를 정한다. 자식을 낳은 날에는 그 금반지를 돌려준다. 임금을 모실 사람은 은반지를 주어서 왼손에 끼게 하고, 모신 사람은 오른 손에 끼게 한다.(自九嬪以下九九而御于王所. 女御八十一人當九夕; 世婦二十七人當三夕; 九嬪九人當一夕; 三夫人當一夕; 后當一夕, 十五日而徧, 望後反之. 凡進御君所, 女史必書其日月, 授之以環, 以進退之, 生子月辰, 則以金環退之. 當御者以銀環進之, 著于左手, 既御, 著于右手.)"라고 하였다.

165 彤管이 허물을 기록하니 : 동관은 여사가 기록할 때 쓰던 붉은 붓대의 붓이다. 『詩經』「邶風·靜女」에 "우아한 아가씨 나에게 붉은 붓을 건네주네.(靜女其孌, 貽我彤管.)"의 毛傳에 "예전에는 후부인에게 반드시 여사가 동관으로 기록시키는 법이 있다. 여사가 허물을 기록하지 않으면 그 죄로 죽임을 당하였다.(古者后夫人, 必有女史彤管之法, 史不記過, 其罪殺之.)"고 하였다.

166 自朝至昃 : '昃'은 『鶴山集』 권19 「奏議·被召除授禮部尙書內引奏事第一劄」에는 '莫'자로 되어 있다.

167 『鶴山集』 권19 「被召除授禮部尙書內引奏事第三劄」

168 자손이 천 … 일 : 자손이 더없이 번창한 것을 이르는 말로 주나라가 훌륭한 덕을 쌓아 이런 결과가 나타남을 찬미한 시이다. 『詩經』「大雅·假樂」에 "하늘로부터 녹 받을 일을 구하여 갖은 복록 모여드니 자손이 천억 명이로다.(干祿百福, 子孫千億.)"라고 하였다.

[65-1-43]

魯齋許氏曰："'民生有欲, 無主乃亂.' 上天眷命, 作之君師, 必予之聰明剛斷之資, 重厚包容之量, 使首出庶物, 表正萬邦. 此蓋天以至難任之, 非予之可安之地而娛之也. 堯舜以來, 聖帝明王, 莫不兢兢業業, 小心畏愼, 日中不暇, 未明求衣. 誠知天之所畀至難之任, 初不可以易心處也. 知其爲難而以難處, 則難或可易；不知爲難而以易處, 則他日之難, 有不可爲者矣. 孔子謂'人之言曰, 「爲君難, 爲臣不易」', 則其說所由來遠矣."[169]

노재 허씨魯齋許氏[許衡]가 말하였다. "'백성들은 태어나면서 욕심을 지녀 군주가 없으면 혼란해 진다.'[170] 하늘이 돌봐주는 명령을 내려 군주와 스승을 삼아주며 반드시 총명하며 야무지게 결단하는 자질과 중후하며 포용하는 아량을 부여하여 뭇 사물에서 제일 뛰어나고 뭇 나라가 의표儀表로 삼아 바르게 하도록 하였다. 이는 하늘이 지극히 어려운 것을 책임지운 것이지 편안할 수 있는 곳을 주어 즐기게 한 것이 아니다. 요순 이후 성덕을 갖춘 제왕과 지혜가 밝은 군왕이 조심하고 두려워하며 마음을 졸이고 삼가며, 해가 중천에 뜨도록 쉴 겨를이 없고 날이 채 밝지 않아 옷을 찾아 입지 않음이 없었다. 진실로 하늘이 준 지극히 어려운 책임을 애초부터 손쉬운 마음으로 대처해선 안 됨을 안 것이다. 어려운 것임을 알고서 어렵게 대처하면 어려운 것이 혹 쉬워질 수 있으나, 어려운 것임을 알지 못하고서 손쉽게 대처하면 훗날의 어려움에 손써볼 수 없게 된다. 공자가 말하기를 '세상 사람의 말에 군주 되기도 어렵고 신하 되기도 어렵다.[171]'라고 하였으니 이 말의 유래는 오래이다."

[65-1-44]

"人君不患出言之難, 而患踐言之難. 知踐言之難, 則其出言不容不愼矣. 昔劉安世見司馬溫公, 問'盡心行己之要, 可以終身行之者', 公曰, '其誠乎!' 劉公問'行之何先?'公曰, '自不妄語始.' 劉公初甚易之, 及退, 而自隱括平日之所行, 與凡所言, 自相掣肘矛盾者多矣. 力行七年而後成. 自此言行一致, 表裏相應, 遇事坦然常有餘裕. 夫劉安世一士人也, 所交者一家之親, 一鄕之衆, 同列之臣, 不過數十百人而止耳. 然以言行相較, 猶有自相掣肘矛盾者.

(노재 허씨가 말하였다.) "군주는 말하기의 어려움을 걱정하지 말고 말 실천의 어려움을 걱정해야 한다. 말 실천의 어려움을 알면 말을 꺼내는데 삼가지 않음은 용인되지 않을 것이다. 예전에 유안세劉安世가 사마온공司馬溫公을 뵙고서 '마음을 다해 몸가짐을 갖는 요점으로 평생 행할 수 있는 것'을 묻자, 사마온공은 '성실[誠]일 것이다!'라고 하였다. 유안세 공이 '성실을 실행하는 데 무엇을 우선해야 합니까?'라고 하자, 사마온공은 '함부로 말하지 않는 것에서 시작하여야 한다.'라고 하였다. 유안세 공이 처음에 매우 손쉽게 생각하였으나 물러 나와 스스로 평소의 행동을 점검해보니 말과 서로 모순된 점이 많았다. 이를 힘써 행한 지 7년이 지난 뒤에야 이루어졌다. 이때부터는 말과 행동이 일치하고 안팎이 서로 맞아 일을

169 『魯齋遺書』 권7 「時務五事 · 爲君難」

170 '백성들은 태어나면서 … 진다.' 『書經』「仲虺之誥」에서 탕임금의 신하 중훼가 탕임금에게 한 말이다.

171 군주 되기도 … 어렵다. : 『論語』「子路」

만났을 적에 마음이 평온하여 늘 여유가 있었다. 저 유안세는 일개 선비여서 사귀는 사람은 한 집안의 친족, 한 고을의 여러 사람, 함께 벼슬하는 신하였으니 불과 수십 명에서 백 명 정도에 그칠 뿐이다. 그런데도 말과 행동을 비교하였을 적에 오히려 서로 모순된 것들이 있었다.

況夫天下之大, 兆民之衆, 事有萬變, 日有萬幾, 而人君以一身一心酧酢之, 欲言之無失, 豈易能哉? 故有昔之所言而今日不記者, 今之所命而後日自違者. 可否異同, 紛更變易. 紀綱不得布. 法度不得立. 臣下雖欲黽勉而無所持循, 徒汩沒於瑣碎之中, 卒於無補. 況因之爲弊者, 又日新月盛而不可遏! 在下之人疑惑驚眩, 且議其無法無信一至於此也. 此無他, 至難之地不以難處, 而以易處之故也.

하물며 큰 천하와 수많은 백성에서, 일마다 만 가지로 변화하고 날마다 만 가지의 조짐이 생겨나는데 군주가 몸 하나 마음 하나로 대응해야 하니, 말에 실언이 없고자 하여도 어찌 쉽겠는가? 그러므로 예전에 했던 말을 오늘 기억하지 못하고, 오늘 명령한 것을 훗날 스스로 어긴다. 옳음과 그름, 동일하고 다름이 어지럽게 바뀌며 변환하여, 기강이 펴질 수 없고 법도가 확립될 수 없다. 신하가 노력하고자 하여도 잡고 따를 수 있는 것이 없어, 단지 잗단 것들 속에 골몰하여 끝내 아무런 도움이 못 된다. 하물며 그로 인해 생겨난 폐단은 또 날로 새로워지고 달로 증가하여 막을 길이 없는 것이겠는가! 아래 있는 사람은 의혹에 놀라 눈이 휘둥그레 하고 또 법도가 없으며 신의가 없음이 한결같이 이 지경에 이르렀음을 말하게 된다. 이는 다른 까닭이 아니라, 지극히 어려운 일인데 어렵게 대처하지 않고 손쉽게 대처한 까닭에서이다.

苟從古者大學之道, 以修身爲本, 凡一事之來, 一言之發, 必求其所以然, 與其所當然, 不牽於愛, 不蔽於憎, 不因於喜, 不激於怒. 虛心端意, 熟思而審處之, 雖有不中者蓋鮮矣. 奈何爲人上者多樂舒肆, 爲人臣者多事容悅? 容悅, 本爲私也. 私心盛, 則不畏人矣. 舒肆, 本爲欲也. 欲心熾, 則不畏天矣. 以不畏天之心, 與不畏人之心, 感合無間, 則所務者皆快心事耳. 快心, 則口欲言而言, 身欲動而動. 又豈肯兢兢業業以修身爲本, 一言一事熟思而審處之乎? 此人君踐言之難, 所以又難於天下之人也."[172]

참으로 예전 태학太學의 도리에 따라 수신修身으로 근본을 삼아, 한 가지 일이 닥치고 한 마디 말이 제기되었을 적에 반드시 그 까닭과 그 당연한 귀결을 찾아내는 데 사랑에 이끌리지도 않고 미움에 가리지도 않으며, 기쁨에 따르지도 않고 노여움에 격동되지도 않아야 한다. 마음을 비우고 뜻을 단정하게 지녀서 깊이 생각하고 자상하게 살펴 대처한다면 맞지 않더라도 아마 그런 일은 적을 것이다. 어떻게 군주가 마음 놓고 방자히 구는 일을 즐기는 일이 많고, 신하가 아첨으로 따르고 군주가 생각지 못한 일을 꺼내 비위를 맞추는 일[173]을 일삼음이 많아야 하겠는가? 아첨으로 따르고, 군주가 생각지 못한

172 『魯齋遺書』 권7 「時務五事 · 爲君難 · 踐言」

일을 꺼내 비위를 맞추는 일은 본래 사사로운 이익을 위해서다. 사욕이 성하면 사람을 두려워하지 않는다. 마음 놓고 방자하게 구는 것은 본래 욕심 때문이다. 욕심이 불타오르면 하늘을 두려워하지 않는다. 하늘을 두려워하지 않는 마음과 남을 두려워하지 않는 마음이 틈새 없이 서로 어우러지면 힘쓰는 일은 모두 마음을 유쾌하게 하는 일 뿐이다. 마음이 유쾌해지려면 입이 말하고 싶은 대로 말하고 몸이 행동하고 싶은 대로 행동하여야 한다. 또 어찌 즐겨 조심하고 두려워하며 수신으로 근본을 삼아 말 한 마디 일 한 가지를 깊이 생각하여 신중하게 살펴 대처하겠는가? 이것이 군주가 말을 실천하기 어려움이요, 천하 사람에게는 더욱 어려운 까닭이다."

[65-1-45]

"人君處億兆之上, 所操者予奪進退, 賞罰生殺之權. 不幸見欺, 以非爲是, 以是爲非, 其害可勝旣耶? 人君惟無喜怒也. 有喜怒, 則贊其喜以市恩, 鼓其怒以張勢. 人君惟無愛憎也. 有愛憎, 則假其愛以濟私, 藉其憎以復怨. 甚至本無喜也, 誑之使喜; 本無怒也, 激之使怒. 本不足愛也, 强譽之使愛; 本無可憎也, 强短之使憎. 若是則進者未必爲君子, 退者未必爲小人, 予之者或無功, 而奪之者或有功也. 以至賞之, 罰之, 生之, 殺之, 鮮有得其正者.

(노재 허씨가 말하였다.) "군주가 억조 백성의 위에 처하여 조종할 수 있는 것은 주느냐 빼앗느냐, 등용하느냐 물리치느냐, 상주느냐 벌하느냐, 살리느냐 죽이느냐의 권세이다. 불행하게 속임을 당해 그른 것을 옳은 것으로 여기고 옳은 것을 그르게 여기면 그 해를 말로 다할 수 있겠는가? 군주는 기뻐하고 노여워함이 없어야 한다. 기뻐하고 노여워함이 있으면 그 기뻐하는 마음을 부추겨 기쁨을 사려 들고 그 노여워함을 북돋워 형세를 키우려 한다. 군주는 사랑하고 미워함이 없어야 한다. 사랑하고 미워함이 있으면 그 사랑하는 마음에 의탁하여 사욕을 이루려하고 그 미워함에 의지하여 원한을 갚으려 한다. 심지어는 본래 기뻐함이 없는데 속임수로 기뻐하도록 하고 본래 노여워함이 없는데 격동시켜 노여워하도록 한다. 본래 사랑할 만한 것이 없는데 억지로 추켜세워 사랑하도록 하고 본래 미워할 만한 것이 없는데 억지로 헐뜯어서 미워하도록 한다. 이렇게 되면 등용한 자가 꼭 군자일 수 없고 물리친 자가 꼭 소인일 수 없으며, 준 자가 혹 공훈이 없고 빼앗은 자가 혹 공훈이 있을 수 있다. 상을 주고 벌을 주고 살리고 죽이는 것에 그 옳음을 얻은 것이 적을 것이다.

人君不悟, 日在欺中, 方仗若曹擿發細隱, 以防天下之欺. 欺而至此, 欺尙可防耶? 大抵人君以知人爲貴, 以用人爲急. 用得其人, 則無事於防矣. 旣不出此, 則所近者爭進之人耳, 好利之人耳, 無耻之人耳. 彼挾詐用術, 千蹊萬徑, 以蠱君心. 於此欲防其欺, 雖堯舜不能也."[174]

173 신하가 아첨으로 … 일 : 『孟子』「盡心上」에서 맹자가 신하의 등급을 논한 말 가운데 한 등급의 신하에 대한 설명이다. "군주만 섬기려는 신하가 있으니 임금을 섬기게 되면 容悅만 일삼는다.(有事君人者, 事是君, 則爲容悅者也.)"고 하였는데 주자의 『集註』에 "아첨으로 따르는 것은 容, 군주가 생각지 못한 일을 꺼내 비위를 맞추는 것은 悅이다.(阿殉以爲容, 逢迎以爲悅.)"고 하였다.

군주가 그것을 깨닫지 못하면 날마다 속임수 속에서 바야흐로 이들 무리가 극히 자잘한 것을 적발하는 것에 의지하여 천하의 속임수를 막으려 한다. 속임수가 이 지경인데 속임수를 거의 막을 수 있겠는가? 군주는 인재를 알아보는 것으로 귀함을 삼고 인재를 등용하는 것으로 급선무를 삼는다. 등용한 사람이 적임자를 얻을 경우 (속임수를) 막는 일은 할 것이 없다. 이 방법을 쓰지 않으면 접근하려는 자는 등용만을 다투는 사람일 뿐이고, 이익만을 좋아하는 사람일 뿐이며, 부끄러움을 모르는 사람일 뿐이다. 저들이 속임수를 끼고 부리는 술수는 천 갈래 만 갈래로 군주의 마음을 유혹한다. 이런 곳에서 그들의 속임수를 막고자 하면 요순이라도 해낼 수 없다."

[65-1-46]

"爲人君, 止於仁. 天地之心, 仁而已矣."[175]

(노재 허씨가 말하였다.) "군주가 되었으면 인仁에 그쳐야 있어야 한다. 천지의 마음은 인일 뿐이다."

君德 군주의 덕

[65-2-1]

程子曰: "爲宗社生靈長久之計, 惟是輔養上德, 而輔養之道, 非徒涉書史, 覽古今而已. 要使跬步不離正人, 乃可以涵養薰陶, 成就聖德."[176]

정자[程頤]가 말하였다. "종묘사직과 백성을 장구히 할 계책은 군주의 덕을 보필해 양성하는 길 뿐이요, 보필해 양성하는 도리는 경서나 역사책을 마냥 섭렵하여 고금을 훑어보는 것만이 아니다. 반걸음도 정직한 사람과 떨어지지 않게 해야 비로소 함양하고 훈도하여 성스러운 덕을 성취시킬 수 있다."

[65-2-2]

河東侯氏曰: "君德, 天德也. 有此盛德, 故能上順天理, 下達人情, 無一事之繆, 無一物之戾. 如天之高, 如淵之深, 見而民莫不敬, 言而民莫不信, 行而民莫不悅. 其聲名之洋溢也, 無遠無近, 無內無外, 極天地之所覆載, 日月之所照臨, 霜露之所墜, 凡有血氣者, 無不尊親, 故曰配天. 聖人之事盡於是矣."

하동 후씨河東侯氏[河仲良]가 말하였다. "군주의 덕은 하늘과 같은 덕이다. 이러한 성대한 덕이 있는 까닭에 위로 하늘의 이치에 순응하고 아래로 백성의 마음에 통하여, 일이 한 가지도 오류가 없고 사물이

174 『魯齋遺書』 권7 「時務五事 · 爲君難 · 防欺」
175 『魯齋遺書』 권1 「語錄上」
176 『二程遺書』 附錄 「伊川先生年譜」

하나도 이치에 어긋남이 없다. 하늘처럼 높고 연못처럼 깊어, 드러냈을 적에 백성이 공경하지 않음이 없고 말했을 적에 백성이 믿지 않음이 없으며 행했을 적에 백성이 기뻐하지 않음이 없다. 그 소문과 명성이 물결처럼 넘쳐나, 먼 곳 가까운 곳이 없이 나라 안 바깥이 없이, 하늘과 땅이 덮고 싣고 있는 곳까지 해와 달이 비추는 곳까지 서리와 이슬이 내리는 곳 끝까지 모든 혈기血氣를 가진 것들은 높이고 친하게 여기지 않음이 없는 까닭에 '하늘과 짝을 이룬다.'고 말하는 것이다. 성인의 일은 여기서 끝이 난다."[177]

[65-2-3]

華陽范氏曰: "『書』曰, '自成湯至于帝乙, 成王畏相.' 其稱中宗曰, '嚴恭寅畏', 大王王季曰, '克自抑畏.' 『詩』曰, '維此文王! 小心翼翼.' 夫爲人君動必有所畏, 此盛德也. 不然, 以一人肆於民上, 其何所不至哉?"[178]

화양 범씨華陽范氏[范祖禹]가 말하였다. "『서경』에는 '성탕으로부터 제을帝乙까지 군주로서의 덕을 이뤘으며 재상을 경외敬畏하였다.'[179]고 하고, 중종中宗을 일컬어서 '엄숙하고, 공손하고, 공경하고, 두려워하였다.'[180]고 하였으며, 태왕大王과 왕계王季를 일컬어서 '잘 스스로를 억제하고 경외敬畏하였다.'[181]고 하였다. 『시경』에는 '저 문왕이여! 공손하고 공경하였다.'[182]고 하였다. 군주가 되어 행동할 적마다 반드시 경외하는 마음을 지니는 것, 이것이 훌륭한 덕이다. 그렇지 않고 일인자[一人][183]로서 백성 위에 방자히 굴면 무슨 짓인들 하지 않겠는가?"

[65-2-4]

豫章羅氏曰: "仁義者, 人主之術也. 一於仁, 天下愛之而不知畏; 一於義, 天下畏之而不知愛. 三代之主, 仁義兼隆, 所以享國至於長久. 自漢以來, 或得其偏, 如漢文帝過於仁, 宣帝過於義. 夫仁可過也. 義不可過也."[184]

예장 나씨豫章羅氏[羅從彦]가 말하였다. "인仁과 의義는 군주가 사용하는 수단이다. 인에 한결같으면 천하가 사랑하지만 경외할 줄 모르고, 의에 한결같으면 천하가 경외하지만 사랑할 줄 모른다. 삼대의 군주는 인과 의 모두 융성했기 때문에 나라의 역사가 장구하기에 이르렀다. 한漢나라 이후로는 혹 그 한쪽만을

177 하동 후씨의 말은 『中庸』 제31장의 내용에 말을 약간 덧붙인 것이다.
178 『唐鑑』 권17 「唐憲宗」 5년
179 '성탕으로부터 帝乙까지 … 敬畏하였다.': 『書經』「酒誥」의 말이다. 제을은 은나라의 마지막 군주 紂의 아버지이다.
180 '엄숙하고, 공손하고, … 두려워하였다.': 『書經』「無逸」에서 周公이 어린 조카 成王에게 한 말 중의 일부이다.
181 '잘 스스로를 … 敬畏하였다.': 『書經』「無逸」에서 周公이 어린 조카 成王에게 한 말 중의 일부이다.
182 '저 문왕이여! … 공경하였다.': 『詩經』「大雅 · 大明」의 가사이다.
183 일인자[一人]: 天子, 또는 천자의 자칭. 자칭으로 쓸 때는 특히 予一人이라고 하였다.
184 『豫章文集』 권11 「議論要語」

얻었으니, 예컨대 한나라의 문제文帝는 인에 지나쳤고[185] 선제宣帝는 의에 지나쳤다.[186] 인은 지나쳐도 되지만 의는 지나쳐서는 안 된다."

[65-2-5]

朱子曰 : "修德之實, 在乎去人欲, 存天理. 人欲不必聲色貨利之娛, 宮室觀遊之侈也. 但存諸心者小失其正, 便是人欲. 必也存祗懼之心以畏天, 擴寬弘之度以盡下. 不敢自是而欲人必己同, 不循偏見而謂衆無足取, 不甘受佞人而外敬正士, 不狃於近利而昧於遠猷. 出入起居, 發號施令, 念玆在玆, 不敢忘怠. 而又擇端人正士剛明忠直能直言極諫者, 朝夕與居.

주자가 말하였다. "덕을 닦는 실제는 인욕人欲을 버리고 천리天理를 보존하는데 있다. 인욕이 꼭 성색聲色과 재화財貨와 재리財利를 즐기고, 궁실과 관광과 유람의 사치만은 아니다. 다만 마음에 간직된 것이 조금만 그 바름을 잃어도 바로 인욕이다. 반드시 공경하고 두려워하는 마음을 간직하여 하늘을 두려워하고, 너그럽고 넓은 도량을 넓혀 백성들을 모두 헤아려야 한다. 감히 자신을 옳다고 생각하여 사람들이 반드시 자신과 같기를 원하지 않아야 하고, 편견을 따르며 여러 사람들에게 취할만한 것이 없다고 말해서는 안 되고, 약삭빠른 자를 달게 받아들이면서 겉으로만 바른 선비를 공경하지 않아야 하고, 목전의 이익에 젖어 원대한 계획에 어둡지 않아야 한다. 출입하고 행동할 적이나 명령과 지시를 내릴 적마다 생각을 여기에 두어 감히 잊거나 개을리 해서는 안 된다. 또 단정한 인재와 올바른 선비로서 강명 충직하여 직언直言으로 간쟁을 다하는 자를 가려, 아침저녁으로 같이 있어야 한다.

左右不使近習便利捷給之人, 得以窺伺間隙, 承迎指意, 汚染氣習, 惑亂聰明. 務使此心虛明廣大, 平正中和, 表裏洞然, 無一毫私意之累. 然後爲德之脩, 而上可以格天, 下可以感人, 凡所欲爲, 無不如志."[187]

그리하여 좌우에 총애 받으며 영리하게 임기응변에 재빠른 자가 틈을 엿보고 뜻에 영합하여 습성을 오염시키고 총명을 어지럽힐 수 없게 해야 한다. 이 마음을 텅 비고 밝으며 너르고 크며, 화평하고 정직하며 중정하고 조화로워서 안팎이 환하게 조금도 사사로운 뜻에 얽매임이 없게 힘써야 한다. 그런 뒤라야 덕이 닦아져 위로 하늘을 감격시킬 수 있고 아래로 백성을 감동시킬 수 있어, 하고자 하는 것마다 뜻대로 이뤄지지 않음이 없을 것이다."

[65-2-6]

西山眞氏曰 : "三代聖王, 以敬爲修身立政之本. 故伊尹告太甲曰, '嗣王祗厥身, 念哉!' 又曰, '欽厥止, 率乃祖攸行.' 周公之戒成王, 一則曰'嚴恭寅畏, 天命自度!' 二則曰, '治民祗懼, 不敢

185 한나라의 文帝는 … 지나쳤고 : 위 60권 [60-1-2] 「文帝」 참고
186 宣帝는 의에 지나쳤다. : 위 60권 [60-1-5] 「宣帝」 참고
187 『朱文公文集』 권37 「書 · 與劉共父 제2」

荒寧!' 三則曰, '克自抑畏!' 四則曰, '皇自敬德!' 而召公之誥, 一則曰, '嗚呼奈何弗敬!' 二則曰, '王其疾敬德!' 三則曰, '王敬作所, 不可不敬德.' 四則曰, '惟不敬厥德, 乃早墜厥命.'

서산 진씨西山眞氏[眞德秀]가 말하였다. "삼대의 성왕聖王은 공경[敬]으로 몸을 닦아 정사를 확립하는 근본을 삼았다. 그런 까닭에 이윤伊尹은 태갑太甲에게 '왕위를 이으신 왕은 몸을 공경히 할 것을 명심하소서!'[188] 라고 말하였고, 또 '그 마음 쓰기를 공경히 하여 당신의 조상이 행하던 것을 따르소서!'[189]라고 하였다. 주공周公은 성왕成王을 경계시켜,[190] 첫째, '엄숙하고 공손하고 공경하고 두려워하여, 천명을 스스로의 법도로 삼으소서!'라고 하고, 둘째, '백성을 다스리며 공경하고 두려워하여 감히 일을 황폐시키며 안일을 탐하지 마소서!'라고 하고, 셋째, '능히 스스로 억제하고 경외敬畏하소서!'라고 하고, 넷째, '크게 스스로 덕을 공경하소서!'라고 하였다. 소공召公은 경계하여 말하기를[191] 첫째, '아! 어찌 공경하지 아니하리오!' 라고 하고, 둘째, '왕은 시급히 덕을 공경하소서!'라고 하고, 셋째, '왕은 공경을 마음의 집으로 삼아 덕을 공경하지 않아선 안 됩니다.'라고 하고, 넷째, '덕을 공경하지 않아 일찍 천명을 떨어뜨렸습니다.'라고 하였다.

伊·周·召公, 皆古聖賢, 而所以啓廸其君者如出一口. 又考之書, '昏迷不恭, 侮慢自賢', 禹之所以征有苗也. '威侮五行, 怠棄三正', 啓之所以伐有扈也. '狎侮五常, 荒怠弗敬, 謂己有天命, 謂敬不足行', 武王之所以誅獨夫受也. 蓋敬則爲堯舜, 爲禹湯, 爲文武; 不敬則爲有苗, 爲有扈, 爲獨夫受. 聖狂之所以分, 治亂之所由判, 未有不出乎此者."[192]

이윤伊尹과 주공周公과 소공召公은 모두 옛 성현인데 그들 군주에게 길을 열어 인도한 것이 마치 한 입에서 나온 것과 같다. 또 『서경』에서 살펴보면 '미련하고 사리에 어두우며 공손하지 않아 남들을 업신여기고 스스로를 현명한 양 여긴다.'[193]는 우禹가 묘苗족의 나라를 정벌한 까닭이고, '오행五行을 업신여기고 깔보며 삼정三正을 게을리 내팽개쳤다.'[194]는 계啓가 유호씨有扈氏의 나라를 정벌한 까닭이다. '오상五常을

188 '왕위를 이으신 … 명심하소서!' : 『書經』「伊訓」

189 '그 마음 … 따르소서!' : 『書經』「太甲上」의 말이다. 여기서 '당신'은 이윤이 군주인 태갑을 가리켜 한 말이다.

190 周公은 成王을 경계시켜 : 『書經』「無逸」에서 주공이 조카 성왕에게 한 말 중 敬자의 뜻이 담긴 네 곳을 인용한 것이다. 다만 첫째와 둘째 말은 殷나라 中宗의 덕을 칭송한 말이고, 셋째 말은 주공과 성왕의 선조인 太王과 王季의 덕을 칭송한 말이다. 넷째 말은 주공이 성왕에게 당부하여 한 말이다. 다만 여기서는 『書經』의 문장을 따르지 않고 진덕수의 뜻에 따라 모두 주공이 성왕에게 경계시킨 뜻으로 독립시켜 번역하였다. 뒤에 이어지는 소공이 성왕에게 권면한 글도 마찬가지다.

191 召公은 경계하여 말하기를 : 『書經』「召誥」에서 소공이 조카 성왕에게 한 말에서 敬자의 뜻이 담긴 네 곳을 인용한 것이다.

192 『西山讀書記』 권10 「敬上」

193 '미련하고 사리에 … 여긴다.' : 『書經』「大禹謨」

194 '五行을 업신여기고 … 내팽개쳤다.' : 『書經』「甘誓」의 말이다. 여기서 오행은 金木水火土를 이르고 이를 업신여기고 운운은 오행은 하늘 운행의 질서인데 이를 따르지 않은 것을 이른다. 곧 봄에 해야 할 일, 여름에 해야 할 일 등을 따르지 않았다는 말이다. 삼정은 子月인 11월, 丑月인 12월, 寅月인 1월로 歲首를 삼는

깔보고 무시하며 버리고 게을러 공경하지 않으면서, 자신에게 천명이 있다며 공경은 행할 것이 없다고 말하고 있다.'[195]는 무왕이 외톨이[獨夫]가 된 수受(다른 이름은 紂)를 벌준 까닭이다. 공경하면 요·순이 되고 우·탕이 되고 문·무왕이 되며, 공경하지 않으면 묘가 되고 유호씨가 되고 외톨이 수가 된다. 성인과 미치광이가 나뉘는 까닭과 화평과 혼란이 갈리는 것이 여기에서 출발되지 않음이 없다."

[65-2-7]

"先聖賛易, 於乾曰, '君子以自强不息', 謂其體天之剛健也 ; 於坤曰, '君子以厚德載物', 謂其法地之博厚也. 不體乎乾, 無以宰萬物 ; 不法乎坤, 無以容萬物. 汎觀古昔,[196] 凡過於剛者, 爲亢, 爲暴, 爲强明自任 ; 偏於柔者, 爲闇, 爲懦, 爲優柔不斷.[197] 雖其失不同, 而害治一也."[198]

(서산 진씨가 말하였다.) "옛 성인이 역易의 이치를 밝혀, 건괘乾卦에서는 '군자는 법 받아서 스스로 노력하여 쉬지 않는다.'[199]라고 하였으니 그것은 하늘의 강건剛健함을 법 받음을 이르고, 곤괘坤卦에서는 '군자는 법 받아 두터운 덕으로 사물을 싣는다.'[200]라고 하였으니 그것은 땅의 넓고 두터움을 법 받음을 이른 것이다. 건괘의 이치를 법 받지 않으면 만물을 다스릴 수 없고, 곤괘의 이치를 법 받지 않으면 만물을 수용할 수 없다. 예전에서 살펴보면 강건함이 지나친 경우는 드높은 짓, 사나운 짓, 너무 총명하여 자신의 생각대로 하려고만 하고, 너무 유약한 경우는 어두운 짓, 나약한 짓, 우유부단한 짓을 한다. 잘못됨은 서로 같지 않지만 정사를 해치는 것에서는 똑같다."

[65-2-8]

"誠之爲道, 可以參天地, 賛化育, 其功用大矣. 然求其用力之地, 不過曰'無妄也', '不欺也', '悠久不息也.' 盡此三者而誠之體具矣. 何謂無妄? 就乎眞實而不雜以虛僞是也 ; 何謂不欺? 戒謹乎其所不睹, 恐懼乎其所不聞是也 ; 何謂不息? 終始惟一, 時乃日新是也. 此三者有一之未至焉, 則去聖遠矣.

것을 이른다. 삼정은 하나라는 현재 음력으로 1월, 은나라는 12월, 주나라는 11월로 세수를 삼았음을 역사에서 알 수 있다. 그런데 「감서」는 하나라 우임금의 아들 啓가 제후국인 유호씨의 나라를 치며 맹서한 말이다. 그래서 蔡沈 『集傳』에 "삼정이 번갈아 세수로 정하여진 것은 그 유래가 오래이다 … 자월과 축월로 세수를 삼은 것은 요임금과 순임금 이전에 당연히 이미 있었다.(三正迭建, 其來久矣 … 子丑之建, 唐虞之前, 當已有之.)"라고 하였다.

195 五常을 깔보고 … 있다. : '오상'에서 '공경하지 않으면서'까지는 『書經』「泰誓下」에 있는 말이고, '자신에게'로부터 '말하고 있다'까지는 『書經』「泰誓中」에 있는 말이다. 다만 이 글에서 이를 이어 말하고 있어 이를 하나로 이어 번역하였다.

196 汎觀古昔 : '汎'자가 『西山文集』 권37 「上皇子書(辛巳)」에는 '泛'자로 되어 있다.

197 爲優柔不斷. : '柔'자가 『西山文集』 권37 「上皇子書(辛巳)」에는 '游'자로 되어 있다.

198 『西山文集』 권37 「上皇子書(辛巳)」

199 '군자는 법 … 않는다.' : 『周易』「乾卦」 象辭

200 '군자는 법 … 싣는다.' : 『周易』「坤卦」 象辭

(서산 진씨가 말하였다.) "성실[誠]의 도는 하늘 땅과 셋이 되고, 화육化育을 도울 수 있으니[201] 그 공효功效는 크다. 그러나 그 힘쓸 것을 찾아보면 불과해야 '망령됨이 없다.', '속이지 않는다.', '유구히 쉬지 않는다.'이다.[202] 이들 세 가지를 다하는 것에 성誠의 골자가 갖추어진다. 무엇을 망령됨이 없는 것이라 하는가? 진실에 나아가 허위가 섞이지 않은 것이 그것이다. 무엇을 속이지 않는 것이라 하는가? 사람의 눈이 미치지 않은 곳에서도 조심하고 사람의 귀가 듣지 못하는 곳에서도 두려워하는 것이 그것이다. 무엇을 쉬지 않는 것이라 하는가? 끝까지 한결같아서 때때로 날마다 새로워지는 것이 그것이다. 이들 세 가지에서 하나라도 지극하지 못함이 있으면 성인과의 거리는 멀다.

姑擧其槩言之, 實奢而文之以儉, 實暴而掩之以仁, 所樂者諛佞而外爲納諫之名, 所愛者姦邪而謬爲敬賢之貌, 此妄也, 非誠也. 修飾於大庭廣衆之中, 而放肆於深宮燕閑之地, 矯揉於親近君子之際, 而發露於昵比小人之時, 此欺也, 非誠也. 敬畏未幾而慢忽繼之, 儉約未幾而侈泰隨之, 勤怠之靡常而暴寒之不一, 凡此者, 皆非誠也. 『易』曰, '鳴鶴在陰, 其子和之', 言其應之速也 ; 『詩』曰, '鼓鐘于宮, 聲聞于外', 言其實之易彰也. 苟意念少差, 則觀感立異, 豈不甚可畏哉?"[203]

잠시 그 대강을 들어 말한다면, 실지는 사치스러우면서 검소한 척 꾸미고, 실지는 사나우면서 인자함으로 가리고, 좋아하는 사람은 아첨 떨어주는 자이면서 겉으로 간쟁을 받아드린다는 명성을 만들려 하고, 사랑하는 사람은 간사한 자이면서 거짓으로 현명한 사람을 공경하는 태도를 짓는, 이런 행위는 망령이고 성실이 아니다. 조정의 많은 사람이 있는 속에서는 몸을 조신하게 닦는 양 꾸미고 궁궐 깊숙한 곳에서 편안하게 지낼 때에는 한껏 방자하며, 군자와 가까이 친할 때에는 잘못을 바로잡고[204] 소인과 가깝게

201 하늘 땅과 … 있으니 : 『中庸』 제21장에서 "천하의 지극한 誠이라야 자신의 본性을 다할 수 있다. 자신의 본성을 다할 수 있으면 남의 본성도 다하게 할 수 있고 남의 본성을 다하게 할 수 있으면 사물에게 사물의 본성을 다하게 할 수 있고 사물에게 사물의 본성을 다하게 할 수 있으면 하늘땅의 화육을 도울 수 있고 하늘땅의 화육을 도울 수 있으면 하늘땅과 셋이 될 수 있다.(唯天下至誠, 爲能盡其性. 能盡其性, 則能盡人之性 ; 能盡人之性, 則能盡物之性 ; 能盡物之性, 則可以贊天地之化育 ; 可以贊天地之化育, 則可以與天地參矣.)" 고 한 말을 이렇게 인용한 것이다.

202 '망령됨이 없다.' … 않는다.'이다. : 『中庸』 제16장 "성을 가릴 수 없음이 이와 같다!(誠之不可揜如此夫!)中庸章句" 雲峰胡氏(胡炳文)가 "성은 『中庸』 한 책의 핵심인데 맨 처음으로 이 장에서 언급되었다. 漢나라 선비들은 모두 성의 뜻을 알지 못했고, 송나라 李邦直이 비로소 '속이지 않는 것이 성이다'라고 하고, 徐仲車가 '쉬지 않는 것이 성이다.'라고 하고, 子程子가 비로소 '망령됨이 없는 것이 성이다.'라고 하였는데 子朱子가 또 眞實이라는 두 글자를 더하여 성에 대한 설명이 완전하여졌다.(誠者中庸一書之樞紐, 而首于此章見之. 漢儒皆不識誠字, 宋李邦直始謂不欺之謂誠 ; 徐仲車謂不息之謂誠 ; 至子程子始曰無妄之謂誠 ; 子朱子又加以眞實二字, 誠之說盡矣.)"라고 하였다. 서산 진씨는 『中庸』에서 주자가 성을 "진실하여 망령됨이 없는 것이다.(眞實無妄)"라고 한 것을 취하지 않고 있음을 알 수 있다.

203 『西山文集』 권37 「上皇子書(辛巳)」

204 잘못을 바로잡고 : 이글의 원문 矯揉에서 '矯'는 구부정한 것을 펴는 것이고, '揉'는 곧은 것을 굽히는 것이다. 합하여 군주 스스로가 잘못된 자기 자신을 바로잡음을 이른다.

어울릴 때에는 그대로 드러내버리는, 이런 것은 속임수이고 성실이 아니다. 공경과 두려워함이 오래지 않아 장난과 소홀이 이어지고 검소와 단속함이 오래지 않아 사치와 방종이 뒤따라, 부지런과 게으름이 일정하지 않고 따뜻하고 추움이 일정하지 않는, 이런 것은 모두 성실이 아니다. 『주역』에 '학의 울음이 깊은 산에서 일어나지만 그 새끼가 화답한다.'[205]라고 하니 호응의 빠름을 말한 것이고, 『시경』에 '집에서 종을 치니 소리가 밖에까지 들린다.'[206]라고 하니 실제가 쉽게 드러남을 말한 것이다. 진실로 생각이 조금만 어긋나면 감동이 바로 달라지는데 어찌 매우 두려워하지 않을 수 있겠는가?"

聖學 군주의 학문

[65-3-1]

程子曰 : "人心廣大無垠, 萬善咸備, 盛德大業, 由此而成. 故欲傳堯 · 舜 · 禹 · 湯 · 文 · 武之道, 擴充是心焉爾. 帝王之學, 與儒士異尙. 儒生從事章句文義, 帝王務得其要, 措之事業. 蓋聖人經世大法, 備在方冊. 苟得其要, 擧而行之無難也."[207]

정자程子가 말하였다. "사람 마음은 끝없이 넓고 커서 온갖 선善이 모두 갖추어져 있으니, 훌륭한 덕과 큰 사업이 이로부터 이루어진다. 그러므로 요 · 순 · 우 · 탕 · 문 · 무의 도道를 전하려면 이 마음을 넓히는 것뿐이다. 제왕의 학문은 선비들과는 숭상함이 다르다. 선비는 장구章句의 글 뜻에 종사해야 하나 제왕은 그 요점을 터득하기에 힘써 사업에 적용하여야 한다. 성인의 세상에 대한 경륜은 책속에 갖추어 있다. 진실로 그 요점만 터득한다면 그것을 들어 시행하는데 어려움이 없을 것이다."

[65-3-2]

"人主之學, 惟當務爲急, 辭命非所先也."[208]

(정자[程顥]가 말하였다) "군주의 학문은 눈앞의 일로 급선무를 삼아야 하니, 말이나 문장은 우선할 것이 아니다."

205 '학의 울음이 … 화답한다.' : 「中孚卦(䷼)」 九二爻의 爻辭이다.

206 '집에서 종을 … 들린다.' : 『詩經』「小雅 · 白華」의 시구이다.

207 이 글은 정자의 말인지 정자의 제자 王蘋의 말인지 분명하지 않다. 程頤의 말이라고 기록된 곳은 『讀書劄記』 권4 『淵鑑類函』 권52 「帝王部 · 好學」 정도이고, 왕빈의 말로 실린 곳은 먼저 왕빈의 저서 『王著作集』 권5에 왕빈의 제자 章憲이 선생을 위해 지은 墓誌에 왕빈의 말로 기록되어 있다. 또 『伊洛淵源録』 권12 『宋名臣言行錄外集』 권9 『閩中理學淵源考』 권2 등에도 왕빈의 말로 실렸다.

208 『游鷹山集』 권4 「書明道先生行狀後」

[65-3-3]

"古之人君守成業而致盛治者, 莫如周成王. 其所以成德, 則由乎周公. 周公之輔成王也, 幼而習之, 所見必正事, 所聞必正言, 左右前後必正人, 故習與智長, 化與心成. 今輔養之道,[209] 不可不至也. 所謂輔養之道, 非謂告詔以言, 過而後諫也, 尤在涵養薰陶之而已矣. 今夫一日之間, 接賢士大夫之時多, 親寺人宦官之時少, 則氣質自化, 德器自成. 謹選賢德之士,[210] 以待勸講. 講讀旣罷, 常留以備訪問, 從容燕語, 不獨漸摩.[211] 至於人情物態, 稼穡艱難, 日積旣久, 自然通達. 比之常處深宮, 爲益多矣.

(정자[程頤]가 말하였다.) "옛 군주 중에서 이미 이루어진 공업을 지키며 훌륭한 치적을 이룬 군주는 주나라 성왕成王만한 군주가 없다. 그가 덕을 이룬 까닭은 주공으로부터 비롯되었다. 주공이 성왕을 보필한 것은 어려서부터 익히도록 하여, 보는 것을 반드시 바른 일을 보게 하고 듣는 것을 반드시 바른 말을 듣게 하여, 좌우 전후가 모두 바른 사람이었던 까닭에 버릇이 지혜를 따라 함께 성장하고 교화가 마음을 따라 함께 이루어졌다. 오늘날 (군주를) 보필하고 수양시키는 도리도 지극하지 않아선 안 된다. 이른바 보필하고 수양시키는 도리는 말을 일러주고 잘못을 저지른 뒤에 간하는 것을 이르는 것이 아니고, 함양과 훈도에 중요성이 달려있을 뿐이다. 지금도 하루 사이에 어진 사대부를 접견하는 시간이 많고 내시나 환관과 친한 시간이 적으면 기질은 저절로 변화하고 덕스러운 그릇은 저절로 이루어질 것이다. 현명하고 덕 있는 선비를 신중히 선발하여 시강관侍講官으로 일하게 해야 한다. 강독이 끝난 뒤에도 늘 남게 하여 물음에 대비케 하고 조용하고 한가롭게 대화를 나눈다면, 다만 물들어가고 교화되어갈 뿐만이 아닐 것이다. 사람 마음과 세상의 변화, 농사의 심고 거두는 어려움까지도 날이 쌓여 오래가다보면 저절로 통달할 것이다. 깊은 궁궐에 늘 머무르는 것에 비교하면 도움 됨이 클 것이다.

夫傳德義者, 在乎防聞見之非, 節嗜欲之過. 保身體者, 在乎適起居之宜, 存畏謹之心. 故左右近侍, 宜選老成厚重小心之人 ; 服飾器用, 皆須質朴之物. 俾華巧靡麗不至於前, 淺俗之言不入於耳. 凡動作言語, 必使勸講者知之, 庶幾隨物箴規, 應時諫正. 調護聖躬, 莫過乎此矣. 人君居崇高之位, 持威福之柄, 百官畏懼而莫敢仰視, 萬方崇奉而所欲必得. 苟非知道畏義, 所養如此,[212] 則中常之君, 無不驕肆 ; 英明之主, 自然滿假. 此古今同患, 治亂所由也. 所以周公告成王, 稱前王之德, 以寅恭祗懼爲首云.[213]"

도덕과 신의를 가르치는 것은 보고 듣는 그름을 막아 즐기고 욕망하는 지나침을 절제시키는데 있다.

209 今輔養之道 : 이 말에 앞서 『二程粹言』 권2 「君臣篇」에는 '今陛下春秋方富' 일곱 글자가 더 있다. 본래 명도가 神宗에게 올린 글이기에 여기서 옮겨 쓰면서 뺀 듯하다.

210 謹選賢德之士 : 이 말에 앞서 『二程粹言』 권2 「君臣篇」에는 '臣欲' 두 글자가 더 있다. 뜻은 앞 주석과 같다.

211 不獨漸摩. : 『二程粹言』 권2 「君臣篇」에는 '德義' 두 글자가 더 있다.

212 所養如此 : 『二程粹言』 권2 「君臣篇」에는 '其惑可知' 네 글자가 더 있다.

213 以寅恭祗懼爲首云. : '恭'은 『二程粹言』 권2 「君臣篇」에는 '畏'자로 되어 있다.

신체를 보호하는 것은 생활하는 도리의 마땅함을 조절하여 두려워하고 삼가는 마음을 보존시키는데 있다. 그러므로 좌우에서 가까이 모시는 자는 당연히 나이와 덕이 높으며 두텁고 진중하여 조심성이 많은 사람으로 선발하고, 의복과 꾸미는 것, 일상의 그릇들은 모두 당연히 질박한 것이어야 한다. 빛나게 교묘하고 사치스럽게 화려한 물건을 눈앞에 이르지 않게 하고 천박하고 속된 말은 귀에 들어가지 않게 해야 한다. 모든 행동과 언어는 반드시 시강관이 알 수 있게 해야, 거의 사건에 따라 권면해 바로잡고 때맞추어 간쟁하여 바로잡을 수 있다. 군주의 몸을 보살펴 보호하는 일은 이를 넘어설 것이 없다. 군주는 높은 자리에서 상벌의 칼자루를 가지고 있어 백관은 두려움에 감히 쳐다보지도 못하고, 온 나라가 높이 떠받들어 욕심나는 것은 반드시 얻는다. 참으로 도리를 알고 의리를 두려워하며 수양하는 것이 이와 같지 않으면 평범한 군주는 교만 방자하지 아니함이 없고, 영명한 군주는 저절로 자만에 빠진다. 이것이 예부터 지금까지 똑같은 걱정거리이자 화평과 혼란의 원인이다. 주공이 성왕에게 옛 왕의 덕을 일컬으며 공경함, 공손함, 공경히 두려워함[214]으로 으뜸을 삼은 까닭이다."

[65-3-4]

"歷觀前古成就幼主, 莫備於周公, 爲萬世之法. 考之立政之書,[215] 其言常伯常任之尊, 與綴衣虎賁之賤, 同以爲戒, 要在得人, 以爲'知恤者鮮'也. 終篇反覆, 惟此一事而已. 夫'僕臣正, 厥后克正', 左右'侍御僕從, 罔匪正人, 旦夕承弼', 然後起居出入無違禮也; 發號施令無不善也. 後世不復如此, 以謂人主就學, 所以涉書史, 覽古今也. 夫此一端而已, 苟曰如是而足, 則能文宮人可以備勸講, 知書內侍可以充輔導, 又何必置官設職求賢德之士哉? 自古帝王才質, 鮮不過人. 完德有道之君至少, 其故何哉? 皆輔養不得其道, 而勢位使之然也."[216]

(정자가 말하였다.) "옛 역사에서 어린 군주를 성취시킨 사례를 하나하나 살펴보면 주공의 사례보다 갖추어진 예가 없어 만세의 법이 된다. 「입정立政」[217]의 글에서 살펴보면 상백常伯과 상임常任의 높은 관원과 추의綴衣와 호분虎賁의 낮은 관원[218]을 동일하게 경계의 대상으로 말하며, 적임자를 얻는 것이

---

214 공경함, 공손함, … 두려워함 : 주공이 성왕에게 경계하는 말을 모은 『書經』「無逸篇」의 말이다. 주공은 이편에서 자식이 부모가 해왔던 일을 무시하려드는 세태를 들어 말하고 두 번째로 先王들의 행적을 들어 말하였다. 맨 먼저 거론한 군주는 殷나라의 中宗이다. 자세히 보면 다음과 같다. "아! 저는 들으니 예전에 은나라 왕 중종의 경우 장중하고[嚴], 공손하고[恭], 공경하고[寅], 두려워[畏]함으로 천명을 스스로 살피셨으며, 백성을 다스림에 공경히 두려워하여, 감히 일이 망가지도록 팽개치고 편안하려 하지 않아, 마침내 중종이 75년 동안 나라를 다스렸습니다.(嗚呼! 我聞, 曰昔在殷王中宗, 嚴恭寅畏, 天命自度, 治民祇懼, 不敢荒寧, 肆中宗之享國七十有五年.)"라고 하였다. 다만 이글을 인용한 이 문장에서 寅자와 恭자의 순서가 뒤바뀌어 있고, 『朱文公文集』은 '嚴恭寅畏'의 네 글자 중 중간의 '恭寅' 두 글자를 떼어 인용하고 있다.

215 考之立政之書 : 이 글 앞에 『二程粹言』 권2 「君臣篇」에는 다음과 같은 문장이 더 있다. "願陛下, 擴高世之見, 以聖人之言, 爲必可信 ; 以先王之道, 爲必可行. 勿狃滯於近規 ; 勿遷惑於衆口. 然後知周公誠不我欺也."

216 『二程粹言』 권2 「君臣篇」

217 「立政」 : 『書經』의 篇名이다. 내용은 周公이 어린 조카 成王에게 모든 벼슬에 어진 인재를 등용해야 한다고 말한 것을 엮은 것이다.

중요한데 '(적임자 얻는 일을 두고) 걱정할 줄 아는 군주가 드물다.'고 하였다. 「입정」 편의 마지막까지 반복하고 있는 말이 오직 이 한 가지 일일 뿐이다. '시중드는 신하가 바르면 그 군주가 바를 수 있다.'[219]고 하고, 좌우에서 '시중들며 수레를 모는 사람과 태복太僕에 딸린 여러 노복이 바르지 않은 사람이 없어 아침저녁으로 받들고 바로잡아야 한다.'[220]고 하였으니, 그렇게 한 뒤라야 생활하고 드나드는 일에서 예의에 어긋남이 없고, 명령과 지시를 내리는 일에 선하지 아니함이 없다. 후세에는 다시 이와 같은 경우가 없어, 군주가 스승을 따라 공부하는 것을 경전과 역사책을 섭렵하여 예전과 지금을 살피는 일쯤으로 여겼다. 이 한 가지 일 뿐이어서 만일 이와 같은 것으로 충분하다고 말한다면, 글 보는 것에 능숙한 궁인宮人을 시강관으로 채울 수 있을 것이고 글을 아는 내시內侍를 보좌하고 인도하는[輔導] 관원으로 채울 수 있을 터인데, 또 왜 꼭 관서를 설치하고 직책을 만들어 현명하고 덕 있는 선비를 구했겠는가? 예전부터 제왕의 재능과 자질이 보통사람을 넘어서지 않은 군주가 드물었으나, 덕이 완전하게 도리를 지닌 군주는 지극히 적었으니 그 까닭은 무엇인가? 모두 보필과 수양이 그 당연한 도리를 얻지 못하고 형세와 지위가 군주를 이렇게 한 것이다."

[65-3-5]

華陽范氏曰 : "人主學與不學, 繫天下之治亂. 如好學, 則天下之君子欣慕, 願立於朝, 以直道事上, 輔助德業而致太平矣. 如不好學, 則天下之小人皆動其心, 欲立於朝, 以邪諂事上[221], 竊取富貴而專權利矣."[222]

화양 범씨華陽范氏[范祖禹]가 말하였다. "군주에게 학문이 있는지의 여부는 천하의 치란治亂이 달려있다. 만일 학문을 좋아하면 천하의 군자가 흔쾌히 사모하여 조정에서 올곧은 도리로 군주를 섬겨 덕의 수양과 업적 쌓는 일을 보좌하여 태평을 이뤄내고자 할 것이다. 만일 학문을 좋아하지 않으면 천하의 소인이 모두 마음을 설레며 조정에서 사악함과 아첨으로 군주를 섬겨 부귀를 도둑질하여 권세와 이익을 독점하고자 할 것이다."

218 常伯과 常任의 … 관원 : 蔡沈의 『書經集傳』 주석에 따르면 상백은 목민의 牧民之長, 상임은 책임진 일이 있는 공경(有任事之公卿), 추의는 의복과 일상 용기를 관장하는 사람(掌服器者), 호분은 활쏘기와 수레 모는 일을 하는 사람(執射御者)이라고 하였다. 여기서 상백과 상임은 三公 벼슬에 해당하는 높은 벼슬이다.

219 '시중드는 신하가 … 있다.' : 『書經』「冏命」에서 주나라의 穆王이 伯冏을 太僕正에 임명하면서 한 말이다.

220 '시중들며 수레를 … 한다.' : 『書經』「冏命」

221 諂 : '諂'의 오자이다.

222 『范太史集』 권14 「勸學劄子」. 이 글은 이 책에서 인용하며 많은 손질이 있었음을 알 수 있다. 『범태사집』의 본래 문장은 다음과 같다. "陛下今日學與不學, 繫天下他日之治亂, 臣不敢不盡言之. 陛下如好學, 則天下之君子, 皆欣慕, 願立於朝, 以直道事陛下, 輔助德業而致太平矣 ; 陛下如不好學, 則天下之小人, 皆動其心, 欲立於朝, 以邪諂事陛下, 竊取富貴而專權利矣." 문장의 시작 부분에서 특히 많은 손질이 있었음을 알 수 있다. 또 『범태사집』은 천자에게 올리는 차자라서 모두 '陛下'라는 말을 쓰고 있는데, 여기서는 '上'이라는 말로 대치하고 있다.

[65-3-6]

龜山楊氏曰 : "古之聖人, 固宜莫如舜也. 舜之在側微, 與木石居, 鹿豕遊, 固無異於深山之野人也. 是豈以文采過人邪? 伏羲畫八卦. 書斷自堯典. 當是時六經蓋未有也, 而舜之所以聖者果何自哉? 然則聖人之所以爲聖, 其學必有在矣."[223]

구산 양씨龜山楊氏[楊時]가 말하였다. "옛 성인 중에 참으로 적당하기로는 순임금 같은 분이 없다. 순임금이 미천한 신분이었을 때 초목이며 돌덩이들과 함께 살고 사슴과 돼지들과 노닐어, 참으로 깊은 산중의 시골 사람과 다른 점이 없었다.[224] 이 어찌 꾸밈이 남들보다 뛰어났겠는가? 복희伏羲가 팔괘를 그었으나 『서경』은 「요전堯典」으로부터 시작하였다.[225] 당시에 육경六經[226]이 아직 있지 않았는데 순임금이 성인이 된 까닭은 과연 어디에서 비롯되었을까? 그렇다면 성인이 성인이 되는 데에는 그 학문하는 것이 반드시 따로 있을 것이다."

[65-3-7]

武夷胡氏曰 : "明君以務學爲急, 聖學以正心爲要. 心者, 事物之宗. 正心者, 揆事宰物之權也. 六經所載古訓, 不可不攷. 若夫分章析句, 牽制文義, 無益於心術者, 非帝王之學也."[227]

무이 호씨武夷胡氏[胡安國]가 말하였다. "현명한 군주는 학문에 힘쓰는 것을 급선무로 삼고, 성인의 학문은 마음을 바로잡는 것을 요점으로 삼는다. 마음은 사물의 으뜸이니 마음을 바로잡는 것은 사물을 헤아리고 다스리는 저울이다. 육경六經에 실린 옛 가르침을 살펴보지 않을 수 없다. 장章을 나누고 구절[句]을 떼며 문장의 뜻에 얽매이는 것은 심술心術[마음의 덕]에는 아무 도움 될 것이 없으니 제왕의 학문이 아니다."

223 『龜山集』 권25 「與陳傳道序」

224 초목이며 돌덩이들과 … 없었다. : 이 말은 『孟子』「盡心上」의 맹자의 말에서 기인한 것이다. 맹자가 순임금을 평하여 "순임금이 깊은 산속에 사실 적에 수목과 돌덩이들과 사시며 사슴과 돼지들과 노닐어 깊은 산중의 시골 사람들과 다른 점이 거의 적었다.(舜之居深山之中, 與木石居, 與鹿豕遊, 其所以異於深山之野人者, 幾希.)"라고 하였다.

225 伏羲가 팔괘를 … 시작하였다. : 복희는 易의 시원인 팔괘를 처음으로 그어서 역의 원리를 밝힌 중국 상고시대 제왕이다. 太昊를 붙여 太昊伏羲氏라고도 부르고 庖犧라고 부르기도 한다. 이런 상고시대의 제왕이 있었는데도 공자가 『書經』을 刪削하며 중국 역사의 기원을 요임금부터 시작하여 요임금의 역사를 기록한 「堯典」을 『書經』의 첫 편으로 삼았다.

226 六經 : 유가에서 이르는 여섯 가지의 경전. 곧 『詩經』·『書經』·『周易』·『禮記』·『春秋』·『樂經』이다. 『樂經』은 지금은 전하지 않는데 이는 진시황 시대 불태워졌기 때문이라고 한다. 이 육경이 맨 처음 실린 책은 『莊子』「天運」이다.

227 『宋名臣奏議』 권5 「君道門 · 帝學上 · 上欽宗論聖學以正心爲要」에 胡安國의 글로 실린 일부이다. "臣聞明君以務學爲急, 聖學以正心爲要. 心者, 事物之宗, 正心者, 揆事宰物之權也. 自王迹既熄微旨, 載于六經, 時君雖或誦說, 得其傳者寡矣. 陛下心原澄静, 聖度虛明, 蓋天祐大宋, 篤生眞主, 使撥亂反正, 建中興之業也. 臣竊意陛下昔在東宮, 潛德韜晦, 其於六經所載, 帝王制世御俗之大略, 必有所避而不欲問, 官屬之司勸講者, 必有所隱而不及陳, 今正位宸極, 日月蓋已久矣, 而成效未見, 其於古訓, 不可以不考. 若夫分章析句, 牽制文義, 無益於心術者, 非帝王之學也 … " 밑줄 친 부분은 인용하는 과정에서 삭제 된 부분이다.

[65-3-8]

"心者, 身之本也. 正心之道, 先致其知而誠意. 故人主不可不學也. 蓋戡定禍亂, 雖急於戎務, 必本於方寸. 不學以致知, 則方寸亂矣, 何以成帝王之業乎?"[228]

(무이 호씨가 말하였다.) "마음은 몸의 근본이다. 마음을 바로잡는 도리는 먼저 그 앎을 지극히 하여 뜻을 성실하게 해야 한다. 그러므로 군주는 학문을 하지 않으면 안 된다. 재앙과 변란을 평정하려면 군사에 관한 일을 우선해야겠지만 반드시 방촌方寸[마음]에 바탕 해야 한다. 학문으로 앎을 지극히 하지 않으면 방촌이 어지러운데 무엇으로 제왕의 일을 이루겠는가?"

[65-3-9]

致堂胡氏曰 : "古之人君, 旣得賢材布之列位矣. 於是朝以聽政, 則公卿在前, 史在左右, 諫諍七人, 訓告敎誨, 而無怠朝矣. 晝以訪問, 則監于成憲, 學於古訓, 多識前言往行, 與萬民之疾苦, 物情之幽隱, 而無怠晝矣. 夕以修令. 則思夫應違, 慮夫榮辱, 愼而後出, 奠而後發, 不敢苟也, 而無怠夕矣. 而又無淫于觀, 于逸, 于遊, 于畋, 于酒, 于樂, 而又盤有銘, 几有戒, 杖有詔, 器有箴, 圖有規, 藝有諫. 夫所以寅畏祗懼, 不使放心邪氣得溺焉者如此. 夜而寢息, 則又有雞鳴之賢妃, 卷耳之淑女, 警戒相成, 不懷宴安, 昧爽丕顯, 坐以待旦, 此乃憂勤之事也. 憂勤如此, 乃所以端拱無爲也. 是故勤勞者, 非衡石程書衛士傳餐之謂也 ; 無爲者, 非遺棄萬務嘿然兀然之謂也. 稽無逸周公之言, 則人君之法具矣."[229]

치당 호씨致堂胡氏[胡寅]가 말하였다. "예전의 군주는 어진 인재를 얻어 여러 벼슬에 포진시켰다. 그래서 아침에 정사를 다스리는 일에는 공경公卿이 앞에 있고 사관史官이 좌우에 있으며 간쟁하는 일곱 사람이 가르침을 말해주어 아침에 게으를 수 없다. 낮에 묻고 가르침을 구하는 일에는 이미 만들어진 법을 살피고 옛 가르침을 배워서 옛 성현의 말씀과 행동, 만백성의 아픔, 세상사의 숨겨진 일 등 많은 것을 알아야 하니 낮에 게으를 수 없다. 석양에 법령을 닦는 일에서는 타당할지 어긋날지를 생각하고 영화로울지 오욕스러울지를 생각해 보아 이치에 순한 뒤에 (명령을) 내리고 결정 된 뒤에 발표하여 감히 구차함이 없으니 석양에 게으를 수 없다.[230] 또 보는 것, 편한 것, 노니는 것, 사냥, 술, 음악에 지나침이 없고,

228 『斐然集』 권25 「先公行狀」. 『斐然集』은 호안국의 아들 胡寅의 문집 이름이다. 「先公行狀」의 많은 부분을 편집하여 여기에 인용하였다. 그 앞뒤 문장을 살피면 다음과 같다. 밑줄 친 부분은 인용하는 과정에서 삭제된 부분이다. "心者, 身之本也. 身者家之本也, 家者, 國之本也, 國者, 天下之本也. 能正其心, 則朝廷百官萬民莫不一於正, 安與治所由興也. 不正其心, 則朝廷百官萬民皆習於不正, 危與亂所由致也. 然心有所憤怒而弗能忍, 則不得其正. 有所貪欲而弗能窒, 則不得其正. 有所蔽惑而弗能斷, 則不得其正, 有所畏怯而弗能自強, 則不得其正. 正心之道, 先致其知而誠其意, 故人主不可不學也, 蓋戡定禍亂, 雖急於戎務, 而裁決戎務, 必本於方寸. 不學以致知, 則方寸亂矣, 何以成帝王之業乎?"

229 『尙書日記』 권13 「無逸」에 이 글이 실려져 있으나 문장은 여러 곳에서 한두 글자 또는 한두 문장의 다름이 있다.

230 아침에 정사를 … 없다. : 아침 이하 낮 · 저녁 · 밤에 대한 제시는 『春秋左傳』 「召公 원년」의 "公孫僑 제가

또 목욕 그릇에는 격언의 말이 있고, 궤几에는 경계의 말이 써져 있고, 지팡이에는 알리는 말이 써져 있고, 그릇에는 잠언箴言이 써져 있고, 그림에는 법도의 말의 써져 있고, 재예才藝의 연출에 간쟁하는 뜻이 담겨 있다. 경외하며 공경히 두려워하여 사악한 마음이 멋대로 펼쳐져 빠져들 수 없게 함이 이와 같다. 밤에 잠자리에서 쉴 적에는 또 첫닭이 울었다는 현숙한 왕비가 있고[231] 「권이卷耳」의 요조숙녀가 있어[232] 경계시켜 서로 도우고 일락逸樂을 생각하지 않으며, 동이 터올 무렵에 마음의 덕을 크게 밝혀 앉아서 아침을 기다리니[233] 이것들은 걱정하여 애쓰는 일이다. 걱정하고 애쓰는 것이 이 같은 까닭에 단정하게 팔짱을 끼고서 아무런 것도 하지 않는 것이다. 그러므로 애쓴다는 것은 문서를 저울에 달아가며 살피고[234] 호위무사에게 밥을 날아오게 하는 것[235]을 이르는 것이 아니며, 아무 것도 하지 않는다는

듣기에 군자는 四時(아침 · 낮 · 저녁 · 밤)의 일이 있어 아침에는 정사를 다스리고 낮에는 자문을 하고 저녁에는 법령을 닦고 밤에는 몸을 편히 한다고 합니다.(僑聞之, 君子有四時, 朝以聽政, 晝以訪問, 夕以修令, 夜以安身.)"에서 인용된 것이다.

231 첫닭이 울었다는 … 있고 : 이는 『詩經』「齊風 · 鷄鳴」에 의거해서 한 말이다. 시는 다음과 같다. "첫닭이 이미 울어 조정이 가득 찼을 것이라더니 닭의 홰치는 소리가 아니고 파리가 우는 소리로다.(雞既鳴矣, 朝既盈矣. 匪雞則鳴, 蒼蠅之聲.)" 이 시는 현숙한 왕비가 왕과 밤을 넘기며 아침이 밝아올 무렵 왕에게 알리는 말을 시로 읊은 것이다.

232 「卷耳」의 요조숙녀가 있어 : 「卷耳」는 『詩經』「周南」 편명이다. 그 시는 다음과 같다. "권이나물 캐고 캐서 아직 입이 낮은 광주리에 차지 않았는데 아! 내 낭군님 저 여러 벼슬자리에 어진 군자를 등용시키기를 생각하노라(采采卷耳, 不盈頃筐, 嗟我懷人, 寘彼周行.)" 이 시는 문왕의 후비가 문왕이 어진 인재를 발탁하기를 바라는 마음에서 지은 것이다. 시의 번역은 鄭玄의 箋을 따랐다.

233 동이 터올 … 기다리니 : 이는 『書經』「太甲上」에서 伊尹이 군주 太甲을 옛 선왕의 고사를 들어 경계시킨 말 가운데 일부이다. 앉아서 아침을 기다리는 것은 『孟子』「離婁下」에 周公의 덕으로 말하였는데 이를 朱子는 "빨리 행하고자 하는 마음에서(急於行也)"라고 하였다.

234 문서를 저울에 … 살피고 : 이는 진시황의 고사이다. 『史記』「秦始皇本紀」에 "천하의 일은 크고 작은 일 없이 모두 진시황의 손에서 결정되었다. 진시황은 저울로 문서의 근수를 헤아려 밤낮으로 검토할 목표를 정해 두기까지 하여 정한 문서를 다 검토하지 못하면 쉬지 않았다.(天下之事, 無大小皆決於上. 上至以衡石量書, 日夜有呈, 不中呈不得休息.)"라고 하였다.

235 호위무사에게 밥을 … 것 : 이는 수나라 文帝의 고사이다. 『唐鑑』 권3 「太宗 1」에 "태종이 房玄齡과 蕭瑀에게 '수 문제는 어떤 군주인가?'라고 묻자, 대답하기를 '문제는 정사에 애써 조정에 나왔을 적에 혹 해가 기울도록 5품 이상의 관원을 자리로 불러내 정사를 논하느라 호위무사가 밥을 날아와 먹었습니다. 성정이 인후하지는 않았지만 정신을 한껏 가다듬었던 군주입니다.'라고 하니, 태종은 '공들은 하나는 알았으나 하나는 몰랐다. 문제는 지혜가 밝지 못하고 살피기를 좋아하였으니, 지혜가 밝지 못하면 비춰보는 일이 환하지 못하고 살피기를 좋아하면 사물에 의심이 많아진다. 일마다 모두 자신이 결정하고 뭇 신하에게 맡기지 않으면 천하는 더 없이 너르고 하루 사이에 수많은 일이 일어난다. 정신을 수고롭게 하고 몸을 고생시키더라도 어떻게 하나하나를 이치에 맞게 할 수 있겠는가? 뭇 신하들이 군주의 뜻을 일찍 파악하고서는 오직 결정하고 계획된 대로 따라 일하려고만 하고 잘못된 일이 있어도 감히 간쟁하려 들지 않았다. 이것이 2대만에 망한 까닭이다.(帝問房玄齡 · 蕭瑀曰, '隋文帝何如主也?' 對曰, '文帝勤於爲治, 臨朝或至日昃, 五品以上引坐論事, 衛士傳餐而食. 雖性非仁厚, 亦勵精之主也.' 帝曰, '公得其一, 未得其一. 文帝不明而喜察, 不明則照有不通, 喜察則多疑於物. 事皆自決, 不任群臣, 天下至廣, 一日萬幾. 雖復勞神苦形, 豈能一一中理? 群臣既知主意, 惟取決受成. 雖有愆違, 莫敢諫爭, 此所以二世而亡也.')"라고 하였다.

것은 모든 일을 팽개쳐두고 말없이 오뚝하게 앉아있는 것을 이른 것이 아니다. 「무일無逸」[236]의 주공이 한 말을 살피면 군주의 법도가 갖추어져 있다."[237]

[65-3-10]

豫章羅氏曰: "人主讀經則師其意, 讀史則師其迹. 然讀經以尚書爲先, 讀史以唐書爲首. 蓋尚書論人主善惡爲多, 唐書論朝廷變故最盛."[238]

예장 나씨豫章羅氏[羅從彦]가 말하였다. "군주가 경서를 읽어서는 그 뜻을 배우고 역사책[史書]을 읽어서는 그 자취를 배워야 한다. 그러나 경서를 읽으려면 『상서尙書』로 우선을 삼고 역사책을 읽으려면 『당서唐書』로 첫째를 삼아야 한다. 『상서』에는 군주의 선악에 대한 말이 많고 『당서』에는 조정의 변고에 대한 말이 가장 많다."

[65-3-11]

朱子曰: "天下之事, 其本在於一人, 而一人之身, 其主在於一心. 故人主之心一正, 則天下之事, 無有不正. 人主之心一邪, 則天下之事, 無有不邪. 如表端則影直, 源濁則流汙, 其理有必然者. 是以古先哲王, 欲明其德於天下者, 莫不一以正心爲本. 然本心之善其體至微, 而利欲之攻不勝其衆. 嘗試驗之, 一日之間, 聲色臭味, 游衍馳驅, 土木之華, 貨利之殖, 雜進於前, 日新月盛. 其間心體湛然, 善端呈露之時, 蓋絶無而僅有也.

주자가 말하였다. "천하의 일은 그 근본이 한 사람에게 있고 한 사람의 몸은 그 주인이 한 마음에 있다. 그러므로 군주의 마음이 한번 바르면 천하의 일이 바르지 않음이 없고 군주의 마음이 한번 사악하면 천하의 일이 사악하지 않음이 없다. 마치 겉모습이 단정하면 그림자가 곧고 원류가 흐리면 물이 더러운 것과 같으니 그것은 필연의 이치이다. 그런 까닭에 예전의 명철한 제왕으로 덕을 천하에 밝히고자 했던 군주는 하나같이 마음을 바로잡는 것으로 근본을 삼지 않은 이가 없었다. 그러나 본심本心의 선善은 그 본체가 지극히 미미하고 공격하려 드는 이욕은 그 수를 감당할 수 없다. 실제를 한번 살펴본다면 하루사이에도 귀로 듣는 소리, 눈으로 보는 빛, 코로 맡는 냄새, 입으로 아는 맛들이 넘실대고 치달리며 건축물의 화려함과 재화의 증식이 눈앞에 뒤섞여서 날로 새로워지고 달로 증가한다. 그 사이에서 마음의 본체가 맑으면서 선한 단서가 드러나는 때는 대체로 전혀 없거나 조금 있다.

苟非講學之功, 有以開明其心, 而不迷於是非邪正之所在, 又必信其理之在我, 而不可以須臾離焉, 則亦何以得此心之正, 勝利欲之私, 而應事物無窮之變乎? 然所謂學, 則又有邪正之別焉. 味聖賢之言, 求以義理之當; 察古今之變, 以驗得失之幾, 而必反之身以踐其實者, 學之

236 「無逸」: 『書經』의 편 이름이다. 주공이 어린 조카 成王에게 편하려고 해서는 안 됨을 반복해 말하였다.
237 이 문장의 자세한 주석은 위 [65-1-29] 참고
238 『豫章文集』 권12 「雜著 · 議論要語」

正也. 涉獵記誦而以雜博相高, 割裂裝綴而以華靡相勝, 反之身則無實, 措之行則無當者, 學之邪也. 學之正而心有不正者鮮矣 ; 學之邪而心有不邪者亦鮮矣. 故講學, 雖所以爲正心之要, 而學之邪正, 其繫於所行之得失, 而不可不審者, 又如此. 易曰, 正其本, 萬事理. 差之毫釐, 繆以千里."[239]

진실로 학문을 닦은 공력이 그 마음을 열어 밝혀서 옳음과 그름, 사악과 바름이 소재한 곳에 헷갈리지 않고, 또 반드시 그것을 다스리는 일이 나에게 달려있어 잠시도 떠날 수 없음을 믿지 않는다면 또한 어떻게 이 마음의 바름을 얻고 이욕의 사사로움을 이겨내 사물의 무궁한 변화에 대응할 수 있겠는가? 그러나 이른바 학문에는 또 사악과 바름의 구별이 있다. 성현의 말을 음미하여 의리의 당연함을 찾아내고 고금의 변화를 살펴 잘잘못의 기미를 찾아내어, 반드시 내 몸에 되돌려 그 실재를 실천하는 것은 학문의 바름이다. (여러 가지를) 섭렵하여 기억하고 외워서 널리 잡된 것을 서로 숭상하고, 여기저기서 가져다가 꾸미고 엮어 화려함으로 서로 이기려하여, 한 몸에 되돌아보면 실재가 없고, 행실에 옮기려면 마땅한 것이 없는 것은 학문의 사악함이다. 학문이 바른데 마음이 바르지 않는 자는 드물지만 학문이 사악한데 마음이 사악하지 않는 자도 또한 드물다. 그러므로 학문을 익히는 일은 마음을 바로잡는 요점이지만 학문의 사악과 바름은 행실의 잘잘못과 연계되니 살피지 않을 수 없음이 또 이와 같다. 『주역』에 '그 근본을 바르게 하면 모든 일이 다스려지고, 털끝만큼의 차이가 천리로 달라진다.'[240]라고 하였다."

[65-3-12]

"舜之戒禹曰, '人心惟危, 道心惟微, 惟精惟一, 允執厥中.' 而必繼之曰, '無稽之言勿聽, 弗詢之謀勿庸, 愼乃有位, 敬脩其可願, 四海困窮, 天祿永終.' 孔子之告顔淵, 旣曰'克己復禮爲仁, 一日克己復禮, 天下歸仁焉, 爲仁由己而由人乎哉?' 而又申之曰, '非禮勿視, 非禮勿聽, 非禮勿言, 非禮勿動.' 旣告之以損益四代之禮樂, 而又申之曰, '放鄭聲, 遠佞人, 鄭聲淫, 佞人殆.' 嗚呼! 此千聖相傳心法之要. 其所以極夫天理之全, 而察乎人欲之盡者, 可謂兼其本末巨細而擧之矣.

(주자가 말하였다.) "순임금이 우禹를 경계시켜 '인심人心은 위태하고 도심道心은 미약하니 오직 정밀하게 살피고 오직 한결같이 지켜서 진실로 그 중中을 잡아야 한다.[241]'라고 하고서, 기어코 그 말을 이어서 '고증하지 않은 말은 따르지 말고 자문하지 않은 계획은 쓰지 말라. 네가 지닌 지위를 신중히 하여 그 중 백성들이 원할만한 것을 공경히 닦도록 하라. 천하가 곤궁하여지면 하늘이 내리는 복록이 영원히 끊길 것이다.'[242]라고 하였다. 공자가 안연에게 한 말도 기왕에 '사욕을 이겨내고 예를 회복하는 것이

239 『朱文公文集』 권12 「己酉擬上封事」

240 '그 근본을 … 달라진다.' : 이는 지금의 『周易』에는 없는 말이다. 그래서 漢代의 緯書에 근거한 말이라는 주장이 있다.

241 '人心은 위태하고 … 한다.' : 『書經』 「大禹謨」

242 '고증하지 않은 … 것이다.' : 『書經』 「大禹謨」에 앞의 말에 연이어 한 말이다. 다만 자문하지 않은 계획은

인이 된다. 어느 날 사욕을 이겨내고 예를 회복하면 천하가 그 인을 허여할 것이니 인을 행하는 것이 자신에게 달린 일이지 남에게 달린 일이겠는가?'[243]라고 하고서, 또다시 '예가 아니면 보지 말고, 예가 아니면 듣지 말고, 예가 아니면 말하지 말고, 예가 아니면 행동하지 말라.'[244]라고 하였다. 기왕에 사대四代의 예악禮樂에서 덜고 더할 것을 일러주고서 또다시 '정나라 음악은 내치고 말재주가 있는 사람은 멀리해야 하니, 정나라 음악은 음탕하고 말재주가 있는 사람은 위태하다.'라고 하였다.[245] 아! 이것이 천고의 성인들이 서로 전수한 심법心法의 요점이다. 그러한 속에서 천리天理의 온전함을 다하고 인욕人欲을 남김없이 살펴내는 것은 그 본말과 크고 작은 것을 겸해 다한 것이라 말할 수 있을 것이다.

兩漢以來, 非無願治之主, 而莫克有志於此. 是以雖或隨世以就功名, 而終不得以與乎帝王之盛. 其或耻爲庸主, 而思用力於此道, 則又不免蔽於老子浮屠之說. 静則徒以虛無寂滅爲樂, 而不知有所謂實理之原 ; 動則徒以應緣無礙爲達, 而不知有所謂善惡之幾. 是以日用之間, 内外乖離不相爲用, 而反以害於政事. 蓋所謂千聖相傳心法之要者, 於是不復講矣."[246]

전한과 후한 이후 다스려보기를 원하는 군주가 없지 않았으나 이것에까지 뜻을 두지는 못하였다. 그러므로 간혹은 세상 따라 공명을 성취하였으나 끝내 제왕의 성덕 대열에 끼일 수 없었다. 그중 간혹 용렬한 군주가 되는 것을 부끄럽게 생각하여 이 도道에 힘쓰고자 생각하면 또 노자老子와 부도浮屠[佛敎]의 말에 가림을 면치 못하였다. 그리하여 고요히 있을 적이면 공연히 허무虛無와 적멸寂滅로 즐거움을 삼고 이른바 실리의 근원이 있음을 알지 못하고, 무슨 일을 하려 들면 공연히 인연에 대한 대응에 거리낌이 없는 것을 통달로 삼고 이른바 선악의 기미가 있음을 알지 못하였다. 이런 까닭에 날마다의 생활 속에서 안팎이 괴리되어 서로가 소용되지 못하고 거꾸로 정사에 해악이 되었다. 이른바 천고의 성인들이 서로 전수한 심법心法의 요점이 여기에서 다시 강명講明되지 못하였다."

[65-3-13]

"帝王之學雖與韋布不同, 經綸之業固與章句有異. 然其本末之序, 竊以爲無二道也. 聖賢之言平鋪放著, 自有無窮之味. 於此從容潛玩, 黙識而心通焉, 則學之根本於是乎立, 而其用可得而推矣. 患在立說貴於新奇, 推類欲其廣博. 是以反失聖言平淡之眞味, 而徒爲學者口耳之末習. 至於人主能之, 則又適其所以爲作聰明自賢聖之具, 不惟無益而害有甚焉."[247]

쓰지 말라와 네가 지닌 지위를 신중히 하여라는 말 사이에 「大禹謨」에는 몇 마디 말이 더 있다.

243 '사욕을 이겨내고 … 일이겠는가?' : 『論語』「顔淵」에 실린 말로 안자가 공자에게 仁을 묻자 대답한 말이다.

244 '예가 아니면 … 말라.' : 『論語』「顔淵」에서 안연이 공자의 말을 듣고 그 條目을 묻자 대답한 말이다.

245 四代의 禮樂에서 … 하였다. : 『論語』「衛靈公」에서 안자가 물은 나라 다스리는 것에 대한 대답에서, 공자는 "하나라의 曆法을 행하고, 은나라의 수레를 타고, 주나라의 면류관을 쓰고 음악은 순임금의 韶舞를 쓰라(行夏之時 ; 乘殷之輅 ; 服周之冕 ; 樂則韶舞.)"고 하고서 이어 정나라 음악을 운운하였다. 여기서 사대는 바로 순임금의 虞나라와 하·은·주 세 나라를 합하여 4대라고 한 것이다.

246 『朱文公文集』 권14 「延和奏劄」 5

(주자가 말하였다.) "제왕의 학문은 평민의 학문과 동일하지 않고 경륜으로 삼는 일도 장구지학章句之學과는 다르다. 그러나 그 본말의 순서는 두 길이 아니라고 생각된다. 성현의 말씀은 평범하게 하여 본래 무궁한 맛이 있다. 여기에 조용히 잠겨 음미하고 말없이 이해하여 마음으로 통한다면 학문의 근본은 여기서 확립되고 그 응용도 미루어 얻을 수 있다. 걱정거리는 어떤 말을 하려면 신기하게 하려들고 유추하는 일을 넓게 하고자 하는데 있다. 이 때문에 도리어 성인 말의 평범한 진리를 잃고 공연히 학자들의 구이지학口耳之學의 말폐를 익히게 된다. 군주가 재능이 있게 되면 또 다만 총명을 구사하여 스스로 현명하다고 여기는 도구만 되니 무익할 뿐만 아니라 해가 더욱 심하다."

[65-3-14]

"人主所以制天下之事者, 本乎一心, 而心之所主, 又有天理人欲之異. 二者一分, 而公私邪正之塗判矣. 蓋天理者此心之本然, 循之則其心公而且正; 人欲者此心之疾疢, 循之則其心私而且邪. 公而正者逸而日休. 私而邪者勞而日拙. 其效至於治亂安危, 有大相絶者, 而其端特在夫一念之間而已. 舜禹相傳, 所謂'人心惟危, 道心惟微, 惟精惟一, 允執厥中者', 正謂此也."[248]

(주자가 말하였다.) "군주가 천하의 일을 관장하는 것은 마음 하나에 근본하고 있으나 마음이 주장하고 있는 것은 또 천리天理와 인욕人欲의 다름이 있다. 둘은 한 번 나누이면 공과 사, 사악과 정직의 길이 판연하다. 천리는 이 마음의 본연으로 그대로 따르면 마음이 공정하며 또 바르고, 인욕은 이 마음의 병통으로 그대로 따르면 마음이 사사로우며 또 사악해진다. 공정하며 바른 마음은 편안하여 날마다 아름다워지고, 사사롭고 사악한 마음은 수고롭고 날마다 옹졸해진다. 그 효험은 치란治亂과 안위安危에 이르러 크게 서로 현격함이 있게 되나 그 단서는 다만 한 생각이 일어나는 사이일 따름이다. 순임금이 우임금에게 자리를 물려주며 '인심人心은 위태하고 도심道心은 미약하니 오직 정밀하게 살피고 오직 한결같이 지켜서 진실로 그 중中을 잡아야 한다.'고 말한 것도 바로 이를 이른 것이다."

[65-3-15]

"人主之學, 當以明理爲先. 是理旣明, 則凡所當爲而必爲, 所不當爲而必止, 莫非循天之理, 而非有意必固我之私也."[249]

(주자가 말하였다.) "군주의 학문은 당연히 이치를 밝히는 것으로 우선을 삼아야 한다. 이치가 밝아지면 당연히 해야 할 일은 반드시 행하고 당연히 하지 않아야 할 일은 반드시 중지하여 하늘의 이치를 따르지 않음이 없고, '사사로운 뜻, 기필함, 고집하여 막힘, 나라는' 사사로움은[250] 있지 않게 된다."

247 『朱文公文集』 권25「書 · 答張敬夫」 4

248 『朱文公文集』 권13「延和奏劄」 2

249 『朱文公文集』「垂拱奏劄」 2

250 '사사로운 뜻, … 사사로움은' : 『論語』「子罕」에서 공자에게 전혀 없었던 네 가지 덕목으로 거론 된 것이다. 『論語』에는 "공자께서는 네 가지가 전연 없으셨으니 사사로운 뜻이 없었고, 기필함이 없었고, 고집하여 막힘이 없었고, 나라는 것이 없었다.(子絶四, 毋意, 毋必, 毋固, 毋我.)"라고 하였다.

[65-3-16]

"周武王之言曰, '惟天地萬物父母, 惟人萬物之靈. 亶聰明, 作元后, 元后作民父母.' 而孟子又曰, '堯舜性之, 湯武反之.' 蓋嘗因此二說而深思之, 天地之大, 無不生育, 固爲萬物之父母矣. 人於其間, 又獨得其氣之正, 而能保其性之全, 故爲萬物之靈. 若元后者, 則於人類之中, 又獨得其正氣之盛, 而能保其全性之尤者. 是以能極天下之聰明, 而出乎人類之上, 以覆冒而子畜之, 是則所謂作民父母者也.

(주자가 말하였다.) "주나라 무왕武王의 말에 '하늘과 땅은 만물의 부모이고 사람은 만물 중에서 신령한 자이다. 진실로 총명한 사람이 군주가 되고 군주는 백성의 부모가 된다.'[251]라고 하였고, 맹자는 또 '요순은 타고난 성性대로 하고 탕임금과 무왕은 (성을) 회복시켰다.'[252]고 하였다. 일찍이 이 두 말에 의거하여 깊이 생각해 보니 하늘과 땅은 생육시키지 않음이 없어 참으로 만물의 부모였다. 사람은 그 가운데서 또 홀로 하늘과 땅의 바른 기氣를 얻어 능히 그 성性 전체를 보존한 까닭에 만물 가운데 신령한 존재이다. 예컨대 군주는 사람들 가운데서도 또 홀로 바른 기운 중의 성대한 기를 얻어 능히 전체 성을 보존한 자 중 뛰어난 자다. 그런 까닭에 능히 천하가 가진 총명을 다하여 사람들 위에 뛰어나서 하늘처럼 덮어주고 아들처럼 길러주니 이것이 이른바 백성의 부모가 되었다는 것이다.

然以自古聖賢觀之, 惟帝堯 · 大舜, 生而知之, 安而行之, 爲能履此位當此責而無媿. 若成湯 · 武王, 則其聰明之質, 固已不能如堯舜之全矣. 惟其能學而知, 能利而行, 能擇善而固執, 能克己而復禮. 是以有以復其德性聰明之全體, 而卒亦造夫堯舜之域, 以爲億兆之父母. 蓋其生質, 雖若不及, 而其反之之至, 則未嘗不同, 孔子所謂'及其成功一也', 正此之謂也. 誠能於日用之間, 語默動靜, 必求放心, 以爲之本, 而於玩經觀史, 親近儒學, 已用力處, 益用力焉. 數召大臣, 切劘治道, 俾陳要急之務, 至於群臣進對, 亦賜溫顔反覆詢訪, 以求政事之得失, 民情之休戚. 而又因以察其人材之邪正短長, 庶於天下之事各得其理. 經歷詳盡, 浹洽貫通, 聰明日開, 志氣日强, 德聲日聞, 治效日著, 四海之內瞻仰畏愛如親父母, 則是反之之至, 而堯舜湯武之盛不過如此."[253]

그러나 예전의 성현에서부터 살펴보면 오직 요堯와 순舜만은 태어나면서 도를 알고 편안하게 도를 행하여 제왕의 지위를 수행하고 제왕의 책임을 맡아 아무 부끄러울 것이 없다. 성탕成湯과 무왕武王은 총명한 자질이 본디 요순의 온전함만 같지 못하다. 그들은 배워서 알았고, 이롭게 여겨서 행하였고, 선을 가려내서 굳게 지녔고, 사욕을 이겨서 예를 회복하였다. 그런 까닭에 덕성德性과 총명의 전체를 회복하여 마침

251 '하늘과 땅은 … 된다.' : 『書經』「泰誓上」에서 무왕이 은나라의 紂를 치기 위해 제후의 군사를 孟津에 모이게 하고 한 말이다.

252 '요순은 타고난 회복시켰다.' : 『孟子』「盡心下」에 "요순은 타고난 性대로하고, 탕임금과 무왕은 (성을) 회복시키고, 오패는 인의를 빌렸다.(堯舜性之也, 湯武反之也, 五霸假之也.)"라고 하였다.

253 『朱文公文集』 권14 「乞進德劄子」

내 또한 요순의 경지에 올라 수만 백성의 부모가 되었다. 타고난 자질은 미칠 수 없을 것 같았는데 회복시킴이 지극하게 되자 조금도 동일하지 않음이 없게 되었으니 공자가 말한 '공이 이루어짐에 미쳐서는 동일하다.'[254]는 바로 이를 이른 것이다. 참으로 날마다 생활하는 사이의 말과 침묵, 행동과 그침 속에서 반드시 방심을 거두어 잡는 것으로 근본을 삼고, 경전을 음미하고 역사책[史書]을 살펴 유학儒學을 가까이 하며, 이미 힘을 기울인 곳에 더욱 힘을 쏟아야 한다. 자주 대신을 불러 정치에 관한 도리를 갈고 닦으며 중요 급선무가 되는 일을 말하게 하고, 뭇 신하들이 나아오거나 말할 때에 이르러서도 또한 따뜻한 얼굴로 대하며 거듭 물어서, 정사의 잘잘못과 백성들 삶의 편안함과 어려움을 찾아내야 한다. 그리고 또 그 기회를 통해서 인재들의 사악함과 바름, 모자람과 잘함을 살핀다면 거의 천하의 일에 각기 적당한 도리를 얻을 것이다. 직접 경험함이 더없이 자상하고 두루 관통한다면, 총명이 날마다 열리고, 뜻이 날마다 강화되고, 덕스러운 명성이 날마다 퍼져나가고, 정치의 효험이 날마다 드러나 천하 모두가 우러르며 두려워하고 사랑하기를 마치 부모와 같이 한다면 (본성을) 회복시킴이 지극한 것이니 요순과 탕무의 성대함도 이 같음에서 넘어서지 않는다."

[65-3-17]

勉齋黃氏曰 : "帝王之學, 必先格物致知, 以極夫事物之變. 使義理所存, 纖悉畢照, 則自然意誠心正而可以應天下之務."

면재 황씨勉齋黃氏[黃榦]가 말하였다. "제왕의 학문은 반드시 격물치지하여 사물의 변화에 힘을 다하는 것으로 우선을 삼아야 한다. 그리하여 가진 의리가 세밀하고 자상함이 남김없이 비추어내게 한다면 저절로 뜻이 성실하고 마음이 바르게 되어 천하의 일에 대응할 수 있을 것이다."

[65-3-18]

西山眞氏曰 : "惟學可以養此心 ; 惟敬可以存此心 ; 惟親近君子可以維持此心. 蓋義理之與物欲, 相爲消長者也. 篤志于學, 則日與聖賢爲徒而有自得之樂 ; 持身以敬, 則凜如神明在上而無非僻之侵 ; 親賢人君子之時多, 則規儆日聞, 謟邪不得而惑.[255] 三者交致其力, 則聖心湛然, 如日之明, 如水之清, 義理爲之主而物欲不能奪矣."[256]

서산 진씨西山眞氏[眞德秀]가 말하였다. "학문만이 마음을 수양시킬 수 있고, 경敬만이 마음을 보존시킬 수 있으며, 군자를 친근하게 하는 것만이 마음을 유지시킬 수 있다. 의리와 물욕物欲은 서로 소장消長 관계를 이룬다. 뜻을 학문에 돈독하게 하면 날마다 성현과 한 무리가 되어 스스로 만족한 즐거움을

---

254 '공이 이루어짐에 … 동일하다.' : 공자는 魯나라의 군주 哀公에게 사람의 타고난 자품의 등급을 설명하며 "어떤 사람은 (자신이 아는 것을) 편안하게 행동으로 옮기고, 어떤 사람은 그것을 이롭게 여겨 행동으로 옮기고, 어떤 사람은 애를 써서 그것을 행동하나 그것들의 공이 이루어짐에 미쳐서는 동일하다.(或安而行之 ; 或利而行之 ; 或勉强而行之, 及其成功一也.)"라고 하였다.(『中庸』 제20章)

255 謟 : '諂'의 오자이다.

256 『西山文集』 권4 「奏劄 · 論初政四事」

누리고, 몸을 경으로 지니면 마치 신명神明이 머리 위에 있는 듯 엄숙해져 사악함이 파고들이 없고, 현명한 사람과 군자와 친하게 지내는 시간이 많으면 권면하고 경계함을 날마다 듣게 되어 아첨과 사악함이 의혹할 수 없다. 세 가지 일에 번갈아 자신의 힘을 다한다면 군주 마음의 맑음이 해의 밝음과 같고 물의 맑음과 같아 의리가 마음의 주인이 되어 물욕이 빼앗을 수 없을 것이다."

[65-3-19]

"人主之學, 其要在於誠意正心修身齊家, 以爲出治之本. 非徒琱鏤詞藝, 破析章句, 爲書生之末技而已."

(서산 진씨가 말하였다.) "군주의 학문은 그 요점이 성의誠意·정심正心·수신修身·제가齊家로 국가를 다스리는 근본을 삼는데 두어야 한다. 한갓 문장을 고치거나 가다듬으며 장구章句나 쪼개고 나누어서 서생의 지엽적인 기예가 되게 해서는 안 된다."

[65-3-20]

魯齋許氏曰: "凡人之情, 敬愼於憂危, 惰慢於暇豫, 惟聖人不如此. 堯舜只兢兢業業無已時, 憂危暇豫, 處之如一. 一日二日萬幾, 何得惰慢? 程子謂'惟愼獨可以行王道', 初未然之, 徐而思之, 不如此不能行王道. 蓋功夫有間斷故也. 以太宗之英明, 猶於此不能進. 兩漢文帝光武敬愼終身, 然聖學不足以成就之. 惜哉!"[257]

노재 허씨魯齋許氏[許衡]가 말하였다. "무릇 사람의 마음은 근심과 위험에서는 공경하고 삼가며 편안하고 한가로울 적에는 게을러지나 성인만은 이와 같지 않다. 요순은 다만 조심조심 위태위태해 하는 것을 그칠 때가 없어 근심과 위험에서나 편안하고 한가로울 적에 태도가 한결같다. 하루 이틀에 온갖 일의 기미가 일어나는데 어떻게 게으를 수 있겠는가? 정자程子가 '홀로 있을 때를 삼가야 왕도王道를 행할 수 있다,'고 한 것을 처음에는 그와 같이 여기지 않았으나 천천히 생각해보니 이와 같이 하지 않으면 왕도를 행할 수 없었다. 그것은 공부에 끊김이 있는 까닭이다. 당唐나라의 태종太宗 같은 영민함으로도 여전히 이 경지에는 나아가지 못하였고, 양한兩漢의 문제文帝와 광무제光武帝도 평생을 공경하고 삼갔으나 군주의 학문은 성취시키지 못하였다. 애석하도다!"

儲嗣 저사: 太子

[65-4-1]

涑水司馬氏曰: "古之明王教養太子, 爲之擇方正敦良之士, 以爲保傅師友, 朝夕與之遊處. 左

257 『魯齋遺書』 권1 「語錄上」

右前後, 無非正人. 出入居處, 無非正道."[258]

속수 사마씨가 말하였다. "예전에 지혜가 밝은 군주가 태자를 가르쳐 기를 때 그 일을 위해 행실이 방정하고 마음이 도탑고 선량한 선비를 가려 스승이나 사우師友로 삼아 아침저녁으로 함께 노닐게 하였다. 그리하여 전후좌우가 바른 사람이 아님이 없었고, 출입하고 생활하는 것이 바른 도리가 아님이 없었다."

[65-4-2]

五峰胡氏曰: "養太子不可以不愼也; 望太子不可以不仁也."[259]

오봉 호씨五峰胡氏[胡宏]가 말하였다. "태자를 기르는 일은 삼가지 않을 수 없고, 태자에 대한 기대를 불인不仁으로 할 수는 없다."

[65-4-3]

"大本正, 然後可以保國一天下."[260]

(오봉 호씨가 말하였다.) "국가의 근본이 바른 뒤라야 나라를 보전하고 천하를 통일할 수 있다."

[65-4-4]

朱子曰: "賈誼作保傅傳, 其言有曰, '天下之命, 繫於太子. 太子之善, 在於早諭教. 與選左右. 教得而左右正, 則太子正, 太子正而天下定矣.' 此天下之至言, 萬世不可易之定論也. 至論所以教諭之方, 則必以孝仁禮義爲本. 而其條目之詳, 則至於容貌詞氣之微, 衣服器用之細, 纖悉曲折皆有法度. 一有過失, 則史書之策, 宰撤其膳. 而又必有進善之旌, 誹謗之木, 敢諫之鼓, 瞽詩史書, 工誦箴諫, 士傳民語, 必使至於化與心成, 中道若性, 而猶不敢怠焉.

주자가 말하였다. "가의賈誼가 보부전保傅傳[261]을 지었는데 그 말 속에 '천하의 명운은 태자에게 달렸고, 태자의 착함은 일찍 깨닫게 가르치는 일과 좌우 측근의 선발에 달렸다. 가르침이 완전하고 좌우 측근이 바르면 태자가 바르고 태자가 바르면 천하는 안정된다.'라고 하였다. 이는 천하의 더없이 훌륭한 말이자 만세에 바꿀 수 없는 정론定論이다. 가르쳐 깨닫게 하는 방법에 대한 주장에 이르러도 반드시 효인예의孝仁禮義로 근본을 삼았다. 그리고 그 조목의 상세함은 용모와 말씨의 작은 것, 의복과 일상 용품의 세세한 것까지 상세한 곡절에 모두 법도가 있다. 하나라도 잘못이 있으면 사관은 사책史策에 기록하고 음식 담당 관원은 음식 가짓수를 줄인다.[262] 그러고도 또 반드시 진선정進善旌[263]과 비방목誹謗木과 감간고敢諫

258 『資治通鑑』 권22 「漢紀 · 世宗孝武皇帝 · 征和 2년」 夏四月

259 『知言』 권2

260 『知言』 권5

261 保傅傳: 가의의 저서 『新書』 권5에 있는 편명이다.

262 음식 담당 … 줄인다.: 『新書』 권5 「保傅」에 군주는 "음식도 예에 맞게 먹고 음식상을 치우는 것도 음악에

鼓[264]를 설치하고 소경은 시를 지어 풍자하고 사관은 잘못을 기록하며, 악공樂工은 간하는 옛 글을 낭송하고[265] 사士는 백성의 말을 전하여,[266] 반드시 교화와 심성心性이 함께 형성되어 행위가 도에 부합함이 마치 본성에서 우러나오는 것과 같게 하면서도 여전히 감히 게으르지 않았다.

其選左右之法, 則有三公之尊, 有三少之親, 有道有充, 有弼有承. 上之必得周公·太公·召公·史佚之流, 乃勝其任. 下之猶必取於孝弟博聞有道術者. 不幸一有邪人厠乎其間, 則必逐而去之. 是以太子朝夕所與居處出入, 左右前後, 無非正人, 而未嘗見一惡行. 此三代之君, 所以有道之長, 至於累數百年而不失其天下也. 當誼之時, 固已病於此法之不備. 然考孝昭之詔, 則猶知誦習誼之所言, 而有以不忘乎先王之意.

좌우 측근을 선발하는 방법에도 존귀한 삼공三公[267]이 있고 친근한 삼소三少[268]도 있으며, 도道가 있고, 충充이 있고, 필弼이 있고, 승承이 있다.[269] 위로는 주공周公·태공太公·소공召公·사일史佚의 무리가 있

따라한다. 법도를 잃으면 사관이 그것을 기록하고 악공이 그것을 풍자하며 삼공은 나아와 그것을 읽고 음식 담당 관원은 군주의 음식 가짓수를 줄인다. 이것이 천자가 잘못을 할 수 없는 것이다.(食以禮; 徹以樂, 失度, 則史書之; 工誦之, 三公進而讀之, 宰夫減其膳. 是天子不得爲非也.)"라고 하였다. 이를 『詩經』「大雅·雲漢」 제7章에 "선부와 좌우가 어느 누구도 구원하지 않는다.(膳夫左右, 靡人不周.)"라고 하였는데, 『毛傳』에 "음식 당당 관원이 임금의 음식 가짓수를 줄인다.(膳夫徹膳.)"라고 하였다.

263 進善旌: 요임금 시대 정사에 대한 좋은 말을 하고자 하는 자에게, 의견을 말할 수 있도록 자리를 만들어서 제공하며 그 표지로 내건 깃발. 『史記』「孝文本紀」에 "예전에 천하를 다스리는데 조정에 진선정과 비방목이 있었다.(古之治天下, 朝有進善之旌, 誹謗之木.)"고 하였는데 裴駰의 『集解』에 "요임금이 오거리 길에 세워두고 백성들에게 선한 말을 하게 하였다. 如淳은 '선한 말을 하고자 하는 자는 깃발 아래서 말을 하였다.'고 하였다.(堯設之五達之道, 令民進善也. 如淳曰. 欲有進善者, 立於旌下言之.)"라고 하였다.

264 誹謗木과 敢諫鼓: 비방목은 백성들에게 정치의 잘못을 기록하여 올리게 한 팻말로 순임금이 둔 제도이다. 감간고는 백성들에게 말하고자 하는 것이나 억울함을 호소하고자 하는 자에게 치게 한 북으로 요임금이 둔 제도이다. 『呂氏春秋』「自知」에 "요임금은 간하는 말을 하고자 하는 사람이 치는 북이 있었고, 순임금은 비방하는 말을 써 올리는 팻말이 있었다.(堯有欲諫之鼓, 舜有誹謗之木.)"라고 하였는데 高誘 注에 "간하고자 하는 자는 그 북을 치고, 그 잘못된 것을 써서 팻말에 표시하게 하였다.(欲諫者擊其鼓也, 書其過失以表木也.)"고 하였다.

265 소경은 시를 … 낭송하고: 이 말은 『春秋左傳』「襄公 14년」에 師曠이 晉侯에게 한 말의 일부분으로 군주를 보좌하거나 보필하는 자들의 일을 말한 것이다.

266 士는 백성의 … 전하여: 사는 직위가 낮아 직접 군주에게 말을 할 수 없으므로 백성들의 말을 대부에게 전한다. 이 말도 위 주석에서 밝힌 것처럼 사광이 진후에게 한 말 중의 하나다.

267 三公: 太傅·太保·太師를 이른다. 이들의 직분을 『新書』 권5 「保傅」에서 살피면 다음과 같다. "太保의 保는 신체를 보호하고, 太傅의 傅는 도덕심과 의리를 알게 하고, 太師의 師는 교훈으로 인도한다. 이것이 삼공의 직분이다.(保, 保其身體; 傅, 傅之德義; 師, 道之教訓. 此三公之職也.)"

268 三少: 『新書』 권5 「保傅」에서 살피면 다음과 같다. "삼소를 두니 모두 상대부이다. 少保와 少傅와 少師이니, 이들은 태자와 평소에 함께 사는 자이다.(置三少, 皆上大夫也. 曰少保·少傅·少師, 是與太子燕居者也.)"라고 하였다.

어 그 임무를 감당하고, 아래로도 여전히 효도하고 공손하고 들은 것이 넓고 도덕에 근거한 학술이 있는 자를 취하여야 한다. 불행하게 한 사람이라도 사악한 자가 그 사이에 끼었으면 반드시 축출하여 내보내야 한다. 이렇게 한 까닭에 태자가 아침저녁으로 함께 거처하고 드나드는 자와 좌우 전후에 바른 사람이 아님이 없어 한 가지 악한 행실도 볼 수 없게 된다. 이것이 삼대 시절의 군주는 도덕을 가져 장구함이 몇 백 년에 이르도록 천하를 잃지 않은 까닭이다. 가의 시대를 만나서는 본래 이 법이 갖추어져 있지 않은 것부터 이미 병통이었다. 그러나 효소제孝昭帝의 조서를 살펴보면[270] 여전히 가의가 한 말을 익히고 외우고 있으니 선왕의 뜻을 잊지 않고 있음을 알 수 있다.

降而及於近世, 則帝王所以教子之法益踈略矣. 蓋其所以教者, 不過記誦書札之工, 而未嘗開以仁孝禮義之習. 至於容貌詞氣, 衣服器用, 則雖極於邪侈, 而未嘗有以裁之也. 寮属具員,[271] 而無保傅之嚴; 講讀備禮, 而無箴規之益. 至於朝夕所與出入居處, 而親䆕無間者,[272] 則不過宦官近習掃除趨走之流而已. 夫以帝王之世, 當傳付之統, 上有宗廟社稷之重, 下有四海烝民之生, 前有祖宗垂創之艱, 後有子孫長久之計, 而所以輔養之具, 踈略如此. 是猶家有明月之珠, 夜光之璧, 而委之衢路之側, 盜賊之衝也. 豈不危哉?"[273]

근세로 내려와서는 제왕의 아들을 가르치는 법이 더욱 소략하다. 그들이 가르치는 것은 서찰을 외우고 기억시키는 공부에 불과하고 인효예의를 익히게 하는 길을 열어주지 않는다. 용모와 말씨, 의복과 일상 용품이 사치의 극치를 이루는데도 그것을 제재함이 없다. 해당 속관屬官은 모두 갖추어졌으나 보부保傅의 엄숙함이 없고, 강독講讀의 예는 갖추어져 있으나 옛글로 간하여 권면하는 도움이 없다. 아침저녁으로

269 道가 있고, … 있다. : 『新書』 권5 「保傅」에서 이들의 직책을 살피면 다음과 같다. "천자가 의심나면 묻는데 대답에 곤궁함이 없는 사람을 道라고 이르니, 도는 천자를 도로 인도하는 자다. 늘 천자의 앞에 서있으니 周公이다. 성실함이 마음속에 확립되어 용감하게 결단하고 선을 보좌하고 의를 돕는 사람을 充이라고 이르니 충은 천자의 뜻을 채워주는 사람이다. 늘 왼쪽에 서있으니 太公이다. 깨끗하고 청렴하며 간절하고 올곧으며 허물을 바로잡고 사악을 간하는 사람을 拂이라고 이르니 필은 천자의 허물을 보필하는 자이다. 늘 오른쪽에 서있으니 召公이다. 들은 것이 넓고 잘 기억하며 민첩하고 대답에 능한 사람을 承이라고 이르니 승은 천자의 잊어버린 것을 받드는 자이다. 늘 뒤쪽에 서있으니 史佚이다.(天子疑則問, 應而不窮者謂之道, 道者導天子以道者也. 常立於前, 是周公也. 誠立而敢斷, 輔善而相義者, 謂之充. 充者, 充天子之志者也. 常立於左, 是太公也. 潔廉而切直, 匡過而諫邪者, 謂之拂. 拂者, 拂天子之過者也. 常立於右, 是召公也. 博聞而彊記, 捷給而善對者, 謂之承. 承者, 承天子之遺忘者也. 常立於後, 是史佚也.)"

270 孝昭帝의 조서를 살펴보면 : 효소제는 武帝의 아들이다. 그가 내린 始元 5년(기원전 82) 6월에 내린 조서에 "짐이 하찮은 사람으로 종묘를 보존할 책임을 얻고서 조심조심 위태위태해 하며 아침 일찍부터 저녁 늦게까지 옛 제왕의 일들을 닦고 「保傅傳」, 『孝經』, 『論語』, 『尙書』를 통하였으나 아직 밝게 알았다고 할 수는 없다.(朕以眇身, 獲保宗廟, 戰戰栗栗, 夙興夜寐, 脩古帝王之事, 通保傅傳 · 孝經 · 論語 · 尙書, 未云有明.)"라고 하였다.

271 属 : '屬'의 속자이다.

272 䆕 : '密'의 속자이다.

273 『朱文公文集』 권12 「己酉擬上封事」

함께 드나들고 거처하여 허물없이 가까운 사람에 이르면 늘 가까이 있는 환관과 청소하느라 종종걸음 치는 자들일 따름이다. 제왕이 대를 잇는 일은 제위를 전해 주는 것이어서 위로는 종묘사직의 막중함이 있고 아래로는 천하 수많은 백성의 생명이 달렸으며 앞에는 조종조가 창업하여 내려 준 어려움이 있고 뒤에는 자손이 장구하게 이어갈 계책이 달려있는데도 보필하여 기르는 기구의 소략함이 이와 같다. 이는 마치 집에 있는 명월주明月珠와 야광벽夜光璧을 사거리의 길가와 도적이 들끓는 곳에 놓아둔 것과 같다. 어찌 위험하지 않겠는가?"

[65-4-5]

魯齋許氏曰 : "有家有國所以立適, 嗣無所爭者, 出於無爲而分定故也. 如走兎在野, 人競逐之 ; 積兎在市, 過而不顧. 此之謂分定."

노재 허씨가 말하였다. "집과 나라에 맏아들을 세우는데 잇는 일에 다툼이 없는 것은 조작할 것이 없고 분수가 정해져 있는 까닭에서다. 예컨대 들에 있는 뛰는 토끼는 사람들이 다투어 쫓지만 시장에 있는 수없이 쌓인 토끼는 지나면서도 돌아보지 않는다. 이것을 분수가 정해졌다고 말하는 것이다."

君臣 군주와 신하

[65-5-1]

程子曰 : "君貴明, 不貴察 ; 臣貴正, 不貴權."[274]

정자[程頤]가 말하였다. "군주의 귀함은 지혜의 밝음이요 살피는 것이 귀함이 아니며, 신하의 귀함은 바름이요 권세가 귀함이 아니다."

[65-5-2]

華陽范氏曰 : "書曰, '元首明哉, 股肱良哉, 庶事康哉.' 又曰, '元首叢脞哉, 股肱惰哉, 萬事墮哉.' 此舜臯陶所以賡歌而相戒也. 夫君以知人爲明, 臣以任職爲良. 君知人, 則賢者得行其所學 ; 臣任職, 則不賢者不得苟容於朝. 此庶事所以康也. 若夫君行臣職, 則叢脞矣 ; 臣不任君之事, 則惰矣. 此萬事所以墮也. 當舜之時, 禹平水土, 稷播百穀, 土穀之事舜不親也. 契敷五教, 臯陶明五刑, 教刑之事舜不治也.

화양 범씨華陽范氏[范祖禹]가 말하였다. "『서경』에 '군주가 밝으시면 신하가 어질고 모든 일이 편안할 것입니다.'[275]라고 하고 또 '군주가 자잘하면 신하가 게을러져 모든 일이 무너질 것입니다.'라고 하였다. 이는

274 『二程遺書』 권25 「暢潛道本」

275 '군주가 밝으시면 … 것입니다.' : 『書經』「虞書 · 益稷」의 말로 臯陶가 순임금의 노래에 이어 노래한 말이다.

순임금의 (노래에) 고요皐陶가 이어 노래하며[276] 서로를 경계한 것이다. 군주는 인재를 알아보는 것으로 밝음을 삼고 신하는 직책을 책임하는 것으로 어짊을 삼아야 한다. 군주가 인재를 알아보면 현명한 자가 자신의 학문을 행할 수 있고, 신하가 직책을 책임지면 현명하지 않은 자들이 구차하게 조정에 끼어들 수 없게 된다. 이것이 모든 일이 편안해지게 되는 까닭이다. 만일 군주가 신하가 수행할 직책을 행하면 자잘한 것이고, 신하가 직책을 책임지지 않으면 게으름을 피우는 것이다. 이것이 모든 일이 무너지는 까닭이다. 순임금 때를 만나 우禹가 홍수와 토지를 화평하게 다스리고,[277] 직稷이 온갖 곡식의 씨를 뿌려 가꾸었으니[278] 토지와 곡식에 관한 일을 순임금이 친히 하지 않았다. 설契이 오교五敎(오륜에 대한 가르침)를 펴고,[279] 고요가 오형五刑을 밝혔으니[280] 가르침과 형벌에 관한 일을 순임금이 다스리지 않았다.

伯夷典禮, 夔典樂, 禮樂之事舜不與也. 益爲虞, 垂作共工, 虞工之事舜不知也. 禹爲一相總百官, 自稷以下分職以聽焉. 君人者如天運於上, 而四時寒暑各司其序, 則不勞而萬物生矣. 君不可以不逸也, 所治者大, 所司者要也. 臣不可以不勞也, 所治者寡, 所職者詳也. 不明之君, 不能知人, 故務察而多疑. 欲以一人之身, 代百官之所爲, 則雖聖智, 亦曰力不足矣. 故其臣下事無大小, 皆歸之君, 政有得失, 不任其患. 賢者不得行其志, 而持祿之士得以保其位, 此天下所以不治也."[281]

백이伯夷가 예를 맡고 기夔가 음악을 맡아[282] 예와 음악에 관한 일에 순임금이 관여하지 않았다. 익益이 우虞(草木 鳥獸를 관장하는 벼슬)가 되고, 수垂가 공공共工(각종 工事를 관장하는 벼슬)이 되어 우와 공공의 일을 순임금이 알지 못하였다. 우가 한 사람의 재상으로 모든 관원을 총괄하고 직 이하의 사람들이 직책을 나누어서 다스렸다. 군주는 하늘이 위에서 운행하고 있는 것과 같아, 네 계절과 추위와 더위가 각기의 차례를 맡아주면 수고롭지 않아도 만물은 생육된다. 군주는 편안하지 않으면 안 되니 다스리는 지역이 넓고 맡고 있는 일이 긴요해서다. 신하는 고생하지 않으면 안 되니 다스리는 지역이 작고 책임진 것이 자세해서다. 밝지 않은 군주는 인재를 알아볼 수 없는 까닭에 살피기를 힘쓰며 의심이 많다. 한 개의

아래 이어지는 노래도 마찬가지이다.

276 皐陶가 이어 노래하며 : 순임금은 신하 고요와 우와 함께 말을 나누다가 "신하가 즐겁게 일에 나서면 군주의 치적이 일어나 백관이 하는 일이 발전될 것이다.(股肱喜哉, 元首起哉, 百工熙哉.)"라고 노래하자 고요가 이 노래를 이어 위에서 말한 노래를 읊조렸다.

277 禹가 홍수와 … 다스리고 : 『書經』「舜典」에 의하면 우는 당시 司空 벼슬로 홍수를 다스리는 일을 맡아 다스렸다. 이 일을 성공시켜 순임금으로부터 제위를 물려받아 夏나라 왕조가 세워졌다.

278 稷이 온갖 … 가꾸었으니 : 『書經』「舜典」에 의하면 직은 后稷을 이르는 벼슬 이름이며 농사담당 관원이다. 직의 이름은 棄로 바로 주나라 문왕의 선조이다.

279 契이 五敎를 … 펴고 : 『書經』「舜典」에 의하면 설은 당시 司徒 벼슬을 맡았다. 설은 은나라 탕임금의 선조이다.

280 고요가 五刑을 밝혔으니 : 『書經』「舜典」에 의하면 고요는 당시 士 벼슬을 맡아 형벌과 군사 모두를 관장하였다.

281 『唐鑑』 권3 「太宗 · 貞觀 3년」 6월

282 伯夷가 예를 … 맡아 : 『書經』「舜典」에 의하면 백이는 秩宗이라는 벼슬을 맡아 나라의 예를 관장하였고, 기는 음악으로 학생들의 교육을 관장하였다. 특별한 벼슬 이름은 전하지 않는다.

몸으로 백관百官이 하는 일을 대신하고자 하면 아무리 성인의 지혜를 지녔더라도 또한 힘이 부족하다. 그러므로 신하는 일에 있어 크고 작음이 없이 모두 군주에게 돌리고, 정사에 대한 잘잘못은 그 환난을 책임지지 않는다. 현명한 자가 자신의 뜻을 행할 수 없고 녹봉만을 갖으려는 자가 지위를 보전하고 있음이 천하가 다스려지지 않는 까닭이다."

[65-5-3]

五峰胡氏曰: "人君剛健中正純粹, 首出庶物者也; 人臣柔順利貞, 順承乎天而時行者也."[283]

오봉 호씨五峰胡氏[胡宏]가 말하였다. "군주는 강건剛健하고 중정中正하고 순수純粹함[284]이 모든 사물에 첫째로 우뚝한 자이고, 신하는 유순柔順하고 이정利貞하여[285] 순히 하늘을 받들어 때에 맞게 시행하는 자이다."

[65-5-4]

"寡欲之君, 然後可與言王道; 無欲之臣, 然後可與言王佐."[286]

(오봉 호씨가 말하였다.) "욕심이 적은 군주라야 함께 왕도王道을 말할 수 있고, 욕심이 없는 신하라야 함께 제왕의 보좌를 말할 수 있다."

[65-5-5]

"自三代之道不行, 君臣之義不明, 君誘其臣以富貴, 臣干其君以文行. 夫君臣相與之際, 萬化之原也. 旣汨於利矣, 末流其可禁乎? 此三代之治所以不復也."[287]

(오봉 호씨가 말하였다.) "삼대의 도가 행해지지 않으면서 군주와 신하의 의리가 밝아지지 않아 군주는 신하를 부귀로써 유혹하고 신하는 군주에게 행실을 꾸며 예쁨 받기를 구하였다. 군주와 신하의 서로 만나는 관계가 모든 변화의 출발점이다. 이미 이욕에 어지러워져 있다면 폐단을 금할 수 있겠는가? 이것이 삼대 정치가 회복되지 못하는 까닭이다."

[65-5-6]

朱子曰: "君臣之際, 權不可略重, 纔重則無君. 且如漢末, 天下唯知有曹氏而已; 魏末唯知有司馬氏而已. 魯當莊僖之際, 也得箇季友整理一番, 其後季氏遂執其權, 歷三四世, 魯君之勢全無了, 但有一季氏而已."

283 『知言』 권5

284 剛健하고 中正하고 純粹함: 이 말은 『周易』「乾卦·文言」에서 건괘의 卦德을 칭송한 말이다.

285 柔順하고 利貞하여: 이 말은 『周易』「坤卦」 彖辭의 말로 곤괘의 卦德을 칭송한 말이다. 여기서 利는 만물을 이롭게 한다는 뜻이고, 貞은 곧음의 뜻으로 일관된 충성을 굳게 지님을 뜻한다.

286 『知言』 권2

287 『知言』 권1

葉賀孫問："也是合下君臣之間，其識慮不遠?"

曰："然. 所以聖人垂戒，謂'臣弑君，子弑父，非一朝一夕之故，其所由來者漸矣，由辨之不早辨也.'這箇事體，初間只爭些小，到後來全然只有一邊. 聖人所以'一日二日萬幾'，常常戒謹恐懼. 詩稱文王之盛，於後便云，'殷之未喪師，克配上帝，宜鑒于殷，駿命不易.' 此處甚多."[288]

주자가 말하였다. "군주와 신하 사이에서 권세가 조금만 무거워져도 안 되니 조금만 무거워지면 군주를 무시한다. 예컨대 한漢나라 말기에는 천하는 오직 조씨曹氏만을 알았고, 위魏나라 말기에는 오직 사마씨司馬氏만을 알았다. 노魯나라가 장공莊公과 희공僖公 시대에 계우季友[289]가 한 차례 국가 정사를 손질하더니 그 뒤로 계씨季氏가 마침내 노나라의 권력을 손아귀에 넣었고 3-4대를 지나자 노나라 군주의 형세는 완전히 없어지고 다만 계씨 한 집안만 있을 따름이었다."

섭하손葉賀孫[290]이 물었다. "이 일은 또한 당초 군주와 신하 사이에 식견과 생각이 원대하지 못해서입니까?"

(주자가) 대답하였다. "그렇다. 성인이 경계의 말씀을 내려 '신하가 군주를 시해하고 자식이 아버지를 시해하는 것이 하루아침 하루저녁에 일어난 일이 아니고 비롯되어 온 것이 점점 무르익은 것이니 그것을 분별하는 일을 일찍 분별하지 못해서이다.'[291]라고 하였다. 이 일은 처음에 비교할 수 없을 정도로 사소한 것이나 나중이 되면 전연 단지 한쪽만 남는다. 성인께서 '하루 이틀 사이에 수만 미세한 일이 잠재한다.'[292]라고 한 것은 늘 경계하고 삼가며 두려워하라는 것이다. 『시경』에서 문왕의 훌륭함을 일컬으며 뒤쪽에서 '은나라가 백성을 잃지 않았을 적에 능히 상제와 짝을 이루었다. 의당 은나라를 거울삼아야 하니 하늘의 명은 손쉽지 않다.'[293]라고 하였다. 이러한 곳이 매우 많다."

[65-5-7]

問："忠，只是實心，人倫日用皆當用之，何獨只於事君上說忠字?"

曰："父子兄弟夫婦，皆是天理自然，人皆莫不自知愛敬. 君臣雖亦是天理，然是義合. 世之人便自易得苟且，故須於此說忠，却是就不足處說. 如莊子說'命也，義也，天下之大戒.'看這說，

288 『朱子語類』 권13, 70조목

289 季友 : 노나라 桓公의 막내아들로 후일 季孫氏, 또는 季氏로 불리는 막강한 권력을 만들어낸 사람이다. 이름도 公子友, 成季, 成季友 등으로 불렸다. 형 莊公이 죽으며 부탁한 慶父를 세우지 않고 子般을 세우려다 자반이 죽임을 당하자 한때 陳나라로 망명하였다. 곧 돌아와 장공을 이어 등극한 閔公이 시해되자 僖公을 세우며 노나라의 권력을 완전히 잡았다.(『春秋左傳』「莊公」~「僖公」)

290 葉賀孫 : 宋나라 處州 龍泉 사람. 주자의 제자. 시호는 文. 제자들이 西山先生이라 불렀다. 주자의 임종에 참여한 제자이다.(『明一統志』 권44 「處州府」)

291 '신하가 군주를 … 못해서이다.' : 『周易』「坤卦 · 文言」

292 '하루 이틀 … 잠재한다.' : 『書經』「皐陶謨」에서 皐陶가 순임금에게 한 말이다.

293 '은나라가 백성을 … 않다.' : 『詩經』「大雅 · 文王」의 시로, 이 시는 모두 8장으로 이루어져 있는데 이 시는 제7장의 시라서 뒤쪽 운운한 것이다.

君臣自是有不得已意思."[294]

물었다. "충忠은 단지 진실된 마음이니 사람들이 일상생활에서 모두 당연히 써야할 것인데 어찌하여 유독 군주 섬기는 일에서만 충을 말하였습니까?"

(주자가) 대답하였다. "아버지와 아들, 형과 아우, 지아비와 지어미는 모두 하늘 이치의 자연스러운 것이기에 사람들이 모두 스스로 사랑하고 공경해야 함을 알지 못함이 없다. 군주와 신하도 역시 하늘 이치에 속한 것이지만 의리와 합치되어야 한다. 세상 사람이 곧잘 혼자서 편리한대로 하려 한 까닭에 여기에서 충을 말하게 된 것이니, 모자라는 곳에 나아가 말한 것이다. 예컨대 『장자莊子』에 '운명이고 의리이니 천하의 큰 법칙이다.'[295]라고 하였으니 이 말을 본다면 군주와 신하 사이에는 본디 어찌하지 못하는 뜻이 있다."

[65-5-8]

問: "君臣父子, 同是天倫, 愛君之心, 終不如愛父, 何也?"

曰: "離畔也只是庶民, 賢人君子便不如此. 韓退之云, '臣罪當誅兮, 天王聖明!'此語, 何故程子云是好? 文公豈不知紂之無道, 却如此說? 是非欺誑衆人, 直是有說. 須是有轉語, 方說得文王心出. 看來臣子無說君父不是底道理, 此便見得是君臣之義處. 莊子云, '天下之大戒二, 命也. 義也. 子之於父, 無適而非命也; 臣之於君, 無適而非義也. 無所逃於天地之間.'"[296]

물었다. "군주와 신하, 아버지와 아들은 똑같이 하늘에 의해 정해진 차례인데 군주를 사랑하는 마음이 끝내 아버지 사랑만 못하는 것은 어째서입니까?"

(주자가) 대답하였다. "(군주를) 배반하는 것은 단지 서민일 뿐 현명한 사람과 군자는 그렇지 않다. 한퇴지韓退之가 '신의 죄는 당연히 죽어야 하오니 천자가 성스럽고 밝으시도다!'[297]라고 하였다. 이 말을 정자程子[程頤]가 무슨 까닭으로 좋은 말이라고 하였겠는가?[298] 한문공[한퇴지]이 어찌 주紂의 무도함을 모르고 이 같은 말을 하였겠는가? 이는 뭇 사람을 속이는 말이 아니니 바로 여기에는 이유가 있다. 반드시

294 『朱子語類』 권13, 71조목

295 '운명이고 의리이니 … 법칙이다.': 『莊子』「人間世」에서 공자의 말로 실려 있다. 자세한 것은 다음과 같다. "천하에는 큰 법칙이 두 가지가 있으니 그 하나는 운명이고 그 하나는 의리이다. 아들이 어버이를 사랑하는 것은 운명이고, 신하가 군주를 섬기는 것은 의리이니 가는 곳마다 군주 없는 곳이 없다. 천지 사이에서 도망칠 수 있는 곳이 없으니 이를 큰 법칙이라고 말하는 것이다.(天下有大戒二, 其一命也; 其一義也. 子之愛親命也, 不可解於心; 臣之事君義也, 無適而非君也. 無所逃於天地之間, 是之謂大戒.)"

296 『朱子語類』 권13, 72조목

297 '신의 죄는 … 밝으시도다!': 이는 韓愈의 문집 『五百家注昌黎文集』 권1 琴操十首 중 「拘幽操文王羑里作」에 실린 글이다. 문왕이 참소를 입고 紂에 의해 羑里에 갇혔을 때 문왕의 마음을 상상하여 지은 글의 마지막 구절이다.

298 程子(程頤)가 무슨 … 하였겠는가?: 『二程遺書』 권18 「劉元承手編」에서 "한퇴지가 「羑里操」에서 '신의 죄는 당연히 죽어야 하오니 천자가 성스럽고 밝으시도다!'라고 하여 문왕의 마음을 그려냈으니 이것이 문왕의 지극한 덕이다.(韓退之作羑里操云, '臣罪當誅兮, 天王聖明!' 道得文王心出來, 此文王至德處也.)"라고 하였다.

설명하는 말이 있어야 문왕의 마음을 나타낼 수 있다. 요즈음 보자면 신하가 군주의 옳지 않은 도리를 말함이 없으니, 여기에서 바로 군주와 신하 사이의 의로운 곳을 볼 수 있다. 『장자』에 '천하에 큰 법칙이 두 가지이니 운명이고 의리이다. 아들이 어버이에게 하는 것마다 운명이 아닌 것이 없고, 신하가 군주에게 하는 것마다 의리가 아님이 없어, 천지 사이에서 도망칠 수 있는 곳이 없다.'[299]라고 하였다."

[65-5-9]

東萊呂氏曰 : "畢公弼亮四世, 爲周父師, 而康王之冊, 尙有'罔曰弗克, 罔曰民寡'之戒. 康王非敢少畢公, 蓋規警勉飭, 此自君臣間常法, 初不以耆艾廢也."

동래 여씨東萊呂氏[呂祖謙]이 말하였다. "필공畢公[300]이 4대 군주를 보좌하여 주나라의 부사父師[301]가 되었는데 강왕康王이 책립冊立하며[302] 여전히 '감당하지 못한다고 말하지 말고, 백성의 일이 하찮다고 말하지 마십시오.'[303]라고 경계하였다. 강왕이 감히 필공을 소홀히 보아서가 아니라, 좋은 말로 깨우치고 힘쓰도록 경계시킴이 군주와 신하 사이의 정상적인 법칙이라서 애초에 나이 많은 원로라는 까닭으로 폐기하지 않은 것이다."

臣道 신하의 도리

[65-6-1]

程子曰 : "臣之於君, 竭其忠誠, 致其才力, 用否在君而已. 不可阿諛逢迎以求君之厚己也."[304]

정자程子가 말하였다. "신하가 군주에게 충성을 다하고 재능과 힘을 다하여야 하나 등용 여부는 군주에게 달려있을 뿐이다. 아첨과 비위 맞춤으로 군주가 자신에게 후하게 해주기를 구해선 안 된다."

299 '천하에 큰 … 없다.' : 위 [65-5-7] 주석 참고

300 畢公 : 周文王의 庶子. 이름은 高. 문왕을 보좌하였고 이어 무왕이 殷나라를 이겼을 때 畢에 봉하여졌다. 成王 때 司寇가 되었고, 康王이 등극하였을 때, 은나라의 遺民이 늘 문제였던 成周를 잘 관리하였다.(『書經』「顧命」; 畢命)

301 父師 : 三公의 하나인 太師를 달리 이르는 말. 은나라 紂 시대 微子가 태사 箕子를 이렇게 불렀다.(『書經』「微子」)

302 康王이 冊立하며 : 成周로 이주시킨 은나라 백성이 계속 주나라에 심복하지 않고 반발하자 강왕은 필공을 성주의 책임자로 임명하여 성주 백성들의 교화를 책임지웠다. 『書經』의 「畢命」은 바로 임명할 때 강왕이 한 말을 기록한 것이다.

303 '감당하지 못한다고 … 마십시오.' : 『書經』「畢命」

304 『二程粹言』 권下 「君臣篇」

[65-6-2]

"事君者知人主不當自聖, 則不爲謟諛之言;[305] 知人臣義無私交, 則不爲阿黨之計."[306]

(정자가 말하였다.) "군주를 섬기는 사람이 군주가 스스로를 성인으로 여기려 함이 부당한 줄 알았으면 아첨하는 말을 하지 않아야 하고, 신하가 의리상 사사로이 사귀는 일이 없어야 함[307]을 알았으면 아당하려는 꾀를 부리지 않아야 한다."

[65-6-3]

"君子之事君也不得其心, 則盡其誠以感發其志而已. 誠積而動, 則雖昏蒙可開也; 雖柔弱可輔也; 雖不正可正也. 古之人事庸君常主, 而克行其道者, 以己誠上達, 而其君信之之篤耳."[308]

(정자가 말하였다.) "군자가 군주를 섬길 적에 군주의 마음을 얻지 못하였으면 자신의 정성을 다해 군주의 뜻을 감동시켜야 할 뿐이다. 정성이 쌓여 (마음이) 움직이게 되면 어리석더라도 지혜를 열리게 할 수 있고, 유약하더라도 보필할 수 있고, 바르지 않더라도 바르게 할 수 있다. 옛 사람이 용렬한 임금과 평범한 군주를 섬겨 자신의 도를 행해 낸 자는 자신의 정성을 군상에게 전달되게 하여 군주가 자신에 대한 믿음을 돈독하게 할 뿐이었다."

[65-6-4]

"人臣身居大位, 功蓋天下, 而民懷之, 則危疑之地也. 必也誠積於中, 動不違理, 威福不自己出, 人惟知君而已. 然後位極而無逼上之嫌, 勢重而無專權之過, 斯可謂明哲君子矣. 周公·孔明其人也. 郭子儀有再造社稷之功, 威震人主, 而上不疑之也, 亦其次歟!"[309]

(정자가 말하였다.) "신하가 높은 지위에 앉아 공훈이 천하를 덮을 만하여 백성들이 그 공훈을 가슴에 담고 있으면 위태로이 의심받을 수 있는 처지이다. 반드시 정성이 가슴속에 쌓여서 행하는 것마다 이치에 어긋나지 않고 형벌과 복록이 자신에게서 나가지 않아 백성이 군주만을 알게 해야 할 뿐이다. 그런 뒤라야 지위가 최고 자리에 올라 있어도 군상을 핍박한다는 혐의가 없고 권세가 중대하여도 권력을 독단한다는 허물이 없어 명철한 군자라 할 수 있다. 주공周公과 제갈공명諸葛孔明이 그런 인물이다. 곽자의郭子儀[310]도 두 번이나 사직을 바로잡는 공훈을 세워 위세가 군주를 두렵게 할 수 있었는데도 군상이

305 謟: '諂'의 오자다.

306 『二程粹言』 권下 「君臣篇」

307 신하가 의리상 … 함: 『商君書』 「慎法」에 "백성이 군주를 배반하고 사사로운 사귐을 하려들면 군주의 권력은 약화되고 신하는 강해진다.(民倍主位而向私交, 則君弱而臣強.)"라고 하였다.

308 『二程粹言』 권下 「君臣篇」

309 『二程粹言』 권下 「君臣篇」

310 郭子儀: 唐나라 華州 鄭縣 사람. 玄宗 시대 일어난 安祿山의 난을 수습하며, 후일의 肅宗을 보필하여 長安과 洛陽을 회복하였고, 代宗 때 僕固懷恩의 난을 수습하였다. 德宗이 등극하여 尙父라 존칭하였다. 봉호는 汾陽郡王이다.(『당서』 권120)

의심하지 않았으니 또한 그 다음일 것이다."

[65-6-5]

"臣賢於君, 則輔君以所不能. 伊尹之於太甲, 周公之於成王, 孔明之於劉禪, 是也. 臣不及君, 則贊助之而已."311

(정자가 말하였다.) "신하가 군주보다 현명하면 군주의 모자란 점을 보필할 수 있다. 이윤伊尹이 태갑太甲, 주공이 성왕, 제갈공명이 유선劉禪[蜀漢의 後主]에게 한 경우가 그러하다. 신하가 군주에게 미치지 못하면 그를 도와야 할 뿐이다."

[65-6-6]

"剛健之臣事柔弱之君, 而不爲矯飾之行者鮮矣. 夫上下之交, 不誠而以僞也, 其能久相有乎?"312

(정자가 말하였다.) "강건한 신하가 유약한 군주를 섬기면서 속임수로 진실을 숨기는 행위를 하지 않는 자가 드물다. 상하의 교류에서 진실이 아닌 거짓된 행위로써 오래갈 수 있음이 있었던가?"

[65-6-7]

"人臣之義, 位愈高而思所以報國者當愈勤. 饑則爲用, 飽則飛去, 是以鷹犬自期也. 曾是之謂愛身乎?"

(정자가 말하였다.) "신하의 의리는 지위가 높을수록 나라 보답에 대한 생각을 더욱 부지런히 해야 한다. 배고플 적에는 임용되어 일하다가 배부르면 날아가는 것313은 매와 개로써 자신을 자리매김하는 것이다. 이것이 어찌 자신의 몸을 아낌이라 할 수 있겠는가?"

[65-6-8]

問: "世傳成王幼, 周公攝政. 荀卿亦曰, '天下之籍, 聽天下之斷.' 周公果踐天子之位, 行天子之事乎?"

曰: "非也. 周公位冢宰, 百官總己以聽之而已. 安得踐天子之位?"

又問: "君薨, 百官聽於冢宰者三年爾, 周公至於七年, 何也?"

曰: "三年, 謂嗣王居憂之時也. 七年, 爲成王幼故也."

물었다. "세상에서 성왕이 어려서 주공이 섭정하였다고 전해옵니다. 순경荀卿[순자]도 역시 '천하의 호적

311 『二程粹言』 권下 「君臣篇」

312 『二程粹言』 권下 「君臣篇」

313 배고플 적에는 … 날아가는 것: 이는 『三國志』「魏志 · 呂布傳」에서 曹操가 여포를 평가한 말을 참고해서 한 말이다. 내용은 다음과 같다. "비유하자면 매를 기르는 것과 같아 배가 고프면 나의 소용이 되어주다가 배가 부르면 날아가 버린다.(譬如養鷹, 饑則爲用, 飽則颺去.)."

을 손에 쥐고 천하의 여론을 듣고 판결하였다.'[314]고 했습니다. 주공이 과연 천자의 지위를 계승하여 천자의 일을 행했습니까?"
(정자가) 대답하였다. "아니다. 주공이 총재의 지위여서 모든 관원이 자신의 직책을 모두 가지고서 주공의 명령을 따랐을 뿐이다. 어떻게 천자의 지위를 계승했을 수 있겠는가?"
또 물었다. "군주가 죽으면 모든 관원이 총재에게 명령을 듣는 것은 3년일 뿐인데 주공은 7년에 이르렀으니 어째서입니까?"
(정자가) 대답하였다. "3년은 대를 이은 왕이 상중에 있을 때를 이른다. 7년은 성왕이 어린 까닭이다."

又問: "賜周公以天子之禮樂, 當否?"

曰: "始亂周公之法度者, 是賜也. 人臣安得用天子之禮樂哉? 成王之賜, 伯禽之受, 皆不能無過. 記曰, '魯郊非禮也, 其周公之衰乎!' 聖人嘗譏之矣. 說者乃云, 周公有人臣不能爲之功業, 因賜以人臣所不得用之禮樂, 則妄也. 人臣豈有不能爲之功業哉? 借使功業有大於周公, 亦是人臣所當爲爾. 人臣而不當爲, 其誰爲之? 豈不見孟子言'事親若曾子可也.' 曾子之孝亦大矣, 孟子纔言可也. 蓋曰, 子之事父, 其孝雖過於曾子, 必竟是以父母之身做出來, 豈是分外事? 若曾子者, 僅可以免責爾.

또 물었다. "주공에게 천자의 예악禮樂을 내린 것은 옳은 것입니까?"
(정자가) 대답하였다. "주공의 법도가 어지럽혀지기 시작한 것이 이것을 내린 일이다. 신하가 어떻게 천자의 예악을 사용할 수 있겠는가? 성왕이 내리고 백금伯禽(주공의 아들이자 노나라의 시조)이 받은 것이 모두 잘못이 없을 수 없다. 『예기』에 '노나라의 교제郊祭는 옳지 않은 예이니 주공의 도道가 쇠해졌구나!'[315]라고 하여, 성인이 일찍이 비판하였다. 얘기하는 자들은, 주공은 신하로서 해낼 수 없는 공훈을 세워 그로 인해 신하가 사용할 수 없는 예악을 내렸으나 망녕된 일이라고 말한다. 그러나 신하가 어찌 해낼 수 없는 공훈이 있겠는가? 가령 공훈이 주공보다 큼이 있다하더라도 역시 신하가 당연히 해야 할 일일 뿐이다. 신하가 당연히 할 수 없는 일이라면 그 누가 해내겠는가? 맹자孟子가 말한 '어버이 섬김이 증자曾子 정도이면 괜찮을 것이다.'[316]라는 말을 듣지 못했는가? 증자의 효도가 또한 큰 효도였는데[317] 맹자는 겨우 '괜찮을 것이다.'라고 말하였다. 그것은 '자식이 어버이를 섬김에 그 효도가 증자보다 더하여도

314 '천하의 호적을 … 판결하였다.': 『荀子』「儒效篇」
315 '노나라의 郊祭는 … 쇠해졌구나!': 『禮記』「禮運」에 공자가 한 말이다. 자세한 내용은 다음과 같다. "아! 슬프다. 내가 주나라의 도를 살펴보니 幽王과 厲王이 손상시켰으니 내가 노나라를 두고 어디로 가겠는가? 노나라의 교제와 禘祭는 옳지 않은 예이니 주공의 도가 쇠해졌구나!(嗚呼哀哉! 我觀周道, 幽厲傷之, 吾舍魯, 何適矣? 魯之郊禘非禮也, 周公其衰矣.)"
316 '어버이 섬김이 … 것이다.': 『孟子』「離婁上」
317 증자의 효도가 … 효도였는데: 『孟子』「離婁上」에서 맹자는 증자가 아버지 曾晳을 섬기는 일과 증자의 아들 曾元이 아버지 증자를 섬기는 일을 비교하여 말하면서 "증원의 효도는 입과 몸만을 봉양한 것이고, 증자는 뜻을 봉양한 것이라 말할 수 있다.(此所謂養口體者也, 若曾子則可謂養志也.)"라고 하였다.

필경 부모가 주신 몸으로 해낸 일인데 어찌 그것이 분수 밖의 일이겠는가? 증자는 겨우 책임을 모면할 수 있었을 뿐이다.'라고 한 것이다.

臣之於君, 猶子之於父也. 臣之能立功業者, 以君之人民也, 以君之勢位也. 假如功業大於周公, 亦是以君之人民勢位做出來, 而謂人臣所不能爲, 可乎? 使人臣恃功而懷怏怏之心者, 必此言矣."[318]

신하에게 있어 군주는 아들에게 있어 아버지와 같다. 신하가 공훈을 세운 것은, 군주의 백성을 의지해서이고 군주의 형세와 지위를 의지해서다. 가령 공훈이 주공보다 크다 하여도 역시 군주의 백성, 군주의 형세와 지위를 의지해서 만들어 낸 것이니, 신하가 세울 수 없는 것이라 말함이 옳겠는가? 신하가 공훈을 믿고서 앙앙불락하는 마음을 품는 것은 반드시 이 말 때문이다."

[65-6-9]

張子曰 : "近臣守和. 和, 平也. 和其心以備顧對, 不可徇其喜怒好惡."[319]

장자張子[張載]가 말하였다. "측근의 신하는 온화함을 지녀야 한다. 온화는 화평이다. 자신의 마음을 화평하게 하여 임금의 물음과 대답을 대비해야지 자신의 기쁨과 노여움, 좋아함과 미워함대로 따르는 것은 옳지 않다."

[65-6-10]

龜山楊氏曰 : "人臣之事君, 豈可佐以刑名之說? 如此, 是使人主失仁心也. 人主失仁心, 則不足以得人. 故人臣能使其君視民如傷, 則王道行矣."[320]

구산 양씨가 말하였다. "신하가 군주를 섬기면서 어찌 형명가刑名家의 학설로 보좌할 수 있겠는가? 이와 같은 것은 군주에게 인심仁心을 잃게 하는 것이다. 군주가 인심을 잃으면 인재를 얻을 수 없다. 그러므로 신하가 자신의 군주에게 백성 보기를 마치 상처입고 있는 사람 보듯이 하게 할 수 있다면 왕도王道가 행해질 것이다."

[65-6-11]

問 : "以匹夫一日而見天子, 天子問焉, 盡所懷而陳之, 則事必有窒礙者, 不盡則爲不忠. 如何?"

曰 : "事亦須量深淺. 孔子曰'信而後諫, 未信則以爲謗己也.' 易之恒曰'浚恒凶.' 此恒之初也, 故當以漸, 而不可以浚, 浚則凶矣. 假如問人臣之忠邪, 其親信者誰歟, 遽與之辨別是非, 則有

318 『二程遺書』 권18 「劉元承手編」
319 『張子全書』 권14 「性理拾遺」
320 『龜山集』 권10 「語錄 · 荊州所聞」

失身之悔. 君子於此, 但不可以忠爲邪, 以邪爲忠, 語言之間, 故不無委曲也. 至於論理則不然. 如惠王問孟子'何以利吾國?' 則當言'何必曰利?' 宣王問孟子'卿不同?' 則當以正對. 蓋不直則道不見故也."[321]

물었다. "필부의 신분으로 어느 날 천자를 알현하여 천자가 묻는 일에 가진 생각을 모두 말씀드리면 일에 반드시 장애되는 것이 있고 다 말씀드리지 않으면 불충입니다. 어떻게 해야겠습니까?"
(구산 양씨가) 대답하였다. "일마다 또한 당연히 정도를 헤아려야 한다. 공자가 '믿음을 산 뒤에 간언해야 하니 아직 신임을 사지 못하였으면 자신을 헐뜯는 것으로 여긴다.'[322]라고 하였다. 『주역』「항괘恒卦」에 '준항浚恒이라 흉하다.'[323]고 하였다. 이는 항구적인 관계의 시작이므로 당연히 점차적이어야 하고 갑작스럽게 깊어지려하면 안 되는 것이니, 갑작스럽게 깊어지려하면 흉하다. 가령 신하의 충성과 사악, 그리고 친근하고 믿는 사람이 누구인지를 묻는 경우에서 선뜻 군주와 시비를 변별했다가는 지조를 잃는 후회가 있게 된다. 군자가 이런 경우 단지 충성스런 사람을 사악한 사람이라 말해서도 안 되고 사악한 사람을 충성스런 사람이라 말해서는 안 되지만, 말하는 가운데 일부러 완곡함이 없을 수 없다. 도리를 논함에 이르러서는 그 같아선 안 된다. 예컨대 양혜왕梁惠王이 맹자에게 '어떻게 우리나라를 이롭게 하겠습니까?'라고 묻는 경우라면 당연히 '하필 이로움을 말하십니까?'[324]라고 해야 한다. 제선왕齊宣王이 맹자에게 '경卿이 다릅니까?'[325]라고 묻는 경우라면 당연히 바른대로 대답해야 한다. 이는 정직하게 하지 않으면 도가 드러나지 않기 때문이다.[326]"

[65-6-12]

和靖尹氏每赴經筵, 前夕必沐浴更衣,衣皆薰香 設香案, 以來日所當講書置案上, 朝服再拜. 拈香, 又再拜, 齊于燕室, 初夜乃寢, 次日入侍講筵. 學者問焉,

321 『龜山集』 권10 「語錄 · 荆州所聞」
322 '믿음을 산 … 여긴다.: 『論語』「子張」에 子夏가 한 말로 실려 있다. 공자라고 한 것은 『論語』에 실린 말이라서 공자라고 한 듯하다.
323 '浚恒이라 흉하다.': 이는 항괘 초효의 효사이다. 浚은 정도의 깊음을 이른 말이다. 浚恒은 항구적인 관계 유지에 대한 요구나 바람이 갑작스럽게 깊음이다. 그것이 흉한 결과로 나타난다는 말이다.
324 梁惠王이 맹자에게 … 말하십니까?: 『孟子』「梁惠王上」의 첫 章 대화이다.
325 '卿이 다릅니까?': 『孟子』「萬章下」에서 제선왕과 맹자와의 대화다. 내용은 다음과 같다. "제선왕이 경에 대해서 물었다. 맹자가 '왕은 어떤 경을 물으십니까?'라고 하자, 제선왕이 '경이 다릅니까?'라고 물었다. 맹자가 '같지 않으니 貴戚(왕실 집안)의 경이 있고 다른 성씨의 경이 있습니다.'고 하였다. 제선왕이 '귀척의 경에 대해서 묻자옵니다.'라고 하자, 맹자는 '군주에게 큰 잘못이 있으면 간언하고 거듭하여도 따라주지 않으면 군주를 바꿔버립니다'라고 하자 제선왕의 얼굴빛이 갑자기 확 달라졌다. 맹자가 '왕께서는 이상히 여기지 마소서! 왕이 신에게 물으시기에 신이 감히 바른대로 대답하지 않을 수 없었습니다.'라고 하였다. (齊宣王問卿. 孟子曰, '王何卿之問也?' 王曰, '卿不同乎?' 曰, '不同, 有貴戚之卿, 有異姓之卿.' 王曰, '請問貴戚之卿.' 曰, '君有大過則諫, 反覆之而不聽, 則易位.' 王勃然變乎色. 曰, '王勿異也! 王問臣, 臣不敢不以正對.')"
326 정직하게 하지 … 때문이다.: 『孟子』「滕文公上」에서 맹자가 墨翟의 兼愛說을 신봉하는 夷之에게 겸애설의 잘못을 지적하며 서로가 자신의 생각을 정직하게 말하지 않으면 도가 제대로 드러날 수 없다며 한 말이다.

曰 : "必欲以所言感悟君父, 安得不盡敬? 人君其尊如天, 必須盡己之誠意."

又曰 : "以吾所言得入, 則天下蒙其利, 不能入, 則反之. 安敢不盡誠敬?"[327]

화정 윤씨和靖尹氏[尹焞]가 경연에 나갈 적마다 전날 저녁에 반드시 목욕하고 옷을 갈아입고서 옷에는 모두 향수를 뿌렸다. 향안香案(향로를 놓은 책상)을 준비하여 내일 강해야 할 해당 책을 향안에 올려놓고 조복朝服을 입고 재배하였다. 향을 향로에 집어놓고 또다시 재배하고서 연실燕室(한적한 방)에서 재계하다 초저녁에 잠자리에 들었고 다음날 강학 자리에 입시하였다. 배우는 자들이 묻자 대답하였다.

"반드시 말씀드리는 것을 군주가 감동하여 깨닫게 하고자 한다면 어찌 공경을 다하지 않겠는가? 군주는 그 존귀함이 하늘과 같으니 반드시 자신의 정성된 뜻을 다해야 한다."

또 말하였다. "내가 한 말이 받아들여지면 천하가 그 혜택을 입고 받아들이도록 하지 못하면 그와 반대가 된다. 어찌 감히 정성과 공경을 다하지 않겠는가?"

[65-6-13]

致堂胡氏曰 : "忠愛其君者, 必思納諸無過之地, 而不計一身之安危. 不忠不愛者, 惟其身之營, 使君荒怠昏亂而不恤也."

치당 호씨致堂胡氏[胡寅]가 말하였다. "군주에게 충성하고 사랑하는 자는 반드시 아무런 잘못도 없는 군주가 되게 하기를 생각하고 일신의 안위를 따져선 안 된다. 충성하지 않고 사랑하지 않은 자는 자신의 안일만을 꾀하여 군주가 정사를 팽개치고 게으름에 빠져 혼란해지는데도 걱정하지 않는다."

[65-6-14]

"莫難强如怠心, 莫難制如慾心, 莫難降如驕心, 莫難平如怒心, 莫難抑如忌心, 莫難開如惑心, 莫難解如疑心, 莫難正如偏心. 然皆放心也. 大人格君心之非者, 格此等也. 未至乎大人而當大人之任, 亦當勉勉焉思齊, 以事其君. 君心怠則强之, 慾則制之, 驕則降之, 怒則平之, 忌則抑之, 惑則開之, 疑則解之, 偏則正之, 要使君心常收而不放, 則善日起, 惡日消, 治可立, 安可保矣. 夫水源濁則流汙, 源淸則流潔. 古之人所以惡夫逢君之惡者, 爲病其源也."

(치당 호씨가 말하였다.) "굳세게 하기 어려운 것은 게으른 마음만한 것이 없고, 제어하기 어려운 것은 욕심만한 것이 없고, 가라앉히기 어려운 것은 교만한 마음만한 것이 없고, 화평하기 어려운 것은 성난 마음만한 것이 없고, 억제하기 어려운 것은 시기하는 마음만한 것이 없고, 열어주기 어려운 것은 의혹하는 마음만한 것이 없고, 풀기 어려운 것은 의심만한 것이 없고, 바로잡기 어려운 것은 편향된 마음만한 것이 없다. 그러나 이들은 모두 방심放心이다. 대인大人이 군주 마음의 그름을 바로잡는 것[328]은 이런

327 『和靖集』 권8 「年譜 · 高宗皇帝建炎八年戊午」. 연보를 인용하는 과정에서 약간의 문장 수정이 있다.

328 大人이 군주 … 것 : 『孟子』「離婁上」에서 맹자가 "등용한 사람마다 흠할 수 없으며 정책마다 그르다고 할 수 없다. 오직 대인의 덕을 가진 사람만이 군주 마음의 잘못을 바로잡는다. 군주가 어질면 인하지 않음이 없고 군주가 의로우면 의롭지 않음이 없고 군주가 바르면 바르지 않음이 없다. 한 번 군주를 바로잡으면

것들을 바로잡는 것이다. 대인의 경지에 오르지 못한 채로 대인의 책임을 맡은 자라도 또한 당연히 대인과 같아보려 힘쓰고 힘쓰는 것[329]으로 군주를 섬겨야 한다. 군주의 마음이 게으르면 굳세게 하고, 욕심스러우면 제어하고, 교만스러우면 가라앉히고, 성나 있으면 화평하게 하고, 시기하면 억제하고, 의혹에 빠져 있으면 열어주고, 의심하면 풀어주고, 편향되었으면 바로잡아야 한다. 군주의 마음을 늘 거두어 잡아 빠져나가지 않게 한다면 선한 마음이 날마다 일어나고 악한 마음은 날마다 사그라져 정치가 확립될 수 있을 것이고 안정이 보존될 수 있을 것이다. 물의 근원이 흐리면 물은 더럽고 근원이 맑으면 물은 깨끗하다. 옛 사람이 군주의 잠자고 있는 악한 마음을 불러내는 것을 미워하는 것[330]은 근원을 병들게 하기 때문이다."

[65-6-15]

"事功出於臣下, 效智謀, 輸才力, 及其有成, 必曰此君之德, 非臣所能也. 君亦安然受之, 不幾於僞乎? 蓋道固當然, 非僞也. 在易坤之六三曰, '含章可貞, 或從王事, 無成有終.' 謂有功善, 則隱晦夫美, 而歸之於君, 不敢當其成, 然後下得恭順之道, 而上無忌惡之心也. 在師之九二曰. '在師中吉, 承天寵也.' 爲衆之主, 專制其事, 所以能吉者, 以受委於君, 非己無因而致者也.

(치당 호씨가 말하였다.) "일의 성공이 신하로부터 나와 지혜와 계책을 쏟고 재주와 힘을 기울였더라도 성공을 거두게 되어서는 반드시 이것은 군주 덕분이지 신하가 잘해서가 아니라고 해야 한다. 군주 또한 천연하게 그것을 받아들이는 것은 거짓에 가깝지 않을까? 그러나 도리에 참으로 당연한 것이니 거짓이 아니다. 『주역』 곤괘坤卦의 육삼六三 효사爻辭에 '아름다움을 감추어야 굳게 지켜낼 수 있으니, 혹여 나라의 일에 종사하여도 성공을 차지하지 말고 끝마침만을 둔다.'라고 한 말이 있으니, 거둔 공이 훌륭하면 그 아름다움을 완곡하게 숨겨 군주에게 돌아가게 하고 감히 그 성공을 차지하려 하지 않아야 함을 말한 것이다. 그런 뒤라야 신하로서 공손한 도리를 얻은 것이고 군주는 시기하고 미워하는 마음이 없는 것이다. 사괘師卦의 구이九二 상사象辭에 '군대에서 중도中道를 얻어 길吉하게 된 것은 군주의 총애를 얻어서이다.'라고 하였는데, 군대를 지휘하는 장수가 되어 전쟁에 관한 일을 혼자 결정하여도 길할 수 있는 까닭은 군주로부터 위임을 받아서이지 자신에게 아무런 기반도 없이 이루어진 것은 아니다.

나라가 안정된다.(人不足與適也 ; 政不足間也. 惟大人爲能格君心之非. 君仁莫不仁 ; 君義莫不義 ; 君正莫不正. 一正君而國定矣.)"라고 하였다. 여기서 大人에 대해 趙岐는 "대인은 큰 덕을 가진 사람이니 자신 한 몸을 바르게 하여 남들이 그를 따라 바르게 되게 하는 자이다.(大人者, 大德之人, 正己而物正者也.)"라고 하였다.

329 대인과 같아보려 … 것 : 같아보려 하다는 『論語』「里仁」에서 공자가 "어진이를 보면 같아보려 생각하고 어질지 않은 사람을 보면 마음속에서 스스로 성찰해야 한다.(見賢思齊, 見不賢而內自省也.)"라고 하였다.

330 군주의 잠자고 … 것 : 『孟子』「告子下」에서 맹자가 "군주의 아직 잠자고 있는 악한 마음을 불러내는 것은 그 죄가 크다.(逢君之惡其罪大.)"라고 하였다. 이를 趙岐 注에서는 "逢은 맞이한다는 뜻이니 임금의 악한 마음이 일어나지 않았을 적에 신하가 아첨으로 맞이하여 임금을 인도해 그릇되게 하므로 죄가 크다고 하였다.(逢, 迎也. 君之惡心未發, 臣以諂媚逢迎而導君爲非, 故曰罪大.)"라고 하였다.

是故智如良平, 不恃帷幄爲謀主, 則滅秦梟羽之事何以效? 略如英衛, 不授鈇鉞制閫外, 則征伐四克之績何以著? 故自古有成功而知此道者, 必謙虛退讓, 沖然而若無. 不然, 旣非所以蓄德, 又非所以全身也. 夫矜伐生於氣盈. 貪戀生於氣歉. 所以然者, 爲利祿耳.

그러므로 지혜가 장량張良이나 진평陳平[331]과 같더라도 유악帷幄[332]에서 모시는 모주謀主(책략을 세우는 주요 인물)가 되지 않았다면 진나라를 멸망시키고 항우를 죽이는 일을 어떻게 이루겠는가? 용략勇略이 영국공英國公이나 위국공衛國公[333]과 같더라도 부월斧鉞을 주고 곤외閫外를 다스리게 하지 않았다면[334] 사방을 정벌하여 승리하는 공적을 어떻게 드러낼 수 있겠는가? 그러므로 예부터 공훈을 이루고서도 이 도리를 아는 사람은 반드시 겸손히 마음을 비우고 물러나 사양하여 아무런 공이 없는 듯이 담담하다. 그렇지 않다면 이미 덕을 쌓는 일도 아니고 또 한 몸을 온전히 할 수 있는 일도 아니다. 자랑하고 떠벌림은 자만에서 나오고 탐욕스러운 연모는 허기짐에서 나온다. 이같이 된 까닭은 봉록을 이롭게 여기기 때문이다.

有大勳勞於天下, 孰若周公? 使周公以勳勞自居, 旣以翦商受賞, 又以東征受賞, 又以踐奄受賞, 又以滅國五十受賞, 又以制禮樂頒度量受賞, 必見於『詩』·『書』. 今可考者, 爲太師, 位冢宰, 開國曲阜以侯伯禽而已. 不聞賞而又賞也. 太師冢宰, 其所當爲也. 俾侯于東, 衆建親賢,

331 張良이나 陳平: 秦나라 말기 한고조를 도와 項羽를 물리치고 漢나라 건국에 지대한 공을 세운 사람들이다. 진나라를 멸망시킨 뒤 항우의 제의에 의해 항우의 초나라와 유방의 한나라가 洪溝를 경계로 서쪽은 유방, 동쪽은 항우가 다스리기로 평화 협정을 맺어 항우가 군사를 풀고 동쪽으로 돌아가고 유방이 서쪽으로 돌아가려 할 때, 장량과 진평이 항우를 살려 보내는 것은 호랑이를 살려 환난을 남기는 일이라고 공격을 주장하였다. 이에 유방은 군사를 정비하여 항우와 楚漢 전쟁을 하여 승리하고 마침내 한나라를 건국하였다. 그 과정에서 또 두 사람은 韓信이 齊나라를 평정하고 假王이 되고자 사신을 보내 한고조가 화를 버럭 냈을 때, 둘이서 한신의 청을 받아들이도록 귓속말을 전하여 수습하였다. 한나라가 건국된 뒤 한신이 모반 조짐을 보이자 장량이 계책을 내 한신을 사로잡았고, 한고조가 흉노의 선우를 잡으려다 冒頓의 정예 기병 40만 명에게 白登에서 7일 동안 포위되어 한나라 군대가 안팎이 서로 소식이 단절되었을 때 진평의 계책을 써서 포위에 풀려났다.(『史記』「高祖本紀」)

332 帷幄: 방안에 둘러치는 휘장이나 장막을 이르는 말이나, 책략을 결정하는 장수의 幕府를 이르는 말로 쓰였다.

333 英國公이나 衛國公: 영국공은 李勣을 封號로 이른 말이고, 위국공은 李靖을 이른 말이다. 모두 唐나라 太宗을 도와 당나라 건국과 안정에 기여한 공신이다. 이적은 竇建德과 王世充의 난을 평정하였으며 突厥을 항복받고 薛延陀를 격파하였고, 고구려 정벌에 나서기도 하였다. 이정은 蕭銑을 평정하고 돌궐을 격파하였으며, 吐谷渾의 침략을 물리쳤다. 그의 병법을 편집한 『李衛公問對』가 있다.(『舊唐書』 권67)

334 斧鉞을 주고 … 않았다면: 부월은 도끼를 이르니 사형을 집행하는 도구이다. 여기서는 법 집행의 전권을 상징한다. 곤외는 조정에 상대하여 장수가 출정하여 지휘하는 군대나 영역을 이른다. 곧 출정하는 장수에게 전권을 행사할 수 있는 책임을 부여함을 이른다. 『史記』「張釋之馮唐傳」에 "신은 들으니 상고시대에 제왕이 장수를 파견할 적에 무릎을 꿇고서 수레의 바퀴를 밀어주며 '조정의 대문 안쪽은 과인이 다스릴 것이고 대문 바깥은 장군이 다스리도록 하라.'라고 했다 하였습니다.(臣聞上古王者之遣將也, 跪而推轂, 曰'閫以內者, 寡人制之; 閫以外者, 將軍制之.')"라고 한 말에서 閫 곧 대궐 대문의 문지방을 경계로 그 바깥은 장수의 독단에 의해 누구도 침범할 수 없는 영역으로 인정되었다.

非私於周公也. 然則周公有大勳勞, 而未嘗取賞明矣. 故曰'以周公之才之美, 使驕且吝, 其餘不足觀也'已. 驕吝者, 盈而歉之謂歟!"

천하에 큰 공훈을 세운 이는 누가 주공만 하겠는가? 만일 주공이 공훈과 공로를 자부하여 상商나라를 멸망시킨 일로 이미 상을 받았는데 또다시 동쪽을 정벌한 일[335]로 상을 받고, 또 엄奄나라를 짓밟은 것으로 상을 받고[336], 또 나라를 멸망시킨 것이 50개에 이른 것으로 상을 받고, 또 예악을 제정하고 도량형 기구를 반포한 것으로 상을 받았다면 반드시 『시경』과 『서경』에 보였을 것이다. 지금 고증할 수 있는 것은 태사太師가 되고 총재冢宰의 지위에 오르고 나라를 곡부曲阜에 세워 아들 백금伯禽을 제후가 되게 한 일뿐이고, 상을 내리고 또 내렸다는 말은 들을 수 없다. 태사와 총재였으니 당연히 해야 할 일인 것이다. 동쪽 지역에 제후를 삼아준 것도 가까운 현명한 사람을 여럿 세우며 한 일이지 주공에게만 사사롭게 한 일도 아니다. 그렇다면 주공은 큰 훈로가 있었으나 상을 받지 않았음이 분명하다. 그러므로 '주공의 재능과 아름다움으로도 만일 교만하고 인색하다면 그 나머지는 볼 것이 없다.'[337]고 한 것이다. 교만과 인색은 자만과 허기져함을 이른 말일 것이다."

[65-6-16]

"忠賢之於事有所不可, 亦陳其正理, 開悟君心而已. 聽否, 雖仲尼孟子不能必其說之行也. 苟必其說之行, 將用智任術, 與小人無異矣. 故曰'若夫成功則天也.'"

(치당 호씨가 말하였다.) "충성스럽고 현명한 사람은 일에 옳지 않은 점이 있으면 또한 그 바른 도리를 말씀드려 군주의 마음을 열어 깨닫게 할 따름이다. 따라주느냐의 여부는 중니나 맹자일지라도 자신의 말을 기어코 시행하게 할 수는 없다. 진실로 자신의 말을 기어코 시행시키려면 지혜를 쓰고 술수를 부려야 하여 소인과 다를 것이 없다. 그러므로 '일이 이루어지는 것은 하늘에 달렸다.'[338]고 하는 것이다."

[65-6-17]

五峰胡氏曰: "守身以仁. 以守身之道正其君者, 大臣也. 漢唐之盛, 忠臣烈士, 攻其君之過,

335 동쪽을 정벌한 일: 成王이 어린 나이로 등극하여 주공이 섭정을 행하자, 주공의 형과 아우로 殷나라 武庚을 감독하기 위해 은나라 옛 왕조의 유민을 나누어 다스리던 三監 곧 管叔·蔡叔·霍叔이 무경과 함께 반란을 일으켰다. 이에 주공이 군사를 이끌고 동쪽에 있는 이들을 정벌하였다. 이 기사는 『書經』「金縢」·「大誥」의 蔡沈 『集傳』과 『詩經』「小雅·鴟梟·東山」 등 시의 朱子 『集傳』에 자세하다.

336 奄나라를 짓밟은 … 받고: 엄은 三監과 함께 주나라에 반란을 일으킨 나라이다. 『史記』「周本紀」에 "주공이 太師가 되어 동쪽으로 淮夷 지역의 엄을 짓밟고서 그 군주를 薄姑로 옮겼다.(周公爲師, 東伐淮夷, 殘奄, 遷其君薄姑.)"라고 하였다.

337 '주공의 재능과 … 없다.': 『論語』「泰伯」에서 공자가 한 말이다.

338 '일이 이루어지는 … 달렸다.': 『孟子』「梁惠王下」에서 강대국 齊나라를 두려워하는 滕文公에게 맹자가 "군자는 왕업을 일으켜 실마리를 후세에 남겨 이어가게 할 뿐입니다. 그 일이 이루어지는 것은 하늘에 달렸습니다. 임금님께서 저 제나라에 무엇을 할 수 있겠습니까? 애써 선한 일을 하는 것뿐입니다.(君子創業垂統, 爲可繼也. 若夫成功則天也. 君如彼何哉? 彊爲善而已矣.)"라고 하였다.

禁其君之欲, 糾其君之謬,[339] 彈其人之佞而已. 求其大正君心, 引之志於仁者, 則吾未之見也. 惟董生其庶幾乎!"[340]

오봉 호씨五峰胡氏[胡宏]가 말하였다. "몸은 인仁으로 지켜야 한다. 몸을 지키는 도리로 자신의 군주를 바로잡는 사람은 대신大臣이다. 한漢나라와 당唐나라가 융성하였던 시절 충신과 절의가 빛났던 인재들은 군주의 잘못을 다스리고, 군주의 욕심을 금지하고, 군주의 오류를 바로잡고, 사람들의 말재주부리는 것을 탄핵했을 따름이다. 군주의 마음을 크게 바로잡기를 구하여 인에 뜻을 두도록 이끄는 자는 내가 볼 수 없었으나, 동중서董仲舒[341]만은 아마 가까울 것이다!"

[65-6-18]

豫章羅氏曰 : "士之立朝, 要以正直忠厚爲本. 正直則朝廷無過失 ; 忠厚則天下無嗟怨. 二者不可偏也. 一於正直而不忠厚, 則漸入於刻 ; 一於忠厚而不正直, 則流入於懦. 汲黯正直所以關公孫弘之阿諛, 忠厚所以關張湯之殘刻. 武帝享國五十五年, 其臣之賢, 獨此一人而已."[342]

예장 나씨豫章羅氏[羅從彦]가 말하였다. "선비가 조정에서 벼슬할 때 정직과 충후忠厚로 근본을 삼아야 한다. 정직하면 조정에 과실이 없고, 충후하면 천하에 탄식이나 원망이 없다. 두 가지는 치우쳐서는 안 된다. 하나같이 정직하고 충후하지 않으면 각박한 데로 점차 빠져들고 하나같이 충후하고 정직하지 않으면 유약한 데로 흘러든다. 급암汲黯[343]이 정직했던 까닭에 공손홍公孫弘[344]의 아첨을 물리칠 수 있었고, 충후했던 까닭에 장탕張湯[345]의 잔인하고 각박함을 물리칠 수 있었다. 무제가 55년 동안 나라를 다스

339 糾 : 糾의 오자이다.

340 『知言』 권1

341 董仲舒 : 漢武帝 때 廣川 사람으로 桂巖子로도 불렸다. 벼슬은 博士, 江都王相, 膠西王相을 지냈다. 春秋公羊學을 전공하여 무제에게 儒學을 국가의 기본 강령으로 삼게 하였다. 陰陽五行論을 바탕으로 天人感應說을 확립하였다. '도의 큰 근원은 하늘에서 나왔다.(道之大原出於天.)'는 등의 말로 송나라 정자와 주자로부터 漢나라 최고의 선비로 추앙받았다. 저서로 『春秋繁露』·『董子文集』 등이 있다.(『史記』 권121 ; 『漢書』 권56 「董仲舒傳」)

342 『豫章文集』 권11 「雜著·議論要語」

343 汲黯 : 漢 東郡 濮陽 사람. 자는 長孺. 景帝 때 太子洗馬, 武帝 초에 謁者를 지낸 뒤에 東海太守가 되어 치적을 쌓았다. 황제의 면전에서 자주 직간하였으므로 무제가 그를 社稷之臣이라 일컬었다. 黃老學을 공부하여 늘 儒者를 못마땅하게 여기며 淸靜無爲를 주장하였다.(『史記』 권120 ; 『漢書』 권50)

344 公孫弘 : 한나라 薛 사람. 字는 季. 무제 때 박사와 丞相을 역임하였다. 『史記』「汲黯傳」에서, 급암은 공손홍을 면전에서 꾸짖어 "속임수를 품고 교활한 수단으로 황제에게 아첨한다.(徒懷詐飾智, 以阿人主取容.)"고 하였고, 「伏生傳」에는 "공손홍이 세상의 눈치를 살펴 일을 집행하는 것으로 지위가 공경에 오르자 동중서가 공손홍을 군주의 비위를 맞추고 아첨한다고 하였다.(弘希世用事, 位至公卿, 董仲舒以弘爲從諛.)"고 하였다.

345 張湯 : 漢 杜陵 사람. 승상 田蚡의 발탁으로 侍御史에 올라 陳皇后의 巫蠱獄事와 淮南王과 衡山王의 모반 옥사를 처리하며 법률 적용이 매우 혹독하였다. 廷尉가 되어 한나라의 율령을 개정하는 일을 하게 되자, 급암이 무제의 면전에서 "위로는 돌아가신 선황제의 공업을 드날리지 못하고 아래로는 천하의 사악한 마음을 억제하지 못하였으며 나라를 안정시키고 백성을 부유하게 하여 감옥이 텅 비게 하지 못하는 두 가지에

렸으나 그 신하들 중 현명한 사람은 단지 이 한 사람뿐이다."

[65-6-19]

"立朝之士, 當愛君如愛父, 愛國如愛家, 愛民如愛子. 然三者未嘗不相賴也. 凡人愛君則必愛國. 愛國則必愛民. 未有以君爲心而不以民爲心者. 故范希文謂'居廟堂之上則憂其民, 處江湖之遠則憂其君, 諒哉!"[346]

(예장 나씨가 말하였다.) "조정에서 벼슬하는 선비는 당연히 군주 사랑을 어버이 사랑하는 것 같이 하고, 나라 사랑을 집안 사랑하는 것 같이 하고, 백성 사랑을 자식 사랑하는 것 같이 사랑해야 한다. 그러나 세 가지는 서로 의지되지 않음이 없다. 일반적으로 사람이 군주를 사랑하면 반드시 나라를 사랑하고, 나라를 사랑하면 반드시 백성을 사랑한다. 군주를 마음에 두면서 백성을 마음에 두지 않는 자는 있지 않다. 그러므로 범희문范希文[347]은 '조정에 벼슬하면 백성을 걱정하고, 강호江湖에 살면 군주를 걱정해야 한다.'라고 말했으니 참된 말이로다!"

[65-6-20]

"士之立身, 要以名節忠義爲本. 有名節則不枉道以求進. 有忠義, 則不固寵以欺君矣."[348]

(예장 나씨가 말하였다.) "선비가 한 몸을 일으켜 세우려면 명절名節과 충의忠義로 근본을 삼아야 한다. 명절이 있으면 도를 굽혀 벼슬에 나가기를 구하지 않고, 충의가 있으면 총애를 굳히려 군주를 속이지 않는다."

[65-6-21]

朱子曰: "古之君子居大臣之任者, 其於天下之事, 知之不惑, 任之有餘, 則汲汲乎其時而勇爲之. 知有所未明, 力有所不足, 則咨訪講求以進其知, 扳援汲引以求其助, 如捄火追亡, 尤不敢以少緩. 上不敢愚其君以爲不足與言仁義, 下不敢鄙其民以爲不足以興教化. 中不敢薄其士大夫以爲不足共成事功. 一日立乎其位, 則一日業乎其官; 一日不得乎其官, 則不敢一日立乎其位. 有所愛而不肯爲者, 私也; 有所畏而不敢爲者, 亦私也. 屹然中立, 無一毫私情之累, 而惟知其職之所當爲者. 夫如是, 是以志足以行道, 道足以濟時, 而於大臣之責可以無愧."[349]

하나도 이룬 것이 없다. 그릇되고 각박한 것만을 시행하고 어지럽게 무너뜨리는 것으로 공을 이루었다. 어찌하여 고황제가 정한 約法三章을 가져다 어지럽게 바꾸려드는가? 공은 이 일로해서 자손을 두지 못할 것이다.(上不能褒先帝之功業, 下不能抑天下之邪心, 安國富民, 使囹圄空虛, 二者無一焉. 非苦就行, 放析就功. 何乃取高皇帝約束, 紛更之爲? 公以此無種矣.)"라고 비판하였다.(『史記』 권120)

346 『豫章文集』 권11 「雜著 · 議論要語」

347 范希文: 송나라의 명재상인 范仲淹을 字로 이른 말이다.

348 『豫章文集』 권11 「雜著 · 議論要語」

349 『朱文公文集』 권24 「賀陳丞相書」

주자가 말하였다. "옛 군자에서 대신의 책임을 지고 있는 자가 천하의 일 중 알고 있는 것에 의혹이 없고 담당하는 것에 여유가 있으면 때맞춰서 부랴부랴 용감히 해냈다. 알고 있는 것이 분명하지 못하고 힘도 넉넉지 못하면, 자문 받고 강구하여 스스로가 알고 있는 것을 진취시키고 끌어당기고 끌어내서 도움 구하기를 마치 불을 끄듯이 도망친 자를 따라잡듯이 더더욱 감히 잠간도 늦추지 않았다. 위로는 감히 군주를 어리석다 여겨 인의仁義를 말하기에 부족하다 않았고, 아래로는 감히 백성을 비루하게 여겨 교화를 일으키기에 부족하다 않았으며, 가운데로는 감히 사대부를 하찮게 여겨 함께 일을 이룰 수 없다 하지 않았다. 하루도 그 지위에 있으면 하루라도 그 직책을 일삼았고, 하루도 그 직책에 있지 않으면 감히 하루라도 그 지위에 있지 않았다. 사랑하는 것이 있어 기꺼이 하려 들지 않는 것도 사사로움이고, 두려운 것이 있어 감히 하지 못하는 것도 역시 사사로움이다. 우뚝하게 중도中道에 서서 조금도 사사로운 마음에 얽매이지 않고, 오직 직책상 당연히 수행해야 할 것만을 알아야 한다. 이와 같으므로 뜻이 도를 행하기에 충분하고 지닌 도道가 시대를 구제하기에 충분하여 대신의 책무에 부끄러움이 없을 수 있는 것이다."

[65-6-22]

"臣子無愛身自佚之理."[350]

(주자가 말하였다.) "신하에게는 자신의 몸을 사랑하고 스스로를 편안히 할 수 있는 이치가 없다."

[65-6-23]

"今之仕宦, 不能盡心盡職者, 是無那'先其事而後其食'底心."[351]

(주자가 말하였다.) "지금 관리 중에 마음을 다하고 직책을 다하지 않는 사람들은 '해야 할 일을 먼저 생각하고 녹봉을 뒷전으로 해야 한다.'[352]는 마음이 없어서이다."

[65-6-24]

"誠以天下之事爲己任, 則當自格君心之非始, 欲格君心, 則當自身始."[353]

(주자가 말하였다.) "참으로 천하의 일로 자신의 책임을 삼으면 당연히 군주 마음의 그름을 바로잡는 것으로부터 시작해야 하고, 군주 마음을 바로잡고자 하면 마땅히 자신의 몸에서부터 시작해야 한다."

350 『朱子語類』 권13, 73조목

351 『朱子語類』 권112, 47조목

352 '해야 할 … 한다.: 『論語』「雍也」에서 제자 樊遲가 공자에게 지혜를 물은 다음 인을 묻자 공자는 "인한 사람은 어려운 것을 우선 생각하고 얻는 것을 뒷전으로 돌린다면 인이라 말할 수 있을 것이다.(仁者先難而後獲, 可謂仁矣.)"라고 하였고, 朱子는 『集註』에서 "그 일의 어려운 것을 우선 생각하고 그 일로 얻어지는 효험을 뒷전으로 돌리는 것이 인한 사람의 마음이다.(先其事之所難, 而後其效之所得, 仁者之心也.)"라고 하였다.

353 『朱文公文集』 권29 與趙尚書書 제4서

[65-6-25]

"夫宰相以得士爲功, 下士爲難. 而士之所守, 乃以不自失爲貴."[354]

(주자가 말하였다.) "재상은 선비를 얻는 것으로 공을 삼고 선비에게 몸을 낮추는 것으로 어려움을 삼는다. 그러나 선비가 지조로 삼고 있는 것은 자신을 잃지 않는 것으로 귀함을 삼는다."

[65-6-26]

"於天下之事有可否, 則斷以公道, 而勿牽於內顧偏聽之私. 於天下之議有從違, 則開以誠心, 而勿誤以陽開陰闔之計. 則庶乎德業盛大, 表裏光明, 中外遠邇, 心悅誠服."[355]

(주자가 말하였다.) "천하의 일에 옳고 그름이 있을 경우 공정한 도리로 판단하고, 마음 쓰이는 곳을 돌보거나 한쪽 말만을 들으려는 사사로움에 이끌리지 말아야 한다. 천하의 의견에 옳고 그름이 있을 경우 정성된 마음으로 개도하고, 잘못 겉으로는 열어놓고 속으로는 닫아버리는 계책을 쓰지 말아야 한다. 그렇게 하면 거의 덕행과 공훈이 성대하고 마음과 행실이 광명하여, 조정과 지방 멀고 가까운 곳들이 마음으로 기뻐하며 성심으로 복종할 것이다."

[65-6-27]

南軒張氏曰: "伊尹云, '弗克俾厥后惟堯舜, 其心愧恥, 若撻于市. 一夫不獲, 時予之辜.' 君不堯舜, 心便愧恥; 民有不獲, 是爲己辜, 眞所謂任天下之重者. 人須存伊尹之心方得."

남헌 장씨南軒張氏[張栻]가 말하였다. "이윤伊尹이 '군주를 요순이 되게 하지 못하면 마음의 부끄러움이 마치 저자거리에서 매를 맞고 있는 것 같고, 한 백성이라도 제 자리를 잡지 못하면 이는 나의 허물이다.'[356] 라고 하였다. 군주가 요순이 되지 못하면 마음으로 부끄러워하고 백성이 제 자리를 잡지 못하면 이는 자신의 허물이라 여겼으니, 참으로 천하의 막중함을 책임졌던 사람[357]이라 말할 것이다. 사람은 당연히 이윤의 마음을 가져야 비로소 옳다."

[65-6-28]

"畢公以四朝元老, 方且克勤小物. 若在吾人, 則合當如此也. 古人未嘗不謙, 至周公方說謙. 蓋周公以天子之叔父, 而又爲宰相, 猶且自處以謙. 若在吾人, 則亦合當爲者也. 謙之九三, 伊川專以指周公, '德言盛. 禮言恭.' 德只要盛. 禮只要恭."

又曰: "某於世間無所愛慕, 亦無所享用, 惟有報君愛民之事, 在所當爲耳."

354 『朱文公文集』 권29 與留丞相書 제1서

355 『朱文公文集』 권29 與留丞相書 제2서

356 '군주를 요순이 … 허물이다.': 『書經』「高宗肜日」에서 祖己가 군주 高宗에게 간하며 한 말이다.

357 천하의 막중함을 … 사람: 『孟子』「萬章下」에서 맹자가 伯夷·伊尹·柳下惠·孔子 등 성인들의 덕을 열거하며 "이윤은 성인 중에서 천하를 책임진 분이다.(伊尹聖之任者也.)"라고 하였는데, 朱子의 『集註』에 孔氏의 말을 인용하여 "任은 천하로 자신의 책임을 삼은 것이다.(任者, 以天下爲己責也)"라고 하였다.

(남헌 장씨가 말하였다.) "필공畢公이 네 군주를 섬긴 원로였으나 또한 세세한 행실도 잘 노력하였다.[358] 만일 내가 그런 경우에 처하여도 당연히 그와 같이 해야 한다. 옛 사람은 겸손하지 않은 적이 없었으니 주공周公까지도 바야흐로 겸손하였다고 말할 수 있다. 주공은 천자의 숙부에다 또 재상이 되었으면서도 여전히 스스로를 겸손하게 자리매김하였다. 만일 내가 그런 경우에 처하여도 또한 당연히 해야 할 일이다. 겸괘謙卦의 구삼九三에서 이천伊川이 오로지 주공을 지칭하여 '덕으로 말하면 성대하고 예로 말하면 공손하다.[359]'고 하였다. 덕은 다만 성대하려 해야 하고 예는 다만 공손하려 해야 한다."
또 말하였다. "내가 세상에 사랑하여 부러워하는 것도 없고 또 누리고 있는 것도 없으나 오직 군주의 은혜에 보답하고 백성을 사랑하는 일만은 당연히 해야 할 일이다."

[65-6-29]

象山陸氏曰 : "古人所以不屑屑於間政適人, 而必務有以格君心者, 蓋君心未格, 則一邪黜, 一邪登 ; 一弊去, 一弊興, 如循環然, 何以窮已? 及君心旣格, 則規模趨鄉, 有若燕越 ; 邪正是非, 有若蒼素. 大明旣升, 群陰畢伏, 是瑣瑣者亦何足汚人牙頰間哉?"[360]

상산 육씨象山陸氏[陸九淵]가 말하였다. "옛 사람은 정책마다 그르다 하고 등용한 사람마다 흠하는 일[361]에 특별히 마음 기울이지 않고 군주의 마음을 기어코 바로잡는데 두려 힘썼다. 군주의 마음이 바로잡히지 않으면 한 가지 사악한 일을 없애면 한 가지 사악한 일이 등장하고 한 가지 폐단을 제거하면 한 가지 폐단이 일어나는 것이, 마치 고리를 돌고 도는 것과 같은데 어떻게 끝이 있겠는가? 군주의 마음이 바로잡히게 되면 법도와 추향이 마치 연燕나라와 월越나라 같아지고[362] 사악함과 바름, 옳음과 그름이 마치 푸른색과 흰 색과 같아질 것이다. 해가 떠오른 뒤면 모든 어둠이 다 사라지니 이런 자잘한 일들이 또한 어찌 사람의 입[363]을 더럽힐 수 있겠는가?"

358 세세한 행실도 … 노력하였다. : 『書經』「畢命」에 康王이 成周 지역에서 준동하는 은나라의 유민들에 대한 통치를 필공에게 맡기며 필공의 덕을 "공께서는 성대한 덕을 가지셨으면서도 세세한 행실도 잘 노력하였다.(惟公懋德, 克勤小物.)"라고 하였다.

359 '덕으로 말하면 … 공손하다.' : 『周易』「謙卦」 구삼효의 象辭에 대한 伊川 『易傳』의 말이다. 구삼효의 효사에 "공로를 세우고서도 겸손하다.(勞謙)"를 이천 「易傳」에서 이 효가 가진 덕을 설명하며 "위로는 군주가 책임을 맡긴바가 되었고 아래로는 뭇사람이 따르는 바가 되어 공로를 세우고서도 겸손한 덕을 지닌 자이다. 그러므로 노겸이다. 옛사람에서 이에 해당하는 사람이 있으니 주공이 그분이다.(是上爲君所任, 下爲衆所從, 有功勞而持謙德者也. 故曰勞謙. 古之人有當之者, 周公是也.)"라고 하였다.

360 『象山集』 권10 「書 · 與李成之 1」

361 정책마다 그르다 … 일 : 『孟子』「離婁上」에서 맹자가 "등용한 사람마다 흠할 수 없으며 정책마다 그르다고 할 수 없다. 오직 대인의 덕을 가진 사람만이 군주 마음의 잘못을 바로잡는다. 군주가 어질면 인하지 않음이 없고 군주가 의로우면 의롭지 않음이 없고 군주가 바르면 바르지 않음이 없다. 한번 군주를 바로잡으면 나라가 안정된다.(人不足與適也 ; 政不足間也. 惟大人爲能格君心之非. 君仁莫不仁 ; 君義莫不義 ; 君正莫不正. 一正君而國定矣.)"라고 한 것에서 인용한 말이다.

362 燕나라와 越나라 같아지고 : 연나라는 중국의 동북쪽에 있고 월나라는 남쪽에 떨어져 있어 서로의 거리가 먼 것을 상징하는 말로 쓰였다.

[65-6-30]

勉齋黃氏曰 : "臣子於君父, 與生俱生, 而不可解於心者也. 食人之祿者, 當任其事, 此亦不待智者而後知也."[364]

면재 황씨勉齋黃氏[黃榦]가 말하였다. "신하와 자식에게 군주와 아버지는 생명과 함께 생겨나는 것이니 마음속에서 게을리 할 수 없다. 나라의 녹을 받는 자는 당연히 그 일에 책임을 져야하니 이 또한 지혜로운 사람을 기다린 뒤에 아는 일이 아니다."

[65-6-31]

西山眞氏曰 : "古今事業, 未嘗無所本. 諸葛武侯平生所立事業奇偉, 然求其所以, 則開誠心, 布公道, 集衆思, 廣忠益而已. 蓋此四者, 乃武侯事業之本, 而誠之與公, 又其本也."[365]

서산 진씨西山眞氏[眞德秀]가 말하였다. "예부터 지금까지 사업에는 근본이 없는 일이 없다. 제갈 무후諸葛武侯[諸葛亮]의 평생 동안 세운 사업이 기이하고 위대하지만 그러나 그 소이연을 찾아보면 성실한 마음을 풀어놓고, 공정한 도리를 펴고,[366] 여러 생각을 모으고, 충실하게 유익한 것을 널리 모았을 뿐[367]이다. 이들 네 가지는 무후가 세운 사업의 근본이나, 성실과 공정이 또 그 근본이다."

[65-6-32]

"忠臣之心, 常欲君身之强固, 君德之清明, 故動以聲 · 色 · 遊 · 畋爲藥石之戒. 古之人有行之者, 周公是也. 姦臣之心則不然. 君身强固, 則必不倦於政機, 而威權在己. 君德清明, 則必不謬於邪正, 而用舍合宜. 此正人君子之所深願, 而憸夫壬人之所甚不便者也. 故必蠱之以逸欲, 導之以奢淫. 然後其君恣肆昏荒, 而惟己之聽, 後之人有行之者, 趙高仇士良是也. 二人刀鋸之餘, 何足深罪!

(서산 진씨가 말하였다.) "충신의 마음은 언제나 군주의 몸이 강건하여 단단하고 군주의 덕이 청명하기를 바라는 까닭에 입만 열면 음악과 여색과 노닒과 사냥하는 것으로 약석藥石의 경계를 삼았다. 옛 사람이 이를 행한 사람이 있으니 주공이 그분이다. 간신의 마음은 그렇지 않다. 군주의 몸이 강건하고 단단하

363 어찌 사람의 입 : 이 글의 원문 牙頰은 이빨과 턱이다. 여기에서 입이라는 말이 유추된 것이다.

364 『勉齋集』 권6 「書 · 復劉師文寶學甲」

365 『御纂性理精義』 권11 「臣道」

366 성실한 마음을 … 펴고 : 『三國志』「蜀志 5 · 諸葛亮傳」에서 陳壽가 평론하기를 "제갈량이 승상이 되어 백성을 어루만지고, 예의와 법도를 내보이고, 관직을 줄이고 시의를 따르는 제도를 마련하여, 성실한 마음을 풀어놓고, 공정한 도리를 폈다.(諸葛亮之爲相國也, 撫百姓, 示儀軌, 約官職, 從權制, 開誠心, 布公道.)"라고 하였다.

367 여러 생각을 … 뿐 : 『三國志』「蜀志 9 · 董和傳」에 "제갈량이 나중에 승상이 되어 소속 관원에게 명령을 내려 '관서에 참여한 사람은 여러 사람의 생각을 모으고 충실하여 유익한 것을 널리 모아야 한다.'라고 하였다.(亮後爲丞相, 教與羣下曰, '夫參署者, 集衆思, 廣忠益也.')"고 하였다.

면 반드시 정무政務에 게으름 피우지 않아 위엄과 권세가 군주 자신에게 있게 되고, 군주의 덕이 청명하면 반드시 사악과 정직에 오류가 없고 등용과 면직시키는 것이 합당하다. 이것은 정직한 사람과 군자가 원하는 것이나 간교하고 영악한 사람은 매우 불편스러운 것이다. 그러므로 반드시 안일과 넘치는 욕심으로 유혹하고, 사치와 음탕함으로 인도한다. 그런 뒤에 그 군주는 방자하고 혼몽하여 자신의 의견만을 따르게 된다. 후세 사람에 이를 행한 사람이 있으니 조고趙高와 구사량仇士良[368]이 그 사람이다. 두 사람이야 궁형을 당한 사람들이니 어찌 죄를 깊이 따질 일이랴!

而春秋名卿如管仲趙武者, 亦安視其君有六嬖四姬之惑而不能救焉. 彼其人非姦慝也, 其志非蠱媚也. 迺至於是者, 由不知古人保傅之職, 而以强兵制敵爲功故也. 有志愛君者, 其可不以周公爲法, 以管仲趙武爲戒哉?"

춘추시대의 유명한 경대부 관중管仲과 조무趙武[369]와 같은 사람도 그들 군주가 육폐六嬖와 사희四姬[370]의 유혹에 빠져있는 것을 편안한 마음으로 바라보며 구원하지 못하였다. 그들 사람됨이 간특하여서가 아니고 그들 뜻이 아름다움에 유혹되어서도 아니다. 이에 이른 것은 옛 사람의 태보太保와 태부太傅의 직책[371]

368 趙高와 仇士良 : 두 사람 모두 환관이다. 조고는 진시황을 섬겨 진시황의 순행 길을 시종하였다가 진시황이 平臺에서 죽자 거짓 조서를 작성하여 맏아들 扶蘇를 죽게 하고 胡亥를 등극시켰다. 호해를 조종하며 갖은 만행을 저지르다가 劉邦의 군대가 들어오자 호해를 죽이고 호해의 아들 子嬰을 세웠으나 결국 자영의 손에 죽었다. 구사량은 당나라 憲宗 때부터 文宗을 거쳐 武宗 연간에 치사하고 죽을 때가지 20여 년 동안 정권을 독단하며 두 명의 王, 한 명의 妃, 네 명의 재상을 살해하였다. 그가 치사하고 물러날 때 여러 환관들이 그가 돌아가는 것을 전송하였는데 그는 환관에게 다음과 같은 말을 남겼다. "'그대들이 천자를 잘 섬기기 위해 늙은이의 말을 잘 들을 수 있겠는가?'라고 하자 여러 환관들은 '명령대로 따르겠습니다.'하였다. 구사량이 '천자를 한가하게 해서는 안 된다. 한가해지면 반드시 책을 보게 되고 儒臣을 만나게 되면 또 간하는 말을 받아드리게 된다. 지혜가 깊어지고 생각이 원대해져 즐기는 것을 줄이고 놀러 다니는 일을 줄여서, 우리 무리는 은혜 입는 것이 박해지고 권력도 가벼워질 것이다. 그대들을 위한 계책으로는 재화를 불리고 매와 말을 늘려 날마다 격구와 사냥, 음악과 여색으로 군주의 마음을 유혹하고 극도로 사치하게 하여 즐거움에 그칠 줄 모르게 한다면 반드시 經術을 내치고 바깥일에 어두워 정사의 권한이 우리에게 있을 것이다. 은택과 권력이 어느 곳으로 가겠는가?'라고 하였다. ('諸君善事天子, 能聽老夫語乎?' 衆'唯唯.' 士良曰, '天子不可令閑暇. 暇必觀書, 見儒臣則又納諫. 智深慮遠, 減玩好, 省游幸, 吾屬恩且薄而權輕矣. 爲諸君計, 莫若殖財貨盛鷹馬, 日以毬獵聲色蠱其心, 極侈靡, 使悅不知息, 則必斥經術, 闇外事, 萬機在我. 恩澤權力欲焉往哉?')"

369 管仲과 趙武 : 모두 춘추시대 사람들이다. 관중은 제나라 桓公을 보좌하여 제후의 우두머리가 되게 하였다. 조무는 晉나라 사람으로 悼公 때 卿이 되어 노나라 襄公 27년(기원전 546)에 楚나라와 전쟁 종식[弭兵]의 모임을 주도하고 昭公 시대까지 진나라의 正卿으로 진나라를 이끌었다.

370 六嬖와 四姬 : 육폐는 제환공이 총애한 여섯 여인을 이르는 말이고 사희는 진나라 평공이 사랑한 姬姓을 가진 네 여인이다. 제환공은 이들 여섯 여인들을 사랑하여 그들에게서 난 아들들 중 태자를 미처 정하지 못하고 죽은 뒤 여섯 여인들의 아들들이 서로 군주자리를 차지하려 내란을 초래하였다. 자세한 내용은 『左傳』「僖公 17년(기원전 643)」에 자세하다. 평공은 이들 네 여인을 사랑하다 병이 중하여 사방으로 의원을 구한 것이 『左傳』「昭公 원년(기원전 541)」 기사에 자세하다.

을 모르고 강한 군사로 적을 제압하는 것으로 공을 삼은 까닭에서다. 군주를 사랑하려 뜻을 둔 사람은 주공으로 법을 삼고 관중과 조무로 경계 삼지 않을 수 있겠는가?"

[65-6-33]

魯齋許氏曰 : "臣子執威權, 未有無禍者. 豈唯人事! 在天道亦不許. 夫月陰魄也, 借日爲光. 與日相遠則光盛. 猶臣遠於君, 則聲名大, 威權重. 與日相近則光微. 愈近愈微. 臣道陰道, 理當如此. 大臣在君側而擅權, 此危道也. 古人擧善薦賢, 不敢自名, 欲恩澤出於君也. 刑人亦然. 恩威豈可使出於己? 使人知恩威出於己, 是生多少怨敵, 其危亡可立待也. 故月星皆借日以爲光, 及近日却失其光. 此理殊可玩索."

노재 허씨魯齋許氏[許衡]가 말하였다. "신하가 위세와 권력을 잡았다가 화를 입지 않은 자가 있지 않다. 어찌 인간의 일만이랴! 천도天道도 역시 허락하지 않는다. 달은 음陰의 넋이라서 해의 힘을 빌려 빛을 낸다. 해와 서로 멀리 떨어지면 빛이 성대하니, 신하가 군주와 멀어야 명성이 크고 위세와 권력이 중해지는 것과 같다. 해와 서로 가까우면 빛이 미약하여 가까울수록 더욱 미약하다. 신하의 도리는 음도陰道이니 이치상 당연히 이와 같아야 한다. 대신이 군주의 곁에 있으며 권세를 독단하는 것은 위험한 길이다. 옛 사람이 선한 사람을 천거하고 현명한 사람을 추천하며 자신의 이름을 내세우지 않은 것은 은택이 군주에게서 나오도록 하기 위해서다. 사람을 형벌하는 것도 또한 그러하다. 은택과 위엄을 어찌 자신에게서 나오게 할 수 있겠는가? 사람들이 은혜와 위엄이 자신에게서 나왔음을 알게 하는 것은 많은 원한과 적을 만들어내는 것이어서 위험과 죽음이 금방 닥치게 된다. 그러므로 달과 별이 모두 해의 빛을 빌려 빛을 내나 해와 가까워지면 빛을 잃는다. 이 이치를 특별히 음미하고 찾아보아야 한다."

371 太保와 太傅의 직책 : 위 [65-4-4]의 주석 참고

性理大全書卷之六十六
성리대전서 권66

治道一 치도 1

治道一
다스리는 도리 1

總論 총론

[66-1-1]

程子曰: "論治者, 貴識體."[1]

정자가 말하였다. "다스리는 도리를 논하는 자에게는 요체를 아는 것이 귀하다."

[66-1-2]

"治身齊家以至平天下者, 治之道也; 建立綱紀, 分正百職, 順天揆事, 創制立度, 以盡天下之務, 治之法也. 法者, 道之用也."[2]

(정자가 말하였다.) "몸을 다스리고 집안을 가지런히 하는 일로부터 천하를 화평하게 하는 것은 다스리는 도리고, 기강을 세우고 온갖 직책을 바르게 나누고, 천리에 순응하여 할 일을 헤아리고, 제도를 창립하여 천하가 해야 할 일을 다 하는 것은 다스리는 법이다. 법은 도道를 사용하는 것이다."

[66-1-3]

"聖王爲治, 修刑罰以齊衆; 明教化以善俗. 刑罰立則教化行矣; 教化成而刑罰措矣. 雖曰尚德而不尚刑, 顧豈偏廢哉!"[3]

(정자가 말하였다.) "성왕의 정치는, 형벌을 손질하여 백성을 일치시키고, 교화를 밝혀 풍속을 선하게 한다. 형벌이 확립되면 교화가 시행되고, 교화가 이뤄져야 형벌을 쓸 수 있다. 덕을 숭상하되 형벌을 숭상해선 안 된다고 말하지만 어떻게 어느 하나를 폐하랴!"

1 『二程粹言』 권상 「論政篇」
2 『二程粹言』 권상 「論政篇」
3 『二程粹言』 권상 「論政篇」

[66-1-4]

"治則有爲治之因, 亂必有致亂之因, 在人而已矣."[4]

(정자가 말하였다.) "다스려진 데에는 다스려진 까닭이 있고 혼란함에는 혼란하게 된 까닭이 있으나, 사람에게 달렸을 따름이다."

[66-1-5]

"立治有體, 施治有序. 酌而應之, 臨時之宜也."[5]

(정자가 말하였다.) "다스리는 도리를 확립하는 데에는 요체가 있고 다스리는 도리를 펴는 데에는 차례가 있다. 이를 헤아려 대응하는 것이 때를 만났을 때의 마땅함이다."

[66-1-6]

"治道之要有三, 曰立志, 責任, 求賢."[6]

(정자가 말하였다.) "다스리는 도리의 요체는 세 가지이니 뜻을 세움, 일을 책임 지움, 어진 사람을 구하는 일이다."

[66-1-7]

"必井田, 必肉刑, 必封建, 而後天下可爲, 非聖人之達道也. 善治者, 放井田而行之, 而民不病; 放封建而臨之, 而民不勞; 放肉刑而用之, 而民不怨. 得聖人之意, 而不膠其迹. 迹者, 聖人因一時之利, 而利焉者耳."[7]

(정자가 말하였다.) "반드시 정전井田을 실시하고, 반드시 육체의 형벌을 실시하고, 반드시 봉건제도를 실시하고서야, 천하를 다스릴 수 있는 것은 성인의 최상 도리는 아니다. 잘 다스리는 자는 정전을 버리고 다스려도 백성이 병들지 않고, 봉건 제도를 버리고 다스려도 백성이 힘들지 않고, 육체 형벌을 버리고 다스려도 백성이 원망하지 않는다. 성인의 의도를 터득해야 할 일이지 그 자취에 얽매어서는 안 된다. 자취는 성인이 그때그때 이로운 대로 이롭게 했던 것일 뿐이다."

[66-1-8]

"天地之生, 萬物之成, 合而後遂. 天下國家至於事爲之末, 所以不遂者, 由不合也. 所以不合者, 由有間也. 故間隔者, 天下之大害, 聖王之所必去也."[8]

4 『二程粹言』 권상 「論政篇」
5 『二程粹言』 권상 「論政篇」
6 『二程粹言』 권상 「論政篇」
7 『二程粹言』 권상 「論政篇」
8 『二程粹言』 권상 「論政篇」

(정자가 말하였다.) "천지가 생명을 틔우려는 것과 만물이 자신의 삶을 이루려는 것이 합쳐진 뒤라야 이뤄진다. 천하 국가에서부터 조그만 하나의 일까지도 이뤄지지 않는 까닭은 합쳐지지 않아서다. 합쳐지지 않은 것은 틈이 있어서다. 그러므로 틈은 천하에 크게 해로운 것이니 성왕이 반드시 제거하였다."

[66-1-9]

"事事物物各有其所, 得其所則安, 失其所則悖. 聖人所以能使天下順治, 非能爲物作則也, 惟止之各於其所而已. 止之不得其所, 則無可止之理."[9]

(정자가 말하였다.) "일이면 일 물건이면 물건마다 각기 제자리가 있으니 제자리를 얻으면 편안하고 제자리를 잃으면 어긋난다. 성인이 천하를 순히 다스려지게 하는 것은 물건을 위해 법칙을 제정해서가 아니고, 각기 제자리를 잡아주었을 뿐이다. 자리 잡은 곳이 제자리가 아닐 경우 자리할 수 있는 이치는 없다."

[66-1-10]

"養民者, 以愛其力爲本. 民力足, 則生養遂, 然後教化可行, 風俗可美. 是故善爲政者, 必重民力."[10]

(정자가 말하였다.) "백성을 양육하는 사람은 백성이 가진 힘을 아끼는 것으로 근본을 삼는다. 백성의 힘이 넉넉해지면 낳고 기르는 일이 이뤄지니, 그런 뒤에 교화는 행해질 수 있고 풍속은 아름다워질 수 있다. 그러므로 정사를 잘하는 사람은 반드시 백성의 힘을 중요시한다."

[66-1-11]

"教人者, 養其善心則惡自消 ; 治民者, 導以敬遜則爭自止."[11]

(정자가 말하였다.) "사람을 가르치는 사람이 선한 마음을 길러주면 악한 마음은 저절로 소멸되고, 백성을 다스리는 사람이 공경과 사양으로 인도하면 다툼은 저절로 그친다."

[66-1-12]

"聖人爲戒, 必於方盛之時. 方盛慮衰, 則可以防其滿極, 而圖其永久. 至於旣衰而後戒, 則無及矣. 自古天下之治, 未有久而不亂者, 蓋不能戒於其盛也. 狃安富則驕侈生 ; 樂舒肆則紀綱壞 ; 忘禍亂則釁孽萌. 是以浸淫滋蔓, 而不知亂亡之相尋也."[12]

(정자가 말하였다.) "성인의 경계 말씀은 반드시 바야흐로 융성할 때 한다. 바야흐로 융성할 때 쇠퇴를

9 『二程粹言』 권상 「論政篇」
10 『二程粹言』 권상 「論政篇」
11 『二程粹言』 권상 「論學篇」
12 『二程粹言』 권상 「論政篇」

생각하면 극도의 자만심을 막아 영원함을 도모할 수 있다. 이미 쇠퇴해진 뒤에 경계하면 미칠 수 없다. 예부터 천하의 정치가 오래되면 혼란해지지 않은 적이 없었으니 그것은 융성할 때 경계하지 못해서이다. 편안과 부유에 길들여지면 교만과 사치가 생겨나고, 느긋하게 자유로움을 즐거워하면 기강이 무너지고, 재앙과 혼란을 잊으면 병통이 싹튼다. 그리하여 점점 빠져 들며 자라나 혼란과 망함이 서로 찾아드는 데에도 알지 못한다."

[66-1-13]

"守國者必設險. 山河之固, 城郭溝洫之阻, 特其大端耳. 若夫尊卑貴賤之分, 明之以等威, 異之以物采, 凡所以杜絶陵僭, 限隔上下, 皆險之大用也."[13]

(정자가 말하였다.) "나라를 지키는 사람은 반드시 험한 것을 설치한다. 산과 강의 견고함과 성곽과 물길로의 저지는 다만 그것 가운데 큰 것일 뿐이다. 존비귀천의 분수를 등급의 위엄으로 밝히고 물색의 색깔로 달리 하는 것은, 기강의 무너짐을 막고 상하를 한계지어 격리하는 것이니, 모두 험한 것 가운데 크게 유용한 것이다."

[66-1-14]

"治道亦有從本而言；亦有從事而言. 從本而言, 惟從格君心之非, 正心以正朝廷, 正朝廷以正百官. 若從事而言, 不救則已, 若須救之必須變, 大變則大益, 小變則小益."[14]

(정자가 말하였다.) "다스리는 도리는 또한 근본에 나아가 말할 것도 있고, 또 일에 나아가 말할 것도 있다. 근본에 나아가 말한다면 군주 마음의 그름을 바로잡는 것으로부터 마음을 바로잡아 조정을 바로잡고 조정을 바로잡아 백관을 바로잡아야 한다. 일에 나아가 말한다면 (잘못된 일을) 구원하지 않으면 그만이겠지만 만일 당연히 구원해야 한다면 반드시 변화를 필요로 하니, 크게 변화시키면 크게 유익하고 작게 변화시키면 작게 유익할 것이다."

[66-1-15]

"爲天下安可求近効? 才計校著利害便不是."[15]

(정자가 말하였다.) "천하를 다스리는데 어찌 금방의 효험을 구할 일이겠는가? 조금이라도 이롭고 해로움을 따져 비교하는 것은 옳지 않다."

[66-1-16]

"王者高拱於穆淸之上, 而化行於禆海之外, 何脩何飾而致哉? 以純王之心, 行純王之政爾. 老

13 『二程粹言』 권상 「論政篇」

14 『二程遺書』 권15

15 『河南程氏外書』 권7

吾老以及人之老, 幼吾幼以及人之幼, 此純王之心也 ; 使老者得其養, 幼者得其所, 此純王之政也. 尙慮其未也, 則又尊國老而躬事之, 優庶老而時養之. 風行海流, 民陶其化, 孰有怠於親而慢於長者哉? 虞 · 夏 · 商 · 周之盛王, 由是道也. 人倫以正, 風俗以厚, 鰥寡孤獨無不得其養焉. 後世禮廢法壞, 教化不明, 播棄耆老, 饑寒轉死者往往而是. 嗚呼! 率是而行, 而欲王道之成, 猶却行而求及前, 抑有甚焉爾."[16]

(정자[程顥]가 말하였다.) "왕이 저 높은 곳[17]에서 가슴께에 손을 모으고 있어도 교화가 사해의 밖에까지 행해지는데, 무엇을 닦고 무엇을 꾸며서 (화평한 세상을) 이루겠는가? 순왕純王(마음이 순수한 왕)의 마음으로 순왕의 정사를 행해야 할 뿐이다. 우리 집 노인을 섬기는 도리로 남의 집 노인에까지 미쳐가고, 우리 집 어린아이를 사랑하는 마음으로 남의 집 어린아이에까지 미쳐가는 것은 순왕의 마음이고, 노인이 봉양 받을 수 있고 어린아이가 제자리를 얻을 수 있게 하는 것은 순왕의 정사이다. 혹여 그렇지 못할 것이 염려스러우면 국가의 원로를 높여 몸소 섬기고, 서민의 노인네를 우대하여 때때로 봉양해야 한다. 풍화의 유행이 바닷물처럼 흘러 백성들이 그 교화에 화육된다면 뉘라서 어버이에게 태만하고 장자長者에게 거만할 수 있겠는가? 우虞나라 · 하夏나라 · 상商나라 · 주周나라의 성대한 왕들은 이 도리를 따랐다. 그리하여 인륜이 이로 인해 바르고 풍속이 이로 인해 후하여져 홀아비와 과부, 고아와 홀로 된 자들이 양육됨을 얻지 못한 자가 없었다. 후세에 예의가 폐해지고 법도가 무너지며 교화가 밝지 못하여, 60살이 넘은 늙은이가 버려지고 굶주림과 추위에 죽어가는 자가 종종 있었음은 이러해서다. 아! 이런 짓을 하며 왕도를 이루려는 것은 뒷걸음질 치며 앞으로 나아가기를 구하는 것과 같다. 아니 이보다 심한 것이다."

[66-1-17]

"安危之本, 在乎人情 ; 治亂之機, 繫乎事始. 衆心睽乖, 則有言不信 ; 萬邦協和, 則所爲必成."[18]

(정자[程顥]가 말하였다.) "안정과 위험의 근본은 백성들의 마음에 달렸고, 치세와 난세의 기틀은 일의 시작에 매여 있다. 백성들의 마음이 떠나 있으면 말을 해도 믿지 않고, 만방이 합치되어 화목해지면 하는 일마다 반드시 이루어진다."

16 『明道文集』 권5 「南廟試策五道 제1道」

17 저 높은 곳 : 이 글의 원문은 穆淸이고 목청은 『史記』「太史公自序」의 "한나라 이후 지금 천자에 이르는 사이에 상서로운 징조를 얻고, 봉선제를 지내고, 正朔을 바꾸고, 옷의 색깔을 바꾸고, '천명을 하늘에서 받아' 은택이 끝없이 흘러가게 되었다.(漢興以來, 至明天子, 獲符瑞, 封禪, 改正朔, 易服色, 受命於穆淸, 澤流罔極.)"에서 인용한 글이다. 이를 如淳은 "천명의 청화한 기운을 얻었다.(受天命淸和之氣.)"고 하였고, 顔師古는 "穆은 아름다움이다. 천자가 아름다운 덕을 두어 교화가 맑아진 것이다.(穆, 美也. 言天子有美德而教化淸也.)"라고 하였다. 이 주장에 의거하면 여순은 穆은 천명, 淸은 청화한 기운이고, 안사고는 아름다운 덕에 의해 교화가 맑아졌다는 뜻이다. 그러나 이렇게 해석하면 이 글의 다음 문장인 '사해의 밖[裨海]'이라는 구체적인 곳을 나타내는 말과 서로 연결이 순탄하지 않다. 그래서 이를 저 높은 곳으로 번역하였다. 이렇게 번역하여도 『史記』의 뜻에 벗어나지는 않는다.

18 『明道文集』 권2 「諫新法疏」

[66-1-18]

"先王之世以道治天下, 後世只是以法把持天下."[19]

(정자가 말하였다.) "선왕의 세상에서는 도로 천하를 다스렸는데, 후세에는 다만 법으로 천하를 틀어쥔다."

[66-1-19]

"民可明也, 不可愚也; 民可教也, 不可威也; 民可順也, 不可强也; 民可使也, 不可欺也."[20]

(정자가 말하였다.) "백성은 밝혀줄지언정 어리석게 해서는 안 되며, 백성은 가르칠지언정 위협해서는 안 되며, 백성은 순종하게 할지언정 강요해서는 안 되며, 백성은 부릴지언정 속여서는 안 된다."

[66-1-20]

又嘗與客語爲政, 曰, "甚矣, 小人之無行也! 牛壯食其力, 老則屠之!"

客曰: "不得不然也. 牛老不可用, 屠之猶得半牛之價, 復稱貸以買壯者. 不爾則廢耕矣. 且安得芻粟養無用之牛乎?"

曰: "爾之言, 知計利而不知義者也. 爲政之本, 莫大於使民興行. 民善俗而衣食不足者, 未之有也. 水旱螟蝗之災, 皆不善之致也."[21]

(정자[程頤]가) 또 지난날 어떤 사람과 정사에 대해 논하다가, "심하구나, 소인의 보잘것없는 행실이여! 소가 건장할 때는 그의 힘을 써먹고 늙으면 잡아먹는구나!"라고 하였다.

어떤 사람이 말하였다. "그렇게 하지 않을 수 없습니다. 소는 늙으면 쓸모가 없어 도살하여도 오히려 소 값의 반값을 건지게 되어 다시 빚을 내 건장한 소를 사들입니다. 그렇지 않으면 농사를 그만 두어야 합니다. 또 어찌 쓸모없는 소를 꼴이며 곡식으로 기를 수 있겠습니까?"

(정자가) 대답하였다. "그대의 말은 이익만 따지고 의리는 모른 말이다. 정사의 근본은 백성을 행실에 힘쓰게 하는 일보다 큰 것은 없다. 백성의 풍속이 착한데 의식衣食이 부족한 경우는 없다. 홍수와 가물, 메뚜기 등의 재해는 모두 착하지 못한 데에서 빚어진 것이다."

[66-1-21]

"天下之事無一定之理, 不進則退, 不退則進. 時極道窮, 理當必變. 惟聖人爲能通其變於未窮, 使其不至於極, 堯舜時也."[22]

(정자가 말하였다.) "천하의 일에 고정된 이치는 없다. 진보하지 않으면 퇴보하고 퇴보하지 않으면 진보

---

19 『二程遺書』 권1

20 『二程遺書』 권25

21 『二程遺書』 권21 상

22 『二程粹言』 권상 「論事篇」

한다. 때가 극도에 다다라 도리가 궁하여지면 이치상 당연히 반드시 변화해야 한다. 성인만이 아직 궁하여지지 않았을 때 변화시켜 극도에 다다르지 않게 하니, 요순시절이다."

[66-1-22]

"三代忠·質·文, 其因時之尙然也. 夏近古, 人多忠誠, 故爲忠. 忠弊, 故捄之以質; 質弊, 故捄之以文. 非道有弊也, 後世不守, 故浸而成弊. 雖不可以一二事觀之, 大槩可知. 如堯·舜·禹之相繼, 其文章氣象亦自小異也."[23]

(정자가 말하였다.) "삼대시절의 충忠과 질質과 문文[24]은 시대의 숭상에 따라 그러했던 것이다. 하나라는 고대시대와 가까워 사람들이 대부분 진실하였던 까닭에 성실을 다함忠을 숭상하였고, 충에 폐단이 빚어진 까닭에 질박[質]으로 구제하였고 질박에 폐단이 빚어진 까닭에 문채文로 구제하였던 것이지, 도에 폐단이 있는 것은 아니고, 후세에 지켜내지 못한 까닭에 차츰 폐단이 빚어진 것이다. 한두 가지 일로 살피는 것은 옳지 않겠지만 대강은 알 수 있다. 예컨대 요임금과 순임금과 우임금이 서로 이어받을 적에, 그 예악 제도의 기상은 또한 본디 조금씩 달랐다."

[66-1-23]

"識變知化爲難. 古今風氣不同, 故器用亦異宜. 是以聖人通其變, 使民不倦, 各隨其時而已矣. 後世雖有作者, 虞帝爲不可及已. 蓋當是時, 風氣未開, 而虞帝之德又如此, 故後世莫可及也. 若三代之治, 後世決可復, 不以三代爲治者, 終苟道也."[25]

(정자가 말하였다.) "변화를 아는 일은 어렵다. 예전과 오늘날은 풍속이나 기질이 같지 않은 까닭에 일상 용구마저도 역시 좋아하는 것이 다르다. 그러므로 성인은 변화에 능통하여 백성들에게 게으름피우지 않고 각기 시대를 따르게 할 뿐이다. 후세에 창시創始하는 사람이 있었으나 순임금에게는 미칠 수 없다고 생각한다. 그 당시는 풍속이나 기질이 미개하였으나 순임금의 덕이 또 이와 같았던 까닭에 후세에서 따라잡을 수 없다. 삼대의 정치를 후세에서 결단코 회복시킬 수 있으니, 삼대의 정치로 다스림을

23 『二程外書』 권11

24 忠과 質과 文: 삼대시절의 기본 정책을 상징하는 말이다. 『論語』「爲政」의 "은나라는 하나라의 예를 따랐으니 손익한 것을 알 수 있다.(殷因於夏禮, 所損益可知也.)"에 대해 『朱子語類』 권24, 130조목에서 "충은 단지 충후 성실을 그대로 행하는 것이고, 질은 점차 형질과 제도를 갖추나 아직 문채를 내는 데까지 이르지 않은 것이고, 문은 제도에서 하나하나에 문채를 갖춘 것이다. 그러나 천하 추세에 저절로 이들 세 가지가 생겨난 것이지 성인이 충을 숭상하고 질을 숭상하고 문을 숭상하려 했던 것은 아니다. 하나라는 충을 숭상하지 않을 수 없었고, 상나라는 질을 숭상하지 않을 수 없었고, 주나라는 문을 숭상하지 않을 수 없었다. 그러나 당시에 또한 이런 이름이 있었던 것은 아니고, 후세 사람이 이 같음을 알고서 이런 이름을 붙인 것이다.(忠·質·文. 忠, 只是樸實頭白直做將去; 質, 則漸有形質制度, 而未及於文采; 文, 則就制度上事事加文采. 然亦天下之勢自有此三者, 非聖人欲尙忠·尙質·尙文也. 夏不得不忠, 商不得不質, 周不得不文. 彼時亦無此名字, 後人見得如此, 故命此名.)"고 하였다.

25 『二程遺書』 권11

삼지 않는 것은 결국 구차한 방법이다."

[66-1-24]

"自古聖人之救難而定亂也, 設施有未暇及焉者. 旣安之矣, 然後爲可久可繼之治. 自漢而下, 禍亂旣除, 則不復有爲, 始隨時維持而已.[26] 所以不能髣髴於三代歟!"[27]

(정자가 말하였다.) "예부터 성인이 환난을 구원하고 혼란을 평정할 적에, 제도에 관한 준비는 미처 미치지 못하는 것들이 있다. 안정이 된 뒤라야 오래오래 이어갈 수 있는 다스림을 할 수 있다. 한漢나라 이후는 재앙과 혼란이 없어진 뒤면, 다시 어떤 공업을 행하려들지 않고 우선 때에 따라 유지시키려고만 할 따름이었다. 이것이 삼대와 방불할 수 없었던 까닭일 것이다."

[66-1-25]

"三代而後, 有聖王者作, 必四三王而立制矣."

或曰 : "夫子云三重旣備, 人事盡矣, 而可四乎?"

曰 : "三王之治以宜乎今之世, 則四王之道也. 若夫建亥爲正, 則事之悖繆者也."[28]

(정자가 말하였다.) "삼대 이후 성왕이 나왔다면 반드시 삼왕三王이 사왕四王이 되어 제도를 확립하였을 것이다.[29]"

어떤 사람이 물었다. "선생님은 삼중三重[30]이 갖추어지고 사람이 해야 할 일이 다 이루어지면 사왕이 될 수 있다는 것입니까?"

(정자가) 대답하였다. "삼왕의 정치를 오늘날에 마땅하게 하는 것이 사왕이 될 수 있는 도리이다. 해월亥月을 정월로 삼은 것[31]은 어긋나고 잘못된 일이다."

---

26 始隨時維持而已. : 『二程粹言』 권상 「論政篇」에는 '始'자가 '姑'자로 쓰였다. '姑'자를 따른다.

27 『二程粹言』 권상 「論政篇」

28 『二程粹言』 권상 「論政篇」

29 三王이 四王이 … 것이다. : 『論語』「爲政」에서 "자장이 '10왕조를 알 수 있습니까?'라고 하자 공자가 '은나라가 하나라의 예를 따랐으니 늘리고 줄인 것을 알 수 있고, 주나라가 은나라의 예를 따랐으니 늘리고 줄인 것을 알 수 있다. 혹여 주나라를 이어갈 왕조라면 100왕조라도 알 수 있다.'(子張問 : '十世可知也?' 子曰, '殷因於夏禮, 所損益可知也 ; 周因於殷禮, 所損益可知也. 其或繼周者, 雖百世可知也.')"고 하였다. 바로 이 늘리고 줄임을 시대에 따라 맞게 한 제도가 도입되었을 것이란 말이다.

30 三重 : 『中庸』 제28장의 "천하의 왕이 되는데 세 가지 중요한 것이 있으니 그것은 허물을 줄이는 것이다.(王天下有三重焉, 其寡過矣乎!)"의 주자 章句에 呂氏의 말을 인용하여 이렇게 설명하고 있다. "세 가지 중요한 것은 의례와 제도와 고문이다. 이를 천자가 시행하게 되면 국가에 다른 정사가 없고, 집안에 풍속이 다르지 않아 사람이 허물이 적어질 수 있다.(三重, 謂議禮 · 制度 · 考文 惟天子得以行之, 則國不異政, 家不殊俗, 而人得寡過矣.)" 여기서 의례는 예의를 논의하여 정하는 일이고, 제도는 낱낱 제도의 제정이고, 고문은 문자를 글자의 음과 뜻을 고증하여 정하는 일이다.

31 亥月을 정월로 … 것 : 亥月은 음력 10월을 이르고, 10월을 정월로 삼은 나라는 秦始皇의 진나라이다. 진시황은 동짓달을 정월로 삼은 주나라, 섣달을 정월로 삼은 은나라, 1월을 정월로 삼은 주나라를 피하여 10월을

[66-1-26]

張子曰："大都君相, 以父母天下爲王道. 不能推父母之心於百姓, 謂之王道可乎? 所謂父母之心, 非徒見於言, 必須視四海之民如己之子. 設使四海之內, 皆爲己之子, 則講治之術, 必不爲秦漢之少恩, 必不爲五伯之假名."[32]

장자[張載]가 말하였다. "대체로 군주와 상국은 천하의 부모가 되는 것을 왕도王道로 삼는다. 백성에게 부모의 마음을 미루어 넓히지 못하면서 그것을 왕도라 말하는 것이 옳겠는가? 이른바 부모의 마음이란 다만 말에만 나타날 뿐이 아니고 반드시 천하의 백성을 내 자식처럼 보아야 한다. 가령 천하 안의 사람이 모두 내 자식이라면 다스리는 방법을 강구하는 것이 반드시 진秦나라나 한漢나라의 조잔한 은혜를 행하지 않을 것이고, 반드시 오패五霸의 명분만 빌리는 짓[33]도 하지 않을 것이다."

[66-1-27]

"井田而不封建, 猶能養而不能教; 封建而不井田, 猶能教而不能養; 封建井田而不肉刑, 猶能教養而不能使. 然此未可遽行之."[34]

(장자[張載]가 말하였다.) "정전제도를 시행하면서 봉건제도를 시행하지 않은 것은 잘 양육하면서 잘 교육하지 못하는 것과 같고, 봉건제도를 시행하면서 정전제도를 시행하지 않은 것은 잘 교육하면서 잘 양육하지 못하는 것과 같고, 봉건제도와 정전제도를 시행하면서 육체 형벌을 시행하지 않은 것은 잘 가르치고 양육하면서 잘 부리지 못하는 것과 같다. 그러나 이들을 선뜻 시행할 수는 없다."

[66-1-28]

"秦爲月令, 必取先王之法以成文字, 未必實行之. 道千乘之國, 敬事而信, 節用而愛人, 使民以時, 此皆法外之意, 秦苟有愛民爲惠心, 方能行.[35] 徒法不能以自行, 須實有其心也. 有其心而無其法, 則是雖有仁心仁聞, 不行先王之道, 不能爲政於天下."[36]

(장자[張載]가 말하였다.) "진秦나라가 월령月令을 만들며[37] 반드시 선왕의 법을 가져다 글을 작성하면서도

정월로 삼았다.

32 『張子全書』 권13 「答范巽之書第一」

33 五霸의 명분만 리는 짓 : 『孟子』「盡心上」에서. 맹자가 "요순은 타고난 성 그대로이고, 탕임금과 무왕은 몸으로 체득하여 회복하였고, 오패는 빌리기만 했다.(堯舜性之也; 湯武身之也; 五霸假之也.)"라고 하였는데, 주자가 "오패는 인의의 명분만을 빌려 자신의 사사로운 탐욕을 이루려 했을 뿐이다.(五霸則假借仁義之名, 以求濟其貪欲之私耳.)"라고 하였다.

34 『張子全書』 권8 「月令統」

35 秦苟有愛民爲惠心, 方能行. : 『張子全書』 권8 「月令統」에는 '惠心' 두 글자 사이에 '之'자가 더 있다. 이를 따라 번역한다.

36 『張子全書』 권8 「月令統」

37 秦나라가 月令을 만들며 : 진나라의 월령은 『呂氏春秋』에 실린 월령을 이른다. 『呂氏春秋』는 진나라의 呂不韋가 학자들을 모아 엮었고 내용은 여불위의 사상이 담겨져 있어 이렇게 이른 듯하다.

그것을 꼭 실행하려 들지는 않았다. '1천승乘의 나라를 다스리면서 일에 공경하여 믿음을 사고, 용도를 절약하여 백성을 사랑하고, 농사철을 피해 백성을 부린다.'[38]는 이것들은 모두 규정 밖의 뜻들이니, 진나라가 진실로 백성을 사랑하는 은혜로운 마음이 있어야 비로소 시행할 수 있다. 법만으로는 저절로 행해질 수 없으니[39] 반드시 실질적인 마음이 있어야 한다. 마음만 있고 법이 없으면, 어진 마음과 어진 소문이 있더라도 선왕의 도를 행할 수 없고 정사를 천하에 펼 수 없다."

[66-1-29]

華陽范氏曰 : "治天下之繁者, 必以至簡 ; 制天下之動者, 必以至靜.[40] 是故號令簡, 則民聽不惑 ; 心慮靜, 則事變不撓. 此所以能成功也."[41]

화양 범씨華陽范氏[范祖禹]가 말하였다. "천하의 번거로움을 다스리는 자는 반드시 지극히 간결함을 쓰고, 천하의 동요를 다스리는 자는 반드시 지극히 고요함을 쓴다. 그러므로 호령이 간결하면 백성이 따르며 의혹하지 않고, 마음의 생각이 고요하면 일의 변화에 흔들리지 않는다. 이것이 성공하게 하는 것이다."

[66-1-30]

"民莫不惡危而欲安, 惡勞而欲息. 以仁義治之則順, 以刑罰治之則咈矣. 故治天下在順之而已, 咈之而能治者, 未之聞也."[42]

(화양 범씨가 말하였다.) "백성은 누구나 위험을 싫어하여 편안하고자 하고 고생스러움을 싫어하여 쉬고자 한다. 그래서 인의仁義로 다스리면 순종하고 형벌로 다스리면 거스른다. 그러므로 천하를 다스리는 일은 순종하게 하는데 달렸을 뿐이니, 거스르게 하고서 잘 다스렸다는 것은 들어본 적이 없다."

[66-1-31]

龜山楊氏曰 : "書曰, '德惟善政.' 孔子曰, '爲政以德.' 離道德而爲政事, 非先王之政事也."[43]

---

38 '1천乘의 나라를 … 부린다.' : 『論語』「爲政」 공자의 말이다.

39 법만으로는 저절로 … 없으니 : 『孟子』「離婁上」에 맹자가 "이루의 눈 밝음과 공수자의 교묘한 솜씨라도 직각을 이루는 자와 둥근 원을 그리는 자가 아니면 동그라미와 네모를 이루어 낼 수 없고, 사광의 귀 밝음도 육률이 아니면 오음을 바로잡을 수 없고, 요순의 도도 인정이 아니면 천하를 화평하게 다스릴 수 없다. 지금 인한 마음과 인하다는 소문이 났는데도 백성이 그 은택을 입지 못하여 후세에 본보기가 될 수 없는 것은 선왕의 도를 행하지 않아서다. 그러므로 선한 마음만으로 정사가 될 수 없고 법만으로 저절로 행해지지 않는다고 말하는 것이다.(離婁之明, 公輸子之巧, 不以規矩, 不能成方員 ; 師曠之聰, 不以六律, 不能正五音 ; 堯舜之道, 不以仁政, 不能平治天下. 今有仁心仁聞, 而民不被其澤, 不可法於後世者, 不行先王之道也. 故曰, 徒善不足以爲政, 徒法不能以自行.)"라고 하였는데 이 말에 의지하여 주장을 전개한 것이다.

40 至靜 : 『唐鑑』 권20 「武宗 · 會昌 4년」 8월 기사에는 '至靜'과 '是故' 사이에 '夫用兵於千里之外, 而君相擾於內, 則本先搖矣. 何以制其末乎?'의 문장이 더 있다.

41 『唐鑑』 권20 「武宗 · 會昌 4년」 8월

42 『唐鑑』 권3 「太宗 · 貞觀 4년」 6월

구산 양씨[楊時]가 말하였다. "『서경』에 '덕은 정사를 선하게 하는 것일 뿐이다.'[44]고 하고, 공자는 '정사는 덕으로 해야 한다.'[45]고 하였다. 도덕을 떠나 정사를 하는 것은 선왕의 정사가 아니다."

[66-1-32]

"書曰, 德惟善政, 則以德爲政也. 伯夷降典, 折民惟刑, 則以禮用刑也. 有德禮, 則刑政在其中矣."

(구산 양씨가 말하였다.) "『서경』에 '덕은 정사를 선하게 하는 것일 뿐이다.'고 하였으니 덕으로 정사를 해야 한다. '백이伯夷가 전례典禮를 내려 백성을 형벌로 바로잡았다.'[46]고 하였으니 예에 따라 형벌을 시행한 것이다. 덕과 예가 있으면 형벌과 정사는 저절로 그 가운데에 있다."

[66-1-33]

"'政者, 正也.' '王中, 心無爲, 以守至正', 而天下從之."

(구산 양씨가 말하였다.) "'정사는 바름이다.'[47]라고 하였으니, '왕이 중간에서 마음에 인위적인 것이 없이 지극히 바른 도리를 지킨다면'[48] 천하는 따를 것이다."

[66-1-34]

或謂: "經綸天下須有方法, 亦須才氣運轉得行."

曰: "天保以上治内, 采薇以下治外, 先王經綸之迹也. 其効博矣. 然觀其作處, 豈嘗費力? 本之誠意而已. 今鹿鳴·四牡諸詩皆在, 先王所歌以燕群臣·勞使臣者也. 若徒取而歌之, 其有効乎? 然則先王之用心, 蓋有在矣. 如書堯典序言'克明俊德', 以至'親睦九族, 平章百姓, 協和萬邦', 法度盖未及也, 而其効已臻, '黎民於變時雍'. 然後乃命羲和以'欽若昊天'之事. 然則法度雖不可廢, 豈所宜先?"[49]

어떤 사람이 말하였다. "천하를 경륜하는 일은 모름지기 방법이 있어야 하지만, 또한 모름지기 재능으로 운행해야 행해질 수 있습니다."

(구산 양씨가) 말하였다. "「천보편天保篇」 앞의 시들은 나라 안을 다스리고, 「채미편采薇篇」 뒤의 시들은

43 『龜山集』 권6 「辨 1」

44 '덕은 정사를 … 뿐이다.': 『書經』「大禹謨」에서 禹가 益의 말을 받아서 한 말이다. 덕은 정사를 선하게 하는 것일 뿐이니 그것이 아니면 덕이 아니란 말이다.

45 '정사는 덕으로 … 한다.': 『論語』「爲政」

46 '伯夷가 典禮를 … 바로잡았다.': 백이는 요임금 시대의 刑官이고, 이 말은 『書經』「呂刑」에 실려 있다. 蔡沈은 降典의 '典'은 '禮也.'라고 하였다.

47 '정사는 바름이다.': 『論語』「顔淵」에서 季康子가 정사에 대해 묻자 공자가 대답한 말이다.

48 '왕이 중간에서 … 지킨다면': 『禮記』「禮運」

49 『龜山集』 권11 「語録·餘杭所聞」

나라 밖을 다스린 시[50]이니 선왕들의 경륜의 자취이다. 그 효험은 크다. 그러나 그 행위들을 살펴보면 어찌 한번이나 일부러 힘을 쏟은 적이 있던가? 뜻을 성실히 하는데 바탕 했을 뿐이다. 지금 녹명鹿鳴과 사모四牡 등 여러 시가 모두 남아 있는데 선왕이 여러 신하에게 잔치를 베풀고 사신을 위로하며 부른 노래들이다. 만일 다만 그 노래들만 가져다 노래하게 되면 효험이 있겠는가? 그렇다면 선왕이 마음 쓴 것은 아마 따로 있을 것이다. 예컨대 『서경』「요전」에서[51] '큰 덕을 잘 밝히다.'에서 '구족九族이 친목하고, 백성을 공평하게 밝히고, 온 천하가 합치되어 화목해진다.'까지를 차례로 서술하고, 법도에 관해서는 언급이 없는데, 그 효험이 이미 성대하여져, '백성이 아! 나쁜 마음이 변하여 화목하여졌다.'고 하였다. 그 뒤에 희화羲和에게 명하여[52] '공경히 하늘의 질서를 순히 따르라.'고 하였다. 그렇다면 법도는 없앨 수는 없으나, 어찌 의당 우선해야 할 것이겠는가?"

[66-1-35]

"正心一事, 自人未嘗深知之.[53] 若深知而體之, 自有其効. 觀後世治天下者, 皆未嘗識此. 然此亦惟聖人力做得徹. 蓋心有所忿懥・恐懼・好樂・憂患, 一毫少差, 卽不得其正. 自非聖人, 必須有不正處. 然有意乎此者, 隨其淺深必有見効. 但不如聖人之効著耳."[54]

(구산 양씨가 말하였다.) "정심正心 한 가지 일은 본래 사람들이 깊이 알지 못하고 있다. 만일 깊이 이해하여 체득하게 되면 저절로 그 효험이 있다. 후세에 천하를 다스린 군주를 살펴보면 모두가 이를 인식하지 못하고 있다. 그러나 이 일은 또한 성인만이 힘써서 철저히 할 수 있다. 마음에 노여움・두려움・좋아함・걱정거리[55]가 있어 일호의 조그만 빗나감이 있어도, 바로 그 바름을 얻지 못한다. 본시 성인이 아니

50 「天保篇」 앞의 … 시 : 『詩經』「小雅・鹿鳴之什」에 실린 10편의 시에 대해 논평한 말이다. 그 10편의 순서는 「鹿鳴」, 「四牡」, 「皇皇者華」, 「常棣」, 「伐木」, 「天保」, 「采薇」, 「出車」, 「杕杜」, 「南陔」이다. 「鹿鳴」부터 「天保」까지는 연향이나 사신을 위로하는 시이고, 「采薇」 이후의 시는 수자리와 요역에 나가거나 돌아온 신하를 위로하고 격려하는 시들이다.

51 『書經』「堯典」에서 : 이 글 다음에 이어지는 여러 말은 『書經』의 첫 편인 「堯典」에 실린 요임금의 덕을 칭송한 말이다. 원문대로 보면 다음과 같다. "옛 제왕 요임금을 살펴보면 사방 끝까지 미쳐간 공훈을 세운 분이라 말할 수 있다. 공경하고 밝고 우아하고 깊은 생각들이 자연스러웠으며, 진실로 공손하고 더없이 잘 사양하여 그 빛이 사방 끝까지 덮여져 하늘과 땅에 미쳤다. 능히 큰 덕을 밝혀 구족을 친하게 하자 구족이 화목하여지고, 백성을 공평히 밝히자 백성의 덕이 밝아졌으며, 온 천하를 어우러져 화목하게 하자 백성이 아! 나쁜 마음이 변하여 화목하여졌다.(曰若稽古帝堯, 曰放勳. 欽明文思安安, 允恭克讓, 光被四表, 格于上下. 克明俊德, 以親九族, 九族既睦, 平章百姓, 百姓昭明; 協和萬邦, 黎民於變時雍.)" 이 말 뒤에 "마침내 羲和에게 명하여 공경히 하늘의 절서를 따라 해와 달과 별들의 운행을 달력으로 만들고 관측기로 살펴, 공경히 백성들에게 시절을 알려주도록 하라고 하였다.(乃命羲和, 欽若昊天, 歷象日月星辰, 敬授人時.)"고 하였다.

52 그 뒤에 … 명하여 : 『書經』「堯典」의 편차에서 희화에게 명한 말이 '於變時雍'의 다음에 있어서 한 말이다.

53 自人未嘗深知之. : 『龜山集』 권11 語錄 「餘杭所聞」에 '自是人'이라고 하였다.

54 『龜山集』 권11 「語錄・餘杭所聞」

55 마음에 노여움・두려움・좋아함・걱정거리 : 이는 『大學』 제7장 正心修身章에서 마음의 바름을 얻는데 방해가 되는 것들로 열거된 것들이다.

면 반드시 바르지 않음은 있을 수밖에 없다. 그러나 이 일에 뜻을 둔 사람은 그 뜻을 둔 깊이만큼 반드시 효험을 본다. 다만 성인의 효험처럼 두드러지지 못할 뿐이다."

[66-1-36]

"爲政要得厲威嚴, 使事事齊整甚易. 但失於不寬, 便不是古人作處. 孔子言'居上不寬, 吾何以觀之哉!' 又曰'寬則得衆.' 若使寬非常道, 聖人不只如此說了. 今人只要事事如意, 故覺見寬政悶人. 不知權柄在手, 不是使性氣處. 何嘗見百姓不畏官人? 但見官人多虐百姓耳. 然寬亦須有制始得. 若百事不管, 唯務寬大, 則胥吏舞文弄法, 不成官府. 須要權常在己, 操縱予奪總不由人, 儘寬不妨.

(구산 양씨가 말하였다.) "정사는 엄숙한 위엄으로 일일마다 가지런히 매우 간결하여야 한다. 다만 너그럽지 못한 잘못이 있다면, 그것은 옛사람이 했던 것은 아니다. 공자가 '윗사람으로 있으며 너그럽지 않다면 내 무엇을 그에게 관찰하리오!'[56]라고 하고, 또 '너그러우면 많은 사람의 마음을 얻는다.'[57]고 하였다. 만일 너그러움이 당연한 도가 아니라면 성인이 이처럼 말씀하지 않았을 것이다. 지금 사람은 일마다 자신의 의도대로 하고자하는 까닭에 너그러운 정사가 사람을 고민스럽게 하는 것으로 느낀다. 손에 쥐어진 권력이 성깔을 부리는 것이 아님을 모른 것이다. 한번이라도 백성이 벼슬하는 사람을 두려워하지 않음을 본적이 있는가? 관원이 백성에게 부리는 수없는 사나움만을 볼 뿐이다. 그러나 너그러움 역시 법제가 있어야 비로소 행해질 수 있다. 만일 모든 일을 간섭하지 않고 오직 관대하기에만 힘쓴다면, 서리胥吏가 공문을 장난질치고 법조문을 왜곡하여 관청이 관청 모습을 이루지 못한다. 반드시 권력이 늘 내손에 있어서 잡아들이고 놓아주며 벼슬 시키고 빼앗음이 모두 남의 손을 거치지 않아야 모든 너그러움이 해롭지 않을 것이다.

程伯淳作縣, 常於坐右書'視民如傷'四字, 云'某每日常有愧於此.' 觀其用心, 應是不錯決撻了人. 古人於民, 若保赤子, 爲其無知也. 常以無知恕之, 則雖有可怒之事, 亦無所施其怒. 無知則固不察利害所在, 教之趨利避害, 全在保者. 今赤子若無人保, 則雖有坑穽在前, 蹈之而不知. 故凡事疑有後害, 而民所見未到者, 當與他做主始得."[58]

56 '윗사람으로 있으며 … 관찰하리오!' : 『論語』「八佾」에 실린 말이다. 「八佾」에는 "윗사람으로 있으며 너그럽지 않고 예를 행하며 공경하지 않고, 상사를 당하여 슬퍼하지 않으면 내 무엇을 그에게 관찰하리오!(居上不寬, 爲禮不敬, 臨喪不哀, 吾何以觀之哉!)"라고 하였다. 앞말과 마지막 결론을 인용한 것이다. 다만 주자는 그 『集註』에서, "이미 이러한 근본이 없으면 무엇으로 그 사람 소행의 잘잘못을 관찰하리오!(既無其本, 則以何者, 而觀其所行之得失哉!)"라고 하였다. 여기서 근본은 너그러움, 공경, 슬퍼함이다.

57 '너그러우면 많은 … 얻는다.' : 『論語』「陽貨」에서 자장이 仁을 묻자 공자가 "공손, 너그러움, 미더움, 민첩함, 은혜로움(曰恭寬信敏惠)"이라 말하고, 다시 이를 풀어서 말씀하며 "공손하면 남을 업신여기지 않고 너그러우면 많은 사람의 마음을 얻고 … (恭則不侮, 寬則得衆, 信則人任焉, 敏則有功, 惠則足以使人.)"라고 하였다.

58 『龜山集』 권12 「語録 · 餘杭所聞」

정백순程伯淳[程顥]이 고을의 원이 되었을 때[59] 늘 앉는 자리 오른쪽에 '백성을 볼 때 다친 사람을 보는 것처럼 하라.[視民如傷]'는 네 글자[60]를 써두고는 '나는 날마다 이 일에 늘 부끄러움이 있다.'고 하였다. 그의 마음 씀을 보면 당연히 잘못된 판결로 백성을 매 때리지 않았을 것이다. 옛사람이 백성을 갓난아이 보호하듯이 한 것[61]은 그들이 무지無知하다는 까닭에서다. 언제나 무지하다는 이유로 용서해 준다면 노여워할 만한 일이 있더라도 또한 그 노여움을 펼 곳이 없을 것이다. 무지하면 이롭고 해로움이 있는 곳을 살피지 못하니, 이로운 곳으로 나아가고 해로운 곳을 피하도록 가르쳐야 온전히 보호 속에 있게 된다. 지금 간난아이가 만일 보호하는 사람이 없으면 구덩이나 함정이 눈앞에 있어도 빠져들면서 알지 못한다. 그러므로 나중에 해가 있을 것이 의심나는 일에 백성의 소견이 미처 미치지 못하는 경우, 당연히 그들을 위해 책임을 지고 시행해야 비로소 옳을 것이다."

[66-1-37]

上蔡謝氏曰: "君君, 臣臣, 父父, 子子, 親親而尊尊, 所謂民彝也. 爲政之道, 保民而已. 不然, 人類幾何其不相噬嚙也?"[62]

상채 사씨上蔡謝氏[謝良佐]가 말하였다. "군주가 군주답고 신하가 신하다우며, 아버지가 아버지답고 아들이 아들다우며, 친해야 할 사람을 친히 하고, 높여야 할 사람을 높이는 것은 이른바 사람의 떳떳한 도리다. 정치의 도리는 백성을 보호할 따름이다. 그렇지 않으면 사람이 서로 물고 뜯지 않음이 얼마나 되겠는가?"

[66-1-38]

五峰胡氏曰: "造車於室, 而可以通天下之險易; 鑄鑑於冶, 而可以定天下之妍醜, 蓋得其道而握其要也. 治天下者, 何獨不觀乎此, 反而求諸身乎? 是故一正君心, 而天下定矣."[63]

오봉 호씨五峰胡氏[胡宏]가 말하였다. "방안에서 수레를 만들어도 천하의 험하고 평탄한 길을 굴러갈 수 있고, 대장간에서 거울을 주조하여도 천하의 미인과 추한 사람을 결정할 수 있는 것은 그 도리를 터득하고 그 핵심을 파악해서다. 천하를 다스리는 사람이 어찌 홀로 이 일에서 관찰하여 자신의 몸에 되돌려

59 고을의 원이 … 때: 명도선생의 아우인 이천선생이 쓴 「明道先生行狀」에 의하면 명도선생은 진사시에 합격한 다음, 江寧府 上元縣의 主簿로 재직하다 수령이 갑자기 갈려 임시 수령직을 대행하였고, 이어 澤州 晉城의 수령과 鎭寧軍節度判官事를 지낸 것으로 기술되어 있다.

60 '백성을 볼 … 글자': 視民如傷 이 네 글자는 『孟子』「離婁下」에 "문왕은 백성을 볼 때 다친 사람을 보는 것처럼 하였다.(文王視民如傷.)"라고 하여 문왕이 행한 덕목의 하나로 거론하였다.

61 옛사람이 백성을 … 것: 『書經』「康誥」에서 무왕이 아우 封을 衛侯에 봉하면서 한 말속에 "간난아이를 보호하듯이 하여야 백성이 편안하게 다스려질 것이다.(若保赤子, 惟民其康乂.)"라고 하였다.

62 『論語精義』「顔淵」의 "제나라 경공이 정사를 공자에게 묻자, 공자가 대답하기를 '군주가 군주답고 신하가 신하다우며 아버지가 아버지답고 아들이 아들다워야 합니다.'(齊景公問政於孔子, 孔子對曰, '君君, 臣臣, 父父, 子子.')"라고 한 말의 注에 謝氏의 말로 실려 있다.

63 『知言』 권1

구해보지 않아야겠는가? 이런 까닭에 한번 군주의 마음을 바로잡으면 천하가 안정되는 것이다.[64]"

[66-1-39]

"下之於上德, 不待聲色而後化 ; 人之於其類, 不待聲色而後從 ; 禍福於善惡, 不待聲色而後應. 『詩』云, '民之秉彝, 好是懿德.' 是故'君子篤恭而天下平.'"[65]

(오봉 호씨가 말하였다.) "백성은 군주의 덕에 (영향 받음이) 말소리와 낯빛을 듣고 보기를 기다렸다가 그 뒤에 교화되는 것이 아니며, 사람은 동류에게 그의 말소리와 낯빛을 듣고 보기를 기다렸다가 그 뒤에 따르는 것이 아니고, 선행과 악행에 재앙과 복을 내림이 말소리와 낯빛을 듣고 보기를 기다렸다가 그 뒤에 감응하는 것이 아니다. 『시경』에 '사람이 떳떳한 덕을 지녔기에 아름다운 덕을 좋아한다.'[66]고 하였다. 그런 까닭에 '군자가 공손한 도리에 도타우면 천하가 화평하여진다.'[67]고 하는 것이다."

[66-1-40]

"事成則極, 極則變 ; 物盈則傾, 傾則革. 聖人裁成其道, 輔相其宜, 百姓於變而不知, 此堯舜之所以爲聖也."[68]

(오봉 호씨가 말하였다.) "일은 이뤄지면 극에 다달으고 극에 다다르면 변화하며, 사물은 가득차면 기울고 기울면 바뀐다. 성인이 천지의 도리를 재성裁成하고 그 마땅함을 보상輔相하면[69] 백성은 감탄하고 변화하면서도[70] 까닭을 알지 못하니 이것이 요순이 성군이 된 까닭이다."

[66-1-41]

"處之以義而理得, 則人不亂 ; 臨之以敬而愛行, 則物不爭 ; 守之以正, 行之以中, 則事不悖而

64 한번 군주의 … 것이다. : 『孟子』「離婁上」에 맹자가 "등용한 사람마다 잘못을 말할 수 없으며, 정책마다 잘못을 비난할 수 없다. 오직 대인의 덕을 가진 사람만이 능히 군주의 잘못된 마음을 바로잡을 수 있으니, 군주가 仁하면 인하지 않은 일이 없고 군주가 의로우면 의롭지 않은 일이 없으며 군주가 바르면 바르지 않은 일이 없으니, 한번 군주를 바로잡으면 나라가 안정된다.(人不足與適也, 政不足閒也. 惟大人爲能格君心之非, 君仁莫不仁 ; 君義莫不義 ; 君正莫不正, 一正君, 而國定矣.)"고 하였다.

65 『知言』 권3

66 '백성이 떳떳한 … 좋아한다.' : 『詩經』「大雅 · 烝民」 제1장의 시구이다. 떳떳한 덕은 본성을 말하고 아름다운 덕은 인간이 보편적으로 지켜야할 오륜과 같은 도리를 이른다.

67 '군자가 공손한 … 화평하여진다.' : 『中庸』 맨 마지막 장인 제33장에서 "『詩經』에 '드러나지 않은 덕을 온 천하의 제후가 법 받는다.'고 하였으니 그런 까닭에 군자가 공손한 도리에 도타우면 천하가 화평하여진다.(『詩』曰, '不顯惟德, 百辟其刑之.' 是故君子篤恭而天下平.)"고 하였다. 여기서 드러나지 않은 덕은 천자의 숨은 덕을 이른다.

68 『知言』 권1

69 천지의 도리를 … 보상하면 : 재성과 보상은 『周易』「泰卦」의 象辭이다. 자세한 것은 [65-1-37]의 주석 참고

70 감탄하고 변화하면서도 : [66-1-34]의 주석 참고

天下理矣."

(오봉 호씨가 말하였다.) "옳게 처리하여 도리가 행해지면 백성은 어지러워지지 않고, 공경으로 임하며 사랑이 행해지면 사람들은 다투지 않고, 바름을 지키며 중정中正을 행하면 일이 어긋나지 않아 천하가 다스려질 것이다."

[66-1-42]

"聖人尙賢, 使民知勸; 敎不能, 使民不爭. 明善惡之歸, 如日月之照白黑, 然民猶有惑於欲而陷於惡. 故孔子觀上世之化, 喟然而歎曰, '甚哉知之難也!' 雖堯舜之民, 比屋可封, 能使之由而已, 亦不能使之知也. 夫人目於五色, 耳於五聲, 口於五味, 其性固然, 非外來也. 聖人因其性而道之, 由於至善, 故民之化之也易."[71]

(오봉 호씨가 말하였다.) "성군聖君은 현명한 사람을 숭상하여 백성이 노력해야 할 것을 알도록 하고, 재능이 없는 사람을 가르쳐 백성을 다투지 않도록 해야 한다. 선과 악의 결과를 밝힘이 마치 해와 달이 흰색과 검은색을 비추는 것과 같이하여도, 백성은 여전히 사욕에 혹하여 악에 빠져든다. 때문에 공자가 상고시대의 교화를 보고서 아! '심하도다. 안다는 것의 어려움이여!'라고 탄식하였다. 요순시대에 백성을 집집마다 봉해줄 수 있었지만[72] 따라 하도록 할 따름이었지, 또한 알게 할 수는 없었다.[73] 사람이 눈에 있어 '다섯 가지 색깔[五色]', 귀에 있어 '다섯 가지 소리[五聲]', 입맛에 있어 '다섯 가지 맛[五味]'은 타고난 본성[74]에 본래 갖추어 진 것이고, 외부에서 들어온 것은 아니다. 성인은 그들 본성에 따라 인도하여 지극한 선을 따르게 하는 까닭에 백성이 변화하기 쉬운 것이다."

[66-1-43]

"馬牛, 人畜也. 御之失道, 則奮其角踶, 雖有猛士, 莫之敢攖; 得其道, 則三尺童子, 用之周旋無不如志焉. 天下分裂, 兆民離散, 欲以一之, 固有其方. 患在人不仁, 雖與言而不入也."[75]

(오봉 호씨가 말하였다.) "말과 소는 사람이 기른다. 그러나 부리는 방법을 실수하면 성깔을 내 뿔질을 하고 발길질을 하여 용맹한 사람도 그것을 감히 붙잡지 못하나, 그 방법만 얻으면 삼척동자도 그를

71 『知言』 권1

72 요순의 백성을 … 있었지만 : 요순시대의 백성은 모두 어질었기 때문에 집집마다 봉해줄 만한 덕행이 있었다는 뜻이다. 이 말은 『新語』 권상, 「無爲」에 실린 말이다. 『新語』는 漢나라 陸賈의 저서다.

73 따라 하도록 … 없었다. : 『論語』「泰伯」에서 공자가 "백성은 따라하게만 할 뿐 알게 할 수는 없다.(民可使由之, 不可使知之.)"고 하였다. 이를 주자는 "백성은 이 이치의 당연한 것을 따라하게 할 수는 있으나 그 소이연을 알도록 할 수는 없다.(民可使之由於是理之當然, 而不能使之知其所以然也.)"고 하였다.

74 사람이 눈에 … 본성 : 『孟子』「盡心下」에서 맹자가 "입에서 입맛, 눈에서 색깔, 귀에서 소리, 코에서 냄새, 팔다리에서 안일하려 함은 타고난 본성이나 운명이 있어, 군자는 성이라 말하지 않는다.(口之於味也; 目之於色也; 耳之於聲也; 鼻之於臭也; 四肢之於安佚也, 性也, 有命焉, 君子不謂性也.)"고 하였다.

75 『知言』 권2

이용하여 부리기를 마음대로 하지 않음이 없다. 천하가 분열되어 수많은 백성이 뿔뿔이 흩어져 있으니 그들을 통일시키고자 한다면 알맞은 방법이 있어야 한다. 걱정은 사람들이 인仁하지 못하여, 말을 해주어도 들어가지 아니함이다."

[66-1-44]

"井法行, 然後愚智可擇, 學無濫士, 野無濫農, 人才各得其所而游手鮮矣. 君臨卿, 卿臨大夫, 大夫臨士, 士臨農與工商, 所受有分制, 多寡均而無貧苦者矣. 人皆受地, 世世守之, 無交易之侵牟也. 無交易之侵牟, 則無爭奪之訟獄; 無爭奪之訟獄, 則刑罰省而民安; 刑罰省而民安, 則禮樂脩而和氣應矣."[76]

(오봉 호씨가 말하였다.) "정전법井田法이 행해지고서야 어리석고 지혜로운 자를 가릴 수 있어, 학자에는 무능한 사람이 없고 들에는 무능한 농사꾼이 없어져, 인재가 각기 제자리를 얻고 놀고먹는 사람이 적었다. 군주는 경卿을 굽어보고, 경은 대부를 굽어보고, 대부는 사士를 굽어보고, 사는 농사꾼과 공인工人과 장사꾼을 굽어보아, 나라로부터 받는 녹봉에 몫과 제도가 있어[77] 많고 적음이 균등하여지며 가난에 시달리는 사람이 없었다. 사람마다 모두 토지를 받아 대대로 그 토지를 지키며 교역에 침해와 병들게[78] 함이 없었다. 교역에 침해와 병들게 함이 없으면 다투거나 빼앗는 옥송獄訟이 없어지고, 다투거나 빼앗는 옥송이 없어지면 형벌이 줄어들어 백성이 편안해지고, 형벌이 줄어 백성이 편안해지면 예악이 닦아져서 화기和氣가 감응한다."

[66-1-45]

"養民惟恐不足, 此世之所以治安也; 取民惟恐不足, 此世之所以敗亡也."[79]

(오봉 호씨가 말하였다.) "백성을 기르며 행여 넉넉하지 못할까 두려워한 것이, 세상이 다스려져 편안해진 까닭이고, 백성에게 거두어들이며 행여 부족할까 두려워한 것이, 세상이 패망하게 된 까닭이다."

[66-1-46]

"財出於九職, 兵起於鄉遂, 學校起於鄉行, 士選於庠塾, 政令行乎世臣, 然後政行乎百姓而仁

---

76 『知言』 권1

77 군주는 卿을 … 있어 : 『孟子』「萬章下」에서 맹자가 주나라 작록 제도를 정전에 기초하여 설명한 글이 있다. 그 대강을 살피면 천자, 제후, 卿, 대부, 上士, 中士, 下士, 庶人으로 구분하여 하사는 서인이 짓는 百畝의 수입과 동등한 녹봉을 지급하고, 하사로부터 거슬러 올라가 천자까지가 각기 하위 녹봉의 배에서 10배까지의 녹봉을 지급하는 규정을 설명하고 있다. 그러나 이는 맹자의 추측일 뿐 문헌에 근거하여 제시한 것은 아니다.

78 침해와 병들게 : 이 글의 원문 侵牟의 牟는 蟱자와 통용자로 곡식 싹의 뿌리를 파먹는 해충이다. 『漢書』「景帝紀」에 "漁奪百姓, 侵牟萬民."의 顔師古 주에 "모는 곡식 싹의 뿌리를 파먹는 해충이다.(牟, 食苗根蟲也.)"고 하였다.

79 『知言』 권3

覆天下矣."[80]

(오봉 호씨가 말하였다.) "재물은 아홉 직종[81]에서 생겨나고, 군사는 향수鄕遂[82]에서 나오고, 학교學校는 '고을의 덕행[鄕行]'에서 일어나고,[83] 사士는 상숙庠塾[지방의 학교]에서 선발되고, 정령政令은 세신世臣에게 시행된 뒤라야, 정사가 백성에게 펴지고 인仁이 천하에 덮인다."

[66-1-47]

豫章羅氏曰: "三代之治, 在道而不在法; 三代之法, 貴實而不貴名. 後世反之, 此享國與治安所以不同."[84]

예장 나씨豫章羅氏[羅仲素]가 말하였다. "삼대의 정치는 도道에 있고 법法에 있지 않으며, 삼대의 법은 실제를 귀히 여기고 명예를 귀히 여기지 않는다. 후세에는 이와 반대였으니 이점이 나라를 누림과 정치의 안정이 같지 않은 까닭이다."

[66-1-48]

"教化者, 朝廷之先務; 廉恥者, 士人之美節; 風俗者, 天下之大事. 朝廷有教化, 則士人有廉恥. 士人有廉恥, 則天下有風俗. 或朝廷不務教化而責士人之廉恥, 士人不尙廉恥而望風俗之美, 其可得乎?"[85]

(예장 나씨가 말하였다.) "교화는 조정의 첫째 일이고, 염치는 선비의 아름다운 절의이며, 풍속은 천하의 큰일이다. 조정에 교화가 있으면 선비는 염치가 있고, 선비에게 염치가 있으면 천하는 풍속이 있다. 혹여 조정이 교화에 힘쓰지 않으면서 선비에게 염치를 요구하고, 선비가 염치를 숭상하지 않으면서 풍속이 아름다워지기를 바란다면 가능하겠는가?"

[66-1-49]

"天下之變, 不起於四方而起於朝廷. 譬如人之傷氣則寒暑易侵, 木之傷心則風雨易折. 故內

80 『知言』 권1

81 아홉 직종: 주나라 시대의 아홉 직업을 이른다. 『周禮』「天官 · 大宰」에 의하면, 곡식을 생산하는 三農, 초목을 기르는 園圃, 산과 늪의 동식물을 가꾸는 虞衡, 새 짐승을 기르는 藪牧, 여러 가공품을 만들어내는 百工, 물화를 유통시키는 상인[商賈], 길쌈을 하는 嬪婦, 채소를 기르는 臣妾, 놀고먹는 閒民이다. 이중 한민은 다른 일을 하도록 전향시킨다고 하였다.

82 鄕遂: 주나라 제도에서 천자국의 郊內에 6鄕을 두고 郊外에 6遂를 둔 것을 이른다. 제후 국가에도 향과 수가 있으나 그 숫자는 국가의 크기에 따라 달랐다. 여기서 군대의 군인이 충당되어 천자국은 6軍, 제후국은 나라의 크기에 따라 3군에서 1군까지 다양하였다.(蔡沈, 『書經集傳』 6권, 「費誓」: "三郊三遂": 『禮記』「王制」

83 學校는 '고을의 … 일어나고: 학교는 중앙의 태학을 이르고, 고을의 덕행은 태학을 거쳐 지방의 수령으로 부임한 자들의 행실에서 태학의 교육이 평가될 수 있다는 말이다.

84 『豫章文集』 권11 「雜著 · 議論要語」

85 『豫章文集』 권11 「雜著 · 議論要語」

有李林甫之姦, 則外有祿山之亂. 內有盧杞之邪, 則外有朱泚之叛. 『易』曰, 負且乘, 致寇至, 不虛言哉!"[86]

(예장 나씨가 말하였다.) "천하의 변란은 사방에서 일어나는 것이 아니고 조정에서 일어난다. 비유하자면 사람이 기력이 손상되면 추위와 더위를 쉽게 타고, 나무가 속이 썩으면 바람과 비에 쉽게 부러지는 것과 같다. 그러므로 조정에 이림보李林甫 같은 간악한 자가 있자 밖에 안록산安祿山의 변란이 있고,[87] 조정에 노기盧杞 같은 간사한 자가 있자 밖에 주체朱泚의 반란이 있었다.[88] 『주역』에 '짐을 져야할 자가 수레를 타는 것이 도적을 이르게 하는 것이다.'[89]고 한 말이 빈말이 아니로다!"

[66-1-50]

延平李氏曰 : "治道必以明天理, 正人心, 崇節義, 厲廉恥爲先. 本末備具, 可擧而行."

연평 이씨延平李氏[李侗]가 말하였다. "정치의 도리는 반드시 천리天理를 밝히고, 인심人心을 바로잡고, 절의를 숭상하고, 염치를 북돋는 것을 으뜸으로 삼아야 한다. 본말이 갖춰져 있어야 정치를 거행할 수 있다."

[66-1-51]

元城劉氏曰 : "嘗考禮記春夏月令, 以謂無聚大衆, 無置城郭, 掩骼埋胔, 毋起土功. 有以見聖人奉順陰陽, 取法天地, 力役之事不奪農時, 行道之墐亦順生氣. 是以風雨時若, 災害不生, 天人和同, 上下交泰. 其或賦政違道, 役使過中, 人力疲勞, 養氣搖動, 則國有水旱之變, 民罹疾疫之災. 此繼天奉元之君, 所以夙夜恭敬而不敢忽也."[90]

원성 유씨元城劉氏[劉安世]가 말하였다. "예전에 『예기』의 봄과 여름의 월령月令을 조사해보니 '많은 백성을 모으는 일을 하지 말고, 성곽을 새로 쌓지 말고, 뼈로 나뒹굴거나 살점이 아직 붙은 채 썩어가는 뼈를 묻어주고, 토목공사를 시작하지 말라.'고 하였다. 성인이 음양을 순히 받들고 천지에서 법도를 취하여, 부역은 농사지을 시기를 빼앗지 않고, 여행길에 죽은 사람은 묻어주는 것이 또한 생기生氣에 순응하

86 『豫章文集』 권11 「雜著 · 議論要語」

87 李林甫 같은 … 있고 : 이림보는 당나라 玄宗 때의 간신이다. 현종이 처음에 姚崇과 宋璟 등을 등용하여 옛 弊政을 혁신시키며 나라가 강성해져 후세로부터 開元之治라는 명성을 얻었다. 그러나 楊貴妃를 총애하고, 이어 등용한 李林甫와 楊國忠이 나라를 부패시켜 安祿山의 난리가 天寶 14년(서기 755년)에 일어나자 蜀으로 도망치는 수모를 겪었다.(『新唐書』「玄宗本紀」)

88 조정에 盧杞 … 있었다. : 노기는 당나라 德宗 때의 간신이다. 자신보다 어질고 나은 사람을 질투하고, 비위를 거스르는 사람은 반드시 죽여 당시의 명신이었던 楊炎 · 顔眞卿 · 杜佑 등을 죽였다. 또 세금을 가혹하게 징수하며 민심을 어지럽혀, 涇原節度使 姚令言이 반란을 일으켜, 덕종이 奉天으로 피난하자, 주체는 난병에 의하여 황제로 추대되어 국호를 大秦이라 하였다.(『舊唐書』 권135 ; 『新唐書』「姦臣傳盧杞」)

89 '짐을 져야할 … 것이다.' : 『周易』「解卦」 六三爻의 爻辭이다.

90 『歷代名臣奏議』 권316 「營繕 · 哲宗 元祐 4년」

는 것임을 알 수 있다. 이렇게 하는 까닭에 바람과 비가 때에 맞게 내리고 재해가 발생하지 않아, 하늘과 사람이 화목하게 하나가 되고 상하가 어우러져 편안한 것이다. 혹여 세금 부과가 도에 어긋나고 부역이 지나쳐서 백성들의 힘이 지치고 양기養氣(천지가 길러내는 기운)가 흔들리면, 나라에는 가뭄과 홍수의 변고가 있고 백성은 돌림병의 재난에 걸린다. 이것이 하늘을 잇고 받드는 군주가 이른 아침부터 밤늦게까지 공경하며 감히 태만히 하지 못하는 이유다."

[66-1-52]

朱子曰 : "天下萬事有大根本, 而每事之中, 又各有要切處. 所謂大根本者, 固無出於人主之心術, 而所謂要切處者, 則必大本旣立, 然後可推而見也. 如論任賢相, 杜私門, 則立政之要也; 擇良吏, 輕賦役, 則養民之要也 ; 公選將帥, 不由近習, 則治軍之要也 ; 樂聞警戒, 不喜導諛, 則聽言用人之要也.

주자가 말하였다. "천하의 모든 일에는 큰 근본이 있으나, 일마다 또 각기 요긴하고 절실한 곳이 있다. 이른바 큰 근본은 진실로 군주의 심술心術에서 벗어나지 않고, 이른바 요긴하고 절실한 곳은 반드시 큰 근본이 확립된 뒤라야 미루어 알 수 있다. 예컨대 그것을 말한다면 어진 상국을 임용하고 개인 집안의 발호를 막는 것은 정사를 확립시키는 요긴한 일이고, 어진 관리를 고르고 부역을 가볍게 하는 일은 백성을 길러내는 요긴한 일이며, 장수를 공정하게 선발하고 친근한 사람을 임용하지 않는 일은 군대를 다스리는 요긴한 일이고, 경계하는 말을 즐겁게 들어주고 나쁜 마음을 유도해 내며 아첨 떠는 것을 기뻐하지 않는 것은 말을 들어주고 인재를 등용하는 요긴한 일이다.

推此數端, 餘皆可見. 然未有大本不立, 而可以與此者. 此古之欲平天下者, 所以汲汲於正心誠意, 以立其本也. 若徒言正心, 而不足以識事物之要, 或精覈事情, 而特昧夫根本之歸, 則是腐儒迂闊之論, 俗士功利之談, 皆不足與論當世之務矣."[91]

이들 몇 가지 단서에서 미루어 나간다면 나머지는 모두 알 수 있을 것이다. 그러나 큰 근본이 확립되어 있지 않고 여기에 나아갈 수 있는 사람은 없다. 이것이 옛날 천하를 평화롭게 하려던 자들이 정심正心과 성의誠意 공부를 서둘러 그 근본을 확립했던 까닭이다. 만일 말로만 정심을 떠들고 사물 속의 긴요함을 인식하기에 충분치 못하고, 혹 일의 정황은 정확히 핵심을 파악하고서도 다만 근본의 귀결에 어둡다면 이는 썩은 선비의 우활한 담론이며 세속 선비의 공리 주장이니, 모두 함께 현재 시대의 일을 말하기에 충분하지 못하다."

[66-1-53]

"天下之事, 有本有末. 正其本者, 雖若迂緩而實易爲力; 捄其末者, 雖若切至而實難爲功. 是以昔之善論事者, 必深明夫本末之所在, 而先正其本. 本正, 則末之不治, 非所憂矣."[92]

91 『朱文公文集』 권25 「答張敬夫」 제3書

(주자가 말하였다.) "천하의 일에는 근본과 지엽이 있다. 근본을 바로잡는 것이 동떨어진 것 같지만 실상 쉽게 손쓸 수 있고, 지엽을 구제하는 것이 더없이 절실한 것 같지만 실제 공을 이루기 어렵다. 그런 까닭에 과거에 일을 잘 논하는 사람은 반드시 근본과 지엽의 소재를 밝혀 먼저 그 근본을 바로잡았다. 근본이 바로잡히면 지엽이 다스려지지 않음은 걱정거리가 못 된다."

[66-1-54]

"古聖賢之言治, 必以仁義爲先, 而不以功利爲急. 夫豈故爲是迂闊亡用之談, 以欺世眩俗, 而甘受實禍哉? 蓋天下萬事, 本於一心, 而仁者, 此心之存之謂也. 此心旣存, 乃克有制, 而義者, 此心之制之謂也. 誠使是說著明於天下, 則自天子以至於庶人, 人人得其本心, 以制萬事, 無一不合宜者, 夫何難而不濟? 不知出此, 而曰事求可, 功求成, 吾以苟爲一切之計而已, 是申·商·吳·李之徒, 所以亡人之國, 而自滅其身. 國雖富, 其民必貧; 兵雖彊, 其國必病; 利雖近, 其爲害也必遠, 顧弗察而已矣."[93]

(주자가 말하였다.) "옛 성현의 정치에 대한 말은 반드시 인의仁義를 우선하고 공리功利를 시급하게 여기지 않았다. 어찌 일부러 이런 우활하고 쓸모없는 말을 해서 세상을 속이고 세속을 현혹하여 실제의 재앙을 달게 받겠는가? 천하의 모든 일은 마음 하나에 근본하고 있고 인仁은 이 마음을 간직한 것을 이른다. 이 마음이 간직되어 있어야 일을 재단할 수 있으니 의義는 이 마음의 재단을 이른다. 참으로 이 말이 천하에 환히 밝아진다면 천자로부터 서민에 이르기까지 사람마다 자신의 본심을 얻어 모든 일을 재단하여, 어느 한 가지 일도 마땅하지 않음이 없을 것이니 어떤 어려움인들 극복하지 못하겠는가? 이렇게 해야 한다는 것을 알지 못하고서 일이 좋게 되기만 구하고 일의 성공만 찾아서 내가 구차하나마 일체의 계책을 행할 따름이라면, 이는 신불해申不害,[94] 상앙商鞅,[95] 오기吳起,[96] 이사李斯[97]의 무리[98]이니,

92 『朱文公文集』 권24 「與陳侍郎書」
93 『朱文公文集』 권75 「送張仲隆序」
94 申不害 : 전국시대 鄭나라 사람으로, 韓昭侯를 15년 동안 섬겨 相國을 지냈다. 循名責實과 愼賞明罰을 주장하여 형명학의 대표로 꼽힌다. 法家로 불리기도 한다. 저서로 『申子』가 있다.(『戰國策』「韓策」 1)
95 商鞅 : 전국시대 衛나라의 庶孼公子. 刑名家이다. 秦나라 孝公에게 左庶長으로 등용되며, 기존의 법령을 새로 바꾸고 井田 제도를 혁파하고 새로운 農地法을 제정하여 진나라를 부강하게 하였다. 그러나 효공이 죽고 효공의 아들 惠公이 즉위하며, 혜공의 스승을 벌 준 해묵은 감정으로 체포되려하자 달아났다가 진나라 군사에게 잡혀 車裂刑에 처해졌다.(『史記』「商君傳」)
96 吳起 : 전국시대 衛나라 사람. 魯나라 장수로 齊나라를 무찔렀고, 다시 衛文侯에게 등용되어 秦나라와 韓나라의 공격을 방어하였다. 문후가 죽은 뒤 楚悼王의 정승이 되어 많은 나라를 정벌하는 공을 세웠으나 도왕이 죽으며, 그동안 귀척대신들에게 산 원망으로 피살되었다. 저서로 『吳子』가 있다.(『史記』 권65)
97 李斯 : 秦나라 秦始皇의 상국. 진시황이 죽자 趙高와 함께 遺詔를 위조하여 태자 扶蘇를 죽이고 胡亥를 세웠다. 그러나 조고의 모함으로 죽음을 당하며 삼족이 몰살당하였다.(『史記』 권87)
98 申不害, 商鞅, … 李斯 : 원문의 '申·商·吳·李'는 『朱子大全箚疑輯補』 권75의 주석 "不害·鞅·起·斯"를 따라 번역하였다.

남의 나라를 망하게 하고 제 한 몸마저 죽게 한 것이다. 나라가 부유하여도 백성은 반드시 빈곤하고, 군사는 강하여도 나라는 반드시 병들며, 이익은 가까워도 그 해도 반드시 멀리까지 있을 것이니, 다만 살피지 못하고 있을 따름이다."

[66-1-55]

"天下之事, 有緩急之勢 ; 朝廷之政, 有緩急之宜. 當緩而急, 則繁細苛察, 無以存大體, 而朝廷之氣爲之不舒 ; 當急而緩, 則怠慢廢弛, 無以赴事幾, 而天下之事日入於壞. 均之二者皆失也. 然愚以爲當緩而急者, 其害固不爲小 ; 若當急而反緩, 則其害有不可勝言者, 不可以不察也."[99]

(주자가 말하였다.) "천하의 일에는 늦추고 서둘러야 할 형세가 있고 조정의 정사에는 늦추고 서둘러야 할 마땅함이 있다. 당연히 늦춰야 하는데 서두르면 번거롭게 찬찬하고 까다롭게 살피느라 대체大體가 보존될 길이 없어 조정의 기운이 그로 인해 펴이지 못하고, 당연히 서둘러야 하는데 늦추면 게으름으로 느슨해지고 무너지거나 해이해져 일의 기미에 손쓰지 못해 천하의 일이 날로 글러진다. 두 가지 일은 똑같이 모두 잘못된 것이다. 그러나 나는 당연히 늦춰야 하는데 서두르는 것은 그 해가 참으로 적지 않겠지만, 만일 당연히 서둘러야 하는데 거꾸로 늦추면 그 해는 이루 말로 다하지 못할 것이 있으니 살피지 않아선 안 된다고 생각한다."

[66-1-56]

"天下國家之大務, 莫大於恤民, 而恤民之實在省賦, 省賦之實在治軍. 若夫治軍省賦以爲恤民之本, 則又在夫人君正其心術, 以立紀綱而已矣. 董子所謂'正心以正朝廷, 正朝廷以正百官, 正百官以正萬民, 正萬民以正四方', 蓋謂此也."[100]

(주자가 말하였다.) "천하 국가의 큰일은 백성 돌보는 일보다 큰 것이 없는데, 백성을 돌보는 실질은 세금을 줄이는데 있고, 세금을 줄이는 실질은 군사를 다스리는 일에 있다. 군사를 다스림과 세금을 줄임을 백성을 돌보는 근본으로 삼으려면, 또 군주가 자신의 심술心術을 바로잡고 기강을 확립시키는 데 있을 따름이다. 동자董子가 말한 '마음을 바르게 하여 조정을 바르게 하고, 조정을 바르게 하여 백관을 바르게 하고, 백관을 바르게 하여 온 백성을 바르게 하고, 온 백성을 바르게 하여 사방을 바르게 한다.'[101]는 것이 이를 두고 한 말이다."

[66-1-57]

"治道別無說. 若使人主恭儉好善, '有言逆于心, 必求諸道 ; 有言孫于志, 必求諸非道', 這如何

99 『朱文公文集』 권26 「上宰相書」

100 『朱文公文集』 권12 「庚子應詔封事」

101 '董子가 말한 … 한다.' : 동자는 董仲舒를 높인 말이고 동중서는 漢武帝 때 사람이다. 이 말은 무제의 策文에 대답한 말 중의 한 구절이다.(『漢書』「董仲舒傳」)

會不治? 這別無說, 從古來都有見成樣子, 直是如此."[102]

(주자가 말하였다.) "다스리는 도리는 따로 말할 것이 없다. 만일 군주를 공손하고 검약하면서 선을 좋아하게 하려면 '누군가의 말이 마음에 역겨우면, 반드시 도에 맞는 말인지 찾아보고 누군가의 말이 뜻에 쏙 들면, 반드시 도에 합당한 말이 아닌지 찾아보게 해야 한다.'[103]를 행할 것이니, 이렇게 한다면 어떻게 다스려지지 않겠는가? 이래서 따로 할 말이 없는 것이니 예전부터 모두가 성공을 이룬 방법은 다만 이 같을 뿐이다."

[66-1-58]

"人主以論相爲職, 宰相以正君爲職. 二者各得其職, 然後體統正而朝廷尊, 天下之政必出於一, 而無多門之弊. 苟當論相者, 求其適己, 而不求其正己, 取其可愛, 而不取其可畏, 則人主失其職矣. 當正君者, 不以獻可替否爲事, 而以趨和承意爲能, 不以經世宰物爲心, 而以容身固寵爲術, 則宰相失其職矣. 二者交失其職, 是以體統不正, 綱紀不立. 而左右近習皆得以竊弄威權, 賣官鬻獄, 使政體日亂, 國勢日卑.

(주자가 말하였다.) "군주는 재상을 논하는 것으로 직분을 삼아야 하고 재상은 군주를 바르게 하는 것으로 직분을 삼아야 한다. 두 가지가 각기 직분을 얻은 뒤라야 체통이 바르고 조종이 존엄해져 천하의 정사가 반드시 한 곳에서 나오며, 명령이 여러 곳에서 나오는 폐단이 없어진다. 재상 등용을 논해야 할 자가 자신에게 맞는 사람만을 구하며 자신을 바르게 할 사람을 구하지 않고 사랑스러워할 만한 자만을 취하고 두려워할 만한 자를 취하지 않는다면, 군주로서 자신의 직분을 잃은 것이다. 군주를 바르게 해야 할 자가 옳은 일을 진언하고 잘못된 일을 버리는 것을 일삼지 않고 맞장구치고 뜻만 받드는 것으로 능력을 삼으며, 세상을 경륜하고 사물을 다스리는 일에 마음 쓰지 않고 제 한 몸만 온전히 하고 총애를 굳히는 일만 꾀한다면, 재상으로서 자신의 직분을 잃은 것이다. 두 사람이 번갈아 자신의 직분을 잃은 까닭에 체통은 바르지 못하고 기강은 확립되지 않는다. 그리하여 측근의 가까운 자들 모두가 위엄과 권세를 훔쳐 희롱하고 벼슬자리를 팔고 송사訟事의 승부를 팔수 있게 되어 정치의 체통이 날로 어지러워지고 국가의 형세는 날로 낮아지게 된다.

雖有非常之禍, 伏於冥冥之中, 而上恬下熙, 亦莫知以爲慮者. 是可不察其所以然者而反之, 以汰其所已用, 而審其所將用者乎? 選之以其能正己而可畏, 則必有以得自重之士, 而吾所以任之, 不得不重. 任之旣重, 則彼得以盡其獻可替否之志, 而行其經世宰物之心. 而又公選天下直諒敢言之士, 使爲臺諫給舍, 以參其議論. 使吾腹心耳目之寄, 常在於賢士大夫, 而不在於群小, 陟罰臧否之柄, 常在於廊廟, 而不出於私門.

102 『朱子語類』 권108, 1조목

103 '누군가의 말이 … 한다.': 이는 商나라의 伊尹이 太甲에게 한 말이다. 『書經』「太甲下」에 실려 있다. 다만 『書經』의 본문은 다음과 같다. "有言逆于汝心, 必求諸道; 有言遜于汝志, 必求諸非道."

예사롭지 않은 환난이 아무도 모르는 속에 잠복해 있는데도 군주는 편안해 하고 신하도 즐거워하여 또한 걱정할 일로 여기는 사람도 없다. 그 원인을 살펴내 원상대로 회복시켜서, 이미 등용된 자는 쓸어내고 등용해야 할 자는 살펴야하지 않겠는가? 그 가운데 자신을 바르게 가꾸어서 두려울만한 자를 선발한다면 반드시 몸가짐이 신중한 인재를 얻을 수 있을 것이니, 내가 임용하는 바를 신중히 하지 않을 수 없을 것이다. 임용이 신중하여지면, 저들도 옳은 일을 진언하고 잘못된 일을 버리는 뜻을 다할 수 있고 세상을 경륜하고 사물을 다스리는 마음을 행할 수 있을 것이다. 그리고 또 천하에서 올곧고 신실하며 용감히 말하는 인재를 공정히 선발하여 대간臺諫과 급사給舍[給事中과 中書舍人을 아울러 이르는 말]를 삼아 정사의 논의에 참여케 해야 한다. 그리하여 나의 복심腹心과 이목耳目을 떠맡은 벼슬이, 늘 현명한 사대부에게 가고 군소배에게 가지 않는다면, 훌륭한 자의 벼슬을 높이고 잘못된 자를 벌하는 권력이 늘 조정에 있고 개인에게서 나오지 않을 것이다.

如此, 而主威不立, 國勢不彊, 綱維不擧, 刑政不淸, 民力不裕, 軍政不脩者, 吾不信也. 『書』曰, '成王畏相', 語曰, '和臣不忠'. 且以唐太宗之聰明英特, 號爲身兼將相. 然猶必使天下之事, 關由宰相, 審熟便安, 然後施行. 蓋謂理勢之當然, 有不可得而易者."[104]

이와 같이 하였는데 군주의 권위가 확립되지 않고, 국가의 형세가 강해지지 않고, 기강이 펴지지 않고, 형벌이 깨끗하지 않고, 백성의 힘이 여유롭지 않고, 군대의 정사가 다듬어지지 않은 것을 나는 믿지 않는다. 『서경』에 '제왕의 덕을 이루었고 재상을 두렵게 여겼다.'[105]하였고, 세상 말에 '맞장구치는 신하는 충신이 아니다.'[106]고 하였다. 또 당태종처럼 총명하고 영특하여 몸소 장수와 재상을 겸하였다고 호칭되었지만, 천하의 일은 반드시 재상을 거치게 하여 상세히 파악하여 편의한 뒤라야 시행하였다. 이치의 형세상 당연한 것이라 할 것이니 소홀히 할 수 없는 것이다."

[66-1-59]

"四海之廣, 兆民至衆, 人各有意欲行其私. 而善爲治者, 乃能總攝而整齊之, 使之各循其理, 而莫敢不如吾志之所欲者, 則以先有綱紀以持之於上, 而後有風俗以驅之於下也. 何謂綱紀? 辨賢否以定上下之分, 核功罪以公賞罰之施也. 何謂風俗? 使人皆知善之可慕而必爲, 皆知不善之可羞而必去也. 然綱紀之所以振, 則以宰執秉持而不敢失, 臺諫補察而無所私, 人主又以其大公至正之心, 恭己於上而照臨之.

104 『朱文公文集』 권12 「己酉擬上封事」

105 '제왕의 덕을 … 여겼다.' : 『書經』「酒誥」

106 '맞장구치는 신하는 … 아니다.' : 『資治通鑑』 권43 「漢紀 · 世祖光武皇帝 建武 12년」 12월의 기사의 일부로 武威太守에 임명된 任延이 한 말이다. 자세히 보면 다음과 같다. "광무황제가 친히 접견하며 '상관을 잘 섬겨 명성을 잃음이 없도록 하라.'고 하자, 임연은 '신은 들으니 충신은 맞장구치지 않고 맞장구치는 신하는 충신이 아니다.'고 하였습니다.(帝親見戒之曰, '善事上官. 無失名譽'. 延對曰, '臣聞忠臣不和, 和臣不忠.')"

(주자가 말하였다.) "천하의 너른 땅에 억조창생이 지극히 많은데 사람마다 각기 자신의 사사로운 생각을 행하고자 하는 의도가 있다. 정사를 잘하는 자는 능히 모두를 거두잡아 가지런하게 하여, 각기 자신이 따라야 할 이치를 따르고 감히 자신 뜻에 하고자 하는 대로 못하게 하는 것은, 먼저 기강으로 위에서 붙들어 잡음이 있고 다음에 풍속으로 아래에서 휘몰아감이 있어야 한다. 무엇을 기강이라 하는가? 현명한지 아닌지를 변별하여 상하의 분수를 안정시키고 공훈과 죄를 따져 상벌의 시행을 공정히 하는 것이다. 무엇을 풍속이라 하는가? 백성들 모두가 선은 사모할 만한 것임을 알아 반드시 행해야 한다는 것을 알고 불선은 부끄러워할 만한 것임을 알아 반드시 제거하게 하는 것이다. 그러나 기강이 진작되는 바는 재집宰執(재상과 정사를 집행하는 중신)이 그것을 붙들어 잡아서 감히 잘못을 저지름이 없고, 대간臺諫(어사와 간관)이 도와 살피는데 사사로움이 없으며, 군주가 또 크게 공정하고 지극히 바른 마음으로 윗자리에서 몸가짐을 공손히 하여 그것을 파악하고 있어야 한다.

是以賢者必上, 不肖者必下, 有功者必賞, 有罪者必刑, 而萬事之統無所闕也. 綱紀旣振, 則天下之人, 自將各自矜奮, 更相勸勉以去惡而從善. 蓋不待黜陟刑賞一一加於其身, 而禮義之風, 廉恥之俗, 已丕變矣. 惟至公之道不行於上, 是以宰執臺諫有不得人, 黜陟刑賞多出私意, 而天下之俗, 遂至於靡然, 不知名節行檢之可貴, 而唯阿諛軟熟, 奔競交結之爲務. 一有端言正色於其間, 則群譏衆排, 必使無所容於斯世而後已.

이런 까닭에 현명한 사람은 반드시 올라가고 어질지 못한 자는 반드시 내려가며, 공훈이 있는 사람은 반드시 상을 받고 죄가 있는 사람은 반드시 형벌을 받아, 모든 일의 체통이 빠짐이 없을 것이다. 기강이 진작되고 나면 천하 사람이 저절로 각기 기꺼이 힘을 쏟아 서로서로가 악을 버리고 선을 따르기를 권면할 것이다. 아마도 축출과 승진, 형벌과 상이 하나하나 자신들 몸에 미치기를 기다리지 않고서도 예의다운 기풍과 염치가 있는 습속으로 벌써 크게 바뀌어 있을 것이다. 오직 지극히 공정한 도리가 위에서 행해지지 않은 까닭에 재집과 대간에 적임자를 얻지 못하고 축출과 승진, 형벌과 상이 대부분 사사로운 뜻에서 나오면서 천하의 습속이 마침내 퇴폐한 데에 이르러, 명예와 절의와 바른 품행이 귀하다는 것을 알지 못하고, 오직 아첨과 영합과 능숙한 부드러움으로 분주히 뛰어다니며 서로 결탁하는 것을 일삼는다. 그런 사이에 한 사람이라도 말이 단정하고 낯빛이 정대한 자가 있으면, 뭇 사람이 비난하고 배척하여 기어코 한 세상에 몸 붙일 곳을 없게 하고서야 그친다.

此其形勢, 如將傾之屋, 輪奐丹雘, 雖未覺其有變於外, 而材木之心, 已皆蠹朽腐爛, 而不可復支持矣. 苟非斷自聖志, 洒濯其心, 而有以大警敕之, 使小大之臣各擧其職, 以明黜陟, 以信刑賞, 則何以振已頹之綱紀, 而厲已壞之風俗乎? 管子曰, 禮義廉恥, 是謂四維, 四維不張, 國乃滅亡. 賈誼嘗爲漢文誦之, 而曰使管子而愚人也則可, 使管子而少知治體, 是豈可不爲寒心也哉? 二子之言明白深切, 非虛語者."[107]

107 『朱文公文集』 권12 「己酉擬上封事」

이러한 형세는 곧 기울어갈 집이 높다랗게 반짝거리며[108] 붉게 칠한 것이 겉으로는 변화가 있음을 깨달을 수 없으나, 재목의 속은 이미 모두 좀먹어 썩고 부스러져 다시 받쳐 지탱할 수 없는 것과 같다. 진실로 군주의 마음부터 단안을 내려 자신의 마음을 깨끗이 씻어내 크게 깨우치고 경계하여, 대소 신료가 각기 자신의 직분을 수행하게 하고 축출과 승진을 분명히 하고 형벌과 상을 믿을 수 있게 하는 것이 아니고서는 무엇으로 이미 무너진 기강을 진작시키고 이미 무너진 풍속을 가다듬을 수 있겠는가? 관자管子는 '예禮·의義·염廉·치恥를 사유四維라 하니 사유가 펼쳐지지 않으면 국가는 멸망한다.'[109]고 하였는데, 가의賈誼가 한 번은 한문제漢文帝를 위해 이 말을 하며, '만일 관자를 어리석은 사람이라고 말해버린다면 그만이겠지만 만일 관자를 정치의 체통을 조금이나마 안다고 여긴다면 이런 일들은 어찌 한심스럽지 않을 수 있겠습니까?'[110]하였다. 두 사람의 말이 명백하고 매우 간절하니 헛말이 아니다."

[66-1-60]

"天下豈有兼行正道邪術, 雜用君子小人, 而可以有爲者?"[111]

(주자가 말하였다.) "천하에 정도正道와 사술邪術을 함께 행하고, 군자와 소인을 섞어 등용하고서 공훈을 만들어 낼 수 있는 자가 어찌 있겠는가?"

[66-1-61]

"人情不能皆正. 故古人治世以大德, 不以小惠, 然則固有不必皆順之人情者. 若曰順人心, 則氣象差正當耳. 井田肉刑二事, 儘有曲折, 恐亦未可遽以爲非."[112]

(주자가 말하였다.) "백성들 마음이 모두 바를 수는 없다. 그런 까닭에 옛사람이 세상을 다스리는데 대덕大德을 쓰고 작은 은혜를 쓰지 않았다. 그렇다면 백성들 마음이란 모두 그대로 따를 수 없는 것이

108 높다랗게 반짝거리고 : 『禮記』「檀弓下」에서 "晉나라 獻文子가 집을 낙성하자 진나라 대부가 선물을 보내 축하하였다. 張老가 '아름답다 輪함이여! 아름답다 奐함이여!'라고 하였다.(晉獻文子成室, 晉大夫發焉. 張老曰, '美哉輪焉! 美哉奐焉!')"고 하였는데 陳澔의 『集說』에서 이를, "輪은 높다랗고 큼을 말하고, 奐은 수없이 반짝이는 것이다.(輪, 輪囷高大也; 奐, 奐爛衆多也.)"고 하였다.

109 '禮·義·廉·恥를 … 멸망한다.' 『管子』「牧民」에서 관자가 한 말이다. 다만 이를 인용하며 선후의 순서를 바꾸어 말하였다. 『管子』 책에는 "國有四維, 一維絶則傾; 二維絶則危; 三維絶則覆; 四維絶則滅. 傾可正也; 危可安也; 覆可起也; 滅不可復錯也. 何謂四維? 一曰禮; 二曰義; 三曰廉; 四曰恥."라고 하였다.

110 '만일 관자를 … 있겠습니까?' : 여기서 "이런 일들은 어찌 한심스럽지 않을 수 있겠습니까?"의 이런 일들은 가의 당시 한나라에서 벌어지고 있는 상황을 이른다. 가의는 漢나라 文帝때 사람으로 文才가 뛰어나 博士로 등용되었다가 이어 太中大夫로 중용되었다. 가의가 문제의 미움을 사서 長沙王의 太傅로 쫓겨났다가 돌아와 다시 문제의 아들 梁懷王의 태부에 임명되었을 때, 흉노의 침입과 제도의 엉성함, 제후에 임명된 왕실 자제들의 반란을 바로잡고자 올린 상소문에서 통곡할만한 일 한 가지, 눈물을 흘릴만한 일 두 가지, 긴 한숨을 쉴만한 일 여섯 가지를 언급하였는데 이 일은 한숨 쉴 일에 해당하는 한 가지로 거론된 것이다.(『史記』 권84 『漢書』 권48 「賈誼傳」)

111 『朱文公文集별집』 권2 「向伯元」 제10書

112 『朱文公文集』 권64 「答或人」 제6書

본래부터 있다. 만일 백성들 마음을 따르기로 한다면 기상이 정당함에서 빗나갈 것이다. 정전井田과 육형肉刑(육체를 손상시키는 형벌) 두 가지 일에는 모두 곡절이 담겼으니 아마도 또한 대뜸 그르다고만 말할 수 없을 것이다."

[66-1-62]

"欲整頓一時之弊, 譬如常洗澣, 不濟事, 須是善洗者, 一一折洗, 乃不枉了, 庶幾有益."[113]

(주자가 말하였다.) "한 시대의 폐단을 정돈하고자 한다면, 비유하자면 일상적인 빨래가 제대로 되지 않았을 적에는, 모름지기 빨래에 능한 자가 하나하나 뜯어내 빨아야만 잘못되지 않고 거의 도움이 있는 것과 같다."

[66-1-63]

"爲政如無大利害, 不必議更張. 則所更一事未成, 必閧然成紛擾, 卒未已也. 至於大家, 且假借之. 故子產引鄭書曰, '安定國家, 必大焉先.'"[114]

(주자가 말하였다.) "정사에서 만일 큰 이해가 없으면 굳이 경장更張을 말할 필요가 없다. 바꾸려는 한 가지 일이 아직 이뤄지기 전에 반드시 아웅다웅 시끄러운 소요가 만들어져 끝내 그치지 않아서이다. 대가大家[115]에 이르러는 우선 관용을 베풀어야 한다. 그런 까닭에 정자산鄭子產이 『정서鄭書』를 인용하여 '국가를 안정시키려면 반드시 대가를 우선해야 한다.'[116]고 한 것이다."

[66-1-64]

"古人爲政, 一本於寬, 今必須反之以嚴. 蓋必如是矯之, 而後有以得其當. 今人爲寬, 至於事無統紀, 緩急予奪之權, 皆不在我, 下梢却是姦豪得志, 平民旣不蒙其惠, 又反受其殃矣."[117]

(주자가 말하였다.) "예전 사람의 정치는 하나같이 너그러움에 근본하고 있으나, 오늘날에는 반드시 엄숙함으로 바꾸어야 한다. 그것은 반드시 이같이 바로잡고서야 그 합당함을 얻을 수 있기 때문이다. 요즘 사람들의 너그러움은 일이 기강이 없는 데까지 이르렀고, 늦추고 서두르며 벼슬을 주고 빼앗는 권리가

113 『朱子語類』 권108, 26조목

114 『朱子語類』 권108, 67조목

115 大家 : 『書經』「梓材」에 "성왕이 말하였다. '봉아! 서민과 저들 신하들의 뜻을 대가에 전달되게 하라.'(王曰, '封! 以厥庶民暨厥臣, 達大家.')"라고 하고 채침의 『集傳』에 "大家는 巨室이다."라고 하고, 이어서 "『孟子』에서 '정사를 행하기가 어렵지 않으니 巨室에 죄를 짓지 않는 것이다.'라고 하였다.(孟子曰, 爲政不難, 不得罪於巨室.)"라고 하여, 거실을 대가라고 설명하였다. 채침이 인용한 글인 『孟子』「離婁上」에는 주자가 이를 "世臣大家"라고 하였다. 대대로 벼슬하는 경대부 집안을 대가라 말한 것이다.

116 '정자산이 안정시키려면 … 한다.' : 『春秋左傳』「襄公 30년」 7월의 기사다. 이때 정자산은 子皮로부터 정나라의 정사를 물려받았다. 자산이 정사를 시작하며 정나라의 실권자 伯石(公孫段)에게 고을을 뇌물로 준 것을 子大叔이 비판하자, 이렇게 대답하였다. 여기서 『鄭書』는 정나라 自國의 역사를 이른다.

117 『朱子語類』 권108, 64조목

모두 나에게 있지 않아, 끝내는 간웅이 뜻을 얻고 평민이 그 혜택을 입지 못하거나, 또 도리어 그 앙화를 받는다."

[66-1-65]

問 : "爲政更張之初, 莫亦須稍嚴以整齊之否?"

曰 : "此事難斷定說, 在人如何處置. 然亦何消要過於嚴? 今所難者, 是難得曉事底人. 若曉事底人, 歷練多, 事纔至面前, 他都曉得, 依那事分寸而施以應之, 人自然畏服. 今人往往過嚴者, 多半是自家不曉, 又慮人欺己, 又怕人慢己, 遂將大拍頭去拍他, 要他畏服. 若自見得, 何消過嚴?"[118]

물었다. "정사를 경장하려는 초기에는 또한 당연히 조금 엄하게 하는 것으로 가지런히 해야 하지 않겠습니까?"

(주자가) 대답하였다. "이 일은 확정된 말로 단정하기 어려우니 사람이 어떻게 처리하느냐에 달렸다. 그러나 또 무어 지나치게 엄할 필요야 있겠는가? 오늘날 어려운 것은 일을 알고 있는 사람을 얻기가 어려운 것이다. 만일 일을 알고 있는 사람이 경험까지 많아, 일이 막 눈앞에 닥쳤을 때 그 사람이 모두 파악하고서 그 일의 정도대로 베풀어 대응한다면 사람들이 저절로 두려워 복종할 것이다. 요즘 사람들이 종종 지나치게 엄한 것은 대부분 스스로 일을 몰라서이고, 또 사람들이 자신을 속일까 두렵고 또 사람들이 자신을 경시할까 두려워서, 마침내 큰 망치를 손에 쥐고서 그들을 두들겨 그들이 두려움에 복종케 하려는 것이다. 만일 자신이 알고 있다면 무어 지나치게 엄할 필요가 있겠는가?"

[66-1-66]

問 : "政治當明其號令, 不必嚴刑以爲威."

曰 : "號令旣明, 刑罰亦不可弛. 苟不用刑罰, 則號令徒掛墻壁爾. 與其不遵以梗吾治, 曷若懲其一以戒百? 與其覆實檢察於其終, 曷若嚴其始而使之無犯? 做大事, 豈可以小不忍爲心?"[119]

물었다. "정치란 당연히 호령을 밝힐 일이지, 굳이 엄한 형벌로 위엄을 삼을 필요는 없습니다."

(주자가) 대답하였다. "호령이 분명해진 다음에 형벌을 또한 느슨히 해서는 안 된다. 참으로 형벌을 사용하지 않으면 호령은 단지 담벼락에 걸쳐있는 물건일 뿐이다. 준수하지 않아 나의 정치를 병통 나게 하는 것보다, 어찌 한 사람을 벌하여 백 사람을 경계시키는 것만 같겠는가? 끝판에 실상을 파헤쳐 조사시키기보다, 어찌 처음에 엄격히 하여 법령을 범하지 않게 하는 것만 같겠는가? 큰일을 하려면서 어찌 조그만 것을 참지 못하는 것[120]으로 마음 삼을 일이겠는가?"

118 『朱子語類』 권108, 68조목

119 『朱子語類』 권108, 60조목

120 조그만 것을 … 것 : 『論語』「衛靈公」에서 공자가 "교묘한 말은 사람의 덕을 어지럽히고, 조그만 일을 참아내지 못하면 큰 꾀를 어지럽힌다.(巧言亂德, 小不忍則亂大謀.)"고 하였다.

[66-1-67]

問 : "爲政者當以寬爲本, 而以嚴濟之?"

曰 : "某謂當以嚴爲本, 而以寬濟之. 曲禮謂'涖官行法, 非禮, 威嚴不行'. 須是令行禁止. 若曰令不行, 禁不止, 而以是爲寬, 則非也."[121]

물었다. "정치를 하는 사람은 당연히 너그러움으로 근본을 삼고 엄함으로 그것을 돕게 해야 합니까?"
(주자가) 대답하였다. "나는 당연히 엄함으로 근본을 삼고 너그러움으로 그것을 돕게 해야 한다고 생각한다. 「곡례曲禮」에 '벼슬에 부임하여 법을 집행하는데 예가 아니면 위엄이 행해지지 않는다.'고 하였다. 모름지기 명령은 시행되고 금지한 것은 그쳐져야 한다. 만일 명령이 시행되지 않고 금지한 일이 그쳐지지 않는데 이를 너그러움으로 삼는다면 잘못이다."

[66-1-68]

或問 : "程子云, '論治須要識體',[122] 這體字, 是事理合當做處. 凡事皆有箇體, 皆有箇當然處. 問是體段之體否?"

曰 : "也是如此".

又問 : "如爲朝廷有朝廷之體, 爲一國有一國之體, 爲州縣有州縣之體否?"

曰 : "然. 是箇大體有格局當做處. 如作州縣, 便合治告訐 · 除盜賊 · 勸農桑 · 抑末作 ; 如朝廷, 便須開言路 · 通下情 · 消朋黨 ; 如爲大吏, 便須求賢才 · 去贓吏 · 除暴斂 · 均力役. 這箇都是定底格局, 合當如此做."[123]

어떤 사람이 물었다. "정자가 '정치를 말하려면 당연히 체體를 알아야 한다.'고 하였는데 여기서 체란 사리의 합당한 곳입니다. 모든 일에는 모두 낱낱의 체가 있고 모두 낱낱의 당연한 곳이 있습니다. 여쭙건대 이는 체단體段의 체입니까?"
(주자가) 대답하였다. "또한 이와 같다."
또다시 물었다. "예컨대 조정에는 조정의 체가 있고, 나라에는 한 나라의 체가 있고, 주현州縣에는 주현의 체가 있는 것입니까?"
(주자가) 대답하였다. "그렇다. 이러한 대체大體에는 정해진 격식의 마땅히 해야 할 것이 있다. 예컨대 주현을 진작시키려면 당연히 고발한 일을 다스리고, 도적을 없애고, 농사와 누에치는 일을 권장하고, 상인을 억제해야 하며, 조정인 경우 반드시 언로言路를 열고, 아랫사람의 마음을 소통시키고, 붕당을 없애야 하며, 고위 관원이 되었을 경우 반드시 현명한 인재를 구하고, 도적질하는 관원을 내보내고, 포악하게 거두어들이는 것을 없애고, 노역을 균등하게 해야 한다. 이것은 모두 정해진 일정 격식이니

121 『朱子語類』 권108, 63조목
122 程子云, '論治須要識體' : 『朱子語類』 권95, 135조목에는 '論學便要明理, 論治便須識體.'라고 하여 '或問程子云'이 없다. 위 [66-1-1] 참고
123 『朱子語類』 권95, 135조목

당연히 이같이 해야 한다."

[66-1-69]

南軒張氏曰: "周家建國, 自后稷以農事爲務, 歷世相傳, 其君子則重稼穡之事, 其室家則躬織紝之勤, 相與咨嗟歎息, 服習乎艱難, 詠歌其勞苦, 此實王業之根本也. 如周公之告成王, 其見於詩, 有若七月, 皆言農桑之候也; 其見於書, 有若無逸, 則欲其知稼穡之艱難, 知小人之依也. 帝王所傳心法之要, 端在乎此. 夫治常生於敬, 而亂常起於驕肆. 使爲國者而每念乎稼穡之勞, 而其后妃又不忘乎織紝之事, 則心不存焉寡矣. 何者? 其必嚴恭朝夕而不敢怠也; 其必懷保小民而不敢康也; 其必思天下之饑寒若己饑寒之也. 是心常存, 則驕矜放肆何自而生? 豈非治之所由興也歟?

남헌 장씨南軒張氏[張栻]가 말하였다. "주나라가 나라를 세웠을 적에, 후직后稷 시대부터 농사에 힘을 써서 대대로 이를 서로 물려받으며 남자는 농사일을 소중히 하고 부인은 길쌈의 노고를 몸소 하며, 서로 아~아! 탄식하며 그 간난을 익히고 그 고생을 노래하였으니 이것이 실제 왕업王業의 근본이었다. 예컨대 주공周公이 성왕成王에게 말한 것 가운데 『시경』에 나타난 「칠월七月」편[124] 같은 시는 모두 농사와 누에치는 시기를 말하고 있고, 『서경』에 나타난 「무일無逸」편[125]의 말과 같은 경우 농사일의 간난을 알게 하고, 농민들이 그것에 의지하여 살아가고 있음을 알리고자 한 것이다. 제왕이 전하는 심법心法의 요체는 정녕코 여기에 있다. 다스림은 언제나 경敬에서 생겨나고 혼란은 언제나 교만 방자에서 일어난다. 나라를 다스리는 자에게 늘 농사일의 노고를 생각하게 하고 후비에게 또 길쌈의 일을 잊지 않게 한다면 마음이 보존되지 않음이 적을 것이다. 어째서인가? 반드시 조석으로 장엄하고 공손하여 감히 게으름피우지 않을 것이고, 반드시 서민을 감싸 보호하며 감히 편안하려 하지 않을 것이며, 반드시 천하 사람들의 주리고 추움에 대한 생각이 마치 자신의 주리고 추움과 같이 할 것이다. 이 마음이 늘 보존되어 있으면 교만과 으스댐, 방자함과 떠벌림이 어디에서 생겨나겠는가? 어찌 다스림이 일어나는 길이 아니겠는가?

美哉! 周之家法也! 聖哲相繼, 固不待論. 而其后妃之賢見於簡編, 太王之妃則姜女也, 而文王之母則太任, 妃則太姒, 而武王之后又邑姜也. 皆助其君子焦勞于內, 以成風化之美. 觀后妃, 則太王文武之德可知矣. 以此垂世, 而其後世猶有若幽王者, 惑褒姒而廢正后, 以召犬戎之禍. 而詩人刺之曰, '婦無公事, 休其蠶織'. 蓋推其禍端, 良由稼穡織紝之事, 不聞於耳, 不動於心, 以至於此.

124 『詩經』에 나타난 「七月」편: 「豳風 · 七月」편의 시를 이르며, 이 시는 모두 8장 각장 11구절로 이루어져 있다. 내용은 농사일의 어려움을 성왕에게 알리고자, 각 달마다 자연이 드러내는 계절의 특징과 농사일로 해야 할 일들을 노래하였다.

125 『書經』에 나타난 「無逸」편: 이 편도 주공이 성왕에게 농사일의 어려움과 그것에 의지하여 살아가는 백성의 실정을 알리는 내용이다.

아름답도다! 주나라 왕실의 법도여! 성철聖哲이 서로 이어졌음은 참으로 말할 것도 없다. 후비의 현숙함이 책속에 드러난 것만도, 태왕太王의 후비는 강녀姜女이고 문왕文王의 어머니는 태임太任, 후비는 태사太姒이고, 무왕武王의 후비는 또 읍강邑姜이다. 모두 남편을 도와 가정에서 노심초사하며 풍화의 아름다움을 이뤘다. 후비들을 살펴보면 태왕·문왕·무왕의 덕을 짐작할 수 있다. 이렇게 세상에 모범을 드리웠건만 그 후손에 오히려 유왕幽王 같은 자가 있어서 포사褒姒에게 홀려 정후正后를 폐위하였다가 견융犬戎의 화[126]를 불러들였다. 시인이 이를 풍자하여 '아낙에겐 조정 일이 없는 것인데 누에치며 길쌈하는 일을 않고 있네.'[127]라고 하였다. 그 재앙의 단서를 유추해보면 사실은 농사와 길쌈하는 일을 귀에 듣지 않고 마음 쓰지 않다가 이 지경에 이른 것이다.

故誦'服之無斁'之章, 則知周之所以興. 誦'休其蠶織'之章, 則知周之所以衰. 其得失所自, 豈不較著乎? 以是意而考秦漢以下, 其治亂成壞之源, 皆可見矣."

그러므로 '입어도 싫어짐이 없다.'[128]는 시편을 외우노라면 주나라가 일어나게 된 까닭을 알 수 있고 '누에치며 길쌈하는 일을 않는다.'는 시편을 외우노라면 주나라가 쇠해진 까닭을 알 수 있다. 그들 잘잘못의 기인된 바가 어찌 분명하지 않는가? 이런 뜻을 가지고 진한秦漢 이후를 살펴본다면 다스려짐과 어지러움, 성공과 무너짐의 근원을 모두 볼 수 있을 것이다."

[66-1-70]

問: "三代治天下, 曰井田·封建·肉刑. 後世變井田爲阡陌, 變封建爲郡縣, 變肉刑爲鞭笞, 而末流愈不勝其弊. 今欲追復舊制, 於斯三者何先?"

潛室陳氏曰: "復古, 惟唐得之. 世業·府兵·六典建官, 分晝措置, 最有法度. 其不傳遠者, 非作法不善, 自是家法不正, 無賢子孫耳. 先儒謂'必有關雎麟趾之化, 而後可以行周官之法度'. 古人所以兢業寅畏, 左規右矩者, 正欲立箇人樣, 以爲守法之地耳."[129]

126 犬戎의 화: 『呂氏春秋』 권22 「愼行論 2·疑似」에 다음과 같은 글이 있다. "주나라[西周]는 酆鎬에 도읍하여 戎族이 거주하는 지역과 가까웠다. 제후들과 약속하기를 큰길에 보루를 수축하고 그곳에 북을 설치하여 먼 곳까지 북소리가 들리도록 할 것이다. 융족이 쳐들어오는 일이 있으면 북을 울려 서로 전하게 할 것이니 제후들의 병사들은 모두 달려와 천자를 구원하라 하였다. 융족이 쳐들어오는 일을 만나 幽王이 북을 치자 제후의 병사들이 모두 이르렀는데 褒姒가 크게 즐거워하며 기뻐하였다. 유왕은 포사를 웃게 하려 그 일이 있은 다음 자주 북을 울렸는데, 제후의 군대가 여러 차례 달려 이르렀으나 융족이 쳐들어온 일이 없었다. 나중에 실제 융족이 쳐들어 와 유왕이 북을 치게 하였으나 제후의 병사들은 이르지 않았다. 유왕은 결국 麗山에서 죽어 천하의 웃음거리가 되었다.(周宅酆鎬, 近戎人. 與諸侯約, 為高葆禱於王路, 置鼓其上, 遠近相聞. 即戎寇至, 傳鼓相告, 諸侯之兵皆至, 救天子. 戎寇當至, 幽王擊鼓, 諸侯之兵皆至, 褒姒大說, 喜之. 幽王欲褒姒之笑也, 因數擊鼓, 諸侯之兵數至而無寇. 至於後戎寇眞至, 幽王擊鼓, 諸侯兵不至, 幽王之身, 乃死於麗山之下, 為天下笑.)" 이 문장에서 禱자는 오자이거나 덧들어간 글자인 성싶다.

127 '아낙에겐 조정 … 있네.': 『詩經』 「大雅·瞻卬」

128 '입어도 싫어짐이 없다.': 『詩經』 「周南·葛覃」

물었다. “삼대 시절의 천하를 다스림은 ‘정전井田과 봉건封建과 육형肉刑이었습니다. 후세에 정전을 변경하여 천맥阡陌[130]으로, 봉건을 바꾸어 군현郡縣으로, 육형을 바꾸어 편태鞭笞로 만들어[131] 그 말류로 갈수록 그 폐단을 감당할 수 없습니다. 오늘날 예전의 제도를 회복시키고자 한다면 이들 세 가지에서 무엇을 우선해야 합니까?”

잠실 진씨潛室陳氏[陳埴]가 대답하였다. “예전 제도의 회복은 당唐나라처럼 하여야 옳다. 세업世業[132] · 부병府兵[133] · 육전六典[134]의 벼슬을 두어 나누어 다스리게 한 것이 가장 법도가 있었다. 그것이 오랫동안 전해지지 못한 것은 법을 만든 것이 좋지 않아서가 아니고 본시 가법家法이 바르지 못하고 현명한 자손이 없어서일 뿐이다. 선유先儒들이 ‘반드시 관저關雎와 인지麟趾의 교화[135]가 있은 뒤라야 주관周官[周禮]의 법도를 행할 수 있다.’고 하였다. 옛사람이 두려워 조심하며 왼쪽과 오른쪽에서 권하고 바로잡는 간쟁의 말을 하게 한 것은 바로 사람의 모습을 확립하여 법도를 지키는 기본을 삼으려는 생각에서다.”

[66-1-71]

西山眞氏曰：“世之言政者，有曰‘寬以待良民，而嚴以馭姦民也’．或曰‘撫民當寬而束吏貴嚴也’．或曰‘始嚴而終之以寬也’．然則治人之術，其果盡於此乎？如其盡於此也，夫人之所知也，

129 『木鍾集』 권11 「史」

130 阡陌 : 秦나라 商鞅이 기왕의 정전제도를 폐기하고 만들었다는 새로운 농지 정리이다. 정전은 구획정리가 사방으로 반듯한 형식이라면, 천맥은 농토의 모양을 따라 동서 또는 남북으로 구획한 것이다. 『史記』「秦本紀」에 “상앙이 농지를 만들며 천맥을 만들었다.(商鞅爲田開阡陌.)”고 했는데 이를 司馬貞은 “남북으로 구획한 것을 阡, 동서로 구획한 것을 陌이라 한다.(南北曰阡, 東西曰陌.)”고 하였다.
본문의 ‘爲阡陌’에 대해서 이와 반대로 『朱子語類』 권134, 81조목에는 “정전을 파괴하고 천맥을 해체하였다.(破壞井田, 決裂阡陌.)”고 하여 여러 분분한 설이 있다.

131 육형을 바꾸어 … 만들어: 肉刑은 五刑으로 『書經』「舜典」의 “오형을 유배형으로 너그럽게 하다.(流宥五刑)”에서 채침은 오형은 “얼굴에 먹물을 들이는 형벌[墨刑], 코를 베는 형벌[劓刑], 발목을 베는 형벌[剕刑], 宮刑, 사형[大辟]”이라고 하였다. 편태는 곤장형을 이른다. 이를 『抱樸子』「用刑」에서 “주나라가 육형을 시행한 지 7백년인데 한나라 때 이를 폐지하였으나 전만 못하였다. 마침내 편태로 바꾸기에 이르렀다.(昔周用肉刑, 積祀七百, 漢氏廢之, 年代不如. 至於改以鞭笞.)”고 하였다.

132 世業 : 당나라 때 실시한 농지 분배제도. 『舊唐書』 권48 「食貨志上」에 “나라가 건네 준 농토를 10분의 2는 세업전을 만들고 8은 구분전을 만든다. 세업전은 자신이 죽으면 승계하는 아들에게 주고 구분전은 나라에 바쳐 정부가 다시 백성들에게 분배한다.(所授之田, 十分之二爲世業, 八爲口分. 世業之田, 身死則承户者便授之, 口分則收入官, 更以給人.)”고 하였다.

133 府兵 : 흔히 부병제로 불리는 군사 제도이다. 농민을 군제에 편입시켜 농한기에는 훈련을 시키고 조세를 면제하였다. 이 제도는 죽을 때까지 군인의 신분을 유지시켰으며, 전쟁이 나면 자신이 병기와 식량을 스스로 준비하여 출전하게 하였다.(『新唐書』「兵志」)

134 六典 : 당나라의 정부 조직 체계로 理典 · 教典 · 禮典 · 政典 · 刑典 · 事典 등이다. 이는 모두 『周禮』에 이미 규정된 것을 당나라가 변형하여 이용한 것이다.

135 關雎와 麟趾의 교화 : 모두 『詩經』「周南」에 실린 시의 편명이다. 관저는 후비의 우아한 덕을 노래한 것이고 인지는 자손의 어진 덕을 칭송한 시이다.

吾何庸思? 且世之能是者亦衆矣, 抑何其合於聖賢者寡也?[136] 嗚呼! 吾患不能存吾心焉爾. 吾之心存, 則蘊之爲仁義, 發之爲惻隱羞惡. 隨物以應而無容心焉, 則寬與嚴在其中矣.

서산 진씨西山眞氏[眞德秀]가 말하였다. "세상에서 정치에 대해서 말하는 자들이 어떤 사람은 '선량한 백성은 너그럽게 대하고 간악한 백성은 엄하게 다스려야 한다.'고 하고, 혹자는 '백성을 어루만짐에는 당연히 너그러워야하고 관리를 단속함에는 엄격함이 귀하다.'고 하고, 혹자는 '처음에는 엄격하였다가 끝에 가서 너그러워야 한다.'고 말한다. 그렇다면 백성을 다스리는 방법이 과연 이런 말들에서 다하고 있는 것일까? 만일 이런 말들에서 다하고 있는 것이라면 사람들이 알고 있는 것인데 내가 무슨 마음 쓸 필요가 있겠는가? 또 세상에는 이런 것들에 능한 자가 또한 많은데 어이하여 성현과 합치되는 자는 적을까? 아! 나는 내 마음을 보존시키지 못함을 걱정할 뿐이다. 내 마음만 보존되어 있으면, 그것이 쌓여서 인의仁義가 되고 그것이 발로되어 측은惻隱과 수오羞惡가 될 것이다. 상황에 따라 대응하며 마음 쓸 일이 없다면 너그러움과 엄격함은 저절로 그 안에 있을 것이다.

且獨不觀諸天乎? 熙然而春, 物無不得其生者; 凜然而秋, 物無不遂其成者, 是果孰爲之哉? 曰陰與陽而已. 人知天道之妙若是, 而不知吾之所謂仁義者, 卽天之陰陽也. 昔者聖人繫易, 蓋並言之, 以見夫人之與天, 其本則一. 自夫汨之以私, 亂之以欲, 於是乎與天不相似矣. 盍亦反其本而觀之? 怵惕於情之所可矜, 顙泚於事之所可愧, 此固有之良心, 而非由外鑠者也. 吾能存之使勿失, 養之亡以害, 則天理渾然, 隨感輒應. 於其當愛者, 憫惻施焉, 非吾愛之也, 仁發乎中, 而不能不愛也. 於其當惡者, 懲艾加焉, 非吾惡之也, 義動乎中, 而不能不惡也. 吾之愛惡以天不以人, 故雖寬而寬之名不聞, 雖嚴而嚴之迹不立. 以之治人, 其庶矣乎!"[137]

또 다만 하늘에서 볼일이 아니겠는가? 따스한 봄이면 사물은 싹트지 않는 것이 없고 싸늘한 가을이면 사물은 완숙을 이뤄내지 않는 것이 없으니 이런 것을 과연 누가 하게 하는가? 음陰과 양陽일 따름이다. 사람들이 천도天道의 오묘함이 이와 같은 줄 알면서 나에게 갖추어진 이른바 인의仁義가 바로 하늘의 음양陰陽이라는 것은 모른다. 예전에 성인이 『주역』 속에 해놓은 말에 모두 말하여 사람과 하늘은 그 근본이 동일함을 밝혔다. 그것들이 사사로움에 어지러워지고 욕심에 혼란해지면서 이에 하늘과 서로 같지 않아졌다. 어찌 그 근본으로 되돌아가 살펴볼 일이 아니겠는가? 마음속에 불쌍해할 만한 일에 깜짝 놀라고[138] 부끄러워할 만한 일에 이마에 땀방울이 송골송골 맺히는 것[139]은 본디부터 간직된 양심이지 밖에서 내 마음으로 들어온 것이 아니다. 내가 이를 잘 보존하여 잃지 아니하고 잘 기르며 해치지

136 抑何其合於聖賢者寡也? : 『西山文集』 권28 「送陳端文宰武義序」에는 也자가 矣자이고 이어 '又從而思焉, 思之而弗得, 則夜以繼日焉. 居一日, 悚然而悟曰.'의 문장이 더 있다.

137 『西山文集』 권28 「送陳端文宰武義序」

138 깜짝 놀라고 : 어린아이가 우물에 기어 들어감을 언뜻 보고 모두 깜짝 놀라고 측은해하는 마음이 있다.[怵惕惻隱之心]는 『孟子』 「公孫丑上」의 글에서 유래한 것이다.

139 이마에 땀방울이 … 것 : 부모를 매장하지 않고 산골짜기에 버려둔 자가 뒷날 그 시체를 여우와 파리 등이 물어뜯는 것을 보고 이마에 땀이 흘렀다[其顙有泚]는 『孟子』 「滕文公上」의 글에서 유래한 것이다.

않는다면 천리天理가 온전하여 눈앞에 보이는 대로 바로바로 대응할 수 있을 것이다. 당연히 사랑해야 할 것에는 불쌍해하고 아파하는 마음이 베풀어질 것이나, 내가 그것을 사랑해서가 아니고 인仁이 마음속에서 우러나와 사랑하지 않을 수 없어서이다. 당연히 미워해야 할 것에는 징계가 가해질 것이나, 내가 미워해서가 아니고 의義가 마음에서 꿈틀거려 미워하지 않을 수 없어서이다. 나의 사랑과 미워함이 하늘 이치대로 하고 사람의 마음을 씀이 아닌 까닭에 너그러워해야 할 일에 너그러워도 명예가 드러나지 않고 엄격해야 할 일에 엄격하여도 자취가 만들어지지 않을 것이다. 이렇게 백성을 다스린다면 거의 다스려질 것이다."

[66-1-72]

"嘗觀古今之變, 大抵盛衰强弱之分, 不在兵力而在國勢, 不在財用而在人心. 誠使國勢奠安, 人心豫附, 運掉伸縮, 惟所欲爲. 以之治財, 則財可豊 ; 以之治兵, 則兵可强. 其機易回, 而其事易察也. 惟吾之所恃者國勢也, 而操持不定, 無以遏其趨. 吾之所恃者人心也, 而繫屬不加, 無以保其固. 百度搶攘, 衆志渙散, 天下之患, 方倀然未知底止之地, 雖兵財之畫, 日討月究, 何益哉?"140

(서산 진씨가 말하였다.) "고금의 변고를 일찍이 살펴보았더니, 나라의 성쇠와 강약의 나뉨은 군사력에 있지 않고 나라의 형세에 있었으며, 재물財物에 있지 않고 백성들이 마음에 있었다. 참으로 나라의 형세를 안정시키고 백성들의 마음을 기쁘게 귀의하게 하여, 운용이 신축적이면 하고자하는 대로 된다. 이것으로 재물을 다스리면 재물을 풍요롭게 할 수 있고 이것으로 군사를 다스리면 군사를 강화시킬 수 있다. 그 기틀도 쉽게 되돌릴 수 있고 그 일도 쉽게 살필 수 있다. 내가 믿을 수 있는 것은 나라의 형세인데 붙잡아 안정시키지 않으면 국가가 나아가는 것을 막을 수 없고, 내가 믿는 것이 백성 마음인데 묶는 것을 더 단단하게 하지 않으면 그 굳건함을 보존할 수 없다. 온갖 일이 어지럽고 여러 백성들의 뜻이 풀어져버리면 천하의 걱정거리가 갈팡질팡 끝날 데를 알지 못할 것이니, 군사와 재정에 대한 계획을 날마다 강구하고 달마다 연구한들 무슨 보탬이겠는가?"

[66-1-73]

"或者患國勢未張, 而欲振以威刑 ; 患財用未豊, 而欲益以聚斂. 謂誠信不如權譎 ; 謂忠厚不如刻深. 有一于玆, 皆伐國之斧斤, 蠹民之螟螣也."141

(서산 진씨가 말하였다.) "어떤 사람은 국가의 형세가 펼쳐지지 못한 것을 걱정하여 위엄과 형벌로 진작시키려 하고, 재정이 풍부하지 못한 것을 걱정하여 세금을 거두어들이는 것으로 보태려 한다. 성실이 권모와 속임수만 못하다 하고, 충후가 각박함만 못하다고 말한다. 이런 것이 하나라도 있다면 모두 나라를 넘어뜨리는 도끼이고 백성들을 좀먹는 해충이다."

140 『西山文集』 권33 「館職策」
141 『西山文集』 권3 「對越甲藁 · 直前奏劄 1」

[66-1-74]

鶴山魏氏曰："自三代以還, 王政不明, 而天下無善治. 寥寥千百載間, 豈無明君令辟, 修立法度, 講明政刑, 欲以挈其國於久安長治之域者哉? 然撑東而西傾, 捉衿而肘見, 治之形常浮於亂之意, 則亦未明乎紀綱而已矣."[142]

학산 위씨鶴山魏氏[魏了翁]가 말하였다. "삼대 시절 이후 왕도 정치가 밝지 않아 천하에 선한 정치가 없었다. 그 많은 천백 년 사이에 어찌 현명하고 훌륭한 군주가 법도를 손질하여 확립시키고 정책과 형벌을 강론해 밝혀, 자신의 국가를 영구히 편안하고 다스려진 영역으로 올리고자 한 군주가 없겠는가? 그러나 동쪽을 떠받치면 서쪽이 기울고 옷깃을 당기면 팔뚝이 드러나 다스린다고 하는 모양 속에 늘 혼란시키는 뜻이 담겨졌으니, 또한 기강에 밝지 못했을 뿐이다."

[66-1-75]

魯齋許氏曰："孔子曰, '政寬則民慢, 慢則糾之以猛；猛則民殘, 殘則施之以寬. 寬以濟猛, 猛以濟寬, 政是以和'. 斯不易之常道也"[143]

노재 허씨魯齋許氏[許衡]가 말하였다. "공자가 '정치가 너그러우면 백성들이 태만해지니 태만해지면 엄격함으로 바로잡아야 하고, 엄격하면 백성들이 다치게 되니 다치면 너그러움을 베풀어야 한다. 너그러움으로 엄격함을 조절하고 사나움으로 너그러움을 조절해야 정치가 조화된다.'[144]라고 하였으니 이 말은 바꿀 수 없는 불변의 법도이다."

[66-1-76]

"革人之非, 不可革其事, 要當先革其心. 其心旣革, 其事有不言而自革者也."[145]

(노재 허씨가 말하였다.) "남의 잘못을 바꾸려면 그 사람이 한 일을 바꾸려하지 말고 먼저 그 사람의 마음을 바꾸고자 해야 한다. 마음이 바뀌고 나면 일은 말하지 않아도 저절로 바뀐다."

[66-1-77]

"爲天下國家有大規摹. 規摹旣定, 循其序而行之, 使無過焉無不及焉, 則治功可期. 否則心疑目眩, 變易紛更, 日計有餘而歲計不足, 未見其可也. 昔子產處衰周之列國, 孔明用西蜀之一隅, 具有定論, 而終身由之. 況堂堂天下, 可無一定之論而妄爲之哉? 古今立國規摹雖各不同,

---

142 『鶴山集』 권21 「答館職策一道」

143 『魯齋遺書』 권1 「語錄上」

144 '정치가 너그러우면 … 조화된다.' : 『家語』 권9 「七十二弟子解」에 실린 말이다. 그러나 인용 과정에서 글자 몇 자가 달라졌다. 원문은 다음과 같다. "政寬則民慢, 慢則糾於猛；猛則民殘, 民殘則施之以寬. 寬以濟猛, 猛以濟寬. 寬猛相濟, 政是以和."

145 『魯齋遺書』 권1 「語錄上」

然其大要在得天下心. 得天下心無他, 愛與公而已矣. 愛則民心順, 公則民心服. 旣順且服, 於爲治也何有?

(노재 허씨가 말하였다.) "천하 국가를 다스리는 데는 큰 규모가 있어야 한다. 규모가 정하여진 뒤 그 순서에 따라 시행하며, 지나침도 없고 미치지 못함도 없게 해야 다스리는 일을 기약할 수 있다. 그렇게 하지 않으면 마음에 의심이 일고 눈이 현혹되어 변환과 변역이 어지럽게 바뀌며, 하루의 계책은 남아나는데 1년의 계책은 부족해 옳은 점을 볼 길이 없다. 옛날 자산子産은 기울어가는 주周나라의 열국列國에 처하고 공명孔明은 서촉西蜀의 한 귀퉁이를 차지하였으나, 모두 확정된 주장을 가지고서 평생 그것을 사용하였다. 하물며 당당한 천하를 소유하고서 일정한 주장이 없이 멋대로 다스릴 수 있겠는가? 예와 지금의 나라를 세운 규모는 각기 같지 않지만 그러나 그 큰 요점은 천하 사람들의 마음을 얻는 것에 달렸다. 천하 사람들의 마음을 얻는 것은 다름이 아니고 사랑과 공정일 따름이다. 사랑하면 백성들의 마음이 순종하고 공정하면 백성들의 마음이 복종한다. 순종하고 복종하고 나면 다스리는데 무슨 어려움이 있겠는가?

然開創之始, 重臣挾功而難制, 有以害吾公; 小民雜屬而未一, 有以梗吾愛. 於此爲計, 其亦難矣. 自非英睿之君, 賢良之佐, 未易處也. 勢雖難制, 必求其所以制. 衆雖未一, 必求其所以一. 前慮却顧, 因時順理, 予之奪之, 進之退之. 內主甚堅, 日憂月摩, 周還曲折, 必使吾之愛吾之公達於天下而後已. 至是則紀綱法度施行有地, 天下雖大, 可不勞而理也. 然其先後之序, 緩急之宜, 密有定則. 可以意會而不可以言傳也, 是之謂規摹."[146]

그러나 나라를 세우는 초기에는 중신은 공훈을 배경삼고 있어 제압하기 어려움이 나의 공정을 해치고, 백성들은 소속된 곳이 혼잡하여 통일되지 않음이 나의 사랑을 병들게 한다. 이런 시점에 계책을 내기란 또한 어렵다. 영명하고 슬기로운 군주와 현명하고 선량한 보좌관이 아니고서는 조치하기가 쉽지 않다. 형세로는 비록 제압하기 어렵지만 반드시 제압할 방법을 찾아야 하고, 대중이 비록 통일되지 않았지만 반드시 통일시킬 방법을 찾아야 한다. 앞날을 생각하며 지난날을 돌아보고 그때그때에 따라 이치에 순응하여 벼슬을 내리거나 거두고 등용하거나 내쳐야 한다. 마음의 주장을 매우 굳건히 하여, 날로 부딪고 달로 마찰하며 세세히 주선해서 나의 사랑과 나의 공정이 천하에 미쳐가게 한 뒤에 그쳐야 한다. 여기에 이르면 기강과 법도를 시행할 공간이 생겨나 천하가 크다 하여도 수고로움이 없이 다스릴 수 있다. 그러나 선후의 순서와 완급의 마땅함에는 세밀한 일정 법칙이 있어야 한다. 마음으로 알 수 있고 말로 전할 수 있는 것이 아니니, 이를 규모라고 말한다."

146 『魯齋遺書』 권7 「立國規摹」

禮樂 예악

[66-2-1]

程子曰 : "禮儀三百, 威儀三千, 非絶民之慾, 而强人以不能也. 所以防其欲, 戒其侈, 而使之入道也."[147]

정자가 말하였다. "예의 3백 가지와 위의威儀 3천 가지는 사람의 욕심을 끊으려는 것이 아니고 사람이 잘하지 못하는 것을 힘쓰게 하는 것이다. 욕심을 막고 사치를 경계시켜 도에 들게 하려는 것이다."

[66-2-2]

"禮者, 人之規範, 守禮, 所以立身也. 安禮而和樂, 斯爲盛德矣."[148]

(정자가 말하였다.) "예는 사람의 규범이니, 예를 지키는 것은 몸을 세우는 것이다. 예에 편안하면서 화락하여야 성대한 덕이 될 것이다."

[66-2-3]

"禮者, 理也, 文也. 理者, 實也, 本也 ; 文者, 華也, 末也. 理文若二而一道也. 文過則奢. 實過則儉. 奢自文至, 儉自實生, 形影之類也."[149]

(정자가 말하였다.) "예는 리理이자 꾸밈이다. 리는 실제이자 근본이고, 꾸밈은 꽃이자 끝이다. 리와 꾸밈이 둘인 듯싶지만 동일한 도이다. 꾸밈이 지나치면 사치이고 실제가 지나치면 검소이다. 사치는 꾸밈으로부터 이른 것이고, 검소는 실제로부터 생기니 형체와 그림자와 같은 것이다."

[66-2-4]

"學禮者考文, 必求先王之意. 得意乃可以沿革."[150]

(정자가 말하였다.) "예를 배우는 자는 글을 살펴 반드시 선왕의 의도를 찾아내야 한다. 의도를 찾아내야 변혁을 거슬러 올라갈 수 있다."

[66-2-5]

"禮之本出於民之情, 聖人因而道之耳 ; 禮之器出於民之俗, 聖人因而節文之耳. 聖人復出, 必因今之衣服器用而爲之節文. 其所謂'貴本而親用'者, 亦在時王斟酌損益之爾."[151]

147 『二程遺書』 권25

148 『二程粹言』 권상 「論道篇」

149 이 구절에서 '禮者, 理也, 文也. 理者, 實也, 本也 ; 文者, 華也, 末也.'는 『二程遺書』 권11의 글이고, 이하는 『二程粹言』 권上의 글이다.

150 『二程遺書』 권2상

(정자가 말하였다.) "예의 근본은 백성의 마음에서 나왔으니 성인은 그것에 따라 인도했을 뿐이고, 예에서 쓰이는 그릇은 백성의 풍속에서 나왔으니 성인은 그것에 따라 차등지어 우아하게 하였을 뿐이다. 성인이 다시 나와도 반드시 지금의 의복과 생활 용구들을 따라 그것들을 차등지어 우아하게 할 것이다. 세상에서 이르는 '근본을 귀히 여기면서도 (지금) 쓰고 있는 것을 친하게 여긴다.'[152]는 것도 역시 당시 군주가 짐작하여 늘이고 줄이는 것에 달려 있을 뿐이다."

[66-2-6]

"行禮不可全泥古. 須當視時之風氣自不同, 故所處不得不與古異.[153] 若全用古物, 亦不相稱. 雖聖人作, 須有損益."[154]

(정자가 말하였다.) "예를 행하면서 전연 옛날에 사로잡히는 것은 옳지 않다. 당연히 시대의 세속 풍기가 본디 같지 않음을 살펴야 하니, 그러므로 조치가 옛날과 다르게 하지 않을 수 없다. 만일 전연 옛것을 쓰려들면 또한 서로 맞지 않는다. 성인이 나오더라도 당연히 줄이고 늘임이 있을 것이다."

[66-2-7]

"大凡禮必須有意. 禮之所尊, 尊其義也. 失其義, 陳其數, 祝史之事也."[155]

(정자가 말하였다.) "대체로 예에는 반드시 어떤 의도가 있다. 예에서 높이는 것은 그것의 의義이다. 그 의를 잃어버리고 그 숫자대로 늘어놓는 것은 축사祝史[156]의 일이다."

[66-2-8]

或勸先生以加禮近貴, 曰: "何不見責以盡禮, 而責之以加禮? 禮盡則已, 豈有加也?"[157]

어떤 사람이 선생에게 황제 집안의 귀족에게 예를 더 두텁게 할 것을 권유하자, 선생[程頤]은 "왜 예를

151 『二程遺書』 권25

152 '근본을 귀히 … 여긴다.' : 『大戴禮記』 권1 「禮三本」에 "종묘의 먼 조상을 제사하는 의식에서 맹물 술을 숭상하고 날 생선을 제기에 담아 올리고 양념하지 않은 국을 맨 앞자리에 놓는 것은 음식의 근본을 귀히 여겨서이다. 종묘의 먼 조상을 제사하는 의식에서 맹물 술을 숭상하면서도 술을 올리고 밥을 올릴 적에 서직을 우선하면서도 쌀과 기장으로 밥을 지으며 양념하지 않은 국을 맛보시게 하면서도 여러 맛난 음식으로 배부르시게 하는 것은 근본을 귀히 여기면서도 지금 쓰는 것을 친히 여겨서이다.(大饗尚玄尊, 俎生魚, 先大羹, 貴飲食之本也. 大饗尚玄尊而用酒, 食先黍稷而飯稻粱, 祭嚌大羹而飽乎庶羞, 貴本而親用也.)"고 하였다.

153 故所處不得不與古異. : 『二程遺書』 권2상에는, 이 구절과 다음 '若全用' 사이에 "如今人面貌, 自與古人不同."의 문장이 더 있다.

154 『二程遺書』 권2상

155 『二程遺書』 권17

156 祝史 : 제사를 관장하는 관원이다. 『左傳』「昭公 18년」 "郊人助祝史除於國北"의 孔穎達 疏(『春秋左傳註疏』)에 "축사는 제사를 관장하는 관원이다.(祝史, 掌祭祀之官.)"고 하였다.

157 『二程遺書』 권17

다하는 것을 요구받지 않고 예를 더 두텁게 하기를 요구할까? 예를 다하면 그만이지 어찌 더할 것이 있겠는가?"라고 하였다.

[66-2-9]

"禮者, 因人情者也. 人情之所宜, 則義也. 三年之服, 禮之至, 義之盡也."[158]

(정자가 말하였다.) "예는 인정을 따른 것이다. 인정에 마땅한 것은 의義이다. 삼년복三年服은 예를 지극히 한 것이고 의를 다한 것이다."

[66-2-10]

"禮樂大矣, 然於進退之間, 則已得性情之正."[159]

(정자가 말하였다.) "예악이 큰일이지만 그러나 (예악을 행하느라) 나아가고 물러나는 속에 이미 성정의 바름을 얻고 있는 것이다."

[66-2-11]

"樂隨風氣, 至韶則極備. 若堯之洪水方割, 四凶未去, 和有未至也. 至舜以聖繼聖, 治之極, 和之至, 故韶爲備."[160]

(정자가 말하였다.) "음악은 세속의 풍조를 따르는데 소韶(순임금의 음악 이름)에 이르러 더없이 갖추어졌다. 요임금 시대는 홍수가 바야흐로 재해를 일으키고 사흉四凶[161]이 아직 제거되지 않아 화목함이 아직 지극하지 못하였다. 순임금 시대에 이르러는 성인이 성인을 이어 다스림이 더없고 화목함이 지극하였던 까닭에 소 음악이 갖추어지게 된 것이다."

[66-2-12]

"先王之樂, 必須律以考其聲. 今律旣不可求, 人耳又不可全信, 正惟此爲難. 求中聲須得律, 律不得, 則中聲無由見. 律者, 自然之數. 至如今之度量權衡, 亦非正也. 今之法且以爲準則可, 非如古法也. 此等物雖出於自然,一有之數字 亦須人爲之. 但古人爲之得其自然. 至於規矩, 則極盡天下之方圓."[162]

(정자가 말하였다.) "선왕의 음악은 반드시 율관律管[163]으로 그 소리를 살펴야 한다. 오늘날은 율관을

158 『二程遺書』 권11

159 『二程粹言』 권상 「論道篇」

160 『二程外書』 권8

161 四凶 : 『書經』「舜典」에 순이 섭정하며 "공공을 유주에 유배하고, 환도를 숭산에 안치시키고, 삼묘를 삼위산으로 내쫓고, 곤을 우산에 벌주어, 네 사람에게 죄를 내리자 천하가 모두 승복하였다.(流共工于幽洲, 放驩兜于崇山, 竄三苗于三危, 殛鯀于羽山, 四罪, 而天下咸服.)"고 하였다.

162 『二程遺書』 권15

구할 수 없고 사람의 귀는 또 온전히 믿을 수 없으니 바로 이점이 어렵다. 중성中聲(中和의 소리)을 찾으려면 당연히 율관을 얻어야 하니 율관을 얻지 못하면 중성은 볼 길이 없다. 율관은 자연계의 숫자이다. 오늘날의 도량형度量衡과 같은 것도 또한 바른 것은 아니다. 오늘날의 법을 우선 준칙으로 삼는 것은 옳겠지만 예전 법과 같지는 않다. 이런 등속의 물건이 자연계 다른 책에는 '의 숫자[之數]'라는 글자가 있다. 에서 나왔지만, 또한 반드시 사람이 만든 것이다. 다만 옛사람이 만든 것이 자연계의 뜻을 얻었다. 규구規矩에 이르러서 만큼은 천하의 둥글고 모난[方圓] 뜻을 다한 것이다."

[66-2-13]

張子曰 : "禮所以持性, 蓋本出於性. 持性, 反本也. 凡未成性, 須禮以持之. 能守禮, 已不畔道矣."164

장자張子가 말하였다. "예는 성性을 지니게 하는 것이나, 근본은 성에서 나왔다. 성을 지니는 것은 근본으로 돌아감이다. 아직 성을 일정하게 이루지 못하였을 때는 반드시 예로써 그것을 지니도록 해야 한다. 능히 예로 지켜내면 이미 정도正道에서 떠나지 않는다."

"禮卽天地之德也. 如顔子者, 方勉勉於非禮勿言, 非禮勿動, 勉勉者, 勉勉以成性也."

(장자가 말하였다.) "예는 바로 천지의 덕이다. 안자顔子와 같은 사람도 비례물언非禮勿言과 비례물동非禮勿動에 노력하고 노력하였으니, 노력하고 노력한 것은 노력하고 노력하여 성性을 이룬 것이다."

"禮非止著見於外, 亦有無體之禮. 蓋禮之原在心, 禮者, 聖人之成法也. 除了禮, 天下更無道矣. 欲養民當自井田始, 治民則教化刑罰, 俱不出於禮外. 五常出於凡人之常情, 五典人日日爲, 但不知耳."

(장자가 말하였다.) "예는 다만 밖으로 드러나는 것에 그치지 않으니 또한 모양[體]으로 드러낼 수 없는 예가 있다. 예의 근원은 마음에 있으니 예는 성인이 만든 법이다. 예를 없애버린다면 천하에 다시 도는 없을 것이다. 백성을 기르고자 한다면 당연히 정전井田에서 시작해야 하나, 백성을 다스리는 교화와 형벌은 모두 예의 범위 밖을 벗어나지 않는다. 오상五常[五倫]도 일반 사람의 일반적인 마음에서 나온 것이니, 오전五典[五倫]을 사람이 날마다 행하면서도 다만 모르고 있을 뿐이다."

"時措之宜便是禮, 禮卽時措時中, 見之事業者. 非禮之禮, 非義之義, 但非時中者皆是也. 非禮之禮, 非義之義, 又不可一槩言. 如孔子喪出母, 子思守禮爲非也. 又如制禮以小功不稅. 使曾子制禮, 又不知如何. 以此不可易言. 時中之義甚大. 須是精義入神以致用, 觀其會通以行

163 律管 : 十二律管을 이른다.

164 『張子全書』 권5 「禮樂」. 이글 다음에 이어지는 여러 단락은 『張子全書』에는 지금 번역하는 것처럼 여러 단락으로 나뉘어져 있다. 따라서 『張子全書』를 따라 번역하면서 다만 따로 번호를 메기지 않았다.

典禮, 此則眞義理也. 行其典禮而不達會通, 則有非時中者矣.

(장자가 말하였다.) "때로 마땅하게 조치한 것이 바로 예이니, 예는 바로 때맞추어 때에 알맞게 조치하여 일로 드러낸 것이다. 예가 아닌 예와 의가 아닌 의는 다만 때에 알맞지 않은 것이 모두 그것이다. 예가 아닌 예와 의가 아닌 의는 또 하나의 잣대로 말할 수 없다. 예컨대 공자는 출모出母의 장례를 치르게 하였는데 자사子思가 예를 지킨 것은 그름이 된다.[165] 또 예컨대 예를 제정하며 소공복小功服에 때가 지난 상복을 입지 못하게 하여, 증자曾子가 예를 결정해야 할 적에 또 어떻게 해야 할 줄 모르게 하였다.[166] 이처럼 쉽게 말할 수 없으니 때에 알맞게 한다는 의리는 매우 크다. 모름지기 의에 대한 정밀함이 신의 경지에 들어 그것을 생활에 활용하고, (리理가) 모인 곳과 통하는 곳[167]을 살펴서 전례典禮를 행하는 것이, 이것이 참된 의리이다. 전례를 행하면서도 모이는 곳과 통하는 곳을 알지 못한다면 때에 알맞지

165 공자는 出母의 … 된다. : 출모는 아버지로부터 쫓겨난 어머니이다. 쫓겨난 어머니가 죽었을 때 아들이 어떤 상복을 입어야 하는가를 논한 것이다. 『禮記』「檀弓上」의 기사에서 살피면 다음과 같다. "子上(子思의 아들)의 출모가 죽었는데 상복을 입지 않자, 문인들이 자사에게 묻기를 '예전에 선생님의 아버지[伯魚]가 출모의 상복을 입었습니까?'하고 묻자, '그러셨다.' '선생님께서 白(자상의 이름)에게 상복을 입지 못하게 한 것은 어째서입니까?' 하자 자사는 '예전에 나의 돌아가신 아버지는 잘못이 없으니, 세상의 도가 높을 경우 높음을 따르고 세상의 도가 낮을 경우 낮음을 따른다. 내가 어찌 그런 경지를 따라갈 수 있겠는가? 나의 아내이면 백의 어미가 될 것이나 나의 아내가 아니면 이는 백의 어미가 되지 않을 것이다.'고 하였다. 공씨 집안이 출모의 상복을 입지 않은 것은 자사로부터 시작되었다.(子上之母死而不喪, 門人問諸子思曰, '昔者子之先君子喪出母乎?' 曰, '然'. '子之不使白也喪之, 何也?' 子思曰, '昔者吾先君子無所失道, 道隆則從而隆, 道汚則從而汚. 伋則安能? 爲伋也妻者, 是爲白也母 ; 不爲伋也妻者, 是不爲白也母'. 故孔氏之不喪出母, 自子思始也.)" 여기서 자사의 아버지 백어의 기사를 살피면 「檀弓上」에 다음과 같은 기사가 있다. "백어의 출모가 죽었는데 기년복을 입고서도 여전히 우는 일을 하였다. 공자가 듣고서 '누구일까, 우는 사람은?'이라고 하자, 문인이 '鯉(백어의 이름)입니다.'고 하였다. 공자가 '아! 너무 심한 일이다.'고 하자, 백어가 듣고 마침내 우는 일을 중지하였다.(伯魚之母死, 期而猶哭. 夫子聞之, 曰, '誰與哭者?' 門人曰, '鯉也.' 夫子曰, 嘻! '其甚也.' 伯魚聞之, 遂除之.)" 여기서 공자는 아들 백어에게 상복을 입게 하였고 손자인 자사는 아들 자상에게 상복을 입지 못하게 한 것을 볼 수 있다. 그런데 이를 陳澔는 『集說』에서 "예에서 출모를 위해서 상장을 짚는 1년복을 입지만 아버지의 맏아들일 경우 상복을 입음이 없이 心喪으로 한다.(禮爲出母齊衰杖期, 而爲父後者, 無服, 心喪而已.)"고 하였다. 그래서 자사가 아들에게 상복을 입지 못하게 한 것은 잘못이란 말이다.

166 小功服에 때가 … 하였다. : 소공은 상복 중 5개월 복이다. 이에 대해 『禮記』「檀弓上」에 다음과 같은 기사가 있다. "증자가 말했다. '소공복에 때가 지났을 때 상복을 입지 못하게 한다면 이는 멀리 사는 형제는 끝내 상복을 입지 못하게 하는 것인데 옳을 수 있겠는가?(曾子曰, '小功不稅, 則是遠兄弟, 終無服也, 而可乎?')" 여기서 때가 지난 상복이란 稅(태)자를 번역한 말이다. '태'를 진호의 『集說』에서 "태는 상복 기간이 이미 지난 뒤에 비로소 죽었다는 소식을 듣고서 뒤따라 상복을 입어주는 것이다.(稅者, 日月已過, 始聞其死, 追而爲之服也.)"고 하였다. 곧 5개월 복을 입어줄 6촌 형제가 만일 먼 곳에 머무르다가 5개월이 지난 뒤에 소식을 들었을 때는 복을 입을 수 없다는 말이다. 만일 소공이 아닌 大功服일 경우 소식을 늦게 들었으면 그 시점으로부터 9개월을 입어주는 것이 稅服(태복)의 예다.

167 모인 곳과 … 곳 : 이글은 『周易』「繫辭上」 제8장의 일부이다. 여기서 주자는 '회통'에 대해 "회는 이치가 모여 있어 빠뜨릴 수 없는 곳을 이르고, 통은 이치가 행할 수 있어 장애 될 것이 없음을 이른다.(會, 謂理之所聚而不可遺處, 通, 謂理之可行而无所礙處.)"고 하였다.

않음이 있을 것이다.

禮亦有不須變者. 如天叙天秩, 如何可變? 禮不必皆出於人. 至如無人, 天地之禮自然而有, 何假於人? 天之生物, 便有尊卑大小之象, 人順之而已, 此所以爲禮也. 學者有專以禮出於人, 而不知禮本天之自然; 告子專以義爲外, 而不知所以行義由內也. 皆非也. 當合內外之道."[168]

예에도 또한 반드시 바꾸지 못할 것이 있다. 예컨대 천서天叙와 천질天秩[169]을 어떻게 바꿀 수 있겠는가? 예가 꼭 모두 사람에게서 나온 것은 아니다. 예컨대 사람이 없더라도 천지의 예는 저절로 존재해 있는 것인데, 어찌 사람에게 빌리겠는가? 하늘이 낸 사물에 존귀와 비천, 크고 작은 모양이 있어서 사람은 이를 순응할 따름이니 이것이 예가 만들어진 소이이다. 학자들이 오로지 예는 사람에게서 나온 것으로 생각하고서 예가 하늘의 자연에서 근본 하였음을 알지 못함이 있고, 고자告子는 오로지 의義를 밖에 있는 것으로 여기고[170] 의를 행하게 하는 것은 안으로부터 나온 것임을 알지 못하였으니 모두 잘못된 것이다. 당연히 안과 밖의 도리를 합치시켜야 한다."

[66-2-14]

"**學者且須觀禮. 蓋禮者, 滋養人德性. 又使人有常業守得定, 又可學便可行, 又可集得義.**"[171]

(장자張子가 말하였다.) "학자는 우선 예를 살펴야 한다. 예는 사람의 덕성을 길러준다. 또 사람에게 일정한 일을 지켜 안정되도록 하고, 또 배울 수도 있고 행할 수도 있으며, 또 의義를 모을 수 있게 한다.[172]"

[66-2-15]

"**能答曾子之問, 能教孺悲之學, 斯可以言知禮矣. 進人之速, 無如禮學.**"[173]

(장자가 말하였다.) "증자의 물음에 대답할 수 있고[174] 유비孺悲의 배움을 가르칠 수 있어야[175] 예를 안다

168 『張子全書』 권5 「禮樂」. 다만 이 책에서는 앞뒤 전체 글을 한 단락으로 묶고 있는데 『張子全書』에는 여러 단락으로 나누고 있다. 번역에서는 '時措之宜便是禮' 이상의 글은 『張子全書』의 단락을 따르고 이하는 임의로 단락을 나눴다.

169 天叙와 天秩 : 『書經』 「虞書 · 皐陶謨」에서 고요가 한 말이다. 蔡沈은 '천서'는 君臣, 父子, 兄弟, 夫婦, 朋友의 순서이고, '천질'은 尊卑貴賤의 등급이라고 하였다.

170 告子는 오로지 … 여기고 : 『孟子』 「告子上」에, "고자가 食色은 성이니, 인은 안에 있어 밖에 있지 않고, 의는 밖에 있어 안에 있지 않다.(告子曰, '食色性也, 仁, 內也, 非外也; 義, 外也, 非內也.')"고 하였다.

171 『張子全書』 권6 「學大原上」

172 義를 모을 … 한다. : 이는 곧 浩然之氣를 길러준다는 말이다. 『孟子』 「公孫丑上」에서 맹자는 호연지기를 설명하며 "이 호연지기는 의를 모은 데에서 나오는 것이지 의로 엄습하듯 취하는 것이 아니다.(是集義所生者, 非義襲而取之也.)"고 하였다.

173 『張子全書』 권5 「禮樂」

174 증자의 물음에 … 있고 : 『禮記』에 「曾子問」이라는 한 편의 글이 있는데 증자가 무수한 變禮를 스승 공자에

고 말할 수 있다. 사람을 진취시키는 빠른 길은 예학禮學만한 것이 없다.”

[66-2-16]

“學之行之, 而復疑之, 此‘習矣而不察’者也. 故學禮所以求不疑. 仁守之者, 在學禮也. 學者行禮, 時人不過以爲迂. 彼以爲迂, 在我乃是徑捷, 此則‘從吾所好’. 文則要密察, 心則要弘放, 如天地自然. 從容中禮者, 盛德之至也.”[176]

(장자가 말하였다.) “배워 행하면서도 다시 의심하는 것은 ‘익숙하면서도 자세하지 못하다.’[177]는 것이다. 그러므로 예를 배움은 의심하지 않기를 구함이다. 인으로 지키는 것[178]은 예를 배움에 있다. 학자가 예를 행하는 것을 이때 사람들이 우활하다고 여김을 넘어서지 않았다. 저들이 우활하다 여겨도 나에게는 이것이 첩경이니 이것이 바로 ‘내가 좋아하는 것을 한다.’[179]는 것이다. 글은 세밀히 살펴야 하고 마음은 크게 터놓아 천지 자연 같아야 한다. 조용히 예에 맞게 하는 것이 지극히 성대한 덕이다.”

[66-2-17]

“古人無椅卓, 智非不能及也. 聖人之才, 豈不如今人? 但席地則體恭可以拜伏. 今坐椅卓, 至有坐到起不識動者, 主人始親一酌, 已是非常之敬. 蓋後世一切取便安也.”[180]

(장자가 말하였다.) “옛사람에게 의자와 탁자가 없었던 것은 지혜가 미치지 못해서가 아니다. 성인의 재주가 어찌 지금 사람만 못하겠는가? 다만 땅에 자리를 마련하면 몸이 공손하여져 절하며 엎드리기에 좋다. 지금 의자와 탁자에 앉으면 앉으면서부터 일어날 때까지 움직일 줄 모르고, 주인이 처음에 몸소 술 한 잔 따르는 일은 이미 대단한 공경 표시가 되었다. 후세에는 일체 편안하려고만 든다.”

게 묻고 있다.

175 孺悲의 배움을 … 있어야 : 『禮記』「雜記下」에 “애공이 유비를 시켜 공자에게 가서 士喪禮를 배우게 하였다. 사상례는 이렇게 해서 쓰여 졌다.(哀公使孺悲之孔子學士喪禮. 士喪禮於是乎書.)”고 하였고, 이를 陳澔 『集說』에서 “鄭氏가 ‘당시 사람들이 돌아가며 윗 계급 사람의 예를 참람하게 행하여 士의 喪禮가 이미 사라져버렸다. 공자가 유비에게 이를 가르치자 나라사람들이 다시 이를 기록하여 보존하였다.’고 하였다.(鄭氏曰, ‘時人轉而僭上, 士之喪禮已廢矣. 孔子以教孺悲, 國人乃復書而存之’.)”고 했다.

176 『張子全書』 권5 「禮樂」. 다만 지금의 『張子全書』에는 ‘在學禮也’까지가 한 단락이고 그 이하가 또 다른 단락으로 독립되어 앞뒤로 이어져 있다.

177 ‘익숙하면서도 자세하지 못하다.’ : 『孟子』「盡心上」에 맹자가 “행하면서도 밝지 못하고 익숙하면서도 자세하지 못하여 죽을 때까지 따라 행하면서도 그 도를 알지 못하는 사람이 많다.(行之而不著焉 ; 習矣而不察焉, 終身由之而不知其道者, 衆也.)”고 하였다.

178 인으로 지킨다는 것 : 『論語』「衛靈公」에 공자가 “지혜로 미쳐 알았다고 하여도 인으로 그것을 지키지 못하면 터득했다 하여도 반드시 잃어버린다.(知及之, 仁不能守之, 雖得之, 必失之.)”고 하였다.

179 ‘내가 좋아하는 … 한다.’ : 『論語』「述而」에서 공자가 “부유함을 구할 수 있다면 말채찍을 잡는 사람이라도 내가 또한 하겠지만 만일 구할 수 없다면 내가 좋아하는 것을 할 것이다.(富而可求也, 雖執鞭之士, 吾亦爲之, 如不可求, 從吾所好.)”고 하였다.

180 『張子全書』 권5 「禮樂」

[66-2-18]

"禮文參校是非去取, 不待己自了當. 蓋禮者, 理也, 須是學窮理. 禮則所以行其義, 知理則能制禮. 然則禮出於理之後. 今在上者未能窮, 則在後者烏能盡? 今禮文殘缺, 須是先求得禮之意, 然後觀禮. 合此理者卽是聖人之制, 不合者卽是諸儒添入, 可以去取. 今學者所以宜先觀禮者, 類聚一處, 他日得理, 以意參校."[181]

(장자가 말하였다.) "예에 관한 글은 시비를 참고하고 비교하여 버리고 취해야 하지만 자기 혼자 결정하려 해서는 안 된다. 예는 리理이니 모름지기 궁리窮理하기를 배워야 한다. 예는 의義를 행하려는 것인 까닭에 리를 알면 예를 제정할 수 있다. 그렇다면 예는 리의 뒤에 나온 것이다. 오늘날 앞에 있는 것[理]을 궁구하지 못하는데 뒤에 있는 것[禮]을 어떻게 다할 수 있겠는가? 오늘날 예에 관한 글들은 결여되었으니 모름지기 먼저 예가 가진 의미를 구하여 터득해 보고 그 뒤에 예를 살펴야 한다. 리에 합당한 것은 바로 성인이 제정한 것이고 합당하지 않은 것은 바로 여러 선비들이 첨가한 것이니 버리고 취할 수 있다. 오늘날 학자는 의당 먼저 예의 의미를 관찰해야 할 것이니 부류 별로 한 곳에 모아두었다가, 뒷날 리를 터득하고서 (예의) 의미로 참고하고 비교해야 할 것이다."

[66-2-19]

"禮但去其不可者, 其他取力能爲之者."[182]

(장자가 말하였다.) "예는 다만 옳지 않은 것은 제거하고, 그 밖에 힘으로 해낼 수 있는 것은 취해야 한다."

[66-2-20]

"大凡禮不可大段駭俗, 不知者以爲怪, 且難之. 甚者至于怒之疾之. 故禮亦當有漸. 於不可知者, 少行之已爲多矣. 但不出戶庭, 親行之可也, 毋强其人爲之. 己德性充實, 人自化矣, '正己而物正'也."[183]

(장자張子가 말하였다.) "예는 세속을 크게 놀라게 해선 안 되니 알지 못하는 사람은 괴이하게 여기고 또 어려워한다. 심한 경우는 성을 내기도 하고 미워하기조차 한다. 그러므로 예는 또한 당연히 점진적인 것이 있어야 한다. 알 수 없는 것에 있어서는 잠간 행하게 하는 것만으로도 이미 너무 많다. 다만 집안에서 친히 행해보는 것은 옳겠지만 억지로 남에게 행하게 하지 말아야 한다. 자신의 덕성德性이 충실하면 남들은 저절로 변화하니, '자신을 바르게 하면 남이 바르게 된다.'[184]는 것이다."

181 『張子全書』 권12 「語錄」

182 『張子全書』 권14 「性理拾遺」

183 『張子全書』 권12 「語錄」

184 '자신을 바르게 … 된다.' : 『孟子』「盡心上」에 맹자가 "대인이 있으니, 자신을 바르게 하고 있으면, 남이 (따라) 바르게 되는 사람이다.(有大人者, 正己而物正者也.)"고 하였다.

[66-2-21]

"古樂不可見. 蓋爲今人求古樂太深, 始以古樂爲不可知. 只以虞書'詩言志, 歌永言, 聲依永, 律和聲'求之, 得樂之意, 蓋盡於是. 詩只是言志. 歌只是永其言而已, 只要轉其聲, 令人可聽. 今日歌者亦以轉聲而不變字爲善歌. 長言後却要入於律, 律則知音者知之. 知此聲入得何律. 古樂所以養人德性中和之氣. 後之言樂者, 止以求哀.

(장자가 말하였다.) "옛날 음악은 볼 수 없다. 요즈음 사람들이 옛 음악을 너무 깊게 구하려 한 까닭에 비로소 옛 음악을 알 수 없게 되었다. 다만 「우서虞書」[185]에 '시詩는 뜻을 말한 것이고, 노래[歌]는 말을 길게 읊조린 것이고, 소리[聲][186]는 길게 읊조린 것에 의지한 것이고, 율律[187]은 소리를 조화시킨 것이다.'는 말에서 구한다면 음악의 의미를 찾을 수 있으니 이 말들에 모두 나타나 있다. 시는 단지 뜻을 말한 것이고, 노래는 단지 그 말을 길게 읊조린 것일 뿐이나, 다만 그 소리를 굴려서 남들이 들을 만하게 해야 한다. 오늘날 노래하는 사람도 역시 소리를 굴리되 글자의 음을 바꾸지 않는 것을 잘 부르는 노래로 여긴다. 말이 길게 읊조려진 뒤에는 율에 맞아들어야 하는데, 율은 음音을 아는 사람이라야 그것을 안다. 이 소리가 어떤 율에 해당하는지 알아야 한다. 옛 음악은 사람 덕성의 중화中和한 기운을 길러주는데, 뒷날 음악을 말하는 사람은 다만 슬픈 것만을 구하려 든다.

故晉平公曰, '音無哀於此乎?' 哀則止以感人不善之心. 歌亦不可以太高, 亦不可以太下, 太高則入於噍殺. 太下則入於嘽緩. 蓋窮本知變, 樂之情也."[188]

그런 까닭에 진평공晉平公이 '음악이 이보다 슬픈 것은 없는가?'[189]라고 한 것이다. 슬프면 다만 사람들의 선하지 않은 마음만 일어나게 한다. 노래 역시 너무 고음이어도 옳지 않고 또한 너무 저음이어도 옳지 않다. 너무 고음이면 가빠지고 너무 저음이면 쳐지게 된다. 근본을 찾아 변화를 알아내는 것이 음악의 실정이다."

[66-2-22]

"聲音之道與天地同和, 與政通. 蠶吐絲而商絃絶, 正與天地相應. 方蠶吐絲, 木之氣極盛之時, 商金之氣衰. 如言律中太簇, 律中林鐘, 於此盛則彼必衰. 方春木當盛, 却金氣不衰, 便是不和, 不與天地之氣相應."[190]

185 「虞書」: 『書經』 가운데 요순 시대를 기록한 글이다. 이하의 말은 「虞書」의 「舜典」에 있는 것이다.
186 소리[聲]: 宮商角徵羽의 5음계를 이른다.
187 律: 十二律을 이른다.
188 『張子全書』 권5 「禮樂」
189 '음악이 이보다 … 없는가?': 『史記』「樂書」에서 진나라 평공이 師曠이 연주하는 음악을 듣고 계속해서 이보다 더 슬픈 음악은 없는가 하고 찾다가 黃帝 시대의 음악을 연주하자, 흰 구름이 북서쪽에서 일어나더니, 다시 연주하자 태풍이 불고 비가 쏟아지며 지붕의 기와가 이리저리 날려 모두가 달아나서 평공도 두려워 궁궐 집 사이로 피하여 숨었다. 이 이후 진나라에 3년 동안 가뭄이 들었다고 하였다.

(장자가 말하였다.) "성음聲音의 본원은 천지와 함께 어우러지고 정치와도 통한다. 누에가 실을 토해내면 상성商聲의 현絃이 끊기는 것은 바로 천지와 서로 감응하여서다. 누에가 실을 토해낼 때는 목기木氣가 성한 (봄)철이니 상성의 금기金氣는 쇠하여진다. 예컨대 십이율 가운데 태주太簇(정월에 해당하는 律管)와 십이율 가운데 임종林鐘(6월에 해당하는 律管)이 하나가 성하면 하나가 쇠해지는 것과 같다. 봄의 목기가 성한 때를 만나 금기가 쇠해지지 않으면 화음이 이뤄지지 않으니, 천지의 기氣와 서로 호응하지 않아서이다."

[66-2-23]

五峯胡氏曰 : "等級至嚴也, 失禮樂則不威 ; 山河至險也, 失禮樂則不固. 禮乎樂乎, 天下所日用, 不可以造次顚沛廢焉者乎?"[191]

오봉 호씨五峯胡氏[胡宏]가 말하였다. "등급은 지엄하나 예악을 잃으면 위엄이 없고, 산하가 지극히 험하여도 예악을 잃으면 견고하지 못하다. 예와 음악은 천하가 날로 사용하는 것이니 몹시 다급하고 집을 잃고 떠돌 때라도 폐할 수 없을 것이다."

[66-2-24]

朱子曰 : "天叙有典, 勑我五典, 五, 惇哉 ; 天秩有禮, 自我五禮, 有, 庸哉! 這箇典禮, 自是天理之當然, 欠他一毫不得, 添他一毫不得. 惟是聖人之心與天合一, 故行出這禮, 無一不與天合. 其間曲折厚薄淺深, 莫不恰好. 這都不是聖人白撰出, 都是天理決定合著如此. 後之人此心未得似聖人之心, 只得將聖人已行底, 聖人所傳於後世底, 依這樣子做. 做得合時, 便是合天理之自然."[192]

주자가 말하였다. "'하늘이 차례지은 전典이 있으니 우리 오전五典[193]을 단속하여 다섯 가지를 도타워지게 하고, 하늘이 질서를 세운 예가 있으니 우리 오례五禮[194]부터 두고 있는 다섯 가지가 떳떳해지게 하소서!'[195]라고 하였으니 이것이 전례典禮이니 본디 천리의 당연함이다. 그것에서 털끝 하나도 모자라서는 안 되고 털끝 하나가 덧붙여져도 안 된다. 오직 성인의 마음만이 하늘과 합치하여 하나가 된 까닭에

190 『張子全書』 권5 「禮樂」

191 『知言』 권2

192 『朱子語類』 권84, 22조목

193 五典 : 蔡沈은 이 말 앞에 있는 하늘이 차례지어[叙]의 叙에 대하여, 君臣, 父子, 兄弟, 夫婦, 朋友의 순서라 하고 따로 오전은 말하지 않았다. 오전을 하늘이 차례지은 그것과 동일하게 보아서이다.

194 五禮 : 蔡沈의 주석에 따르면 이 말 앞에 있는 하늘이 질서[秩]를 세운 秩에 대해 尊卑貴賤의 등급이라고 하고 오례에 대해서는 따로 주석하지 않았다. 이것도 앞의 五典에서처럼 존비귀천의 등급으로 풀이한 듯하다. 다만 다섯 가지라는 말을 존비귀천으로 말하기에는 의심이 없을 수 없다. 따라서 孔安國의 傳에서 말한 公·侯·伯·子·男 다섯 작위를 그대로 인정한 듯하다.

195 '하늘이 차례지은 … 하소서!' : 『書經』「虞書 · 皐陶謨」의 말이다.

이런 예를 행하는데 어느 하나 하늘과 합치하지 않은 것이 없다. 그 사이에 복잡다단한 정황이며 두터움과 옅음이 정당하지 않음이 없다. 이것들 모두가 성인이 아무 근거 없이 만들어 낸 것이 아니고, 모두가 천리에서 결정지은 것으로 당연히 이렇게 해야 할 것이다. 후세 사람은 마음이 성인의 마음과 같지 못하니, 다만 성인이 이미 행한 것과 성인이 후세에 전한 것만을 받들어 그 모양대로 행해야 할 뿐이다. 행한 것이 합당할 때 바로 천리 자연과 합치한 것이다."

[66-2-25]

"禮卽理也. 但謂之理, 則疑若未有形迹之可言, 制而爲禮, 則有品節文章之可見矣. 人事如五者, 固皆可見其大槩之所宜, 然到禮上, 方見其威儀法則之詳也."[196]

(주자가 말하였다.) "예는 바로 리이다. 다만 그것을 리라고만 말하면 형식으로 말할 수 있는 것이 없을 것 같은 의심이 드나, 제정하여 예로 만들면 낱낱의 절도와 아름다움을 볼 수 있다. 인간의 일에서 오륜五倫과 같은 것도[197] 그 대체적인 마땅한 것은 참으로 찾아 볼 수 있으나, 예에서만 그 위의와 법칙의 자상함을 비로소 볼 수 있다."

[66-2-26]

問: "冠·昏之禮, 如欲行之, 當須使冠昏之人易曉其言, 乃爲有益. 如三加之辭, 出門之戒, 若只以古語告之, 彼將謂何?"

曰: "只以今之俗語告之, 使之易曉, 乃佳."[198]

물었다. "관례冠禮와 혼례婚禮를 만일 행하고자 한다면 당연히 관례와 혼례를 행할 사람이 그 말을 쉽게 이해할 수 있게 해야 유익할 것입니다. 예컨대 삼가三加의 말[199]과 대문을 나설 때 내리는 경계[200]와 같은 것도 만일 단지 옛말로 일러준다면 당사자가 뭐라 하겠습니까?"
(주자가) 대답하였다. "단지 오늘날의 말로 일러주어 쉽게 이해할 수 있게 하는 것이 좋을 것이다."

196 『朱文公文集』 권60 「答曾擇之」 제1書

197 오륜과 같은 것도: 이글의 원문 如五를 『朱子大全箚疑輯補』 권60에서 "다섯 가지는 五敎(五倫)를 이른다. (五者, 謂五敎也.)"고 하였다.

198 『朱子語類』 권89, 6조목

199 三加의 말: 남자가 나이 20세에 冠禮를 행할 때 처음 緇布冠, 다음에 皮弁, 다음에 爵弁을 씌워주며 경계와 당부와 축복의 말을 곁들여 하는 말을 이른다. 자세한 것은 『儀禮』「士冠禮」와 『小學』「敬身 · 威儀之則」에 자세하다.

200 대문을 나설 … 경계: 딸을 시집보내며 아버지와 어머니가 경계의 말을 하고, 마지막으로 庶母가 대문 안에서 부모님이 앞서 한 말을 거듭 강조하며 조심하고 잘못이 없을 것을 부탁하는 말을 이른다. 『儀禮』「士昏禮」와 『小學』「明倫 · 明夫婦之別」에 자세하다.

[66-2-27]

"'禮, 時爲大.'[201] 古禮如此零碎繁冗, 今豈可行? 亦且得隨時裁損爾. 孔子從先進, 恐已有此意. 或曰. '禮之所以亡, 正以其太繁而難行耳.'"

曰: "然."[202]

"예가 때로 큰 것이지만 옛 예가 이처럼 잗다랗고 번거로운데 오늘날 어떻게 행할 수 있겠습니까? 또한 우선 시대에 따라 손질하여 줄여야 할 것입니다. 공자가 선진先進을 따르겠다고 한 것[203]도 아마 이런 뜻이 있을 것입니다. 어떤 사람은 '예가 망하게 된 까닭은 바로 너무 많아 행하기 어려워서일 뿐이다.'라고 합니다."

(주자가) 대답하였다. "그렇다."

[66-2-28]

"古人於禮, 直如今人相揖相似. 終日周回於其間, 自然使人有感他處. 後世安得如此?"[204]

(주자가 말하였다.) "옛사람의 예는 다만 지금 사람들의 서로 읍揖하는 것과 유사하였다. 종일토록 그 안에서 반복하여 저절로 사람이 그것에 감동되게 하였다. 후세가 어찌 이 같을 수 있겠는가?"

[66-2-29]

"聖人有作, 古禮未必盡用. 須別有箇措置, 視許多瑣細制度, 皆若具文, 且是要理會大本大原. 曾子臨死, 丁寧說'君子所貴乎道者三, 動容貌斯遠暴慢矣, 正顔色斯近信矣, 出辭氣斯遠鄙倍矣. 籩豆之事, 則有司存.' 上許多正是大本大原. 如今所理會許多, 正是籩豆之事. 曾子臨死, 教人去不要理會這箇. '夫子焉不學, 而亦何常師之有?' 非是孔子, 如何盡做這事? 到孟子已是不說到細碎上. 只說'諸侯之禮, 吾未之學也. 吾嘗聞之矣, 三年之喪, 齊疏之服, 飦粥之食, 自天子達於庶人'. 這三項便是大原大本."[205]

(주자가 말하였다.) "성인이 나오더라도 옛 예를 꼭 다 쓰지는 않을 것이다. 반드시 별도의 조치가 있을 것이니 수없이 많은 잗다란 제도를 보면 모두 빈껍데기 문서 같아서, 우선 큰 근본과 큰 근원을 이해하여야 한다. 증자가 죽음을 앞두고 간곡하게 '군자가 귀히 여기는 도리가 세 가지이니 용모를 차릴 적에는 사납거나 태만한 모습을 멀어지게 하고, 낯빛을 바로잡을 적에는 성실한 것을 가깝게 하고, 말이며 말씨

201 '禮, 時爲大.': 이 문장과 다음 문장 '古禮如此' 사이에 『朱子語類』에는 '有聖人者作, 必將因今之禮而裁酌其中, 取其簡易易曉而可行, 必不至復取古人繁縟之禮而施之於今也.'가 더 있다.

202 『朱子語類』 권84, 6조목

203 공자가 先進을 … 것: 선진은 옛날 사람들, 즉 先輩이다. 『論語』「先進」에서 공자가 "선진이 예악에 있어 촌사람이고 후진이 예악에 있어 군자답다고 한다. 만일 쓸 일이 있다면 나는 선진을 따르겠다.(先進於禮樂野人也, 後進於禮樂君子也. 如用之, 則吾從先進.)"고 하였다.

204 『朱子語類』 권84, 16조목

205 『朱子語類』 권84, 8조목

를 표출할 적에는 비루하고 도리에 어긋나는 것을 멀어지게 해야 한다. 변두籩豆[祭器]의 일은 책임진 자가 있다.'[206]고 하였다. 이 말에 허다한 것이 바로 큰 근본이고 큰 근원이다. 예컨대 오늘날 이해하려는 허다한 것은 바로 변두에 해당한다. 증자는 죽음을 앞두고 사람들에게 이런 것을 이해시키려 아니하였다. '선생님께서 어떤 것을 배우지 않으시고 또한 어찌 일정한 스승이 있으시겠는가?'[207]라고 하였으니 공자가 아니고서는 어떻게 이런 일들을 모두 해낼 수 있겠는가? 맹자에 이르러도 이미 잗다란 것까지 말하지 않았다. 다만 '제후의 예는 내가 배우지 못하였다. 내가 일찍 들으니 삼년상에 자소齊疏의 상복[208]과 멀건 죽을 먹는 일은 천자로부터 서민까지 행한다.'[209]고 하였다. 이들 세 가지가 바로 큰 근원이고 큰 근본이다."

[66-2-30]

"嘗見劉昭信云, '禮之趨翔·登降·揖遜皆須習'. 也是如此. 漢時如大射等禮, 雖不行, 却依舊令人習, 人自傳得一般. 今雖是不能行, 亦須是立一科, 令人習得, 也是一事."[210]

(주자가 말하였다.) "일찍이 유소신劉昭信[211]을 만났더니 '예의 종종걸음으로 나아가고, 오르내리며, 읍하고 사양하는 것은 모두 반드시 익혀야 한다.'고 하였다. 이 말처럼 해야 한다. 한漢나라 때 대사례大射禮 등의 예를 시행하지 않으면서도, 예전대로 사람들에게 익히게 하여 사람들이 똑같이 전수하였다. 오늘날 시행하지 않더라도 또한 반드시 한 과목으로 만들어 사람들에게 익히게 하는 것이 한 가지 일일 것이다."

[66-2-31]

"六經之道同歸, 而禮樂之用爲急. 遭秦滅學, 禮樂先壞. 漢晉以來, 諸儒補緝, 竟無全書. 其頗存者三禮而已. 周官一書, 固爲禮之綱領. 至其儀法度數, 則儀禮乃其本經, 而禮記郊特牲·冠義等篇, 乃其義疏耳.[212] 若乃樂之爲教, 則又絶無師授. 律尺短長, 聲音淸濁, 學士大夫莫有知其說者, 而不知其爲闕也."[213]

206 '군자가 귀히 … 있다.' : 『論語』「泰伯」

207 '선생님께서 … 있으시겠는가?' : 『論語』「子張」에서 子貢이 衛나라 公孫朝에게 공자를 이해시키려 한 말이다.

208 齊疏의 상복 : 『孟子』「滕文公上」에서 주자는 "齊는 옷의 아래쪽을 감친 것이다. 이곳을 바느질하지 않은 것은 斬衰 상복이고 이곳을 바느질하여 감친 것은 齊衰 상복이다. 疏는 거친 것이니 거친 베다.(齊, 衣下縫也. 不緝曰斬衰, 緝之曰齊衰. 疏, 麤也, 麤布也.)"고 하였다.

209 '제후의 예는 … 행한다.' : 『孟子』「滕文公上」에서 滕文公이 아버지 定公이 죽어 상례를 치르고자 사람을 보내 맹자에게 예를 묻자 대답한 말이다.

210 『朱子語類』 권84, 13조목

211 劉昭信 : 주자 당시 福州에서 禮學으로 명성이 있었던 사람. 주자가 그의 易學에 대해서도 훌륭함을 인정하였다.(『文公易說』.권3 「上經 · 需卦」)

212 乃其義疏耳. : 이 문장과 다음 문장 '若乃樂之爲教' 사이에 『朱文公文集』 권14 「奏劄 · 乞修三禮劄子」에는 5行 정도의 글이 더 있다.

213 『朱文公文集』 권14 「奏劄 · 乞修三禮劄子」

(주자가 말하였다.) "육경六經[214]의 도가 귀결점은 동일하지만 예禮와 악樂의 실행을 시급하게 생각하였다. 진秦나라가 학문을 멸절시키는 때를 만나, 예와 악이 먼저 무너졌다. 한漢나라와 진晉나라 이후 여러 유자儒者가 정리하여 편집하였으나 끝내 온전한 책은 없다. 그 가운데 그런대로 보존 된 것은 삼례三禮일 뿐이다. 『주관周官』(『周禮』의 다른 이름) 한 책은 진실로 예의 강령이다. 의법儀法과 도수度數에 이르면 『의례儀禮』가 '근본 경[本經]'이고, 『예기禮記』의 「교특생郊特牲」과 「관의冠義」 등속의 편은 그 책의 의소義疏(일종의 주석서)일 뿐이다. 악에 대한 가르침도 또 끊어져 스승으로부터 전해지는 것이 없다. 율척律尺의 길이[215]와 성음聲音의 청탁淸濁은 학자나 대부大夫가 그 설을 알고 있는 사람조차 없어서 그것이 결여된 것조차 알지 못한다."

[66-2-32]

"古禮繁縟, 後人於禮日益疎略. 然居今而欲行古禮, 亦恐情文不相稱. 不若只就今人所行禮中刪修, 令有節文制數等威足矣. 古樂亦難遽復. 且如今樂中去其噍殺促數之音, 幷攷其律呂, 令得其正. 更令掌詞命之官製撰樂章, 其間略述教化訓戒, 及賓主相與之情, 及如人主待臣下恩意之類, 令人歌之, 亦足以養人心之和平."

(주자가 말하였다.) "옛날의 예는 번거로웠는데 그 뒷사람들은 예에 날로 더욱 소략해졌다. 그러나 오늘을 살면서 옛날의 예를 행하고자 하면 또한 내용과 형식이 아마 서로 맞지 않을 것이다. 다만 지금 사람들이 행하는 예 가운데 줄이고 수정하여, 절차와 꾸밈, 한정된 수효, 등급의 위의를 충분히 있게 하는 것만 못할 것이다. 옛날 음악 역시 성급하게 복원시키기 어렵다. 우선 예컨대 오늘날 음악 가운데 '성조가 급하게 높고 변화가 빠른 것[噍殺促數]'은 버리고, 아울러 양률陽律과 음률陰律을 고증하여 바름을 얻게 해야 한다. 그리고 다시 국가의 문사文詞를 관장하는 관원에게 악장樂章을 짓게 하여, 그 사이에 교화와 훈계, 손님과 주인의 함께하는 마음, 군주가 신하를 대하는 은혜로운 뜻 같은 것들을 대강 서술하게 하여, 사람들에게 노래하게 한다면 또한 사람들 마음의 화평을 기르기에 충분할 것이다."

[66-2-33]

"古者教法, 禮·樂·射·御·書·數不可闕一. 就中樂之教尤親切. 夔教冑子只用樂, 大司徒之職, 也是用樂. 蓋是教人朝夕從事於此物, 得心長在這上面.[216] 蓋爲樂有節奏, 學他底急也不得, 慢也不得, 久之, 都換了他一副當情性."[217]

(주자가 말하였다.) "옛날 교과教科의 과목인 예禮·악樂·사射·어御·서書·수數는 한 가지도 빠뜨릴 수 없다. 그 가운데서도 음악[樂]에 대한 가르침이 더더욱 절실하다. 기夔가 맏아들들을 가르치면서 다만

214 六經 : 『詩經』, 『書經』, 『周易』, 『禮』, 『樂』, 『春秋』이다.

215 律尺의 길이 : 十二律管을 만들 때 기준 삼는 척도. 황종관을 기준으로 길이가 정하여 진다.

216 從事於此物, 得心長在這上面. : 『朱子語類』 권86, 58조목에는 '從事於此, 拘束得心長在這上面'이라고 하여 윗 구절에서 '物'자가 없고 다음 구절에 '拘束' 두 글자가 더 있다.

217 『朱子語類』 권86, 58조목

음악만을 사용하고,[218] 대사도大司徒의 직분도 또한 음악을 사용하였다.[219] 이는 사람들에게 조석으로 이 음악을 일삼게 하여 마음이 영원히 이 음악에 머물게 하려는 것이다. 음악에는 가락이 있으니, 그것을 배우며 급하여도 또한 옳지 않고 느려도 또한 옳지 않으니, 오래하여 사람 한 몸이 가진 성격을 모두 바꾸어 내야 한다."

[66-2-34]

"古者太子生, 則太師吹管以度其聲, 看合甚律. 及長, 其聲音高下皆要中律."[220]

(주자가 말하였다.) "옛날 태자가 태어나면 태사太師(악관의 우두머리)가 율관律管을 불어 그 소리를 가늠하여 어떤 율관의 소리와 맞는지 살펴보았다.[221] (태자가) 장성하면 그 목소리의 높낮이를 모두 율관의 소리에 맞게 하려 하였다."

[66-2-35]

"今之士大夫, 問以五音·十二律, 無能曉者. 要之, 當立一樂學, 使士大夫習之, 久後必有精通者出."[222]

(주자가 말하였다.) "오늘날 사대부는 오음五音과 십이율十二律을 물으면 잘 아는 사람이 없다. 요컨대 마땅히 악학樂學 한 과목을 만들어 사대부에게 익히게 하면 오랜 세월이 흐른 뒤면 반드시 정통한 사람이 나올 것이다."

[66-2-36]

"人今都不識樂器. 不聞其聲, 故不通其義. 如古人尚識鐘鼓, 然後以鐘鼓爲樂. 如孔子云樂云樂云, 鐘鼓云乎哉? 今人鐘鼓已自不識."[223]

(주자가 말하였다.) "사람들이 지금은 도무지 악기에 대해서 모른다. 그 소리를 들어보지 않은 까닭에

218 夔가 맏아들들을 … 사용하고 : 『書經』「舜典」에 순임금이 "夔야! 너를 명하여 음악을 맡게 하니 맏아들들을 가르치며 올곧되 온화하게 하며, 너그럽되 엄숙하게 하며, 굳세되 사납지 말게 하며, 간결략하려 하되 오만하지 말게 하라.(夔! 命汝典樂, 教胄子, 直而溫; 寬而栗; 剛而無虐; 簡而無傲.)"라고 하였다.

219 大司徒의 직분도 … 사용하였다. : 『書經』「舜典」에 순임금이 "설아! 백성이 친하지 않고 다섯 가지 것이 순조롭지 않아 너를 사도로 삼으니 오륜의 가르침을 공경히 펴면서 느긋함이 있게 하라.(契! 百姓不親, 五品不遜, 汝作司徒, 敬敷五教, 在寬.)"고 하였다. 여기서 다섯 가지를 채침은 부자, 군신, 부부, 장유, 붕우 등의 '명칭과 지위[名位]'라고 하였다.

220 『朱子語類』 권92, 31조목

221 律管을 불어 … 살펴보았다. : 漢나라 賈誼의 주장이다. 그의 저서 『新書』 권10 「胎教」에서 "태자가 태어나서 울음을 내면 태사가 銅管을 불어서 '울음소리가 어떤 율관과 맞습니다.'고 말한다.(太子生而泣, 太師吹銅, 曰聲中某.)"고 하였다.

222 『朱子語類』 권92, 54조목

223 『朱子語類』 권92, 55조목

그 뜻도 알지 못한다. 예컨대 옛사람은 오히려 종과 북을 안 다음에 종과 북으로 음악을 만들었다. 공자가 '음악이여! 음악이여! 라고 하지만 종과 북을 이르는 것이겠는가?'[224]라고 하였다. 오늘날 사람들은 종과 북마저도 이미 알지 못하고 있다."

[66-2-37]

"音律只是氣, 人亦只是氣, 故相關."[225]

(주자가 말하였다.) "음률은 단지 기氣일 뿐이고, 사람도 단지 기일 뿐이니, 그래서 서로 관련이 있다."

[66-2-38]

"樂律, 自黃鐘至中呂皆屬陽, 自蕤賓至應鐘皆屬陰, 此是一箇大陰陽. 黃鐘爲陽, 大呂爲陰, 太簇爲陽, 夾鐘爲陰, 每一陽間一陰, 又是一箇小陰陽."[226]

(주자가 말하였다.) "음악의 율律은 황종黃鐘부터 중려中呂까지는 모두 양陽에 속하고, 유빈蕤賓부터 응종應鐘까지는 모두 음陰에 속한다. 이는 하나의 큰 음양이다. 황종은 양이고 대려大呂는 음이고 태주太簇는 양이고 협종夾鐘은 음이니, 매번 한 양에 한 음을 사이에 둔 것[227]은 또 하나의 작은 음양이다."

[66-2-39]

"自黃鐘至中呂皆下生, 自蕤賓至應鐘皆上生. 以上生下, 皆三生二; 以下生上, 皆三生四."[228]

(주자가 말하였다.) "황종부터 중려까지는 모두 하생下生하고, 유빈부터 응종까지는 모두 상생上生한다. 상上에서 하下를 생하면서는 모두 셋으로 나누어 두 몫을 생하고, 하에서 상을 생하는 것은 모두 셋으로 나누어 네 몫을 생한다."[229]

---

224 '음악이여! 음악이여! … 것이겠는가?' : 『論語』「陽貨」

225 『朱子語類』 권92, 53조목

226 『朱子語類』 권92, 10조목

227 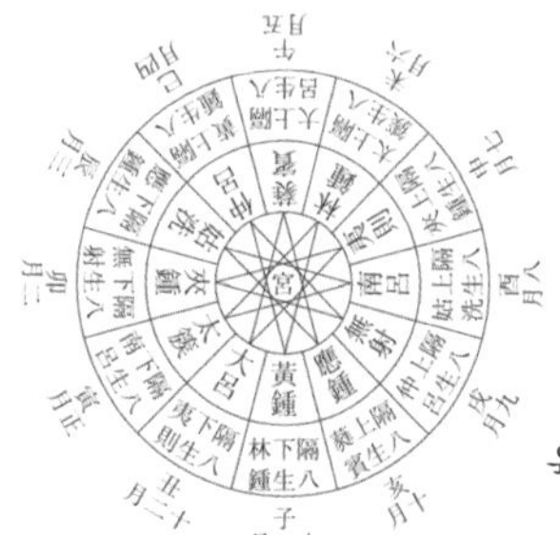 육률육려도. 여기서 홀수 달은 양이고 짝수 달은 음이다.

228 『朱子語類』 권92, 11조목

229 위 그림 참조. 여기서 생하는데 두 몫, 또는 네 몫이라는 말은 황종율관의 길이 9촌을 기본으로 아래 임종을 생할 때는 황종의 길이 9촌을 3등분하여 2/3임종의 길이로 하고, 다시 임종이 위로 태주를 생할 때는 임종의 길이를 3등분하여 4/3를 태주의 길이로 정한다는 말이다. 이렇게 계속해서 생하는 관계를 유지하여 다시

[66-2-40]

北溪陳氏曰 : "禮樂有本有文. 禮只是中, 樂只是和, 中和是禮樂之本. 然本與文二者不可一闕. 禮之文, 如俎豆玉帛之類 ; 樂之文, 如聲音節奏之類. 須是有這中和, 而文以玉帛俎豆與聲音節奏, 方成禮樂."[230]

북계 진씨北溪陳氏[陳淳]가 말하였다. "예와 악에는 근본과 형식이 있다. 예는 다만 중정[中]이고 악은 다만 조화[和]이니 중과 화는 예와 악의 근본이다. 그러나 근본과 형식 두 가지에서 하나를 빠뜨릴 수는 없다. 예의 형식은 예컨대 조두俎豆와 옥백玉帛 같은 부류이고, 악의 형식은 예컨대 성음聲音과 가락과 같은 부류이다. 모름지기 이 중정과 조화가 있어야 하지만 옥백과 조두, 성음과 가락의 형식이 있어야 비로소 예와 악이 이루어진다."

[66-2-41]

"就心上論, 禮只是箇恭敬底意, 樂只是箇和樂底意. 本是裏面有此敬與和底意. 然此意何自而見? 須於賓客祭祀時, 將之以玉帛, 寓之於籩豆, 播之於聲音節奏間. 如此, 則內外本末相副, 方成禮樂."[231]

(북계 진씨가 말하였다.) "마음에 나아가 말한다면 예는 다만 공경의 뜻이고 악은 다만 화락의 뜻이다. 본디 이면에 이 공경과 화락의 뜻이 담겨 있다. 그러나 이런 뜻을 어디로부터 볼 수 있는가? 모름지기 빈객을 만나고 제사를 지낼 때, 옥백으로 받들고 변두籩豆(제기)에 담아야 하며 성음과 가락에 그것을 펼쳐야 한다. 이같이 하면 안과 밖, 근본과 끝이 서로 부합하여 비로소 예와 악이 이루어진다."

[66-2-42]

"禮樂亦不是判然二物, 不相干涉. 禮只是箇序, 樂只是箇和. 纔有序便順而和, 失序便乖戾而不和. 如父子夫婦兄弟, 所以相戕相賊相怨相仇如彼其不和者, 都先緣無父子·君臣·兄弟·夫婦之禮, 無親義序別, 便如此."[232]

(북계 진씨가 말하였다.) "예와 악은 또한 칼로 가른 듯이 두 물건으로 나뉘어져 서로 관계가 없는 것이 아니다. 예는 단지 질서이고 악은 단지 화락이다. 질서만 있으면 바로 순서가 있어 화락하고 질서를 잃으면 바로 어긋나 화락할 수 없다. 예컨대 아버지와 아들, 지아비와 지어미, 형과 아우가 서로 죽이고 서로 해치며 서로 원망하고 서로 원수가 되어 저처럼 불화하는 까닭은 모두 앞서 아버지와 아들, 군주와 신하, 형과 아우, 지아비와 지어미의 예가 없어서이니, (부자) 사이에 친함, (군신 사이에) 의로움, (어른

황종율관으로 되돌아가게 된다. 여기서 상생한다느니 하생한다느니 하는 말은 도식에서 왼쪽 卯를 상, 酉를 하라고 한다.

230 『北溪字義』 권下 「禮樂」

231 『北溪字義』 권下 「禮樂」

232 『北溪字義』 권下 「禮樂」

과 어린이 사이에) 차례, (지아비와 지어미 사이에) 분별이 없으면 바로 이렇게 된다."

[66-2-43]

"禮樂無所不在. 所謂'明則有禮樂 幽則有鬼神', 如何離得? 如盜賊至無道, 亦須上下有統屬, 此便是禮底意; 纔有統屬, 便自相聽從, 自相和睦, 這便是樂底意. 又如行路人, 兩箇同行, 纔存箇長少次序, 長先少後, 便相和順而無爭. 其所以有爭鬪之心, 皆緣是無箇少長之序, 先自亂了, 安得有和順底意?"[233]

(북계 진씨가 말하였다.) "예와 악은 없는 곳이 없다. 이른바 '이승에는 예악이 있고 저승에는 귀신이 있다.[234]'는 것인데 어떻게 떠날 수 있겠는가? 예컨대 도둑들은 지극히 무도한 자이나 또한 당연히 위아래에 거느림과 예속이 있으니 이것은 바로 예의 의미이고, 거느림과 예속이 있게 되면 저절로 서로 따르고 저절로 서로 화목함이 있으니 이것은 바로 악의 의미이다. 또 예컨대 길가는 사람이 두 사람이 동행할 적에 어른과 젊은 사람이 차례를 간직하여, 어른은 먼저 젊은이는 나중에 한다면 서로 화순하여 다툼이 없을 것이다. 다투려는 마음이 있는 까닭은 모두 젊은이와 어른의 질서가 없어서이니, 먼저라는 것이 우선 혼란하여졌는데 어떻게 화순할 수 있는 내용이 있겠는가?"

[66-2-44]

"人徒見升降·裼襲有類乎美觀, 鏗鏘·節奏有近乎末節, 以爲禮樂若無益於人者. 抑不知釋回增美, 皆由於禮器之大備; 而好善聽過, 皆本於樂節之素明. 禮以治躬, 則莊敬不期而自肅; 樂以治心, 則鄙詐不期而自銷. 蓋接於視聽者, 所以養其耳目, 而非以娛其耳目; 形於舞蹈者, 所以導其血氣, 而非以亂其血氣. 則禮樂之用可知矣."[235]

(북계 진씨가 말하였다.) "사람들이 단지 오르내리고 석습裼襲하는 것[236]이 아름다운 볼거리와 같음이 있고, 음악을 연주하고 가락이 있는 것이 하찮은 일들에 가까움이 있음을 보고서, 예와 악이란 마치 사람에게 무익한 것처럼 여긴다. 그러나 사악한 것을 버리고 아름다움을 증진시키는 일[237]은 모두 예기禮器[祭器]가 크게 갖추어진 데에서 연유하고, 선을 좋아하고 허물을 지적하는 말을 듣는 것은 모두 음악의 가락이 본디 밝은 데에서 기인한 것이다. 예로 몸을 다스리면 장엄과 공경이 기약하지 않아도 저절로 엄숙하여지고, 악으로 마음을 다스리면 비루하고 속이는 것이 기약하지 않아도 저절로 사라진다. 보고

233 『北溪字義』 권下 「禮樂」

234 '이승에는 예악이 … 있다.' : 『禮記』「樂記」

235 『北溪字義』 권下 「禮樂」

236 裼襲하는 것 : 복장의 한 모습이다. 裼衣는 葛布 옷이나 갖옷 위에 입는 옷이고 襲衣는 석의 위에 입는 옷이다. 그러나 이에 대한 주장은 지금까지도 분명하지 않을 정도로 이설이 많다. 여기서는 『禮記』「表記」의 "裼襲之不相因也."의 陳澔 集說에 따르고, 「曲禮」의 "執玉其有藉者則裼, 無藉者則襲."의 註 "古人之衣, 近體有袍襗之屬, 其外有裘, 夏月則衣葛. 或裘或葛, 其上皆有裼衣, 裼衣上有襲."을 따른 것이다.

237 사악한 것을 … 일 : 『禮記』「禮器」의 글이다.

듣는 것은 자신의 눈과 귀를 기르는 것이지 자신의 눈과 귀를 즐겁게 하려는 것이 아니고, 춤추고 발구르는 것으로 나타내는 것은 자신의 혈기를 돌게 하려는 것이지 자신의 혈기를 어지럽게 하려는 것이 아니니, 예와 악의 쓰임새를 알 수 있을 것이다."

[66-2-45]

西山眞氏曰 : "敬者, 禮之本 ; 制度威儀者, 禮之文. 和者, 樂之本 ; 鐘鼓管磬者, 樂之文. 禮樂二者, 闕一不可. 記曰, '樂由陽來, 禮由陰作'. '天高地下, 萬物散殊, 而禮制行焉'. 天尊於上, 地卑於下, 萬物散殊, 有大有小, 此卽制之所由起. 蓋禮主乎別故也. **流而不息, 合同而化, 而樂興焉.** 陰陽二氣, 流行於天地之間, 未嘗止息. 二氣和合而化生萬物, 此樂之所由興. 蓋樂主乎和故也. 所謂陰陽二氣者, 日月雷霆, 風雨寒暑之類皆是. 二氣和合, 方能生成萬物. **故禮屬陰,** 凡天地間, 道理一定而不可易者, 皆屬陰 **樂屬陽.** 凡天地間流行運轉者, 皆屬陽.

서산 진씨西山眞氏[眞德秀]가 말하였다. "경敬 은 예의 근본이고, 제도와 위의는 예의 꾸밈이다. 화和는 음악의 근본이고 종과 북, 피리와 석경石磬은 음악의 꾸밈이다. 예와 음악 두 가지는 어느 하나도 빠트릴 수 없다. 『예기』에 '음악은 양陽으로부터 생기고 예는 음陰으로부터 생겼다.'[238]고 하였다. '높은 하늘과 아래 땅까지 갖은 사물이 흩어져 각기 서로 다른 것이 예의 제도가 일어난 연유이다. 하늘은 위에 높고 땅은 아래에 낮은데 온갖 사물이 흩어져 서로 다른 모습으로 크기도 하고 작기도 하니, 이것이 바로 제도가 생겨난 까닭이다. 예는 분별을 주장하기 때문이다. 유행하여 쉬지 않으며 서로 함께 어울려 변화하는 것이 음악이 일어난 까닭이다.'[239] 음양 두 기운이 하늘과 땅 사이에 유행하는 것은 일찍이 그친 적이 없다. 두 기운이 화합하여 온갖 물건을 화육하고 생장시키니 여기에서 음악이 일어난다. 음악은 화和를 주장하기 때문이다. 이른바 음양 두 기운이란 해와 달, 우레와 벼락, 바람과 비, 추위와 더위 부류가 모두 그것이다. 두 기운이 화합하여야 비로소 온갖 물건이 생성될 수 있다. 그러므로 예는 음에 속하고 천지 사이에 도리가 일정하여 바꿀 수 없는 것은 모두 음에 속한다. 음악은 양에 속한다. 천지 사이에 유행하여 움직이는 것은 모두 양에 속한다.

禮樂之不可闕一, 如陰陽之不可偏勝. 一歲之間, 寒暑之相易, 雨露霜雪之相濟, 方能氣候和平, 物遂其生. 陽太勝則亢而爲旱. 陰太勝則溢而爲水. 有陰無陽, 則物不生, 有陽無陰, 則生而不成 **禮勝則離, 以其太嚴而不通乎人情, 故離而難合. 樂勝則流, 以其太和而無所限節, 則流蕩忘返. 所以有禮須用有樂, 有樂須用有禮. 此禮樂且是就性情上說. 然精粗本末, 亦初無二理."**[240]

예와 음악을 하나도 빠뜨릴 수 없는 것은 마치 음과 양의 한쪽이 우세하면 안 되는 것과 같다. 한 해 사이에 추위와 더위가 서로 바뀌고, 비와 안개, 서리와 눈이 서로 도와야 비로소 기후가 화평하여 사물이 그들의 삶을 이룬다. 양이 너무 우세하면 굳세서 가물이 들고, 음이 너무 우세하면 흘러넘쳐 홍수가 인다. 음은 있는데 양이 없으면 사물은 생겨나지 못하고 양만 있고 음이 없으면 생겨나도 자라지 못한다. 예가 우세하면 단절되는 것은 너무 엄하여

238 『禮記』「郊特牲」
239 『禮記』「樂記」
240 『西山文集』 권30 「問禮樂」

인정이 통하지 않아서이니, 그런 까닭에 단절되고 합하여지기 어려운 것이다. 음악이 우세하면 흘러넘치는 것은, 너무 화락하고 한정하는 절도가 없으면, 방탕으로 흘러 되돌아오는 것을 잊어서이다. 예를 지니면서도 모름지기 음악을 지니기를 채용해야 하고 음악을 지니더라도 모름지기 예를 지니기를 채용해야 하는 것이다. 이들 예와 음악은 성정性情상에 나아가 말한 것이다. 그러나 정밀함과 조잡함, 근본과 지엽이 또한 애당초 두 가지 이치가 없다."

[66-2-46]

"**禮中有樂**,言嚴肅之中有自然之和, 此卽是禮中之樂. **樂中有禮**.言和樂之中有自然之節, 此卽是樂中之禮. **朱文公謂嚴而泰**,此卽禮中有樂. **和而節**.此卽樂中有禮."[241]

(서산 진씨가 말하였다.) "예 속에는 음악이 있고 엄숙한 가운데 자연스러운 화락이 있음을 말하니, 이것이 바로 예 속의 음악이다. 음악 속에는 예가 있다. 화락한 가운데 자연스런 절제가 있음을 말하니 이것이 바로 음악 속의 예이다. 주문공朱文公(주자)이 '엄격하되 태연함이 있고 이는 바로 예 속에 화락함이 있는 것이다. 화락하되 절제가 있어야 한다.' 이는 바로 음악 속에 예가 있는 것이다. 고 하였다."

[66-2-47]

鶴山魏氏曰 : "人生莫不有仁義之性具乎其心. 禮儀三百, 威儀三千, 聖人所以合內外之道, 而節文乎仁義者也. 昔之教人者, 必以是爲先."

학산 위씨鶴山魏氏[魏了翁]가 말하였다. "사람이 태어날 적에 인의仁義의 성性이 마음에 갖추어 있지 않음이 없다. 예의 3백 가지와 위의 3천 가지는 성인의 안과 밖을 합치시킨 도리이자[242] 인의를 마디지어서 꾸민 것이다. 예전에 사람을 가르치던 이들은 반드시 이것으로 우선을 삼았다."

[66-2-48]

魯齋許氏曰 : "凡天倫, 如父子, 兄弟, 夫婦, 長幼, 禮應如法, 不可妄意增損. 簡易者略之, 細密者過之, 皆非也. 禮者, 人事之儀則, 天理之節文. 聖人之於儀則節文, 乃所以當然者, 不可易也."[243]

노재 허씨魯齋許氏[許衡]가 말하였다. "천륜에서도 아들과 아버지, 형과 아우, 지아비와 지어미, 어른과 어린이와 같은 것은 예의상 응당 법대로 행하고 망령된 생각으로 늘이거나 줄여서는 안 된다. 간결이

241 『西山文集』 권30 「問禮樂」. 이 문장은 『西山文集』에는 앞의 문장과 한 제목에 함께 묶여 있다.

242 성인의 안과 … 도리이자 : 이는 『中庸』 제25장의 말을 인용한 것이다. 자세히 보면 다음과 같다. "誠은 자신의 덕만을 이루는데 그칠 따름이 아니고 사물들까지도 이뤄주는 것이다. 자신의 덕을 이루는 것은 仁이고, 사물들을 이뤄주는 것은 지혜이니, 성의 덕이자 안과 밖을 합치시킨 도리인 까닭에 때로 하는 일마다 마땅한 것이다.(誠者, 非自成己而已也, 所以成物也. 成己仁也, 成物知也, 性之德也, 合內外之道也. 故時措之宜也.)"

243 『魯齋遺書』 권1 「語錄上」

하는 것은 생략이고, 세밀히 하는 것은 지나침이니 모두 잘못이다. 예는 인간사의 법칙이자 천리를 마디지어 꾸며놓은 것이다. 성인이 법칙과 마디지어 꾸며놓은 것은 당연한 것이니 바꿀 수 없다."

[66-2-49]

"禮只是箇敬之節文, 不可令人後來有悔心. 亦不可使己有悔心. 故曰'已辭者猶可受. 已與者不可奪'. 饋獻亦然."[244]

(노재 허씨가 말하였다) "예는 다만 敬을 마디지어 꾸민 것이니, 남이 나중에 후회하는 마음이 있게 해서도 안 되고, 또 자신도 후회하는 마음이 있게 해서는 안 된다. 그러므로 '이미 사양한 것은 여전히 받을 수 있으나 이미 준 것은 빼앗을 수 없다.'고 말하는 것이다. 선물이나 드리는 물건도 역시 그러하다."

[66-2-50]

"聖人感人心天下和平. 聖人和順積於中, 發之爲禮樂, 禮樂之本在是. 古人所以作樂, 寓情性風化於其中, 非爲鐘鼓之鏗鍧也. 小雅盡廢, 四夷交侵, 禮壞樂崩, 不能固結人心, 人心無所係屬, 元氣虛隙, 邪氣乘之以入. 三百篇, 古樂章也, 與後世樂章大異. 尤以見古人敦本業, 厚人倫, 念念在是, 未嘗流於邪僻也. 傷人倫之廢, 哀刑政之苛, 禮樂廢故也."[245]

(노재 허씨가 말하였다) "성인은 백성의 마음과 천하의 화평을 느낀다. 성인의 가슴속에 화순이 쌓여 있다가 발로된 것이 예악이니, 예악의 근본은 여기에 있다. 옛사람의 음악을 연주함은 성정性情과 풍화風化를 그 속에 담으려는 것이지 종과 북소리를 울리기 위함이 아니다. 소아小雅(『시경』 시의 한 갈래)가 모두 사라지고 사방 오랑캐가 번갈아 침입하며 예악이 무너져, 사람들의 마음을 단단히 붙잡아 둘 길이 없게 되었다. 사람들의 마음을 붙잡아 둘 길이 없자 원기元氣에 빈틈이 생기며 사악한 기운이 틈을 비집고 들어왔다. 삼백편三百篇[詩經]은 옛 악장樂章이니 후세의 악장과는 크게 다르다. 옛사람은 본업에 독실하고 인륜에 두터워 모든 생각이 여기에 있어서 사악과 부정으로 흘러들지 않았음을 더더욱 볼 수 있다. 인륜이 무너진 것을 아파하고 형벌과 정령政令이 까다로워진 것을 슬퍼하는 것은 예악이 무너진 까닭이다."

宗廟 종묘

[66-3-1]

張子曰 : "宗子爲士, 立二廟 ; 支子爲大夫, 當立三廟. 是曾祖之廟爲大夫立, 不爲宗立. 然不

244 『魯齋遺書』 권1 「語錄上」
245 『魯齋遺書』 권1 「語錄上」

可二宗別統, 故其廟亦立于宗子之家.”

장자張子[橫渠]가 말하였다. “종자가 사士가 되면 2묘廟[246]를 세우고 지자支子가 대부大夫가 되면 당연히 3묘[247]를 세운다. 이는 증조의 사당은 대부가 되어야 세우는 것이지 종자라서 세우는 것은 아니다. 그러나 종자를 두 사람으로 만들어 종통宗統을 나눌 수 없는 까닭에 그 사당 역시 종자의 집에 세운다.”

[66-3-2]

朱子曰 : “「王制」‘天子七廟, 三昭三穆, 與太祖之廟而七. 諸侯大夫士, 降殺以兩’. 而「祭法」又有‘適士二廟, 官師一廟’之文. 大抵士無太祖, 而皆及其祖考也. 鄭氏曰, ‘夏五廟, 商六廟, 周七廟’, 今按商書已云‘七世之廟’, 鄭說恐非. 顔師古曰, ‘父爲昭. 子爲穆. 孫復爲昭’. 昭, 明也. 穆, 美也. 後以晉室諱昭, 故學者改昭爲韶. **其制皆在中門外之左, 外爲都宮, 内各有寢廟, 別有門垣. 太祖在北, 左昭右穆以次而南. 天子太祖, 百世不遷. 一昭一穆爲宗, 亦百世不遷.** 宗亦曰世室亦曰祧. 鄭注周禮守祧曰宗. 亦曰祧. 亦曰世室. 周禮有守祧之官. 鄭氏曰, 遠廟爲祧, 周爲文武之廟, 遷主藏焉. 又曰, 遷主所藏曰祧. 先公之遷主藏于太祖后稷之廟; 先王之遷主藏於文武之廟. 羣穆於文. 羣昭於武. 明堂位有文世室·武世室. 鄭氏曰, 世室者, 不毁之名也

주자가 말하였다. “「왕제王制(『예기』 편명)」에 ‘천자는 7묘廟이니, 3소昭 · 3목穆과 태조의 사당과 함께 7묘이다. 제후와 대부와 사士는 내려가며 2묘씩 줄어든다.’고 하였는데, 「제법祭法(『예기』 편명)」에는 또 ‘적사適士[上士]는 2묘, 관사官師(하급 관원)는 1묘이다.’라는 글이 있다. 사에게는 태조太祖(시조)를 받드는 일이 없으니 모두 할아버지와 아버지에 미친다. 정씨鄭氏는 ‘하夏나라는 5묘廟, 상商나라는 6묘, 주周나라는 7묘이다.’고 하였는데 지금 살펴보면 『상서商書』(『書經』의 다른 이름)에 이미 ‘7세의 사당[七世之廟]’[248]이라는 말이 있으니 정씨의 말은 그른 듯하다. 안사고顔師古는 ‘아버지는 소昭, 아들은 목穆, 손자는 다시 소가 된다.’고 하였다. 소昭는 밝음, 목穆은 아름다움을 뜻한다. 후세에 진晉나라 왕조에서 소昭자를 회피한 까닭[249]에 학자들이 소昭자를 고쳐 소韶자로 썼다. 그 제도는 모두 중문中門 밖 왼쪽에 있는데 겉으로는 전체 한 채의 집이나 안은 각기 침묘寢廟가 있고 별도의 문과 담장이 있다. 태조가 북쪽에 자리하고 왼쪽은 소昭 오른쪽은 목穆, 이렇게 남쪽으로 차례차례 자리한다. 천자의 태조는 백대토록 옮겨가지 않고 1소와 1목은 종宗이 된 조상이니 역시 백대토록 옮겨가지 않는다. 종宗은 또 세실世室, 또는 조祧라고도 한다. 정현鄭玄의 주注에 ‘『주례周禮』에’ 조祧(대가 찼어도 옮겨가지 않는 신주)로 수호되는 (신주를) 종宗, 또는 조祧, 또는 세실이라 한다.’고 하였다. 『주례』에 조祧를 수호하는 관원이 있는데, 정현이 ‘먼 조상의 사당을 조祧라 하니, 주나라는 문왕과 무왕의 사당에 대수가 다하여 옮겨지는 신주를 모신다.’고 하고, 또 ‘대수가 다 차서 옮겨 모셔진 신주를 조祧라 한다. 선공先公 가운데 대수가 다 차서 옮겨진 신주는 태조와 후직后稷의 사당에 모시고, 선왕 가운데 대수가 다 차서 옮겨진 신주는 문왕과 무왕의 사당에 모시며, 여러 목穆은 문왕의 사당에, 여러 소昭는 무왕의 사당에 모신다.’고 하였다. 「명당위明堂位」(『예기』 편명)에도 문세실文世室과 무세실武世室이 있는데 정현은 ‘세실은 (대가 다 차도) 헐리지 않는 사당을 이르는 말이다.’고 하였다.

---

246 2廟 : 아버지와 할아버지 두 분 신주를 모시는 사당을 이른다.
247 3묘 : 아버지로부터 증조까지 세 분 신주를 모시는 사당을 이른다.
248 ‘7세의 사당[七世之廟]’ : 『書經』「商書 · 咸有一德」에서 伊尹이 太甲에게 한 말이다.
249 晉나라 왕조에서 … 까닭 : 昭는 진나라 건국의 기초를 다진 司馬昭(文帝)의 이름이어서 피하였다.

二昭二穆爲四親廟. 高祖以上, 親盡則毁而遞遷. 昭常爲昭, 穆常爲穆. 昭之二廟, 親盡則毁, 而遷其主于昭之宗. 曾祖遷于昭之二, 新入廟者祔于昭之三. 而高祖及祖在穆如故. 穆廟親盡放此. 新死者如當爲昭, 則祔於昭之近廟, 而自近廟遷其祖於昭之次廟, 而於主祭者爲曾祖. 自次廟遷其高祖于昭之世室. 蓋於主祭者爲五世而親盡故也. 其穆之兩廟如故不動. 其次廟於主祭者爲高祖, 其近廟於主祭者爲祖也. 主祭者沒, 則祔于穆之近廟而遞遷其上放此. 凡毁廟遷主, 改塗易檐, 示有所變, 非盡毁也. 見穀梁傳及注.

소昭의 두 신주와 목穆의 두 신주는 사친四親(부 · 조 · 증조 · 고조)의 사당이다. 고조 이상은 친진親盡하면 사당을 헐고 체천遞遷한다. 소는 항상 소가 되고, 목은 항상 목이 된다. 소에서 두 번째 사당이 친진하였으면 헐고 그 신주는 소의 종宗[250]으로 옮긴다. 증조는 소의 두 번째 자리로 옮겨지고 새로 사당에 들어오는 신주는 소의 세 번째 자리에 부祔제사하여 모신다. 고조 및 할아버지 신주는 목 자리에 예전 그대로 있다. 목의 사당도 친진하면 이와 같다. 새로 죽은 사람이 만일 소에 해당하면 소의 끝자리 사당에 부제사하여 모시고 끝자리 사당에서부터 그 할아버지 신주는 소의 둘째 번 사당자리로 옮기니, 제사를 주관하는 사람에게는 증조가 된다. 둘째 번 사당 신주인 고조 신주는 소의 세실로 옮겨 모신다. 제사를 주관하는 사람에게 5대가 되어 친진이 된 까닭이다. 목에 모셔진 두 사당은 옛 그대로 움직이지 않는다. 둘째 번 사당은 제사를 주관하는 사람에게 고조가 되고, 그 끝자리 사당은 제사를 주관하는 사람에게 할아버지가 된다. 제사를 주관하는 자가 죽으면 목의 끝자리 사당에 부제사하여 모시고 그 윗대 신주의 체천은 앞서와 같다. 사당을 헐고 신주를 옮기는 것은 지붕을 바꾸고 처마만 바꾸어 변함이 있음을 보일 뿐이지 모두 헐어내는 것은 아니다. 『곡량전』과 그 주注에 나타나 있다.[251]

諸侯則無二宗. 大夫又無二廟. 其遷毁之次, 則與天子同. 但毁廟之主藏於太祖. **儀禮所謂以其班祔, 檀弓所謂祔于祖父者也.** 曲禮云, '君子抱孫不抱子', 此言孫可以爲王父尸. 子不可以爲父尸. 鄭氏云, 以孫與祖昭穆同也. 周自后稷爲太祖, 不窋爲昭, 鞠陶爲穆. 以下十二世至太王復爲穆, 十三世至王季復爲昭, 十四世至文王又爲穆, 十五世至武王復爲昭. 故書稱文王爲穆考, 詩稱武王爲昭考. 而左氏傳曰, 太伯虞仲, 太王之昭也. 虢仲虢叔, 王季之穆也. 又曰, 管蔡魯衛, 文之昭也 ; 邘晉應韓, 武之穆也. 蓋其次序一定, 百世不易. 雖文王在右, 武王在左, 嫌於倒置. 而諸廟別有門垣, 足以各全其尊, 初不以左右爲尊卑也.

제후는 종宗이 둘이 없고 대부는 또 사당이 둘이 없다. 그 체천하고 사당을 헐어내는 차례는 천자와 동일하다. 다만 헐어내는 사당의 신주는 태조의 사당에 모셔둔다. **『의례儀禮』에서 이른 반부班祔이고, 「단궁檀弓」에서 이른 '조부에 반부한다.'는 것이다.** 「곡례曲禮」에 '군자는 손자는 안아주지만 자식은 안아주지 않는다.'고 하였으니 손자는 할아버지의 시동이 될 수 있고 자식은 아버지의 시동이 될 수 없음을 말한 것이다. 정현의 주에 '손자와 할아버지는 소목昭穆이 같아서이다.'라고 하였다. 주나라는 후직으로 태조를 삼으니 불줄不窋이 소가 되고 국도鞠陶가 목이 된다. 이하 12대에 태왕太王에 이르러 다시 목이 되고 13대 왕계王季에 이르러 다시 소가 된다. 14대 문왕에 이르면 또 목이 되고 15대무왕에 이르면 다시 소가 된다. 그러므로 『서경』에서 문왕을 일컬어 목고穆考라 하고,[252] 『시경』에서 무왕을 일컬어 소고昭考라 하였다.[253] 『좌전』에도[254] 태백太伯과 우중虞仲은 태왕의 소이고, 괵중虢仲과 괵숙虢叔은 왕계의 목이라

250 소의 宗 : 『朱子大全箚疑輯補』 권69에서 "昭之宗은, 소에서 세실이 된 자이다.(昭之宗, 謂昭之爲世室者也.)"라고 하였다. 세실은 지금의 不遷位와 같은 말이다.

251 『穀梁傳』과 그 … 있다. : 『穀梁傳』「僖公 2년」 2월 "희공의 신주를 만들었다.(作僖公主.)"의 주소에 자세하다.

252 穆考라 하고 : 『書經』「周書 · 酒誥」

253 昭考라 하였다. : 『詩經』「周頌 · 載見」

고 하였다. 또 관숙管叔과 채숙蔡叔, 노魯나라와 위衛나라는 문왕의 소이고, 우·진·응·한邘晉應韓의 나라는 무왕의 목이라고 하였다. 대체로 그 차례는 한번 정하여지면 백대에 바뀌지 않는다. 문왕이 오른쪽에 있고 무왕이 왼쪽에 있어 바뀐 혐의는 있지만 여러 사당이 별도의 문과 담장이 있어 각기의 존엄을 온전히 하기에 충분하고, 조금도 왼쪽이나 오른쪽이라는 것으로 존비가 되지 않는다.

三代之制, 其詳雖不得聞. 然其大略不過如此. 漢承秦敝, 不能深考古制. 諸帝之廟各在一處. 不容合爲都宮以序昭穆. 韋元成傳云, '宗廟異處. 昭穆不序'. 但考周制, 先公廟在岐周. 文王在豊. 武王在鎬. 則都宮之制亦不得爲, 與漢亦無甚異. 未詳其說. **貢禹韋元成匡衡之徒, 雖欲正之, 而終不能盡合古制. 旋亦廢罷. 後漢明帝, 又欲遵儉自抑, 遺詔無起寢廟. 但藏其主於光武廟中更衣別室. 其後章帝又復如之. 後世遂不敢加, 而公私之廟, 皆爲同堂異室之制.** 見後漢明帝紀. 祭祀志又云, '其後積多無別, 而顯宗但爲陵寢之號.'

삼대시절의 제도는 자세한 내용을 들을 길이 없다. 그러나 대략은 이 같음에서 넘어서지 않는다. 한漢나라는 진秦나라의 폐단을 이어받고 옛날의 제도를 깊이 살피지 못하였다. 그리하여 여러 제왕의 사당이 각기 한곳에 있어서, 그것들을 합쳐 전체 한 채의 집으로 만들어 소목의 차례를 차릴 수 없다. 「위원성전韋元成傳」[255]에는 '종묘가 따로 있고 소목도 차례가 맞지 않다.'고 하였다. 단지 주나라 제도를 살펴만 보아도, 선공先公[256]의 사당은 기주岐周에 있고, 문왕은 풍豊에, 무왕은 호鎬에 있다. 그렇다면 전체 한 채의 집을 만드는 제도는 또한 할 길이 없으니, 한나라와도 또한 크게 다를 것이 없다. 이 주장은 분명하지 않다. 공우貢禹·위원성韋元成·광형匡衡[257]과 같은 사람들이 바로잡고자 하였으나 끝내 모두를 옛 제도에 맞게 하지 못하였고 금방 또 폐지되었다. 후한 명제明帝가 검소함을 따르며 자신을 억제하더니, 유조遺詔로 침묘寢廟를 짓지 말고 신주는 광무제 사당 안의 옷을 갈아입는 별실에 두게 하였다. 그 뒤 장제章帝도 또다시 그같이 하였다. 후세에 마침내 감히 더 늘리지 못하고, 국가나 개인의 사당은 모두 동당이실同堂異室[258]의 제도를 만들었다. 후한 「명제기

---

254 『左傳』에도: 태백부터 괵숙까지는 「僖公 5년」 겨울 기사이고 나머지는 「24년」 여름 기사이다.

255 「韋元成傳」: 『漢書』 권73 「韋玄成傳」. 송나라 시조 趙玄朗의 이름 玄자를 피하여 元자로 표기한 것이다.

256 先公: 주나라에서 시조인 后稷에서 太公 이전까지 제후로 재위한 군주를 이르는 말

257 貢禹·韋元成·匡衡: 한나라 元帝 때 이들이 종묘의 수를 줄일 것을 상소하여 잠시 줄였다가 원제가 병이 들자 다시 옛날로 되돌렸다.(『漢書』 권7 「貢禹傳」; 『漢書』 권73 「韋玄成傳」)

258 同堂異室: 종묘와 사당의 제도 가운데 하나로, 한 건물에 여러 개의 龕室을 만들어 여러 神位를 모시는 제도이다. 원래 종묘 제도는 昭穆의 제도로 太祖의 廟를 중앙에 놓은 다음 2세·4세·6세를 왼쪽(동쪽)에 놓아 昭廟라 하고, 1세·3세·5세를 오른쪽(서쪽)에 놓아 穆廟라 하는데, 묘는 각각 독립된 건물로 되어 있었다. 그러나 後漢에 이르러 明帝가 자신의 사당을 따로 세우지 말고 그의 아버지 光武帝의 사당에 안치하도록 유지를 남김으로써 동당이실의 제도가 시작되었다. 그 결과 소목법이 없어지고 일렬로 하여 서쪽을 上位로 하고, 할아버지 신주에 대응하여 들어가던 것이 아버지 신주 다음으로 들어가는 신주 배열법이 된 것이다. 이에 대해 朱熹는 "지금 公私의 사당이 모두 동당이실에 서쪽을 상위로 삼는 제도를 만들어 左昭右穆의 차례가 없어졌다. 한 번 체천하면 여러 실이 모두 옮겨지고 새로 죽은 사람은 그 아버지의 옛 실로 들어간다. 이것은 예의 큰 절목이 옛날과 같지 않은 것이다.(今公私之廟, 皆爲同堂異室, 以西爲上之制, 而無復左昭右穆之次. 一有遞遷, 則群室皆遷, 而新死者當入于其禰之故室矣. 此乃禮之大節, 與古不同.)"(『家禮』 卷6 「喪

明帝紀」에 기록이 나타나 있다. 「제사지祭祀志」에, 또 '그 뒤 많은 신주가 쌓이자 분별하지 않고, 현종顯宗은 다만 능침陵寢 호칭을 붙였다.'고 하였다.

自是以來, 更歷魏晉, 下及隋唐, 其間非無奉先思孝之君, 据經守禮之臣, 而皆不能有所裁正. 其弊至使太祖之位, 下同孫子, 而更僻處於一隅, 旣無以見其爲七廟之尊. 群廟之神, 則又上厭祖考, 而不得自爲一廟之主. 以人情而論之, 則生居九重, 窮極壯麗, 而沒祭一室, 不過尋丈之間. 甚或無地以容鼎俎, 而陰損其數. 孝子順孫之心, 於此宜亦有所不安矣.

이로부터 이후 다시 위魏·진晉 시대를 거쳐 아래로 수隋·당唐 시대까지, 그 사이에 조상을 받들며 효성을 생각하는 군주와 경전에 의거하여 예를 지키려는 신하가 없었던 것은 아니나 모두가 재단하여 바로잡는 데까지 가지 못하였다. 그 폐단은 태조의 신위를 후대 자손과 똑같이 한 모퉁이 외진 곳에 두는 데에 이르렀으니, 7묘의 존엄함은 볼 수조차 없다. 여러 사당의 신주는 또 위로 조상에게 눌려 혼자서 한 사당의 주인이 될 수도 없다. 인정으로 논하여도 살아서 구중궁궐에서 머무르며 끝없이 장엄한 사치를 다하였는데, 죽자 한 방에서 제사지내지며 한 길 공간을 넘어서지 못한다. 심지어는 혹 제수를 차릴 공간이 없어 몰래 그 숫자를 줄이기까지 한다. 효자와 효성스런 손자 마음이 이 점에서 의당 또한 마음에 편치 못함이 있을 것이다.

肆我神宗, 始獨慨然深詔儒臣, 討論舊典. 蓋將以遠迹三代之隆, 一正千古之繆, 甚盛擧也. 不幸未及營表, 世莫得聞. 秉筆之士, 又復不能特書其事以詔萬世. 今獨其見於陸氏之文者爲可考耳. 然其所論昭穆之說, 亦未有定論. 獨原廟之制, 外爲都宮, 而各爲寢廟門垣, 乃爲近古. 但其禮本不經, 義亦非古, 故儒者得以議之.

마침내 우리 신종神宗이 비로소 홀로 슬피 여기시고 유신儒臣들에게 간절하게 말씀을 내려 옛 법전을 토론하게 하였다. 멀리 삼대시절의 융성한 자취를 거슬러 올라가 천고의 잘못을 한번 바로잡으려 한 것이니 매우 훌륭한 일이다. 불행스럽게 경영하여 시작하지 못해 세상에서 알고 있는 사람이 없다. 기록하는 일을 담당한 사람들마저 또 다시 그 일을 특별하게 기록하여 만세에 전하지 않아, 지금 홀로 육씨陸氏[259]의 글에 나타난 것에서 찾아볼 수 있을 뿐이다. 그러나 그가 말하는 소목에 관한 주장도 또한 확정적인 논리는 없다. 한 가지 원묘原廟(따로 세운 종묘)에 대한 제도를 밖에서는 한 채의 집으로 만들고 각기 침묘寢廟와 문과 담장을 만들자고 한 것이 옛날에 가깝다. 다만 그 예는 본래 원칙에도 맞지 않고 의리도 또한 옛 제도가 아닌 까닭에 유자들이 비평하였다.

禮3·祔」)라고 설명하였다. 현재 좌소우목의 잔영은 성균관의 配享位인 顔子·子思의 위패를 동쪽, 曾參·孟子의 위패를 서쪽에 모시고, 宗祀位를 東武와 西廡에 나누어 모시며, 書院 등에서 배향위를 좌우로 나누어 모시는 것에서 찾아볼 수 있다.

259 陸氏: 陸佃을 이른다. 宋나라 사람으로, 神宗의 熙寧 연간에 진사시에 올라 哲宗 연간에 벼슬하였다. 저서로 『禮象』과 『陶山集』 등이 있다.

如李淸臣所謂'略于七廟之室, 而爲祠於佛老之側 ; 不爲木主, 而爲神象 ; 不爲禘祫烝嘗之祀, 而行一酌奠之禮'. 楊時所謂'舍二帝三王之正禮, 而從一繆妄之叔孫通者,' 其言皆是也. 然不知其所以致此, 則由於宗廟不立, 而人心有所不安也. 不議復此, 而徒欲廢彼, 亦安得爲至當之論哉?"[260]

예컨대 이청신李淸臣[261]이 말한 '7묘의 집을 무시하고 불가佛家와 도가道家의 집 한쪽에 제삿집을 짓고, 목주木主를 만들지 않고 신상神像을 만들며, 체협증상禘祫烝嘗[四時正祭]의 제사를 지내지 않고 한 잔 술을 올리는 예를 행한다.'는 것이다. 양시楊時가 말한 '이제삼왕二帝三王의 바른 예를 놓아두고 한 사람 그릇되고 망령된 숙손통叔孫通[262]을 따른다.'는 그들 말은 모두 옳다. 그러나 그것이 그렇게 빚어지게 된 소이는 종묘가 세워지지 않아, 사람 마음이 편안치 않은데서 유래한 것을 알지 못한 것이다. 다시 이를 논하지 않고 한갓 저것만을 폐하고자 하였으니 또한 어찌 지당한 논의가 될 수 있겠는가?"

[66-3-3]

"祖有功而宗有德, 是爲百世不遷之廟. 商六百年只三宗, 皆以有功德當百世祀, 故其廟稱宗. 至後世始不復問其功德之有無, 一例以宗稱之."[263]

(주자가 말하였다.) "공이 있는 임금 '조祖'와 덕이 있는 군주 '종宗'은 백대가 되도록 사당에서 옮겨가지 않는다. 상商나라 6백 년에 단지 '종'자가 든 군주는 세 분[264]이다. 모두 공덕이 있어 백대토록 제사하기에 합당한 까닭에 그 사당을 '종'이라 칭하는 것이다. 후세에 와서는 비로소 그의 공덕의 유무를 따지지 않고 하나같이 '종'이라 칭한다."

[66-3-4]

"古人七廟, 恐是祖宗功德者不遷. 胡氏謂'如此, 則是子孫得以去取其祖宗'. 然其論續謚法, 又謂'謚乃天下之公義, 非子孫得以私之.' 如此, 則廟亦然."[265]

(주자가 말하였다.) "옛 사람의 7묘는 아마 조종祖宗의 공과 덕이 있는 군주의 신주를 옮겨가지 않아서일 것이다. 호씨胡氏가 '이렇다면 이는 자손이 조종을 버리고 취할 수 있는 것이다.'라고 하였다. 그러나 그가 논한 속시법續謚法[266]에서도 또 '시호는 천하의 공의公議라서 자손이 사사롭게 할 수 없다.'고 하였

260 『朱文公文集』 권69 「雜著 · 禘祫議」
261 李淸臣 : 宋나라 사람. 仁宗의 皇祐 연간의 진사로 哲宗 연간에 벼슬하였다.
262 叔孫通 : 漢高祖 때 사람. 한나라의 예를 제정하였으나 秦나라의 폐단을 정리하지 못하였다는 평을 들었다.
263 『朱子語類』 권90, 32조목
264 商나라 6백 … 분 : 『朱子語類』 권90, 34조목에서 삼종은 祖甲(太甲의 다른 이름으로 太宗이라 칭한다.), 太戊(中宗), 高宗이라고 하였다.
265 『朱子語類』 권90, 33조목
266 續謚法 : 『朱子語類考文解義』 권19 「祭」에서 "劉敞이 續謚法을 지었고, 또 蘇洵이 續周公謚法을 지었다.(劉敞作續謚法, 又蘇洵續周公謚法.)"고 하였다.

다. 이와 같다면 사당도 역시 그런 것이다."

[66-3-5]

問 : "漢儒所論如何?"

曰 : "劉歆說得較是. 他謂宗不在七廟中者, 謂恐有功德者多, 則占了那七廟數也."[267]

물었다. "한漢나라 유학자들의 주장은 어떻습니까?"

(주자가) 대답하였다. "유흠劉歆의 주장이 비교적 옳다. 그의 '종은 7묘 속에 들지 않는다.'는 말은, 아마도 공과 덕이 있는 군주가 많아지면 7묘라는 수효를 차지해버릴까 하는 염려에서 한 말일 것이다."

[66-3-6]

或問 : "'遠廟爲祧'如何?"

曰 : "天子七廟, 如周文武之廟不祧. 文爲穆, 則凡後之屬乎穆者皆歸於文之廟; 武爲昭, 則凡後之屬乎昭者皆歸乎武之廟也."[268]

어떤 사람이 물었다. "'대수가 먼 사당의 신주는 조祧로 삼는다.'[269]는 어떤 것입니까?"

(주자가) 대답하였다. "천자는 7묘인데 예컨대 주나라 문왕과 무왕의 사당은 부조 사당이다. 문왕은 목이므로[270] 후손 중 (친진이 된) 목에 해당한 신주는 모두 문왕의 사당으로 돌아가고, 무왕은 소이므로 후손 중 소에 해당한 신주는 모두 무왕의 사당으로 돌아가는 것이다."

[66-3-7]

"昭穆, 昭常爲昭, 穆常爲穆. 中間始祖, 太廟門向南, 兩邊分昭穆. 周家則自王季以上之主, 皆祧于后稷始祖之夾室; 自成王·昭王以下, 則隨昭穆遞遷于昭穆之首廟而止. 如周則文王爲穆之首廟,[271] 凡新崩者祔廟, 則看昭穆. 但昭則從昭, 穆則從穆, 不交互兩邊也."

267 『朱子語類』 권90, 34조목

268 『朱子語類』 권90, 40조목

269 '대수가 먼 … 삼는다.' : 『朱子大全箚疑輯補』 권69에는 이를 "대수가 먼 사당은 친진한 사당을 이른다. 「祭法」의 疏에 '그분에게 공덕이 있는 까닭에 신주를 남겨두고 옮기지 않는 것을 不祧라고 한다. 祧는 초연의 뜻이다. 그가 초연히 위로 오른다는 뜻이다. 친진한 조상으로 높일 만한 아무런 공덕이 없을 경우 그 신주를 옮겨 조상의 사당 협실에 모시는 것이 초연히 조상의 사당에 오르는 것이다.(遠廟謂親盡之廟. 「祭法」疏曰'以其有公德, 故留而不遷謂之(不)祧, 祧之言超也, 言其超然上去也. 親盡之祖, 無功德可宗, 則遷其主, 而藏于祖廟之夾室, 以其超然上藏於祖廟也.)"라고 하였다. 다만 원문에서 '不'자를 첨가하였는 바, 이 한 글자가 빠진 것으로 본다.

270 문왕은 목이므로 : 문왕이 시조인 棄(堯임금 때의 后稷)로부터 左穆右昭의 순서로 세면 목에 해당한다.

271 文王爲穆之首廟 : 『朱子語類』 권90, 4조목에는 이글 다음에 '武王爲昭之首廟'라는 문장이 더 있다. 이 문장에 따라 번역을 첨가한다.

又云："諸廟皆有夾室."

(주자가 말하였다.) "소와 목에서 소는 항상 소가 되고, 목은 항상 목이 된다. (사당의) 가운데 칸은 시조이며, 태묘太廟의 문은 남향하고 양쪽은 소와 목을 나눈다. 주나라 왕실은 왕계王季로부터 윗대의 신주는 모두 후직 시조의 협실夾室에 조祧로 모시고, 성왕成王과 소왕昭王부터 이후는 소목에 따라 소와 목의 맨 윗대 조상의 사당에 옮겨 모신다. 예컨대 주나라라면 문왕이 목의 윗대 조상 사당이고, 무왕은 소의 윗대 조상 사당이니, 새로 죽은 천자가 부묘祔廟하게 되면 그의 소와 목을 가려 소인 경우 소로 가고 목인 경우 목으로 가서, 양쪽을 서로 오가지 않는다."
또 말하였다. "여러 사당마다 모두 협실이 있다."

[66-3-8]

問："廟主自西而列, 何所據?"

曰："此也不是古禮. 如古時, 一代只奉之於一廟. 如后稷爲始封之廟, 文王自有文王之廟, 武王自有武王之廟, 不曾混雜共一廟."[272]

물었다. "사당의 신주를 서쪽으로부터 늘어놓는 것은 어디에 근거한 것입니까?"
(주자가) 대답하였다. "이 또한 옛날 예는 아니다. 옛날에는 한 왕을 다만 한 사당에 모셨을 뿐이다. 예컨대 후직은 처음 봉작 받은 사당이 되고, 문왕은 저절로 문왕 사당이 있고 무왕은 저절로 무왕 사당이 있어 함께 한 사당에 뒤섞인 적이 없다."

[66-3-9]

"古者一世自爲一廟. 有門有堂有寢, 凡屋三重而墻四周焉. 自後漢以來, 乃爲同堂異室之廟, 一世一室而以西爲上. 如韓文中家廟碑, 有祭初室, 祭東室之語. 今國家亦只用此制, 故士大夫家亦無一世一廟之法, 而一世一室之制亦不能備. 故溫公諸家祭禮, 皆用以右爲尊之說. 獨文潞公嘗立家廟. 今溫公集中有碑, 載其制度頗詳, 亦是一世一室而以右爲上, 自可檢看. 伊川之說亦誤, 昭穆之說則又甚長. 中庸或問中已詳言之, 更當細考. 大抵今士大夫家, 只當且以溫公之法爲定也."[273]

(주자가 말하였다.) "옛날에는 1대로 한 사당을 만들었다. (그 사당은) 문도 있고 당堂도 있고 침寢도 있으며[274] 집은 삼중이고[275] 담장도 사방으로 둘러쳤다. 후한 시대부터 비로소 동당이실同堂異室의 사당을 만들어 1대로 한 방을 만들고는 서쪽(오른쪽)을 윗대 할아버지 자리로 삼았다. 예컨대 한퇴지韓退之[韓

272 『朱子語類』 권90, 38조목
273 『朱文公文集』 권63 「答郭子從 제1서」
274 문도 있고 … 있으며: 『朱子大全箚疑輯補』 권63에 "문 안에 당이 있고, 당 뒤에 침이 있다. 당은 바로 正寢이니 東廂과 西廂이 있고, 침은 바로 燕寢이니 「士喪禮」에서 말하는 下室이다.(門內有堂 堂後有寢 堂卽正寢 有東西廂, 寢卽燕寢, 士喪禮所謂下室也.)"고 하였다.
275 집은 삼중이고: 『朱子大全箚疑輯補』 권63에 "문과 당과 침이다.(門堂寢.)"고 하였다.

愈] 문집 중의 가묘비家廟碑[276]에 '초실初室에 제사한다.' '동쪽 방에 제사한다.'는 말이 있다. 오늘날 국가 역시 다만 이 제도를 사용하는 까닭에 사대부 집안 역시 1대로 한 사당을 세우는 법이 없으며, 1대를 한 방에 독립하여 모시는 제도조차 역시 갖추지 못하였다. 그런 까닭에 사마온공司馬溫公과 여러 사람의 제례祭禮에 모두 오른쪽으로 높음을 삼는 설을 채용하고 있다. 홀로 문로공文潞公만이 가묘家廟를 세웠는데, 지금 사마온공의 문집 가운데 비문碑文이 실려 있어[277] 그 제도가 제법 자상한데, 역시 1대로 한 방을 쓰고 오른쪽(서쪽)으로 높음을 삼고 있음을 살필 수 있다. 이천伊川의 주장은[278] 역시 잘못된 것이나 소목에 대한 주장은 또한 매우 훌륭하다. 『중용혹문中庸或問』[279]에 이미 자상하게 말하였으니 다시 당연히 살펴볼 수 있을 것이다. 대체로 오늘날 사대부 집안은 당연히 사마온공의 법으로 정론을 삼아야 한다."

[66-3-10]

"家廟要就人住居. 神依人, 不可離外做廟. 又在外時, 婦女遇雨時難出入."[280]

(주자가 말하였다.) "가묘는 사람이 사는 곳에 지어야 한다. 신은 사람을 의지하니 집밖에 떨어지게 지어서는 안 된다. 또 (사당이) 밖에 있을 경우 부녀자가 비를 만났을 때 드나듦이 어렵다."

[66-3-11]

臨川吳氏曰: "古之大夫元士有家. 有家者何? 謂都邑有食采之田, 以奉宗廟. 子孫雖不世爵而猶世祿. 承家之宗子, 世世守其宗廟所在, 而支子不得與焉. 宗子出在他國而不復, 然後命其兄弟若族人主之. 此古者大夫士之家, 所以與國咸休而無時或替也."[281]

임천 오씨臨川吳氏[吳澄]가 말하였다. "옛날의 대부와 원사元士는 가家가 있다. 가가 있다는 것은 무엇인가? 수도와 지방에 채지采地의 전답이 있어 그것으로 종묘를 받듦을 이른다. 자손이 대대로 작위를 갖지 않아도 세록世祿은 여전하다. 가를 잇는 종자宗子는 자신 집안의 종묘가 모셔진 곳에서 대대로 수호하고 작은집 자손은 수호에 참여하지 못한다. 종자가 타국에 나가 돌아오지 않으면, 그 뒤에 그 형제나 집안사람을 명하여 주관하게 한다. 이것이 옛날 대부와 원사의 가家가 나라와 함께 번영하며 어느 때고 혹여 바뀜이 없는 까닭이다."

276 家廟碑 : 한유의 저서 중 「魏博節度觀察使沂國公先廟碑銘」을 이른다. 이 글에 "증조 都水使者府君은 初室에 제사하고, 조부 안동사마 安東司馬贈襄州刺史府君은 두 번째 방에 제사하고, 兵部府君은 동쪽 방에 제사한다.(曾祖都水使者府君祭初室 ; 祖安東司馬贈襄州刺史府君祭二室 ; 兵部府君祭東室.)"고 하였다. 여기서 초실은 오른쪽 첫째 방이고 동쪽 방은 왼쪽 방을 이른다.

277 사마온공의 문집 … 있어 : 『傳家集』 권79 「河東節度使守太尉開府儀同三司潞國公文公先廟碑」를 이른다.

278 伊川의 주장은 : 『朱子大全箚疑輯補』 권63에 "이천은 사당은 모두 동향하고, 조상의 위패도 동향한다.(伊川曰, 廟皆東向, 祖先位面東.)"고 하였다.

279 『中庸或問』 : 『中庸或問』 가운데 제18장과 19장을 묶어서 설명하고 있는데 이에 대한 언급이 자상하다.

280 『朱子語類』 권90, 51조목

281 『吳文正集』 권40 「南樓記」

性理大全書卷之六十七
성리대전서 권67

治道二 치도 2

治道二
다스리는 도리 2

宗法 종법

[67-1-1]

程子曰 : "'宗子繼別爲宗.' 言別, 則非一也. 如別子五人, 五人各爲大宗. 所謂兄弟宗之者, 謂別子之子, 繼禰者之兄弟, 宗其小宗子也."[1]

정자가 말하였다. "'종자는 별자別子를 이어 종자가 된 자이다.'[2]고 하였으니, 별자라고 말할 수 있는 사람은 하나가 아니다. 만일 별자가 5명인 경우 5명이 각기 대종大宗(조상을 잇는 맏아들)이 된다. 이른바 형제가 받든다는 말은, 별자의 아들들을 이르니, 아버지를 이은 형제들이 그 소종小宗의 아들을 받드는 것을 말한다."

[67-1-2]

"宗子無法, 則朝廷無世臣. 立宗子則人知重本, 朝廷之勢自尊矣. 古者子弟從父兄, 今也父兄從子弟, 由不知本也. 人之所以順從而不辭者, 以其有尊卑上下之分而已. 苟無法以聯屬之, 可乎?."[3]

1 『二程遺書』 권1

2 '종자는 別子를 … 자이다.' : 『禮記』「喪服小記」에서, "별자가 조상이 되고, 별자를 이은 자가 종자가 된다. 아버지를 이은 자는 소종이 되니, 5대가 되어 옮겨지는 종자는 고조를 이은 종자이다. 이런 까닭에 조상[祖]이 위에서 옮겨지면 宗은 아래에서 바뀐다.(別子爲祖, 繼別爲宗. 繼禰者爲小宗, 有五世而遷之宗, 其繼高祖者也. 是故祖遷於上, 宗易於下.)"고 하였다. 소종을 陳澔는 『集說』에서 "아버지를 이은 자가 소종이 된다는 말은, 별자의 庶子(장자를 제외한 나머지 아들)가 자신의 장자로 자신의 대를 잇게 한 것이 소종이니, 그와 아버지 같은 형제가 그 아들을 받드는 것이다.(繼禰者爲小宗, 謂別子之庶子, 以其長子繼己爲小宗, 而其同父之兄弟宗之也.)"고 하였다.

3 『二程粹言』 권상 「論政篇」

(정자가 말하였다.) "종자에 대한 법이 없으면 조정에 세신世臣이 없게 된다. 종자를 세우게 되면 사람들이 근본의 중요성을 알아 조정의 형세가 저절로 높아진다. 옛날에는 자제들이 부형을 따랐는데, 오늘날에는 부형이 자제를 따르고 있으니, 근본을 알지 못하게 된 연유다. 사람들이 순종하며 시비하지 않는 까닭은 거기에 존비와 상하의 직분이 있어서일 따름이다. 진실로 연계시킬 만한 법도가 없는 것이 옳겠는가?"

[67-1-3]

"凡小宗以五世爲法, 親盡則族散. 若高祖之子尙存, 欲祭其父, 則見爲宗子者, 雖是六世七世, 亦須計會今日之宗子, 然後祭其父. 宗子有君道"[4]

(정자程頤가 말하였다.) "소종은 5대를 기준으로 삼으니 친진親盡이 되면 족族의 뜻은 사라진다. 만일 고조의 아들이 아직 남아 그 아버지를 제사하고자 하면 현재 종자가 되어 있는 사람이 6대손 7대손일지라도 또한 당연히 현재의 종자를 따져 헤아린 뒤라야 그 아버지를 제사지낼 수 있다. 종자에게 군주의 도리가 있어서다."

[67-1-4]

"後世骨肉之間, 多至仇怨忿爭, 其實爲爭財. 使之均布, 立之宗法, 官爲法則無所爭."[5]

(정자程頤가 말하였다.) "후세에서 골육 사이가 대부분 원수가 되어 분쟁하게 된 것은 실상 재산을 다투기 때문이다. 고르게 나누게 하고 종법宗法을 세워서 관청이 법대로 행한다면 다툼은 없어질 것이다."

[67-1-5]

"立宗非朝廷之所禁, 但患人自不能行之."[6]

(정자가 말하였다.) "종자를 세우는 일은 조정이 금하지 않는데, 다만 사람들 스스로가 행하려 하지 않아 걱정이다."

[67-1-6]

"凡大宗與小宗, 皆不在廟數."[7]

(정자程頤가 말하였다.) "대종과 소종은 모두 사당 숫자와는 상관되지 않는다."

[67-1-7]

"禮, '長子不得爲人後'. 若無兄弟, 又繼祖之宗絶, 亦當繼祖. 禮雖不言, 可以義起."[8]

4 『二程遺書』 권17
5 『二程遺書』 권17
6 『二程遺書』 권2상
7 『二程遺書』 권17

(정자가 말하였다.) "예에서 '장자는 남의 양자가 될 수 없다.'고 하였다. 만일 다른 형제가 없는 처지에, 또 할아버지의 종통이 끊기게 되었으면 또한 당연히 할아버지를 이어야 한다. 예에서 말하고 있지 않지만 의리에 의해 그렇게 할 수 있다."[9]

[67-1-8]

"凡人家法, 須令每有族人遠來, 則爲一會以合族. 雖無事, 亦當每月一爲之. 古人有花樹韋家會法, 可取也. 然族人每有吉凶嫁娶之類, 更須相與爲禮, 使骨肉之意常相通. 骨肉日疎者, 只爲不相見, 情不相接爾."[10]

(정자가 말하였다.) "사람 집안의 법도는, 당연히 집안사람이 먼 곳에서 찾아올 적마다 한 차례 모여서 집안사람이 모여야 한다. 일이 없더라도 또한 당연히 달마다 한 번씩은 모여야 한다. 옛 사람 가운데, 꽃나무 아래서 위씨韋氏 집안 사람들이 모이던 법[11]이 있으니 취할 만하다. 그리고 집안사람들이 매번 길흉사나 시집장가 들이는 일 따위가 있을 적이면, 다시 당연히 서로 함께 인사를 차려, 골육간의 의의가 늘 서로 통하게 해야 한다. 골육이 날로 소원해 지는 것은, 다만 서로 만나지 않아 정이 서로 이어지지 않아서이다."

[67-1-9]

張子曰 : "宗子之法不立, 則朝廷無世臣. 且如公卿一日崛起於貧賤之中以至公相, 宗法不立, 旣死遂族散, 其家不傳. 宗法若立, 則人人各知來處, 朝廷大有所益."

或問 : "朝廷何所益?"

曰 : "公卿各保其家, 忠義豈有不立? 忠義旣立, 朝廷之本豈有不固? 今驟得富貴者, 止能爲三四十年之計, 造宅一區, 及其所有. 旣死, 則衆子分裂, 未幾蕩盡, 則家遂不存. 如此, 則家且不能保, 又安能保國家?"[12]

8 『二程遺書』 권17

9 의리에 의해 … 있다. : 이 義起說은 기왕에 규정되지 않은 것을 의리로 따져 시행하는 것을 이른다. 예컨대 아버지 제사에 어머니까지 함께 제사를 드리는 것이, 바로 이 의리로 따져 행한 것이니, 예의에 크게 벗어나지 않고 자식 된 마음에 합당해서이다.

10 『二程遺書』 권1

11 꽃나무 아래서 … 법 : 이 고사는 『困學紀聞』 권18 「評詩」에서 살펴볼 수 있다. 이글에서 이천의 이 말을 인용하고서 위씨 집안의 내력을 이렇게 밝히고 있다. "종회법은 지금 전하지 않는다. 岑參이 지은 「韋員外家花樹歌」가 있는데 '그대 형제의 경대부에 어사에 상서랑들을 당해낼 길 없구려! 아침이면 꽃나무 아래 늘 집안사람들 모여, 꽃가지로 술항아리 두드리니 술 향기 높아라!'라고 하였다. 위원외는 그 성명은 전하지 않으나 이 시에서 한 집안의 꽃처럼 성한 모습을 볼 수 있다.(宗會法今不傳. 岑參有韋員外家花樹歌. 君家兄弟不可當, 列卿御史尚書郎. 朝回花底常會客, 花撲玉缸春酒香. 韋員外失其名, 此詩見一門華鄂之盛.)" 여기서 員外는 벼슬 이름이다.

12 『張子全書』 권4 「宗法」

장자張子[張載]가 말하였다. "종자 세우는 법이 확립되지 않으면 조정도 세신이 없게 된다. 가령 공경公卿이 하루아침에 빈천 가운데서 굴기하여 공경과 상국에 이를지라도 종법이 확립되어 있지 않으면 죽고 나면 마침내 집안이 흩어져 그 집안마저 전해지지 않는다. 종법이 만일 확립되어 있다면 사람마다 각기 조상을 알 수 있어 조정에도 크게 유익함이 있을 것이다."
어떤 사람이 물었다. "조정에 어떤 유익함이 있습니까?"
(장자가) 대답하였다. "공경이 각기 자신 한 집안을 보존하면 충의忠義가 왜 확립되지 않겠는가? 충의가 확립되면 조정의 근본이 어찌 견고하지 않겠는가? 오늘날 갑작스럽게 부귀하게 된 자들은 겨우 다만 30~40년의 계획을 세워 한 구역에 집을 마련하나 그것을 소유하는데 그친다. 죽고 나면 여러 아들이 찢어져 나뉘어 얼마가지 않아 탕진하며 집안마저 마침내 보존되지 못한다. 이 같은 경우 한 집안도 보존할 수 없는데 또 어떻게 국가를 보존할 수 있겠는가?"

[67-1-10]

"夫所謂宗者, 以己之旁親兄弟來宗己, 所以得宗之名, 是人來宗己, 非己宗於人也. 所以繼禰, 則謂之繼禰之宗. 繼祖, 則謂之繼祖之宗. 曾高亦然."[13]

(장자가 말하였다.) "이른바 종宗은 자신의 방계 친족 형제가 찾아와 자신을 떠받들어 주는 것에서 종宗이라는 명칭을 얻게 된 것이니, 남들이 찾아와 자신을 떠받드는 것이지 내가 남을 떠받드는 것이 아니다. 그런 까닭에 아버지를 이으면 아버지를 잇는 '종'이라 하고, 할아버지를 이으면 할아버지를 잇는 '종'이라 하는 것이다. 증조와 고조도 역시 그러하다."

[67-1-11]

"言宗子者, 謂宗主祭祀. 宗子爲士, 庶子爲大夫, 以上牲祭於宗子之家. 非獨宗子之爲士, 爲庶人亦然."[14]

(장자가 말하였다.) "종자라고 일컬어지는 사람은 제사를 떠받들어 주관하는 것을 이른다. 종자가 사士이고 서자庶子(종자가 아닌 모든 자손)가 대부大夫이면 상생上牲[15]으로 종자의 집에서 제사지내야 한다. 다만 종자가 사가 아니고 서인일지라도 또한 이와 같다."

[67-1-12]

"'宗子之母在, 不爲宗子之妻服', 非也. 宗子之妻, 與宗子共事宗廟之祭者, 豈可夫婦異服? 故

13 『張子全書』 권4 「宗法」
14 『張子全書』 권4 「宗法」
15 上牲 : 양과 돼지[豕]를 이른다. 『禮記』 「曾子問」에서 "증자가 '종자가 사이고 서자가 대부일 경우 제사를 어떻게 해야 합니까?'라고 묻자 공자는 '상생으로 종자의 집에서 제사지내야 한다.'라고 하였다.(曾子問曰, '宗子爲士, 庶子爲大夫, 其祭也, 如之何?' 孔子曰, '以上牲祭於宗子之家.')"고 하였다. 鄭玄의 注에 "상생은 대부의 소뢰이다.(上牲, 大夫少牢.)"고 하였는데 소뢰는 양과 돼지이다.

宗子雖母在, 亦當爲宗子之妻服也. 東酌犧象, 西酌罍尊, 須夫婦共事, 豈可母子共事也? 未娶而死, 則難立後, 爲其無母也. 如不得已, 須當立後, 又須幷其妾母與之, 大不得已也. 未娶而死, 有妾之子, 則自是妾母也."[16]

(장자가 말하였다.) "'종자의 어머니가 살아있을 경우 종자의 처를 위한 복은 입지 않는다.'[17]는 그른 말이다. 종자의 처는 종자와 함께 종묘의 제사를 받드는 사람인데 어찌 부부의 복을 달리 입을 수 있겠는가? 그러므로 종자의 어머니가 살아있더라도 역시 종자의 처를 위해 당연히 복을 입어야 한다.[18] 동쪽에서 희상犧象(술잔의 일종)을 뜨고 서쪽에서 뇌준罍尊(술잔의 일종)을 뜨려면[19] 당연히 부부가 함께 제사 일을 해야 하는데 어떻게 어머니와 아들이 제사 일을 함께 할 수 있겠는가? 장가들기 전에 죽었을 경우 양자를 세우기 어려운 것은 어머니가 없는 까닭에서다. 만일 부득이 반드시 양자를 세워야 한다면, 또 첩모妾母도 아울러 함께 참여시키는 것은, 크게 부득이해서다. 장가들기 전에 죽었을지라도 첩에게서 아들이 있을 경우 그 사람이 첩모이다."

[67-1-13]

"古所謂'支子不祭'也者, 惟使宗子立廟主之而已. 支子雖不得祭, 至於齊戒致其誠意, 則與祭者不異. 與則以身執事, 不可與則以物助之. 但不別立廟, 爲位行事而已. 後世如欲立宗子, 當從此義. 雖不與祭, 情亦可安."[20]

(장자가 말하였다.) "옛날에 이른바 '지자支子는 제사지내지 못한다.'[21]는 말은 종자에게 사당을 세워 주관하게 하기 위해서일 따름이다. 지자가 제사지낼 수는 없으나, 재계하여 정성된 뜻을 지극히 하는 것은 제사에 참여한 자와 다르지 않다. 참여하였으면 몸소 제사 일을 도와야 하고, 참여하지 못하였으면 제물을 도와야 한다. 다만 따로 사당을 세우고, 신위를 만들어 제사를 지내지 못할 뿐이다. 후세에 만일 종자를 세우고자 한다면 마땅히 이 의리를 따라야 한다. 제사에 참여하지 못하더라도 마음이야 또한 편할 수 있다."

[67-1-14]

朱子曰 : "宗子法, 雖宗子庶子孫死, 亦許其子孫別立廟."[22]

16 『張子全書』 권4 「宗法」
17 '종자의 어머니가 … 않는다.' : 『儀禮』 권11 「喪服」
18 '종자의 처를 … 한다.' : 여기서 말하는 종자는 不遷位의 조상을 모시는 종손의 처를 이른다. 만약 입어야 한다면 『儀禮』에서는 齊衰 3월의 복을 입어야 한다고 하였다.
19 동쪽에서 犧象(술잔의 일종)을 … 뜨려면 : 『禮記』「禮器」에는 "廟堂에서 뇌준은 동쪽에 있고 희준은 서쪽에 있다.(廟堂之上, 罍尊在阼, 犧尊在西.)"고 하였다. 이글과 약간 다르다.
20 『張子全書』 권4 「宗法」
21 '支子는 제사지내지 못한다.' : 『禮記』「曲禮下」에서, "지자는 제자지내지 못하니 제사를 지내야 할 경우 반드시 종자에게 고해야 한다.(支子不祭, 祭必告于宗子.)"고 하였다.

주자가 말하였다. "종자법에서 종자의 서자손庶子孫이 죽었을 때는 또한 그 자손이 따로 사당 세우는 것을 허락해야 한다."

[67-1-15]

問: "周制有大宗之禮, 乃有立適之義. 立適以爲後, 故父爲長子權其重者若然. 今大宗之禮廢, 無立適之法, 而子各得以爲後, 則長子少子當爲不異. '庶子不得爲長子三年'者, 不必然也. 父爲長子三年者, 亦不可以適庶論也."

曰: "宗子雖未能立, 然服制自當從古. 是亦'愛禮存羊'之意, 不可妄有改易也. 如漢時宗子法已廢, 然其詔令猶云'賜民當爲父後者爵一級', 是此禮意猶在也. 豈可謂宗法廢, 而諸子皆得爲父後乎?"[23]

물었다. "주나라 제도에 대종大宗의 예가 있으니 바로 적자를 세우는 것에 대한 의리입니다. 적자를 세워 후계자로 삼는 까닭에 아버지가 장자를 위해 가장 중한 복을 헤아려 그같이 한 것입니다.[24] 지금 대종의 예가 사라져 적자를 세우는 법도가 없어지고, 서자庶子도 각기 아버지의 뒤를 이을 수 있게[25] 되었다면, 장자와 소자는 당연히 (복을 입어주는 것이) 다르지 않아야 합니다. '서자는 장자처럼 삼년상을 입을 수 없다.'[26]는 그와 같이 할 필요가 없을 것이며, 아버지가 장자를 위해 삼년복을 입는 것 역시 적자와 서자를 구별해서는 안 될 것입니다."

(주자가) 대답하였다. "종자를 세울 수 없더라도 복제服制는 당연히 옛날대로 따라야 한다. 이 역시 '예를 아껴 희생양을 보존하고자' 하는 뜻[27]이니 함부로 바꾸어선 안 된다. 예컨대 한漢나라 때 종자법이 이미 없어졌으나 조령에 여전히 '백성들 중 당연히 아버지를 대신해 후계자가 될 사람에게는 작위 한 계급을 내린다.'[28]고 말하고 있으니, 이는 종자에 대해 예우하는 뜻이 여전히 남아서이다. 어떻게 종법이 없어졌

22 『朱子語類』 권90, 63조목

23 『朱文公文集』 권63 「答郭子從」 제2書

24 아버지가 장자를 … 것입니다. : 이글의 원문 "權其重者"에 대해 『朱子大全箚疑輯補』 권63에서, "아버지가 자식을 위해 삼년상을 입어주는 것은 옳지 않지만 맏아들은 할아버지와 아버지의 대를 이을 적장이고, 또 할아버지와 아버지의 중함을 승계해야 하는 까닭에 이를 중하게 생각하여 삼년상을 입는 것이다.(父不可爲子三年, 而以長子當祖禰之正體, 又將傳祖禰之重 故以此爲重而爲之三年也.)"고 하였다.

25 庶子도 각기 … 있게 : 이 글의 원문 "子各得以爲後"에 대해 『朱子大全箚疑輯補』 권63에서, "서자도 아버지의 뒤를 이을 수 있다.(庶子亦得爲父之後.)"고 하였다.

26 '서자는 장자처럼 … 없다.' : 『儀禮』 「喪服」의 傳에 있는 말이다.

27 '예를 아껴 … 뜻 : 『論語』 「八佾」의 말을 인용한 것이다. 내용은 다음과 같다. "자공이 매달 告朔의 예로 희생되는 양을 없애고자 하자, 공자가 말하였다. '사야! 너는 그 양을 아까워하는가? 나는 그 예를 아까워한다.'(子貢欲去告朔之餼羊, 子曰, '賜也, 爾愛其羊? 我愛其禮.')" 여기서 곡삭은 제후국이 천자국에서 내린 달력을 종묘에 갈무리해 두었다가 매달 초하루이면 양 한 마리를 제물로 바치는 제사를 지내고서 그것을 꺼내 시행하는 예를 이른다.

28 '백성들 중 … 내린다.' : 漢文帝 2년 정월에 내린 조서이다. 『史記』 「孝文帝本紀」에, "천하의 백성 가운데

다고 해서, 여러 아들이 모두 아버지의 후계자가 될 수 있다고 말할 수 있겠는가?"

[67-1-16]

北溪陳氏曰 : "神不歆非類, 民不祀非族. 古人繼嗣, 大宗無子, 則以族人之子續之, 取其一氣脉相爲感通, 可以嗣續無間. 此亦至正大公之擧, 而聖人所不諱也. 後世理義不明, 人家以無嗣爲諱, 不肯顯立同宗之子, 多是潛養異姓之兒. 陽若有繼, 而陰已絶矣. 蓋自春秋鄫子取莒公子爲後, 故聖人書曰莒人滅鄫. 非莒人滅之也, 以異姓主祭祀, 滅亡之道也. 秦以呂政絶, 晉以牛睿絶, 亦皆一類.

북계 진씨北溪陳氏[陳淳]가 말하였다. "'신神은 자신의 종족이 아니면 제물을 흠향하지 않고 사람은 친족이 아닌 사람에게 제사지내지 않는다.'[29]고 했다. 옛사람이 양자를 세우며, 대종大宗에 아들이 없으면 집안 사람의 아들을 데려다 대를 이은 것은, 똑같은 기질과 맥박이 서로 감통感通하여 대를 잇는 것에 아무런 흠이 없을 수 있다는 점을 취한 것이다. 이 역시 지극히 옳고 매우 공정한 일이니 성인도 감추지 않은 일이다. 후세에는 의리가 밝혀지지 않고, 집안들이 자손이 없는 것을 꺼릴 일로 여기면서, 같은 성씨의 아이를 버젓이 세우는 것을 즐기지 않고, 대부분 다른 성씨의 아이를 몰래 길렀다. 겉으로는 자손이 있는 것 같으나 속으로는 이미 끊긴 것이다. 춘추시대부터 증자鄫子가 거공莒公의 아들을 데려다 후계자로 삼은 까닭에, 성인이 '거莒나라 사람이 증鄫나라를 멸망시켰다.'[30]라고 기록한 것이다. 거나라 사람이 멸망시킨 것이 아니라 다른 성씨가 제사를 주제하는 것은 멸망의 도리여서이다. 진秦나라는 여정呂政에 의해 끊기고[31] 진晉나라는 우예牛睿에 의해 끊겼으니[32] 또한 똑같은 부류이다.

然在今世論之, 立同宗又不可泛. 蓋姓出於上世聖人之所造, 正所以別生分類. 自後有賜姓匿姓者, 又皆混雜. 故立宗者, 又不可恃同姓爲憑. 須擇近親有來歷分明者, 立之, 則一氣所感, 父祖不至失祀. 今世多有以女子之子爲後, 以姓雖異, 而有氣類相近, 似勝於姓同而屬疎者.

아버지의 대를 이어 후계자가 될 아들에게는 한 계급의 작위를 내린다.(賜天下民當代父後者, 爵各一級.)"고 하였다.

29 '신은 자신의 … 않는다.' : 『春秋左傳』「僖公 10년」에 狐突이 당시 태자였던 申生에게 한 말이다.

30 '莒나라 사람이 … 멸망시켰다.' : 『春秋』「襄公 6년」의 기사다. 그러나 거공의 아들 운운은 『春秋公羊傳』과 『春秋穀梁傳』에서만 주장하고, 『春秋左傳』은 이 말을 취하지 않았다.

31 秦나라는 呂政에 … 끊기고 : 여정은 진시황을 그의 이름 정과, 呂不韋이의 아들이었으므로 여씨의 성을 붙여 이름한 것이다. 진나라의 본래 성은 嬴이다.(『史記』「秦始皇本紀」)

32 晉나라는 牛睿에 … 끊겼으니 : 우예는 진나라의 元帝 司馬睿를 이른다. 그가 진나라의 장군 牛金과 원제의 母后 夏侯妃 사이에 낳은 아들이라는 소문에서 이렇게 기록된 것이다. 우금은 司馬懿의 명장이었으나 당시 상서의 조짐으로 얻은 돌이, 말 뒤쪽에 소 모양[馬後有牛]을 한 것이어서 사마의가 자신의 성 司馬와 우금의 성 牛를 결부시켜, 우씨가 사마씨를 대신할 불길한 것으로 예상하고 우금을 죽였다.(『諸史然疑』「晉書」 : "景帝曰, 金, 名將, 可大用云, 何害之? 宣帝曰, 汝忘石瑞馬後有牛乎? 元帝母夏侯妃, 與琅邪國小史姓牛, 私通而生元帝, 元帝紀因之.")

然賈充以外孫韓謐爲後, 當時太常博士秦秀已議其昏亂紀度. 是則氣類雖近, 而姓氏實異. 此說亦斷不可行."

그러나 오늘날로 말하면, 같은 성씨로 세우는 일도 또 가볍게 말할 수 없다. 성姓은 상고시대 성인이 만든 것에서 나온 것이니, 바로 성으로 구별 짓고 기질의 류類로 나눈 것이다. 그 뒤 성을 하사하는 일도 성을 숨기는 일도 있게 되면서, 또 모두가 혼잡스러워졌다. 그러므로 종자宗子를 세우려는 자는 또 같은 성이라는 것만을 믿고 근거로 삼아서는 안 된다. 모름지기 가까운 친족에서 내력이 분명한 자를 가려 세우면, 한 기질[一氣]이 감응한 바가 되어 부조父祖가 제사를 잃지 않게 될 것이다. 오늘날에는 딸의 아들로 후손을 삼는 경우도 많아, 성씨는 다르지만 기질상의 류는 서로 가까우니, 성은 같지만 사이가 소원한 것보다 나은 듯하다. 그러나 가충賈充[33]이 외손자 한밀韓謐을 아들로 삼자, 당시에 태상박사太常博士 진수秦秀가 기강과 법도를 혼란시킨다고 비난하였다. 이는 기질은 가깝지만 성씨가 실제 달라서이다. 이런 주장은 결단코 시행되어서는 안 된다."

[67-1-17]

潛室陳氏曰: "宗法爲諸子之庶子設. 恐其後流派寖多, 姓氏紛錯, 易至殽亂. 故於源頭有大宗以統之. 則人同知尊祖; 分派處有小宗以統之, 則人各知敬禰.

잠실 진씨潛室陳氏[陳埴]가 말하였다. "종법은 여러 아들들 중 서자庶子를 위해 만든 것이다. 그것은 후대에 유파가 점점 많아져 성씨가 복잡하게 뒤섞이니 쉬이 혼란해질 것을 염려한 것이다. 그러므로 맨 꼭대기에 대종大宗의 거느림이 있으면 사람들이 함께 조상을 높일 줄 알고, 분파되는 곳에 소종小宗의 거느림이 있으면 사람들이 각기 아버지를 공경할 줄 알게 된다.

且始封之君, 其適子襲封, 則庶子爲大夫. 大夫不得以禰諸侯, 故自別爲大夫之祖, 是謂別子爲祖也. 別子之適子則爲大宗, 使繼其祖之所自出. 從此直下, 適子世爲大宗, 合族同宗之, 是謂繼別爲宗也.

또 처음 나라에 봉군封君된 군주가 그 적자가 이어가며 봉군되면 서자는 대부가 된다. 대부는 제후를 아버지 사당으로 받들 수 없는 까닭에 스스로 별도의 대부 시조가 되니, 이것이 '별자別子가 시조가 된다.'[34]는 것이다. 별자의 적자는 대종이 되니, 그 할아버지가 갈래져 나온 곳에서 대를 잇게 해서다. 이로부터 직계로 내려가며 적자가 대대로 대종이 되어 온 집안이 함께 높이니 이것이 '별자를 이은 사람이 종宗이 된다.'[35]는 것이다.

33 賈充: 삼국시대 魏나라 말기에 태어나, 晉나라를 건국한 司馬昭를 섬겼다. 진나라가 건국되며 侍中에 오르고 魯郡公에 봉해졌다. 가충이 아들 없이 죽자 가충의 부인 郭槐의 주장으로 외손자 한밀을 세워 봉사하게 하였다.(『晉書』 권40 「賈充傳」)

34 '別子가 시조가 된다.': 『禮記』「喪服小記」에 "별자가 시조가 되고 별자를 이은 자가 宗이 되고, 아버지를 이은 자가 小宗이 된다.(別子爲祖, 繼別爲宗, 繼禰者爲小宗.)"고 하고, 진호의 『集說』에서 "爲祖는 별도로 후세 자손과 시조가 되는 것이다.(爲祖者, 別與後世爲始祖也.)"고 하였다.

別子之庶子, 又不得以禰別子, 却待其子繼之, 而自別爲禰, 繼禰者遂爲小宗. 凡小宗之適子, 服屬未盡, 常爲小宗.

별자의 서자는 또 별자를 아버지 사당으로 받들 수 없으니 자신의 아들이 이어가기를 기다려 별도의 아버지 사당의 주인이 되니, 그 사당을 이어가는 사람이 마침내 소종이 된다. 소종의 적자는 상복의 복제가 아직 다하지 않은 경우 늘 소종의 종자宗子이다.

凡小宗之庶子, 又別爲禰, 而其適子又各爲小宗, 兄弟同宗之. 謂繼禰爲小宗是也.

모든 소종의 서자는 또 별도로 아버지 사당의 주인이 되니, 그 적자가 또 각기 소종이 되어 형제가 함께 높인다. '아버지를 잇는 자는 소종이 된다.'[36]는 것이 이것이다.

大宗是始祖正派下, 雖其後支分派別, 皆同宗此祖, 則合族皆服齊衰九月, 初不以親屬近遠論. 是爲百世不遷之宗. 小宗是禰正派下, 親盡則絶. 如繼禰者, 親兄弟宗之, 爲之服朞. 繼祖者, 則從兄弟宗之, 爲之服大功. 繼曾祖者, 再從兄弟宗之, 爲之服小功. 繼高祖者, 三從兄弟宗之, 爲之服緦. 自此以後, 代常趲一代, 是爲五世則遷之宗.

대종은 시조에서 정파正派(嫡子 系派)로 내려온 사람이니, 그 후손이 가지 쳐 나뉘고 갈래 져 갈렸어도 모두 함께 이 시조를 높이니 (종자가 죽었을 경우) 온 집안 모두가 자최齊衰 9월복을 입고, 조금이라도 친속의 멀고 가까움을 따져서는 안 된다. 이것이 백세불천百世不遷의 대종이다. 소종은 아버지 사당에서 정파로 내려온 사람이니 친진親盡이 되면 끊어진다. 아버지를 잇는 자의 경우 친형제들끼리 높이고 그를 위해 기년복朞年服(1년복)을 입는다. 할아버지를 잇는 자는 종형제들끼리 높이고 그를 위해 대공복大功服(9개월복)을 입는다. 증조할아버지를 잇는 자는 재종형제들끼리 높이고 그를 위해 소공복小功服(5개월복)을 입는다. 고조할아버지를 잇는 자는 삼종형제들끼리 높이고 그를 위해 시마복緦麻服(3개월복)을 입는다. 이로부터 이후는 대마다 늘 한 대씩이 쌓여가니 이 경우 5대가 되면 종宗은 옮겨가게 된다.

宗法之立, 嫡長之尊, 有君道焉, 大宗所以統其宗族. 凡合族中有大事, 當稟大宗而後行; 小宗所以統其兄弟. 如同禰者有大事, 則同禰之兄弟, 當稟繼禰之小宗而後行. 一族之中, 大宗只是一人. 小宗儘多. 故一人之身, 從下數至始祖, 大宗惟一; 數至高祖, 小宗則四. 此古者宗族, 人情相親, 人倫不亂, 豈非明嫡庶之分, 有君臣之義, 由大宗小宗之法而然歟?"[37]

35 '별자를 이은 … 된다.': 윗 주석의 『禮記』 원문 참조하고, 진호의 『集說』은 다음과 같다. "繼別爲宗은 별자의 후손이 대대로 적장자가 별자를 이으면 집안사람과 함께 백세에 걸쳐 不遷位의 大宗이 된다.(繼別爲宗者, 別子之後, 世世以適長子繼別子, 與族人爲百世不遷之大宗也.)"

36 '아버지를 잇는 … 된다.': 윗 주석의 『禮記』 원문 참조하고, 진호의 『集說』은 다음과 같다. "繼禰者爲小宗은 별자의 서자는 장자로 자신을 이어 소종이 되게 하는 것을 말하니, 아버지가 같은 형제가 그 사람을 높인다.(繼禰者爲小宗, 謂別子之庶子, 以其長子繼已爲小宗, 而其同父之兄弟宗之也.)"

종법이 확립되면 적장자의 존엄은 군도君道를 갖게 되니, 대종의 종자宗子는 종족을 거느리게 된다. 온 집안 가운데 큰일이 있을 경우, 마땅히 대종의 종자에게 품한 뒤에 행해야 하고, 소종의 종자는 자신의 형제를 거느리니 만일 아버지 사당을 함께 하는 자에게 큰 일이 있을 경우, 사당을 함께하는 형제는 마땅히 사당을 잇는 소종의 종자에게 품한 뒤에 행해야 한다. 한집안 가운데 대종은 단지 한 사람이지만 소종은 참으로 많다. 그러므로 한 사람의 몸에 아래로부터 헤아려 시조에 이르는 자는 대종의 종자가 유일하고, 헤아림이 고조에 이르는 소종의 종자는 넷이다.[38] 이것이 옛날 종족은 정이 서로 친하고 인륜이 혼란해지지 않았던 것이니, 어찌 적자와 서자의 분별이 밝아지고 군주와 신하의 의리가 있으며, 대종과 소종의 법에 연유하여 그렇게 된 것이 아니겠는가?"

諡法 시법

[67-2-1]

程子曰: "古之君子之相其君, 而能致天下於大治者, 無他術, 善惡明而勸懲之道至焉爾. 勸得其道而天下樂爲善, 懲得其道而天下懼爲惡, 二者爲政之大權也. 然行之必始於朝廷, 而至要莫先於諡法. 何則? 刑罰雖嚴, 可警於一時; 爵賞雖重, 不及於後世. 惟美惡之諡一定, 則榮辱之名不朽矣. 故歷代聖君賢相, 莫不持此以勵世風也."[39]

정자[程頤]가 말하였다. "예전의 군자가 자신의 군주를 도와, 천하를 크게 잘 다스려지게 한 것은 다른 방법이 아니고, 선악을 밝혀 권면하고 징계하는 도리를 지극하게 한 것일 뿐이다. 권면하는 것이 도리에 합당하여 천하가 선을 행하는 것을 즐거워하고, 징계하는 것이 도리에 합당하여 천하가 악을 행하는 것을 두려워하는 것이니, 두 가지는 나라를 다스리는 큰 저울추이다. 그러나 그것을 행하는 것은 반드시 조정에서 시작되어야 하고, 가장 중요한 것은 시법諡法보다 우선할 것이 없다. 어째서인가? 형벌이 엄하여도 한때를 경계시킬 수밖에 없고, 상으로 내리는 작위가 아무리 훌륭하여도 후세에까지 미치지 못한다. 아름답고 악한 시호는 한번 정하여지면 영광과 오욕된 이름이 없어지지 않는다. 그러므로 역대 성스러운 군주와 현명한 재상은 이를 가지고 세상의 풍속을 가다듬었다."

[67-2-2]

或問: "臣子加諡於君父, 當極其美, 有諸?"

37 『木鍾集』 권8 「禮記」. 이글의 제목을 『목종집』에서는 "별자가 조상이 되고, 별자를 이어 종이 되며, 아버지를 이어 소종이 된다. 옛날 이런 법을 만든 것은 어떤 뜻에서인가?(別子爲祖; 繼別爲宗; 繼禰者爲小宗. 古立法之意如何?)"라고 하였다.

38 헤아림이 고조에 … 넷이다. : 넷은 고조, 증조, 할아버지, 아버지를 잇는 종자를 일컬은 것이다.

39 『伊川文集』「書啓·爲家君上宰相書」

曰："正終，大事也．加君父以不正之謚，知忠孝者不爲也．"[40]

어떤 사람이 물었다. "신하가 군주에게 시호를 올릴 적에 마땅히 그 아름다움을 다해야 한다고 하니 그렇습니까?"

정자가 대답하였다. "일생을 바르게 평가하는 것은 큰일이다. 군주에게 바르지 않은 시호를 올리는 일은 충효를 아는 자이면 하지 않는다."

[67-2-3]

涑水司馬氏答程子書曰："承問及張子厚謚，倉卒奉對以'漢魏以來此例甚多，無不可'者，退而思之，有所未盡．竊惟子厚平生用心，欲率今世之人，復三代之禮者也．漢魏以下蓋不足法．郊特牲曰，'古者生無爵，死無謚．爵謂大夫以上也'．檀弓記禮所由失，以謂'士之有誄，自縣賁父始'．子厚官比諸侯之大夫則已貴，宜有謚矣．然曾子問曰，'賤不誄貴，幼不誄長，禮也．唯天子，稱天以誄之．諸侯相誄，猶爲非禮．' 况弟子而誄其師乎？

속수 사마씨涑水司馬氏[司馬光]가 정자에게 답한 편지에 말하였다. "장자후張子厚의 시호를 정하는 것에 대한 물음을 받고서 창졸간에 '한위漢魏 이후 이러한 예例는 많으니 옳지 않을 것이 없습니다.'라고 받들어 대답하고, 물러나서 생각하니 미진함이 있었습니다. 적이 생각해보면 자후가 평생 마음 기울인 것은 오늘날 사람들을 거느리고 삼대의 예를 회복하고자 하는 것입니다. 한위 이후는 아마도 법 받을 만한 것이 없는 것으로 여긴 듯합니다. 「교특생郊特牲」(『禮記』의 편명)에 '옛날에 생전에 작위가 없으면 죽어서 시호가 없다.'고 하였습니다. 작위는 대부 이상을 이릅니다. 「단궁檀弓」(『禮記』의 편명)에서 예가 잘못된 연유를 기록하며 '사士 계급에 뇌誄[41]하면서이니 현분보縣賁父로부터 시작되었다.'[42]고 하였습니다. 자후의 벼슬은 제후의 대부에 비기면 이미 더 높으니, 의당 시호가 있어야 합니다. 그러나 「증자문曾子問」(『禮記』의 편명)에는 '벼슬이 낮은 자가 높은 자에게 뇌하지 않고, 나이 어린 자가 나이 많은 사람에게 뇌하지 않는 것이 예이다. 천자에게는 하늘을 일컬어서 뇌를 지으니,[43] 제후가 서로 뇌를 짓는 것은 예가 아니

40 『二程粹言』 권하 「君臣篇」

41 誄 : 다음 글에 이어지는 「檀弓上」의 陳澔의 『集說』에 "誄라는 말은 여럿이라는 말이다. 그가 평생 실제 행한 여러 일을 들어 뇌문을 짓고 그것으로 시호를 정해 호칭하는 것이다.(誄之爲言累也. 累舉其平生實行爲誄, 而定其謚以稱之也.)"고 하였다. 곧 뇌는 뇌문이고 뇌문에 의해 지어지는 시호를 간접으로 지칭하는 말인 샘이다.

42 縣賁父로부터 시작되었다. : 『禮記』 「檀弓上」의 기사는 다음과 같다. "魯莊公이 송나라와 乘丘에서 전투할 적에 현분보가 장공의 수레를 몰고 卜國이 車右가 되었다. 말이 놀라 전쟁에서 크게 패하였다. 공이 수레에서 떨어지자 佐車(副車)에서 수레를 잡고 오르는 끈을 공에게 건네주었다. 공이 '복국이 시원찮아서다.'고 하였다. 현분보가 '전에는 크게 패하지 않았는데 오늘날 크게 패한 것은 용기가 없어서다.'하고 마침내 목숨을 끊었다. 말을 관장하는 사람이 말을 목욕시키는데 화살이 말의 허벅지 사이에 꽂혀 있었다. 그제야 장공은 '그의 죄가 아니었다.'하고서 마침내 뇌문을 지었다. 士계급의 사람에게 뇌가 있게 된 것은 이로부터 시작되었다.(魯莊公及宋人戰于乘丘, 縣賁父御, 卜國爲右. 馬驚敗績. 公隊, 佐車授綏. 公曰, '末之卜也.' 縣賁父曰, '他日不敗績而今敗績, 是無勇也.' 遂死之. 圉人浴馬, 有流矢在白肉. 公曰, '非其罪也.' 遂誄之. 士之有誄, 自此始也.)"

다.'고 하였습니다. 하물며 제자가 스승에게 뇌를 지을 수 있겠습니까?

孔子之没, 哀公誄之, 不聞弟子復爲之謚也. 子路欲使門人爲臣, 孔子以爲欺天. 門人厚葬顔淵, 孔子嘆不得視猶子也. 君子愛人以禮. 今關中諸君欲謚子厚, 而不合於古禮, 非子厚之志. 與其以陳文範, 陶靖節, 王文中子, 孟貞曜爲比? 其尊之也, 曷若以孔子爲比乎?"[44]

공자가 죽었을 적에 애공이 뇌문을 지었으나 제자가 다시 시호를 지었다는 말은 듣지 못했습니다. 자로가 문인을 시켜 신하로 삼고자 하자, 공자는 '하늘을 속이는 것이다.'[45]고 말씀하였습니다. 문인들이 안연顔淵을 후하게 장례하자 공자는 아들처럼 살피지 못한 것을 탄식하였습니다.[46] 군자는 사람을 예로써 사랑합니다. 지금 관중關中의 여러 사람들이 자후에게 시호를 주고자 하는 것[47]은 옛 예에 맞지 않고 자후의 뜻도 아닙니다. 진문범陳文範, 도정절陶靖節, 왕문중자王文中子, 맹정요孟貞曜[48]에 비겨야 하겠습니까? 높이고자 한다면 어찌 공자에 비기는 것만 같겠습니까?"

[67-2-4]

和靖尹氏曰 : "謚法最公. 以成周之時, 其子孫自以幽厲赧爲謚, 此'孝子慈孫所不能改也'. 文王只用箇文字, 武王只用箇武字, 大小大公."

화정 윤씨和靖尹氏[尹焞]가 말하였다. "시법은 가장 공정하여야 한다. 성주成周시대에도 자손이 스스로 유왕幽王 여왕厲王 난왕赧王이라고 시호하였으니 이것이 '효자와 자애로운 후손이라도 바꿀 수 없다.'[49]는 것이다. 문왕은 단지 문文 한 글자를 썼고, 무왕은 단지 무武 한 글자를 썼으니, 이렇게나 저렇게나 크게 공정하다."

43 천자에게는 하늘을 … 지으니 : 陳澔의 集說에 "하늘을 일컬어 뇌문을 짓는다는 말은 천자의 존엄은 둘일 수 없고, 하늘만이 천자의 위에 있는 까닭에 하늘을 빌려 호칭하는 것이다.(稱天以誄之者, 天子之尊無二, 惟天在其上, 故假天以稱之也.)"고 하였다.

44 『傳家集』 권63 「答程伯淳書」

45 '하늘을 속이는 것이다.' : 『論語』「子罕」

46 아들처럼 살피지 … 탄식하였습니다. : 『論語』「先進」

47 關中의 여러 … 것 : 장자가 죽자 그의 제자들이 선생에게 明誠夫子(明誠中子)라는 시호를 올리고자 하였다. 이를 명도에게 묻자 명도는 다시 사마온공에게 이를 물었다. 그래서 사마온공이 명도에게 이런 편지를 쓴 것이다.

48 陳文範, 陶靖節, … 孟貞曜 : 모두 국가가 아닌 제자나 친구들이 올린 시호들이다. 陳文範은 후한 陳寔이고, 陶靖節은 진나라 陶淵明이고, 王文中子는 隋나라 王通이고, 孟貞曜는 唐나라 孟郊이다.

49 '효자와 자애로운 … 없다.' : 『孟子』「離婁上」의 말이다. 자세한 것은 다음과 같다. "백성에게 포악하게 한 것이 심하면 몸은 시해당하고 나라는 망하며 심하지 않으면 몸은 위험에 빠지고 나라는 깎여나간다. 유왕이나 여왕이라고 이름 붙여지면 효자와 자애로운 후손이라도 백대가 지나도 바꿀 수 없다.(暴其民甚則身弑國亡, 不甚則身危國削. 名之曰幽厲, 雖孝子慈孫, 百世不能改也.)"

[67-2-5]

五峯胡氏曰 : "昔周公作諡法, 豈使子議父, 臣議君哉? 合天下之公, 奉君父以天道耳, 孝愛不亦深乎? 所以訓後世爲君父者, 以立身之本也. 知本, 則身立家齊國治天下平 ; 不知本, 則縱慾恣暴, 惡聞其過, 入於滅亡. 天下知之而不自知也, 唯其私而已. 是故不合天下之公, 則爲子議父, 臣議君. 夫臣子也, 君父有不善, 所當陳善閉邪, 引之當道. 若生不能正, 旣亡而又黨之, 是不以天道奉君父, 而不以人道事君父也, 謂之忠孝可乎? 今夫以筆寫神者, 必欲其肖. 不肖吾父, 則非吾父 ; 不肖吾君, 則非吾君. 奈何以諡立神而不肖之乎? 是故不正之諡, 忠孝臣子不忍爲也.[50]"[51]

오봉 호씨五峯胡氏[胡宏]가 말하였다. "옛날 주공周公이 시법을 지은 것이 어찌 자식에게 아버지를 따지고 신하가 군주를 따지게 함이겠는가? 천하의 공정함을 모아 군주와 아버지를 천도天道로 받들려는 생각에 서일 뿐이니, 효성과 사랑이 또한 깊지 않는가? 후세의 군주와 아버지 될 사람들에게 몸을 세우는 근본을 가르치려 한 것이니, 근본을 알면 몸이 세워지고, 집안이 가지런해지고, 나라가 다스려지고, 천하가 화평해지나, 근본을 알지 못하면 욕심과 포악을 멋대로 부리며 자신의 허물을 듣기 싫어해 멸망의 길로 빠져든다. 천하가 아는데 자신만 알지 못하는 것은 오직 사심私心 뿐이기 때문이다. 그런 까닭에 천하의 공정에 부합하지 않으면, 아들이 아버지를 따지고 신하가 군주를 따지게 된다. 신하와 자식은 군주와 아버지에게 잘못이 있으면 당연히 선을 말씀드리고 사악을 막아 정도에 부합하도록 인도해야 한다. 만일 생전에 바로잡지 못하고 죽은 뒤에도 또 공정하지 않게 한다면, 이는 천도로 군주와 아버지를 받드는 것도 아니고, 인간의 도리로 군주와 아버지를 받드는 것도 아닌데, 충성과 효자라 이를 수 있겠는가? 지금 붓으로 초상화를 그리는 자는 반드시 같게 그리고자 한다. 나의 아버지와 같지 않으면 나의 아버지가 아니고, 나의 군주와 같지 않으면 나의 군주가 아니다. 어찌하여 시호로 신주神主를 만드는데 같지 않을 수 있겠는가? 이런 까닭에 바르지 않은 시호는 충신과 효자가 차마 하지 못할 일이다."

封建 봉건

[67-3-1]

問 : "封建可行否?"

程子曰 : "封建之法, 本出於不得已. 柳子厚有論, 亦窺測得分數. 秦法固不善, 亦有不可變者, 罷侯置守是也."[52]

50 忠孝臣子不忍爲也. : 『知言』 권5에는 "忠臣孝子不忍爲也."로 되어 있다. 번역도 이를 따랐다.

51 『知言』 권5

52 『二程遺書』 권22상

물었다. "봉건제도를 시행할 수 있습니까?"
정자[程頤]가 대답하였다. "봉건법은 본래 마지못해서 나온 것이다. 유자후柳子厚의 주장이 있으니 또한 세세한 내용을 헤아릴 수 있다. 진秦나라의 법이 참으로 좋지 않지만 또한 바꾸지 못할 것도 있으니 제후를 없애고 수령을 둔 것이 그것이다."

柳子厚論曰: "天地果無初乎? 吾不得而知之也. 生人果有初乎? 吾不得而知之也. 然則孰爲近? 曰有初爲近. 孰明之? 由封建而明之也. 彼封建者, 更古聖王堯舜禹湯文武而莫能去之. 蓋非不欲去之也, 勢不可也. 勢之來, 其生人之初乎? 不初, 無以有封建, 封建非聖人意也.

유자후가 말하였다. "천지는 과연 초기시대가 없었을까? 나로서는 알 길이 없다. 인류에게 과연 초기시대가 있었을까? 나로서는 알 길이 없다. 그렇다면 어떤 것이 가까울까? 초기시대가 있었다는 것이 가까울 것이다. 무엇으로 그것을 밝힐 수 있을까? 봉건제도를 통해서 밝힐 수 있다. 저 봉건제도는 옛 성왕인 요 순 우 탕 문무의 시대를 겪으면서도 없앨 수 없었다. 없애려 아니 해서가 아니고 형세 상 불가능하였다. 형세의 조성은 인류가 태어난 초기일까? 시초가 아니고선 봉건제도를 둘 까닭이 없으니, 봉건제도는 성인의 뜻이 아니다.

彼其初與萬物皆生. 草木榛榛, 鹿豕狉狉, 人不能搏噬, 而且無毛羽, 莫克自奉自衛. 荀卿有言, '必將假物以爲用'者也. 夫假物者必爭. 爭而不已, 必就其能斷曲直者而聽命焉. 其智而明者, 所伏必衆. 告之以直而不改, 必痛之而後畏. 由是君長刑政生焉. 故近者聚而爲羣. 羣之分, 其爭必大, 大而後有兵. 有德又有大者, 衆羣之長, 又就而聽命焉, 以安其屬. 於是有諸侯之列, 則其爭又有大者焉. 德又大者, 諸侯之列, 又就而聽命焉, 以安其封. 於是有方伯連帥之類, 則其爭又有大者焉. 德又大者, 方伯連帥又就而聽命, 以安其人. 然後天下會於一.

사람은 초기에 만물과 함께 태어났다. 초목은 떨기를 이루고 사슴이며 돼지는 무리 지어 뛰어다니는데 사람은 힘으로 패거나 물어뜯지도 못하고, 또 털도 깃도 없어 자신을 먹이고 보위할 수 없었다. 순경荀卿이 말한 '반드시 사물을 빌어다 이용한다.'[53]는 것이다. 사물을 빌리는 자에게는 반드시 다툼이 있다. 다툼이 종식되지 않으면 반드시 시비를 판단해 줄 수 있는 사람에게 나아가 명령을 듣게 된다. 그리하여 지혜롭고 현명한 자에게는 복종하는 자가 반드시 많아진다. 그에게 옳은 말을 일러주어도 고치지 않으면 반드시 아픈 고통을 겪게 한 뒤에야 두려워한다. 이로 인해 군주와 우두머리, 형벌과 정치가 생겨났다. 그래서 가까운 자들끼리 모여 무리를 짓게 되었다. 무리지어 나뉘면 그 다툼은 반드시 커지고, 커진 뒤이면 전쟁이 있게 된다. 도덕을 가진 중에서도 또 더욱 큰 자에게는, 여러 무리의 우두머리가 또 나아가 명령을 따르는 것으로 자신의 휘하를 편안하게 하였다. 여기에서 제후의 대열이 생기고 그 다툼도 또다시 커졌다. 도덕이 또다시 더 큰 자에게, 제후들 대열이 또 나아가 명령을 따르는 것으로 자신의 봉지封地를 편안하게 하였다. 여기에서 방백方伯(한쪽 지역 제후의 우두머리)과 연수連帥(10제후국의 우두머리)의 무리가 생겨나고 그 다툼은 또다시 커져갔다. 도덕이 또 더 큰 자에게 방백과 연수가 또다시 나아가 명령을 따르는 것으로 자신의 백성을 편안하게 하였다. 이렇게 된 뒤에 천하는 하나로 모여졌다.

是故有里胥而後有縣大夫; 有縣大夫而後有諸侯; 有諸侯而後有方伯連帥; 有方伯連帥而後有天子. 自天子至於里胥, 其德在人者, 死必求其嗣而奉之. 故封建非聖人意也, 勢也.

이런 까닭에 이서里胥(한 마을을 관장하는 관리)가 있은 다음에 현대부縣大夫(한 고을의 수령)가 있고, 현대부가 있은 다음에 제후가

53 '반드시 다른 … 이용한다.: 『荀子』「勸學篇」에 "군자의 삶은 다를 것이 없으나 사물을 잘 빌어 온다.(君子生非異也, 善假於物也.)"고 하였다.

있고, 제후가 있은 다음에 방백과 연수가 있고, 방백과 연수가 있은 다음에 천자가 있게 되었다. 천자로부터 이서에 이르기까지 그들 중 백성에게 은덕이 있는 자는 그가 죽으면 반드시 그 후손을 구하여 받들게 되었다. 그러므로 봉건제도는 성인의 뜻이 아니고 형세에 의한 것이다.

夫堯舜禹湯之事遠矣, 及有周而甚詳. 周有天下, 列土田而瓜分之, 設五等邦, 羣后, 布履星羅, 四周于天下, 輪運而輻集. 合爲朝覲會同, 離爲守臣扞城. 然而降于夷王, 害禮傷尊, 下堂而迎覲者. 歷于宣王, 挾中興復古之德, 雄南征北伐之威, 卒不能定魯侯之嗣. 陵夷迄於幽厲, 王室東徙, 而自列爲諸侯. 厥後問鼎之輕重者有之; 射王中肩者有之; 伐凡伯誅萇弘者有之. 天下乖盭, 無君君之心. 余以爲周之喪久矣, 徒建空名於公侯之上耳. 得非諸侯之盛強, 末大不掉之咎歟? 遂判爲十二, 合爲七國. 威分於陪臣之邦, 國殄於後封之秦, 則周之敗端, 其在乎此矣.

요 순 우 탕의 사적은 아득히 멀고, 주나라에 미쳐서는 (사적이) 매우 상세하다. 주나라가 천하를 소유하고서는, 천하의 땅을 나누어 외를 쪼개 듯 쪼개 5등급의 국가[54]를 만드니, 뭇 군주가 별이 늘어선 것처럼 분포하여 천하를 빙 두른 것이 바퀴가 구르는데 바큇살이 (바퀴통에) 모여드는 것과 같았다. 모아서는 조근회동朝覲會同[55]하게 하고 떠나가서는 국토를 지키는 신하로 성읍城邑을 지키게 하였다. 그러나 이왕夷王에 이르러 예의를 해치고 존엄을 손상시켜, 당堂에서 내려와 조회 온 제후를 맞이하였다.[56] 선왕宣王시대에 이르러는 중흥하여 옛 권위를 회복시킨 덕행을 지니고, 남쪽과 북쪽을 정벌한 위엄이 웅대하였으나, 끝내 노魯나라 군주의 후사를 안정시키지 못하였다.[57] 유려幽厲에 이르러 무너져서는 왕실이 동쪽으로 옮겨져[58] 저절로 제후의 대열이 되었다. 그 뒤 정鼎의 무게를 묻는 제후가 있었고,[59] 왕의 어깨를 화살로 쏘아

54 5등급의 국가 : 제후에 公侯伯子男의 등급이 있음을 이른다.

55 朝覲會同 : 제후가 천자에게 조회하는 여러 형태를 이른 말이다. 『周禮』「春官 · 宗伯」에 "봄의 조회를 朝, 여름을 宗, 가을을 覲, 겨울을 遇, 때때로 조회하는 것을 會, 여러 제후가 조회하는 것을 同이라 한다.(春見曰朝; 夏見曰宗; 秋見曰覲; 冬見曰遇; 時見曰會; 殷見曰同.)"고 하였다.

56 夷王에 이르러 … 맞이하였다. : 이왕은 주나라 제9대 천자다. 懿王의 아들로 의왕의 아우 孝王이 죽은 뒤 제후들의 힘으로 등극하였다. 이후 제후들의 은혜에 감격하여 제후들이 조회 오면 당에서 내려 그들을 맞이하였다. (『史記』「周本紀」). 이에 대해서는 『禮記』「覲禮」에서 "천자는 당에서 내려 제후를 보아서는 안 되니 당에서 내려와 제후를 만나는 것은 천자가 예를 잃은 것이다.(天子不下堂而見諸侯, 下堂而見諸侯, 天子之失禮也.)"고 하였다.

57 魯나라 군주의 … 못하였다. : 선왕은 주나라 11대 천자로 厲王의 아들이다. 노나라 군주 武公이 태자 括과 아우 戲를 데리고 선왕에게 조회하였다. 이때 선왕이 희를 사랑하여 노나라 태자로 정하였다. 무공이 죽자 희가 懿公으로 등극하였다. 노나라 사람들이 의공을 시해하고 괄의 아들 伯御를 세웠다. 그러자 다음해 선왕이 노나라를 쳐서 백어를 죽이고 희의 아우 稱(孝公)을 세웠다. 그러나 이 사건을 기점으로 제후가 천자를 따르지 않으며 천자국의 위상이 크게 훼손되었다.(『史記』「魯世家」)

58 幽厲에 이르러 … 옮겨져 : 유왕은 선왕의 아들이고, 여왕은 선왕의 아버지이다. 유왕은 褒姒에게 빠져 정비인 申后와 신후의 소생인 태자를 폐하였다. 이에 신나라가 犬戎을 이끌고 주나라를 공격하여 결국 유왕은 驪山에서 시해 당하였다. 아들 宜臼(平王)가 등극하여 서주시대를 마감하고 洛陽으로 옮겨 동주시대를 열었다. 여왕은 사람이 포학하여 백성들에게 쫓겨나 彘山에서 죽었다.(『史記』「周本紀」)

59 鼎의 무게를 … 있었고, : 『春秋左傳』「宣公 3년」의 기사에 의하면 다음과 같다. 楚莊王이 陸渾의 戎을 정벌하고 주나라의 洛水 가에 이르러 군사력으로 시위를 벌였다. 이에 定王은 王孫滿을 보내 장왕을 위로하게 하였다. 여기서 장왕은 夏나라의 우임금 때 만들어져 전해오는 九鼎의 크기와 무게를 물었다. 왕손만은 준엄하게 이에 대한 대답을 거절하여 장왕의 주나라를 업신여기는 마음을 꺾어버렸다.

맞힌 자도 있었으며,[60] 범백凡伯을 정벌하고[61] 장홍萇弘을 죽인 자도 있었다.[62] 천하가 분리되며 군주를 군주로 여기는 마음이 없어진 것이다. 나의 생각으로는 주나라가 망한 지 오래고 공후公侯(제후)의 윗자리에 헛된 이름만 차지하고 있을 뿐이었다. 제후가 강성해졌으니 가지가 커서 흔들리지 않는다는 허물이 아니겠는가?[63] 마침내 쪼개져 열 두 나라가 되더니[64] 합쳐져 일곱 나라가 되었다.[65] 배신陪臣의 나라[66]에게 위엄이 나눠지고, 후일 제후국에 봉해진 진秦나라[67]에게 망하였으니, 주나라가 망한 단서는 이 봉건이다.

秦有天下, 裂都會而爲之郡邑, 廢侯衛而爲之守宰. 據天下之雄圖, 都六合之上游, 攝制四海, 運於掌握之内. 此其所以爲得也. 不數載而天下大壞, 其有由矣. 亟役萬人, 暴其威刑, 竭其貨賄. 負鋤梃謫戍之徒, 圜視而合從, 大呼而成羣, 時則有叛人而無叛吏. 人怨于下而吏畏于上, 天下相合, 殺守刼令而並起. 咎在人怨, 非郡邑之制失也.

진秦나라가 천하를 소유하면서는, 큰 고을을 쪼개 군읍郡邑을 만들고[68] 후위侯衛의 제후를 없애고 수령과 읍재를 두었다. 천하의 험요險要 지역을 차지하고 천하 사방의 가장 윗자리에 도읍하여 사해를 통합 지배하며 손바닥에 올려놓고 운용하였다. 이것이 시의에 적절함을 얻은 것이다. 몇 해 못가 진나라 천하가 크게 무너졌으나 그것은 까닭이 따로 있다. 다급하게

60 왕의 어깨를 … 있었으며, : 『春秋左傳』「桓公 5년」의 기사에 의하면 다음과 같다. 주나라 桓王이 제후들을 거느리고 정나라를 치자, 鄭伯이 이를 맞아 싸워 크게 이겼다. 이 전쟁에서 정나라의 祝聃이 환왕의 어깨를 쏘아 맞췄다.

61 凡伯을 정벌하고 : 『春秋左傳』「隱公 7년」의 기사에 의하면 다음과 같다. 주나라 천자 桓王이 범백을 시켜 노나라를 빙문하게 하였다. 이때 戎은 예전에 주나라에 조회 갔다가 범백의 무시를 받아 좋지 않은 감정이 있었다. 이에 빙문을 끝내고 돌아가는 범백을 융이 붙잡아 자기네 나라로 데려가 버렸다.

62 萇弘을 죽인 … 있었다. : 장홍은 춘추시대 周나라 사람으로 자는 叔이다. 후세에 淸 乾隆帝의 이름자가 이 글자여서, 弘을 宏으로 바꿔 쓰기도 하였다. 景王과 敬王 때 劉文公의 大夫였는데, 유문공은 晉나라의 范氏 집안과 사돈을 맺어 사이가 긴밀하였다. 범씨 집안에 中行氏의 난이 일어났을 때 범씨를 도운 일로, 진나라가 성토하자, 주나라가 그를 죽였다. 죽은 지 3년 뒤에 그의 피가 碧玉이 되었다는 전설로 원통하게 죽은 사람을 이르는 대명사가 되었다.(『莊子』「外物」; 『春秋左傳』 哀公 3년; 『國語』「周語下」)

63 가지가 커서 … 아니겠는가? : 『春秋左傳』「昭公 11년」 기사에 "가지가 (줄기보다) 크면 반드시 부러지고 꼬리가 크면 흔들지 못한다.(末大必折, 尾大不掉.)"는 말이 있다.

64 쪼개져 열 … 되더니 : 춘추 말년에 중국 제후 판도에서 중요 열 두 나라는 『史記』「十二諸侯年表」에 의거하면, 魯나라 齊나라 晉나라 秦나라 楚나라 宋나라 衞나라 陳나라 蔡나라 趙나라 鄭나라 燕나라가 중요 국가들이었다.

65 합쳐져 일곱 … 되었다. : 전국 시대로 넘어와 제후 국가끼리 서로서로 겸병하여 결국 齊나라 楚나라 趙나라 衞나라 韓나라 燕나라 秦나라가 남았다.

66 陪臣의 나라 : 배신은 제후의 대부가 천자에게 자신을 일컫는 말이다. 여기서 배신의 나라란 제후가 정권을 쥐지 못하고 제후의 대신이 정권을 독단하는 나라들이다. 대표적으로 晉나라는 韓씨와 魏씨와 趙씨 세 卿의 집안이 정권을 차지하고 있었고, 제나라는 田씨가 정권을 차지하고 있었다.

67 후일 제후국에 … 秦나라 : 진나라는 주나라 8대 왕인 孝王 13년(기원전 897)에 非子가 秦川지역에 부용국으로 봉해졌다. 제나라나 노나라가 주나라 초기에 봉해진 것에 비하면 매우 늦은 것이다.(『史記』「秦本紀」)

68 郡邑을 만들고 : 진나라가 봉건제도를 없애고 천하를 36개 郡으로 나누어 守, 尉, 監을 두어 다스린 것을 이른다. 邑은 지방 고을을 이르는 말로, 큰 고을을 都, 작은 고을을 읍이라고 한 전통적인 호칭이다.(『史記』「秦本紀」)

만백성을 부역시켜 위엄에 찬 형벌로 사나움을 부리고 백성의 재화를 마르게 하였다. 이에 호미와 몽둥이를 들고 수자리를 찾아가던 무리[69]가, 사방을 둘러보며 연합하고 크게 구호를 외치며 무리를 이루었으니 이때에 배반하는 백성은 있었으나 배반하는 관리는 없었다. 백성은 아래서 원망하고 관원은 위에서 두려하다가 천하가 서로 모여, 수령을 죽이고 위협하며 모두 함께 들고일어났다. 백성들이 원망을 품도록 한 잘못은 있지만 군읍제도가 잘못된 것은 아니다.

漢有天下, 矯秦之枉, 徇周之制. 剖海內而立宗子, 封功臣, 數年之間, 奔走扶傷而不暇. 困平城, 病流矢, 陵遲不救者三代. 後乃謀臣獻畫而離削自守矣. 然而封建之始, 郡國居半, 時則有叛國而無叛郡. 秦制之得, 亦以明矣. 繼漢而帝者, 雖百代可知也.

한漢나라가 천하를 소유하면서는, 진秦나라 시절의 잘못을 바로잡고 주나라의 제도를 따랐다. 천하를 나누어 황족皇族의 아들을 세우고 공신을 제후에 봉하고서, 몇 년 동안 상처를 떠안고 분주하게 다니느라 겨를이 없었다. 평성平城에서 곤욕을 치렀고,[70] 오가는 화살에 맞기도 하였으나,[71] 3대째에 쇠락의 길로 접어들어 구제할 수 없게 되었다.[72] 후일 모신謀臣이 올린 계책[73]에 의하여 분리시키고 봉토封土를 줄여 자신의 나라만 겨우 지킬 수 있게 하였다. 그러나 봉건제도를 채용할 적에 군郡과 제후국이 반반 정도이었는데, 이때 배반한 제후 국가는 있었으나 배반한 군郡은 없었다. 진나라의 제도가 훌륭하였음이 또한 여기에서 분명해진다. 한나라를 계승하여 황제가 되는 국가는 백대 이후라도 이럴 것임을 알 수 있다.

唐興制州邑, 立守宰, 此其所以爲宜也. 然猶桀猾時起, 虐害方域, 失不在於州而在於兵. 時則有叛將而無叛州. 州縣之設, 固不可革也.

당唐나라가 일어나 주州와 읍邑을 만들고 수령과 읍재를 만들었으니 이것은 시의時宜에 맞은 것이다. 그러나 거세고 교활한 자가 때로 생겨나[74] 포악하게 지방과 지역에 해를 끼쳤으나, 잘못이 주군 제도에 있었던 것은 아니고 그것은 군대에 있었

69 호미와 몽둥이를 … 무리 : 진나라 말기에 陳勝과 吳廣 등이 漁陽으로 수자리 사는 일로 길을 나섰다가 장마비로 기약한 날짜에 이를 수 없게 되자 봉기한 것을 이른다.(『史記』「陳涉世家」)

70 平城에서 곤욕을 치렀고 : 한고조 7년에 흉노에게 항복한 韓王信을 고조가 군사를 이끌고 평정하러 나섰다가 겪은 일이다. 고조가 출정하여 晉陽에 주둔해 있는데 흉노의 冒頓이 代谷에 있다는 소식이 들렸다. 이에 묵특을 잡고자 군사 32만을 출발시켜 공격에 나섰다. 고조가 평성에 먼저 도착하고 다른 군대가 미처 도착하기 전에 묵특이 정예 기병 40만 명으로 고조를 白登에서 포위하였다. 그리하여 7일 동안 한나라 군대는 안팎이 서로 소식이 단절되었다. 이때가 한겨울이었다. 陳平의 비밀스런 계책을 써서 겨우 풀려났으나 이 계책은 후일에 전해지지 않을 정도로 한나라에 수치스러운 것이었다.(『資治通鑑』 권11 「漢紀 · 高帝 7년」)

71 오가는 화살에 … 하였으나 : 한고조 12년에 淮南王 英布가 반란을 일으키자, 고조가 평정하러 나섰다가 화살에 맞은 일을 이른다.(『史記』「高祖本紀」)

72 3대째에 쇠락의 … 되었다. : 한나라는 고조를 거쳐 아들 惠帝와 呂后, 이어 文帝에 이르는 사이 천자나라보다는 제후국의 힘이 강해져 권위가 상실되었다.

73 謀臣이 올린 계책 : 문제의 아들 景帝 때 鼂錯의 계책에 의해 황실 집안으로 봉해져 강성한 세력을 형성한 吳王濞 등의 봉지를 삭감하려 들었다. 이때 이들이 작당하여 吳楚七國의 난이 일어나자 한나라는 조조를 죽여 잘못을 사과하고 周亞夫를 시켜 이들을 평정하였다. 이후 이들 세력은 급격히 줄어들었다.(『史記』「鼂錯傳」)

74 거세고 교활한 … 생겨나 : 唐玄宗 때 일어난 安祿山과 史思明의 반란을 이른다. 이때 당나라는 方鎭제도를 도습하여 한 지역의 군사 사령관이 그 지역 행정까지 도맡아 다스렸다. 그리고 간신 李林甫가 변방

다. 이때 배반한 장수는 있었으나 배반한 주현州縣은 없었다. 주현 설치를 당연히 바꿔서는 안 된다.

或者曰, '封建者, 必私其土, 子其人, 適其俗, 修其理, 施化易也. 守宰者, 苟其心, 思遷其秩而已, 何能理乎?' 余又非之. 周之事迹, 斷可見矣. 列侯驕盈. 黷貨事戎. 大凡亂國多. 理國寡. 侯伯不得亂其政. 天子不得變其君. 私土子人者, 百不有一. 失在於制, 不在於政, 周事然也.

어떤 자는 '봉건제도는 국토는 자신 것, 백성은 아들로 여겨서 풍속을 적정하게 하고, 정사를 손질하여 교화를 펴기 쉽다. 그러나 수령과 읍재는 마음 쓰는 것이 자신의 품계 올리는 것만을 생각할 따름이니 어떻게 다스릴 수 있겠는가?'라고 한다. 나는 옳지 않은 말로 여긴다. 주나라의 일에서 단연코 알 수 있다. 제후는 거들먹이며 자만하였고 재화를 탐하여 전쟁을 일삼았다. 대체로 혼란한 나라가 많고 다스려진 나라는 적었다. 후백侯伯[75]이 그들 제후국의 정사를 다스릴 수 없었고 천자도 그들 제후를 바꿀 수 없었다. 국토를 자신 것으로 백성을 아들로 여기는 제후는 백 명에 한 사람도 없었다. 잘못은 제도에 있었지 정사에 있었던 것은 아니니 주나라의 일이 그렇다.

秦之事迹, 亦斷可見矣. 有理人之制, 而不委郡邑是矣 ; 有理人之臣, 而不使守宰是矣. 郡邑不得正其制, 守宰不得行其理. 酷刑苦役而萬人側目. 失在於政, 不在於制, 秦事然也.

진나라의 일에서도 역시 명백히 볼 수 있다. 백성을 다스리는 제도를 두면서도 군읍郡邑에 맡기지 않은 것이 그것이고, 백성을 다스리는 신하를 두면서도[76] 수령과 읍재를 시키지 않은 것이 그것이다. 군읍이 그 제도대로 다스릴 수 없어, 수령과 읍재가 자신의 다스림을 시행해 볼 길이 없었다. 형벌이 혹독하고 부역이 고통스러워 만백성이 눈을 흘겼다. 잘못은 정사에 있었던 것이지 제도에 있지 않았으니 진나라의 일이 그렇다.

漢興, 天子之政, 行於郡不行於國 ; 制其守宰不制其侯王. 侯王雖亂, 不可變也 ; 國人雖病, 不可除也. 及夫大逆不道, 然後掩捕而遷之, 勒兵而夷之耳. 大逆未彰, 奸利浚財, 怙勢作威, 大刻于民者, 無如之何. 及夫郡邑, 可謂理且安矣. 何以言之? 且漢知孟舒於田叔, 得魏尙於馮唐, 聞黃霸之明審, 覩汲黯之簡靖, 拜之可也, 復其位可也, 卧而委之以輯一方可也. 有罪得以黜, 有能得以賞, 朝拜而不道, 夕斥之矣 ; 夕受而不法, 朝斥之矣. 設使漢室盡城邑而侯王之, 縱令其亂人, 戚之而已. 孟舒魏尙之術, 莫得而施 ; 黃霸汲黯之化, 莫得而行. 明譴而導之, 拜受而退已違矣. 下令而削之, 締交合從之謀, 周於同列, 則相顧裂眦, 勃然而起. 幸而不起, 則削其半. 削其半, 民猶瘁矣. 曷若擧而移之, 以全其人乎? 漢事然也.

한나라가 일어나면서 천자의 정사가 군읍에는 시행되었으나 나라에는 시행되지 못하였고,[77] 수령과 읍재는 제재하였으나 후왕侯王은 제재하지 못하였다. 후왕이 혼란을 일으켜도 바꿀 길 없고 나라 백성이 병들어도 제거할 수 없었다. 대역무도함에 미쳐서야 잡아다가 추방하고 군사를 동원하여 그 나라를 멸망시켰을 뿐이다. 대역무도함이 아직 환히 드러나지 않았을 때는, 이익을 좋아해 재물을 긁어모으고, 권력에 의탁해 위세를 부려서, 백성을 크게 해친 자라도 어찌하지 못하였다. 군읍제도를 시행함에 미쳐서야 다스려지고 안정되었다 할 수 있다. 무엇인가? 우선 한漢나라는 전숙田叔에게서 맹서孟舒를

무장이 제상으로 등용되어 정권을 휘두르는 것을 막고자, 한 곳에 붙박이로 주둔시키고 轉職시키지 않았다. 이것이 잘못 된 제도였다는 말이다.

75 侯伯 : 제후국들 가운데서 한 지역의 제후를 다스리는 우두머리 제후를 이른다.

76 백성을 다스리는 … 두면서도 : 군현을 丞相과 御史와 監郡御史에게 통제 되게 한 것을 이른다.

77 정사가 군읍에는 … 못하였고 : 한나라는 지방 행정제도를 郡國으로 편성하여 군에는 군수를 임명하고 나라는 황제의 자제들인 왕을 임명하여 다스렸는데, 군은 통제가 잘 되었으나 나라는 통제가 잘 안 된 것을 말한다.

알고,[78] 풍당馮唐에게서 위상魏尙을 얻고,[79] 황패黃霸의 밝고 자상함을 듣고,[80] 급암汲黯의 간결하고 안정됨을 보아,[81] 임명할 수도 있었고, 지위를 복직시킬 수도 있었고, 누워서 다스리도록 맡겨 한 지역을 화목하게 할 수도 있었다. 죄가 있으면 내쫓을 수도 있고 능력이 있으면 상줄 수도 있으며, 아침에 임명하였다가 무도하면 저녁에 내치고, 저녁에 벼슬을 주었다가 불법을 저지르면 아침에 내쫓았다. 만일 한나라가 성읍城邑을 모두 제후나 왕을 삼았다면 설사 혼란을 일으키는 사람일지라도 근심만 했을 것이다. 맹서와 위상의 방법을 베풀 길 없고, 황패와 급암의 교화를 행할 수 없었을 것이다. 명백히 꾸짖어 인도하여도 임명 받고 돌아가서는 바로 어겼다. 명령을 내려 봉지封地를 깎으려 들면[82] 합종책으로 교류를 맺고서 동열의 제후들과 끈끈하게 연대하여 곧바로 서로 도와 눈깔을 부라리며 불끈 군사를 일으켰다. 요행히 군사를 일으키지 않은 경우 봉지의 반을 깎아냈다. 반을 깎아내도 백성은 여전히 시달렸다. 어찌 그 군주를 완전히 다른 곳으로 추방시켜 그곳 백성을 온전히 하는 것만 하겠는가? 한나라의 일이 그러하다.

78 田叔에게서 孟舒를 알고 : 이들 두 사람은 모두 한나라 文帝 때 사람으로 趙나라 사람들이다. 문제가 등극하여 당시 漢中 수령인 전숙을 불러 "천하의 長者를 알고 있는가?"라고 물었다. 이에 전숙은 맹서를 추천하였다. 당시 맹서는 한고조 때 雲中 수령에 임명되어 10여년을 다스렸는데 흉노가 침입하며 무고한 수백 명의 백성이 죽은 일로 면직되어 있었다. 문제가 이런 사람이 어떻게 장자라 할 수 있겠는가? 하자, 전숙은 이것이 맹서의 훌륭한 점이라며 이렇게 말하였다. 맹서가 백성들이 그동안 항우와의 전쟁으로 지쳐있음을 알고 차마 백성을 싸움터로 불러내지 못하였는데 백성들이 자발적으로 흉노족과 싸워 죽은 것이라고 하였다. 이에 문제는 맹서를 다시 운중의 수령에 임명하였다.(『史記』 권104 「田叔傳」)

79 馮唐에게서 魏尙을 얻고 : 두 사람 모두 한나라 문제 때 사람이다. 풍당이 中郎署長으로 있을 때, 문제가 李牧과 廉頗와 같은 어진 장수가 없음을 탄식하였다. 풍당이 이를 듣고서 문제에게 위상을 천거하였다. 이때 위상은 운중 수령으로 재직 시절 사졸을 잘 돌보아, 흉노가 감히 운중을 넘보지 못하고 멀리 피하였다. 어느 날 흉노가 쳐들어오자 위상은 그들을 크게 무찌르고 수급과 포로의 숫자를 조정에 보고하였는데 수급에서 몇 사람 오류가 나 해직된 상태였다. 풍상은 문제에게, 이목과 염파와 같은 옛날 장수들은 출전하였을 때 모든 결정 권한을 혼자서 집행하여 상벌을 자신의 뜻에 따라 시행하였으므로 그 같은 명성을 쌓았는데, 위상은 숫자 몇 개 틀린 것으로 해직되었으니 이는 문제의 인사정책에 문제가 있다고 지적하였다. 이에 문제는 위상을 다시 운중의 수령으로 임명하였다.(『史記』 권102 「馮唐傳」)

80 黃霸의 밝고 … 듣고 : 황패는 한나라 宣帝 때 사람으로, 자는 次公, 봉호는 建成侯, 시호는 定이다. 武帝 말년부터 법 적용이 까다로워지다가 곽광이 어린 昭帝를 보필하면서 더욱 형벌이 매서워지며 가혹한 것이 유능의 척도가 되었다. 宣帝가 민간에서 살며 백성들이 가혹한 형벌에 시달리는데, 황패의 정사가 평소 관대함을 알고는 등극하며 그를 廷尉正에 등용하였다. 후세에 龔遂와 함께 循吏의 대표적인 인물로 추앙되어 龔黃으로 불린다.(『漢書』「循吏傳」)

81 汲黯의 간결하고 안정됨을 보아 : 급암은 한나라 景帝와 武帝 때 사람으로 자는 長孺다. 경제 때 태자 太子洗馬를 지냈고, 무제 때 謁者를 거쳐 東海太守를 지내며 많은 치적을 쌓았다. 황제의 면전에서 直言을 잘하여, 무제가 그를 社稷之臣이라 불렀다. 『史記』「汲黯傳」에 의거하여 살피면 다음과 같다. "黃帝와 老子의 말을 배워 관청이나 백성을 다스리는데 淸靜을 좋아하여, 丞과 書史를 뽑아 임명하고서는 큰 지침만을 요구하고 세세히 까다롭지 않았다. 급암이 병이 많아 안방에 누워 지내고 나가지 않았으나 東海가 매우 잘 다스려졌다. (黯學黃老言, 治官民, 好淸靜, 擇丞史任之, 責大指而已, 不細苛. 黯多病, 臥閤內不出, 歲餘東海大治.)" 무제가 이를 보고서 그를 등용하였다는 말이다.

82 封地를 깎으려 들면 : 한나라 文帝와 景帝 시절에 일어나 吳楚七國의 활거를 이른다. 당시 晁錯가 이들 일곱 나라의 봉지를 깎으려 들자 반기를 들고 일어나 경제 시절 이를 주장한 조조는 죽임을 당하였고, 이들 일곱 나라들도 결국 봉지가 깎였다.

今國家盡制郡邑, 連置守宰, 其不可變也固矣. 善制兵, 謹擇守, 則理平矣.

지금 국가를 모두 군읍으로 만들고 연이어 수령과 읍재를 임명하고서, 변경할 수 없게 해야 옳다. 군대를 잘 관리하고 신중히 수령을 가려 임명한다면 다스림은 태평할 것이다.

或者又曰, '夏商周漢封建而延, 秦郡邑而促', 尤非所謂知理者也'. 魏之承漢也, 封爵猶建, 晉之承魏也, 因循不革. 而二姓陵替, 不聞延祚. 今矯而變之垂二百祀, 大業彌固, 何繫於諸侯哉?

어떤 사람은 또 '하나라 상나라 주나라 한나라는 봉건제도로 누린 해가 길었고, 진나라는 군읍제도로 짧아졌다.'고 하나, 이는 더더욱 이른바 다스림에 대해 아는 자가 아니다. 위魏나라는 한나라를 이어 작위를 봉해주어 여전히 봉건제를 행하였고, 진晉나라도 위나라 제도를 이어 그대로 따르며 바꾸지 않았다. 그런데도 두 성씨의 왕조는 쇠퇴하였고 누린 해도 많았다는 말을 들을 수 없다. 오늘 (당나라는) 그것을 변경시켜 2백년이 되었지만 국가의 터전이 더욱 단단하니 어찌 봉건제도의 제후와 관계이겠는가?

或者又以爲'殷周聖王也, 而不革其制. 固不當復議也'. 是大不然. 夫殷周之不革者, 是不得已也. 蓋以諸侯歸殷者三千焉, 資以黜夏, 湯不得而廢; 歸周者八百焉, 資以勝殷, 武王不得而易. 徇之以爲安, 仍之以爲俗, 湯武之所不得已也. 夫不得已, 非公之大者也. 私其力於己也, 私其衛於子孫也. 秦之所以革之者, 其爲制, 公之大者也, 其情, 私也. 私其一己之威也, 私其盡臣畜於我也. 然而公天下之端自秦始.

어떤 사람은 또 '은나라와 주나라는 성왕聖王이었는데도 그 봉건제를 바꾸지 않았으니 당연히 다시 시비해서는 안 된다.'고 한다. 이는 결코 그렇지 않다. 은나라와 주나라가 바꾸지 않은 것은 어쩌지 못해서다. 제후국으로 은나라에 귀의한 나라가 3천이었는데,[83] 이들의 힘에 의해 하夏나라를 내쫓았으니 탕임금이 부득이하여 그들을 없앨 수 없었던 것이고, 주나라에 귀의한 나라가 8백이었는데,[84] 이들의 힘에 의해 은나라를 이겼으니 무왕이 부득이하여 그들을 바꿀 수 없다. 예전대로 따라하는 것으로 안정을 삼고 그대로 이어가는 것으로 풍속을 삼은 것이니, 탕임금과 무왕으로서는 부득이한 일이다. 부득이한 것이 공정의 큰 것이 될 수는 없다. 저들의 힘을 나를 위해 사사롭게 쓰게 하고 저들의 호위를 자손을 위해 사사롭게 쓰게 하였다. 진나라가 바꾼 까닭이니 그 제도는 크게 공정한 것이나, 그 속셈이 사사로웠다. 자신 한 사람의 위엄만을 사사롭게 높이고 모두를 나의 신하로 기르려한 것이다. 그러나 천하를 공정하게 하는 단서는 진나라로부터 시작되었다.

83 은나라에 귀의한 … 3천이었는데, : 『通典』 권7 「食貨 · 歷代盛衰戶口」에서 "(우임금의) 塗山 모임에 제후가 요순시대의 성대함을 이어받아 옥백을 들고 찾아온 자가 1만 나라였다 … 쇠하여짐에 미쳐는 농사를 버리고 힘쓰지 않았고, 연이어 窮孔甲의 난리가 두 차례나 있었으며 桀의 포악함을 만나 제후가 서로 나라를 빼앗아 탕임금이 천명을 받을 때에 이르러는 남은 나라가 3천여 나라였다.(塗山之會, 諸侯承唐虞之盛, 執玉帛者萬國 … 及其衰也, 棄稷不務, 續有二窮孔甲之亂, 遭桀行暴, 諸侯相兼, 逮湯受命, 其能存者三千餘國, 方於塗山十損其七.)"고 하였다. 여기서 이들 3천 나라가 탕임금의 하나라 정벌에 참여한 것이 아니고, 이들이 탕임금이 세 왕조를 세우자 귀의하였다는 것이다.

84 주나라에 귀의한 … 8백이었는데, : 『史記』「殷本紀」에서 "주나라 무왕이 동쪽으로 정벌하여 맹진에 이르자, 제후국가가 은나라를 배반하고 주나라로 모여든 자가 8백이었다.(周武王之東伐至盟津, 諸侯叛殷會周者八百.)"고 하였다.

夫天下之道, 理安斯得人者也. 使賢者居上, 不肖者居下, 而後可以理安. 今夫封建者, 繼世而理. 繼世而理者, 上果賢乎, 下果不肖乎? 則生人之理亂, 未可知也. 將欲利其社稷, 以一其人之視聽, 則又有世大夫, 世食祿邑, 以盡其封略. 聖賢生于其時, 亦無以立於天下, 封建者爲之也. 豈聖人之制, 使至於是乎? 吾固曰, 非聖人之意也, 勢也."[85]

천하의 도리는 다스림이 편안해야 민심을 얻는다. 현명한 자가 윗자리에 있고 불초한 자가 아랫자리에 있게 한 다음이라야 다스림이 편안하다. 저 봉건제도는 대를 이어 다스린다. 대를 이어 다스리는 나라에 윗사람은 과연 현명하고, 아랫사람은 과연 불초할까? 그렇다면 그곳에서 사는 사람의 삶이 다스려졌는지 혼란한지는 알 수 없다. 사직을 이롭게 하고자 사람의 보고 듣는 것을 통일시키려면, 또 대대로 세습하는 대부가 대대로 식읍食邑 누려 전체 국토가 다 그렇게 되어야 한다. 성현이 그 때에 태어난다면 또한 천하에 어떤 것도 세워낼 수 없을 것이니 봉건제도가 그렇게 만든 것이다. 어찌 성인의 제도가 이 지경에 이르게 하겠는가? 내가 그래서 성인의 뜻이 아니고 형세에 의해 만들어진 것이라고 말하는 것이다."

[67-3-2]

張子曰 : "古者諸侯之建, 繼世以立, 此象賢也. 雖有不賢者, 象之而已. 天子使吏治其國, 彼不得暴其民. 故舜封象, 是不得已. 周禮建國, 大小必參相得. 蓋是建大國, 其勢不能相下, 皆小國則無紀. 以小事大, 莫不有法."[86]

장자張子[張載]가 말하였다. "옛날에는 제후를 세우고서 대대로 이어 제후가 되게 하였으니, 이는 상현象賢[87]일 따름이다. 현명하지 않은 자라도 본받게 할 따름이었다. 천자가 관리를 시켜 나라를 다스리게 하면 군주가 백성들에게 포악하게 할 수 없다. 그러므로 순임금이 아우 상象을 봉한 것[88]도 자신이 마음대로 할 수 없어서이다. 주나라 제도에서 나라를 세우며 큰 나라와 작은 나라를 반드시 서로 배합시켜 어울리게 하였다.[89] 그것은 큰 나라만 세워두면 그 형세가 서로 낮아질 수 없고, 모든 작은 나라일 경우 기강이 없다. 작은 나라가 큰 나라를 섬기는 것도 법이 있었다."

[67-3-3]

五峯胡氏曰 : "封建之法, 始於黃帝, 成於堯舜. 夏禹因之, 至桀而亂. 成湯興而脩之, 天下以安. 至紂而又亂, 文王武王興而修之, 天下亦以安. 至幽王而又亂, 齊桓晉文不能脩而益壞之, 故天下紛紛不能定. 及秦始皇而掃滅之, 故天下大亂, 爭起而亡秦, 猶反覆手於須臾間也."[90]

85 『柳河東集』 권3 「封建論」

86 『張子全書』 권8 「月令統」

87 象賢 : 『儀禮』 「士冠禮」에 "대를 이어 제후를 세우는 것은 상현이다.(繼世以立諸侯, 象賢也.)"라고 하였는데 鄭玄은 "象은 본받음이다. 자손이 선조의 현명함을 잘 본받기 때문에 그에게 대를 잇게 하는 것이다.(象, 法也. 爲子孫能法先祖之賢, 故使之繼世也.)"고 하였다.

88 순임금이 아우 … 것 : 『孟子』 「萬章上」에서 순임금이 아우 상을 有庳에 봉하였다고 하였다.

89 주나라 제도에서 … 하였다. : 『禮記』 「王制」에 "백성을 살게 할 적에 땅의 형세를 헤아려 고을을 만들고, 땅의 크기에 따라 백성을 살게 하였다. 땅의 넓이와 살게 할 백성을 반드시 배합시켜 어울리게 하였다.(凡居民, 量地以制邑, 度地以居民. 地邑民居, 必參相得也.)"라고 하였다.

90 『知言』 권6

오봉 호씨五峯胡氏[胡宏]가 말하였다. "봉건 법은 황제黃帝에서 시작되어 요순堯舜에서 완성되었다. 하나라의 우임금은 그대로 따랐고 걸에 이르러 혼란해졌다. 성탕成湯이 나오며 이를 손질하자 천하가 이로 인해 안정되었다. 주紂(은나라의 마지막 군주)에 이르러 다시 혼란해진 것을 문왕과 무왕이 나와 손질함으로써 천하가 역시 이로 인해 안정되었다. 유왕幽王에 이르러 또다시 혼란해졌으나 제환공齊桓公과 진문공晉文公이 잘 손질하지 못하고 더욱 무너뜨려, 이로 인해 천하가 어수선히 안정을 이루지 못하였다. 진시황 시대에 이르러 씻은 듯 사라진 까닭에 천하가 크게 혼란해지며 다투어 일어나 진나라를 멸망시키니, 잠깐 사이에 손바닥을 뒤집는 것 같았다."

[67-3-4]

"黃帝堯舜安天下, 非封建一事也. 然封建其大法也. 夏禹成湯安天下, 亦非封建一事也. 然封建其大法也. 文王武王安天下, 亦非封建一事也. 然封建其大法也. 齊桓晉文之不王, 非一事也. 然不能封建, 其大失也. 秦二世而亡, 非一事也. 然掃滅封建, 其大繆也. 故封建也者, 帝王之所以順天理, 承天心, 公天下之大端大本也."[91]

(오봉 호씨가 말하였다.) "황제와 요순이 천하를 편안하게 한 것이 봉건 한 가지만은 아니다. 그러나 봉건이 그 가운데 큰 기본이다. 하나라의 우임금과 성탕이 천하를 편안하게 다스린 것도 역시 봉건 한 가지만 아니다. 그러나 봉건이 그 가운데 큰 기본이다. 문왕과 무왕이 천하를 편안하게 다스린 것도 역시 봉건 한 가지만 아니다. 그러나 봉건이 그 가운데 큰 기본이다. 제환공과 진문공이 왕천하를 이루지 못한 것이 한 가지만 아니다. 그러나 봉건을 못한 것이 그 가운데 큰 잘못이다. 진秦나라가 2세만에 망한 것이 한 가지만 아니다. 그러나 봉건을 소멸시킨 것이 그 가운데 큰 오류이다. 그러므로 봉건은 제왕이 천리天理에 순응하고 천심天心을 받드는 것이니 천하를 공정하게 하는 큰 단서이고 큰 기본이다."

[67-3-5]

"聖人制四海之命, 法天而不私己, 盡制而不曲防. 分天下之地以爲萬國, 而與英才共焉. 誠知興廢之無常, 不可以私守之也. 故農夫受田百畝, 諸侯百里, 天子千里. 農夫食其力, 諸侯報其功, 天子享其德, 此天之分也."[92]

(오봉 호씨가 말하였다.) "성인이 천하의 명운을 다스리며, 하늘을 본받아 자신 것으로 여기지 않고, 형세대로 다하면서도 제방을 골짜기마다 쌓아 물을 가두지 않았다. 천하의 땅을 나누어 만 개의 국가로 만들어 영재들에게 주고 함께 천하를 다스렸다. 일어나고 망함의 덧없음을 참으로 알았으니 사사롭게 지킬 수 없는 것이다. 그러므로 농부는 전답 1백 묘畝을 받고, 제후는 사방 1백리의 땅을 받고, 천자는 사방 1천리의 땅을 받는다. 농부는 노동에 의지해 먹고살고, 제후는 공훈대로 보상받고,[93] 천자는 자신의

91 『知言』 권6
92 『知言』 권1
93 제후는 공훈대로 보상받고 : 제후의 등급은 公侯伯子男 5등급이고, 그 등급은 천자가 공훈에 따라 봉해주고

덕대로 누리는 것이니, 이것이 하늘의 분수이다."

[67-3-6]

"**郡縣天下, 可以持承平, 而不可以支變故; 封建諸侯, 可以持承平, 可以支變故**"[94]

(오봉 호씨가 말하였다.) "천하를 군현제도로 만들면 평화로운 세상에는 유지시킬 수 있으나 변고에는 지탱시킬 수 없고, 제후를 봉건하는 것은 평화스러운 세상에도 유지시킬 수 있고 변고에도 지탱시킬 수 있다."

[67-3-7]

朱子曰: "柳子厚以封建爲非,[95] **胡明仲輩破其說, 則專以封建爲是. 要之, 天下制度, 無全利而無害底道理. 但看利害分數如何. 封建則根本較固, 國家可恃; 郡縣則截然易制. 然來來去去, 無長久之意, 不可恃以爲固也."**[96]

주자가 말하였다. "유자후가 봉건제도를 그르다고 하자, 호명중胡明仲(명중은 호굉의 字) 무리가 그 주장을 부정하고 올곧이 봉건제도를 옳은 것으로 말하였다. 중요한 것은 천하의 제도가 모두 이롭기만 하고 해가 없는 도리는 없다는 점이다. 다만 이로움과 해로움의 몫이 어느 정도인지를 보아야 할 뿐이다. 봉건은 근본이 비교적 튼튼하여 국가를 믿을 수 있으나, 군현제도는 확연하게 제도를 달리한다. 그러나 세월이 오가는 사이에 장구할 수 있는 것은 없으니 믿고서 완전한 것으로 여기는 것은 옳지 않다."

[67-3-8]

"**封建實是不可行, 若論三代之世, 則封建好處, 便是君民之情相親, 可以久安而無患; 不似後世郡縣一二年輒易. 雖有賢者, 善政亦做不成.**"[97]

(주자가 말하였다.) "봉건은 실상 시행하기에 좋지 않으나, 만일 삼대시대의 세상으로 말한다면 봉건제의 좋은 점은, 군주와 백성의 마음이 서로 친해져 오랫동안 편안하게 지내며 환난이 없을 수 있으니, 후세 군현제가 1~2년 사이에 금방금방 바뀌는 것과 같지 않다. 현명한 자가 있다 해도 선정을 또한 이뤄낼 길이 없다."

땅을 상응하게 나누어주었다. 『禮記』「王制」에 의하면 다음과 같다. "천자의 농토는 사방 1천리, 공후의 전답은 사방 1백리, 백은 70리, 자남은 50리이다. 50리가 못되는 제후는 천자의 조정에 나아갈 수 없어, 제후국에 붙여 말을 전하고 전달받으므로 附庸國이라 한다.(天子之田方千里, 公侯田方百里, 伯七十里, 子男五十里. 不能五十里者, 不合於天子, 附於諸侯曰附庸.)"

94 『知言』 권2

95 柳子厚以封建爲非: 『朱子語類』 권108, 17조목에는 "柳子厚封建論則全以封建爲非."로 되어 있다.

96 『朱子語類』 권108, 17조목

97 『朱子語類』 권108, 13조목

[67-3-9]

"封建只是歷代循襲, 勢不容已, 柳子厚亦說得是. 賈生謂'樹國必相疑之勢', 甚然. 封建後來自然有尾大不掉之勢. 成周盛時, 能得幾時? 到春秋列國強盛, 周之勢亦浸微矣. 後來到戰國, 東西周分治, 赧王但寄於西周公耳. 雖是聖人法, 豈有無弊?"[98]

(주자가 말하였다.) "봉건은 단지 역대에서 따라 답습하였으나 형세상 그만 둘 수 없어서였으니 유자후가 말한 것이 또한 옳다. 가의賈誼가 '나라를 세우면 반드시 서로를 의심하는 형세가 있다.'[99]는 말이 매우 옳다. 봉건제에는 뒷날 꼬리가 커서 흔들리지 않는 형세가 저절로 생겨났다. 성주成周(주나라)의 융성한 시절이 얼마나 되는가? 춘추시대에 열국이 강성해지며 주나라의 형세는 차츰 미약해졌다. 훗날 전국시대에 이르러선 동주東周와 서주西周로 나뉘어 다스렸으니 난왕赧王은 다만 서주공西周公에게 붙어 지낼 뿐이었다.[100] 성인시대의 법이라 하지만 어찌 폐단이 없겠는가?"

[67-3-10]

問: "後世封建郡縣, 何者爲得?"

曰: "論治亂畢竟不在此. 以道理觀之, 封建之意, 是聖人不以天下爲己私分, 與親賢共理. 但其制則不過大, 此所以爲得. 賈誼於漢言'衆建諸侯而少其力', 其後主父偃竊其說, 用之於武帝."[101]

물었다. "후세에서 봉건제와 군현제는 어떤 것이 좋았습니까?"

(주자가) 대답하였다. "치세治世와 난세亂世를 말하는데 있어 꼭 이것들에 달린 것은 아니다. 도리로만 살피면, 봉건의 의도는 성인이 천하를 자신 개인 몫으로 생각지 않고 친족이나 현명한 사람과 함께 다스리려는 것이다. 다만 그 제도에서 (국토가) 지나치게 커서는 안 되니 이것이 이 제도를 성공하게 하는 것이다. 가의가 한나라에서 '많은 수의 제후를 세우되 그들 힘을 작게 해야 한다.'[102]고 하였는데

98 『朱子語類』 권108, 14조목

99 '나라를 세우면 … 있다.': 이는 가의가 文帝에게 올린 상소에서 한 말로 『漢書』 권48 「賈山傳」에 의거하면 다음과 같다. "나라를 세우면 참으로 서로 의심할 수 있는 형세가 이루어져서 백성이 자주 그 재앙을 겪고, 군주가 자주 그 근심으로 마음 상해야 하니, 군주를 편안하게 하고 백성을 안전하게 하는 것이 전혀 아닙니다.(夫樹國固必相疑之埶, 下數被其殃, 上數爽其憂, 甚非所以安上而全下也.)" 이는 제후 국가를 너무 크게 봉해주면 천자국을 넘보려는 형세가 생겨나 걱정거리가 있게 되는 것을 경계한 말이다.

100 東周와 西周로 … 뿐이었다.: 여기서 동주와 서주는 주나라 무왕 때의 수도인 西安을 서주, 平王이 洛陽으로 수도를 옮긴 것을 동주로 일컫는 것과는 다르다. 주나라가 赧王 때에 이르러 나라가 둘로 나눠지며 수도인 낙양에서, 동주는 鞏, 서주는 河南에 수도를 정하였다. 그리하여 동주는 東周惠公이 다스리고 서주는 武公이 다스렸는데 난왕이 무공이 있는 서주로 옮겨가 붙여 지내다 진시황에게 항복하였다. 이후 동주 혜공은 몇 년을 더 버티다 망하였다.(『史記』「周本紀」; 『通鑑節要』 권2 「周紀·赧王下」)

101 『朱子語類』 권108, 15조목

102 '많은 수의 … 한다.': 가의가 文帝에게 올린 상소에서 한 말로 『漢書』 권48 「賈山傳」에 의거하면 다음과 같다. "천하를 편안하게 다스리고자 한다면 많은 수의 제후를 세우되 그들 힘을 적게 해야 합니다. 힘이

그 뒤 주보언主父偃이 이 주장을 표절하여 무제武帝에게 사용하였다."[103]

[67-3-11]

或論郡縣封建之弊. 曰 : "大抵立法必有弊, 未有無弊之法. 其要只在得人. 若是個人, 則法雖不善, 亦占分數多了; 若非其人, 則有善法, 亦何益於事?. 且如說郡縣不如封建, 若封建非其人, 且是世世相繼, 不能得他去; 如郡縣非其人, 却只三兩年任滿便去, 忽然換得好底來, 亦無定. 范太史唐鑑議論, 大率皆歸於得人. 某初嫌他恁地說, 後來思之, 只得如此說."[104]

어떤 사람이 군현제와 봉건제의 폐단을 논하였다. (주자가) 말하였다. "대체로 법에는 반드시 폐단이 있기 마련이니 폐단이 없는 법은 없다. 그 요점은 적임자를 얻느냐에 달렸다. 만일 옳은 사람이면 법이 좋지 않아도 역시 좋은 점수를 많이 얻을 것[105]이나, 만일 적임자가 아니면 좋은 법이 있다 해도 또한 일에 무슨 보탬이 되겠는가? 또 군현제가 봉건제보다 못하다고 말하는 것은, 봉건제는 적임자가 아니어도, 또 대대로 서로 이어지며 내보낼 길이 없는데, 예컨대 군현제는 적임자가 아닐 경우 다만 2~3년이면 임기가 차 갈리고, 홀연히 좋은 사람이 바뀌어서 오나 또한 정해져 있지 않다. 범태사范太史가 쓴 『당감唐鑑』[106]의 주장은 대체로 모두 적임자를 얻어야 할 것으로 기울어 있다. 내가 처음엔 그의 이러한 주장을 의심하였으나 나중에 생각해보니 이같이 말할 수밖에 없었다."

[67-3-12]

或疏胡五峰論封建井田數事以質疑.

曰 : "封建井田, 乃聖王之制, 公天下之法, 豈敢以爲不然? 但在今日恐難下手. 設使強做得成,

작으면 의리로 부리기 쉽고, 나라가 작으면 사특한 마음을 가지지 않습니다.(欲天下之治安, 莫若衆建諸侯而少其力. 力少則易使以義, 國小則亡邪心.)"

103 主父偃이 이 … 사용하였다. : 주보언은 漢나라 臨淄사람으로 무제에게 등용되어 中大夫에 올랐고 齊의 상국을 지냈다. 그가 무제에게, 지금 제후국의 국토가 사방 1천여 리여서 걱정스러우나 졸연히 줄이려 들면 환난을 초래할 수 있다며, 이를 타개할 방법으로 제후의 아들이 수없이 많으나 장자만이 땅을 얻고 남은 아들은 한 치의 땅도 얻지 못하니, 장자가 아닌 아들들에게 국토를 나누어 봉하게 하면 제후국의 국토가 저절로 줄어들 것이라고 하였다. 무제는 그 주장을 시행하여, 제후가 천자국을 넘보는 걱정을 덜었다.(『史記』 권112「主父偃傳」)

104 『朱子語類』 권108, 16조목

105 좋은 점수를 … 것 : 이글의 원문 '占分數多了'를 『朱子語類考文解義』 권27에는 "많은 좋은 점수를 얻음을 이른다.(謂占得善分數多也.)"고 하였다.

106 范太史가 쓴 『唐鑑』 : 범태사는 송나라의 范祖禹를 그가 『神宗實錄』 편수에 檢討官으로 참여한 데서 붙여진 호칭이다. 범조우는 成都 華陽 사람으로, 자는 淳甫·夢得, 시호는 正獻이다. 『唐鑑』은 司馬光이 조칙을 받아 『資治通鑑』을 편찬할 때, 그가 編修官으로 참여하여 唐史를 맡아 저술하며, 스스로 깨달음을 얻은 것들을, 위로 高祖로부터 마지막 황제 昭帝까지 편년체로 서술하고, 끝에 자신의 論斷을 붙여 모두 12권으로 편찬하였다. 程伊川은 삼대 이후 이런 옳은 주장을 한 책은 없다고 극구 칭찬하였다. 나중에 呂祖謙이 주를 붙여 권24이 되었다.(『唐鑑』)

亦恐意外別生弊病, 反不如前, 則難收拾耳."107

어떤 사람이 호오봉胡五峰이 논한 봉건과 정전에 관한 몇 가지 일[108]을 하나하나 나누어 질의하였다. (주자가) 말하였다. "봉건과 정전은 성왕聖王의 제도로 천하의 공정한 법인데 어찌 감히 그렇지 않다고 말할 수 있겠는가? 다만 오늘날에는 아마도 시행하기 어려울 것이다. 설사 억지로 해보려 해도 또한 아마도 의외의 또 다른 폐단이 생겨나, 도리어 예전만 못하다면 수습만 어려워질 것이다."

[67-3-13]

因論封建, 曰: "此亦難行. 恐膏粱之子弟, 不學而居士民上, 其爲害豈有涯哉? 且以漢諸王觀之, 其荒縱淫虐如此, 豈可以治民? 故主父偃勸武帝分王子弟, 而使吏治其國, 故禍不及民. 所以後來諸王也都善弱, 蓋漸染使然. 積而至於魏之諸王, 遂使人監守, 雖飮食亦皆禁制, 更存活不得. 及至晉懲其弊, 諸王各使之典大藩, 總強兵, 相屠相戮, 馴致大亂."

이어 봉건에 대해 논하다가 (주자가) 말하였다. "이 역시 시행하기 어렵다. 부귀한 집안 자제[109]가 학문도 없이 백성의 윗자리를 차지하면 그 해가 어찌 끝이 있겠는가? 우선 한漢나라 제왕諸王들에서 살펴보아도 그들의 극단적인 방종과 도에 넘치는 사나움이 이 같았는데 어찌 백성을 다스릴 수 있겠는가? 그런 연유로 주보언이 무제에게 권하여 자제에게 땅을 떼어 왕으로 봉하면서, 관리를 시켜 나라를 다스리도록 한 것이니, 그래서 재앙이 백성에게 미치지 않았다. 그러나 후세에 제왕諸王이 또 모두 착하고 허약하게 된 까닭이기도 하니 차츰차츰 그렇게 물들어간 것이다. 그것이 쌓여져 위魏나라의 제왕諸王에 이르면, 마침내 사람을 시켜 지키고 감시하여 음식마저도 모두 금하고 제재하니 다시 목숨조차 부지할 수 없었다. 진晉나라에 미쳐는 그 폐단을 거울삼아 제왕들에게 각기 큰 번藩을 관장하고 강한 군대를 총괄하게 하자, 서로 죽이고 죽여 차츰 큰 난리로 번졌다.[110]"

107 『朱子語類』 권108, 18조목

108 胡五峰이 이 … 일: 위 [67-3-3] 참고.

109 부귀한 집안 자제: 원문의 '膏粱之子弟'에서 膏는 기름진 고기, 粱은 좋은 식량을 이르는 말이다. 이것들이 주로 부귀한 집안사람들이 먹는 음식인 데에서 부귀한 집안 자제를 이렇게 일렀다.

110 晉나라에 미쳐는 … 번졌다.: 진나라 초기 司馬氏가 종실을 수없이 봉하고 병권마저 갖게 하며 벌어진 싸움으로 역사에서 이를 八王之變이라 한다. 惠帝가 즉위하면서 시작되어 懷帝 초기까지 16년간 진행되었다. 그 전말을 다음과 같다. 武帝가 죽고 혜제가 즉위하면서 부인 賈后가 외척인 楊駿과 권력을 다퉈 양준을 죽이고 汝南王 司馬亮으로 정권을 잡게 하였다. 사마량이 전권을 휘두르자 가후는 다시 楚王 司馬瑋에게 사마량을 죽이게 하였고 다시 사마위를 살해하였다. 이에 趙王 司馬倫과 齊王 司馬冏이 군사를 일으켜 가후를 살해하였다. 사마윤이 황제를 자칭하며 혜제를 태상황으로 삼자, 成都王 司馬穎이 군사를 일으켜 사마윤을 살해하였다. 그러자 長沙王 司馬乂가 사마경을 죽였다. 다시 河間王 司馬顒이 사마예를 죽이자. 東海王 司馬越이 군사를 일으켜 사마옹을 죽였다. 이런 사이에 혜제가 죽고 회제가 등극하며 서로 죽이는 싸움이 끝났다. 그러나 이 사이 진나라는 그동안 북방으로 쫓겨나 있던 여러 소수 집단이 정권을 잡고서 세력을 키워 진나라는 황하 남쪽으로 수도를 옮기지 않을 수 없었다. 여기서 남북조 시대가 열리기 시작한 것이다.(『晉書』「八王傳論」)

沈僩云 : "監防太密, 則有魏之傷恩; 若寬去繩勒, 又有晉之禍亂. 恐皆是無古人教養之法故爾."
曰 : "那箇雖教, 無人奈得他何?"
或言 : "今之守令亦善."
曰 : "却無前代尾大不掉之患, 只是州縣之權太輕, 卒有變故, 更支撑不住."[111]

심한沈僩이 말하였다. "감시와 방비가 너무 물샐틈없었음은 위나라에서 은혜를 헤침이 있었고, 제약과 억제를 너그럽게 제거한 경우 또 진나라의 화란禍亂이 있었습니다. 아마도 모두 옛사람들과 같은 가르치고 기르는 법도가 없는 연유일 것입니다."
(주자가) 대답하였다. "그들을 가르치려 해도 적임자가 없는데 어찌하겠는가?"
어떤 사람이 말하였다. "지금의 수령제도가 또한 좋습니다."
(주자가) 대답하였다. "앞 시대처럼 꼬리가 커서 흔들리지 않는 환난은 없었으나, 다만 주현州縣의 권한이 너무 가벼워, 마침내 변고가 일어나자 다시 지탱해낼 수 없었다."

[67-3-14]

問 : "封建, 『周禮』說公五百里, 『孟子』說百里, 如何不同?"
曰 : "孟子說, 恐是夏商之制. 孟子不詳考, 亦只說'嘗聞其略也'. 若夏商時諸處廣濶, 人各自聚爲一國, 其大者止百里. 故禹合諸侯, 執玉帛者萬國. 到周時, 漸漸呑併, 地里只管添, 國數只管少. 到周時只千八百國. 較之萬國, 五分已減了四分已上. 此時諸國已自大了. 到得封諸公, 非五百里不得. 如周公封魯七百里, 蓋欲優於其他諸公.

물었다. "봉건제도를 『주례』에는 공公은 5백 리[112]라 하고, 『맹자』에는 1백 리[113]라고 하였는데 어찌해서 같지 않습니까?"
(주자가) 대답하였다. "『맹자』에서 말한 것은 아마 하夏나라와 상商나라의 제도일 것이다. 맹자가 자세하게 고증할 수 없어 또한 다만 '지난날 그 대략을 들었다.'[114]고 말했을 것이다. 예컨대 하나라와 상나라

111 『朱子語類』 권108, 19조목
112 『周禮』에는 公은 … 리 : 『周禮』「大司徒」에서 "公의 국토는 封疆(疆域)이 5백 리니, 그 가운데 자신이 차지하는 세금은 반이고, 侯의 국토는 봉강이 4백 리이니 그 가운데 자신이 차지하는 세금은 3분의 1이고, 伯의 국토는 봉강이 3백 리이니 그 가운데 자신이 차지하는 세금은 3분의 1이고, 子의 국토는 봉강이 2백 리이니 그 가운데 자신이 차지하는 세금은 4분의 1이고, 男의 국토는 봉강이 1백 리이니 그 가운데 자신이 차지하는 세금은 4분의 1이다.(諸公之地, 封疆方五百里, 其食者半 ; 諸侯之地, 封疆方四百里, 其食者參之一 ; 諸伯之地, 封疆方三百里, 其食者參之一 ; 諸子之地, 封疆方二百里, 其食者四之一 ; 諸男之地, 封疆方百里, 其食者四之一.)"고 하였다.
113 『孟子』에는 1백 리 : 『孟子』「萬章下」에서 "천자의 제도는 국토가 사방 1천리고, 공후는 사방 1백리고, 백은 70리고, 자남은 50리니 모두 네 등급이다. 50리가 되지 못한 자는 천자에게 이르러 가지 못하고 제후국에 붙어야 하니 이를 부용국이라 한다.(天子之制, 地方千里, 公侯皆方百里, 伯七十里, 子男五十里, 凡四等. 不能五十里, 不達於天子, 附於諸侯, 曰附庸.)"고 하였다.
114 '지난날 그 … 들었다.' : 『孟子』「萬章下」에서 "북궁기가 '주나라 왕실의 작록에 대한 등급은 어떠합니까?'라

때는 여러 지역이 광활하여 사람들마다 각기 혼자서 백성을 모아 한 나라를 만들었으니 그중에 큰 나라는 1백 리에 이르렀다. 그런 까닭에 우禹임금이 제후를 모았을 때 옥백玉帛을 들고 온 자가 1만 나라였다[115]고 하였다. 주周나라 때 이르러는 점점 병탄하여 국토는 꾸준히 넓어지며 나라 수는 꾸준히 줄어들었다. 주나라 때에 이르러는 다만 1천 8백 나라였다. 1만 국가에 비교하면 5분의 4 이상이 없어진 것이다. 이때 여러 나라가 이미 혼자서 커져버렸다. 여러 제후를 봉하려고 할 때에 이르러는 5백 리가 아니고선 봉할 수 없었다. 예컨대 주공周公을 노나라 7백 리에 봉한 것은 다른 제후들보다 낫게 하고자 함에서다.

如左氏說云, 大國多兼數圻, 也是如此. 後來只管併來併去, 到周衰, 便制他不得, 也是尾大了. 到孟子時, 只有七國. 這是事勢必到這裏, 雖有大聖大智, 亦不能遏其衝. 今人只說漢封諸侯王, 土地太過, 看來不如此不得. 初間高祖定天下, 不能得韓彭英盧許多人來使, 所得地又未定是我底. 當時要殺項羽, 若有人說道'中分天下與我, 我便與你殺項羽.' 也沒奈何與他. 到少間封自子弟, 也自要挾小不得, 須是教當得許多異姓過."[116]

예컨대 좌씨左氏의 말에서도 '큰 나라는 대부분 몇 개의 사방 1천 리 땅을 겸병하였다.'[117]고 했으니, 또한 이 같았던 것이다. 후일 하나같이 병탄하고 병탄 당하여 주나라의 쇠망기에 이르러는 또한 저들을 제어할 수 없었으니 꼬리가 커져버린 것이다. 맹자 때에 이르러는 다만 일곱 나라만 남았다.[118] 이는 일의 형세가 반드시 여기에 이를 수밖에 없어서이니 큰 성인과 큰 지혜를 가진 분이 나와도 또한 그 맹렬한 기세를 막을 수 없어서다. 지금 사람은 한나라가 제후를 봉하면서 국토가 너무 컸다고 말들하나 살펴보면 이같이 하지 않을 수 없다. 초기에 고조가 천하를 평정할 때 한신韓信과 팽월彭越, 영포英布와 노관盧綰[119] 등 수많은 사람을 부릴 수 없었고, 얻었다는 땅도 또 나의 것으로 확정되지 않았다. 당시

고 묻자, 맹자가 '그 자세한 것은 듣지 못하였다. 제후들이 자신들에게 해가 되는 것을 미워해 모두 그 서적들을 없애버려서다. 그러나 내가 그 대략은 일찍이 들었다.'고 대답하였다.(北宮錡問曰: '周室班爵祿也如之何?' 孟子曰: '其詳不可得聞也. 諸侯惡其害己也, 而皆去其籍. 然而軻也嘗聞其略也.')"고 하였다.

115 禹임금이 제후를 … 나라였다: 위 [67-3-1]의 柳子厚「封建論」주석 참고

116 『朱子語類』 권84, 8조목

117 '큰 나라는 … 겸병하였다.': 『春秋左傳』「襄公 25년」 7월의 기사 일부분으로 鄭子産의 말이다. 자세한 것은 다음과 같다. "예전에 천자의 국토는 1圻(사방 1천리)이고, 열국은 1同(사방 1백 리)이였다. 이로부터 등급에 따라 줄어들었다. 지금 큰 나라는 대부분 몇 기의 땅이니, 만일 작은 나라를 침략하지 않았다면 어떻게 이렇게 되었겠는가?(且昔天子之地一圻, 列國一同, 自是以衰. 今大國多數圻矣, 若無侵小, 何以至焉.)"

118 일곱 나라만 남았다.: 齊, 楚, 燕, 趙, 魏, 韓, 秦나라이다.

119 韓信과 彭越, … 盧綰: 이들 네 사람은 한결같이 한나라 건국에 가장 힘을 보탰던 장수들이다. 이들 네 사람을 『漢書』「韓彭英盧吳傳」에 의거하여 살피면 다음과 같다.
한신은 淮陰 사람이다. 항우를 섬기다가 한고조에게 귀의하여 大將軍에 오른 뒤 趙나라 · 齊나라를 평정하고, 齊王에 봉해졌다. 이때 항우가 武涉을 보내 항우, 유방, 한신 셋이서 천하를 3분하여 다스리자고 설득하였으나 따르지 않았다. 항우가 죽은 뒤 장량의 꾀에 속아 휘하 군대를 한고조에게 잃고 楚王에 봉해졌다가, 무고에 의해 淮陰侯로 강등되었다. 후일 謀叛을 꾀하다 呂后에게 붙잡혀 죽었다.
팽월은 자가 仲이고 昌邑 사람이다. 젊은 시절 鉅野에서 좀도둑으로 지내다 한고조가 창읍을 공격할 때

에 항우를 죽이고자 하였으니 만일 어떤 사람이 '천하의 반을 나누어 나에게 내가 바로 너에게 항우를 죽여주겠다.' 고 한다면 또한 어쩌지 못하고 그에게 주었을 것이다. 조금 지나 자제를 제후에 봉하게 되었으니 또한 본디 작게 줄 수 없었고 당연히 허다한 다른 성씨의 제후들보다 크게 줄 수밖에 없었다."[120]

學校 학교

[67-4-1]

程子曰 : "古者八歲入小學, 十五歲入大學. 擇其才可教者聚之, 不肖者復之田畝. 蓋士農不易業, 旣入學則不治農, 然後士農判, 在學有養.[121] 若士大夫之子, 則不慮無養 ; 雖庶人之子, 旣入學, 則亦必有養. 古之士者, 自十五入學, 至四十方仕, 中間, 自有二十五年學, 又無利可趨, 則所志可知. 須去趨善, 便自此成德. 後之人自童稚間, 已有汲汲趨利之意, 何由得向善? 故古必使四十而仕, 然後志定. 只營衣食却無害, 惟利祿之誘最害人. 人有養便方定志於學.[122]"[123]

정자程子[程頤]가 말하였다. "옛날에는 8세가 되면 소학小學에 입학하였고, 15세가 되면 태학大學에 입학하

전쟁을 도왔다. 항우가 진나라를 평정하였을 때 군사 1만을 거느리고 어디에도 속하지 않다가, 한고조가 장군에 임명하고 항우를 치게 하자, 공을 세우고 魏나라 相國에 임명되었다. 한고조가 항우와 자웅을 다툴 때 후방에서 항우 군사의 군량 조달 길을 끊어 항우를 괴롭히는 한편 한고조의 군량을 조달한 공으로 梁王이 되었다. 陳豨의 모반을 다스리고자 한고조가 출정하며 군사를 내어 도우라는 명령을 따르지 않았다. 이것이 빌미가 되어 모반의 무고를 입고 한고조에게 잡혀 庶人으로 강등되어 蜀 땅으로 옮겨지던 중 여후의 꾀에 걸려 죽임을 당하였다. 죽은 팽월의 시체는 젓으로 담아서 제후들에게 돌려졌다.
영포는 六땅 사람이다. 좀도둑으로 지내다가 項梁(항우의 삼촌)을 따라나서 항우의 군대가 가는 곳마다 선봉에 서서 무용을 드날렸다. 九江王에 봉해졌고 항우의 명령을 따라 義帝를 郴에서 시해하였다. 뒤에 한나라에서 보낸 隨何의 설득에 의해 한고조에게 귀의하여 淮南王에 봉해졌다. 한신이 죽고 이어 팽월이 젓으로 담겨지자 두려움을 느끼던 중 무고를 입자 군사를 일으켰으나 한고조의 정벌에 패하여 달아나다가 살해당하였다.
노관은 한고조와 한 동네인 豊 땅에서 생일을 같이하여 태어난 사람으로 한고조 휘하에서 가장 친한 사람으로 일컬어졌다. 한고조가 봉기하여 천하를 통일하는 동안 곁에서 수행하여 長安侯(장안은 진나라의 서울인 함양)에 봉해졌다. 다시 燕王에 봉해진 지 6년째 되던 해에 陳豨의 모반에 연루되어 의심을 받자 흉노에게 도망쳐 東胡盧王에 봉해졌다. 나머지는 이 책 권60 [60-1-1-14] 참고

120 다른 성씨의 … 없었다. : 吳楚七國의 반란을 두고 이른 말이다. 한고조가 자신의 형의 아들인 吳王濞 등 일곱 명을 제후에 봉하며 많은 땅을 떼어준 것이 화근이 되어 이들이 천자의 명령을 따르지 않자 文帝와 景帝 연간에 대신들이 이를 다스리려다 鼂錯가 죽고 오초가 반란을 일으키는 어려움을 겪었다. 자세한 것은 이 책 권60 [60-1-2-4] 참고

121 在學有養. : 『二程遺書』 권15에는 '在學之養'이라고 하였다.

122 人有養便方定志於學. : 『二程遺書』 권15에는 이 문장은 注로 처리하여 雙行으로 되어 있다.

123 『二程遺書』 권15 ; 『近思錄』 권11

였다. 재능이 가르칠만한 자는 모아들이고 그렇지 않은 자는 농토로 돌려보냈다. 사士와 농민[農]은 일을 바꾸지 않아, 태학에 입학한 뒤에는 농사일을 하지 않으니, 이렇게 된 뒤에 사 · 농이 판별되고, 태학에서는 생활보장이 있다. 사대부의 자식은 생활보장에 대한 걱정할 것이 없고, 서인의 자식도 태학에 입학하면 역시 반드시 생활보장이 있다. 옛날에 사는 15세에 태학에 입학하면서부터 40세에 벼슬을 시작할 때까지,[124] 그 사이에 저절로 25년 동안 공부하게 되어있고, 또 이롭다고 여겨 추종하는 것이 없다면 그들의 뜻 세움을 짐작할 수 있다. 당연히 선한 길로 나아갈 것이니 이로부터 덕이 이루어진다. 후세 사람은 어릴 때부터 성급하게 이로운 쪽으로 나아가려는 뜻이 있으니 어떻게 선으로 향할 수 있겠는가? 그래서 옛날에는 반드시 40세가 되어야 벼슬하게 한 것이니, 그렇게 한 뒤라야 뜻의 방향이 정해질 수 있어서다. 먹고사는 일에만 마음 쓰는 것은 해될 것은 없고, 오직 재리와 녹봉의 유혹이 가장 사람 마음을 해친다. 사람에게 생활보장이 있어야 학문에 뜻을 정할 수 있다."

[67-4-2]

"古者家有塾, 黨有庠, 三老坐於里門, 察其長幼出入揖遜之序. 詠歌諷誦, 無非禮義之言. 今也上無所學, 而民風日以偷薄, 父子兄弟, 惟知以利相與耳.[125] 以古所習如彼, 欲不善得乎, 以今所習如此, 欲其善得乎?"[126]

(정자가 말하였다.) "옛날에는 가家에는 숙塾이 있고, 당黨에 상庠이 있으며[127], 삼로三老(교화를 담당하는 관원이자 스승)가 이문里門 (마을의 문)에 앉아서, 어른과 어린이가 (이문을) 드나들며 읍揖하고 사양하는 질서를 살폈다. 읊고 노래하고 외우는 말들도 모두 예의禮義에 관한 말들이었다. 지금은 위로 배울만한 것이 없어 백성들의 풍조가 날로 야박해져, 부자 형제도 이익 되는 것으로 상대할 뿐이다. 옛날에 익히던 것들이 저 같았으니 선하지 않으려 해도 선하지 않을 수 있겠으며, 지금은 익히는 것이 이 같으니 선해지려 해도 선해질 수 있겠는가?"

124 40세에 벼슬을 … 때까지 : 『小學』 권1에서 內則의 말을 인용하여, "마흔 살이 되면 비로소 벼슬하기 시작하여 일에 대하여 계책을 내고 생각을 해보아, 도리에 합치되면 일하여 따르고, 옳지 않으면 떠나야 한다.(四十始仕, 方物出謀發慮, 道合則服從, 不可則去.)"고 하였다.

125 惟知以利相與耳. : 『二程粹言』 권上. 「勸學篇」에는 이 문장과 다음 '以古所習如彼' 사이에 '오늘날 길거리의 말은 귀에 담아 들을 수가 없다.(今里巷之語, 不可以屬耳也.)'가 더 있다.

126 『二程粹言』 권上 「勸學篇」

127 家에는 塾이 … 있으며 : 『禮記』 「學記」에 "옛날의 가르침에는 家에는 숙이 있고 당에는 상이 있었다.(古之教者家有塾, 黨有庠.)"하고서 陳澔의 『集說』에서, "예전에 25호가 閭가 되니 함께 한 골목에 모여 산다. 골목 어귀에 里門이 있고 문 양쪽에 塾이 있어 백성들 중 집에 있는 자들이 아침저녁으로 이곳 숙에서 가르침을 받는다. 5백 호가 黨이 되니 당의 학교를 庠이라고 한다. 마을의 숙에서 천거된 사람을 가르친다.(古者, 二十五家爲閭, 同在一巷. 巷首有門, 門側有塾, 民在家者, 朝夕受教於塾也. 五百家爲黨, 黨之學曰庠, 教閭塾所升之人也.)"고 하였다.

[67-4-3]

"生民之道, 以教爲本. 故古者自家黨遂至于國, 皆有教之之地. 民生八年, 則入于小學, 是天下無不教之民也. 旣天下之民莫不從教, 小人脩身, 君子明道. 故賢能羣聚於朝, 良善成風於下, 禮義大行, 習俗粹美, 刑罰雖設而不犯. 此三代盛治由教而致也. 後世不知爲治之本, 不善其心而驅之以力, 法令嚴於上, 而教不明於下, 民放僻而入於罪, 然後從而刑之. 噫! 是可以美風俗而成善治乎?"[128]

(정자[程頤]가 말하였다.) "백성을 양육하는 도리는 가르침으로 근본을 삼아야 한다. 그러므로 옛날에는 가家와 당黨과 수遂[129]로부터 나라에 이르기까지 모두 가르치는 곳이 있었다. 사람이 태어난 지 8년째이면 소학에 들어가, 천하에 가르치지 않는 백성이 없었다. 천하의 백성이 가르침을 따르지 않음이 없으면서부터 백성은 몸을 닦고, 벼슬한 사람은 도를 밝혔다. 그런 까닭에 조정에는 현명하고 재능 있는 자들이 모이고, 아래는 선량한 풍속이 굳어져 예의가 크게 행해지고 습속이 순수하고 아름다워, 형벌이 제정되어 있었으나 범하지 않았으니, 이것이 삼대시절의 훌륭한 정치가 가르침으로부터 이루어진 것이다. 후세에는 정치의 근본을 알지 못해 백성들 마음을 선하게 하려 하지 않고 힘으로 몰아가, 법령이 위에 엄격하지만 아래에 가르침이 밝지 않아, 백성들이 못된 짓을 마구 저지르다 죄에 빠지고 나서야 죄에 따라 형벌하고 있다. 아! 이러고서 풍속이 아름다워지고 선한 정치가 이뤄지겠는가?"

[67-4-4]

朱子曰: "昔者聖王作民君師, 設官分職, 以長以治. 而其教民之目, 則曰父子有親, 君臣有義, 夫婦有別, 長幼有序, 朋友有信, 五者而已. 蓋民有是身, 則必有是五者, 不能以一日離; 有是心, 則必有是五者之理, 不可以一日離也. 是以聖王之教, 因其固有, 還以導之, 使不忘乎其初. 然又慮其由而不知, 無以久而不壞也. 則爲之擇其民之秀者, 羣之以學校, 而聯之以師儒, 開之以詩書, 成之以禮樂. 凡所以使之明是理而守之不失, 傳是教而施之無窮者, 蓋亦莫非因其固有而發明之, 而未始有所務於外也. 夫如是, 是以其教易明, 其學易成, 而其施之之博, 至於無遠之不暨, 而無微之不化. 此先王教化之澤, 所以爲盛, 而非後世所能及也."[130]

주자가 말하였다. "예전에 성왕聖王은 백성의 군주와 스승이 되어, 관청을 개설하고 직책을 나누어 장관長官이 되기도 하고 다스리기도 하였다. 그러나 백성을 가르치는 조목은 바로 부자유친父子有親, 군신유의君臣有義, 부부유별夫婦有別, 장유유서長幼有序, 붕우유신朋友有信 다섯 가지였을 뿐이다. 사람이 몸을 지녔으니 반드시 이 다섯 가지를 지녀 하루도 떠날 수 없고, 마음을 지녔으니 반드시 이 다섯 가지 이치를 지녀 하루도 떠날 수 없게 하였다. 이런 까닭에 성왕의 가르침이란 본디 지니고 있던 것에 따라

128 『二程文集』 권10 「爲家君請宇文中允典漢州學書」

129 遂 : 행정구역 단위 이름. 『周禮』 「地官 · 遂人」에서 "5비가 현이 되고, 5현이 수가 된다.(五鄙爲縣, 五縣爲遂.)"고 하였다.

130 『朱文公文集』 권79 「瓊州學記」

되돌려 인도하여 그 처음을 잊지 않게 한다. 그러나 또 그들이 따르면서도 (소이연을) 알지 못하면 오랜 사이 허물어뜨리지 않을 수 없음이 염려되었다. 그리하여 그들 백성 가운데 우수한 자를 선발하여 학교에 떼를 지어 모아들이고, 사유師儒에게 함께 공부하여,[131] 시서詩書(『시경』과 『서경』)로 마음을 열어주고, 예악으로 덕성을 이루게 하였다. 그에게 리理를 밝혀 지켜 잃지 않게 하고, 가르침으로 전해주어 이용에 곤궁함이 없게 한 것은, 또한 모두 그들이 본디 가지고 있는 것대로 따라 밝혀준 것이고, 조금도 외적인 것에 힘쓰게 한 것이 아니다. 이 같이 함으로 가르침이 쉬이 밝혀지고 학문이 쉬이 이뤄져, 이용의 넓음이 어는 먼 곳도 미치지 않음이 없고 어느 미미한 것도 교화되지 않음이 없는 것이다. 이것이 선왕 교화의 은택이 융성한 까닭이고 후세가 미칠 수 없는 바인 것이다."

[67-4-5]

"古者學校選擧之法, 始於鄕黨而達於國都. 敎之以德行道藝, 而興其賢者能者. 蓋其所以居之者無異處. 所以官之者無異術. 所以取之者無異路. 是以士有定志而無外慕. 蚤夜孜孜, 唯懼德業之不脩, 而不憂爵祿之未至也. 若夫三代之敎, 藝爲最下, 然皆猶有實用而不可闕. 其爲法制之密, 又足以爲治心養氣之助, 而進於道德之歸. 此古之爲法, 所以能成人材而厚風俗, 濟世務而興太平也."

(주자가 말하였다.) "옛날 학교에 입학시키기 위해 선발하는 방법은 향당鄕黨에서 시작하여 수도 서울에 이르렀다. 덕행德行과 도예道藝[132]를 가르쳐 현명한 자와 재능이 있는 자를 추천하였다. 그런 까닭에 살게 하는 곳도 다른 곳이 없고, 벼슬에 등용하는 것도 다른 방법이 없고, 취하는 것도 다른 길이 없다. 그러므로 사士에게 뜻의 방향이 정해져 있어 다른 것을 찾지 않는다. 새벽부터 늦은 밤까지 노력하고 노력하는 것은 오직 마음의 덕과 하는 일이 닦여지지 않은 것이 두려울 뿐, 작록이 이르지 않은 것은 걱정이 아니었다. 삼대시절의 가르침에서 예藝는 가장 하등이었으나, 그것들 모두가 여전히 실제 사용하는 것이어서 빠트릴 수 없다. 그 법도와 제도의 치밀함이 또 마음을 다스리고 호연지기를 기르는 것에 도움을 주고, 도덕으로 귀결시켜 진취시킴이 충분하였다. 이것이 옛날 법도로 삼았던 것이 인재를 성취시키고 풍속을 두터워지게 하며, 세상일을 구제하여 태평시대를 일으킨 까닭이다."

[67-4-6]

"道不遠人. 理不外事. 故古之敎者, 自其能食能言, 而所以訓導整齊之者, 莫不有法. 而況於家塾黨庠遂序之間乎? 彼其學者所以入孝出弟行謹言信, 羣居終日, 德進業修, 而暴慢放肆之

131 師儒에게 함께 공부하여 : 이는 『周禮』「地官 · 大司徒」의 말이다. 여기서 사유를 정현은 향리에서 도예를 가르치는 사람이다.(師儒, 鄕里敎以道藝者.)"고 하였다.

132 道藝 : 『周禮』「地官 · 鄕大夫」의 "덕행을 가늠하고 도예를 살핀다.(以攷其德行, 察其道藝)"를 ((賈公彦 疏주례주소)에서 "도예를 살피는 것은 백성들 가운데 육예를 지닌 자를 함께 추천하는 것이다.(察其道藝者, 謂萬民之中有六藝者并擬賓之.)"고 하였다.

氣不設於身體者, 繇此故也."[133]

(주자가 말하였다.) "도道는 사람을 멀리하지 않고 리理는 일에서 벗어나지 않는다. 그러므로 옛날의 가르침은, 밥을 먹고 말을 할 수 있을 때부터, 가르쳐 이끌고 가지런히 단속시키는 것에 법도가 있지 않음이 없는 것이다. 하물며 가家의 숙塾과, 당黨의 상庠(학교 이름)과, 수遂의 서序(학교 이름)이겠는가? 저들 배우는 자가 집에 들어와서는 효도하고 집을 나가서는 공손하며, 행실이 조심스럽고 말이 미더우며, 뭇 사람이 모여 하루 내내 공부하여 덕을 진취시키고 행실을 닦으며, 사납거나 게으르고 방자한 태도를 자신의 몸에 나타내지 않은 까닭이니, 이런 것에 연유에서다."

[67-4-7]

"天生斯人而予之以仁義禮智之性, 而使之有君臣父子兄弟夫婦朋友之倫, 所謂民彛者也. 惟其氣質之稟, 不能一於純秀之會, 是以欲動情勝, 則或以陷溺而不自知焉. 古先聖王爲是之故, 立學校以敎其民. 而其爲敎, 必始於洒掃應對進退之間, 禮樂射御書數之際, 使之敬恭朝夕, 脩其孝弟忠信而無違也. 然後從而敎之格物致知, 以盡其道, 使之所以自身及家, 自家及國而達天下者, 蓋無二理. 其匡直輔翼, 優柔漸漬, 必使天下之人, 皆有以不失其性, 不亂其倫而後已焉. 此二帝三王之盛, 所以化行俗美, 黎民醇厚, 而非後世之所能及也."[134]

(주자가 말하였다.) "하늘이 사람을 내며 인의예지의 성을 주어, 군신과 부자, 형제와 부부와 붕우의 윤리를 지니게 하였으니 이른바 '사람의 떳떳한 도리[民彛]'이다. 그러나 하늘에서 품부 받은 기질은 하나같이 순수하고 빼어난 것들이 모여질 수 없는 까닭에 욕심이 발동하고 사사로운 정이 넘치게 되면 혹여 죄에 빠져들면서도 스스로가 알지 못하게 된다. 옛날 성왕聖王이 이런 까닭에 학교를 세워서 저들 백성을 가르쳤다. 그 가르침은 반드시 물 뿌리고 쓸며 응하고 대답하며 나아가고 물러나는 사이와, 예절과 음악과 활쏘기와 말몰기와 글자와 셈의 사이에서 시작하여, 아침저녁으로 공경하고, 효제충신孝悌忠信을 닦아 어김이 없게 하였다. 그런 뒤에 뒤좇아 격물치지格物致知를 가르쳐 도리를 다하게 하면서도, 자신으로부터 집안에 미쳐가고, 집안으로부터 나라에 미쳐가고 천하에 이르게 하였으니 두 가지로 가르치는 이치가 없다. 바로잡아주고 올곧게 하여주고 도와주고 붙잡아주는 것[135]이 느긋이 점점 물들여져, 천하 사람이 모두 자신의 본성을 잃지 않고 오륜을 혼란하지 않게 함이 있은 다음에 그쳤다. 이것이 이제삼왕二帝三王(堯舜과 禹湯文武)의 융성한 시대에 교화가 행해지고 풍속이 아름다워져, 백성의 순후함이 후세에 미칠 수 있는 바가 아닌 까닭이다."

133 『朱文公文集』 권82 「跋程董二生學則」
134 『朱文公文集』 권77 「南劍州尤溪縣學記」
135 바로잡아주고 올곧게 … 것 : 이는 『孟子』「滕文公上」의 "勞之來之, 匡之直之, 輔之翼之, 使自得之."의 일부를 인용한 것이다.

[67-4-8]

"古者聖王設爲學校以敎其民, 由家及國, 大小有序, 使其民無不入乎其中而受學焉. 而其所以敎之之具, 則皆因其天賦之秉彝, 而爲之品節以開導而勸勉之, 使其明諸心, 修諸身, 行於父子兄弟夫婦朋友之間, 而推之以達乎君臣上下人民事物之際, 必無不盡之分焉者. 及其學之旣成, 則又興其賢且能者, 寘之列位. 是以當是之時, 理義休明, 風俗醇厚, 而公卿大夫列士之選, 無不得其人焉. 此先王學校之官, 所以爲政事之本, 道德之歸, 而不可以一日廢焉者也.

(주자가 말하였다.) "예전에 성왕聖王이 학교를 만들어 백성을 교육하는 것이 가정으로부터 나라의 태학太學에 이르기까지 크고 작은 차례가 있어, 백성이면 그 곳에 입학하여 공부하지 않는 사람이 없게 하였다. 그곳에서 가르치는 과목은 모두 하늘이 내려준 병이秉彝의 본성에 따라, 그것을 등급에 따라 절제해 권면하고 인도하여, 백성들에게 마음을 밝히고 몸을 닦아 아버지와 아들, 형과 아우, 지아비와 지어미, 벗과 친구 사이에 행하고 군주와 신하, 윗사람과 아랫사람, 백성과 사물의 관계에까지 미쳐가게 하여, 자신의 직분을 다하지 않은 자가 없게 하였다. 그들의 학문이 성취됨에 이르면 또다시 덕이 있거나 재능이 있는 자를 추천하게 하여 여러 지위에 벼슬시켰다. 이렇게 한 까닭에 이 시대에는 의리가 아름답게 밝고 풍속이 순후하여 공경公卿과 대부大夫와 열사列士[136]의 선발에 적임자를 얻지 못함이 없었다. 이것이 선왕시대의 학교라는 기관이 정사의 근본이 되고, 도덕이 모여져 하루도 없어서는 안 될 것이 된 까닭이다.

至于後世學校之設, 雖或不異乎先王之時. 然其師之所以敎, 弟子之所以學, 則皆忘本逐末, 懷利去義, 而無復先王之意. 以故學校之名雖在, 而其實不擧. 其效至於風俗日敝, 人材日衰, 雖以唐漢之盛隆, 而無以彷彿乎三代之叔季. 然猶莫有察其所以然者, 顧遂以學校爲虛文, 而無所與於道德政理之實. 於是爲士者, 求道於老子釋氏之門; 爲吏者, 責治乎薄書期會之最. 蓋學校之僅存而不至於遂廢者, 亦無幾耳."[137]

후세에 학교를 세우는 것에 이르면 학교는 선왕시대와 다름이 없다. 그러나 그 스승이 가르치는 것과 제자가 배우는 모든 것들이 근본을 잊고 지엽을 추구하는 것이고 이익을 생각하고 의리를 저버리는 것이어서, 다시 선왕의 의도란 없어져버렸다. 이런 연유로 학교의 명칭은 존재하나 그 실제는 행해지지 않았다. 그로 인해서 풍속이 날로 피폐하고 인재가 날로 시들어, 한漢나라와 당唐나라의 융성한 시대라 해도 삼대시절의 말년에도 방불하지 못한다. 그런데도 여전히 그 소이연을 살펴내지 못하고 있는 것은, 다만 학교를 마침내 헛된 꾸미개로 여기고 도덕과 정치의 실제에 관계시키지 않아서다. 이에 이르러 선비는 도를 노자老子와 석씨釋氏의 가르침에서 찾고, 관원은 정치를 문서와 납기일을 맞추는 최고에서 구하고 있다. 학교가 겨우 존재하며 끝내 없어지는 데에 이르지 않은 것이 또한 얼마 남지 않았을 뿐이다."

136 列士: 元士와 上士, 中士, 下士들을 이른다.
137 『朱文公文集』 권78 「靜江府學記」

[67-4-9]

"學校之政, 不患法制之不立, 而患理義之不足以悅其心. 夫禮義不足以悅其心, 而區區於法制之末以防之, 是猶決湍水注之千仞之壑, 而徐翳蕭葦, 以捍其衝流也, 亦必不勝矣."[138]

(주자가 말하였다.) "학교에 대한 정사는 법과 제도가 확립되지 못한 것이 걱정이 아니라, 의리가 사람들 마음을 기쁘하기에 충분하지 못하다는 점이 걱정이다. 예의가 사람들 마음을 기쁘하게 하기에 충분하지 못한데, 구구하게 법제의 지엽적인 것으로 막으려는 것은, 마치 소용돌이치는 물을 터서 천 길 낭떠러지에 흘러가게 하고 쑥대나 갈대로 느슨하게 가로막아 그 질러오는 물길을 막는 것과 같아, 또한 반드시 이겨내지 못한다."

[67-4-10]

南軒張氏曰 : "惟民之生, 其典有五, 君臣, 父子, 兄弟, 夫婦, 朋友是也 ; 而其德有四, 仁義禮智是也. 人能充其德之所固有, 以率夫典之所當然, 則必無力不足之患. 惟人之不能是也, 故聖人使之學焉. 自唐虞以來, 固莫不以是教矣. 至于三代之世, 立教人之所, 設官以董莅之, 而其法益加詳焉. 然其所以爲教, 則一道耳. 故曰學則三代共之, 皆所以明人倫也. 嗟夫! 人倫之在天下, 不可一日廢, 廢則國隨之. 然則有國者之於學, 其可一日而忽哉?"[139]

남헌 장씨南軒張氏[張栻]가 말하였다. "사람이 태어났을 때 그 준칙으로 삼아야 할 것이 다섯 가지이니, 군주와 신하, 아버지와 아들, 형과 아우, 지아비와 지어미, 벗과 친구가 그것이고, 그 덕은 네 가지이니 인 · 의 · 예 · 지가 그것이다. 사람이 본디 가지고 있는 덕을 채워서, 준칙의 당연히 행해야 할 도리를 따르면, 반드시 힘이 부족할 걱정은 없다. 사람이 이렇게 해내지 못한 까닭에 성인이 배우도록 한 것이다. 요순 이후 참으로 이를 가르치지 않은 적이 없었다. 삼대시대에 이르러는 사람을 가르치는 곳을 세우고 관청을 두어 독려하고 다스려서 그 법이 더더욱 자세하였다. 그러나 그곳에서 가르친 것은 한 가지였을 뿐이다. 그런 까닭에 학교는 삼대시절이 서로 같았으니, 모두가 인륜을 밝히는 것이었다. 슬프다! 인륜은 천하에 하루도 없어서는 안 될 것이니, 없어지면 나라도 따라 없어진다. 그렇다면 나라를 가진 자 학교를 하루라도 소홀히 할 수 있겠는가?"

[67-4-11]

"先王所以建學造士之本意, 蓋將使士者講夫仁義禮智之彛, 以明夫君臣父子兄弟朋友之倫, 以之脩身齊家治國平天下, 其事蓋甚大矣. 而爲之則有其序. 教之則有其方. 故必先使之從事於小學, 習乎六藝之節, 講乎爲弟爲子之職, 而躬乎洒掃應對進退之事, 周旋乎俎豆羽籥之間, 優游乎絃歌誦讀之際. 有以固其肌膚之會, 筋骸之束, 齊其耳目, 一其心志.

(남헌 장씨가 말하였다.) "선왕이 학교를 세우고 선비를 양성한 본래 의도는, 이들 선비에게 인의예지의

138 『朱文公文集』 권74 「雜著 · 諭諸職事」
139 『南軒集』 권9 「袁州學記」

떳떳한 도리를 익혀 군주와 신하, 아버지와 아들, 형과 아우, 지아비와 지어미, 벗과 친구의 인륜을 밝히게 하여 그것으로 몸을 닦고, 집안을 가지런히 하고, 나라를 다스리고 천하를 화평하게 하려 한 것이니, 그 일은 매우 크다. 그것을 행하면 질서가 서고 그것을 가르치면 방향이 있다. 그러므로 반드시 먼저 소학小學에 종사하여 육예六藝[140]의 절도를 익히게 하고, 아우와 자식 된 직분을 강론하게 하고, 물 뿌리고 쓸며 응하고 대답하며 나아가고 물러나는 일을 몸소 행하게 하고, 제사와 춤추는 사이[141]에 주선하게 하고, 금슬琴瑟을 타며 노래하고 글을 외는 사이에 흡족히 젖도록 한다. 이리하여 살이 모인 곳과 힘줄과 뼈가 결합된 곳을 견고하게 하고,[142] 귀로 듣고 눈으로 보는 것을 가지런히 하고, 마음과 뜻을 전일하게 함이 있다.

所謂大學之道, 格物致知者, 由是可以進焉. 至於格物知至, 而仁義禮智之彜, 得於其性, 君臣父子兄弟夫婦朋友之倫, 皆以不亂, 而脩身齊家治國平天下, 無不宜者. 此先王之所以敎, 而三代之所以治, 後世不可以跂及者也. 後世之學校, 朝夕所講, 不過綴緝文辭, 以爲規取利祿之計, 亦與古人之道大戾矣. 上之人所以敎養成就之者, 夫豈端爲是哉?"[143]

이른바 『대학大學』의 도리인 격물치지格物致知도 이로부터 나아갈 수 있다. 사물의 이치를 궁구하여 앎이 지극한 경지에 이르면 인의예지의 떳떳한 이치가 자신의 본성 속에 얻어져, 군주와 신하, 아버지와 아들, 형과 아우, 지아비와 지어미, 벗과 친구의 인륜이 모두 어지러워지지 않아, 몸을 닦고, 집안을 가지런히 하고, 나라를 다스리고 천하를 화평하게 하는 것이 어느 하나 마땅하지 않음이 없게 된다. 이것이 선왕이 가르침으로 삼은 것이고 삼대시대가 다스려진 까닭이니, 후세가 따라잡을 수 없는 것이다. 후세의 학교는 아침저녁으로 가르치는 것이 문장을 엮는 것에 불과하여, 그것으로 이로움과 작록爵祿을 넘보는 계책으로 삼으니, 또한 옛사람의 도리와는 크게 어긋난다. 윗사람이 가르치고 길러 성취시키는 것이 어찌 꼭 이것만이겠는가?"

[67-4-12]

"三代之學, 至周而大備. 自天子之國都以及於鄕黨, 莫不有學, 使之朝夕優游於絃誦詠歌之中, 而服習乎進退揖遜之節. 則又申之以孝弟之義, 爲之冠昏喪祭之法, 春秋釋菜與夫鄕飮酒養老之禮. 其耳目手足肌膚之會, 筋骸之束, 無不由於學. 在上則司徒總其事, 樂正崇其敎;

140 六藝: 예절[禮], 음악[樂], 활쏘기[射], 말부리기[御], 글자[書], 셈[數]이다.

141 제사와 춤추는 사이: 여기서 제사는 본문의 俎豆를 춤은 羽籥에 대한 번역이다. 예전에 제사에는 반드시 文舞가 실연되었는데, 우약은 문무를 출 때 춤추는 사람이 손에 드는 도구인 꿩깃[羽]과 피리[籥]이다. 『周禮』 春官 「籥師」에서 "제사에는 우약의 춤을 춘다.(祭祀, 則鼓羽籥之舞.)"고 하고 鄭玄은 이를 "문무에 깃을 들고 피리를 부는 자가 있으니 이른바 약무이다.(文舞有持羽吹籥者, 所謂籥舞也.〉)"고 하였다.

142 살이 모인 … 하고: 사람의 몸을 흐트러지지 않게 함을 이른다. 이는 『論語』「泰伯」 "立於禮"에서 주자가 예의 효용을 설명한 注의 한 부분이기도 하다.

143 『南軒集』 권9 「邵州復舊學記」

下而鄕黨亦莫不有師. 其敎養之也密, 故其成材也易. 士生斯時, 藏脩游息於其間, 誦言而知味, 玩其文而會其理, 德業之進, 日引月長, 自宜然也.

(남헌 장씨가 말하였다.) "삼대의 학문은 주나라에 이르러 크게 갖추어졌다. 천자 나라의 수도에서부터 향당鄕黨에 이르기까지 학교가 없는 곳이 없어, 아침저녁으로 금슬을 타며 글을 읽고 노래로 읊조리는 가운데 느긋하게 노닐게 하고, 나아가고 물러오며 읍하고 사양하는 예절을 익히게 하였다. 또 효도하고 공손한 예의를 거듭 가르치고 관혼상제冠婚喪祭의 예법을 시행하며, 봄가을이면 석채례釋菜禮[144]와 향음주례鄕飮酒禮와 양로례養老禮[145]를 행하게 하였다. 그리하여 귀와 눈, 손과 발, 피부가 모인 곳과 힘줄과 뼈가 결합된 곳들이 모두 학문에 따르지 않음이 없었다. 위로는 사도司徒가 그 일을 총괄하고 악정樂正(음악담당의 우두머리 관원)이 그 가르침 대로 숭상하였으며, 아래에는 향당까지 또한 스승이 없는 곳이 없다. 가르쳐 기름이 치밀하였던 까닭에 인재의 육성이 쉬웠다. 선비가 이러한 세상에 태어나, 그 사이에서 가슴에 담아두고 닦고 노닐고 쉬면서,[146] 글을 외우면서는 그 뜻을 알고 그 문사文辭를 음미하면서는 그 이치를 알았으니, 덕업德業의 진취가 날로 커가고 달로 자라는 것은 의당 자연스러울 것이다.

於是自鄕論其行而升之司徒. 司徒又論之而升之國庠. 大樂正則察其成以告于王, 定其論而官之. 其官之也, 因其才之大小, 蓋有一居其官, 至于終身不易者. 士修其身而已, 非有求於君也, 身修而君擧之耳. 夫然故, 禮義興行, 人材衆多, 風俗醇厚, 至於班白者不負戴於道路, 而王道成矣."[147]

이에 고을에서 그들의 행실을 평가하여 사도에게 올리고, 사도는 또 이들을 평가하여 국상國庠[太學]에 올렸다.[148] 대악정大樂正[大司成]은 그들의 성취를 살펴 왕에게 아뢰어 평가를 결정하여 벼슬에 임명하였

---

144 釋菜禮 : 예전에 학생이 학교에서 공부를 시작할 때 先師에게 행하는 제사. 『禮記』「月令」에서 "(중춘 달의) 上丁에 樂正(음악 담당 최고의 관원)에게 명하여 춤을 익히려면 석채례를 행한다.(上丁, 命樂正習舞, 釋菜.)" 고 하고 이를 鄭玄은 "춤을 추려면 반드시 先師에게 석채의 제사로 예를 행한다.(將舞, 必釋菜於先師以禮之.)"고 하였다. 여기서 菜에 대해서 『禮記集說大全』에서 嚴陵方氏는 "釋奠에는 마실 것이 있고, 석채에는 미나리와 마름 풀 따위들이다.(凡言釋奠 則有飮焉, 言釋菜, 則以芹藻之類而已.)"고 하였다.

145 養老禮 : 노인들에게 베푸는 잔치를 이른다. 『禮記』「王制」에 이에 대한 언급이 자세하다. 순임금 시대부터 주나라에 이르기까지 모두 이를 행하였으나 주나라가 가장 잘 갖추어져, "50세 노인에게는 고을에서, 60세 노인은 수도 서울에서, 70세 노인은 태학에서 행하였으니 이것은 천자국만이 아니고 제후국에서도 행하였다.(五十養於鄕 ; 六十養於國 ; 七十養於學, 達於諸侯.)"고 하였다.

146 이는 『禮記』「學記」의 글을 인용한 것이다. 鄭玄은 "藏은 가슴에 담아두는 것이고, 脩는 닦는 것이다. 息을 하는데, 힘들게 일하고 쉬는 것을 말하고, 그것을 식이라고 하며, 遊를 하는데, 한가하게 하는 일이 없는 것을 말하고, 그것을 유라고 한다.(藏, 謂懷抱之 ; 修, 習也. 息, 謂作勞休止, 謂之息 ; 遊, 謂閒暇無事, 謂之遊.)"고 하였다.

147 『南軒集』 권9 「郴州學記」

148 행실을 평가하여 … 올렸다. : 『禮記』「王制」의 글에 의지하여 한 말이다. 자세히 보면 다음과 같다. "고을에 명령하여 우수한 선비를 평가하여 사도에게 올리게 하니 이들을 일러 選士라 하고, 사도가 선사 가운데 우수한 자를 평가하여 태학에 올리니 그들을 일러 俊士라 한다.(命鄕, 論秀士升之司徒曰選士, 司徒論選士之

다.[149] 관원으로 임용할 적에 그들 재능의 크기에 따르므로 한 번 관원으로 임명되어 죽을 때까지 바뀌지 않은 사람도 있다. 선비는 자신의 몸을 닦아야할 따름이고 군주에게 구하는 것이 아니니, 몸이 닦여져야 군주가 등용할 뿐이다. 그런 까닭에 예의의 기풍이 일어나 유행하면, 인재가 많고 풍속이 순후하여져 반백의 노인이 길에서 짐을 이고지지 않는데 이르러, 왕도王道가 이루어진다."

[67-4-13]

東萊呂氏曰 : "學校之設, 非爲士之貧而食之也, 又非欲羣其類而習爲文辭也. 不農不商, 若何而可以爲士 ; 非老非釋, 若何而可以爲儒? 事親從兄, 當以何者爲法 ; 希聖慕賢, 當自何門而入? 道德性命之理, 當如何而明 ; 治亂興衰之故, 當何由而達? 考之古以爲得失之鑒, 驗之今以爲因革之宜, 此士之所當用心也. 自孔門高弟, 猶勤勤於問仁 · 問孝 · 問智 · 問政. 所以爲士, 請之於師, 辨之於友. 後世之士, 不逮遠矣. 儻離羣索居, 而蔽其所習, 則固陋乖僻, 無自進於道. 聖人憂之, 著爲成書以詔萬世, 敎養漸摩, 以俾之講習, 立師儒之官以董正之. 此開設學校之本意也."

동래 여씨東萊呂氏[呂祖謙]가 말하였다. "학교를 만든 것은 선비의 가난을 위해 먹여 살리려는 것도 아니고, 또 그들을 떼 지어 모아 문장을 익히고자 해서도 아니다. 농사도 짓지 않고 장사도 하지 않으니 어떻게 해야 선비가 될 수 있으며, 노자老子의 무리도 아니고 석씨釋氏의 무리도 아니니 어떻게 해야 유자儒者가 될 수 있는가? 어버이를 섬기고 형을 따르는데 당연히 어떤 것을 법으로 삼아야 하며 성인을 바래고 현인賢人을 사모하는 데는 당연히 어떤 문으로 들어가야 하는가? 도덕道德과 성명性命의 이치는 당연히 어떻게 해서 밝히며 다스려지고 어지러워지며 일어나고 쇠해지는 까닭은 당연히 어디에서 시작해야 통달할 수 있는가? 옛날에서 찾아 잘잘못의 거울로 삼고 오늘날에서 증험하여 따르고 바꿔야하는 마땅함으로 삼아야 하니, 이것이 선비가 당연히 마음 써야 할 곳이다. 공자 문하의 덕이 높은 제자들도 여전히 인仁을 묻고, 효孝를 묻고, 지혜[智]를 묻고, 정치[政]를 묻는데[150] 부지런하였다. 선비가 된 자 스승에게 청해 묻고 친구를 찾아 그것을 분변한 까닭이다.[151] 후세의 선비는 뒤떨어져 미치지 못함이 한참 크다. 혹여 친구와 떨어져 혼자 살면서 공부길 마저 막히면, 고루하고 괴벽하여 도에 낳아갈 길이 없게 된다.

秀者而升之學曰俊士.)"고 하였다.

149 大樂正(大司成)은 그들의 … 임명하였다. : 이를 『禮記』「王制」에 의거하여 살피면, 태학으로 추천한 선비들은 소정의 교육을 거쳐 9년이 되면 태학을 졸업하게 된다. 이때 "대악정이 학생 가운데 우수한 자를 평가하여 왕에게 아뢰고, 司馬에게 올리는데 이를 進士라고 한다. 사마는 관원의 자질을 평가하여 진사 가운데 어진 자를 왕에게 고하여 평가를 결정한다. 평가가 정하여진 뒤 관원으로 임명하고, 관원으로 임명한 뒤에 작위를 내리고, 작위가 정하여진 뒤 봉록을 내린다.(大樂正論造士之秀者以告于王, 而升諸司馬曰進士. 司馬辨論官材, 論進士之賢者以告于王, 而定其論. 論定然後官之, 任官然後爵之, 位定然後祿之.)"고 하였다.

150 仁을 묻고, … 묻는데 : 『論語』 한 책에 이에 관한 물음들이 매우 많다.

151 스승에게 청해 … 까닭이다. : 이는 『論語』「顔淵」에서 樊遲가 스승 공자에게 仁과 지혜[知]를 물었다가 깨닫지 못하자 동문 친구인 子夏에게 물어 의심을 푼 일을 이른다.

성인께서 이를 걱정하여 책으로 저술해 만세에 일러주어, 차츰차츰 가르치고 길러 강습시키도록 하면서, 사유師儒(스승)의 관원을 세워 독려해 바로잡았다. 이것이 학교를 개설한 본의이다."

[67-4-14]

西山眞氏曰 : "按古敎法, 其近民者敎彌數, 故二十五家爲閭, 閭有塾, 民朝夕處焉. 四閭爲族, 則歲之讀法者十有四. 法者何? 大司徒所頒之三物也. 士生斯時, 不待舍去桑梓而有學有師. 敬敏任恤, 則閭胥書之 ; 孝弟睦淵, 則族師書之. 其所以敎, 又皆因性牖民, 而納諸至善之域. 禮鎔樂冶, 以成其德, 達其材. 古者作人之功蓋如此.

서산 진씨西山眞氏[眞德秀]가 말하였다. "옛날의 가르치던 법을 살펴보면 가까이 사는 백성들에 대한 교육이 더욱 잦았던 까닭에 25호戶로 한 마을[閭]을 만들고 여에는 숙塾이 있어 백성들이 아침저녁으로 그곳에 머물렀다. 4려가 족族이 되는데 한 해에 법을 읽어 알리는 것이 14회이다. 법은 무엇인가? 대사도大司徒(교육 담당 장관)가 반포하는 '세 가지[三物]'[152]이다. 선비가 이러한 때에 살게 되면 고향을 떠나지 않고서도 학교도 있고 스승도 있다. 공경하고 민첩하며 친구와 미덥고 가난한 사람을 구휼하면 여閭의 관리가 기록하고, 효도하고 우애하고 친족과 화목하고 친척과 화목하면 족의 스승이 기록한다. 그곳에서 가르치는 것도 또 모두 본성에 근거하여 백성을 가르쳐 지극히 선한 곳으로 들어가게 한다. 예禮로 녹이고 음악으로 담금질하여 덕을 이뤄주고 재능을 발휘하게 한다. 옛날에 사람을 기르는 일은 대체로 이와 같았다.

然士之於學, 豈直處庠序爲然哉? 雞鳴夙興, 嚮晦宴息, 皆學之時. 微而暗室屋漏, 顯而鄕黨朝廷, 皆學之地 ; 動容周旋, 洒掃應對, 皆學之事. 知無時之非學, 則晝而有爲, 夜而計過者其敢懈 ; 知無地之非學, 則警於冥冥, 惕於未形者其敢忽? 知無事之非學, 則矜細行, 勤小物者其敢或遺?"[153]

그러나 선비가 학문하는 것을 어찌 다만 상서庠序(학교)에서만 이렇게 하겠는가? 첫닭이 홰를 치면 일찍 일어나 저녁나절 쉴 때까지가 모두 학문하는 시간이다. 어두운 방의 옥루屋漏(햇볕이 들지 않는 방안의 서북쪽)의 으슥한 곳과 향당과 조정의 환한 곳이 모두 학문하는 곳이며, 행동할 때 차리는 용모와 이리저리 돌거나 꺾는 것과 물 뿌리고 쓰는 것이 모두 학문의 일이다. 어느 때고 학문이 아닌 때가 없음을 안다면 낮에 무엇을 할 때와 밤에 허물을 셈해보는 순간까지[154] 감히 게으를 수 있겠으며, 어느 곳이고

152 '세 가지[三物]' : 세 가지 일이니, 六德, 六行, 六藝이다. 이를 『周禮』「地官 · 大司徒」에 의거하여 살피면 다음과 같다. "대사도가 지방마다 세 가지로 모든 백성들을 가르쳐서 우수한 자를 빈객의 예우를 갖추어 추천한다. 첫째는 육덕이니, 지혜[智]와 어짊[仁]과 통달[聖]과 판단[義]과 자신을 다함[忠]과 화합[和]이다. 둘째는 육행이니, 효도와 우애와 친족과의 화목과 친척과의 화목과 믿음과 구휼이다. 셋째는 육예이니, 예절과 음악과 활쏘기와 말부리기와 글자와 셈이다.(以鄕三物敎萬民, 而賓興之. 一曰六德, 知 · 仁 · 聖 · 義 · 忠 · 和. 二曰六行, 孝 · 友 · 睦 · 姻 · 任 · 恤. 三曰六藝, 禮 · 樂 · 射 · 御 · 書 · 數.)"

153 『西山文集』 권25 「政和縣修學記」

학문 아님이 없었음을 안다면 컴컴한 곳에서 경계하고 아직 마음에서 만 발동하는 것까지 삼가야 함을 감히 소홀히 할 수 있겠는가? 어느 일도 학문 아님이 없음을 안다면 소소한 행동에도 힘을 쏟고, 적은 일에도 애쓰는 것을 감히 혹여 빠뜨릴 수 있겠는가?"

[67-4-15]

魯齋許氏曰 : "先王設學校, 養育人材, 以濟天下之用. 及其弊也, 科目之法愈嚴密, 而士之進於此者愈巧, 以至編摩字樣, 期於必中. 上之人不以人材待天下之士, 下之人應此者, 亦豈仁人君子之用心也哉? 雖得之, 何益於用? 上下相待, 其弊如此, 欲使生靈蒙福, 其可得乎? 先王設學校, 後世亦設學校, 但不知先王何爲而設也. 上所以敎人, 人所以爲學, 皆本於天理民彝, 無他敎也, 無異學也."[155]

노재 허씨魯齋許氏[許衡]가 말하였다. "선왕이 학교를 세우고 인재를 길러 육성한 것은 천하의 쓰임에 이롭고자 해서다. 그것이 폐단이 되면서 과거 명목에 대한 법이 더욱 엄격하고 치밀해졌으나, 선비들의 이것을 통과하는 것도 더욱 교묘해져 글씨의 자형字形을 편집하여 다듬으면서까지 기어코 합격하려 하였다. 윗사람이 인재를 천하의 선비로 대우하지 않는데 아랫사람으로 응시하는 자 또한 어찌 인인仁人과 군자君子의 마음 씀을 쓰겠는가? 합격하더라도 쓰임에 무슨 도움이겠는가? 위 아랫사람의 서로 상대하는 그 폐해가 이 지경인데 백성들이 복을 받게 하는 것이 가능하겠는가? 선왕이 학교를 세우고 후세에도 역시 학교를 세웠으나, 다만 선왕이 무엇을 위해 세웠는지 모르고 있다. 윗사람이 백성을 가르치려는 것과 백성이 배우려한 것이, 모두 천리天理와 인간의 떳떳한 본성에 바탕한 것일 뿐이고, 다른 것은 가르치지 않았고 다른 것은 배우지 않았다."

[67-4-16]

"學則三代共之, 皆所以明人倫也. 司徒之職, 敎以人倫而已, 凡不本於人倫, 皆非所以爲敎. 樹之君以立政, 謹此敎也; 作之師以立敎, 敎以此也. 先王皆本於人心之所固有, 不强以其所無有, 故人易從而風俗美, 非後世所謂學所謂敎也. 文公『小學』·『四書』, 次第本末甚備, 有王者起, 必須取法."[156]

(노재 허씨가 말하였다.) "학교는 삼대시절이 서로 같으니 모두 인륜을 밝히는 것이다. 사도司徒의 직책은 인륜을 가르칠 따름이었으니, 인륜에 바탕 하지 않은 것은 모두 가르침이 될 수 있는 것이 아니었다.

154 밤에 허물을 … 순간까지 : 이는 『國語』「魯語下 · '公父文伯之母論勞逸'」의 글을 차용한 것이다. 자세히 보면 다음과 같다. "士는 아침에 해야 할 일을 받아서 낮이면 그 일을 강론해 처리하고, 저녁이면 다시 검토하고, 밤이면 과실이 있는지 헤아려 유감 됨이 없은 뒤에 편안히 잠자리에 든다.(士朝而受業, 晝而講貫, 夕而習復, 夜而計過, 無憾而後, 即安.)"

155 『魯齋遺書』 권1 「語錄上」

156 『魯齋遺書』 권1 「語錄上」

군주를 세워 정사를 확립시키는 것은 이 가르침을 삼가기 위해서고, 스승을 세워 가르침을 확립시키는 것은 이를 가르치기 위해서였다. 선왕은 모든 것이 사람 마음에 본래 가지고 있는 것에 바탕하고, 억지로 사람 마음에 있지 않는 것을 가르치려 하지 않았다. 그리하여 백성은 따르기 쉽고 풍속은 아름다웠으니, 후세에서 말하는 학문과 가르침이 아니었다. 주문공朱文公(주자를 시호로 이르는 말)의 『소학小學』과 『사서집주四書集注』는 순서와 본말이 매우 갖추었으니, 제왕이 나온다면 반드시 법을 취할 것이다."

[67-4-17]

臨川吳氏曰 : "古者盛時, 萬二千五百家之鄕有鄕學, 鄕大夫主之. 頒敎法于州黨族閭, 俾敎其民. 二千五百家之州, 則州長屬民讀法, 以時習鄕射于學而尙功 ; 五百家之黨, 則黨正屬民讀法, 以時習鄕飮酒于學而尙齒. 雖二十五家之閭, 巷口亦有塾, 閭內致仕之老, 朝夕坐其中, 民之出入者必受敎. 此所以敎成俗善, 而人人有士君子之行也."[157]

임천 오씨臨川吳氏[吳澄]가 말하였다. "옛날 융성했던 시절에 1만 2,500호戶의 향鄕에는 향학鄕學이 있어, 향대부鄕大夫가 맡아 가르치며 주州와 당黨과 족族과 여閭에 교법敎法(법전이나 법규)을 반포하여, 백성을 가르치도록 하였다. 2,500호의 주州에는 주의 우두머리가 백성을 불러 모아서 법령을 선포하고, 때로 학교에서 향사례鄕射禮를 익히게 하여 성적을 숭상하고,[158] 5백 호의 당黨에는 당의 우두머리가 백성을 불러 모아서 법령을 선포하고, 때로 학교에서 향음주례鄕飮酒禮를 익히게 하며 나이를 숭상하였다.[159] 25호의 마을[閭]도 마을 어귀에 역시 서숙[塾]이 있어, 마을의 치사致仕한 노인이 아침저녁으로 그 곳에 앉아서 드나드는 백성이 반드시 가르침을 받았다. 이것이 가르침이 이루어지고 풍속이 선하여져, 사람마다 사군자士君子의 행실이 있게 된 까닭이다."

用人 용인

[67-5-1]

程子曰 : "海宇之廣, 億兆之衆, 一人不可以獨治, 必賴輔弼之賢, 然後能成天下之務. 自古聖王, 未有不以求任輔相爲先者也. 在商王高宗之初, 未得其人, 則恭黙不言, 蓋事無當先者也. 及其得傅說而命之, 則曰'濟川作舟楫, 歲旱作霖雨, 和羹惟鹽梅', 其相須倚賴之如是. 此聖人任輔相之道也.

157 「吳文正集」 권41 「舊岡義塾記」

158 성적을 숭상하고 : 활쏘기에서 명중한 숫자에 따라 대접함을 이른다. 『禮記』「王制」에서 "가려서 정한 좋은 날에, 활쏘기는 명중한 성적을 숭상하고, 향음주례는 나이를 으뜸으로 친다.(元日, 習射, 上功 ; 習鄕, 上齒.)" 고 하였다.

159 나이를 숭상하였다. : 나이에 따라 좌석과 음식 먹는 서열을 정한 것을 이른다. 출전은 바로 위 주석 참고

정자[程頤]가 말하였다. “천하의 넓음과 억조의 수많은 창생을 한 사람이 홀로 다스릴 수 없으니, 반드시 현자의 보필에 의지한 다음이라야 천하의 일을 이뤄낼 수 있다. 예부터 성왕聖王은 상국 구하는 일을 선무先務로 삼지 않은 자가 없다. 상商나라 왕 고종高宗이 초기에 적임자를 얻지 못하자, 공손히 침묵하고 말을 하지 않았던 것[160]은, 어떤 일도 그보다 앞설 것이 없어서다. 부열傅說을 얻어 임명하기에 이르러 '물을 건너게 되면 배와 노가 되어주고, 해가 가물이 지면 장마비가 되어주고, 국에 간을 맞추려 하면 소금과 매실이 되어 달라.'고 하였으니, 서로 기대어 의지하는 것이 이와 같았다. 이것이 성인이 상국을 임용하는 도리이다.

夫圖任之道, 以愼擇爲本. 擇之愼, 故知之明; 知之明, 故信之篤; 信之篤, 故任之專; 任之專, 故禮之厚而責之重. 擇之愼, 則必得其賢; 知之明, 則仰成而不疑; 信之篤, 則人致其誠; 任之專, 則得盡其才; 禮之厚, 則體貌尊而其勢重; 責之重, 則自任切而功有成. 是故推誠任之, 待以師傅之禮, 坐而論道, 責之以天下治, 陰陽和. 故當之者, 自知禮尊而任專, 責深而勢重, 則挺然以天下爲己任, 故能稱其職也. 雖有姦諛巧佞, 知其交深而不可間, 勢重而不可搖, 亦將息其邪謀, 歸附於正矣.

임용을 도모할 때의 도리는 신중한 선택으로 근본을 삼는다. 선택이 신중한 까닭에 앎이 분명하고, 앎이 분명한 까닭에 믿음이 독실하고, 믿음이 독실한 까닭에 임용이 전적이고, 임용이 전적인 까닭에 예우가 후하고 책임지움이 무겁다. 선택이 신중하면 반드시 현명한 자를 얻고, 앎이 분명하면 성공을 우러러 의심하지 않고, 믿음이 독실하면 사람이 정성을 다하고, 임용이 전적이면 그 사람의 재능을 다하게 할 수 있고, 예우가 후하면 예우하는 태도가 존경스러워 그의 형세가 무거워지고, 책임 지움이 중하면 스스로 책임지려는 의식도 간절하여, 하는 일이 이루어진다. 이러므로 성심을 다해 임용하고 사부師傅의 예로 대우해, 마주앉아 도를 논하며 천하가 다스려짐과 음양이 조화되는 것을 책임 지운다. 그러므로 그 책임을 지게 된 자도 스스로 예우가 높고 임용이 전적이며 책임이 깊고 형세가 무거움을 알고서, 우뚝이 천하를 자신의 책무로 생각하는 까닭에 자신의 직분을 잘 수행하게 된다. 간사한 아첨과 교묘히 말재주 부리는 자가 있어도, 그들 관계가 깊어서 끼어들 수 없고, 형세가 무거워 흔들 수 없음을 알면, 또한 사악한 기도를 중지하고 정의에 귀의하여 따르게 된다.

後之任相者異於是, 其始也不愼擇. 擇之不愼, 故知之不明; 知之不明, 故信之不篤; 信之不

160 商나라 왕 … 것: 이 기사는 『書經』「說命」에 근거한 것이다. 그 기사에 의하면 고종이 아버지 3년 상을 마치고서도 아무 말이 없자 신하들이 '군주는 신하의 법이 되는 것인데 말씀이 없으니 어찌할 바를 모르겠습니다.'라고 하니, 고종이 '나를 천하의 바른 잣대로 삼고자 하나, 나의 덕이 그만 못해 말을 하지 않고서 천하 다스릴 도리를 생각하고 있었다. 그런데 꿈에 하늘의 상제가 나에게 어진 신하를 주셨으니 그가 내 대신 말을 할 것이다.'라고 하였다. 이에 고종이 꿈에 본 사람의 얼굴 모양을 그려 천하에 찾게 하였더니, 부열이 傅巖에서 살고 있었다. 마침내 그를 정승으로 등용하여 은나라가 중흥하였다. 다음에 이어지는 물을 건너게 되면 운운도 모두 이 편에서 인용한 것이다.

篤, 故任之不專; 任之不專, 故禮之不厚, 而責之亦不重矣. 擇不愼, 則不得其人; 知不明, 則用之猶豫; 信不篤, 則人懷疑慮; 任不專, 則不得盡其能; 禮不厚, 則其勢輕而易搖; 責不重, 則不稱其職. 是故任之不盡其誠, 待之不以其禮, 僕僕趨走, 若吏史然, 文案紛冗, 下行有司之事. 當之者自知交不深而其勢輕, 動懷顧慮, 不肯自盡, 上懼君心之疑, 下虞群議之奪. 故蓄縮不敢有爲, 苟循常以圖自安爾. 君子弗願處也; 姦邪之人, 亦知其易搖, 日伺間隙. 如是其能自任以天下之重乎?

후세의 상국을 임용하는 자들은 이와 달라 처음부터 신중하게 선택하지 않는다. 선택이 신중하지 않은 까닭에 앎이 분명하지 않고, 앎이 분명하지 않은 까닭에 믿음이 독실하지 않고, 믿음이 독실하지 않은 까닭에 임용이 전적이지 않고, 임용이 전적이지 않은 까닭에 예우가 후하지 않고 책임 지움도 역시 무겁지 않다. 선택이 신중하지 않으면 적임자를 얻을 수 없고, 앎이 분명하지 않으면 쓰면서도 머뭇거리고, 임용이 전적이지 않으면 그의 능력을 다하게 할 수 없고, 예우가 후하지 않으면 그의 형세가 가벼워 쉬이 흔들리고, 책임 지움이 무겁지 않으면 직책을 수행해 내지 못한다. 이러므로 임용에 자신의 정성을 다하지 않으며 대우도 걸맞은 예우를 하지 않고, 번거롭고 잔달게 이리저리 뛰어다니게 하는 것이 마치 서리胥吏나 사관史官 같고, 공문서가 번잡하게 넘쳐나 하등下等의 유사有司의 일을 행한다. 그 책임을 진 자도 관계가 깊지 않아 자신의 형세가 가벼움을 스스로 알고서 일을 하려 할 적마다 머뭇거리는 생각을 품어 기꺼이 스스로 다하지 않으며, 위로 군주 마음의 의심을 두려워하고 아래로 뭇 사람들의 시시비비가 자신의 직위를 빼앗을 것을 걱정한다. 그런 까닭에 움츠리는 생각을 품고 용감히 행동하지 못하고, 구차하게 예전 하던 방식을 따라 자신의 안전만을 도모할 뿐이다. 군자는 머물기를 원하지 않고 간사한 사람은 또한 쉽게 흔들 수 있음을 알고 날마다 틈을 엿본다. 이 같은데 천하의 중대함을 자신의 책임으로 여길 수 있겠는가?

若曰'非任之艱, 知之爲艱'. 且何以知其賢而任之? 或失其人, 治亂所繫, 此人君所以難之也."[161]

만일 '임용이 어려운 것이 아니고 알아보기가 어렵다'.고 한다면 우선 무엇으로 그가 현명한지를 알아 임용할 것인가? 혹여 적임자를 잃으면 다스려지느냐 혼란해지느냐가 매여 있으니, 이것이 군주가 어렵게 여기는 까닭이다."

[67-5-2]

"天地生一世人, 自足了一世事. 但恨人不能盡用天下之才, 此其不能大治."[162]

(정자가 말하였다.) "천지가 한 시대의 사람을 만들어 내, 한 시대의 일에 충분하게 하였다. 다만 사람이 천하의 인재를 모두 등용하지 못한 것이 한스러울 뿐이니, 이것이 크게 잘 다스려질 수 없음이다."

161 『二程文集』 권6 「爲太中上皇帝應詔書」
162 『二程遺書』 권1

[67-5-3]

涑水司馬氏曰："用人者, 無親疎新故之殊, 惟賢不肖之爲察. 其人未必賢也, 以親故而取之, 固非公也；苟賢以親故而捨之,[163] 亦非公也. 夫天下之賢, 固非一人所能盡也. 若必待素識熟其才行而用之, 所遺亦多矣. 古之爲相者則不然, 擧之以衆, 取之以公. 衆曰賢矣, 己雖不知其詳, 姑用之, 待其無功然後退之, 有功則進之；所擧得其人則賞之, 非其人則罰之. 進退賞罰, 皆衆人所共然也, 己不置毫髮之私於其間. 苟推是心以行之, 又何遺賢曠官之足病哉?"[164]

속수 사마씨涑水司馬氏[司馬光]가 말하였다. "사람을 등용하는 자는 친밀과 소원, 새사람 옛사람에 대한 차별이 없이 현명한지 불초한지 만을 살펴야 한다. 그 사람이 꼭 현명하지 않은데 친밀과 옛사람이라는 이유로 취하면 참으로 공정이 되지 못하고, 진실로 현명한데 친밀과 옛사람이라는 이유로 버리는 것도 공정은 아니다. 천하의 현자는 참으로 한 사람이 모두 알 수 있는 바가 아니다. 만일 기필코 본래부터 알고 있어 그의 재능과 행실이 익숙하게 되기를 기다린 뒤에야 등용하려 한다면 빠뜨리는 인재가 또한 많을 것이다. 예전에 상국이 된 자는 이렇게 하지 않고, 여러 사람의 말에서 등용하고 공정하게 뽑았다. 여러 사람이 현명하다고 하면 자신은 그 사람을 자세히 알지 못하여도 우선 등용하여, 그가 공적이 없는 다음에 물러나게 하고, 공적이 있으면 벼슬을 승진시켰으며, 천거한 사람이 적임자였을 경우 (천거한 사람에게) 상을 내리고[165] 적임자가 아니었을 경우 벌을 내렸다. 승진과 물러가게 함, 상을 내림과 벌을 내리는 것 모두를 여러 사람과 함께하고, 자신은 털끝만큼의 사사로움도 그 사이에 두지 않았다. 진실로 이 마음을 미루어 행한다면 또 현자를 빠뜨리고 관직을 헛되게 하는 것이 어찌 병일 수 있겠는가?"

[67-5-4]

元城劉氏曰："朝廷之務, 莫先於用人. 君子進, 則治之本也；小人用, 則亂之階也. 王者深居於九重, 不能盡知臣下之邪正, 是以設諫官御史之職, 俾司耳目之任, 而採中外之公議. 是非可否, 惟衆之從, 故蔽賢之言不能害君子, 黨姦之論無以助小人. 明君無所用心, 而賢不肖自

163 苟賢以親故而捨之 : 『資治通鑑』 권225 「唐紀 · 代宗 大曆 14년」 5월 기사에는 '苟賢矣以親故而捨之'라고 하여 '矣' 한 글자가 더 있다.

164 『資治通鑑』 권225 「唐紀 · 代宗 大曆 14년」 5월

165 천거한 사람이 … 내리고 : 한고조 6년(기원전 201년)에 한나라 창업에 공을 세운 사람들을 侯에 봉하고 그중에서도 큰 공을 세운 18명의 서열을 정하고자 하였을 때 모두가 "平陽侯 曹參은 신체에 70곳의 상처를 입어가며 성을 공격하고 지역을 점령하는 공훈이 가장 컸으니 의당 1등이 되어야 합니다.(平陽侯曹參, 身被七十創, 攻城略地, 功最多, 宜第一.)"라고 하였다. 이때 鄂千秋가 나서서 소하가 당연히 1등이 되어야 함을 주장하여 결국 소하가 1등 조참이 2등으로 정하여졌다. 공신이 이런 어려운 과정을 거쳐 정해진 것인데, "(한고조는) '내가 들으니 현자를 추천하면 최고의 상을 받는다고 했다. 소하의 공이 높았으나 악군으로 인해 마침내 더욱 밝아졌다.'하고 이에 악천추가 예전 관내후 시절 식읍으로 삼았던 읍을 봉하여 安平侯로 삼았다.('吾聞進賢受上賞. 蕭何功雖高, 得鄂君乃益明.' 於是因鄂君故所食關內侯邑, 封爲安平侯.)"고 하였다. (『史記』 「蕭相國世家」)

辨. 知人則哲, 其道不過於此."[166]

원성 유씨元城劉氏[劉安世]가 말하였다. "조정의 일에서 인재 등용보다 앞설 것은 없다. 군자를 들어 쓰는 것은 다스려짐의 근본이고, 소인을 쓰는 것은 혼란의 계단이다. 제왕은 구중궁궐 깊숙이 머물러 있어 신하의 사악과 바름을 다 알 수 없기에, 간관諫官과 어사御史를 두어, 귀와 눈의 책임을 맡기고 중외의 공정한 여론을 모은다. 옳은지 그른지, 가한지 아닌지를 여러 사람의 뜻에 따르는 까닭에 현명한 사람을 차단시키려는 말이 군자를 해칠 수 없고, 간악한 자를 편드는 말은 소인을 도울 수 없다. 지혜가 밝은 군주는 자신의 마음을 쓰지 않아도 현명한 자와 불초한 자가 저절로 변별된다. '사람을 알아보는 자는 철인'[167]이라 하나 그 방법은 이런 것에 불과하다."

[67-5-5]

"天下之治亂在朝廷. 朝廷輕重在執政, 論執政才否而進退之者, 人主之職也. 使廟堂之上皆得當時之賢, 而都俞戒敕, 以圖天下之治, 則善日進而君子道長, 此『易』之卦所以爲泰. 使公卿輔相非其人, 而姦邪朋黨, 更相比周, 以蔽人君之聰明, 則惡日滋, 而小人道長, 此易之卦所以爲否也. 自古雖至聖之君, 不能無惡人立朝, 堯之四凶是已. 雖甚衰之世, 未嘗無君子在位, 商之三仁是已. 聖人之興, 賢者衆則惡人不能勝其善. 故雖有四凶而或竄或殛, 卒無幸免. 暴君在上, 讒諂並進, 則善人不能勝其惡. 故雖有三仁而或去或死, 終莫能用. 此乃治亂盛衰之機, 不可不察也."[168]

(원성 유씨가 말하였다.) "천하의 치란은 조정에 달렸고 조정의 무게는 집정자에게 달렸으며, 집정자의 재능 여부를 따져 올리고 물리치는 일은 군주의 직책이다. 조정에 당시대의 현명한 자를 모두 얻어 도유都俞를 말하며[169] 경계하고 단속하여 천하의 다스려짐을 도모하면, 선한 풍속이 날마다 자라나 군자의 도道가 커나갈 것이니, 이는 『주역』의 괘에서 태괘泰卦[170]가 되는 연유이다. 공경과 상국이 적임자가 아니고 간사한 자들이 붕당을 지어 번갈아가며 서로 어울려 군주의 총명을 가린다면 악이 날마다 자라나 소인의 도가 커나갈 것이니 이것은 『주역』의 괘에서 비괘否卦[171]가 되는 연유다. 예부터 지극히 성스러

166 『盡言集』 권13 「論鄧温伯差除不當」

167 '사람을 알아보는 … 철인' : 『書經』「皐陶謨」에서 禹가 한 말이다.

168 『盡言集』 권3 「論胡宗愈除右丞不當」 제6

169 都俞를 말하며 : 도유는 요순시대의 정치를 대명사로 이른 말이다. 都는 『書經』「堯典」의 "환도가 '아름답습니다.'라고 하였다.(驩兜曰都.)"에서 처음 쓰였는데 蔡沈은 "탄미하는 말(歎美之辭)"이라고 하였고, 유는 같은 편에서 "여러 사람이 요임금에게 말씀을 올려 '홀아비가 하천하게 살고 있으니 虞舜입니다.'고 하자 요임금이 '그렇다(俞)'고 하였다."에서 처음 쓰였다. 이후 요순과 신하 禹, 皐陶, 益과의 대화에 이 말들이 자주 등장하며 군신 사이에 허심탄회하게 국정의 가부를 논한 성인 조정의 훌륭한 정치를 이르는 말로 쓰였다.

170 泰卦 : 『周易』 64괘의 하나로 의사소통이 원만하여 정치가 훌륭한 것을 상징하는 괘이다.

171 否卦 : 『周易』 64괘의 하나로 의사소통이 막혀 정치가 전혀 이루어지지 않아 혼란이 극해 달한 것을 상징하는 괘이다.

운 군주라도 악한 사람이 조정에 벼슬하지 않음이 없었으니, 요임금 시절의 사흉四凶[172]이 그들이다. 매우 쇠퇴한 세상이라도 군자가 벼슬하고 있지 않음이 없으니 상商나라의 삼인三仁[173]이 그들이다. 성인이 나왔을 때 현명한 자가 많으면 악한 사람이 그 선한 사람을 이겨내지 못한다. 그러므로 사흉이 있었지만 어떤 사람은 쫓아내 금고시키고, 어떤 사람은 구금하고 고생시켜 끝내 요행으로 면하지 못하였다. 포악한 군주가 위에 있으면 참소하고 아첨하는 자가 함께 벼슬하여 선한 사람이 그 악한 사람들을 이겨내지 못한다. 그러므로 삼인이 있었지만 혹은 떠나고 혹은 죽어 끝내 쓰일 길이 없었다. 이것이 치란과 성쇠의 가늠자이니 살피지 않을 수 없다."

[67-5-6]

"自古及今, 未有任君子而不治, 用小人而不亂者, 蓋甘言美辭, 足以感移人意; 小節僞行, 足以欺惑世俗. 及其得志, 苟患失之, 陰引姦邪, 廣布心腹, 根深蔕固, 牢莫可破, 則其爲國家之害, 將有不可勝言者矣. 故陸贄之論, 以爲'操兵以刃人, 天下不委罪於兵, 而委罪於所操之主. 蓄蠱以殃物, 天下不歸咎於蠱, 而歸咎於所蓄之家.' 此言雖小, 可以喻大."[174]

(원성 유씨가 말하였다.) "옛날에서 오늘날까지 군자를 임용하여 다스려지지 않고 소인을 등용하여 혼란해지지 않은 적은 없다. 달콤하고 아름다운 말과 문장이 사람의 뜻을 감동시켜 바꾸게 하기에 충분하고, 조그만 절의와 거짓된 행동이 세속을 속이기에 충분해서다. 그런 자가 급기야 뜻을 얻게 되면 참으로 지위를 잃을까 걱정하여,[175] 몰래 간사한 자를 끌어들이고 심복을 널리 포진시켜 뿌리가 깊고 바탕이 단단해져, 단단함이 깨뜨릴 수 없게 되니, 그것이 국가의 해가 됨은 이루 말로 다 못할 것이다. 그러므로 육지陸贄[176]가 말하길 '병장기를 잡고서 사람을 찌르면 천하가 병장기에게 죄를 묻지 않고 그것을 잡은 당사자에게 죄를 묻고, 벌레를 길러 농작물에 재앙을 만들면 천하는 벌레에게 잘못을 돌리지 않고 벌레를 기른 집에 잘못을 돌린다.'고 하였으니, 이 말이 하찮은 말이나 큰일에 비유할 수 있다."

172 四凶 : 요임금 시절에 죄를 받은 네 사람의 흉악한 사람. 곧 共工, 驩兜, 三苗, 鯀이다. 이들은 나중에 공공은 幽洲로, 환도는 崇山으로, 삼묘는 三危로, 곤은 羽山으로 귀양 가거나 안치되었다.(『書經』「舜典」)

173 三仁 : 殷나라가 망할 무렵의 세 사람의 인한 사람. 곧 미자, 기자, 비간을 이른다. 『論語』「微子」에서 "미자는 나라를 떠나가고, 기자는 종이 되고, 비간은 간하다가 죽임을 당하였다. 공자가 '은나라에는 세 분의 인한 사람이 있다.(微子去之, 箕子爲之奴, 比干諫而死. 孔子曰, '殷有三仁焉.')"고 한 말에서 연유한 것이다.

174 『盡言集』 권3 「論胡宗愈除右丞不當」 제11

175 참으로 지위를 … 걱정하여 : 이는 『論語』「陽貨」에서 공자가 "비루한 사람은 함께 군주를 섬길 수 있으랴? 아직 벼슬을 얻지 못하였을 때는 얻기만을 걱정하고, 얻고 나서는 그 벼슬을 잃을까 걱정한다. 진실로 잃을까를 걱정하면 못할 짓이 없게 된다.(鄙夫可與事君也與哉? 其未得之也, 患得之; 既得之, 患失之. 苟患失之, 無所不至矣.)"라고 하였다.

176 陸贄 : 陸宣公은 陸贄를 그의 시호 宣으로 부르는 말. 당나라 蘇州 嘉興 사람으로 자는 敬輿, 시호는 宣이다. 흔히 陸宣公으로 부르기도 한다. 다음에 이어지는 육지의 말은, 德宗이 裴延齡에게 財賦를 관장시키자, 육지가 재상직에 있으며 이를 반대하여 올린 상소 속에 있는 말이다.(『舊唐書』 권135 「裴延齡傳」)

[67-5-7]

"齊桓公之郭, 問其父老曰, '郭何故亡?' 父老曰, '以其善善而惡惡也.' 桓公曰, '若子之言, 乃賢君也, 何至於亡?' 父老曰, 不然. 郭君善善而不能用, 惡惡而不能去, 所以亡也. 每讀至此, 未嘗不掩卷太息. 以謂鄙夫固陋, 燭理不明. 人之所非, 反以爲是, 衆之所惡, 覆以爲美. 此乃愚者偏暗之常態, 固不足論. 若夫能知天下之善惡, 如辨白黑而無疑惑之心, 蓋非智者有所不及. 然而郭君反以此而亡國, 其故何也? 夫郭君能知善之爲善惡之爲惡, 則不可謂之不智. 特以其見善而不能用, 使君子無以自立, 知惡而不能去, 使小人得以成朋, 因循積累, 其害遂至于亡國. 然則有天下者, 可不視此以爲戒乎!"[177]

(원성 유씨가 말하였다.) "제환공齊桓公이 곽郭나라에 가서[178] 그 나라 부로父老들에게 '곽나라는 왜 망했는가?'라고 묻자, 부로가 '선을 선하게 여기고 악을 악하게 여겼기 때문입니다.'라고 하였다. 환공이 '만일 그대의 말과 같다면 현명한 군주인데 왜 망했단 말인가?' 하자, 부로는 '그렇지 않습니다. 곽나라 군주는 선한 사람을 선한 사람으로 여기면서도 등용하지 않고 악한 사람을 미워하면서도 제거하지 못해 망하였습니다.'고 하였다. 매양 읽다가 여기에 이르면 책을 덮고 긴 한숨을 쉬지 않은 적이 없다. 그것은 비루한 사람은 고루하여 이치를 꿰뚫어 앎이 밝지 못하다. 남이 그르다는 것을 거꾸로 옳다하고, 많은 사람이 미워하는 것을 뒤집어 아름답게 여긴다. 이것은 어리석은 자의 유독 어두운 일반적인 행태니 참으로 말거리가 안 된다. 그러나 천하의 선악을 능히 알아 백과 흑을 분별하듯 의혹의 마음이 없는 것은 지혜로운 자가 아니고선 미칠 수 없는 일이다. 그런데 곽나라 군주는 도리어 이로 인해 망하였으니 그 까닭은 어떤 것일까? 저 곽나라의 군주는 선한 사람을 선하게 여기고 악한 사람을 미워할 줄 알았으니 지혜가 없는 사람이라고 할 수 없다. 다만 그가 선한 사람인 줄 알면서 등용하지 않아 군자를 자립自立할 수 없게 하고, 악한 사람인 줄 알면서 제거하지 못해 소인이 붕당을 이루게 하고서, 세월이 흐르며 잘못이 쌓여가다가, 그 폐해는 마침내 나라가 망하는데 이르렀다. 그렇다면 천하를 가진 자는 이를 보고 경계삼지 않을 수 있겠는가?"

[67-5-8]

華陽范氏曰 : "才有君子之才. 有小人之才. 古之所謂才者, 君子之才也 ; 後世之所謂才者, 小人之才也. 高陽氏有子八人, 天下以爲才. 其所謂才者, 曰齊 · 聖 · 廣 · 淵 · 明 · 允 · 篤 · 誠. 高辛氏有子八人, 天下以爲才. 其所以爲才者, 曰忠 · 肅 · 恭 · 懿 · 宣 · 慈 · 惠 · 和. 周公制禮作樂, 孔子以爲才. 然則古之所謂才者, 兼德行而言也 ; 後世之所謂才者, 辯給以禦人, 詭詐以用兵, 僻邪險詖, 趨利就事. 是以天下多亂, 職斯人之用於世也. 在『易』師之上六曰, '開國承家, 小人勿用'. 象曰, '小人勿用, 必亂邦也'. 未濟曰, '高宗伐鬼方. 三年克之, 小人勿用'.

177 『眞言集』 권3 「論胡宗愈除右丞不當」 제18

178 齊桓公이 郭나라에 가서 : 이는 『春秋集義』「莊公 24년」의 기사이다.

王者創業垂統, 敷求哲人, 以遺後嗣, 故能長世也. 豈以天下未定, 而可專用小人之才歟?"[179]

화양 범씨華陽范氏[范祖禹]가 말하였다. "재주에는 군자의 재주가 있고 소인의 재주가 있다. 옛날 사람이 말하는 재주는 군자의 재주이고, 후세 사람이 말하는 재주는 소인의 재주이다. 고양씨高陽氏가 아들 여덟[180]을 두었는데 천하 사람들이 재주 있다고 하였다. 그들이 말하는 재주는 '(마음이) 중정中正하고 성스럽고 너르고 깊고 밝고 미덥고 독실하고 성실함'이다. 고신씨高辛氏가 아들 여덟[181]을 두었는데 천하 사람들이 재주 있다고 하였다. 그들이 말하는 재주는, '(마음이) 충실하고 공경하고 공손하고 아름답고 두루하고 자애롭고 은혜롭고 화목함'이다. 주공周公이 제정한 예와 만든 음악[182]을, 공자孔子가 재주라고 말하였다.[183] 그렇다면 옛날 사람이 말하는 재주는 덕행을 겸하여 말한 것이고, 후세 사람들이 말하는 재주는 민첩한 재치로 남의 말문을 막고 속임수로 군사를 부리는 것이니, 사악하고 심술궂고 이익을 위한 것들이다. 이리하여 천하에 혼란이 많아졌으니 다만 이런 사람들만이 세상에 쓰여 저서이다. 『주역』 사괘師卦의 상육上六에 '나라를 세우고 집안을 잇는데 소인은 쓰지 말라.'고 하고, 그 상사象辭에 '소인을 쓰지 말라는 것은 반드시 나라를 혼란하게 해서다.'라고 하였다. 미제괘未濟卦에서 '고종高宗이 귀방鬼方을 정벌하여 3년 만에야 이기니 소인은 쓰지 말라.'고 하였다. 제왕이 나라를 개창하여 왕조의 실마리를 드리우며, 철인哲人을 널리 구해 후손에게 물려주는 까닭에 대대로 영원하기 위해서다. 천하가 아직 안정되지 않았다는 이유로 소인의 재주를 전적으로 쓸 수 있겠는가?"

[67-5-9]

"人君勞於求賢, 逸於任人. 古者疇咨僉諧, 然後用之. 苟得其人, 則任而勿疑, 乃可以責成功."[184]

(화양 범씨가 말하였다.) "군주는 현명한 사람을 구하는 일에 힘들고, 인재를 얻어 임용하였을 적에 편안해 진다. 옛날에는 인재를 찾아 물어 여럿이 화목하게 생각한 뒤[185]에 등용하였다. 참으로 적임자를

179 『唐鑑』 권4 「太宗 2 · 貞觀 6년」

180 高陽氏가 아들 여덟 : 『春秋左傳』「文公 18년」 기사에서 아들 여덟은, 蒼舒 · 隤敳 · 檮戭 · 大臨 · 尨降 · 庭堅 · 仲容 · 叔達이라고 하였다. 이들을 세속에서 八愷라고 불렀다. 이어지는 이들의 재주에 관한 기사도 역시 이 책의 말이다.

181 高辛氏가 아들 여덟 : 『春秋左傳』「文公 18년」 기사에서 아들 여덟은 伯奮 · 仲堪 · 叔獻 · 季仲 · 伯虎 · 仲熊 · 叔豹 · 季貍라고 하였다. 이들을 세속에서 八元이라고 불렀다. 이어지는 이들의 재주에 관한 기사도 역시 이 책의 말이다.

182 周公이 제정한 … 음악 : 『唐鑑』 권4 「太宗 2 · 貞觀 6년」 이 기사의 呂祖謙의 註에서는 이를 "『禮記』「明堂位」에서 '주공이 明堂에서 제후들로부터 조회 받고 예를 제정하고 음악을 지었다.'고 했다(記明堂位, 周公朝諸侯於明堂, 制禮作樂.)"고 하였다.

183 孔子가 재주라고 말하였다. : 『唐鑑』 권4 「太宗 2 · 貞觀 6년」 이 기사의 呂祖謙의 註에 이를 "『論語』에 '만일 주공 같은 재능의 아름다움을 지녔다.'고 말했다.(語曰, '如有周公之才之美.')"고 하였다. 『論語』「泰伯」의 전문을 다음과 같다. "만일 주공 같은 재주의 아름다움을 지녔다고 하여도 교만하고 인색하다면 그 나머지는 보잘 것이 없다.(如有周公之才之美, 使驕且吝, 其餘不足觀也已.)"

184 『唐鑑』 권8 「睿宗 · 景雲 원년」 10월

185 인재를 찾아 … 뒤 : 여기서 인재를 찾아 묻다의 원문 '疇咨'는 『書經』「堯典」의 "누가 天時에 순응하여 일할

얻었으면 맡기고 의심하지 않아야 비로소 성공을 책임지울 수 있다."

[67-5-10]

"明君用人而不自用, 故恭己而成功; 多疑之君, 自用而不用人, 故勞心而敗事. 自古征伐或勝或負, 多由於此二者矣."[186]

(화양 범씨가 말하였다.) "현명한 군주는 남의 생각을 쓰고 자신의 생각을 쓰지 않은 까닭에 자신을 공손히 하여 공을 이뤄냈고, 의심이 많은 군주는 자신의 생각을 쓰고 남의 생각을 쓰지 않는 까닭에 마음은 마음대로 고달프면서 일은 실패하였다. 옛날부터 정벌에서 혹 이기고 혹 지는 것은 대부분 이 두 가지에서 시작된다."

[67-5-11]

"自古君子易疏, 小人易親. 蓋君子難於進而果於退. 小人不恥於自售而戚於不見知, 其進也無所不至. 人君一爲所惑, 不能自解, 鮮有不至禍敗者也."[187]

(화양 범씨가 말하였다.) "예전부터 군자는 쉽게 소원해지고 소인은 쉽게 친해진다. 그것은 군자는 진출을 어렵게 여기고 물러나는 것에 과감해서다. 소인은 자신을 파는 일을 부끄럽게 여기지 않고 인정받지 못하는 것을 근심한 까닭에 진출을 위해 못하는 짓이 없다. 군주가 만에 하나 홀린바 되어 스스로 풀려나지 못하면, 재앙과 패망에 이르지 않은 자 드물다."

[67-5-12]

五峯胡氏曰: "唐文宗云, '宰相薦人, 當不問踈戚. 若親故果才, 避嫌而棄之, 亦爲不公.' 誠哉是言也!"[188]

오봉 호씨五峯胡氏[胡宏]가 말하였다. "당문종唐文宗[189]이 '재상이 사람을 천거할 때는 마땅히 멀고 가까움을 가리지 않아야 한다. 만일 친척과 친구가 과감하고 재주 있는데도 혐의를 피해 그를 버린다면 역시 공정은 아니다.'라고 하였으니 진실하다 이 말이여!"

[67-5-13]

豫章羅氏曰: "名器之貴賤以其人. 何則? 授於君子則貴, 授於小人則賤. 名器之所貴, 則君子

인재인지 찾아서 등용해줄까?(帝曰, '疇咨若時登庸.')"를 인용한 것이다. 이어 여럿이 화목하게 생각하다의 원문 '僉諧'는 역시 『書經』「舜典」의 기사 여러 곳에서 '여러 사람이 말하기를(僉曰)'과 '네가 화목하게 일하라.(汝諧)'는 말들을 축약하여 인용한 것이다.

186 『唐鑑』 권15 「德宗 4 · 貞元 9년」 5월

187 『唐鑑』 권1 「高祖 상 · 武德 2년」 윤2월

188 『知言』 권5

189 唐文宗: 『資治通鑑』 권245 「唐紀 · 文宗 開成 2년」 2월의 기사다.

勇於行道, 而小人甘於下僚. 名器之所賤, 則小人勇於浮競, 而君子恥於求進. 以此觀之, 人君之名器, 可輕授人哉?"

예장 나씨豫章羅氏[羅從彦]가 말하였다. "명기名器[190]는 사람에 따라 귀하고 천해진다. 왜 그런가? 군자에게 주면 귀하여지고 소인에게 주면 천해진다. 명기가 귀해지게 되면 군자가 도를 행하는 일에 용감하고 소인이 낮은 관료 자리를 달게 여긴것이다. 명기가 천해지게 되면 소인이 겉치레 다툼에 용감하고 군자가 진출하는 것을 부끄럽게 생각한다. 이로써 살핀다면 군주가 명기를 가볍게 줄 수 있겠는가?"

[67-5-14]

"君子在朝, 則天下必治. 蓋君子進, 則常有亂世之言, 使人主多憂而善心生, 故天下所以必治 ; 小人在朝, 則天下必亂. 蓋小人進, 則常有治世之言, 使人主多樂而怠心生, 故天下所以必亂."

(예장 나씨가 말하였다.) "군자가 조정에 있으면 천하는 반드시 다스려진다. 그것은 군자가 진출하게 되면, 늘 세상이 혼란하다는 말로 군주에게 많은 걱정을 하게 하여 선한 마음이 우러나오게 하는 까닭에 천하는 반드시 다스려지게 되고, 소인이 조정에 있으면 천하는 반드시 혼란해진다. 소인이 진출하면, 늘 세상이 다스려졌다는 말로 군주에게 즐거움을 많게 하여 게으른 마음이 우러나오게 하는 까닭에 천하는 반드시 혼란해진다."

[67-5-15]

朱子曰 : "天下之治固必出於一人, 而天下之事則有非一人所能獨任者. 是以人君旣正其心誠其意於堂阼之上, 突奥之中, 而必深求天下敦厚誠實, 剛明公正之賢, 以爲輔相. 使之博選士大夫之聰明達理, 直諒敢言, 忠信廉節, 足以有爲有守者, 隨其器能寘之列位. 使之交脩衆職以上輔君德, 下固邦本, 而左右私褻使令之賤, 無得以奸其間者.

주자가 말하였다. "천하의 정치는 본래 반드시 한 사람으로부터 나오지만, 천하의 일은 어느 한 사람이 혼자 책임질 수 없는 것이 있다. 그래서 군주가 마루와 섬돌과 방안에서[191] 자신의 마음을 바로잡고 자신의 뜻을 성실히 하고서도, 반드시 천하의 돈후敦厚하고 성실하며 강명剛明하고 공정한 어진 사람을 애써 찾아 재상으로 삼는다. 그리고 그에게 널리 사대부 가운데, 총명하여 이치에 통달하고, 올곧고

190 名器 : 작위와 작위에 상응하는 의장들을 이른다. 『左傳』「成公 2년」 기사에서 "기와 명은 남에게 빌려줄 수 없으니 군주가 관장해서다.(唯器與名, 不可以假人, 君之所司也.)"라 하고, 杜預는 "器는 수레와 복장이고, 名은 爵號이다.(器, 車服 ; 名, 爵號.)"라고 하였다.

191 마루와 섬돌과 방안에서 : 『禮記』「孔子燕居」에 "눈의 힘만을 가지고 집을 짓더라도 방안과 섬돌은 있어야 한다.(目巧之室, 則有奥阼.)"라 하고, 이를 진호의 『集說』에서 "방안의 奥는 어른이 자리하는 곳이고, 堂에 있는 섬돌은 주인이 위치하는 곳이다.(蓋室之有奥, 所以爲尊者所處 ; 堂之有阼, 所以爲主人之位也.)"라고 하였다. 또 『爾雅』에서 "방의 동남쪽을 突, 서남쪽을 奥라고 한다.(東南隅謂之突, 西南隅謂之奥.)"고 하였다. 모두 집의 주인이 거처하는 곳들을 가리킨 것이다.

미더우며 말에 용감하고, 충성스럽고 신망 있고 청렴하고 절개가 있어, 일을 해내고 지조를 지키기에 충분한 사람을 선발하게 하여, 그들의 그릇과 재주에 따라 여러 지위에 늘어세운다. 그리고 여러 직책을 가진 자가 번갈아가며 상대의 부족한 점을 닦게 하여, 위로는 군주의 덕을 돕고 아래로는 나라의 바탕을 굳혀, 군주의 좌우에서 사사롭고 무람하게 부리는 천한 자가 그 사이에 간계를 부릴 수 없게 한다.

有功則久其任, 不稱則更求賢者而易之. 蓋其人可退, 而其位不可以苟充; 其人可廢, 而其任不可以輕奪. 此天理之當然, 而不可易者也. 人君察於此理, 而不敢以一毫私意鑿於其間, 則其心廓然大公, 儼然至正, 泰然行其所無事, 而坐收百官衆職之成功. 一或反是, 則爲人欲私意之病, 其偏黨反側, 黯闇猜嫌, 固日擾擾乎方寸之間, 而姦僞讒慝, 叢脞眩瞀, 又將有不可勝言者, 此亦理之必然也."[192]

공훈이 있으면 그 임용을 오래 유지시키고, 걸맞지 않으면 다시 현명한 사람을 구해 바꾸어야 한다. 그러나 사람을 물러나게 할 수는 있어도 그 자리를 구차하게 채워서는 안 되고, 그 사람을 파면시킬 수 있어도 그가 책임진 벼슬을 가볍게 빼앗아서는 안 된다. 이는 하늘 이치의 바꿀 수 없는 당연한 것이다. 군주가 이런 이치를 살펴 감히 털끝 하나의 사사로운 뜻도 그 사이에 개입시키지 않는다면, 그 마음이 탁 트여 더없이 공정하여지고, 엄격히 지극하게 올발라져, 자연스럽게 시비가 발생하지 않게 하여서, 가만히 앉아서도 모든 관원과 수많은 일의 성공을 거둘 것이다. 조금이라도 혹 이와 반대이면, 욕심과 사사로운 뜻에 병들어, 편당을 짓고 정도에서 벗어나며, 사리에 어둡고 시기와 미움이 날마다 마음속을 어지럽혀, 간악함과 거짓, 참소와 사특함, 자질구레하게 눈을 흐리는 일이, 또 이루 말로 다 못할 것이 있을 터이니, 이 또한 이치의 필연이다."

[67-5-16]

"尋常之人, 將欲屬人以一至微至細之事, 猶必先爲規模, 使其盡善. 然後所屬之人, 有所持循, 而不失吾之所以屬之之意. 況有天下者, 將以天下至大之事, 屬之於人, 而不先爲盡善可守之規, 以授之乎?"

(주자가 말하였다.) "보통 사람이 지극히 미미하고 소소한 일을 남에게 부탁하려해도, 오히려 반드시 규모 세우는 일부터 먼저 진선진미하게 한다. 그렇게 한 뒤라야 부탁 받은 사람이 지켜 따를 수 있어, 내가 부탁한 뜻을 잃지 않게 된다. 하물며 천하를 소유한 자가 천하의 더없이 큰일을 남에게 부탁하려면, 우선 진선진미한 지킬 수 있는 규모를 만들어서 그에게 건네주어야 하지 않을까?"

[67-5-17]

"蓬生麻中, 不扶而直. 白沙在泥, 不染而黑. 故賈誼之言曰, '習與正人居之, 不能無正, 猶生長

192 『朱文公文集』 권13 「延和奏箚」 2

於齊之地, 不能不齊言也; 習與不正人居之, 不能無不正, 猶生長於楚之地, 不能不楚言也.' 是以古之聖賢欲脩身以治人者, 必遠便嬖以近忠直. 蓋君子小人如冰炭之不相容, 薰蕕之不相入. 小人進, 則君子必退; 君子親, 則小人必疎. 未有可以兼收並蓄而不相害者也. 能審乎此以定取舍, 則其見聞之益, 薰陶之助, 所以謹邪僻之防, 安義理之習者, 自不能已. 而其擧措刑賞所以施於外者, 必無偏陂之失.

(주자가 말하였다.) "쑥대가 삼 가운데서 자라면 붙잡아주지 않아도 곧고, 흰 모래가 흙탕 속에 있으면 물들이지 않아도 검어진다. 그래서 가의賈誼의 말[193]에, '바른 사람과 살게 되면 습관이 바르지 않을 수 없음은 제齊나라 땅에서 생장하면 제나라 말을 하지 않을 수 없는 것과 같고, 바르지 않은 사람과 살게 되면 버릇이 바르지 않을 수 없음은 초楚나라 땅에서 생장하면 초나라 말을 하지 않을 수 없는 것과 같다.'고 했다. 그러므로 옛날 몸을 닦아 남을 다스리고자 했던 성현은 반드시 간사하고 아첨하는 신하를 멀리하고 충직한 사람을 가까이 하였다. 군자와 소인은 얼음과 숯불이 서로를 수용하지 못하고, 향기를 내는 풀과 악취를 풍기는 풀이 서로를 받아들이지 않는 것과 같다. 소인이 등용되면 군자는 반드시 물러나고, 군자와 친하면 소인은 반드시 소원해진다. 둘 모두를 수용하고 아울러 포용하여, 서로 상대를 해치지 않는 경우는 있지 않다. 능히 이를 살펴 취사를 결정한다면 보고 듣는 것에서의 보탬과 훈도薰陶에서의 도움이, 사벽邪僻에 대한 방비를 삼감과 의리에 대한 습관을 편안히 하는 것을 자연 그칠 수 없게 된다. 그리하여 등용과 버림, 형벌과 상을 밖으로 시행하는 것들에, 반드시 치우치거나 기우는 잘못이 없을 것이다.

一有不審, 則不惟其妄行請託, 竊弄威權, 有以害吾之政事. 而其導諛薰染, 使人不自知覺而與之俱化, 則其害吾之本心正性, 又有不可勝言者. 然而此輩其類不同. 蓋其本出下流, 不知禮義而稍通文墨者, 亦有服儒衣冠叨竊科第而實全無行檢者. 是皆國家之大賊, 人主之大蜮. 苟非心正身脩, 有以灼見其情狀, 如臭惡之可惡, 則亦何以遠之, 而來忠直之士, 望德業之成乎?"[194]

만에 하나 살피지 못하면 청탁이 횡행하고 위엄과 권세를 도둑질하는 것이 내 정사에 해를 끼칠 뿐 아닐 것이다. 그것이 아첨을 이끌어내고 물들게 하여, 사람들이 자신도 모르게 그들과 변화하면, 나의 본심과 바른 성性에 해가 됨을 또한 말로 다하지 못할 것이다. 그러나 이런 무리는 그 부류가 동일하지 않으니, 본래 하류 등급 출신이라 예의를 알지 못하고 문묵文墨(문장)이나 겨우 아는 자가 있는가하면, 또 유자儒者의 의관을 차리고 과거科擧를 도둑질하였어도, 실제는 전연 조행操行이 없는 자도 있다. 이들은 모두 국가의 큰 도적이고 군주에게 큰 물여우[195]이다. 진실로 마음이 바르고 몸이 닦여져, 그들의

193 賈誼의 말: 『漢書』「賈誼傳」
194 『朱文公文集』 권12 「己酉擬上封事」
195 물여우: 몰래 남을 음해하는 소인을 비유하는 말. 『詩經』「小雅·「何人斯」에 "귀신이 되고 물여우가 된다. (爲鬼爲蜮.)"하고, 주자의 『集傳』에 "蜮은 물여우[短狐]이다. 양자강과 회수 사이에 산다. 모래를 머금고 있다

정상에 환함이 마치 악취를 미워하는 것 같음이 아니고선, 또한 어떻게 그들을 멀리하고 충직한 선비를 찾아오게 하여 덕업의 성취를 바라겠는가?"

[67-5-18]

"伏節死義之士, 當平居無事之時, 誠若無所用者. 然古之人君所以必汲汲以求之者, 蓋以如此之人, 臨患難而能外死生, 則其在平世必能輕爵祿; 臨患難而能盡忠節, 則其在平世必能不詭隨. 平日無事之時得而用之, 則君心正於上, 風俗美於下, 足以逆折姦萌, 潛消禍本, 自然不至眞有伏節死義之事. 非謂必知後日當有變故, 而預蓄此人以擬之也.

(주자가 말하였다.) "절의와 의리를 위해 죽는 사람이, 평소 아무런 일이 없을 때는 참으로 아무 쓸모가 없는 자인 듯하다. 그런대도 옛날 군주가 허둥대며 기필 구하려 했던 것은 이런 사람은, 환난을 만나 생명을 도외시할 수 있으니 그가 평소에 반드시 작록을 가볍게 볼 수 있다는 까닭이고, 환난을 만나 충절을 다할 수 있으니 그가 평소에 반드시 시비를 따지지 않고 남을 따르지 않을 수 있다는 까닭이다. 평소 아무런 일이 없을 때 이런 자를 얻어 등용하면 군주의 마음이 위에서 똑바르고 풍속이 백성들 사이에 아름다워져, 간사함이 싹트는 것을 미리 꺾고 재앙의 근본을 암암리에 소멸시켜, 저절로 절의와 의리를 위해 죽는 일이 참으로 있지 않게 된다. 반드시 후일 당연히 이런 변고가 있을 것을 알고 미리 이런 사람을 길러 대비해서가 아니다.

惟其平日自恃安寧, 便謂此等人材必無所用, 而專取一種無道理, 無學識, 重爵祿, 輕名義之人, 以爲不務矯激而尊寵之. 是以綱紀日壞, 風俗日偷, 非常之禍伏於冥冥之中, 而一旦發於意慮之所不及. 平日所用之人, 交臂降叛, 而無一人可同患難, 然後前日擯棄流落之人, 始復不幸而著其忠義之節.

평소에 안녕한 것을 스스로 믿고, 이런 등속의 인재를 쓸모없는 것으로 생각하여, 한 무리의 도리도 없고 학식도 없으며, 작위와 봉록을 중시하고 명분과 의리를 가볍게 생각하는 자들만 오로지 취하여, 강직과 과격을 일삼지 않는다고 생각하여 존경하고 총애하게 된다. 그리하여 기강이 날로 무너지고 풍속이 날로 야박해져, 예사롭지 않은 재앙이 아무도 모르는 곳에 잠복하고 있다 어느 날 생각지도 못한 곳에서 터져 나온다. 평소 등용했던 사람은 어깨동무하고 반란을 일으킨 자에게 항복하고, 어느 한사람 환난을 함께할 수 있는 사람은 없다. 이렇게 된 뒤 전일 버림받고 떠돌던 인재가 비로소 다시 불행스럽게 자신들의 충성과 절의를 드러낸다.

以天寶之亂觀之, 其將相貴戚近幸之臣, 皆已頓顙賊庭. 而起兵討賊, 卒至於殺身湛族而不悔,

가 물에 비치는 사람 그림자에 쏘면 그 사람이 병을 앓게 되는데, 그 모습을 볼 수 없다.(蜮, 短狐也. 江淮水皆有之. 能含沙以射水中人影, 其人輒病, 而不見其形也.)"고 한데에서 유래하였다.

如巡遠杲卿之流, 則遠方下邑, 人主不識其面目之人也. 使明皇早得巡等而用之, 豈不能銷患於未萌? 巡等早見用於明皇, 又何至眞爲伏節死義之擧哉?"

천보天寶 연간의 난리를 살피면 저들 장수와 재상과 왕실의 친척과 가까이서 총애를 누렸던 신하는 모두 역적의 조정에 이미 이마를 조아렸다. 군사를 일으켜 역적의 군대를 토벌하다 끝내 자신도 죽고 집안도 몰살당하며 후회하지 않은 장순張巡[196]과 허원許遠[197]과 안고경顏杲卿[198]의 무리는, 먼 지역이나 조그만 지방 고을 수령으로 군주가 얼굴도 몰랐던 사람들이다. 만일 명황제明皇帝[199]가 장순과 허원 등과 같은 자를 일찍이 알고 등용했다면 어찌 환난이 싹트기 전에 소멸시킬 수 있지 않았겠는가? 장순과 허원 등이 명황제에게 일찍이 등용되었다면 또 어찌 절의와 의리에 죽어가는 일을 참으로 행하는데 이르렀겠는가?"

[67-5-19]

"自古君子小人雜居並用, 非此勝彼, 卽彼勝此, 無有兩相疑而終不決者, 此必然之理也. 故雖擧朝皆君子, 而但有一二小人雜於百執事之間, 投隙抵巇, 已足爲患. 況居侍從之列乎. 況居

196 張巡 : 唐나라 鄧州 南陽 사람이다. 보지 않은 책이 없었고 陳法에 통달하였다. 開元(玄宗의 연호) 연간에 進士가 되어 眞源令에 임명되었다. 安祿山이 반란을 일으키자 군사 1천여 명을 모아 반란군 토벌에 나서, 單父尉 賈賁 휘하에 들어갔다. 雍丘令 令狐潮가 반란군에 항복한 뒤 옹구의 백성이 영호조를 축출하고 가비를 맞이할 때 함께 들어가 성을 지킨 공으로 監察御使의 벼슬이 내려졌다. 영호조의 포위를 수없이 물리치다 다시 睢陽으로 옮겨, 안록산을 죽이고 뒤를 이은 安慶緖(안록산의 아들)가 보낸 尹子琦와 오합지졸의 군사를 지휘하여, 식량이 다하고 무기가 없어 성이 함락될 때까지 크고 작은 4백여 번의 전투를 치루며 장수 3백 명의 목을 베고 사졸 10만여 명을 죽이는 전과를 올렸다. 또 무기가 떨어지면 상대 진영의 무기를 빼앗는 계책을 써 충당하였다. 마지막 식량이 떨어지자 말을 잡아먹고 이어 자신의 妾을 내주어 군사들에게 먹게 하였다. 이후 노약자들을 잡아먹어 가며 싸워 식량으로 쓰인 사람 수가 3만에 달했다. 성이 함락될 때 남은 백성은 겨우 4백 명이었으나 누구 한 사람 장순을 배반하려는 사람이 없었다. 肅宗이 군사를 보내 수양을 구원하였으나 장순이 죽은 3일 후였다.(『新唐書』 권192 「張巡傳」)

197 許遠 : 唐나라 杭州 鹽官 사람이다. 자는 令威. 安祿山의 반란 때 睢陽太守에 임명되어 장순 등과 협력하며 성을 지켰다. 尹子琦의 군대에 포위되어 한 해가 다하도록 식량이 다하고 외부의 지원이 없어 사로잡히자 끝내 뜻을 굽히지 않고 죽었다.(『舊唐書』 권187 「許遠傳」)

198 顏杲卿 : 당나라 琅琊 臨沂 사람으로 자는 昕, 시호는 忠節이다. 書判(글씨와 예의를 차리는 태도)으로 등용되어 安祿山의 천거로 營田判官을 지내고, 常山太守를 代理하였다. 안록산이 난을 일으키자 안록산의 假子 李欽湊를 죽이고 안록산의 장수 高邈을 密計로 사로잡는 등의 전공을 올려 衛尉卿兼御史에 올랐다. 이듬해 안록산이 보낸 史思明과의 싸움에서 사로잡혀 안록산에게 보내지자 끝까지 항복하지 않고 안록산을 꾸짖었다. 화가 난 안록산이 그를 天津橋의 교각에 묶고 다리를 잘라내고 살점을 도려내 씹어 먹는데도 꾸짖는 말을 그치지 않자 혓바닥이 잘려지며 죽었다. 이보다 앞서 상산 싸움에서 패하였을 때 그의 아들 季明도 함께 붙잡혔는데, 안고경에게 항복을 종용하며 항복 조건으로 아들의 생명을 걸었으나 항복하지 않자 그 자리서 죽임을 당하였다.(『新唐書』 권192 「顏杲卿傳」)

199 明皇帝 : 당나라 玄宗(李隆基)을 이르는 말. 그의 시호가 至道大聖大明孝皇帝인 데에서 후세에서 이렇게 호칭하였다.

丞弼之任, 而潛植私黨布滿要津乎?. 蓋二三大臣者, 人主之所與分別賢否, 進退人材, 以圖天下之事. 自非同心一德, 協恭和衷, 彼此坦然, 一以國家爲念, 而無一毫有己之私, 間於其間, 無以克濟.

(주자가 말하였다.) "옛부터 군자와 소인이 섞여 살거나 함께 등용되었을 적에 이쪽이 저쪽을 이기지 않으면 바로 저쪽이 이쪽을 이겨, 양쪽이 서로 의심하며 끝까지 결론이 나지 않는 예는 있지 않으니 이는 필연의 이치다. 그런 까닭에 온 조정이 모두 군자이고 단지 한두 소인이 여러 집사執事들 사이에 섞여, 기회를 노리고 있는 것도 걱정거리가 되기에 충분하다. 더욱이나 그들이 시종侍從의 반열에 있음이겠는가? 하물며 보좌를 책임진 대신의 자리에 앉아 몰래 사당私黨을 심어 요로에 가득히 깔아놓음이겠는가? 두세 사람의 대신은 군주가 함께 현인의 여부를 가려 인재를 등용하거나 물리치며 천하의 일을 도모하는 사람이다. 본래 마음을 함께하고 끝까지 변하지 않는 덕으로 공경을 함께하여, 하늘로부터 부여받은 떳떳한 도리가 조화롭게 어우러지고 너와 내가 가슴을 열어, 하나같이 나라를 생각하고 털끝만큼도 자신을 생각하는 사사로움이 그 사이에 끼어듦이 아니고선 이룩할 수 없다.

若以小人叅之, 則我之所賢而欲進之者, 彼以爲害己而欲退之; 我之所否而欲退之者, 彼以爲助己而欲親之. 且其可否異同, 不待勉爭力辨而後決. 但於相與進退之間, 小爲俯仰前卻之態, 而已足以敗吾事矣. 是豈可不先以爲慮, 而輕爲他計, 以發其害我之機哉?"[200]

만일 소인이 끼이게 되면 내가 현명하다고 여겨 등용하고자 하는 자를 저들은 자신에 해가 될 것으로 생각하여 물리치고자 하고, 내가 그르다고 생각하여 물리치고자 하는 자를 저들은 자신을 도와줄 사람으로 생각하여 친히 하고자 한다. 또 옳은지 그른지 찬성인지 반대인지 하는 것은 힘써 다투고 한껏 변별을 기다린 뒤에 결정지어지지 않는다. 단지 서로 함께 등용하고 물리치려는 사이에, 올리고 내리고 이끌어 오고 내보내려는 조그만 몸짓에서 이미 내 일을 망치기에 충분하다. 이것이 어찌 우선 염려해야 할 것이 아니며, 경솔하게 다른 계책을 세우다 나를 해칠 기미를 만들 일이겠는가?"

[67-5-20]

象山陸氏曰: "銖銖而稱之, 至石必繆; 寸寸而度之, 至丈必差. 石稱丈量, 徑而寡失, 此可爲論人之法. 且如其人大槩論之, 在於爲國爲民爲道義, 此則君子人矣; 大槩論之, 在於爲私己爲權勢, 而非忠於國徇於義者, 則是小人矣. 若銖稱寸量, 校其一二節目, 而違其大綱, 則小人或得爲欺, 君子反被猜疑, 邪正賢否, 未免倒置矣."[201]

상산 육씨象山陸氏[陸九淵]가 말하였다. "1수銖 1수를 달아보면 석石(섬)에 이르렀을 때 반드시 틀리고, 1촌寸 1촌을 재보면 장丈(10尺)에 이르렀을 때 반드시 차이 난다. 석으로 달고 장으로 헤아리면 일도 빠르고 실수도 적으니 이는 사람을 평가하는 법이 될 수 있다. 예컨대 어떤 사람을 대체를 가지고 논하였을

200 『朱文公文集』 권28 「與留丞相書」 제4
201 『象山集』 권17 「與致政兄」 편지 속에 이 문장의 앞쪽 '徑而寡失'까지가 실려 있고 나머지는 출전 확인 불가

때 나라를 위하고, 백성을 위하고, 도의를 위하는 데에 있었으면 이런 사람은 군자이고, 대체를 가지고 논하였을 때 개인을 위하고 권세를 위하는데 있고, 나라에 충성하고 의리를 따르는 자가 아니었으면 이런 사람은 소인이다. 만일 수로 달아보고 촌으로 헤아려 한두 항목을 비교해 보고 큰 벼리에서 어긋나 버린다면, 소인이 혹여 속임수를 행할 수 있고 군자는 도리어 시기나 의심을 받아, 사악과 바름, 현명 여부가 뒤바뀌짐을 면치 못할 것이다."

[67-5-21]

東萊呂氏曰 : "用人之道, 詎可信其虛言, 而不試之以事乎? 是以明君將欲付大任於是人, 必納之於膠擾繁劇之地以觀其材, 處之於閑暇寂寞之鄉以觀其量, 使之嘗險阻艱難以觀其操, 使之當盤根錯節以觀其斷, 投之州縣, 磨之歲月, 習之旣久, 養之旣深. 異時束帶立於朝, 天下之事莫不迎刃而解也."[202]

동래 여씨東萊呂氏가 말하였다. "사람을 등용하는 도리에서 어떻게 그의 빈말만 믿고 그가 한 일을 검증하지 않을 것이겠는가? 그러므로 현명한 군주는 중요한 직무를 어떤 사람에게 맡기려하면, 반드시 먼저 오랫동안 말썽거리가 쌓여 그지없이 번거로운 곳에 들여보내 그의 재능을 살피고, 한가하여 적막하기만 한 곳에 있게 하여 그의 도량을 살피며, 험하고 간난한 일을 겪게 하여 그의 지조를 살피고, 얽히고설킨 일을 맡게 하여 그의 결단력을 살피며, 주현州縣에 임명하여 세월에 부대끼게도 하고, 오랫동안 단련시켜서 수양이 깊어지게 한다. 뒷날 관복官服을 차려입고 조정에 서게 되면 천하의 일이 칼날을 받아 쪼개지는 대처럼 풀려가지 않음이 없을 것이다."

[67-5-22]

西山眞氏曰 : "『易』君子在內小人在外則謂之泰. 泰者, 通而治也 ; 君子在外小人在內則謂之否. 否者, 閉而亂也. 君子小人並生於天地間, 不能使之無也. 但當區處得宜, 使有德者布列朝廷, 有才者奔走任事於外, 如此則治矣."[203]

서산 진씨西山眞氏[眞德秀]가 말하였다. "『주역』에서 군자가 안에 있고 소인이 밖에 있는 것을 태泰라 하는데, 태는 소통되어 다스려짐이고, 군자는 밖에 있고 소인이 안에 있는 것을 비否라 하는데 비는 막혀서 어지러움이다. 군자와 소인은 천지 사이에 함께 태어나니 없게 할 방법이 없다. 단지 그들에 대한 처리가 마땅함을 얻어, 덕 있는 자가 조정에 포열하고 재주 있는 자가 분주히 밖에서 일을 맡게 해야 하니, 이 같이 하면 다스려진다."

[67-5-23]

鶴山魏氏曰. "嘗聞朱熹云, '天地之間, 有自然之理. 凡陽必剛, 剛必明, 明則易知 ; 凡陰必柔,

202 『十先生奧論註續集』 권7 「內外」
203 『西山文集』 권31 「問答 · 問疾不仁」

柔必闇, 闇則難測. 故光明正大, 疏暢通達, 無纖芥可疑者, 必君子也; 回互隱伏, 閃倏狡獪, 不可方物者, 必小人也.' 某嘗以是爲察言觀人之鑒, 邪正之辨, 了不可掩,[204] 則取舍之極定於內矣."[205]

학산 위씨鶴山魏氏[魏了翁]가 말하였다. "예전에 주희朱熹에게 들으니 '천지 사이에는 자연적인 리理가 있다, 양陽은 반드시 굳세니, 굳세면 반드시 분명하고, 분명하면 쉽게 알 수 있으며, 음陰은 반드시 부드러우니, 부드러우면 반드시 어둡고, 어두우면 헤아리기 어렵다. 그러므로 광명정대하고 시원하게 트여 지푸라기만큼도 의심할 만한 것이 없는 사람은 반드시 군자이고, 이리저리 감추고 숨기며 교활하고 간사함이 순간순간이어서 어떤 것에도 비교할 수 없는 사람은 반드시 소인이다.'고 하였다. 내가 일찍이 이를 가지고 (사람들의) 말을 살피고 사람을 관찰하는 거울로 삼았더니, 사악함과 올바름에 대한 분별이 조금도 가려지지 않아 취사에 대한 기준이 마음속에 정하여졌다."

[67-5-24]

魯齋許氏曰: "賢者以公爲心, 以愛爲心, 不爲利回, 不爲勢屈, 寘之周行則庶事得其正, 天下被其澤. 賢者之於人國, 其重固如此也. 然或遭世不偶, 務自韜晦, 有擧一世而人不知者. 雖或知之, 而當路之人未有同類不見汲引, 獨人君有不知者.[206] 人君雖或知之, 召之命之, 泛如廝養, 而賢者有不屑就者. 雖或接之以貌, 待之以禮, 而其所言不見信用, 有超然引去者. 雖或信用, 復使小人參於其間, 責小利, 期近効, 有用賢之名, 無用賢之實, 賢者亦豈肯尸位素餐, 徒費廩祿, 取譏誚於天下也. 雖然, 此特論難進者然也.

노재 허씨魯齋許氏[許衡]가 말하였다. "현자는 공정을 마음으로 삼고 사랑을 마음으로 삼아, 이익을 위해서 바꾸지 않고 형세를 위해서 굽히지 않으니 관원으로 앉혀두면 모든 일이 바로잡혀져 천하가 그 혜택을 입는다. 현자가 한 나라에 있어 그 소중함이 이와 같다. 그러나 혹여 불우한 세상을 만나면 한사코 감추고 숨으려 들어 한 세상 모두가 그를 아는 사람이 없다. 혹여 안다 해도 권력의 요로에 있는 사람에 동류가 있어 이끌어 줌을 만나지 못하면 군주가 알 수 없다. 군주가 혹여 안다 해도 불러서 벼슬시키는 것을 범연히 땔나무나 하고 짐승이나 치는 사람 정도로 취급하면 현자는 나아가 벼슬하는 것을 즐거워하지 않는다. 혹여 태도를 차려서 만나고 예의를 차려 대우하여도, 말한 것을 믿고 써주지 않으면 초연하게 떠나버리는 사람이 있고, 혹여 믿고 써주더라도 다시 소인을 시켜 그 사이에 끼어들어, 조그만 이익을 책임지우고 눈앞의 효험을 기약하려 들면 현자를 썼다는 이름은 있겠지만 현자를 썼다는 실제는 없을

204 了不可掩 : 『鶴山集』 권17 「奏議 · 直前奏六未喻及邪正二論」에서 이 문장과 다음 '則取舍之極定於內矣' 사이에 한 장 분량의 글이 빠져 있다.

205 『鶴山集』 권17 「奏議 · 直前奏六未喻及邪正二論」. 다만 학산이 인용한 주자의 글은 『朱文公文集』 권75 「王梅溪文集序」의 일부인데 그 일부도 중간 중간 편집한 것이다. 자세히 보면 '闇則難測'과 '故光明正大' 사이에 몇 줄의 빠져 있고 다음에 이어지는 글은 한 글귀 한 글귀가 모두 편집된 것이다.

206 獨人君有不知者. : 『魯齋遺書』 권7 「爲君難」에는 '獨' 한 글자가 없다. 없는 것을 따랐다.

것이니, 현자가 또한 어찌 기꺼이 시위소찬尸位素餐[207]하며 봉록만을 소비해 천하의 비웃음을 받으려 하겠는가? 그렇지만 이는 다만 벼슬에 나아가기 어려워하는 자의 경우를 말한 것이다.

又有難合者焉. 人君位處崇高, 日受容悅. 大抵樂聞人之過, 而不樂聞己之過; 務快己之心. 而不務快民之心. 賢者必欲匡而正之, 扶而安之, 使如堯舜之正, 堯舜之安而後已. 故其勢難合. 况姦邪佞倖, 醜正惡直, 肆爲詆毁, 多方以陷之, 將見罪戾之不免. 又可望庶事得其正, 天下被其澤邪? 自古及今, 端人雅士所以重於進而輕於退者, 蓋以此尔. 大禹聖人, 聞善卽拜, 益戒之曰任賢勿貳, 去邪勿疑. 貳之一言, 在大禹猶當警省, 後世人主宜如何哉? 此任賢之難也."[208]

또 합치되기 어려운 경우가 있다. 군주는 숭고한 지위에 자리하여 날마다 아첨과 비위맞추는 말만을 듣게 된다. 대체로 남의 허물은 즐겁게 들으나 자신의 허물은 즐겁게 듣지 않으며, 자신의 마음만 시원하게 하려 백성들 마음을 시원히 하려하지는 않는다. 현자는 반드시 바로잡아 바르게 하고 붙잡아 편안히 하여, 요순처럼 바르고 요순처럼 편안해진 뒤에 그치고자 한다. 그러므로 그 형세가 합쳐지기 어렵다. 하물며 간사와 아첨으로 군주의 총애를 얻은 자는 바른 것을 추하게 여기고 올곧은 것을 미워하여, 멋대로 헐뜯어 훼방하고 다양한 방법으로 죄에 빠뜨려 죄에 걸려드는 것조차 피할 수 없다. 거기에 또 여러 일이 바로잡혀지고 천하가 그 혜택을 입을 수 있길 바랄 수 있겠는가? 예부터 지금까지 정직한 사람과 바른 선비가 벼슬에 나아가기를 어려워하고 물러나기를 쉽게 생각한 까닭은 이런 연유다. 대우大禹는 성인이었으나 선한 말을 들으면 절을 하였는데[209] 익益이 경계시키기를[210] '현자를 임용하였으면 두 마음을 갖지 말고[211] 사악한 자를 버릴 때는 의심하지 마십시오.'라고 하였다. 두 마음이라는 한마디 말이 대우에 있어서도 오히려 경계해 살핀 일이었는데, 후세 군주는 마땅히 어떠해야겠는가? 이것이 현자를 임용하기 어려움이다."

[67-5-25]

"任用人材, 興作事功, 自己已有一定之見, 然不可獨用己意. 獨用己意, 則排沮者必多, 吾事敗矣. 稽於衆, 取諸人以爲善然後可. 堯之禪舜也, 以聖人見聖人, 不待三載之久而後知也. 當

207 尸位素餐 : 자리만 차지하고 하는 일없이 녹을 먹는 것을 이르는 말이다.

208 『魯齋遺書』 권7 「爲君難」

209 大禹는 성인이었으나 … 하였는데 : 『書經』「大禹謨」에 "우가 훌륭한 말에 절을 하였다.(禹拜昌言.)"고 하였고, 이어 「皐陶謨」에서도 똑같은 말이 기록되고 있다. 그래서 이 말은 우임금의 훌륭한 덕목을 칭송하는 말로 회자되었다.

210 益이 경계시키기를 : 『書經』「大禹謨」에 실린 말이다.

211 현자를 임용하였으면 … 말고 : 『書經』「大禹謨」의 蔡沈의 『集傳』에 "현자를 임용하고서 소인을 그 사이에 참여시키는 것을 貳라 한다.(任賢以小人閒之謂之貳.)"고 하였다. 의심하여 전적으로 믿지 못하는 것을 경계한 말이다.

一見便知之, 然而不敢以己之見, 便以天位付之. 必也賓于四門, 納于大麓, 歷試諸難, 使天下之人共知之, 四岳十二牧共推之, 若不出於堯之意也. 然後居天位, 理天職, 人無間言, 後世稱聖. 後世之任用人材, 立事功者, 皆獨出己意. 憲宗淮蔡功成, 而裴中立不得安於朝矣. 況大於此者乎?"[212]

(노재 허씨가 말하였다.) "인재를 임용하여 어떤 일을 진행하려 할 적에 자신에게 이미 일정한 견해가 있어야 하나 자신의 뜻만 쓰려는 것은 옳지 않다. 자신의 뜻만 쓰려들면 배척하고 저지하려는 자가 반드시 많아, 내가 하려던 일이 반드시 실패한다. 여러 사람들의 의견을 물어 여러 사람들이 선하다고 생각하는 것을 취한 다음이라야 옳다. 요임금이 순에게 천자자리를 선위하는데, 성인으로 성인을 살피는 일이니 3년 오랜 세월을 필요로 한 뒤에 알 수 있는 것이 아니었다. 당연히 일견에 바로 알아봤을 것이나 감히 자신의 견해로 곧장 천자의 지위를 넘겨주지 않았다. 결국 사문四門에서 손님을 맞게 하고, 큰 산 기슭에 들게 하여[213] 여러 어려운 일을 두루 시험해, 천하 사람들 모두에게 알려지고 사악四岳과 12목牧[214]이 함께 추천하게 함으로써, 마치 요임금의 뜻에서 나오지 않은 것과 같았다. 그런 뒤 천자자리에 앉아 천자의 일을 다스리자, 사람들은 흠하는 말이 없고 후세는 성인이라 칭하였다. 후세에서 인재를 임용하여 어떤 일을 해내려는 자는 모두 혼자서 자신의 뜻만을 내놓는다. 헌종憲宗이 회채淮蔡의 공을 이룩하였으나 배중립裴中立은 조정에 안주할 수 없었다.[215] 하물며 이보다 큰일이겠는가?"

212 『魯齋遺書』 권1 「語錄上」

213 四門에서 손님을 … 하여 : 『書經』「舜典」에 요임금이 순을 임용하여 "五典(五倫)을 신중히 아름답게 하라고 하자 오전이 순조롭게 행해지고, 百揆(모든 정치를 총괄하는 벼슬)에 앉히자 모든 정치가 때 마추어 펼쳐지고, 사방 문에서 제후국의 사신을 맞게 하자 사방에서 오는 제후가 화목하고, 큰 산기슭에 들게 하자 센 바람과 천둥치며 내리는 비에 정신이 혼미해지지 않았다.(愼徽五典, 五典克從 ; 納于百揆, 百揆時敍 ; 賓于四門, 四門穆穆 ; 納于大麓, 烈風雷雨弗迷.)"고 하였다.

214 四岳과 12牧 : 사악은 『書經』「堯典」의 蔡沈의 『集傳』에 "사악은 벼슬이름이니, 사방제후의 일을 총괄하는 한 사람이다.(四岳, 官名, 一人而總四岳諸侯之事也.)"라고 하였다. 십이목은 『書經』「舜典」의 蔡沈의 『集傳』에 "목은 백성을 담당해 다스리는 관원이니, 십이목은 십이주의 목이다.(牧, 養民之官 ; 十二牧, 十二州之牧也.)"라고 하였다. 요순시대에는 중국 천지가 모두 12州여서 열 두 명의 州牧이 각기 한 주의 여러 제후를 총괄하였다.

215 憲宗이 淮蔡의 … 없었다 : 헌종은 당나라의 군주이고 회채는 淮蔡鎭을 이르며, 배중립은 裴度를 그의 字로 칭한 것이다. 唐나라는 安祿山과 史思明의 亂을 겪고 난 이후 변방 節度使들이 발호하여 아비가 죽으면 조정의 임명 절차 없이 자식이 계승하고, 혹은 절도사 밑의 偏裨가 절도사 직위를 계승하며 조정의 명령을 따르지 않았다. 심하게는 절도사 직위를 요구하여 조정이 거절하면, 반란을 일으켜 반역을 꾀하는 일이 이어졌다. 憲宗이 즉위하며 잘못된 기강을 바로잡고자 힘을 기울여, 夏州, 蜀, 澤州, 潞州의 여러 절도사의 鎭들이 평정되었다. 이때 淮蔡節度使 吳少誠이 죽었다. 아들 元濟가 아버지 직위를 세습하고 이를 인준해 줄 것을 조정에 청하였다가 허락하지 않자, 吳元濟가 마침내 반란을 일으켰다. 이때 조정 신료 중에서 채주는 50여 년 동안 조정이 절도사를 임명하지 못했고 군사의 강성함도 다른 곳에 비길 바 아니니 오원제의 청을 들어주자고 하였다. 그러나 헌종은 정벌군을 편성하였는데 이를 찬동하는 사람은 두어 사람이었다. 헌종은 자신의 의견을 지지한 裴度에게 토벌군의 賞罰을 책임 지우고, 韓弘에게 토벌군의 지휘를 총괄하게 하였다. 그러나 4년의 전쟁 중, 정벌을 지지했던 武元衡이 자객에게 살해되고 裴度가 부상을 입는 어려움이

[67-5-26]

"姦邪之人, 其爲心險, 其用術巧. 惟險也, 故千態萬狀, 而人莫能知.如以甘言卑辭誘人, 入於過失, 然後發之之類 惟巧也, 故千蹊萬徑, 而人莫能禦.如勢在近習, 則諂近習, 勢在宮闈, 則諂宮闈之類 人君不察, 以諛爲恭, 以訐爲公, 以欺爲可信, 以佞爲可近. 喜怒愛惡, 人主固不能無. 然有可者有不可者. 而姦邪之人, 一於迎合, 竊其勢以立己之威；濟其欲以結主之愛. 愛隆於上, 威擅於下, 大臣不敢議, 近親不敢言. 毒被天下而上莫之知, 此前人所謂城狐也；所謂社鼠也. 至是而求去之, 不亦難乎? 雖然此由人主不悟, 誤至於此, 猶有說也. 如宇文化及之佞, 太宗灼見其情而竟不能斥；李林甫妬賢疾能, 明皇洞見其姦而卒不能退. 邪之惑人有如此者, 可不畏哉?"[216]

(노재 허씨가 말하였다.) "간사한 사람은 그 마음 씀이 험하고 꾀를 부리는 것이 교묘하다. 험한 까닭에 천태만상을 남들이 눈치 채지 못하고 예컨대 달콤한 말과 겸손한 말로 사람을 유혹해 잘못을 저지르게 하고서 뒤꽁무니에서 밝혀내는 따위이다. 교묘한 까닭에 1천 길과 1만 방법을 남들이 막아낼 수 없다. 예컨대 형세가 군주를 가까이 모시는 사람에게 있으면 가까이서 모시는 사람에게 아첨하고, 형세가 후궁이나 후비에게 있으면 후궁이나 후비에게 아첨하는 따위이다. 군주가 살피지 못하면 아첨을 공손으로 생각하고 남의 비밀스러운 일을 까발리는 것을 공정으로 생각하며, 속임수를 믿어야할 것으로 여기고 재치 있는 말재주를 가까이할 만한 것으로 여긴다. 기뻐하고 성내고 사랑하고 미워하는 일은 군주에게 없을 수 없다. 그러나 옳은 것이 있고 옳지 않은 것이 있다. 간사한 사람은 끝까지 영합하는 것으로 권세를 도둑질하여 자신의 권위를 세우려 하고, 자신의 욕심을 이뤄내 군주의 사랑을 묶어두려 한다. 군주에게 받는 사랑이 깊고 아랫사람들 사이에 위엄이 우뚝하여, 대신이 감히 시비하지 못하고 가까운 친척이 감히 입을 열지 못한다. 그리하여 해독이 천하에 덮이는데도 군주가 알지 못하니, 이것이 옛사람이 말하는 성곽의 여우이고, 사단社壇의 쥐이다.[217] 이때에 이르러 제거하려 들면 또한 어렵지 않겠는가? 그렇지만 군주가 깨닫지 못함에서 연유하여 잘못이 여기에 이른 것이지만, 여전히 할 말은 있다. 예컨대 우문화급宇文化及의 재치 있는 말재주를 태종太宗이 그 속셈을 훤히 알고서도 끝내 내치지 못하였고,[218] 이림보李林甫가 현자를 질투하고 능력

닥쳤다. 조정은 정벌 중지에 의견이 모아졌다. 오직 배도만이 헌종의 뜻을 따라 끝내 오원제를 사로잡고 蔡州의 반란을 평정하였다. 그러나 이후 배도는 헌종 생전에 河東節度使로 전직되어 조정에서 밀려났고, 이어 등극한 穆宗의 조정에서도 늘 한직에 머물렀다. 바로 이것이 헌종 독단에 의한 인물 임용에서 나타난 폐해라는 것이다. 헌종은 韓愈에게 오원제를 평정한 사실을 기록해 비를 세웠는데 이것이 저 유명한 「平淮西碑」이다. 이 비문 마지막에 "처음 채주의 정벌을 논할 적에 공경 대부들 중 따르는 자 없었고 정벌에 나선 4년 동안 낮은 관원이건 높은 관원이건 모두 의심하였다. 오원제의 죄를 용서하지 않고 전쟁의 실패를 의심하지 않은 것은 천자의 현명함에서 연유한 것이다. 이곳 채주의 공훈은 결단이 있었기 때문에 성공한 것이다.(始議伐蔡, 卿士莫隨, 既伐四年, 小大並疑. 不赦不疑, 由天子明. 凡此蔡功, 惟斷乃成.)"고 하였다. 헌종의 독단을 칭송한 것이다.

216 『魯齋遺書』 권7 「爲君難」

217 성곽의 여우이고, … 쥐이다. : 성곽 밑에 굴을 파고 사는 여우와 국가의 土地神을 모시는 사단에 집을 마련하고 사는 쥐라는 뜻으로, 든든한 배경을 의지하고 있어 제거하기 어려운 자들을 이르는 말이다.

218 宇文化及의 재치 … 못하였고, : 우문화급은 隋나라 武川사람으로 述의 맏아들이다. 수양제를 시해하고 秦王

있는 사람을 미워하는 것을 명황明皇[玄宗]이 그 간악을 빤히 알고서도 끝내 물리치지 못하였다.[219] 간사한 자의 사람을 홀리는 것이 이 같음이 있으니 두려워할 만하지 않은가?"

[67-5-27]

"天下之務, 固不勝其煩也. 然其大要, 在用人立法而已.[220] 古人謂得士者昌, 自用則小, 意正如此. 夫賢者, 識治之體, 知事之要, 與庸人相懸, 蓋十百而千萬也. 布之周行, 百職具擧.[221]

浩를 세우고 대승상에 올랐다가 호마저 시해하고 許帝를 자칭하다가 唐高祖의 장수 竇建德에게 잡혀 죽었다. 따라서 여기서 말하는 당태종과는 아무런 인연이 없다. 당태종과 일화를 남긴 사람은 우문화급의 아우 宇文士及이 있으니, 아마도 우문화급은 우문사급의 잘못인 듯하다. 우문사급은 宇文述의 셋째 아들로 수양제의 사위이기도 하다. 형 우문화급의 시해 도모를 알고도 방조한 공으로 蜀王에 봉해졌다. 이후 당나라 고조에게 귀의하여 공을 세워 郢國公에 봉해졌다. 태종 때 殿中監을 지냈다. 말재주가 뛰어나 당태종이 곧잘 불러 밤중을 넘기며 함께 노닐었다. 이를 『新唐書』「宇文士及傳」에서 살피면 다음과 같다. "어느 날 태종이 궁중의 나무 한 그루를 완상하다가 '이 나무는 좋은 나무로다.' 하니, 우문사급이 곁에서 아름답다고 찬탄하였다. 그러자 태종은 정색하고 '위징이 늘 나에게 말재주꾼을 멀리하라고 경계하였으나 말재주꾼이 누구인지 몰랐는데, 지금 보니 참으로 이런 것이로다.' 하였다. 우문사급이 사죄하여 '南衙(재상의 관서)의 뭇 신하들이 폐하 면전에서 잘못을 지적하고 다투나 폐하께서 손을 쓰시지 못합니다. 지금 신이 요행이 곁에 모시게 되었는데 순종함이 조금도 없다면 아무리 귀한 천자라 하더라도 또한 무슨 재미가 있겠습니까?' 하니 태종의 뜻이 풀렸다.(帝嘗玩禁中樹曰, '此嘉木也.' 士及從旁美歎. 帝正色曰, '魏徵嘗勸我遠佞人, 不識佞人爲誰, 乃今信然.' 謝曰, '南衙羣臣面折廷爭, 陛下不得擧手, 今臣幸在左右, 不少有將順, 雖貴爲天子, 亦何聊.' 帝意解.)" 이후 우문사급은 죽을 때까지 태종의 신임을 샀다.

219 李林甫가 현자를 … 못하였다.: 현종이 처음 등극하여 開元之治라는 훌륭한 치적을 이룰 때 함께 한 재상 張九齡을 내보내고 임명한 재상이 바로 이림보다. 이림보는 전후 19년 동안 재상직을 역임하며 죽을 때까지 영화를 누렸다. 이림보는 재상에 등용되자 양귀비의 오빠 양국충과 현종을 오도하여 결국 안록산의 난을 촉발시켰다. 다행히 이림보가 죽은 뒤의 일이었다. 현종은 안록산의 군대를 막지 못해 수도 장안을 버리고 蜀으로 피난하였다. 이 피난지에서 給事中 裴士淹과 나눈 대화를 살피면, 지금 말하고 있는 내용을 살필 수 있다. 『新唐書』 권223상 「奸臣李林甫傳」에 "현종이 촉 땅에 피난하였을 때 급사중 배사엄이 말재주와 학문으로 총애를 샀다. 이때 肅宗(현종의 아들)이 鳳翔에 있으면서 재상을 임명할 적마다 번번이 보고하였다. 房琯을 장수로 삼았다는 보고가 올라오자, 현종은 '이 사람은 역적 무리를 격파시킬 수 있는 자가 아니다. 만일 姚元崇이 있었다면 역적 무리의 멸망은 문제될 것이 없을 것이다.' 하였다. 宋璟을 임명하였다는 말이 올라오자, 현종은 '저 사람은 자신의 올곧음을 팔아서 명예를 취하려는 자일 뿐이다.'라고 하였다. 이어서 10여 사람을 논평하는데 모두가 합당하였다. 이림보에 이르자 현종은 '이 자의 어진이를 시기하고 능력 있는 사람을 미워하는 것은 어디 누구와도 비교할 수 없다.'고 하였다. 사엄이 그 말을 따라 '폐하께서 참으로 아셨다면 왜 그렇게 오랫동안 등용하셨습니까?' 하니, 현종은 입을 닫고 아무 대답을 하지 않았다.(帝之幸蜀也, 給事中裴士淹以辯學得幸. 時肅宗在鳳翔, 每命宰相, 輒啓聞. 及房琯爲將, 帝曰, '此非破賊才也. 若姚元崇在, 賊不足滅.' 至宋璟, 曰, '彼賣直以取名耳.' 因歷評十餘人, 皆當. 至林甫, 曰, '是子妬賢嫉能, 擧無比者.' 士淹因曰, '陛下誠知之, 何任之久邪?' 帝黙不應.)"

220 在用人立法而已. : 『魯齋遺書』 권7 「中書大要」에는 이 문장과 다음 문장 '古人謂得士者昌' 사이에 '近而譬之, 髮之在頭, 不以手理而以櫛理 ; 食之在器, 不以手取而以匕取. 手雖不能自爲, 而能用夫櫛與匕焉, 即是手之爲也. 上之用人何以異此, 不先有司, 直欲躬役庶務, 將見日勤日苦, 而日愈不暇矣.'가 더 있다.

然人之賢否, 未能灼知其詳, 固不敢用. 或已知其孰爲君子, 孰爲小人, 復畏首畏尾, 患得患失, 坐視其弊而不能進退之. 徒曰知人, 而實不能用人, 亦何益哉?"[222]

(노재 허씨가 말하였다.) "천하의 일은 참으로 그 번거로움을 감당할 길이 없다. 그러나 그 핵심은 인재 등용과 법제를 만드는데 있을 따름이다. 옛사람이 '인재를 얻으면 번창하고 자신만 옳다하면 졸아든다.'고 한 뜻이 바로 이 같은 것이다. 현명한 사람은 정치의 근간을 알고 일의 핵심을 앎이 보통사람과 서로 현격함이 열배 백배이고 천배 만 배이다. 이들을 고위 관직에 포진시키면 모든 일이 모두 거행된다. 그러나 사람의 현명 여부는 그 세세한 것까지 훤히 알 수 없기에 참으로 용기있게 등용할 수 없다. 혹 이미 누가 군자이고 누가 소인인지 안다 해도 또다시 머리를 두려워하고 꼬리도 두려워하거나,[223] 얻기만을 걱정하고 잃을까를 걱정하여,[224] 그 폐해를 앉아서 보면서도 등용하거나 물리치지 못하기도 한다. 괜히 사람을 알아본다고 할 뿐 실제론 사람을 쓰지 못하는 것이니, 또한 무슨 도움이 되겠는가?"

[67-5-28]

"生民休戚, 係於用人之當否. 用得其人, 則民賴其利 ; 用失其人, 則民被其害. 自古論治道者, 必以用人爲先務. 用旣得人, 則其所謂善政者, 始可得而行之. 以善人行善政, 其於爲治也何有?"[225]

(노재 허씨가 말하였다.) "백성의 생활이 아름다워질 것인지 근심스러워질 것인지는 등용한 인재의 옳음과 그름에 달렸다. 등용한 사람이 적임자이면 백성이 그 이로움을 힘입게 되고 등용한 사람이 적임자를 잃으면 백성은 그 해를 입는다. 예전부터 정치에 관한 도리를 논하는 사람은 반드시 인재 등용을 선무先務로 삼았다. 등용한 사람이 인재이면 이른바 선정을 비로소 행할 수 있다. 선인으로 선정을 행한다면 정치에 무슨 어려움이 있겠는가?"

[67-5-29]

臨川吳氏曰 : "治天下者在得人, 相天下者在用人. 用人必自好賢始. 周公大聖也, 而急於見賢. 一食三吐其哺. 一沐三握其髮. 趙文子賢大夫也, 所擧筦庫之士七十有餘家. 嗚呼! 當時周公所見, 文子所擧, 豈必皆其親舊而有所請求者哉? 好賢之臣, 能容人而天下治 ; 妬賢之臣, 不能容人而天下亂. 此『大學』平天下章, 所以引「秦誓」之言而深切敎戒也."

221 百職具擧. : 『魯齋遺書』 권7 「中書大要」에는 이 문장과 다음 문장 '然人之賢否' 사이에 '宰執總其要而臨之, 不煩不勞, 此所謂省也.'가 더 있다.

222 『魯齋遺書』 권7 「中書大要」

223 머리를 두려워하고 … 두려워하거나 : 상대를 겁내 의심이 끝없는 것을 빗댄 말이다. 『左傳』「文公 17년」 기사에 "옛사람의 말에 '머리도 두렵고 꼬리도 두려우면 몸에서 두렵지 않은 부분은 얼마인가?'라는 말이 있다.(古人有言曰, 畏首畏尾, 身其餘幾?)"라고 하였다.

224 얻기만을 걱정하고 … 걱정하여 : 위 [67-5-6]의 주석 참고

225 『魯齋遺書』 권1 「語錄上」

임천 오씨臨川吳氏[吳澄]가 말하였다. "천하를 다스리는 일은 인재를 얻는데 있고, 천하의 재상이 되는 일은 인재를 등용하는데 있다. 인재 등용은 반드시 현자를 좋아하는 것으로부터 시작한다. 주공周公은 큰 성인이었으나 현자를 만나기에 급급하여 한 끼 밥을 먹는 동안 세 번씩이나 먹던 밥을 토해내고, 머리 한 번 감는 동안 세 번씩이나 머리를 감아쥐어야 했다.[226] 조문자趙文子는 현명한 대부였으나 천거한 창고 담당 관원이 70여 사람이었다.[227] 아! 당시 주공이 만났던 사람과 문자가 천거한 사람이 어찌 꼭 모두 그의 친한 옛 친구이고 (벼슬을) 청하거나 구한 자들이겠는가? '현자를 좋아하는 신하는 능히 사람을 받아들이므로 천하가 다스려지고, 현자를 질투하는 신하는 사람을 받아들이지 않아 천하가 혼란해진다.' 이는 『대학』 평천하장平天下章에서 「진서秦誓」의 말[228]을 인용하여 깊고 간절하게 가르치고 경계한 것이다."

226 周公은 큰 … 했다. : 『史記』「魯世家」에 "주공이 아들 백금을 경계시켜 '나는 문왕의 아들이고, 무왕의 아우이고, 성왕의 숙부였다. 내가 천하에 또한 천한 사람이 아니건만, 내가 한 번 머리를 감는 동안 세 번이나 머리를 감아쥐고, 한 끼 밥을 먹는 사이 세 번이나 밥을 토해내고 일어나 선비를 만났다.'라고 하였다.(周公戒伯禽曰, '我文王之子, 武王之弟, 成王之叔父. 我於天下亦不賤矣, 然我一沐三握髮, 一飯三吐哺, 起以待士.')"고 하였다.

227 趙文子는 현명한 … 사람이었다. : 조문자는 춘추시대 晉나라 대부 趙武이다. 趙孟이라고도 부른다. 시호는 文이다. 悼公 때 卿이 되고 平公 때 국정을 관장하였다. 『禮記』「檀弓下」에서 "조문자가 진나라의 창고지기를 추천한 사람이 70여 명이었다.(文子所擧於晉國管庫之士, 七十有餘家.)"고 하였는데 鄭玄의 注(『禮記註疏』)에서 "군주에게 추천하여 대부와 사를 삼았다.(擧之於君, 以爲大夫士也.)"고 하였다.

228 『大學』 平天下章에서 … 말 : 그 내용은 다음과 같다.
"「秦誓」에 이르기를 '만일 어떤 한 신하가 성실하고 다른 기예가 없으나, 그 마음의 곱고 고움이 용납함이 있는 듯하여, 남이 가지고 있는 기예를 자기가 소유한 것처럼 여기며, 남의 훌륭하고 聖스러움을 그 마음으로 좋아함이 자기 입에서 나온 것보다도 더하다면, 이는 능히 남을 포용하는 것이어서, 능히 나의 자손과 백성을 보전할 것이니, 행여 또한 이로움이 있을 것이다. 남이 가지고 있는 기예를 시기하고 미워하며, 남의 훌륭하고 聖스러움을 어겨서 통하지 못하게 하면, 이것은 능히 포용하지 못하는 것이어서, 나의 자손과 백성을 보전하지 못할 것이니, 또한 위태로울 것이다!'고 하였다.(「秦誓」曰, '若有一个臣, 斷斷兮無他技, 其心休休焉其如有容焉. 人之有技, 若己有之, 人之彦聖, 其心好之, 不啻若自其口出, 寔能容之, 以能保我子孫黎民, 尙亦有利哉! 人之有技, 媢疾以惡之, 人之彦聖而違之, 俾不通, 寔不能容, 以不能保我子孫黎民, 亦曰殆哉!')"

性理大全書卷之六十八
성리대전서 권68

治道三 치도 3

治道三
다스리는 도리 3

人才 인재

[68-1-1]

程子曰 : "善言治者, 必以成就人才爲急務. 人才不足, 雖有良法, 無與行之矣. 欲成就人才者, 不患其稟質之不美, 患夫師學之不明也. 師學不明, 雖有美質, 無由成之矣."[1]

정자程子가 말하였다. "정치를 훌륭히 잘 말하는 사람은 반드시 인재 성취를 급선무로 삼는다. 인재가 충분하지 못하면 양법良法이 있어도 함께 행할 사람이 없어서이다. 인재를 성취시키려는 사람은 자품이 아름답지 못한 것을 걱정하지 말고 스승의 학문이 밝지 않은 것을 걱정해야 한다. 스승의 학문이 밝지 않으면 아름다운 자질이 있어도 성취시킬 방법이 없다."

[68-1-2]

"作新人才難, 變化人才易. 今諸人之才皆可用. 且人豈肯甘爲小人? 在君相變化如何爾. 若宰相用之爲君子, 孰不爲君子?"[2]

(정자가 말하였다.) "인재를 새롭게 만들어내는 일은 어렵고 인재를 변화시키는 일은 쉽다. 오늘날 여러 사람의 재능은 모두 쓸 만하다. 또 사람이 어찌 소인이 되는 것을 기꺼이 달갑게 여기겠는가? 군주와 재상이 변화를 어떻게 하느냐에 달려있다. 만일 재상이 등용하여 군자가 되게 하면 뉘라서 군자가 되지 않겠는가?"

[68-1-3]

"才高者多過, 過則一出焉, 一入焉. 才卑者多不及, 不及者, 殆且弛矣."[3]

1 『二程粹言』 권상 「論政篇」
2 『河南程氏外書』 권7

(정자가 말하였다.) "재주가 높은 사람은 지나침이 많으니, 지나치면 한 가지 한 가지가 들락 날락이다. 재주가 낮은 사람은 미치지 못함이 많으니, 미치지 못하는 사람은 위태로우면서 또 느슨하다."

[68-1-4]

元城劉氏曰："所謂長養成就人才，非如今學校之類也．但於人才愛惜保全之爾．譬如富家養山林，不旦旦伐之，乃可爲棟梁之具．若非理摧折之，及至造屋，無材可用也．是愛惜人才，乃人主自爲社稷計耳．"[4]

원성 유씨元城劉氏[劉安世]가 말하였다. "이른바 인재를 길러 성취시키는 일은 오늘날 학교와 같은 부류가 아니다. 다만 인재를 아껴 보전하는 것일 뿐이다. 비유하자면 부잣집이 산의 재목을 기르며 날마다 베어내지 않아야만 비로소 들보 감이 되는 것과 같다. 만일 이러한 이치를 거스르고 꺾고 베어내면 집을 지을 때에 가서 쓸 만한 재목을 얻을 수 없다. 이것이 인재를 아끼는 일이자 군주가 스스로의 사직을 위하는 계책이다."

[68-1-5]

龜山楊氏曰："當先王之盛，禮義之澤，漸摩浸灌，天下亹亹向風承德，敦厚而成俗．於斯時也，士游乎校·庠·術·序之間，攬六藝之英華，而充飫乎道德之實，凡耳目之所習聞者，皆足以迪己而勵行，優游自得，不見異物而遷焉．此三代之士，所以彬彬多全德也．陵夷至于戰國，暴君汙吏，各逞其私欲，磨牙搖毒相呑噬者，天下相環也．機會之變，間不容髮，故從人合之以效其謀，衡人離之以攻其後，掉三寸之舌，闔天下之諸侯，斂爲己功，由是靡靡日入於亂也．

구산 양씨龜山楊氏[楊時]가 말하였다. "선왕의 융성했던 시절에는 예와 의리의 은택이 (백성에게) 스며들고 적셔져, 천하가 그 바람을 우러르고 덕화를 받들기에 힘써, 돈후해지고 선량한 풍속이 이루어졌다. 이 시절에 선비들은 교校·상庠·술術·서序[5]의 사이에서 공부하여, 육예六藝[6]의 꽃다운 아름다움을 지니고,

3 『二程粹言』 권하 「人物篇」

4 『元城語錄解』 卷中

5 校庠術序 : 모두 太學을 이르는 말이다. 『孟子』「滕文公上」에 "상서학교를 지어 교육하였다 … 하나라는 교, 은나라는 서, 주나라는 상이라고 하였다.(設爲庠·序·學·校以教之 … 夏曰校, 殷曰序, 周曰庠.)"고 하였다. 여기서 校에 대한 뜻은 분명하지 않다. 굳이 의미를 찾는다면 『禮記』「學記」에 "옛날에 가르침은 집에는 숙이 있고, 당에는 상이 있고, 술에는 서가 있고, 나라에는 학이 있다.(古之教者, 家有塾, 黨有庠, 術有序, 國有學.)"라고 하였는데, 鄭玄은 "술은 당연히 수 자로 써야 하니 읽는 음에 의해 잘못이 빚어진 것이다. 수는 遠郊밖에 있는 행정구역이다.(術當為遂, 聲之誤也 …… 遂在遠郊之外.)"고 하였다. 행정구역이란 주장은 『管子』「度地」에 1백 호가 이가 되고, 이 10개가 술이 되고, 술 10개가 주가 된다.(故百家為里, 里十為術, 術十為州.)"고 하였다.

6 六藝 : 옛날에 학생을 가르치던 여섯 가지 과목. 이 과목에 뛰어나면 중앙에 천거되어 벼슬에 오르게 되었다. 『周禮』「地官·大司徒」에 "육예는 예, 음악, 활쏘기, 말 몰기, 글씨 쓰기, 셈이다.(六藝, 禮·樂·射·御·書·數.)"이라고 하였다.

도덕의 실체를 실컷 만끽하여 눈과 귀로 듣고 익힌 모든 것이, 자신을 인도하고 행동을 다듬기에 모두 충분하여, 여유롭게 만족하며 기이한 물건을 보아도 마음이 옮아가지 않았다. 이것이 삼대시절에 빛나고 빛나게 덕을 온전히 한 선비가 많았던 까닭이다. 그 형세가 차츰 사그라지더니 전국시대에 이르러서는 포악한 군주와 다랍게 뇌물을 탐하는 관리가 각기 사사로운 욕심을 채우려, 이를 갈아가며 세상에 해독을 퍼뜨려 서로를 집어삼키려는 자가, 천하에 고리처럼 서로 연이어졌다. 기회의 변화란 머리털 한 올의 순간을 용납하지 않은 까닭에, 합종책을 주장한 사람은 세력을 모아 자신의 계책을 이루려 하고, 연횡책[7]을 주장한 사람은 이들을 이간시켜 뒤통수를 공격하려, 세 치 혓바닥을 놀려 천하의 제후를 싸우게 하는 것을 자신의 공훈으로 삼으니, 이로 인해 바람에 휩쓸리듯 날로 혼란에 빠져들었다.

漢興襲秦遺俗. 而高皇帝起於布衣户伍之中, 一呼而有天下, 慢而侮人, 尤不喜儒士. 故一時貪利頑頓無恥者多歸之. 雖秉國鈞衡, 爲一代宗臣者, 猶且囚拘縲絏而不知去, 況其餘人乎? 光武中興, 尤旌節義之士, 而依違附逆之臣, 多見戮辱. 故宏儒遠智, 累行高擧, 激揚風流者, 方軌而出. 及其衰也, 懷濟時之志, 則以觸權而嬰禍; 謝事丘壑, 則以黨錮而陷刑. 雖輿敗輹脫, 猶不忍改轍, 一犯淸議, 則蹈鼎伏鑕而不悔. 東漢之社稷, 僅如垂髮而不絶者, 亦衆君子之力也.

한漢나라가 나라를 세우고는 진秦나라가 남긴 풍속을 답습하였다. 고황제高皇帝[高祖]는 평민의 하잘것없는 집[8]에서 일어나 한 번의 호령으로 천하를 소유하였으나, 거만히 남을 업신여겼고 유자儒者라면 더더욱 좋아하지 않았다. 그리하여 한 시대의 이익을 탐해 두루뭉술 부끄러움을 모른 자가 대부분 귀의하였다. 나라의 균형鈞衡(중책이나 중임을 이르는 말)을 쥔 한 시대가 우러러보던 중신마저도, 여전히 오랏줄에 묶여 갇히면서까지 떠날 줄을 몰랐으니[9] 하물며 그 나머지 사람이랴? 광무제光武帝가 중흥시키며, 절의를 세운 선비는 더욱더 표창하고 머뭇대며 역적 무리에 붙었던 신하는 죽거나 곤욕을 치른 자가 많았다.

7 합종책을 주장한 … 연횡책 : 戰國의 여섯 나라의 외교 국방 정책. 여섯 나라는 秦나라를 제외한 齊·楚·燕·趙·魏·韓이다. 합종책은 六國이 남북으로 동맹을 맺어 秦나라에 대항하는 정책이고, 연횡책은 진나라가 동서로 한 나라씩 동맹을 맺어 평화를 유지하는 정책이다. 합종책은 蘇秦이 주장했고, 연횡책은 張儀가 주장했다.

8 평민의 하잘것없는 집. : 이 글의 원문 '户伍'는, 민간의 5호를 한 결사체로 이른 말이다. 가장 낮은 단계의 결사체여서, 하잘것없는 집안 출신임을 이른다.

9 나라의 鈞衡을 … 몰랐으니 : 이는 한나라의 창업공신인 蕭何를 두고 한 말이다. 당시 수도 長安의 땅이 비좁은데 군주의 동산인 上林苑은 빈 땅이 많이 버려져 있어, 이 땅을 백성들에게 경작시켜, 이삭만 털어가고 볏짚은 남겨 짐승들 먹이가 되게 하면 어떻겠느냐고 고조에게 청하였다. 이 말을 들은 고조는 크게 성을 내어 "상국이 장사치들의 많은 돈을 받아먹고서 나의 동산을 청하여 백성들의 인기를 누리려는 짓을 하려 한다." 하고서 소하에게 차꼬를 채우고 오랏줄로 묶어 감옥에 가두었다. 이때 王衛尉(위위는 벼슬 이름)가 고조에게, "임금께서 관중을 비우고 항우와 대치하는 동안과, 陳豨와 黥布(또는 英布)의 반란을 평정하는 사이 계속 관중을 비웠는데 이때 소하가 관중을 지켰으니, 이때 소하가 발만 한 번 까닥하였어도 관중은 임금의 땅이 아니었을 터인데, 그때를 그대로 넘기고서 장사치들의 돈을 탐내겠습니까?"라고 하였다. 고조는 못마땅하였으나 그날로 소하를 풀어주자, 소하는 맨발로 고조에게 나아가 사죄하였다.(『史記』「蕭相國世家」)

그리하여 큰 유자儒者, 원대한 지혜를 가진 자, 행실을 쌓고 행동이 고고하였던 자, 세속의 악을 배척하고 선을 권면하던 자[10]가 수레를 나란히 하여 세상에 나왔다. 한나라가 쇠해지며 세상 구제의 뜻을 가지면 권력자의 뜻을 건드려 재앙을 얻고, 벼슬을 버리고 산과 계곡으로 물러나면 당고黨錮의 죄[11]로 형벌에 빠졌다. 수레가 부서지고 바퀴가 튕겨나가는데도[12] 여전히 차마 지조를 바꾸지 못해, 한번 청의淸議에 발을 들여놓으면, 솥에 삶아지고 도끼 바탕에 허리가 잘리면서도 후회하지 않았다. 동한의 사직이 머리카락 한 올에 매달린 듯 근근이 이어지면서도 그나마 끊이지 않은 것은 또한 이들 여러 군자들 힘이다.

東晉之興, 士懲前軌, 皆遺世絶俗, 視天下治亂, 恝然如秦人視越人之肥瘠也, 而晉從而亡.

동진東晉이 일어나자 선비들은 앞 세상의 일을 거울삼아 모두 세상을 버리고 세속과 발을 끊으며 천하의 안정과 혼란을 보기를, 마치 진秦나라 사람이 월越나라 사람의 야위고 살찌는 것을 보는 듯이[13]하더니, 진나라는 이내 망하였다.

此氣俗之不同, 然亦興衰治亂之所繫也. 故戰國之士, 務奇謀而不徇正道; 西漢之士, 喜功名而不務奇節; 東漢之士, 貴節義而不通時變; 東晉之士, 樂恬曠而不孚實用. 是皆爲世變所移而昧夫中行者也. 惟古之聖賢則不然, 不以世治而堅其操, 世亂而改其度, 雖變故日更, 而吾之所守自若也."[14]

이렇게 기풍과 풍속이 동일하지 않으나 그러나 또한 일어나느냐 쇠하느냐 안정되느냐 혼란스러워지느냐가 달린 바이다. 그러므로 전국시대의 선비는 기특한 책략에만 힘쓰며 정도를 따르지 않았고, 서한西漢시대의 선비는 공명을 기뻐하며 기특한 절의에 힘쓰지 않았고, 동한의 선비는 절의를 귀히 여겼으나 시대의 변화를 알지 못했고, 동진시대의 선비는 공명에 담박해 무엇에 매임이 없었으나 실용에 있어선 미덥지 못했다. 이는 모두 세상 변화에 따라 변하고 중정한 행실에 어두운 것이다. 옛 성현은 이렇지 않아 세상이 다스려졌다 해서 자신의 지조를 굳건히 하지 않았고, 세상이 혼란해졌다 해서 자신의 법도

10 세속의 악을 … 자: 이 글의 원문 '激揚風流'의 '激揚'은 물의 훌륭한 기능을 설명한 말이다. 『尸子』「君治」에서 "물에는 네 가지 덕이 있다 … 맑은 기능을 살려내고 탁한 기능을 억제하여 찌꺼기나 오물을 없애는 것은 의이다.(水有四德 …… 揚淸激濁, 蕩去滓穢, 義也.)"라고 한 말에서 연유한 것이다.

11 黨錮의 죄: 동한 桓帝 때 사대부인 李膺과 陳蕃이 태학생 郭泰·賈彪와 힘을 모아 환관 집단을 공격하였다가, 환관들이 도리어 그들이 朋黨을 지어 조정을 비방한다고 무고하여 화를 입은 사건. 이 일로 이응 등 2백여 명이 옥에 갇혔다가 후에 석방되었으나 죽을 때까지 벼슬에 등용하지 않는다는 처분이 내려졌다. 靈帝 때 이응 등이 다시 기용되며 대장군 竇武와 환관을 제거하려 하였으나 실패하여 이응 등 1백여 명이 죽임을 당하고, 뒤이어 또 죽임을 당하고, 귀양 가고, 갇힌 사람이 6~7백 명에 이르렀다.(『後漢書』「黨錮傳」)

12 수레가 부서지고 … 튕겨나가는데도: 자신이 처한 상황을 매우 위급한 수레에 빗댄 말이다.

13 秦나라 사람이 … 듯이: 중국에서 진나라와 월나라는 서로 너무 멀리 떨어져 있어, 국경을 서로 맞댄 나라처럼 전혀 신경 쓸 일이 없었다. 그리하여 서로 이해가 전혀 없는 경우를 이를 때 흔히 이 말을 속담처럼 썼다.

14 『龜山集』 권18「書·上毛憲」

를 바꾸지 않았다. 변고가 날마다 바뀌어도 내가 지키는 것은 늘 여전하였다."

[68-1-6]

"周之士也貴, 秦之士也賤. 周之士, 非獨上之人貴之也, 士亦知自貴焉. 秦之士, 非獨上之人賤之也, 士亦輕且賤焉. 自秦而來迄于今千有餘歲, 士之知自貴者何其少, 而輕自賤者何多耶? 蓋古之士, 雖一介之賤, 厠於編户齊民之間, 短褐不完, 含菽飮水, 裕然有餘, 而不知王公之爲尊, 與夫膏粱文繡之爲美也. 三旌之位, 非其道也, 有弗屑焉; 萬金之餽, 非其義也, 有弗受焉. 夫如是, 上之人雖欲挾貴自尊以輕天下之士, 其可得乎? 後世之士, 顚冥利欲而不知有貴於己者, 故守道循理之志薄, 而偷合苟得之行多. 伺候公卿之門, 奔走形勢之塗, 脅肩謟笑,[15] 以取容悅, 其自處如是, 而欲人貴之, 其可得乎? 故愚竊謂'士之貴賤, 雖視勢盛衰, 然其所以貴賤者, 皆其自取也.'"[16]

(구산 양씨가 말하였다.) "주나라 시대 선비는 귀하였고 진秦나라 시대 선비는 천하였다. 주나라 선비는 다만 군주가 귀히 여겼을 뿐만 아니라 선비 자신도 역시 자신을 귀히 여겼다. 진나라 선비는 다만 군주가 귀히 여기지 않았을 뿐 아니라 선비 자신 역시 가볍고 천하게 여겼다. 진나라 이후 오늘날에 이르는 1천여 년 동안 선비로서 자신을 귀히 여길 줄 아는 자는 왜 그다지 적고, 가볍고 천하게 여긴 자는 왜 그리 많을까? 그것은 예전 선비는 미천한 한 사람으로 평범한 민간[17] 호적에 편제되어 거친 베로 지은 작은 옷이 몸을 감싸지 못하고, 콩을 먹고 물을 마시면서도 넉넉하고 여유로워, 왕과 제후의 존귀와 고량으로 차린 음식과 아름답게 수놓은 의복의 아름다움을 몰랐다. 삼정三旌의 지위[18]라도 도리에 맞지 않으면 기꺼워하지 않고, 1만 금金의 선물도 의리가 아니면 받지 않는다.[19] 이러한데 윗사람이 존귀한 지위를 끼고서 스스로를 높이며 천하의 선비를 가볍게 여기고자 한들 할 수 있겠는가? 후세의 선비는 이욕의 유혹에 매몰되어 자신에게 존귀함이 갖추어져 있음[20]을 알지 못한 까닭에 도를 지키고 이치를

15 脅肩謟笑 : '謟'는 '諂'의 오자이다.

16 『龜山集』 권18 「上毛憲書」

17 평범한 민간 : 이 글의 원문 '齊民'은 『漢書』「食貨志下」에 "대대로 벼슬하는 집안의 자제들과 부자들이 혹 투계와 개와 말달리기 경주, 사냥과 도박으로 제민을 어지럽힌다.(世家子弟富人或鬥雞走狗馬, 弋獵博戲, 亂齊民.)"고 하였는데, '齊民'을 顔師古는 "제는 평등의 뜻이다. 귀천이 있을 것이 없는 사람을 제민이라 이르니 오늘날의 평범한 민간이란 말과 같다.(齊, 等也. 無有貴賤, 謂之齊民, 若今言平民矣.)"고 하였다.

18 三旌의 지위 : 三公의 지위를 이른다. 『莊子』「讓王」에 "나를 위해 삼정의 지위로 맞이하였다.(爲我延之以三旌之位)"는 문장이 있는데 郭象이 "삼정은 삼공의 지위다. 어떤 본에는 三珪라고 썼는데 제후의 삼경은 모두 珪를 잡고 있어서다.(三旌, 三公位也. 一作三珪云, 謂諸侯之三卿皆執珪者.)"라고 하였다.

19 1만 金의 … 않는다. : 『孟子』「公孫丑下」에 이를 추정할 수 있는 두 가지 사례가 있다. 맹자가 齊나라에 머물고 있을 때 兼金 1백 鎰을 선물하자 받지 않으며 사유 없이 받는 것은 돈에 팔리는 것이라고 말한 사례, 제나라를 떠날 때 齊宣王이 時子를 시켜, 제자를 양성시키는 일을 부탁하며 萬鍾의 녹을 제의하였으나 거절하고 떠난 일 등이다.

20 자신에게 존귀함이 … 있음 : 『孟子』「告子上」에 "귀하고자 하는 것은 사람의 똑같은 마음이다. 사람마다 자신

따르려는 뜻이 박약하고, 구차하게 영합하고 (벼슬을) 어떻게 해서라도 얻으려는 행위가 많다. 공경대부의 문을 기웃대거나 세도가의 집 길목을 쏘다니며 어깨를 웅크리고 아첨의 웃음을 흘려, 상대가 받아주고 기뻐해 주기를 구하니, 그들 스스로의 처신이 이러한데 남이 귀하게 여겨주기를 바란다고 얻어질 수 있겠는가? 그래서 나는 '선비가 귀해지고 천해지는 것은 시대의 성쇠를 보아야 하지만, 그러나 귀하고 천하여지게 하는 것은 모두 자신이 그렇게 하는 것이다.'라고 말하는 것이다."

[68-1-7]

朱子曰："世間有才底人, 若能損那有餘, 勉其不足時節, 却做得事. 却出來擔當得事, 與那小廉曲謹底不同."[21]

주자가 말하였다. "세상의 재능 있는 사람이 만일 (자신에게서) 남는 것은 잘 덜어내고 부족한 것을 노력할 시절[22]이면 사업을 해낼 수 있다. 벼슬에 나와 어떤 일을 담당하여 일하더라도 저들 사소한 일에 청렴하고 미미한 일에 신중한 자들과는 같지 않을 것이다."

[68-1-8]

東萊呂氏曰："不離莘野而割烹之鼎已調；不離傅巖而濟川之舟已具；不離磻溪而牧野之陣已成. 彼爲伊傅太公者, 曷嘗徒勞州縣, 屈首簿書, 然後知之哉? 殊不知有非常之才, 而後有非常之擧也."[23]

동래 여씨東萊呂氏[呂祖謙]가 말하였다. "신야莘野를 떠나지 않았을 때 할팽割烹의 음식 양념이 이미 잘 맞았고,[24] 부암傅巖을 떠나지 않았을 때 물을 건널 배가 이미 갖추어졌으며,[25] 반계磻溪를 떠나지 않았을

에게 귀한 것이 있는데 생각지 못할 뿐이다.(欲貴者, 人之同心也. 人人有貴於己者, 弗思耳.)"고 하였다. 주자는 이를 "자신에게 귀한 것이 있다는 것은 천작을 이른다.(貴於己者, 謂天爵也.)"고 하였다. 천작은 『孟子』의 바로 이 글 앞에 "천작이 있고 인작이 있다. 인과 의와 충과 신과, 선이 즐거워 게으름내지 않는 것은 천작이고, 공경대부는 인작이다.(有天爵者, 有人爵者. 仁義忠信樂善不倦, 此天爵也；公卿大夫, 此人爵也.)"라고 하였다. 곧 사람이 태어나며 지닌 본성을 천작이라고 한 것이다.

21 『朱子語類』 권108, 38조목

22 남는 것은 … 시절 : 『中庸』 제13장에 "평범한 덕을 행하며 평범한 말을 신중히 하여, 부족한 것이 있을 경우 감히 노력하지 않음이 없고 남음이 있을 경우 감히 다하려 하지 않아, 말은 행실을 돌아보고 행실은 말을 돌아보니 군자가 어찌 독실하지 아니한가?(庸德之行, 庸言之謹, 有所不足不敢不勉, 有餘不敢盡, 言顧行, 行顧言, 君子胡不慥慥爾.)"라고 한 말에서 남음이 있는 것은 바로 말을 가리키고, 부족한 것은 행실을 가리켰다.

23 『十先生奧論註續集』 권7 「時政論・內外」

24 莘野를 떠나지 … 맞았고 : 이는 탕임금을 도와 상나라를 건국한 伊尹의 고사를 이른 말이다. 신야는 이윤이 탕임금에게 등용되기 이전에 살았던 곳이고, 할팽은 '자르고 삶다.'는 뜻으로 음식 조리의 일을 이른다. 설화에서 이윤이 탕임금에게 자신의 음식솜씨를 이용해서 등용되었다고 말하는 것을 들어서 이윤이 이미 출사하기 전에 경륜이 갖추어졌음을 설명한 것이다. 『孟子』「萬章上」에 "'사람들이 이윤은 음식솜씨로 탕에게 등용되기를 구하였다고 말하는데 이런 일이 있습니까?' 맹자가 말했다. '아니다. 이윤이 유신의 들녘에서 농사지을 때'(人有言伊尹以割烹要湯, 有諸? 孟子曰, 否. 伊尹耕於有莘之野.)" 운운한 말이 있다. 이윤이 탕임금의 초빙

때 목야牧野의 진용이 이미 이루어졌다.[26] 저들 이윤伊尹과 부열傅說과 태공太公이 어찌 일찍 주현州縣에서 헛된 고생을 해보고 문서에 온 정력을 쏟아본 일을 한 뒤에 이런 일을 알았겠는가? 비상한 재능이 있고 난 뒤에 비상한 공훈을 행할 수 있음을 도무지 모르고 있다."

[68-1-9]

魯齋許氏曰: "大聖大賢, 本末具擧, 極其規模之大, 盡其節目之詳, 先勤小物, 而後盡於大事. 降此一等, 亦豪傑之士. 然擧其大則遺其細, 盡其小則惽於大. 材具稍大, 便不謹細行, 所以有'材大便疏'之語. 謹於細小者, 多不識大體, 不能謀大事. 用人者宜知之. 後世功名之士, 到禮樂制度, 便進不去. 蓋到此稍細密, 亦精力有所不及, 故須別用一般人物."[27]

노재 허씨魯齋許氏: [許衡]가 말하였다. "대성大聖과 대현大賢은 본말本末을 모두 갖추어, 규모의 큰 것도 다 행해내고 절목의 상세한 것도 남김 없으나, 먼저 소소한 일에 노력하고 그 다음에 큰일도 다 해낸다. 이보다 한 등급 아래 사람도 또한 호걸지사이다. 그러나 그 가운데 큰일을 할 경우 작은 것을 놓치고, 작은 것을 다하게 될 경우 큰 것에 어둡다. 갖춘 재능은 조금 크지만 자잘한 행실을 삼가지 않아, '재능은 크나 거칠다.'는 말을 듣게 되는 까닭이다. 자잘한 데에 삼가는 사람은 대부분 대체를 알지 못하여 큰일을 도모하지 못한다. 사람을 등용해야 할 자가 의당 알아야 할 일이다. 후세의 공명을 이루려는 자들은 예악 제도에 이르면 연구하려 하지 않는다. 조금 세밀한 것에 이르면 또한 정력이 미치지 못할 곳이 있어서이니, 그런 까닭에 당연히 별도의 다른 사람을 등용해야 한다."

[68-1-10]

"傳記中人才傑然可觀, 以道理觀之, 只是偏才. 聖人則圓融渾全, 百理皆具. 古今人才多是血氣用事, 故多偏. 聖人純是德性用事, 只明明德, 便自能圓成不偏."[28]

에 응하기 이전에 이미 천하 경륜이 이루어져 있었음을 말한 것이다.

25 傅巖을 떠나지 … 갖추어졌으며: 이는 상나라의 중흥을 이룬 高宗을 보필한 傅說의 고사이다. 상나라의 고종이 아버지 삼년상을 벗고서도 입을 다물고 아무런 말을 하지 않았다. 이에 신하들은 군주는 신하의 법인데 말이 없으니 명령을 물을 곳이 없다며 말하기를 재촉하였다. 이에 고종은 자신이 말을 하지 않은 이유를 글로 써서 대답하며, 하늘이 자신을 보필할 인재를 꿈에 내려주었으니 찾으라고 하였다. 마침내 부열을 부암에서 찾았다. 이에 고종은 부열을 상국으로 등용하고 이렇게 부탁하였다. "만일 쇠일 경우 너를 숫돌로 삼고, 만일 큰물을 건너야 할 경우 너를 배와 노로 삼고, 만일 날씨가 가물이 들 경우 너를 장마비로 삼으리라.(若金, 用汝作礪; 若濟巨川, 用汝作舟楫; 若歲大旱, 用汝作霖雨.)"

26 磻溪를 떠나지 … 이루어졌다.: 반계는 태공이 문왕을 만나기 전에 낚시로 세월을 보내던 곳이다. 문왕이 태공을 만났다고 흔히 알려진 渭水의 한 지역이다. 목야는 무왕이 은나라의 紂를 치려 마지막 진을 친 곳으로, 은나라 수도 朝歌에서 70리 정도 떨어진 교외 지역이다. 반계는 『韓詩外傳』 권8, 목야는 『書經』「牧誓」에 자세하다.

27 『魯齋遺書』 권1 「語錄上」

28 『魯齋遺書』 권1 「語錄上」

(노재 허씨가 말하였다.) "전기문傳記文들 중에는 인재가 걸출하여 볼 만하나 도리를 가지고 살피면 다만 한 방면의 재능일 뿐이다. 성인은 원융하고 완전하여 모든 이치를 모두 갖추고 있다. 고금의 인재들은 대부분 혈기血氣에 의지해 일을 한 자들인 까닭에 대부분 한쪽에 치우쳐 있다. 성인은 순수하게 덕성德性에 의거하여 일을 하며 다만 명덕明德[29]만을 밝힌 까닭에 저절로 원만하게 이루어 치우치지 않는다."

求賢 현자를 구함

[68-2-1]

程子曰 : "古之聖王所以能致天下之治, 無他術也. 朝廷至於天下, 公卿大夫百職羣吏, 皆稱其任而已. 何以得稱其任? 賢者在位, 能者在職而已. 何以得賢能而任之? 求之有道而已. 雖天下常用易得之物, 未有不求而得者也. 金生於山, 木生於林, 非匠者採伐, 不登於用. 況賢能之士, 傑出羣類, 非若山林之物, 廣生而無極也. 非人君搜擇之有道, 其可得而用乎? 自昔邦家張官置吏, 未嘗不取士也, 顧取之之道如何爾."[30]

정자[程頤]가 말하였다. "옛날 성왕聖王이 천하의 치세治世를 이룰 수 있었던 까닭은 다른 방법이 아니다. 조정으로부터 천하에 이르기까지 공경대부와 온갖 책무를 책임진 뭇 관원이 모두 자신의 일을 잘 감당할 수 있게 했을 뿐이다. 어떻게 책임을 잘 감당하게 할 수 있을까? 현자를 벼슬에 있게 하고 능력 있는 사람을 관직에 있게 할 따름이다. 어떻게 현자와 능력 있는 자를 얻어 맡길 수 있을까? 인재를 찾아내는 방법이 있어야 한다. 천하가 늘 사용하여 쉽게 얻는 물건이라도 찾지 않고서 얻는 것은 없다. 쇠는 산에서 나고 나무는 숲에서 나지만, 장인匠人이 채취하고 베어오지 않으면 용구로 쓰지 못한다. 하물며 현자와 재능 있는 사람은 각종의 부류 가운데서도 걸출함이, 산과 숲에서 나는 물건처럼 널리 분포되어 무궁무진한 것과는 같지 않다. 군주가 찾아 가려내는 것이 방법에 맞지 않고서야 등용할 수 있겠는가? 예전 국가가 관청을 설치하고 관원을 임용하면서부터 선비를 취하지 않은 적은 없었으나, 다만 취하는 방법을 어떤 방법을 채택하는가에 있었을 뿐이다."

[68-2-2]

"歷觀前史, 自古以來稱治之君, 有不以求賢爲事者乎; 有規規守常以資任人, 而能致大治者乎; 有國家之興, 不由得人者乎? 由此言之, 用賢之驗, 不其甚明? 若曰'非不欲賢也, 病求之之難也', 竊以爲不然. 夫以人主之勢, 心之所嚮, 天下風靡景從. 設若珍禽異獸瓌寶奇玩之物,

29 明德 : 『大學』 경1장에서 말한 것을 이른다. 주자는 "사람이 하늘로부터 받은 허령불매하여 뭇 이치를 갖추고서 온갖 일에 대응하는 것이다.(明德者, 人之所得乎天, 而虛靈不昧, 以具衆理而應萬事者也.)"고 하였다.

30 『伊川文集』 권1 「上書 · 爲家君應詔上英宗皇帝書」

雖遐方殊域之所有, 深山大海之所生, 志所欲者, 無不可致. 蓋上心所好, 奉之以天下之力也. 若使存好賢之心如是, 則何巖穴之幽不可求, 何山林之深不可致? 所患好之不篤爾."[31]

(정자[程頤]가 말하였다.) "예전의 역사책을 하나하나 살피면 예전부터 지금까지, 다스림에 대해 일컫는 군주가 현자를 찾는 일을 일삼지 않은 군주가 있었으며, 이리저리 재고 따져 일상의 규칙을 지키는 것으로 사람 등용을 꾀하는 자가 큰 치세를 이룬 군주가 있었으며, 국가가 일어나는 것이 인재를 얻는 것으로부터 비롯되지 않은 적이 있는가? 이로 말미암아 말한다면 현자를 등용해야 하는 증험은 너무도 명백하지 않은가? 만일 '현자를 얻으려 하지 않은 것은 아니나 그들을 찾아내야 하는 어려움이 힘들다.' 고 한다면, 그렇지 않다고 말하고 싶다. 군주의 권세란 그의 마음이 쏠리는 것이면 천하가 바람에 쓰러지듯 그림자가 따라붙듯 한다. 설사 진기한 새나 짐승, 특이한 물품과 완상에 쓰이는 진품珍品이 먼 지방이나 이역에 있는 것, 깊은 산과 큰 바다에서 나는 것일지라도 뜻하여 원하는 것이면 이르게 하지 못할 것이 없다. 군주의 마음에 좋아하는 것은 천하의 힘을 기울여 받들어 올린다. 만일 현자를 좋아하는 마음 둠이 이와 같다면 산골 어둑한 곳에 숨어있는 은자인들 어찌 구할 수 없겠으며, 산림에 깊숙이 숨어있는 인재인들 어찌 얻을 수 없겠는가? 걱정은 좋아하는 것이 독실하지 못해서일 뿐이다."

[68-2-3]

龜山楊氏曰 : "三代兩漢人才之盛, 風俗之美, 後世莫能及者, 取士以行, 不專以言故也. 今雖詔内外官, 擧經明行修之士, 中第之日, 優其恩典. 不獨取之以言, 又本其行, 庶乎近古. 然徒使擧之, 而不由鄕里之選, 又無考察之實. 與斯擧者, 隨衆牒試於有司, 糊名謄錄, 校一日之長. 不惟士失自重之義, 且於課試之際, 無以別異於衆人, 則所謂本其行者, 亦徒虛文而已. 謂宜別立一科, 稍倣三代兩漢取士官人之法, 因今之宜, 斟酌損益, 要之, 無失古意而已. 至於投牒乞試, 糊名謄錄之類, 非古制者, 一切罷之. 待遇恩數, 盡居詞賦經義等科之上, 庶使學者尊經術, 惇行義. 人人篤於自修, 則人才不盛, 風俗不美, 未之有也."[32]

구산 양씨[楊時]가 말하였다. "삼대시절과 양한兩漢(西漢과 東漢)시절의 풍성한 인재와 아름다운 풍속을 후세가 따라잡을 수 없는 것은, 선비 뽑는 일을 행실에 의거하고 말에만 의존하지 않은 까닭에서다. 오늘날 안팎의 관원들에게 조서를 내려 경학에 밝고 행실이 선량한 자를 추천하게 하고, 과거에 급제한 날에는 은전으로 우대한다. 단지 말에만 의거해 뽑은 것이 아니고 또 그 사람의 행실에 바탕한 것이니, 거의 옛날에 가깝다 할 것이다. 그러나 한갓 추천만 하게 할 뿐 향리鄕里의 선발을 거치지 않고, 또 살펴보는 실제도 없다. 그리고 추천된 자가 여러 응시자를 따라 유사에게 시험지로 시험을 치며, 호명糊名[33]하고 등록謄錄[34]하여 재능을 겨룬다. 선비로서 자신을 소중히 여겨야 하는 의리를 잃은 것일 뿐만

31 『伊川文集』 권1 「上書 · 위가군응조상영종황제서」

32 『龜山集』 권29 「曾文昭公行述」

33 糊名 : 과거시험에서 시험지에 응시자의 이름을 공개함으로써 빚어질 사사로운 부정을 막기 위해, 응시자의 이름을 쓴 곳을 풀로 붙여 감추는 일. 조선시대는 이를 封尾라 하였다.

아니라, 또 시험보는 사이에 뭇 사람들과 별다르게 해주는 것도 없으니, 이른바 그 행실에 바탕했다는 것 또한 한갓 헛된 꾸밈일 따름이다. 당연히 별도의 한 과목을 만들어 삼대시절과 양한 시절에 사람을 뽑아 인재를 벼슬시킨 법을 약간 모방하되 오늘날에 맞게 이것저것 만들고 덜어내야 하겠지만, 중요한 것은 예전의 뜻을 잃지 않는 것이다. 과거에 응시 원서를 내서 과거시험을 구걸하고, 호명하고 등록하는 따위의 옛날 제도가 아닌 것에 이르러는 일체 없애야 한다. 예우하는 은수恩數도 모두 사부詞賦와 경의經義 등[35]의 과목보다 윗자리를 차지하게 해야, 학자들에게 경술經術을 높이게 하고 의리에 독실하게 할 수 있다. 사람마다 자신의 수행에 독실하면 인재가 풍성해지지 않고 풍속이 아름다워지지 않는 일은 있지 않다."

[68-2-4]

"明道在鄠邑, 政聲流聞, 當路欲薦之朝, 而問其所欲. 對曰. 夫薦士者, 皆才之所堪, 不問志之所欲."

(구산 양씨가 말하였다.) "명도明道[程顥]가 호읍鄠邑에서 벼슬할 때[36] 정치에 대한 명성이 퍼져나가 권력자가 조정에 천거하려고 명도에게 하고자 하는 벼슬을 물었다. 명도는 '선비를 천거하는 사람은 모두가 재능으로 감내할 수 있는 것을 천거하지, 마음에 원하는 것을 묻지 않습니다.'라고 대답하였다."

[68-2-5]

五峯胡氏曰 : "人君聯屬天下以成其身者也. 內選於九族之親, 禮其賢者, 表而用之, 以聯屬其親 ; 外選於五方之人, 禮其英傑, 引而進之, 以聯屬其民. 是故賢者, 衆之表, 君之輔也. 不進其親之賢者, 是自賊其心腹也 ; 不進其人之賢者, 是自殘其四肢也."

오봉 호씨五峯胡氏[胡宏]가 말하였다. "군주란 천하를 연결하여 모으는 일로 자신의 몸을 완성시키는 사람이다. 안으로는 구족九族의 친족에서 선발하여 그 가운데 현자를 예우하고 표창하여 등용하는 것으로 친족을 연결하여 모으고, 밖으로는 오방五方[37] 사람에서 선발하여 그 가운데 영걸을 예우하고 이끌어 등용하는 것으로 백성을 연결하여 모은다. 그러므로 현자는 대중의 표상이고 군주를 보좌하는 사람이다. 친족의 현자를 등용하지 않는 것은 자신의 심장과 오장을 해치는 일이고, 백성의 현자를 등용하지 않는 것은 자신의 두 팔다리를 해치는 일이다."

34 謄錄 : 과거에서 응시자가 제출한 試卷의 글을, 국가가 채용한 사람을 시켜 베껴 쓰게 하여, 試官이 필체를 알고 저지를 수 있는 부정을 막는 일. 응시자가 먹물로 작성해 제출한 시권을 墨卷, 朱沙의 먹물로 옮겨 쓴 것을 朱卷이라 한다.

35 詞賦와 經義 등 : 과거 시험 과목 이름이다.

36 鄠邑에서 벼슬할 때 : 『近思録集註』附說「明道先生」에 "嘉祐 2년(서기 1057년) 정유년 선생의 나이 25세. 진사 시험에 급제하여 京兆府 鄠縣主簿에 발탁되었다.(嘉祐二年丁酉, 先生年二十五. 中進士第, 調京兆府鄠縣主簿.)"고 하였다.

37 五方 : 동서남북 사방과 중앙을 합하여 이르는 말

[68-2-6]

"古者擧士於鄕, 自十年出就外傅, 學於家塾州序. 其學者何事也? 曰六禮也; 七教也; 八政也. 書其資性近道, 才行合理, 鄕老·鄕吏會合鄕人於春秋之祭祀鬼神而書之者也. 三歲大比, 鄕老, 鄕吏, 及鄕大夫, 審其性之不悖於道也, 行之不反於理也, 質其書之先後無變也, 乃入其書於司徒, 謂之選士. 選士學於鄕校, 其書之如州序. 三歲大比, 鄕大夫及司徒審之如初, 乃入其書於樂正, 謂之俊士. 俊士入國學, 春秋教以禮樂, 冬夏教以詩書, 以上觀古道, 樂正官屬以時校其業之精否而勉勵之. 三歲大比, 樂正升其精者於王, 謂之進士.

(오봉 호씨가 말하였다.) "옛날에 사士를 향鄕에 추천하였는데, 나이 10세가 되면서부터 바깥의 스승에게 나아가, 가숙家塾[38]이나 주서州序[39]에서 배운다. 배우는 것은 어떤 것들인가? 육례六禮[40]와 칠교七敎[41]와 팔정八政[42]이다. 그 사람의 천성이 도에 가까운지, 재능과 행실이 도리에 합당한지를 기록하니, 향로鄕老와 향리鄕吏[43]가 봄가을의 귀신에 대한 제사[44]에 고을 사람들을 회합시키고 기록한 것이다. 3년 대비大比[45] 때이면, 향로와 향리와 향대부鄕大夫가 그의 천성이 도에 어긋나지 않았는지, 행실이 이치에 등지지 않았는지를 살펴서 그 기록이 앞뒤로 바뀌지 않았음을 평가하여 그 기록을 사도司徒[46]에게 올리는데 이 사람을 일러 선사選士라 한다. 선사는 향교鄕校에서 공부하는데 기록하는 것은 주서에서와 같다 3년의

38 家塾: 『禮記』「學記」에 "옛날의 가르치는 곳은 집에는 塾, 黨에는 庠, 수도에는 태학[學]이 있다.(古之教者, 家有塾, 黨有庠, 術有序, 國有學.)"고 하였다.

39 州序: 『周禮』「地官·「州長」에 "봄가을에 예로 백성을 모아 주서에서 활쏘기를 한다.(春秋以禮會民, 而射於州序.)"고 하였는데, 정현은 "서는 주와 당의 학교이다.(序, 州黨之學也.)"라고 하였다. 주는 1만 2,500호의 행정 구역이다.

40 六禮: 『禮記』「王制」에 육례는 "관례, 혼례, 상례, 제례, 향례, 상견례이다.(六禮, 冠·昏·喪·祭·鄕·相見.)"라고 하였다. 향례는 鄕飮酒禮이다.

41 七教: 『禮記』「王制」에 칠교는 "부자, 형제, 부부, 군신, 장유, 붕우, 빈객에 대한 가르침이다.(七教, 父子·兄弟·夫婦·君臣·長幼·朋友·賓客.)"라고 하였다.

42 八政: 『禮記』「王制」에 팔정은 "음식, 의복, 뭇 장인의 기예, 사방에서 쓰는 기구, 도량형, 수치에 대한 정사이다.(八政, 飮食·衣服·事為·異別·度量·數制.)"라고 하였다.

43 鄕老와 鄕吏: 향로는 『周禮』「地官·序官」에 "향로는 (천자의 畿內 六鄕에) 2개의 향마다 한 사람씩 두는 공이다.(鄕老, 二鄕則公一人.)"라고 하였다. 이를 또 삼공이 아니고 향마다 重望을 지닌 사람이라는 주장도 있다. 향리는 향을 다스리는 관원이다.

44 봄가을의 귀신에 … 제사: 『周禮』「地官·州長」에 "봄가을에 주의 사에 제사할 적이면 백성들을 모아 국가의 법령을 읽는 것을 또한 관례처럼 한다. 봄가을에 향음주례를 위해 백성을 모아 주의 학교에서 활쏘기를 한다.(若以歲時祭祀州社, 則屬其民而讀法, 亦如之. 春秋以禮會民而射于州序.)"라고 하였다. 여기서 땅귀신[社]에게 지내는 제사에서 봄에 지내는 제사는 비가 잘 와주어 풍년들기를 기원하는 제사이고, 가을 제사는 풍년에 대한 고마움을 나타내는 제사이다.

45 大比: 주나라 시대 3년마다 향로와 향리가 자신의 소속 고을 사람들의 덕행과 재능을 조사하여 사도에게 천거하는 일을 이른다. 『周禮』「地官·鄕大夫」에 3년이면 대비를 시행하여, 그들의 덕행과 육예를 조사해서 현자와 재능이 있는 사람을 추천한다.(三年則大比, 考其德行·道藝, 而興賢者·能者.)"라고 하였다.

46 司徒: 요순시대 국가의 교화와 교육을 관장하던 벼슬. 후세에 교육을 관장하는 벼슬의 별칭으로 쓰였다.

대비 때이면 향대부와 사도가 처음과 똑같은지를 살펴 마침내 그 기록을 악정樂正[47]에게 올리는데 이 사람을 일러 준사俊士라 한다. 준사가 국학國學에 입학하면 봄가을에는 예악을 가르치고 겨울과 여름이면 시서詩書를 가르쳐 위로 옛날의 도를 살펴 알게 하고서, 악정과 소속 관원이 때때로 그의 공부의 순정純精 여부를 점검하여 권면하고 노력시킨다. 3년의 대비 때이면 악정이 그 가운데 순정한 자를 왕에게 올려 보내니 이를 일러 진사進士라 한다.

王命冢宰會天下之進士, 論其資性才行學業, 某可以爲卿歟; 某可以爲大夫歟; 某可以爲士歟. 卿闕則以可以爲卿者補之; 大夫闕則以可以爲大夫者補之; 士有闕則以可以爲士者補之. 三年一考其績, 三考黜其不職, 陟其有功者. 是故朝無幸官, 野無遺賢, 毁譽不行, 善惡不眩. 德之大小當其位, 才之高下當其職. 人務自脩而不僥倖於上; 人知自守而不冒昧求進; 人知自重而不輕用其身; 人能有恥而不苟役於利. 此所以仕路淸, 政事治, 風俗美, 天下安寧, 四夷慕義而疆埸不聳也."[48]

왕은 총재冢宰에게 명하여 천하의 진사를 모아 그들 천성과 재능과 행실과 학업이 누구는 경卿이 될 만하고, 누구는 대부가 될 만하고, 누구는 사士가 될 만한지를 평하게 한다. 그리하여 경의 자리가 비면 경이 될 만한 자에서 채우고, 대부의 자리가 비면 대부가 될 만한 자에서 채우고, 사의 자리가 비면 사가 될만 한 자에서 채운다. 그리하여 3년에 한차례 그들의 치적을 살피고 세 차례를 살펴 직무를 수행하지 못한 자는 벼슬에서 내쫓고 공을 세운 자는 벼슬을 올려준다. 이렇게 하는 까닭에 조정에는 요행으로 얻은 벼슬이 없고 밖에는 버려진 현자가 없어, 헐뜯거나 기리는 말이 받아들여지지 않고 선행과 악행이 왜곡되지 않는다. 덕의 크기에 따라 해당 벼슬에 벼슬하고 재능의 우월에 따라 해당 직무를 맡는다. 그러므로 사람마다 자신을 닦기에 힘쓰고 윗사람에게 요행을 바라지 않으며, 사람마다 자신을 지킬 줄 알아 무턱대고 벼슬에 나아가기를 구하지 않으며, 사람마다 자중할 줄 알아 가볍게 자신을 쓰려 하지 않고, 사람마다 부끄러워함이 있어 구차하게 이익을 위해 일하려 하지 않는다. 이것이 벼슬길이 맑고, 정사가 다스려지고, 풍속이 아름답고, 천하가 편안하여, 사방 오랑캐가 의로움을 사모하고, 변경에 놀라는 일이 없게 되는 까닭이다."

[68-2-7]

朱子曰 : "德行之於人大矣. 然其實, 則皆人性所固有, 人道所當爲. 以其得之於心, 故謂之德; 以其行之於身, 故謂之行. 非固有所作爲增益, 而欲爲觀聽之美也. 士誠知用力於此, 則不唯可以脩身, 而推之可以治人, 又可以及夫天下國家. 故古之教者, 莫不以是爲先. 若舜之命司徒以敷五教, 命典樂以教胄子, 皆此意也. 至於成周而法始大備, 故其人才之盛, 風俗之美,

47 樂正 : 樂官의 우두머리 벼슬로 태학의 교육을 관장하였다. 『書經』「舜典」에서 夔를 음악 담당 벼슬[典樂]에 임명하고 태학의 학생들 교육을 담당시키고 있음을 볼 수 있다.

48 『知言』 권6

後世莫能及之. 漢室之初, 尙有遺法, 其選擧之目, 必以敬長上, 順鄕里, 肅政敎, 出入不悖所聞爲稱首. 魏晉以來雖不及古, 然其九品中正之法, 猶爲近之. 及至隋唐遂專以文詞取士, 而尙德之擧不復見矣."[49]

주자가 말하였다. "덕德과 행실[行]은 사람에게 큰 것이다. 그러나 그 실제는 모두 본성에 본디 있던 것이고 도리에 당연히 행해야 할 것이다. 그것들이 마음에 쌓이면 덕이라 이르고, 몸에서 행해지면 행실이라 이른다. 일부러 작위적인 일로 보태거나 늘려 아름답게 보이거나 소문나게 하려는 것이 아니다. 선비가 이에 힘써야 함을 참으로 안다면 몸을 닦을 수 있을 뿐만 아니라, 미루어 남을 다스릴 수 있고, 또 천하의 국가에까지 미쳐갈 수도 있을 것이다. 그런 까닭에 옛날 교육은 이를 우선시하지 않음이 없다. 순임금이 사도에게 명하여 오교五敎[五倫]를 펴게 하고, 전악典樂에게 명하여 주자胄子(맏아들)를 가르치게 한[50] 것도 모두 이런 뜻이다. 성주成周시대에 이르러 이 법이 비로소 완비되어, 인재의 풍성과 풍속의 아름다움을, 뒷세상이 따라잡을 수 없다. 한漢나라 왕조 초기까지 아직 물려받은 법이 남아, 인재 선발 과목에 반드시 관장官長과 상사上司를 공경하고, 향리鄕里에서 잘 어울리고, 정령과 교화를 엄히 준수하고 출입할 적에 학문한 것과 어긋나지 않는 행동[51]을 으뜸으로 쳤다. 위진남북조시대 이후 비록 예전을 따라잡지 못했으나, 그 가운데 구품중정九品中正 법[52]은 여전히 옛날 법에 가깝다. 수당시대에 이르러선 마침내 전적으로 문장으로만 선비를 선발하고 덕을 숭상하는 일은 다시 볼 수 없게 되었다."

[68-2-8]

"夫古之人, 敎民以德行道藝, 而興其賢者能者, 其法備而意深矣. 今之爲法不然. 其敎之之詳, 取之之審, 反復澄汰, 至于再三, 而其具不越乎無用之空言而已. 深求其意, 雖或亦將有賴於其用, 然彼知但爲無用之空言, 而便足以要吾之爵祿, 則又何暇復思吾之所以取彼者, 其意爲何如哉?"[53]

(주자가 말하였다.) "옛사람은 백성에게 덕행과 도예道藝[54]를 가르쳐 현자와 재능이 있는 자를 등용하였으니, 그 법은 완전하고 의미도 깊다. 오늘날 제정된 법은 그렇지 않다. 가르치는 상세함과 선발의 자세함은 반복되는 선별 과정이 두세 차례에 이르나, 그 도구는 쓸모없는 빈말에 불과할 뿐이다. 그 의도를

49 『朱文公文集』 권69 「雜著 · 學校貢擧私議」
50 典樂에게 명하여 … 한: 위 [68-2-6]의 주석 참고
51 官長과 … 행동: 이는 『史記』 권121 「儒林列傳」 가운데 「公孫弘傳」에서 공손홍이 막 學官으로 발탁되어 올린 상소문 중 일부이다.
52 九品中正 법: 위나라 文帝 曹丕가 黃初 원년(서기 220년)에 이부상서 陳群의 건의를 받아들여 만든 관원 선발 제도. 각 州郡에 中正官을 두고 그들에게 해당 지역의 인재를 9등으로 평가하여 조정에 올려 보내게 하고, 조정에서 이를 다시 검토하여 등용한 제도이다.(『三國志』 「魏志 · 陳群傳」)
53 『朱文公文集』 권80 「建昌軍進士題名記」
54 道藝: 『周禮』 「地官 · 鄕大夫」에 "덕행을 살피고 도예를 살핀다.(以攷其德行, 察其道藝.)"에서 賈公彦은 도예는 六藝라고 하였다. 육례는 禮樂射御書數이다.

깊이 찾아보면, 등용하는 일에는 혹여 또한 도움이 있겠지만, 그러나 저들이 단지 쓸모없는 빈말만 잘해도 우리네의 작록爵祿을 구하기에 충분한 줄 알고 있는데, 또 어느 겨를에 우리가 저들을 구하려는 그 의도가[55] 어떤 것인지 다시 생각하려 들겠는가?"

[68-2-9]

"古之大臣, 以其一身任天下之重, 非以其一耳目之聰明, 一手足之勤力, 爲能周天下之事也. 其所賴以共正君心, 同斷國論, 必有待於衆賢之助焉. 是以君子將以其身任此責者, 必咨詢訪問, 取之於無事之時, 而參伍校量, 用之於有事之日. 蓋方其責之必加於己而未及也, 無旦暮倉卒之頃, 則其觀之得以久; 無利害紛拏之惑, 則其察之得以精. 誠心素著, 則其得之多; 歲引月長, 則其蓄之富. 自重者無所嫌而敢進, 則無幽隱之不盡; 欲進者無所爲而不來, 則無巧僞之亂眞.

(주자가 말하였다.) "옛날 대신은 자신 한 몸으로 큰 천하의 일을 책임져야 하는데, 한 사람 눈과 귀의 밝음과 한 사람 손과 발의 노력만으로 천하의 일을 두루 잘할 수 없다. 그런 일들에서 의지하여 군주의 마음을 함께 바로잡고 국가의 주장을 함께 결단하는 데에는, 반드시 여러 현자의 조력에 기대야 한다. 그러므로 군자가 자신이 이 책임을 지려는 자는, 반드시 (인재를) 묻고 찾아 특별한 일이 없을 때 선발하여 두었다가, 이리저리 비교하고 헤아렸다가 어떤 일이 있을 때 등용시킨다. 바야흐로 대신의 책임이 반드시 자신에게 내려지게 되어 있으나 아직 미쳐오지 않아, 아침저녁을 다투는 창졸한 시간이 아니니 오랜 시간 관찰할 수 있고, 이해가 어지럽게 얽힌 의혹이 없으니 정밀하게 살필 수 있다. 정성된 뜻이 평소에 드러나면 많은 사람을 얻을 수 있고, 해가 가고 달이 가면 많은 인재를 축적해 둘 수 있다. 자신을 소중히 여기는 사람이 혐의스럽게 생각하는 일 없이 용감히 벼슬에 나올 수 있으면 먼 곳에 숨겨진 인재가 다 발굴되지 못함이 없고, 벼슬에 오르고자 하는 자가 할 수 있는 짓이 없어 나오지 못하게 되면 교묘한 속임수가 진실을 어지럽히는 일은 없다.

久且精, 故有以知其短長之實而不差; 多且富, 故有以使其更迭爲用而不竭. 幽隱畢達, 則讜言日聞而吾德修; 取舍不眩, 則望實日隆而士心附. 此古之君子, 所以成尊主庇民之功於一時, 而其遺風餘韻, 猶有稱思於後世者也."[56]

오래고 또 정밀한 까닭에 그들의 좋은 점과 나쁜 점의 실체를 앎으로 차질이 발생하지 않고, 많고 또 넉넉한 까닭에 그들을 번갈아가며 등용할 수 있어 인재가 고갈되지 않는다. 멀리 은거한 인재까지 모두

55 그 의도: 하늘이 백성을 냈으나 인간은 본디 기질에 의한 욕심을 가지고 태어나는 까닭에 군주가 있지 않으면 반드시 혼란에 빠진다. 이에 하늘은 백성을 다스릴 군주를 다시 내서 그들을 다스리게 한다. 군주는 이 책무를 실현하기 위해 자신을 보필하고 또 자신을 대신해 자신의 정책을 현장에서 펼 인재를 등용해야 한다. 이것이 인재를 구하는 까닭인 것이다.

56 『朱文公文集』 권37 「與劉共父」 4書

등용되면 올곧은 말이 날마다 들려와 나의 덕이 닦이고, 버리고 취하는 일에 현혹됨이 없으면 바람과 실제가 날마다 높아져 선비들 마음이 자신에게 따라붙는다. 이것이 옛날 군자가 군주를 높이고 백성을 보호하는 공을 일시에 이뤄내고 그가 남긴 교화와 남은 운치가 여전히 후세에서 일컬어지고 사모하게 되는 까닭이다."

[68-2-10]

"天下之事, 決非一人之聰明才力所能獨運. 是以古之君子, 雖其德業智謀足以有爲, 而未嘗不博求人才以自裨益. 方其未用, 而收寘門牆, 勸奬成就, 已不勝其衆. 是以至於當用之日, 推挽成就, 布之列位, 而無事之不成也."[57]

(주자가 말하였다.) "천하의 일은 결코 한 사람의 총명과 재능만으로 홀로 좌지우지할 수 있는 것이 아니다. 그런 까닭에 옛날 군주는 자신의 덕과 공업, 지혜와 책략이 어떤 일을 해내기에 충분하여도 널리 인재를 구하여 자신을 돕게 하지 않은 적이 없다. 바야흐로 아직 등용되지 않았을 때 자신의 문하에 거두어두고서 권면하고 장려하여 재목으로 만드니 그 많은 수를 이미 다 헤일 수 없다. 그러므로 인재를 등용해야 할 때에 이르러 재목이 된 자를 추천하고 이끌어 여러 자리에 포진시키니 하는 일마다 이뤄지지 않음이 없다."

[68-2-11]

"古之君子有志於天下者, 莫不以致天下之賢爲急. 而其所以急於求賢者, 非欲使之綴緝言語, 譽道功德, 以爲一時觀聽之美而已. 蓋將以廣其見聞之所不及, 思慮之所不至, 且慮夫處己接物之間, 或有未盡善者, 而將使之有以正之也. 是以其求之不得不博, 其禮之不得不厚, 其待之不得不誠. 必使天下之賢, 識與不識, 莫不樂自致於吾前, 以輔吾過. 然後吾之德業, 得以無媿乎隱微, 而寖極乎光大耳."[58]

(주자가 말하였다.) "옛날 군주들 가운데 천하에 뜻을 둔 자는 천하의 현자를 초치하는 일을 급선무로 삼지 않음이 없었다. 그렇게 현자를 찾는 일에 급급해하는 것은 그들에게 문장을 구사해 공덕을 기려서 일시적인 보고 듣는 아름다움을 삼으려는 까닭이 아니다. 그것은 자신의 견문이 미치지 못하고 생각이 이르지 못하는 것을 넓히고, 또 자신이나 남을 대하는 태도 사이에 혹여 절대 선을 다하지 못함이 있을까 염려하여 그들이 바로잡아줄 수 있게 하려 함이다. 그런 까닭에 그 사람을 찾는데 널리 하지 않을 수 없고, 그 예우를 두텁게 하지 않을 수 없으며, 그 대접을 성실히 하지 않을 수 없다. 그리하여 반드시 천하의 현자가 알고 모름이 없이 즐거이 내 앞에 스스로 나아와 나의 잘못을 보필하지 않음이 없게 해야 한다. 그런 뒤에 나의 덕과 공업이 은미隱微한 곳[59]에서도 부끄러움이 없어 차츰 광명정대한 곳까지

57 『朱文公文集』 권29 「與趙尚書書」

58 『朱文公文集』 권37 「與陳丞相書」

59 隱微한 곳 : 『中庸』 제1장에 "어두운 곳보다 잘 나타나는 것은 없고, 미세한 일보다 잘 드러나는 것은 없다.

미쳐갈 것이다."

[68-2-12]

"朝廷設官求賢, 故在上者不當以請託而薦人; 士人當有禮義廉恥, 故在下者不當自衒鬻而求薦."[60]

(주자가 말하였다.) "조정은 관청을 만들어 현자를 찾는 곳이니 그런 까닭에 윗자리에 있는 자는 당연히 청탁으로 사람을 천거해서는 안 되며, 선비는 당연히 예의와 염치가 있어야 하니 그런 까닭에 아랫자리에 있는 자는 당연히 자신의 재능을 자랑하여 천거되기를 구해서는 안 된다."

[68-2-13]

東萊呂氏曰: "井田之制, 士與兵, 國之重事, 皆取於農, 工商不與. 古者取士於田野, 取其民之秀者, 以其質朴故也."[61]

동래 여씨[呂祖謙]가 말하였다. "정전井田제도와 선비와 군사는 국가의 중요 일인데, 모두 농사짓는 사람에게서 구하고 장인匠人이나 상인은 끼지 못한다. 옛날 선비를 농사짓는 들녘에서 선발하여, 백성 가운데 우수한 자를 등용한 것은 그들이 질박하기 때문이다."

[68-2-14]

臨川吳氏曰: "古之爲士者, 苟可以仕, 則選於里擧於鄉, 而長治其鄉里之民. 在公得以行己志, 在私得以資祿養. 此古之士所以自安於內,[62] 而無願外之想也. 後世取士之法不一, 雖存選擧之名, 而實與古不同, 何也? 所取不于其可用之實能, 而于其不可用之虛伎. 可以仕者或不得仕, 而不可以仕者乃或得仕. 時之多失人, 士之多失志, 往往由是."[63]

임천 오씨臨川吳氏[吳澄]가 말하였다. "옛날에 선비는 벼슬할 만하면 마을[里]에서 선발하고 고을[鄉]에서 천거하여, 수령이 되어 자기 향리의 백성을 다스렸다. 공공의 측면에서는 자신의 뜻을 펼 수 있고, 사적인 측면에서는 봉록으로 생활에 도움을 받았다. 이것이 옛날 선비가 본분 안의 것에 편안해 하고 밖의 것을 원하는 생각이 없는 까닭이다. 후세의 선비 선발 방법은 일치하지 않아 선발이라는 명칭은 존재하면서도 실제 옛날과 같지 않은 것은 어째서일까? 선발 기준이 쓸 수 있는 실제의 능력에 있지 않고 쓸 수 없는 헛된 기예이기 때문이다. 그리하여 벼슬할 만한 사람이 벼슬하지 못하고 벼슬해선 안 될

그러므로 군자는 혼자만 있는 곳을 삼간다.(莫見乎隱, 莫顯乎微. 故君子愼其獨也.)"고 하였다. 여기서 은미한 곳은 바로 중용에서 말한 어두운 곳과 미세한 일을 가리킨다. 이들 혼자만 있는 곳에서 마음 씀이 부끄러울 것이 없으면 차츰 세상 사람이 모여 있는 곳의 큰일까지도 후세에 부끄러울 일이 없게 된다는 것이다.

60 『朱文公文集』 권64 「答卓周佐書」

61 『東萊外集』 권6 「雜說 · 門人周公謹介所記」

62 自安於內 : 『吳文正集』 권24 「贈易原遷袁州掾序」에는 '自安於分內'로 되어 있다.

63 『吳文正集』 권24 「贈易原遷袁州掾序」

사람이 혹 벼슬하였다. 시대가 허다하게 인재를 잃고 선비가 허다하게 뜻을 잃는 것은 종종 이런 연유다."

論官 蒞政附 관원을 논하다 부록, 정치에 임하는 방법

[68-3-1]

程子曰 : "古者使以德, 爵以功, 世祿而不世官, 故賢才衆而庶績成. 及周之衰, 公卿大夫皆世官, 政由是敗矣."[64]

정자가 말하였다. "옛날에는 덕에 따라 벼슬에 임명하고 공훈에 따라 작위를 주었으며,[65] 대대로 봉록은 세습시켰으나 벼슬은 세습시키지 않은 까닭에 현자와 재능 있는 사람이 많고 여러 공적이 이루어졌다. 주나라가 쇠하며 공경대부 벼슬이 모두 세습되었으니, 정사가 이로부터 무너졌다."

[68-3-2]

"三代之時, 人君必有師傅保之官. 師, 道之敎訓 ; 傅, 傅之德義 ; 保, 保其身體. 後世作事無本, 知求治而不知正君, 知規過而不知養德. 傅德義之道固已踈矣, 保身體之法無復聞焉."[66]

(정자[程頤]가 말하였다.) "삼대시절에는 군주에게 반드시 사師와 부傅와 보保의 관원[67]이 있다. 사는 교훈으로 인도하고, 부는 도덕과 신의를 북돋우고, 보는 신체를 보전시킨다. 후세는 하는 일에 근본 체계가 없어 치세를 구할 줄 알면서도 군주를 바르게 해야 함을 알지 못하고, 허물을 바로잡아야 할 줄 알면서도 덕을 길러야 함은 알지 못한다. 도덕과 신의를 북돋는 도리가 엉성하고, 신체를 보전하는 법은 다시 들을 길이 없다."

[68-3-3]

"古之時, 分義和以職天道,[68] 以正四時, 遂司其方, 主其時政. 在堯謂之四岳, 周乃六卿之任, 統天下之治者也. 後世學其法者, 不復知其道, 故星曆爲一技之事, 而與政分矣."[69]

64 『二程粹言』 권상 「論政篇」

65 덕에 따라 … 주었으며 : 『禮記』 「王制」에 "제후와 세자는 나라를 세습하고 대부는 작위를 세습하지 않는다. 덕에 따라 벼슬에 임명하고, 공훈에 따라 작위를 준다.(諸侯世子世國, 大夫不世爵. 使以德, 爵以功.)"고 하였다.

66 『伊川文集』 권2 「論經筵第一劄子」

67 師와 傅와 … 관원 : 太師, 太傅, 太保라고도 한다.

68 分義和以職天道 : 『二程粹言』 권상 「論政篇」에는 '天道'가 '天運'으로 되어 있다. '天運'이 더 맞은 듯하여 번역은 이를 따랐다.

69 『二程粹言』 권상 「論政篇」

(정자가 말하였다.) "옛날에는 희화羲和에게 하늘 운행을 책임 지우고[70] 네 계절을 바로잡는 일을 분담시켰다가, 마침내 그 지역을 담당하게 하고 그 계절 정사를 관장시켰다. 요임금 시대는 사악四岳이라 일렀고 주나라 시대는 바로 육경六卿의 임무이니, 천하의 정치를 통괄한다. 후세에 그 법도를 배운 자는 다시 그 도리를 알지 못한 까닭에, 성력星曆[天文曆法]은 하나의 기예의 일이 되며 정치와 분리되었다."

[68-3-4]

"禮院, 關天下之事. 得其人, 則凡擧事可以考古而立制 ; 非其人, 未免隨俗而已."[71]

(정자가 말하였다.) "예원禮院[72]은 천하의 일과 관련된다. 적임자를 얻으면 모든 하는 일이 옛날을 살펴 제도를 확립시킬 수 있고, 적임자가 아닐 경우 세속에 따르는 것을 면하지 못할 따름이다."

[68-3-5]

或曰 : "治獄之官不可爲?"

曰 : "苟能充其職, 則一郡無寃民矣."[73]

어떤 사람이 말했다. "옥사를 다스리는 벼슬은 할 수 없는 것입니까?"

정자[程頤]가 대답하였다. "진실로 그 직책을 잘 행할 수 있다면 한 군郡에 억울한 백성이 없을 것이다."

[68-3-6]

"四海之利病, 係於斯民之休戚 ;[74] 斯民之休戚,[75] 係於守令之賢否.[76] 然而監司者, 守令之綱也 ; 朝廷者, 監司之本也. 欲斯民之皆得其所, 本原之地, 亦在乎朝廷而已."[77]

(정자가 말하였다.)[78] "천하의 이해는 백성의 편안한지 여부에 달렸고, 백성의 편안한지 여부는 수령의 현명 여부에 달렸다. 그러나 감사는 수령의 강령綱領이고 조정은 감사의 근본이다. 백성이 모두 제자리를 얻게 하고자 한다면 근본은 또한 조정에 있을 따름이다."

70 羲和에게 하늘 … 지우고 : 희화에 대한 말은 『書經』「堯典」에 자세하다. 먼저 희화에게 하늘의 일을 공경히, 순히 따라 일하라 하고, 이어 羲仲에게 동방에서 봄의 일을, 羲叔에게 남방에서 여름의 일을, 和仲에게 서방에서 가을의 일을, 和叔에게 북방에서 겨울의 일을 관장하게 하였다. 이것을 동방을 책임진 희중은 동쪽 지역의 행정과 천하의 봄에 관한 일을 관장하는 것으로 말한 것이다.

71 『二程粹言』 권상 「論事篇」

72 禮院 : 송대에 둔 太常禮院의 별칭. 제사와 천문에 관한 일을 관장하였다.

73 『二程粹言』 권상 「論政篇」

74 係於斯民之休戚 : 『朱文公文集』 권11 「壬午應詔封事」에는 '臣則以爲繫於斯民之戚休'로 되어 있다.

75 斯民之休戚 : 앞 문장과 똑같이 '斯民之戚休'로 되어 있다.

76 係於守令之賢否. : 『朱文公文集』 권11 「壬午應詔封事」에는 '臣則以爲繫於守令之賢否'로 되어 있다.

77 『朱文公文集』 권11 「壬午應詔封事」

78 (정자가 말하였다.) : 이 글은 주자의 글이다. 따라서 정자의 말 속에 포함된 것은 잘못이다.

[68-3-7]

元城劉氏曰 : "左右之史, 紀人主之言動, 職清地要, 他官莫比. 非器識端方,[79] 上下所信 ; 才學優贍, 中外所推者, 不虛授也."[80]

원성 유씨[劉安世]가 말하였다. "좌우의 사관史官은 군주의 말과 행동을 기록하니 직무의 맑음과 지위의 중요함은 다른 벼슬에서 비교될 벼슬이 없다. 기국과 식견의 단아함과 방정함이 군주와 신하가 믿는 바이고, 재능과 학식의 넓고 넉넉함이 안팎이 추천할 만한 자가 아니면 헛되게 임명해서는 안 된다."

[68-3-8]

華陽范氏曰 : "夫天地之有四時, 如百官之有六職. 天下萬事, 備盡於此. 如綱之在綱, 裘之挈領, 雖百世不可易也. 人君如欲稽古以正名, 苟不於周官,[81] 未見其可也."[82]

화양 범씨[范祖禹]가 말하였다. "천지에 네 계절이 있는 것은 벼슬에 육직六職[83]이 있는 것과 같다. 천하의 모든 일은 여기에 모두 갖추어져 있다. 마치 그물코가 그물의 벼릿줄에 매달리고, 갖옷이 옷깃에 들리는 것[84]과 같아 수백 대가 흘러도 바꿀 수 없다. 군주가 만일 옛날에서 고증하여 명칭대로 바로잡고자 한다면 진정 『주관周官』(『周禮』의 별칭)이 아니고선 옳은 제도를 보지 못할 것이다."

[68-3-9]

朱子曰 : "宰相擇監司, 吏部擇郡守. 如此, 則朝廷亦可無事, 又何患其不得人?"

주자가 말하였다. "재상이 적당한 감사를 가려 뽑고 이부吏部가 적당한 군수를 가려 뽑아야 한다. 이

---

79 非器識端方 : 『盡言集』 권8 「論黃廉除起居郎不當事」에는 이 문장 앞에 '國朝以來付畀尤重, 搢紳之士一歷玆選, 必贊書命遂直禁林.'이 더 있다.

80 『盡言集』 권8 「論黃廉除起居郎不當事」

81 苟不於周官 : 이 글을 인용하고 있는 『周禮集說』 卷首上과 『名臣經濟錄』 권28 『唐鑑』 권2 「高祖下 7년」 등에 모두 '不於'를 '舍'나 '捨'로 표기하고 있다.

82 『唐鑑』 권2 「高祖下 7년」

83 六職 : 『唐鑑』 권2 「高祖下 7년」의 呂祖謙의 注에는 天官 冢宰, 地官 司徒, 春官 宗伯, 夏官 司馬, 秋官 司寇, 冬官 司空이라고 하였다. 또 『周禮』 「天官·小宰」에는 관청의 육직으로 나라의 정사를 구분하였다. 첫째는 治職이니 나라를 평안하게, 만백성을 균등하게, 재용을 절약하게 하고, 둘째는 教職이니 나라를 편안하게, 만백성을 안녕하게, 찾아오는 손님을 감싸게 하고, 셋째는 禮職이니 나라를 화평하게, 만백성을 어우러지게, 귀신을 섬기게 하고, 넷째는 政職이니 나라를 승복하게, 만백성을 바르게, 온갖 사물이 모여들게 하고, 다섯째는 刑職이니, 나라를 금지시키고, 만백성을 규찰하고, 도적을 없게 하고, 여섯째는 事職이니 나라를 부유하게, 만백성이 양육되게, 온갖 사물이 삶을 살게 한다.(以官府之六職, 辨邦治 : 一曰治職, 以平邦國, 以均萬民, 以節財用. 二曰教職, 以安邦國, 以寧萬民, 以懷賓客. 三曰禮職, 以和邦國, 以諧萬民, 以事鬼神. 四曰政職, 以服邦國, 以正萬民, 以聚百物. 五曰刑職, 以詰邦國, 以糾萬民, 以除盜賊. 六曰事職, 以富邦國, 以養萬民, 以生百物.)라고 하였다."

84 갖옷이 옷깃에 … 것 : 이는 저고리를 들어야 할 때 옷깃을 잡고서 들면 저고리가 단아하게 들리며 흐트러지지 않음을 이른다. 곧 일의 핵심이나 요령을 터득하여 추진하는 것을 이른다.

같이 한다면 조정에는 또한 할 일이 없을 것이니, 또 적임자를 얻지 못하는 것쯤이야 왜 걱정이겠는가?"

[68-3-10]

臨川吳氏曰: "予閒居思天下之治法, 以爲禹·稷·伊尹之志, 苟得一縣, 亦可小試. 何也? 縣之於民最近, 令之福惠所及最速, 莫是官若也. 而擧世瞀瞀, 孰知其任之爲不輕? 專務己肥, 遑恤民瘼? 壅閼吾君之德, 使不得下達, 愁怨之氣, 瀰漫兩間, 以至上干陰陽之和者, 十而八九也. 聚羣羊而牧之以一狼, 恣其啖食, 何辜斯民而至斯極? 於斯之時, 倏有人焉, 慰愜其蘇息之望, 則民之愛之也, 烏得不如子之愛其父母哉?

임천 오씨[吳澄]가 말하였다. "내가 한가로울 적에 천하를 다스리는 법을 생각하여, 우임금과 후직后稷과 이윤伊尹의 뜻을, 진정 한 고을[縣]의 수령 자리를 얻게 된다면 또한 한번 행해 볼 수 있다는 생각을 하였다. 무엇인가? 고을 수령은 백성과 가장 가까워, 명령한 복지福祉와 혜택이 미쳐가는 속도가 가장 빠른 것이 이 벼슬만 한 것이 없다. 온 세상이 무지몽매하니 뉘라 그 책임의 가볍지 않음을 알까? 오로지 자신만을 살찌우려 기를 쓰니 어느 겨를에 백성의 피폐를 걱정하랴? 우리 군주의 은덕을 틀어막아 백성에게 전달될 수 없게 함으로써, 걱정하고 원망하는 기운이 하늘과 땅 사이에 가득하여 위로 음양陰陽의 조화를 건드리기에 이른 것이 열에 여덟아홉이다. 뭇 양떼를 모아놓고 한 마리 이리를 방목하여 마음껏 잡아먹게 한 것이니, 저들 백성이 무슨 죄를 지어 이런 곤궁에 이른단 말인가? 이러한 때에 갑작스럽게 인재가 나타나 저들의 되살아날 수 있는 희망을 위로하여 흡족하게 한다면 백성들이 그를 사랑하는 것이 어찌 자식이 그 어버이를 사랑하는 것과 같지 않을 수 있겠는가?

世固有廉者矣,[85] 其見不明, 則爲吏所蔽, 雖廉何補? 亦有廉而且明者矣, 其心不仁, 則自謂無取於民, 不眩於事, 而深刻嚴酷, 又縱其下漁獵躪躒, 略無惻隱之意. 或其心雖仁, 而短於剸裁, 徒有仁心, 而民不被澤, 仁而不能故也. 或其才雖能, 而意之所向, 不無少偏, 終亦不免於小疵, 能而未公故也. 全此五善, 難矣哉!"[86]

세상에 참으로 청렴한 관원이 있다 하여도 식견이 밝지 못해 관리에게 가림을 당하면 청렴이 무슨 보탬이 되겠는가? 또 청렴하고 또 식견이 밝다하여도 마음이 인후仁厚하지 않으면, 자신은 백성들 것을 빼앗지 않고 일에 현혹됨이 없다 하여도 매우 모질며 더없이 혹독하고, 또 설사 아랫사람이 약탈당하고 짓밟혀도 조금도 측은해 하는 뜻이 없다. 어떤 사람은 마음은 인후하나 판단과 결단에 허약해, 다만 어진 마음만 있고 백성은 정작 은택을 입지 못하니, 인후함만 있고 능력이 없는 까닭이다. 어떤 사람은 재주에는 능력이 있으나 지향하는 뜻이 약간의 치우침이 없지 않아, 끝내 또한 약간의 병통을 면하지 못하는 것은 능력은 있으나 공정하지 못한 까닭이다. 이들 다섯 가지 선을 온전히 하는 것은 어려운

85 固有廉者矣 : 이 문장 앞에 『吳文正集』 권35 「廉吏前金谿縣尹李侯生祠記」에는, 금계현윤 李侯의 업적을 소개하는 20여 줄의 문장이 더 있다.

86 『吳文正集』 권35 「廉吏前金谿縣尹李侯生祠記」

일일 것이다!"

[68-3-11]

程子曰 : "談經論道則有之, 少有及治體者. 如有用我者, 正心以正身, 正身以正家, 正家以正朝廷百官, 至于天下, 此其序也. 其間則又係用之淺深, 臨時裁酌而應之, 難執一意也."[87]

정자가 말하였다. "경전을 애기하고 도를 말하는 경우는 있으나 정치의 요체를 말하는 경우는 적다. 만일 나를 등용해 주는 사람이 있다면 내 몸을 바르게 하는 것으로 한 집안을 바르게 하고, 한 집안을 바르게 하는 것으로 조정과 백관을 바르게 하고 천하에까지 이르러 가는 것이 순서다. 그 사이에는 또 나를 등용해주는 것이 어느 정도인지에 달려, 그때그때 짐작하여 대응할 일이지 똑같은 생각을 고집하기는 어렵다."

以下論莅政.

다음은 정치에 임하는 방법을 논한다.

[68-3-12]

"斟酌去取古今, 恐未易言. 須尺度權衡在胷中無疑, 乃可處之無差."[88]

(정자가 말하였다.) "옛날과 오늘날을 짐작하여 버리고 취하는 일은 아마도 쉽게 말할 수 없을 것이다. 당연히 (일을 가늠하는) 잣대와 저울이 가슴속에서 아무런 의심이 없을 정도여야 비로소 처리하는 일이 차질이 없을 것이다."

[68-3-13]

"古者鄉田同井, 而民之出入相友, 故無爭鬪之獄. 今之郡邑之訟, 往往出於愚民, 以戾氣相搆, 善爲政者, 勿聽焉可也. 又時取强暴而好譏侮者痛懲之, 則柔良者安, 鬪訟可息矣."[89]

(정자가 말하였다.) "옛날에는 고을의 전답에서 같은 정전井田의 농사를 짓는 사람은 백성들이 어디를 오가야 할 때 서로 친구하여 다닌 까닭에 다투거나 싸우는 송사가 없었다. 오늘날 군읍郡邑의 송사는 종종 어리석은 백성들 속에서 나오는데, 사악한 마음들이 서로 얼크러진 것이니 정사를 잘하는 자라면 받아주지 않아야 옳다. 또 때로는 거세고 흉포하거나 비난이나 업신여기기를 좋아하는 사람은 통렬히 징치해야, 유순하고 선량한 사람이 편안하고, 싸움이나 송사를 가라앉힐 수 있다."

87 『河南程氏遺書』 권2상
88 『河南程氏遺書』 권2상
89 『河南程氏遺書』 권4

[68-3-14]

韓持國常患在下者多欺, 曰 : "欺有三. 有爲利而欺者則固可罪 ; 有畏罪而欺者在所恕 ; 事有類欺者在所察."[90]

한지국韓持國[91]이 수하 사람들 중에 속이는 자가 많은 것을 늘 걱정하자, (정자가) 말하였다. "속이는 것에는 세 가지가 있다. 이익을 위해 속이는 경우이니 당연히 죄를 내려야 하고, 죄가 두려워 속이는 경우이니 용서해야 하고, 속임수와 비슷한 경우의 일은 살펴봐야 한다."

[68-3-15]

問 : "臨政無所用心, 求於恕如何?"

曰 : "推此心行恕, 可也 ; 用心求恕, 非也. 恕, 己所固有, 不待求而後得, 擧此加彼而已."[92]

물었다. "정무를 다스리는데 아무 마음 쓸 일이 없을 때, 서恕의 뜻을 마음 기울여 찾는다면 어떻겠습니까?"

(정자가) 대답하였다. "이 마음을 미루어 서의 마음을 행하는 것은 옳겠지만, 서를 마음 기울여 구하는 것은 옳지 않다. 서는 자신에게 본디 갖추어져 있어 구하기를 기다린 뒤에 얻어지는 것이 아니고, 나에게 있는 것을 가져다 저곳에 행하는 것일 따름이다."

[68-3-16]

呂進明使河東,[93] **伊川問之曰 : "爲政何先?"**

對曰 : "莫要於守法."

曰 : "拘於法而不得有爲者, 擧世皆是也. 若某之意, 謂猶有可遷就, 不害於法, 而可以有爲者也. 昔明道爲邑, 凡及民之事, 多衆人所謂於法有礙焉者, 然明道爲之, 未嘗大戾於法, 人亦不以爲駭也. 謂之得伸其志則不可, 求小補焉則過之, 與今爲政遠矣. 人雖異之, 不至指爲狂也, 至謂之狂, 則心大駭.[94] **盡誠爲之, 不容而後去之, 又何嫌之有?"**[95]

여진명呂進明이 하동로河東路의 수령으로 나가게 되자 이천伊川[程頤]이 물었다. "정사에 무엇을 우선하렵니까?"

대답하였다. "법을 지키는 것보다 중요할 것은 없습니다."

(이천이) 말하였다. "법에 얽매여 일을 해내지 못하는 경우는 온 세상 모두입니다. 나는 여전히 법리法理

90 『河南程氏遺書』 권1

91 韓持國 : 송나라의 재상을 지낸 韓維를 그의 字로 이른 말이다. 明道와 伊川 두 선생과 사이가 매우 좋았다. 『宋史』 권315

92 『二程粹言』 권상 「論政篇」

93 呂進明使河東 : 『二程粹言』 권상 「論政篇」에는 '爲使者河東'으로 되어 있다.

94 則心大駭. : 『二程粹言』 권상 「論政篇」에는 '則必大駭'로 되어 있다.

95 『二程粹言』 권상 「論政篇」

를 약간 다르게 적용하면 법에는 해되지 않고 해낼 수 있는 일은 있다 생각합니다. 지난날 명도明道[程顥]가 고을을 다스릴 적에[96] 백성들과 연관된 일이 뭇사람들이 말하는 법에 거리끼는 것이 많았으나, 명도가 행하게 되면 법에 크게 어그러지지도 않고 백성 역시 해괴하게 생각하지 않았습니다. 그것을 자신의 뜻을 편 것이라고 말하면 옳지 않겠지만, 정사에 조금의 보탬이 되기를 구한 것으로는 충분하였으니, 오늘날 행하는 정치와는 큰 차이가 있습니다. 사람들이 이상하게 여기더라도 미친 짓이라고 지적하는 데에 이르러선 안 되니, 미친 짓이라고 말하기에 이르면 마음으로 크게 놀라야 합니다. 정성을 다 쏟아 행하다가 받아들여지지 않은 뒤에 떠나오면, 또 무슨 혐의될 일이 있겠습니까?"

[68-3-17]

或問 : "爲官僚而言事於長, 理直而不見從也, 則如之何?"

曰 : "亦權其輕重而已. 事重於去則當去, 事輕於去則當留 ; 事大於爭則當爭, 事小於爭則當已. 雖然 今之仕於官, 其有能去者, 必有之矣, 而吾未之見也."[97]

어떤 사람이 물었다. "관료로서 어떤 일을 수장에게 말씀드리는데 이치가 옳은데도 받아들이지 않을 때는 어떻게 해야 합니까?"

(정자가) 대답하였다. "또한 그 일의 경중을 헤아려볼 따름이다. 일이 벼슬에서 떠나는 것보다 중한 일일 경우 당연히 떠나야 하고 일이 떠나는 것보다 가벼울 경우 당연히 머물러야 하며, 일이 간쟁해야 할 것보다 클 경우 당연히 간쟁해야 하고 일이 간쟁하는 것보다 작을 경우 당연히 그쳐야 한다. 그렇지만 오늘날 관청에서 벼슬하며, 능히 떠날 만한 일이 반드시 있을 터인데 내가 그런 일을 보지 못했다."

[68-3-18]

"一命之士,[98] 苟存心於愛物, 於人必有所濟."[99]

(정자[程顥]가 말하였다.) "일명一命[100]의 지위에 임명된 사람이 진정 남 사랑하기를 마음에 둔다면 사람들에게 반드시 도움 됨이 있을 것이다."

[68-3-19]

問臨民, 曰 : "使民各得輸其情."

問御吏, 曰 : "正己格物."[101]

백성을 대하는 도리를 묻자, (정자[程顥]가) 대답하였다. "백성들이 각기 자신의 속마음을 다 말할 수

96 明道(程顥)가 고을을 … 적에 : 위 [68-2-4]의 주석 참고
97 『二程粹言』 권하 「君臣篇」
98 一命之士 : 『二程粹言』 권하 「人物篇」에는 '一介之士'라고 하였다.
99 『二程粹言』 권하 「人物篇」
100 一命 : 周나라 때의 관리 등급은 一命부터 九命까지였다. 일명은 가장 낮은 등급이다.
101 『二程遺書』 附錄, 「明道先生行狀 · 門人朋友敍述」

있게 해야 한다."
관리 다스리는 도리를 묻자, (정자[程顥]가) 대답하였다. "자신을 바르게 하여 남을 바르도록 해야 한다."

[68-3-20]

人有語及爲政者, 和靖尹氏曰 : "子張問政, 子曰'居之無倦'. 倦最害事. 若能無倦, 推而行之, 爲尉, 爲邑, 爲郡, 以至爲宰相, 皆可了. 若倦, 則雖居家至小事, 也不能了."

어떤 사람의 말이 정치 행위에 미치자, 화정 윤씨和靖尹氏[尹焞]가 말하였다. "자장이 정사에 대해 묻자 공자가 '마음 쏟음에 게으름이 없어야 한다.'[102]고 말씀하셨다. 게으름이 일에 가장 해롭다. 만일 게으름이 없는 것을 미뤄 행할 수 있다면 위尉가 되고, 읍邑(수령)이 되고, 군郡(군수)이 되고, 심지어 재상이 되는 데까지도 모두 해낼 수 있다. 만일 게으르다면 집안의 지극히 자잘한 일마저도 또한 해내지 못할 것이다."

[68-3-21]

五峯胡氏曰 : "事有大變. 時有大宜. 通其變, 然後可爲也 ; 務其宜, 然後有功也."[103]

오봉 호씨[胡宏]가 말하였다. "일에는 크게 변혁해야 할 것이 있고 시대는 크게 알맞은 것이 있다. 그 변혁에 통달한 다음이라야 일을 해낼 수 있고, 알맞은 것에 힘쓴 다음이라야 공을 이뤄낼 수 있다."

[68-3-22]

朱子曰 : "作縣固非易事, 然盡心力而爲之, 必無不濟. 今人多是自放懶了, 所以一綱弛而衆目紊也."[104]

주자가 말하였다. "현의 수령이 되는 일은 참으로 쉽지 않지만 그러나 마음과 힘을 다 쏟아 해낸다면 반드시 못할 일도 없다. 지금 사람들은 대부분 스스로가 풀어지고 나태하니, 벼릿줄 하나가 느슨해지며 여러 그물코가 혼란해졌다."

[68-3-23]

"仕宦只是廉勤自守. 進退遲速自有時節, 切不可起妄念也."[105]

(주자가 말하였다.) "벼슬길에는 청렴과 부지런으로 자신을 지켜야 할 뿐이다. 나아가고 물러나고, 빠르고 더딘 데에는 본디 때가 있으니 절대 부질없는 생각을 일으켜선 안 된다."

102 자장이 정사에 … 한다. : 『論語』「顔淵」
103 『知言』 권5
104 『朱文公文集』(續集) 권4 「答余景思」
105 『朱文公文集』 권64 「答吳尉」 제2書

[68-3-24]

"大抵守官, 只要律己公廉, 執事勤謹. 晝夜孜孜, 如臨淵谷, 便自無他患害. 纔是有所依倚, 便使人怠惰放縱, 不知不覺錯做了事也."106

(주자가 말하였다.) "벼슬하며 단지 자신 단속은 공정과 청렴, 일 집행은 부지런함과 신중하기를 구해야 한다. 밤낮으로 힘써 마치 깊은 연못과 계곡 위에 서 있는 듯이 한다면, 저절로 다른 걱정거리나 해되는 일은 없다. 조금이라도 의지하거나 기대려는 마음이 있으면 사람을 게으르고 방종하게 하여, 나도 모르게 일은 글러진다."

[68-3-25]

"大率天下事, 循理守法, 平心處之, 便是正當. 如賊盜入獄, 而加以桎梏箠楚, 乃是正理. 今欲廢此以誘其心, 欲其歸恩於我, 便是挾私任術, 不行衆人公共道理. 況恩旣歸己, 怨必歸於他人, 彼亦安得無忿疾於我耶?"107

(주자가 말하였다.) "대체로 천하의 일은 이치를 따라 법을 지키며 공평한 마음으로 처리해야 옳다. 예컨대 도적이 감옥에 수감되었을 때 차꼬와 수갑을 채우고 회초리나 매질을 하는 것이 바른 이치다. 지금 이 일을 행하지 않는 것으로 그 사람 마음을 유혹하고자 하고 자신에게 은혜가 모아지게 하려는 것은 사사로운 마음을 끼고 술수를 부리는 것이니, 대중에게 행해야 할 공공의 도리가 아니다. 하물며 은혜가 나에게 돌아오면 원망은 반드시 타인에게 돌아가게 되는데, 그 사람 역시 어떻게 나에 대한 분함과 미움이 없을 수 있겠는가?"

[68-3-26]

"事變無窮, 幾會易失, 酬酢之間, 蓋有未及省察, 而謬以千里者, 是以君子貴明理也. 理明, 則異端不能惑, 流俗不能亂, 而德可久, 業可大矣."108

(주자가 말하였다.) "일의 변화는 무궁무진하고 기회는 잃기 쉬워, 말 한마디 주고받는 사이도 미처 살피지 못해 천리만리 어긋나버릴 경우도 있으니, 이런 까닭에 군자는 이치에 밝은 것을 귀히 여긴다. 이치에 밝으면 엉뚱한 일이 의혹을 일으킬 수 없고, 세속의 유행이 혼란을 일으킬 수 없어, 덕을 오래 지닐 수 있고, 하는 일이 크게 발전할 수 있다."

[68-3-27]

問: "'班朝治軍涖官行法, 非禮威嚴不行; 禱祠祭祀, 非禮不誠不莊.' 先生謂古人以誠莊對威嚴. 蓋爲政以嚴爲本, 寬以濟嚴之太過也.109 某竊謂居上以寬爲本, 寬則得衆, 嚴以濟寬之不

106 『朱文公文集』 권64 「答吳尉」 제3書
107 『朱文公文集』(別集) 권3 「書 · 方耕道」
108 『朱文公文集』 권24 「答汪尙書書」 제2書

及耳. 若一意任威,[110] 其弊將有至於法令如牛毛者.[111] 然先王爲政之本, 寬嚴先後之異施者, 不敢不講.[112]"

물었다. "'조정 상하의 구분, 군대 부서의 손질, 직책의 보살핌, 법령 시행에 예가 아니면 위엄이 서지 않고, (신에 대한) 기구祈求와, 제사는 예가 아니면 정성스럽지 않고 장엄하지 않다'.[113]에서 선생님은 '옛사람은 정성과 장엄으로 위엄에 대비시켰다.'고 하셨습니다. 정치 행위에서 엄숙을 근본으로 삼고, 너그러움은 엄숙의 너무 지나침을 보완해야 합니다. 저는 적이 윗자리에 있으면서는 너그러움을 근본으로 삼아야 하고[114] 너그러우면 대중의 마음을 얻으니,[115] 엄숙으로 너그러움이 미치지 못하는 것을 보완해야 할 뿐이라고 생각합니다. 만일 하나같이 위엄에 의지하면, 그 폐단은 법령이 소털처럼 많은 데에 이를 것입니다. 그런데도 선왕시대에 정치의 근본으로 삼았으니, 너그러움과 엄숙을 앞세우고 뒷 세워서 따로 시행했던 의미를 강구하지 않아선 안 될 것입니다."

曰: "爲政以寬爲本者, 謂其大體規模意思當如此耳. 古人察理精密, 持身整肅, 無偸惰戲豫之時. 故其政不待作威而自嚴, 但其意則以愛人爲本耳. 及其施之於政事, 便須有綱紀文章, 關防禁約, 截然而不可犯, 然後吾之所謂寬者, 得以隨事及人, 而無頹敝不擧之處. 人之蒙惠於我, 亦得以通達明白實受其賜, 而無間隔欺蔽之患. 聖人說政以寬爲本, 而今反欲其嚴. 正如古樂以和爲主, 而周子反欲其淡. 蓋今之所謂寬者乃縱弛, 所謂和者乃哇淫, 非古之所謂寬與和者. 故必以是矯之, 乃得其平耳.

109 寬以濟嚴之太過也. : 이 문장 뒤에 『朱文公文集』 권45 「答廖子晦」 제14書에는 다음과 같은 긴 문장이 더 있다. "某向聞其語, 猶未深訂. 近讀蒙卦, 初九曰'發蒙, 利用刑人, 用脫桎梏'. 而程氏傳曰, '聖王設刑罰以齊其衆; 明教化以善其俗. 刑罰立而後教化行, 治蒙之功, 若非威之以刑, 使之脫去昏蒙之桎梏, 則善教無由而入'. 某反覆深思. 若威信不立, 誠不足以立政. 然猶有疑焉. 孔子曰, '居上不寬, 吾何以觀之哉?"

110 若一意任威: 이 문장 뒤에 『朱文公文集』 권45 「答廖子晦」 제14書에는 '是蒙爻所謂以往吝也'라는 문장이 더 있다.

111 其弊將有至於法令如牛毛者. : 이 문장 뒤에 『朱文公文集』 권45 「答廖子晦」 제14書에는 여러 줄의 긴 문장이 더 있다.

112 不敢不講. : 『朱文公文集』 권45 「答廖子晦」 제14書에는 '不敢不詳講'이라고 되어 있다.

113 '조정 상하의 … 않다.' : 이는 『禮記』「曲禮上」의 '班朝治軍, 涖官行法, 非禮, 威嚴不行; 禱祠祭祀, 供給鬼神, 非禮, 不誠不莊'을 이렇게 말한 것이다.

114 윗자리에 있으면서는 … 삼고: 『論語』「八佾」에서 공자가 "윗자리에 있으며 너그럽지 않고 예를 행하며 공경하지 않고 상사에 임하여 슬퍼하지 않는다면, 내 무엇으로 그를 살필 수 있겠는가?(居上不寬, 爲禮不敬, 臨喪不哀, 吾何以觀之哉?)"라고 하였다.

115 너그러우면 대중의 … 얻으니: 『論語』「陽貨」에서 "자장이 공자에게 인을 묻자, 공자가 대답하기를 '다섯 가지를 천하에 행한다면 인이 될 것이다.' 그것을 청해 묻자 대답하였다. '공손과 너그러움, 미더움, 민첩함, 은혜로움이다. 공손하면 남을 업신여기지 않고, 너그러우면 대중의 마음을 얻고, 미더우면 사람들이 의지하고, 민첩하면 공을 세우고, 은혜로우면 사람을 부릴 수 있다.'(子張問仁於孔子, 孔子曰, 能行五者於天下, 爲仁矣. 請問之, 曰, 恭寬信敏惠, 恭則不侮; 寬則得衆; 信則人任焉; 敏則有功; 惠則足以使人.)"고 하였다.

(주자가) 대답하였다. "정치 행위에 너그러움을 근본으로 삼는 것은, 대체적인 규모면에서 당연히 이 같아야 함을 말한 것일 뿐이다. 옛사람은 이치를 살핌이 정밀하며 몸가짐이 정연하고 엄숙하여, 구차와 게으름, 장난기나 풀어진 때가 없었다. 그리하여 정치가 위엄을 차리려 하지 않아도 본디 엄숙하므로, 다만 마음에서 사람에 대한 사랑을 근본으로 삼을 뿐이다. 그것을 정치로 펼 칠 때는 당연히 기강과 제도, 준엄한 법률과 금지 규약이 우뚝 범할 수 없어야 하니, 그런 뒤라야 내가 주장하는 너그러움이 하는 일마다 백성에게 미칠 수 있어, 무너지고 행해지지 않는 곳이 없다. 나의 은혜를 입는 백성도 역시 환하고 명백하게 실제 그 은혜를 받아, 간격이 생겨 속이거나 가리는 걱정거리가 없다. 성인이 정치에 대한 말씀에서 너그러움을 근본으로 삼았는데 지금은 거꾸로 엄숙하고자 한다. 바로 옛 음악은 조화和를 주장으로 삼았는데 주자周子가 거꾸로 담박하고자 한 것[116]과 같다. 그것은 오늘날 이른바 너그러움은 방종하고 풀어 지는 것이고 이른바 조화는 비속하고 음탕한 것이니, 이른바 옛날의 너그러움과 조화로움이 아니다. 그런 까닭에 반드시 이것으로 바로잡아야 비로소 그 공평을 얻을 수 있을 뿐이다.

如其不然, 則雖有愛人之心, 而事無統紀, 緩急先後可否與奪之權皆不在己, 於是姦豪得志, 而善良之民反不被其澤矣. 此事利害只在目前, 不必引書傳, 考古今, 然後知也. 但爲政必有規矩, 使姦民猾吏不得行其私, 然後刑罰可省, 賦斂可薄. 所謂'以寬爲本', '體仁長人', 孰有大於此者乎?"[117]

만일 그렇지 않으면 백성을 사랑하는 마음이 있어도 일에 기강이 없어, 서두름과 늦춤, 앞세움과 뒤세움, 옳음과 그름, 줌과 박탈의 권한이 모두 나에게 있지 않아, 크게 간악한 짓을 저지른 자들은 뜻을 얻고 선량한 백성은 거꾸로 은택을 입지 못한다. 이런 일은 이해가 목전에 있어 반드시 경전의 말을 인용하거나 고금을 따져보고서 알 수 있는 일이 아니다. 단지 정치 행위에는 반드시 법도가 있어 간악한 백성과 교활한 관리가 사사롭게 행할 수 없게 한 뒤라야 형벌이 줄어들고 세금 징수가 가벼워진다. 이른바 '너그러움을 근본으로 삼고', '인의 뜻을 본받으면 수장首長이 된다.'[118]는 일이니, 무엇이 이보다 더 큰일이 있겠는가?"

[68-3-28]

"平易近民, 爲政之本."[119]

116 周子가 거꾸로 … 것: 주자는 송나라의 학자 周敦頤를 이른다. 그의 저서『周子全書』권9에서 "그러므로 음악 소리는 담박해야 손상이 없고 조화로워야 음탕하지 않다. 귀로 들어가 마음의 감동을 일으키는 것이 담박하고 또 조화롭지 않음이 없으니, 담박하면 욕심이 화평해지고, 조화로우면 조급한 마음이 풀려서다.(故樂聲淡而不傷, 和而不淫. 入其耳, 感其心, 莫不淡且和焉, 淡則欲心平, 和則躁心釋.)"라고 하였다.

117 『朱文公文集』권45「答廖子晦」제14書

118 '인의 뜻을 … 된다.':『周易』「乾卦 · 文言」에서 "군자가 인의 덕을 본받으면 首長이 되기에 충분하다.(君子體仁, 足以長人.)"고 하였다.

119 『朱子語類』권108, 66조목

(주자가 말하였다.) "평이하고 백성과 가까워지는 일이 정치 행위의 근본이다."

[68-3-29]

南軒張氏曰 : "爲政須是先平其心, 不平其心, 雖好事亦錯. 如抑强扶弱, 豈不是好事? 往往只這裏便錯. 須是如明鏡然, 姸者自姸, 醜者自醜, 何預我事? 若是先以其人爲醜, 則相次見此人, 無往而非醜矣."

남헌 장씨[張栻]가 말하였다. "정치 행위는 당연히 먼저 자신의 마음을 평안하게 해야 하니 자신의 마음이 평안하지 않으면 좋은 일이라도 잘못을 빚는다. 예컨대 강자를 억제하고 약자를 부축하는 일이 왜 아니 좋은 일인가? 종종 이런 일에서조차 잘못을 빚는다. 당연히 밝은 거울과 같다면 예쁜 사람은 저절로 예쁘고 추한 사람은 저절로 추한데, 나의 일과 무슨 상관이 있겠는가? 만일 먼저 그 사람을 추하게 여기면 이어 이 사람을 만날 적마다 어느 때고 추하지 않음이 없게 된다."

[68-3-30]

問 : "趙德莊知建寧府, 問於晦庵, '爲政寬則是? 猛則是?' 晦庵云 : '若教公寬一尙, 猛一尙, 則如發瘧子相似. 以某之意, 御善良以寬, 治强暴以嚴'. 此語如何?"

曰 : "若胷中著一寬字, 寬必有弊 ; 著一猛字, 猛必有弊. 吾徒處事, 當如持衡, 高者下之, 低者平之, 若聖人之秤則常平矣."

물었다. "조덕장趙德莊[120]이 지건녕부知建寧府에 임명되자 회암晦庵(朱子의 호)에게 '정치 행위에서 너그러운 것이 옳습니까? 사나운 것이 옳습니까?'라고 묻자, 회암이 '만일 공에게 한 번은 너그러움을 숭상하고 한 번은 사나움을 숭상하라 한다면 마치 학질을 앓는 것과 엇비슷할 것이다. 나의 생각으로는 선량한 자는 너그러움으로 다스리고, 거세고 사나운 자는 엄함으로 다스려야 할 것입니다.'라고 대답하였는데 이 말은 어떻습니까?"

(남헌 장씨가) 대답하였다. "만일 가슴에 너그러움을 담고 있으면 너그러움에 반드시 폐단이 있고, 사나움을 담고 있으면 사나움에 반드시 폐단이 있다. 우리 무리의 처지에선 당연히 저울대를 잡고 있는 것과 같아, 고항高亢한 자는 떨어뜨리고 저하되어 있는 자는 평평하게 솟게 하는 것을 성인의 저울과 같이 한다면 항상 공평할 것이다."

[68-3-31]

東萊呂氏官箴曰 : "凡治事有涉權貴, 須平心看理之所在. 若其有理, 固不可避嫌, 故使之無理. 直須平心看, 若有一毫畏禍自恕之心, 則五分有理, 便看作十分有理. 若其無理, 亦不可畏禍, 曲使之有理. 政使見得無理, 只須作尋常公事看斷, 過後不須拈出說. 尋常犯權貴取禍者, 多是張大其事,

120 趙德莊 : 송나라 宗室. 이름은 彦端이고, 덕장은 그의 字이며, 호는 介菴이다. 紹興 연간의 진사로 벼슬은 太常少卿 浙東提刑 등을 지냈고, 직급은 朝奉大夫였다. 저서로 『介菴集』이 있다.(『宋詩紀事』 권85)

邀不畏彊禦之名, 所以彼不能平. 若處得平穩妥帖, 彼雖不樂, 視前則有間矣. 然所以不欲拈出者, 本非以避禍, 蓋此乃職分之常. 若特然看做一件事, 則發處已自不是矣."

동래 여씨東萊呂氏의 관잠官箴[121]에 이렇게 말하였다. "일을 처리하는데 벼슬이 높거나 세력이 센 사람과 관련된 경우 당연히 공평한 마음으로 합당한 도리가 어디에 있는지 살펴야 한다. 만일 합당한 도리가 있으면 진정 혐의를 피하여, 일부러 무리하게 처리해선 안 된다. 다만 모름지기 공평한 마음으로 살펴야 하니 만일 일호라도 자신에게 닥칠 화가 두려워 자신의 무리한 처분을 스스로 용서하려는 마음이 있을 경우는 5분 합당한 도리를 10분 합당한 도리가 있는 것으로 간주해야 한다. 만일 합당한 도리가 없으면 또한 화가 두려워 잘못된 것을 합당한 도리가 있는 것처럼 만들어서도 안 된다. 합당한 이치가 없음을 보았다면 다만 예사로운 안건으로 참작해 결단할 일이고, 일이 지나간 뒤에는 말을 끄집어내서는 안 된다. 예사로운 일로 벼슬이 높거나 세력이 센 사람들을 건드려 화를 취하는 자는 대부분 그 일을 한껏 부풀려 '강한 자를 두려워하지 않는다.'[122]는 명성을 구하려는 것이니, 이것이 그 사람에게 공평한 마음을 가질 수 없게 한 것이다. 만일 조치가 공평하고 온당하며 합당하다면, 저들이 즐겁지 않더라도 전날과 비교하면 (대하는 태도에) 차이가 있을 것이다. 그러나 끄집어내 말하려 하지 않는 것은 본시 화를 피하려 해서가 아니고, 이것이 직분의 정당함이다. 만일 특별하게 하나의 사건으로 간주하려 드는 것은 그 발상 자체가 이미 옳지 않다."

"當官之法唯有三事, 曰淸, 曰愼, 曰勤. 知此三者, 則知所以持身矣. 然世之仕者, 臨財當事不能自克, 常自以爲必不敗. 持必不敗之意, 則無不爲矣. 然事常至於敗而不能自已. 故設心處事, 戒之在初, 不可不察. 借使役用權智, 百端補治, 幸而得免, 所損已多, 不若初不爲之爲愈也. 司馬子微坐忘論云, '與其巧持於末, 孰若拙戒於初?', 此天下之要言. 當官處事之大法, 用力寡而見功多, 無如此言者. 人能思之, 豈復有悔吝耶?"

"벼슬하는 법은 세 가지가 있을 뿐이니, 청렴, 신중, 근면이다. 이들 세 가지를 알면 몸가짐의 도리를

121 官箴 : 이 글은 『東萊別集』 권6에 실렸다. 내용도 한 권 분량이고, 조목조목에 제목을 붙이지 않았지만 조목별로 줄을 달리하여 독립시키고 있다. 『性理大全書』가 이를 인용하며 전체 한 조목을 그대로 옮긴 것, 긴 조목은 혹 앞뒤를 산삭하고 중간만 인용한 것 등의 다름이 있다. 따라서 작자 자신의 의도와 『性理大全書』에서도 단락에 따라 한 글자를 띄워 작자의 의견을 따른 것에 따라 번역에서는 한 단락 한 단락을 모두 독립시켰다. 이 관잠을 쓴 계기에 대해서, 이 글의 단락이 끝나는 곳에 다음과 같은 주석을 붙이고 있다. "이상의 글은 제자 戴衍이 첫 벼슬길에 나가며 가르침을 청하기에 이를 써서 보내주었다. 나중에 뜻이 미비한 듯하여 다시 다음과 같은 글을 보탰다.(已上因門人戴衍初仕請教, 書此遺之. 後以義未備, 復附益之如后.)" 그러니까 첫 단락은 제자 대연에게 보내준 글이고 다음에 이어지는 글은 관잠이라는 제목을 붙여 관원들의 귀감서로 쓴 것이다.

122 '강한 자를 … 않는다.' : 『詩經』「大雅 · 烝民」 5章에서 仲山甫의 덕을 칭송하는 시구에서 "사람들이 부드러우면 삼키고 강하면 뱉는다 말들 한다네. 저 중산보는 부드러워도 삼키지 않고 강해도 뱉지 않는다네. 홀아비 홀어미를 업신여기지 않고 강한 자도 두려워하지 않는다네.(人亦有言, 柔則茹之, 剛則吐之. 維仲山甫, 柔亦不茹, 剛亦不吐. 不侮矜寡, 不畏彊禦.)"라고 한 것을 인용한 것이다.

알 것이다. 그러나 세상에서 벼슬하는 자가 재물을 대하거나 일을 만나면 스스로를 이겨내지 못하면서 항상 자신은 반드시 실패하지 않는다고 생각한다. 반드시 실패하지 않는다는 생각을 가지면 하지 못할 짓이 없다. 그러나 일은 늘 실패하는 데에도 스스로를 그치지 못한다. 그러므로 마음가짐이나 일에 대한 대처는, 처음 시작할 때 경계해야 하니 살피지 않아선 안 된다. 설사 권력과 지혜를 구사해 쓰고 백방으로 때우고 손질하여 요행으로 면한다 해도 손실이 너무 많아 애초에 하지 않는 나은만 못하다. 사마자미司馬子微의 좌망론坐忘論[123]에서 말한 '나중에 교묘하게 붙잡는 것보다 어찌 처음에 옹졸하게 경계하는 것만 같겠냐?'는 이 말은 천하의 중요한 말이다. 관직을 역임하고 일을 조치하는 큰 법이자 힘들이는 것은 적고 효험 보는 것은 큰 것이 이 말만 한 말이 없다. 사람이 이를 잘 생각한다면 어찌 뉘우치거나 걱정될 일이 있으랴?"

"事君如事親, 事官長如事兄, 與同僚如家人, 待羣吏如奴僕, 愛百姓如妻子, 處官事如家事, 然後爲能盡吾之心. 如有毫末不至, 皆吾心有所不盡也. 故事親孝, 故忠可移於君; 事兄弟, 故順可移於長; 居家治, 故事可移於官. 豈有二理哉?"

"군주 섬기기를 어버이 섬기듯 하고, 관아의 수장 섬기기를 형 섬기듯 하고, 동료와 함께 하는 것을 집안사람 같이 하고, 뭇 관리를 대하는 태도를 노복 같이 하고, 백성 사랑하기를 처자 같이 하여야 나의 마음을 다하는 것이다. 만일 털끝만큼이라도 지극하지 못한 점이 있으면 모두 내 마음을 다하지 않은 것이다. 그러므로 어버이 섬김이 효성스러운 까닭에 충성을 임금에게 옮길 수 있고, 형을 섬김이 공손한 까닭에 순응함을 관아의 수장에게 옮길 수 있고, 집안에서의 일상생활이 다스려진 까닭에 일하는 것을 관청에 옮길 수 있다. 어찌 서로 다른 이치이랴?"

"當官處事, 常思有以及人. 如科率之行, 旣不能免, 便就其間, 求所以使民省力, 不使重爲民患, 其益多矣."

"벼슬하며 일을 처리할 적에는 항상 그것이 백성에게 파급됨을 생각해야 한다. 예컨대 백성들에게 물자를 징발하는 행위도 이미 안 할 수 없는 일이지만, 그 사이에서도 백성들의 힘을 덜 수 있는 것을 찾아내 거듭 백성의 걱정거리가 되지 않게 해야 도움이 많을 것이다."

"當官者, 難事勿辭, 而深避嫌疑, 以至誠遇人, 而深避文法, 如此則可免."

"벼슬하는 사람은 어려운 일을 사양하지 말아야 하나 혐의가 될 만한 일은 절대 피해야 하고, 지성으로 남을 예우해야 하지만 법률과 규제는 절대 피해야 하니, 이 같이 하면 죄를 면할 수 있다."

"前輩嘗言'小人之性, 專務苟且, 明日有事, 今日得休且休'. 當官者, 不可徇其私意, 忽而不治.

123 坐忘論: 唐나라 司馬承禎의 저서로 모두 3권이다. 자미는 그의 字이다.

諺有之曰'勞心不如勞力', 此實要言也."

"옛사람이 늘 하는 말이 '소인의 성정은 오로지 구차하여 내일 해야 할 어떤 일이 있어도 오늘 쉴 수 있으면 우선 쉬려 한다.'고 하였다. 벼슬하는 사람은 사사로운 생각에 따라 태만히 하고 다스리지 않아선 안 된다. 속담에 '마음을 수고롭게 하는 것이 체력을 수고롭게 하는 것만 못하다.'고 하였는데 이 말은 참으로 중요한 말이다."

"當官旣自廉潔, 又須關防小人. 如文字曆引之類, 皆須明白以防中傷, 不可不至謹, 不可不詳知也."

"벼슬하면서는 자신이 청렴결백하더라도 또 모름지기 소인을 준엄하게 막아야 한다. 예컨대 공문서나 역자曆子[124]나 인引(통행증) 등속에서 모두를 모름지기 명백히 하여 중상하는 일을 막아야 하니, 지극히 신중치 않아선 안 되고, 자상히 알지 않아선 안 된다."

"當官者, 凡異色人, 皆不宜與之相接. 巫祝尼媼之類, 尤宜疎絶. 要以淸心省事爲本."

"벼슬하는 사람은 여러 종류의 사람과 모두 어울려 만나는 것은 옳지 않다. 무당이나 비구니 무리는 더더욱 멀리 끊어야 옳다. 마음을 맑게 지니고 일을 줄이는 것을 근본으로 삼고자 해야 한다."

"後生少年乍到官守, 多爲猾吏所餌, 不自省察, 所得毫末, 而一任之間, 不復敢擧動. 大抵作官嗜利, 所得甚少, 而吏人所盜不貲矣. 以此被重譴, 良可惜也."

"후배들 중 젊은 또래가 벼슬에 부임하자마자 대부분 교활한 관리의 낚시에 걸려드는 것을 살피지 못해 얻은 것은 털끝만치인데 임기 내내 다시는 감히 꼼짝하지 못한다. 대체로 벼슬하며 이익을 즐겨도 얻은 것은 매우 적은데 아전이 도둑질한 것은 헤아릴 수 없이 많다. 이로 인해 중한 벌을 받으니 참으로 애석하다."

"當官者, 先以暴怒爲戒, 事有不可, 當詳處之, 必無不中. 若先暴怒, 只能自害, 豈能害人? 前輩嘗言'凡事只怕待'. 待者, 詳處之謂也. 蓋詳處之, 則思慮自出, 人不能中傷也. 嘗見前輩作州縣, 或獄官, 每一公事難決者, 必沈思靜慮累日, 忽然若有得者, 則是非判矣. 是道也, 唯不苟者能之."

"벼슬하는 자는 먼저 불쑥 성내는 것을 경계해야 하니, 일에 불가한 것이 있을 때 당연히 자상하게 처리하면 반드시 맞지 않을 수 없다. 만일 먼저 불쑥 성을 내면 자신만 해로울 뿐 어찌 남에게 해가 될 수 있겠는가? 옛사람들이 늘 하는 말이 '모든 일을 다만 두렵게 대하라.'고 하였다. 대한다는 것은 자상하게 처리하는 것을 이른다. 자상하게 처리하면 생각이 저절로 일어나 남이 중상할 수 없다. 지난날 옛사람들이 주현州縣의 수령이 되거나 혹 옥관獄官이 되었을 때, 한 건의 해결하기 어려운 공사公事를 만날

124 曆子 : 송나라 때 관원의 행정 실적이나 공과를 적어 두었다가 考課 승진 등에 대비하는 책자

적이면 반드시 여러 날을 생각에 잠겨 조용히 생각하다가 홀연히 깨달아지는 것이 있었을 때 시비를 판결하였다. 이 방법은, 오직 구차하지 않은 자만이 할 수 있다."

"處事者不以聰明爲先, 而以盡心爲急; 不以集事爲急, 而以方便爲上."
"일을 처리하는 자는 총명을 앞세우려 말고 마음을 다 쏟는 것을 급선무로 삼아야 하며, 일의 성공을 급선무로 삼지 말고 방법을 으뜸으로 삼아야 한다."

"畏避文法, 固是常情. 然世人自私者, 率以文法難事委之於人. 殊不知人之自私, 亦猶己之自私也. 以此處事, 其能有濟乎?"
"법률과 규제에 관한 일을 두려워 피하는 것은 진정 당연한 마음이다. 그러나 세상 사람들 중 자신의 이익만 도모하는 자는 대부분 법률과 규제의 어려운 일은 남에게 미루려 든다. 남들이 자신의 이익만 도모하려는 것 역시 내가 내 자신의 이익만 도모하려는 것과 같음을 몰라서이다. 이렇게 일을 처리하여 성공할 수 있겠는가?"

"當官大要, 直不犯禍, 和不害義, 在人消詳斟酌之爾. 然求合於道理, 本非私心專爲己也."
"벼슬하는 큰 요점은, 올곧아도 재앙을 받지 않아야 하고 조화로워도 의로움을 해쳐서는 안 되니, 사람이 세심히 재보는 것에 달렸을 뿐이다. 그러나 도리에 합치되기를 구하려는 것이지 본래 사사로운 마음으로 오로지 자신만을 위하려는 것은 아니다."

"當官處事, 但務著實. 如塗擦文書, 追改日月, 重易押字, 萬一敗露, 得罪反重. 亦非所以養誠心事君不欺之道也. 百種姦僞, 不如一實; 反復變詐, 不如愼始; 防人疑衆, 不如自愼; 智數周密, 不如省事. 不易之道也."
"관원이 되어 일처리 하면서는 착실하기에 힘써야 할 뿐이다. 예컨대 문서의 글씨를 지우고 고쳐 쓰고, 날짜를 바꾸고, 수결을 거듭 바꾸는 일들은 만일 탄로 나면 죄가 되레 중해진다. 또한 성심을 기르고 군주를 섬김에 속임이 없어야 하는 도리[125]에도 어긋난다. 모든 간악한 거짓은 착실 하나만 못하고, 거듭되는 속임은 처음을 신중히 한것 만 못하며, 사람을 대비하느라 뭇사람을 의심하는 것은 스스로 신중한 것만 못하고, 지혜로 주밀하게 헤아리는 것은 일을 살피는 것만 못하다. 이것은 바꿀 수 없는 도리이다."

"事有當死不死, 其詬有甚於死者, 後亦未必免死; 當去不去, 其禍有甚於去者, 後亦未必得

125 군주를 섬김에 … 도리 : 『論語』「憲問」에서 "자로가 군주 섬김을 묻자, 공자가 '속이지 말고 낯을 대해 간해야 한다.'고 대답하였다.(子路問事君, 子曰, '勿欺也, 而犯之.')"고 하였다.

安. 世人至此, 多惑亂失常, 皆不知義命輕重之分也. 此理非平居熟講, 臨事必不能自立, 不可不預思. 古之欲委質事人, 其父兄, 日夜先以此教之矣. 中材以下, 豈臨事一朝一夕所能至哉? 教之有素, 其心安焉, 所謂有所養也."

"일에 있어 당연히 죽어야 하는데 죽지 않으면, 그 부끄러움이 죽음보다 심한 것이 있고 나중에 또 반드시 죽음을 모면하는 것도 아니며, 마땅히 떠나야 하는데 떠나지 않으면 그 화가 떠난 것보다 심한 것이 있고 나중에 또 반드시 편안을 얻는 것도 아니다. 세상 사람들이 이 지경에 이르면 대부분 의혹의 혼란으로 정도正道를 잃어, 모두가 의리와 생명[126]에서 어느 것이 중한지 그 분수를 알지 못한다. 이 이치는 평소에 익히 강구하지 않으면 일이 닥쳤을 때 반드시 스스로 확립하지 못하니, 미리 생각해 두지 않으면 안 된다. 옛사람이 폐백을 바치고 남을 섬기기로 하면, 그 부형은 밤낮으로 먼저 이것을 가르쳤다. 중등의 재질 이하의 사람이 어찌 일이 닥친 하루아침 하루저녁에 쉽게 다다를 수 있겠는가? 평소에 가르쳐 두어야 그의 마음이 이런 것들에 차분해질 것이니, 이른바 길러둔 바가 있다는 것이다."

"忍之一字, 衆妙之門, 當官處事, 尤是先務. 若能淸·愼·勤之外, 更行一忍, 何事不辦? 書曰 '必有忍, 其乃有濟', 此處事之本也. 諺有之曰, '忍事敵災星', 少陵詩云, '忍過事堪喜', 此皆切於事理. 爲世大法, 非空言也. 王沂公嘗說'喫得三斗釅醋, 方做得宰相', 蓋言忍受得事也."

"참음[忍]이란 이 한 말은 온갖 묘리妙理에 들어가는 문이니 벼슬하며 일을 처리할 적에 더더욱 먼저 힘써야 할 일이다. 만일 청렴·신중·근면 이외에 다시 참음 한 가지를 행한다면 무슨 일을 해내지 못하겠는가? 『서경』에 '반드시 참는 것이 있어야 비로소 성공할 수 있다.'[127]고 하였으니 이것이 일을 처리하는 근본이다. 속담에 '참는 일이 재성災星에 맞설 수 있다.'[128]고 하였고 소릉少陵의 시에 '참고 지내면 일이 좋아진다.'[129]고 하였으니 이들 말은 모두 사리에 절실하여 세상의 큰 법이라는 말이 빈말이 아니다. 왕기공王沂公[130]도 일찍 '강한 식초를 서 말[斗] 정도 먹을 수 있어야 비로소 재상을 할 수 있다.'라

126 의리와 생명 : 『孟子』「告子上」에서 "물고기도 내가 먹고자 하는 것이며 곰 발바닥도 내가 먹고자 하는 것이지만 두 가지를 한꺼번에 얻을 수 없으면 물고기를 버리고 곰 발바닥을 취할 것이다. 생명도 내가 얻고자 하는 것이고 의리도 내가 얻고자 하는 것이지만 두 가지를 한꺼번에 얻을 수 없으면 생명을 버리고 의리를 취할 것이다.(魚我所欲也, 熊掌亦我所欲也, 二者不可得兼, 舍魚而取熊掌者也. 生亦我所欲也, 義亦我所欲也, 二者不可得兼, 舍生而取義者也.)"라고 한 말을 인용한 것이다.

127 '반드시 참는 … 있다.' : 『書經』「周書·君陳」

128 '참는 일이 … 있다. : 宋나라 王應麟의 저서 『困學紀聞』 권18에서 "세속에서 말하는 참는 일이 재성에 맞설 수 있다는 司空表聖의 시이다.(俗言忍事敵災星, 司空表聖詩也.)"라고 하였다. 여기서 재성이란 천재지변 같은 변란을 이르는 말이며, 아울러 인간에게 닥치는 악운을 이르는 말로 쓰였다. 곧 참는 마음을 길러두면 어떤 악운도 대처해낼 수 있다는 말이다.

129 少陵의 시에 … 좋아진다.' : 소릉은 당나라 시인 杜甫의 별칭이다. 그러나 이 시는 두보의 시가 아니고 杜牧의 시이다. 『全唐詩』에 두목의 遣興이라는 시의 한 구절이다.

130 王沂公 : 宋 靑州 益都 사람. 자는 孝先. 시호는 文正. 咸平 연간에 鄕貢에서 禮部廷對까지 모두 일등으로 합격하였다. 仁宗 때 中書侍郞·同中書門下平章事·樞密使를 역임하고 沂國公에 봉해졌다. 저서로 『王文正

고 하였으니 참아야 일을 해낼 수 있음을 말한 것이다."

"居官臨事, 外有齟齬, 必內有窒礙. 蓋內外相應, 毫髮不差, 只有反己兩字, 更無別法也."
"벼슬자리에 머무르며 일을 만났을 때, 밖에서 마찰이 생기는 것은 반드시 마음에서 명료하지 않아서이다. 안팎이 서로 호응하여야 털끝만큼의 차이도 없으니, 다만 자신에게 되돌려야 한다[反己]는 두 글자가 있을 뿐 다시 다른 방법은 없다."

[68-3-32]

魯齋許氏曰 : "恐害於己者, 必思所以害人也. 豈知利人, 則未有不利於己者也? 至於推勘公事, 已得大情, 適當其法, 不旁求深入, 是亦利人之一端也. 彼俗吏不達此理, 專以出罪爲心, 謂之陰德. 予曰不然. 履正奉公, 嫉惡擧善, 人臣之道也. 有違于此, 則惡者當害之而反利之. 善者當利之而反害之. 顯不能逃其刑責, 幽不能欺於神明, 顧陰德何有焉?"[131]
노재 허씨[許衡]가 말하였다. "나에게 해되는 것을 두려워하는 사람은 반드시 남을 해치려는 생각을 한다. 남을 이롭게 하면 나에게 이롭지 않음이 없다는 것을 어찌 알겠는가? 공공의 일을 조사할 적에도 이미 큰 정황을 파악하였으면 법률에 적당히 적용하고, 이리저리 깊게 파고들려 하지 않는 것 역시 남을 이롭게 하는 한 방법이다. 저들 평범한 관리는 이런 이치를 알지 못해, 오로지 죄에서 꺼내주려는 마음만 갖고서 이를 음덕으로 생각하고 있다. 나는 그렇지 않다고 말한다. 정의를 실천하는 것으로 국가를 받들고 악인을 미워하고 선인을 추천하는 것이 신하의 도리다. 이에서 어긋나면 악한 사람은 당연히 해를 입어야 하는데 거꾸로 이로움을 입고, 선한 자는 당연이 이로움을 입어야 하는데 거꾸로 해를 입는다. 공개적으로는 형벌의 책임을 도피할 수 없고 내적으로도 신명神明을 속일 수 없는데, 음덕이 어디에 있겠는가?"

[68-3-33]

"每臨事且勿令人見喜. 旣令見喜, 必是偏於一處, 隨後便有弊. 蓋喜悅非久長之理. 旣不令人喜, 亦不令人怒, 便是得中."
(노재 허씨가 말하였다.) "매번 일을 만날 때마다 우선 당사자가 기뻐하는 모습을 보지 말게 해야 한다. 기뻐한 모습을 보여준 뒤면 반드시 한쪽으로 쏠려 뒤로 갈수록 폐단이 있다. 기뻐하는 것은 오래갈 수 있는 이치가 아니다. 남을 기뻐하게도 말고 남을 노엽게도 하지 말아야 중정을 얻을 수 있다."

筆錄』이 있다.(『宋史』 권310 「王曾傳」)
131 『魯齋遺書』 권1 「語錄上」

諫諍 간쟁

[68-4-1]

程子曰：“有翦桐之戲，則隨事箴規；違養生之戒，則卽時諫止.”[132]

정자[程頤]가 말하였다. “오동나무 잎을 오리는 희롱[133]이 있으면 일이 있을 때마다 경계해 간해야 하고, 양생養生에 대한 경계에 어긋나면 즉시 간해 중지시켜야 한다.”

[68-4-2]

“人臣以忠信善道事其君者，須體納約自牖之意，必違其所蔽而因其所明，乃能入矣. 雖有所蔽，亦有所明，未有冥然而皆蔽者也. 古之善諫者，必因君心所明，而後見納. 是故訐直強果者，其說多忤；溫厚明辯者，其說多行.

(정자가 말하였다.) “신하로서 충성과 신의의 선한 도리로 군주를 섬기는 사람은 모름지기 납약자유納約自牖[134]의 뜻을 본받아 반드시 군주가 몰라 어두운 곳은 버리고 군주가 밝게 아는 곳을 통해야 비로소 말이 받아들여진다. 어두운 곳이 있어도 또한 밝은 곳이 있어 캄캄하게 모두 어두운 사람은 있지 않다. 옛날에 잘 간하는 사람은 반드시 군주가 밝게 아는 곳을 의지하고서야 (간하는 말이) 받아들여졌다. 그런 까닭에 남이 감추는 사사로운 일을 들추어내는 것을 곧음으로 삼고[135] 거세고 과감한 자는 말이 대부분 거부당하고, 온후하게 분명히 분별하는 자의 말은 대부분 받아들여졌다.

愛戚姬將易嫡庶，是其所蔽也；素重四老人之賢而不能致，是其所明也. 四老人之力，孰與夫

132 『河南程氏遺書』 권3

133 오동나무 잎을 … 희롱 : 『呂氏春秋』「重言」에 “(周나라의) 성왕이 숙부인 唐叔虞와 한가롭게 노닐다가 오동나무 잎을 가져다가 珪(작위나 봉지를 떼어줄 때 징표로 주는 瑞玉)처럼 오려서 당숙 우에게 주며, ‘내가 이것을 너에게 봉할 것이다.’라고 하였다. 叔虞가 좋아서 이 사실을 周公에게 알렸다. 주공이 성왕에게 청하여, ‘천자께서 숙우를 봉하셨습니까?’라고 하자, 성왕은 ‘내가 숙우와 장난한 것입니다.’라고 하였다. 주공이 대답하기를 ‘신은 듣자 하니 천자에게는 장난으로 하는 말이 없다고 했습니다. 천자가 말을 하면 사관이 그것을 기록하고 공인이 그 말을 음악으로 만들어 읊조리고 선비가 그 말을 주고받습니다.’라고 하니, 이에 숙우를 晉나라에 봉하였다.(成王與唐叔虞燕居, 援梧葉以爲珪, 而授唐叔虞曰 : ‘余以此封女.’ 叔虞喜, 以告周公. 周公以請曰 : ‘天子其封虞邪？’ 成王曰, ‘余一人與虞戲也.’ 周公對曰, ‘臣聞之, 天子無戲言. 天子言則史書之, 工誦之, 士稱之.’ 於是遂封叔虞於晉.)”고 하였다.

134 納約自牖 : 『周易』「坎卦」 六四 爻의 말이다. 納約은 신하와 군주가 서로 굳게 맺어진다는 뜻이고, 自牖의 牖(유)는 방의 창문을 이르니, 방안의 어두움을 창문의 햇빛으로 밝히듯, 군주를 설득하여 관계를 돈독하게 갖고자 할 때는, 군주가 깜깜하게 모르고 있는 쪽은 말해도 이해하지 못하므로 군주가 밝게 알고 있는 쪽을 통해 이해시켜야 한다는 말이다.

135 남이 감추는 … 삼고 : 『論語』「陽貨」에서 자공이 공자에게 대답한 말을 축약하여 인용한 것이다. 『論語』에는, “남이 감추는 사사로운 일을 파내는 것으로 곧음을 삼는 사람을 미워한다.(惡訐以為直者.)”로 되어 있다.

公卿及天下之心. 其言之切, 孰與周昌叔孫通也? 高祖不從彼而從此者, 留侯不攻其蔽而就其明也. 趙王太后愛其少子長安君, 不使爲質於齊, 是其蔽也; 愛之欲其富貴, 久長於齊, 是其所明也. 左師觸龍所以導之者, 亦因其明爾, 故其受命如響. 夫教人者, 亦如此而已."[136]

척희戚姬를 사랑하여 적자와 서자를 바꾸려 한 것[137]은 고조의 어두움이고, 네 노인의 현명함[138]을 본래 중시했으나 초치하지 못한 것은 고조의 밝음이다. 네 노인의 힘이 공경대부와 천하의 마음에 어찌 가당키나 하겠으며, 네 노인의 말이 주창周昌[139]과 숙손통叔孫通[140]에 어찌 가당키나 하겠는가? 그런데도 고조

---

136 『二程粹言』 권하, 「君臣篇」

137 戚姬를 사랑하여 … 것: 漢高祖는 呂后로 일컬어지는 적실 황후가 있고, 척희는 총애를 받았던 부인이다. 고조는 여후가 낳은 태자 劉盈(惠帝)이 인자하기만하여 나약한 것이 마음에 차지 않았다. 이때 척희가 如意를 낳자 한고조는 태자를 폐위시키고 여의로 바꾸고자 하였다. 척희도 한고조의 사랑을 믿고 자신의 아들을 태자로 삼으려 울며불며 매달렸다. 여후가 張良의 계책을 채용하여 商山四皓를 태자의 賓客으로 불러들여 태자의 우군으로 삼자, 고조도 더 이상 태자를 바꾸려는 생각을 가질 수 없었다. 이후 한고조가 척희 소생의 趙王 여의를 보전시키고자 周昌에게 부탁하였지만, 한고조가 죽자 여후는 척희를 가두고, 여의를 불러들여서 죽였다. 척희의 수족을 자르고, 눈을 멀게 하고, 약을 먹여 벙어리를 만들고서는 사람돼지[人彘]라 불렀다. 이런 척희를 여후는 아들 혜제를 불러서 보게 하였다. 혜제는 처음 이 사람이 누구인지 몰랐다가 척희임을 알고서는 정치에 염증을 느끼고 이후 정치에서 손을 떼고 술과 여자에 마음을 쓰다 죽었다. 여후가 뒷날 한나라의 유씨 왕조를 빼앗아 여씨 왕조를 세우고자 한 것은 이런 일에서 확대되었다는 말이다.(『史記』「呂后本紀」)

138 네 노인의 현명함: 곧 商山四皓인 東園公·綺里季·夏黃公·甪里先生이다. 고조가 태자를 바꾸려는 생각을 굳히자 온 조정 대신이 이를 반대하였으나 고조의 마음을 바꿀 수 없었다. 이에 여후는 장량을 다그쳐 고조의 마음을 돌리려 하였다. 장량은 황제가 예전에 천하를 얻지 못했을 때는 나의 계책을 써주셨지만, 지금은 나와 같은 사람이 1백 명이 있어도 소용이 없다며 사양하였다. 계속 여후가 친정 사람인 呂澤을 시켜 다그치자, 장량은 "황제가 평소에 욕심을 냈으나 불러들이지 못한 사람이 네 사람이다. 이들을 후한 폐백과 태자의 겸손한 편지로 초빙하여, 태자를 수행해 조정에 들어갔다가, 황제가 이들 네 사람이 상산사호인지 안다면 도움이 될 것이다."라고 하였다. 마침내 상산사호를 초빙하였다. 어느 날 고조가 마련한 잔치에 상산사호가 태자를 모시고 참여했다. 이를 기이하게 여긴 고조가 그들의 이름을 묻고서 예전에 자기가 초빙하지 못한 인재들이었음을 알았다. 이에 고조는 그 자리에서 태자를 보필해 줄 것을 부탁하고 척부인을 불러 태자의 우익이 이미 형성되어 내가 태자를 바꿀 수 없다고 하였다.(『史記』「留侯世家」)

139 周昌: 沛 땅 사람으로, 한고조를 따라 봉기하여 항우와의 전쟁에 세운 공으로 御史大夫에 오르고 이어 汾陰侯에 봉해졌다. 한고조가 태자를 폐하고 척희가 낳은 如意를 세우려 하자 앞장서 강력하게 반대하였다. 고조가 장량의 계책에 의하여 바꾸는 일을 중지한 뒤, 강하게 반대하는 이유를 주창에게 물었다. 주창은 말을 더듬었다. 그런 데다가 세자에 관한 일로 화도 한껏 나 있었다. 그래서 더듬는 말로 "신이 입으로는 말을 다하지 못하지만 결단 결단코 그 일이 잘못이란 걸 압니다. 태자를 폐하고자 하셔도 신은 결단 결단코 조칙을 받들 수 없습니다.(臣口不能言, 然臣期期知其不可. 陛下雖欲廢太子, 臣期期不奉詔.)"고 하였다.(『史記』 권96 「周昌傳」)

140 叔孫通: 薛 땅 사람으로 진2세 황제와 항우를 섬기다 한고조에게 귀의하였다. 한고조가 진나라의 세세한 법령을 모두 없앤 뒤, 신하들이 조정에서조차 술을 거리낌 없이 마시며 심한 경우 칼을 빼내 기둥을 후려치기까지 하였다. 이때 숙손통이 옛 예절과 진나라의 예절을 섞어서 새로운 예를 제정하였다. 長樂宮이 완성되고 한고조 7년이 되는 새해에 숙손통이 새로 제정한 의절로 조정의 의식을 지휘하자, 술이 아홉 순배가

가 저들 말을 따르지 않고 네 노인을 따른 것은 유후留侯(張良의 封號)가 고조의 어두운 곳을 설득하지 않고 그의 밝은 곳으로 접근해서다. 조왕태후趙王太后가 자신의 막내아들 장안군長安君을 사랑하여[141] 제齊나라에 볼모가 되지 않게 하려 한 것은 그의 어두운 곳이고, 사랑하는 사람이기에 부귀하게 하고자 제나라에 오래 머물게 한 것은 그의 밝은 곳이다. 좌사左師 촉룡觸龍이 인도한 것은 또한 태후의 밝은 곳을 이용한 것이니, 그런 까닭에 말을 받아들임이 메아리 같은 것이다. 사람을 가르치려는 자는 또한 이같이 해야 할 따름이다."

[68-4-3]

元城劉氏曰："嘗讀『國語』, 以謂天子聽政, 使公卿至於列士獻詩, 瞽獻曲, 史獻書, 師箴, 瞍賦, 矇誦, 百工諫, 庶人傳語, 近臣盡規, 親戚補察, 瞽史教誨, 耆艾修之, 而後王斟酌焉.

원성 유씨元城劉氏[劉安世]가 말하였다. "일찍이 『국어國語』[142]를 읽었는데 그곳에 '천자가 정사를 처리할 때 공경公卿(三公과 九卿)에서 열사列士(上士 · 中士 · 下士의 통칭)까지는 시를 (천자에게) 바치고, 소경의 악

돌았으나 감히 옛날처럼 객기를 부리는 자가 없었다. 그리하여 한고조는 "내가 오늘에야 황제의 존귀함을 알게 되었노라.(吾迺今日知爲皇帝之貴也.)"라고 하였다. 고조가 태자를 바꾸고자 하였을 때 반대하는 말을 두 차례나 하며, "폐하께서 기어코 적자를 폐하고 어린 아들을 세우고자 하신다면 신은 원컨대 먼저 목이 베어져 저의 피가 땅을 더럽히기를 원하옵니다.(陛下必欲廢適而立少, 臣願先伏誅, 以頸血汙地.)"라고 하였으나 받아들여지지 않았다.(『史記』 권99 「叔孫通傳」)

141 趙王太后가 자신의 … 사랑하여 : 조나라 孝成王이 막 등극하여 왕태후가 정사를 주장하였는데, 秦나라가 침략하여 세 고을이 함락되었다. 조나라 대신들이 齊나라에 援兵을 청하고자 하였다. 그러나 제나라는 왕태후의 막내아들 장안군을 제나라에 볼모로 보내줄 것을 요청하였다. 대신들이 모두 장안군의 볼모를 청하였으나 왕태후는 "다시 장안군의 볼모에 대해 말하는 자에게는 내가 그의 얼굴에 침을 뱉겠다.(復言長安君為質者, 老婦必唾其面.)"고 하였다. 이때 좌사 촉룡이 왕태후를 뵙기를 청하였다. 먼저 자신의 막내아들이 나이 15세이니 자신이 죽은 뒤 궁중의 호위 무사로 뽑아주기를 부탁하며 자식 사랑에 대한 얘기로 태후의 마음을 누그러뜨렸다. 그러고서 "'지금으로부터 3왕 이전의 조나라 군주 자손으로 侯에 봉해진 자가 대를 잇고 있는 자가 있습니까?' 하고 묻자, 태후가 '없다.' 하자, '다만 조나라만이 아니고 제후들 나라에라도 있습니까?' 하니, '늙은 아낙이 듣지 못하였노라.' 하였다. '이는 가까이는 재앙이 그의 몸에 미치거나 멀게는 그들 자손에 미쳐서입니다. 어찌 군주의 아들이 후에만 봉해지면 못된 짓을 저질러서이겠습니까? 지위가 높은데 공이 없고, 받들어 봉양하는 것은 많은데 공로가 없고, 보물을 잔뜩 가지고 있어서입니다. 지금 태후께서 장안군의 지위를 높여주어 기름진 땅을 봉해주고, 보물을 잔뜩 주었습니다. 지금 만일 나라에 공훈을 세우게 함이 없이 하루아침에 태후께서 세상을 뜨신다면 장안군이 무엇으로 조나라에 자신을 의탁할 수 있겠습니까? 늙은 신하가 태후의 장안군에 대한 계책이 모자라다고 생각하는 까닭입니다.'(曰'今三世以前, 至於趙主之子孫為侯者, 其繼有在者乎?' 曰'無有.' 曰'微獨趙, 諸侯有在者乎?' 曰'老婦不聞也.' 曰'此其近者禍及其身, 遠者及其子孫. 豈人主之子侯則不善哉? 位尊而無功, 奉厚而無勞, 而挾重器多也. 今媼尊長安君之位, 而封之以膏腴之地, 多與之重器. 而不及今令有功於國, 一旦山陵崩, 長安君何以自託於趙? 老臣以媼為長安君之計短也.')"라고 하자, 태후는 장안군의 볼모를 허락하였다.(『史記』 권43 「趙世家」)

142 『國語』: 『國語』 周語에서 召公이 백성의 간하는 말을 막는 厲王을 간한 말속의 한 구절이다. 여기에 인용된 『國語』의 번역은 『國語』 韋昭의 주석을 따랐다.

관瞽은 (천자에게) 음악을 바치고, 외사外史는 옛 전적을 (천자에게) 바치고, 사師(악관 가운데 小師)는 잠언箴言을 (천자에게) 바치고, 눈동자 없는 소경은 완곡하게 간하는 시를 (천자에게) 바치고, 눈동자 있는 소경은 잠언을 (천자에게) 외우고, 각종 장인匠人은 간하는 말을 (천자에게) 올리고, 서민은 거리의 여론을 사람을 통해 (천자에게) 전달하고, 근신은 마음을 다해 (천자를) 바로잡고, 친척은 정사의 잘못을 바로잡아 살피고, 소경의 태사太師와 태사太史는 음양과 천시天時와 예법을 (천자에게) 가르치고, 연령이 높은 사부는 태사와 태사太史의 가르침을 보살피니, 이렇게 한 뒤에 왕이 이것들을 취하여 행한다.'고 하였다.

是三代之前, 上則公卿大夫朝夕得以納忠, 下則百工庶民猶執藝事以諫, 故忠言嘉謀日聞於上, 而天下之情, 無幽不燭, 無遠不通, 所爲必成, 所擧必當者, 諫諍之効也. 後世之士不務獻納於君, 而多爲自全之謀, 正論遠猷, 鮮有入告. 於是設員置職, 而責之以諫矣. 夫進言者日益少, 而聽言者不加勤. 此天下之治, 所以終愧於先王之盛時也."[143]

이는 삼대 이전에 위로는 공경대부가 아침저녁으로 충성된 말을 할 수 있고, 아래로는 각종의 장인과 서민들이 여전히 자신들이 하는 일을 가지고 간한 까닭에 충성된 말과 아름다운 계책이 날마다 군주에게 전하여져, 천하의 정황이 어둔 곳의 일도 밝게 드러나지 않음이 없고, 먼 지역도 통하지 않음이 없어, 하는 것마다 반드시 이뤄지고 등용하는 사람마다 반드시 마땅한 사람인 것은 간쟁의 효험이다. 후세 사람은 군주에게 말을 올리는 일에 힘쓰지 않고 대부분 자신만 온전히 하려는 계책을 행하여, 바른 주장과 원대한 책략이 말하여지는 일이 적다. 이에 관원을 새로 두고 관직을 설치하여 간하는 말을 책임 지웠다. 그런데도 말을 하려는 자는 날로 줄고 말을 들으려는 자는 더더욱 노력하지 않는다. 이것이 천하의 정치가 끝내 선왕의 융성했던 시절보다 부끄러워진 까닭이다."

[68-4-4]

華陽范氏曰: "人臣諫而不聽, 則當去位. 苟不能彊諫, 而視其君之過擧, 至於天下咸怨, 其臣則曰非我不諫, 君不能用我也. 始則擇利以處其身, 終則引謗以歸於君, 此不忠之大者也."[144]

화양 범씨范祖禹가 말하였다. "신하가 간하는 말을 받아들이지 않으면 당연히 떠나야 한다. 진정 강하게 간하지 않고, 군주의 잘못된 행위를 바라보다가 천하가 모두 원망하기에 이르면, 그 신하는 '내가 간하지 않아서가 아니고 군주가 내 말을 써주지 않았다.'고 말한다. 처음에는 이로운 쪽을 선택하여 처신하고, 나중에 비방을 끌어다가 군주에게 돌린 것이니, 이는 불충 가운데서도 큰 것이다."

[68-4-5]

"國之將興, 必賞諫臣; 國之將亡, 必殺諫臣. 故諫而受賞者, 興之祥也; 諫而被殺者, 亡之兆

143 『盡言集』 권13 「論鄧溫伯差除不當」 제4
144 『唐鑑』 권8 「玄宗上 · 開元 2년」 정월

也. 天下如人之一身. 夫身必氣血周流無所壅底, 而後能存焉. 諫者使下情得以上通, 上意得以下達, 如氣血之周流於一身也. 故言路開則治, 言路塞則亂. 治亂者, 繫乎言路而已."[145]

(화양 범씨가 말하였다.) "나라가 일어나려면 반드시 간하는 신하를 상주고, 나라가 망하려면 반드시 간하는 신하를 죽인다. 그러므로 간하는 자가 상을 받는 것은 나라가 일어나려는 상서이고, 간하는 자가 죽임을 당하는 것은 나라가 망하려는 조짐이다. 천하는 사람의 한 몸과 같다. 몸은 반드시 기운과 피가 두루 돌고 돌아 막힌 곳이 없은 다음이라야 존재할 수 있다. 간하는 사람은 백성의 마음을 위로 전달되게 하고 군주의 뜻을 백성들에게 전달되게 하는 일을, 기운과 피가 한 몸에 두루 돌고 도는 것 같이 해야 한다. 언로言路가 열리면 다스려지고 언로가 막히면 어지러워진다. 다스려지고 어지러워지는 것은 언로에 달렸을 따름이다."

[68-4-6]

五峯胡氏曰 : "事物之情, 以成則難, 以毁則易. 足之行也亦然, 升高難, 就卑易 ; 舟之行也亦然, 泝流難, 順流易. 是故雅言難入, 而淫言易聽 ; 正道難從, 而小道易用. 伊尹之訓太甲曰, '有言逆于汝心, 必求諸道 ; 有言遜于汝志, 必求諸非道.' 蓋本天下事物之情而戒之耳, 非謂太甲質凡, 而故告之以如是也. 英明之君, 能以是自戒, 則德業日新, 可以配天矣."[146]

오봉 호씨[胡宏]가 말하였다. "사물의 정세는 이루기는 어렵고 무너뜨리는 것은 쉽다. 발로 걷는 것도 역시 그러해서 높은 곳을 오르기는 어렵고 낮은 곳으로 내려가기는 쉬우며, 배가 가는 것도 역시 그러해서 물결을 거슬러 오르기는 어렵고 물결을 따라 내려가기는 쉽다. 그러므로 우아한 말은 받아들이기 어렵고 음탕한 말은 따르기 쉬우며, 정도正道는 따르기 어렵고 사특한 도리는 채용하기 쉽다. 이윤伊尹이 태갑太甲을 가르쳐, '어떤 말이 너의 마음에 거슬리면 반드시 도에 맞는 말인지 찾아보고, 어떤 말이 너의 뜻에 부드럽거든 반드시 도가 아닌 말인지 찾아보라.'[147]고 하였다. 천하 사물의 정황에 바탕하여 경계한 것일 뿐이고, 태갑의 타고난 바탕이 보통의 자질이었던 까닭에 이 말을 해준 것은 아니다. 영명한 군주가 능히 이 말로 자신을 경계한다면 마음의 덕과 행하는 일이 날로 새로워져 하늘과 짝을 이룰 수 있을 것이다."

[68-4-7]

朱子曰 : "內自臣工, 外及甿庶, 有能開寤聖心, 指陳闕政者, 無間疎賤, 使咸得以自通. 然後差擇近臣之通明正直者一二人, 使各引其所知有識敢言之士三數人, 寓直殿門. 凡四方之言, 有來上者, 悉令省閱, 擧其盡忠不隱者, 日以聞于聰聽, 則夫天人之際,[148] 將有粲然畢陳於前者.

145 『唐鑑』 권1 「高祖上 · 隋 武德 원년」 5월

146 『知言』 권3

147 '어떤 말이 … 찾아보라.' : 『書經』「商書 · 太甲下」

148 則夫天人之際 : 『朱文公文集』 권13 「辛丑延和奏劄一」에는 이 문장 다음에 '譴告所繇' 네 글자가 더 있다.

然後兼總條貫，稱制臨決，晝爲科品，以次施行."[149]

주자가 말하였다. "조정의 신하로부터 밖의 서민들까지 군주의 마음을 깨우쳐 잘못된 정치를 말할 수 있는 자가 있으면, 소원하고 천한 사람을 가리지 말고 모두 스스로 말할 수 있게 해주어야 한다. 그 뒤에 근신 가운데 통명하고 정직한 한두 사람을 가려, 각기 자신이 알고 있는 식견 있고 용감하게 말하는 인물 서너 사람을 이끌고 궁궐 문에 머물러 당번을 서게 해야 한다. 사방에서 말이 올라오면 모두 살피고 열람해서, 그 가운데 충성을 다해 숨기지 않은 자를 가려서 날마다 말씀드려 듣게 한다면, 하늘과 인간 사이의 일이 환하게 천자의 눈앞에 모두 펼쳐지게 될 것이다. 그 다음 조리와 체계를 모두 총괄해서, 정사를 잡아 친히 결제하고, 낱낱의 등급을 획정하여 차례차례 시행해야 한다."

[68-4-8]

問淵源錄折柳事. 程伊川在經筵，一日講罷未退，哲宗忽起憑檻戲折柳枝. 進曰，'方春發生，無故不可摧折.' 曰："有無不可知. 但劉公非妄語人，而春秋有傳疑之法，不應遽削之也. 且伊川之諫，其至誠惻怛，防微慮遠，旣發乎愛君之誠. 其涵養善端，培植治本，又合乎告君之道，皆可以爲後世法. 而於輔導少主，尤所當知. 至其餘味之無窮，則善學者雖以自養可也."[150]

『연원록淵源錄』[151]의 버드나무가지를 꺾은 일[152]에 대해 물었다. 정이천程伊川[程頤]이 경연에서 벼슬할 무렵,

149 『朱文公文集』 권13 「辛丑延和奏劄一」

150 『朱文公文集』 권35 「答呂伯恭論淵源錄」

151 『淵源錄』: 주자가 편찬한 『伊洛淵源錄』을 이른다. 주자의 친구 여조겸이 주자가 편찬 중인 『연원록』에 이천의 이 고사가 실린 것을 보고서 편집에서 빼는 것이 좋을 것으로 의견을 말한 듯하다.

152 버드나무가지를 꺾은 일: 이 고사는 馬永卿이 편찬한 『元城語錄解』 권上에 실린 기사를 두고 한 말이다. 元城은 劉安世이다. 『元城語錄解』에 실린 말을 번역하면 다음과 같다. "선생(마영경)이 말했다. '신하가 군주에게 말씀을 올릴 적에 당연히 그 군주가 해낼 수 있으면 말을 하고, 만일 너무 다그치는 말 같으면 입을 닫아야 한다. 혹여 하루아침에 일이 틀어지면 그 화는 반드시 크기 마련이다. 평일에 넌지시 운을 띄워 너무 심하지 않음이 되게 하는 좋음만 못하다. 哲宗이 처음 학문에 뜻이 굳었다. 어느 날 경연 공부가 끝난 조그만 정각에 茶가 내려졌다. 철종께서 일어나 버드나무가지 하나를 꺾으셨는데 그 자리의 경연 신하는 老儒(이천을 지칭함)였다. 일어나 간하기를 「바야흐로 봄이라서 만물이 자라고 꽃을 피우니 아무 까닭 없이 꺾는 것은 옳지 않습니다.」라고 하였다. 철종이 버드나무가지를 던져버리는데 낯빛이 못마땅하였다. 老先生(유안세의 스승인 司馬光)이 들으시고 언짢게 제자들에게 「군주가 유생을 친근히 할 수 없게 한 것이다.」고 하였다.(先生曰, '人臣進言於君, 當度其能爲即言之, 若太迫蹙闔閉. 或一旦決裂, 其禍必大. 不若平日雍容以諷之, 使無太甚可也'. 哲廟初銳意於學. 一日經筵講畢, 於一小軒中賜茶. 上因起折一柳枝, 其中講筵臣乃老儒也. 起諫曰, 「方春萬物生榮, 不可無故摧折」. 哲宗擲之, 其色不平. 老先生聞之不悅, 謂門人曰, 「使人主不欲親近儒生.」')" 이를 두고 시비가 일어나 이천에게 있지 않은 일이란 주장이 일어나기도 하였다. 그러나 이 일은 주자가 편찬한 「이천선생연보」에도 철종 2년에 이천이 崇政殿 說書로 있을 때 일어난 일로 실려 있다. 시비하는 사람은 『元城語錄解』를 사고전서 속에 편집하며 쓴 提要에 이렇게 말하고 있다. "이 『元城語錄解』에 정자가 버드나무가지를 꺾은 것을 간한 일은 헛말이라 주장하며, 정자가 설서에 임명된 것이 3월과 4월 두 달인데 거듭 사양하는 면직 상소를 두 차례나 올렸다. 4월 상순은 풀이 자랄 때가 아니라고 운운한다.

어느 날 경연이 끝나 아직 물러나지 않았는데 철종哲宗이 갑자기 일어나더니 헌함軒檻에 몸을 기대고 장난스럽게 버드나무를 꺾었다. 이천이 나아가 '한창 봄날에 자라는데 아무 까닭 없이 꺾는 것은 옳지 않습니다.'라고 하였다.

(주자가) 대답하였다. "사실 유무는 알 수 없다. 다만 유공劉公[153]이 함부로 말하는 사람도 아니고, 『춘추』는 '의심나는 일은 의심나는 대로 전하는 법'[154]이 있으니, 당연히 선뜻 없앨 수도 없다. 또 이천이 간한 말은 지극한 정성과 애틋함이, 잘못을 싹에서 자르고 먼 후일을 염려한 것이니, 이미 군주를 사랑하는 정성에서 발로한 것이다. 선한 단서를 함양하고 정치의 근본을 배양한 것이니, 또 군주에게 고하는 도리에 합당하여 모두 후세의 법이 될 만하다. 어린 군주를 보필하여 인도하면서는 더더욱 당연히 알아야 할 일이다. 무궁하게 풍기는 의미에 있어선, 공부를 잘하는 자라면 이로써 자신을 수양해도 좋을 것이다."

[68-4-9]

南軒張氏曰 : "某每登對, 必先自盟其心曰, '切不可見上喜, 便隨順將去. 恐一時隨順, 後來收拾不得'. 上嘗曰, '伏節死義之臣難得'. 某對曰. '陛下未得所以求之之道'. 上曰, '何如?' 曰, '當於犯顔敢諫中求, 則臨事可以得伏節死義之士矣. 若平時不能犯顔敢諫, 他日安能望其伏節死義乎?'"[155]

남헌 장씨가 말하였다. "나는 군주에게 나아갈 때마다 반드시 먼저 내 마음에 맹세하기를, '군주가 기뻐하는 것을 보고 절대로 순하게 따라가서는 안 된다. 한때 순히 따랐다가는 후일 수습할 길이 없게 된다.' 라고 한다. 천자께서 한번은 '절의에 죽는 신하를 얻기 어렵다.'고 하시기에 내가 '폐하께서 찾는 방법을 얻지 못해서입니다.'라고 대답하였더니, 상께서 '어떤 것이냐?' 하시기에, '당연히 면전에서 용감히 간하는 사람 가운데서 찾으시면, 일에 임하여 절의에 죽는 인재를 얻을 것입니다. 만일 평소 면전에서 용감하게 간하지 못한다면 훗날 절의에 죽기를 어떻게 바랄 수 있겠습니까?'라고 하였다."

그러나 4월 상순이면 3월과 서로 얼마 차이라고, 이를 고집해서 '한창 봄날에 만물이 자라니 꺾는 일은 옳지 않다.'는 말은 절대 없었다고 단정한다면, 강변이지 옳은 이치가 아니다.(又論其記程子諫折柳事爲虛, 謂程子除說書, 在三月四月二月, 方再具辭免. 四月上旬, 非發生之時云云. 然四月上旬, 與三月相去幾何, 執此以斷必無方春萬物發生不可戕折之語, 則强辨, 非正理矣.)" 『近思錄集註附說』의 이천선생 조에서 茅星來는 "어떤 사람은 '송나라의 경연 제도가 매우 엄숙하여 아마도 이런 일은 없었을 것이다.'고 하니 옳은 듯하다.(或云, 國朝講筵儀制甚肅, 恐無此事, 則得之矣.)"고 하였다.

153 劉公 : 劉安世를 이른다. 마영경이 엮은 유안세의 어록 『劉諫議語錄』에 이 말이 기록되었다.

154 '의심나는 일은 … 법' : 자신이 의심이 들면 이를 남에게 전할 때 의심나는 대로 전한다는 말이다. 『穀梁傳』 「莊公 7년」 기사에 "『春秋』는 분명한 일은 분명하게 전하고, 의심난 일은 의심난 대로 전한다.(『春秋』著以傳著, 疑以傳疑.)"고 하였다.

155 이 기사는 여러 곳에 남헌의 말로 인용되어 있다. 그러나 이 문장과 유사한 곳은 『資治通鑑後編』 권125 「宋紀 125 · 淳熙 7년」 2월 기사인 "每進對, 必自盟于心, 不可以人主意, 輒有所隨順. 帝嘗言仗節死義之臣難得, 栻對當於犯顔敢諫中求之, 若平時不能犯顔敢諫, 他日何望其仗節死義." 이것 뿐이다.

[68-4-10]

"武昭儀稱制, 長孫無忌欲諫, 褚遂良曰, '公, 國之元舅, 諫而得罪, 使上有殺元舅之名. 不如遂良先諫, 諫而不從, 公却繼之'. 遂諫至於棄笏, 此非不美也. 然費了多少氣力, 終亦不成事. 孰若高宗初幸尼寺, 取才人入宮之時, 大臣一言可去矣? 大凡事, 豈可不辨於幾微, 小處放過, 却來大處旋爭, 無益矣?"

(남헌 장씨가 말하였다.) "무소의武昭儀가 칭제할 때[156] 장손무기長孫無忌가 간하고자 하자, 저수량褚遂良이 '공은 천자의 큰 외숙이니[157] 간하다가 죄를 얻게 되면 군주가 큰 외숙을 죽였다는 이름이 남습니다. 수량이 먼저 간하느니만 못하니 간하는 말을 따르지 않으면 공께서 바로 이어 말씀하십시오.'라고 하였다. 마침내 간하다가 홀을 버리는 데까지[158] 이르렀으니, 이 일이 아름답지 않은 것은 아니다. 그러나 많은 힘을 쏟았으나 끝내 또한 일은 이뤄지지 않았다. 고종이 처음 비구니의 절에 행행하여 재인才人을 선발해 입궁할 때, 대신이 말 한마디로 제거할 수 있었던 것만 하겠는가? 일을 기미에서 판단하지 못해, 조그마할 때 방심하였다가 일이 커져서야 마음을 바꾸어 간하는, 도움 되지 않는 짓을 해서야 어찌 되겠는가?"

[68-4-11]

東萊呂氏曰 : "自古進言於君者, 必以責難爲恭. 蓋宴安之適, 聲色之娛, 瓌麗之玩, 畋游之佚, 實爲治之大蠹. 其樂難捨, 其惑難移, 忠臣義士乃冒萬死而欲奪其君之所嗜, 此自古及今所共謂之責難也."[159]

156 武昭儀가 칭제할 때 : 측천무후를 이르는 말. 측천무후의 이름은 曌(조). 나이 14세 때 태종의 才人이었다가 태종이 죽자 출가하여 승려가 되었다. 태종을 계승한 高宗이 태종의 제삿날 香을 올리려 절을 찾았다가 나중에 측천무후가 된 이 여인을 발견하고 데려다 後宮으로 삼고, 이내 소의에 봉하였다. 이어 王황후를 폐위하고 무소의를 황후로 삼았다. 고종이 늘 병으로 정사를 돌보지 못하여 측천무후에게 정사를 대신 결재하게 하자, 세상에서는 '두 천자[二聖]'라 불렀다. 고종이 죽자 조정에 나와 칭제하며, 고종을 이어 등극한 아들 중종을 여릉왕으로 강등시켜 내쫓고, 이어 睿宗(고종의 아들)을 등극시켰으나 정사에 참여시키지 않고 전횡하였다. 天授 원년(서기 690년)에 聖神皇帝를 자칭하며 周나라를 세우고, 예종을 皇嗣로 삼아 무씨 성을 하사하여 쓰게 하였다. 이어 무씨의 조상 7대의 사당을 세우기도 하였다. 16년을 군림하다 神龍 원년(서기 710년) 정월에 당시 나이 83세로 병이 들자 張易之와 張昌宗이 병을 살핀다며 내전에 들어 모반을 꾀하자 장간지 등이 좌우 左右羽林軍을 거느리고 이들 형제를 측천무후가 보는 앞에서 죽이고, 측천무후는 上陽宮으로 옮겨 거처하게 하였다. 중종이 이 거사에 참여하여 바로 잃었던 황제위를 되찾았다. 측천무후는 이해 11월에 병으로 죽었다.(『舊唐書』; 『新唐書』, 「高宗本紀」; 「則天皇后本紀」)

157 공은 천자의 … 외숙이니 : 장손무기는 태종의 황후 文德皇后와 형제 사이이다.

158 마침내 간하다가 … 데까지 : 『舊唐書』 권80 「褚遂良傳」에 고종이 왕황후를 폐위하고 무소의를 세우고자 하자 수량이 그 잘못을 간하다가 마지막에 이르러 생명을 버리겠다며 다음과 같이 하였다. "수량이 홀을 고종이 앉아있는 섬돌에 돌려드리며 '폐하가 주신 홀을 돌려드립니다.' 하고서 머리에 쓰고 있던 건을 벗어놓고 섬돌에 머리를 짓찧자 이마에서 피가 흘렀다. 고종이 대노하여 저수량을 끌어내게 하였다.(遂良致笏於殿陛, 曰 '還陛下此笏.' 仍解巾叩頭流血, 帝大怒令引出.)"

동래 여씨[呂祖謙]가 말하였다. "옛날부터 군주에게 진언하는 사람은 반드시 어려운 일을 책임 지우는 일을 공손함으로 삼는다.[160] 일락의 편안함, 성색의 오락, 진기하고 화려한 완구, 사냥의 즐거움은 실제 정치 행위에 큰 해악이다. 그 즐거움은 내버리기 어렵고 그 의혹은 바꾸기 어려워 충신과 의사義士가 마침내 만 번 죽기를 무릅쓰며 군주의 기호를 없애려 들었으니, 이것을 옛날부터 지금까지 어려운 일을 책임 지우는 일이라고 함께 말한다."

[68-4-12]

"大凡爲人須識綱目. 辭氣是綱, 言事是目. 言事雖正, 辭氣不和亦無益. 自古亂亡之國, 非無敢言之臣. 旣殺其身, 國亦從之, 政坐此耳."[161]

(동래 여씨가 말하였다.) "사람은 모름지기 강령과 조목을 알아야 한다. 말씨는 강령이고 일에 대한 말은 조목이다. 일에 대한 말이 바르더라도 말씨가 온화하지 않으면 또한 도움이 되지 못한다. 예로부터 혼란에 빠져 망하는 나라에 용감히 말하는 신하가 없었던 것이 아니다. 자신 한 몸을 죽이고서 나라 또한 따라 망하는 것은 바로 이러해서다."

[68-4-13]

"諫之道有三難焉, 曰遠, 曰踈, 曰驟. 遠則勢不接, 踈則情不通, 驟則理不究, 其言之不行也, 固也. 彼周設師氏之官, 淵乎其用意之深乎! 師氏之官, 實居虎門之左, 而詔王以媺者也. 其勢近, 其情親, 其言漸, 若江海之浸, 膏澤之潤, 日加益而不知焉. 周公之設官三百六十, 官必掌一事, 事必寓一意, 而師氏獨列地官之屬, 實周公致意之深者. 想夫成周之隆, 出入起居同歸於欽, 發號施令同歸於臧者, 師氏抑有助焉. 昔周太史辛甲命百官箴王闕, 而虞人之箴獨傳. 竊意師氏之所獻, 必反復紬繹, 辭順意篤, 足以爲百代箴規之法. 然求之於蠹書漆簡之中, 雖斷章片辭, 邈不可得, 是可歎已."[162]

(동래 여씨가 말하였다.) "간하는 도리에 세 가지 어려움이 있으니, 멂, 소원함, 갑작스러움이다. 멀리 있으면 형세상 만나기 어렵고, 소원하면 마음이 통하지 않고, 갑작스러우면 이치가 규명되지 않으니 하는 말이 받아들여지지 않음은 당연하다. 주周나라가 사씨師氏 벼슬[163]을 둔 것은 그 마음 씀의 깊이가 깊다. 사씨 벼슬에 오른 사람은 실지로 호문虎門[164]의 왼쪽에 거처하며 왕에게 아름다운 것들을 말씀드리

159 『東萊集』 권3 「乾道六年輪對劄子二首」

160 어려운 일을 … 삼는다. : 『孟子』 「離婁上」에서 맹자가 "군주에게 어려운 일을 책임 지우는 것을 공손이라 하고, 선한 것을 말씀드리고 사악한 것을 막는 것을 공경이라 하고, 우리 군주는 할 수 없다고 하는 것을 해치는 것이라 한다.(責難於君謂之恭, 陳善閉邪謂之敬, 吾君不能謂之賊.)"고 하였다.

161 『東萊外集』 권6 「門人周公謹介所記」

162 『東萊外集』 권4 「周師氏箴」

163 師氏 벼슬 : 『周禮』 「地官 · 師氏」에서 사씨는 "왕에게 아름다운 일을 아뢰는 일을 관장한다.(掌以媺詔王.)"고 하였다.

는 사람이다. 그 형세가 가깝고, 그 정리가 친하고, 그 말이 차츰차츰 변해 강물과 바닷물이 젖어들고 기름기의 윤기가 번지 듯 날마다 더 보태져도 자신이 그것을 알지 못한다. 주공周公이 벼슬 360개를 만들고,[165] 벼슬마다 반드시 한 가지 일을 관장시키고, 일마다 반드시 한 가지 뜻을 담았는데, 사씨를 유독 지관地官의 관속[166]으로 배열시킨 것은 실제 주공이 깊은 생각을 쏟은 것이다. 생각건대 성주成周[167]가 융성했던 시절, 출입하고 기거하는 것을 모두 공경[欽]에 집중했고, 호령을 발령하는 것을 모두 선함에 집중했는데 사씨의 도움이 그 속에 있다. 예전 주나라 태사太史 신갑辛甲이 백관들에게 왕의 잘못을 경계하게 하였는데, 우인虞人이 경계한 말이 홀로 전해진다.[168] 아마도 사씨가 올린 말들은 반드시 반복해 거듭되며, 말도 순하고 뜻도 독실하여, 백대에 권계하고 간하는 말의 법도가 되기에 충분하였을 것이다. 그러나 좀먹은 책이나 옻칠한 죽간들을 뒤적여도 끊어진 한 구절이나 한 마디 말도 아득히 찾을 수 없으니 한탄스럽다."

[68-4-14]

西山眞氏曰：“天下之務至廣也，軍國之機至要也. 雖明主聽斷，賢相謀議，思慮之失，亦不能免. 一失，則爲害不細，必藉忠良之士諫正. 夫忠良之士，論治體，補國事，乃其志爾. 能密有所助，則亦志伸而道行，豈必彰君過，而取高名哉? 當君相議事之際，使諫官預聞，得以關說，或有闕失，從而正之. 天下但覩朝政之得宜，不知諫者之何言. 上下誠通，國體豈不美乎?

서산 진씨[眞德秀]가 말하였다. "천하의 일은 지극히 넓고, 군대를 통솔하고 나라를 다스리는 기틀은 지극히 중요하다. 밝은 군주가 말을 들어 결정을 내리고, 현명한 재상이 계책을 세우더라도 생각의 실수가 또한 없을 수 없다. 한번 실수를 빚으면 그 해는 적지 않아, 반드시 충성스럽고 선량한 인재가 간하여 바로잡는 도움을 받아야 한다. 충성스럽고 선량한 인재는 치국治國의 강령을 논하고 국가 일을 돕는 것이 그들의 뜻일 뿐이다. 은밀히 잘 돕게 되면 또한 자신의 뜻이 펼쳐지고 도가 행해지는데, 왜 꼭 군주의 과실을 드러내서 높은 명성을 얻으려 하겠는가? 군주와 재상이 일을 논의할 즈음에 간관을 참석시켜 들을 수 있게 하고 말할 수 있게 하며, 혹여 잘못이 있을 경우 바로 바로잡게 해야 한다. 천하는 다만 조정 정치가 마땅하게 행해지는 것만 보게 되어, 간하는 자가 어떤 말을 했는지는 모를 것이다.

164 虎門 : 왕궁의 路寢의 문을 이르는 말. 『周禮』「地官・師氏」에 "(사씨는) 호문의 왼쪽에 거처하며 왕의 조정을 살핀다.(居虎門之左, 司王朝.)"고 하였는데 鄭玄은 "호문은 노침의 문이다. 왕이 날마다 노침에서 조회를 보는데 노침 밖에 호랑이 그림을 그려 용맹을 밝히고 마땅함을 지키게 하였다.(虎門, 路寢門也. 王日視朝於路寢, 門外畫虎焉, 以明勇猛, 於守宜也.)"라고 하였다. 노침은 왕이 정사를 보는 정청이다.

165 周公이 벼슬 … 만들고 : 『周禮』가 360개의 벼슬로 구성된 것을 말함. 『周禮』는 주공의 저술로, 「天官」・「地官」・「春官」・「夏官」・「秋官」・「冬官」의 여섯 부분으로 편성하고 그 밑에 각각 60개 벼슬을 배당하였으므로 360개 벼슬이 되었다.

166 地官의 관속 : 『周禮』에서 지관은 "이에 지관 사도를 두어 관속을 거느리고 나라 교육을 관장하여 왕을 도와 나라를 편안히 다스려지게 한다.(乃立地官司徒, 使帥其屬而掌邦教, 以佐王安擾邦國.)"고 하였다.

167 成周 : 주공이 성왕을 보필했던 주나라의 융성한 시대를 이르는 말

168 주나라 太史 … 전해진다. : 『春秋左傳』「襄公 4년」에 기사가 전한다.

군주와 신하가 참으로 통한다면 나라의 체통이 왜 아니 아름답겠는가?

況大臣論事, 以諫官規正於人君之前, 安有不公之議? 玆亦制御大臣, 使之無過之術爾. 若以諫官小臣, 不可預聞國議, 必衆知闕失, 方許諫正, 事或已行而不可救, 過或已彰而不可言. 故剛直之臣有激訐不顧以爭之者, 君從之, 猶掩其過. 君或不從, 則君之過大, 臣之罪愈大矣."[169]

하물며 대신이 일은 논할 적에 간관이 군주의 면전에서 바로잡는다면 어찌 공정하지 않은 논의가 있을 수 있겠는가? 이는 또한 대신을 통제하여 잘못이 없게 하는 방법이기도 하다. 만일 간관을 소신이라는 까닭으로 국사를 논하는 자리에 참석시켜 듣지 못하게 하고, 반드시 뭇사람이 잘못을 알게 되어서야 비로소 간하여 바로잡도록 허락하면, 일이 혹 이미 시행되어 구제할 수 없고 잘못이 혹여 이미 드러나 말할 수 없을 수 있다. 그리하여 강직한 신하가 과격하게 잘못을 들춰낸다는 잘못을 돌아보지 않고 간쟁하는 경우가 있으면, 군주가 따르면서도 여전히 허물을 숨기려 든다. 군주가 혹여 따르지 않으면 군주의 허물은 더 커지고 신의 죄도 더욱 커진다."

[68-4-15]

"君子小人之分, 義利而已矣. 君子之心純乎爲義, 故其得位也將以行其道; 小人之心純乎爲利, 故其得位也將以濟其欲. 二者操術不同, 故所以道其君者亦異. 夫爲人君者, 受諫則明, 拒諫則昏. 明則君子得以自盡. 昏則小人得以爲欺. 故爲君子者, 惟恐其君之不受諫. 爲小人者, 惟恐其君之不拒諫. 彼小人者, 豈以受諫爲不美哉? 蓋正論勝則邪說不容, 公道行則私意莫逞. 故其術不得不出諸此."[170]

(서산 진씨가 말하였다.) "군자와 소인이 나뉘는 것은 의리인가 이익인가일 뿐이다. 군자의 마음은 순수하게 의리를 행하려는 까닭에 지위를 얻었을 때 자신의 도를 행하려 하고, 소인의 마음은 순수하게 이익만을 위하려는 까닭에 지위를 얻었을 때 자신의 욕심만 이루려 든다. 두 사람은 간직한 마음과 책략이 같지 않은 까닭에 군주를 인도하는 것 역시 다르다. 군주가 간하는 말을 수용하면 지혜가 밝아지고 간하는 말을 거절하면 어두워진다. 밝아지면 군자가 자신의 뜻을 모두 펼 수 있고 어두워지면 소인이 속임수를 행하게 된다. 그런 까닭에 군자는 군주가 간하는 말을 받아들이지 않을까 걱정하고 소인은 군주가 간하는 말을 거절하지 않을까 두려워한다. 저들 소인이 (군주가) 간하는 말을 수용하는 것을 왜 아름답게 생각지 않겠는가? 그것은 바른 주장이 이기면 사악한 말이 받아들여지지 않고, 공정한 도리가 행해지면 사사로운 뜻을 펼 수 없어서다. 그런 까닭에 그 책략이 이런 쪽으로 나가지 않을 수 없는 것이다."

169 이 글은 서산 진씨의 글이 아니고 孫甫의 저서인 『唐史論斷』 권상 「太宗 · 中書門下議事使諫官預聞」이라는 제목에 있는 글이다. 착오가 있는 듯하다.

170 『西山文集』 권4 「對越甲藁 · 直前奏劄」

[68-4-16]

"欲諫其君者, 必先能受人之諫. 儻在己則知盡言以諫君, 而於人則不欲盡言以諫我. 是以善責君, 而未嘗以善責己也, 其可乎哉? 故爲大臣, 必以羣下有言, 爲救己之過, 而不以爲形己之短, 以爲愛己而不以爲輕己, 以爲助己而不以爲異己. 然後可稱宰相之度矣."[171]

(서산 진씨가 말하였다.) "군주를 간하고자 하는 사람은 반드시 남이 간하는 말을 먼저 잘 받아들여야 한다. 가령 (간할 일이) 자신에게 있을 때는 말을 다해 군주에게 간할 줄 알면서, 그것이 상대에게 있는 경우는 말을 다해 나에게 간하지 않게 하려 한다. 이는 선한 일을 군주에게는 책임 지우고 선한 일을 자신에게는 책임 지우지 않는 것이니, 옳겠는가? 그러므로 대신은 뭇 아랫사람이 하는 말을 자신의 허물을 구원하려는 것으로 생각해야지 자신의 잘못을 드러내려는 것으로 생각해선 안 되며, 자신을 사랑하는 것으로 생각해야지 자신을 가볍게 여기는 것으로 생각해선 안 되며, 자신을 도와주는 것으로 생각해야지 자신과 달리하려는 것으로 생각해선 안 된다. 그런 뒤라야 재상의 도량에 걸맞을 수 있다."

[68-4-17]

魯齋許氏曰 : "後世臣子謀於君, 只說利害有如此. 以利害相恐動, 則利害不應時, 都不信了. 或者於君前說'旱災可畏, 稅課害人, 爲害不細.' 後皆無損, 再有便難說. 後來雖因此壞了天下, 也說不得. 唐懿宗爲諫驪山事, 曰'彼叩頭何足信?[172]' 此其驗也. 人只當言義理可與不可, 當與不當. 且如'天道福善禍淫', 有時而差, 是禍福亦不足信也.[173] 人只得當於義理而已, 利害一切不恤也."[174]

노재 허씨가 말하였다. "후세의 신하는 군주에게 책략을 제시하며 다만 이익과 손해가 이 같다고 말한다. 이익과 손해로 상대를 놀라 움찔하게 하면 이익과 손해가 그 말과 상응하지 않았을 때 모든 것을 불신당한다. 어떤 사람이 군주 앞에서 '가뭄으로 인한 재앙이 두려울 정도이니 세금 부과는 백성을 해치는 일이며 그 해가 적지 않습니다.'라고 하였다가, 나중에 모두다 해가 없었다면 거듭 이런 일이 발생했을 때 말하기 어려워진다. 후일 이로 인해 천하가 무너져도 또한 말을 할 수 없다. 당나라 의종懿宗이 여산驪山의 일[175]에 대해 간한 일을 두고 '저 사람이 머리를 땅에 짓찧은 것을 어찌 믿을 수 있겠나?'라고 하였으

171 『格物通』 권71 「任相下」

172 彼叩頭何足信? : 『魯齋遺書』 권2 「語錄下」에는 '彼叩頭者何足信'이라고 하였다.

173 是禍福亦不足信也. : 『魯齋遺書』 권2 「語錄下」에는 이 문장 다음에 '顔之貧賤, 跖之富壽, 人豈可爲跖之惡, 豈可以顔之貧賤, 喪其爲善之本心乎? 哭死而哀, 非爲生者也.'가 더 있다.

174 『魯齋遺書』 권2 「語錄下」

175 驪山의 일 : 이 일을 싣고 있는 여러 책들이 모두 敬宗의 일로 싣고 있다. 『唐語林』 권6에, "寶曆 연간에 경종황제가 여산에 행차하고자 하자, 간하는 자가 매우 많아 황제가 결정을 내리지 못하였다. 拾遺 張權輿가 紫宸殿에 부복하여 머리를 땅에 부딪치며 간하기를 '옛날 주나라 유왕은 여산에 행차하였다가 犬戎에게 시해당하고, 진시황은 여산에 장사하였다가 나라가 망하고, (당나라) 현종은 여산에 궁을 지었다가 안록산의 난이 일어나고, 선황제도 여산에 행차하셨다가 수명이 길지 않았습니다.'고 하자, 황제가 '여산이 이같이

니, 이것이 그 증거다. 사람은 단지 의리에 옳은지의 여부와, 합당한지의 여부를 말해야 할 뿐이다. 예컨대 '천도天道는 선한 자에게 복록을 내리고 잘못을 저지른 자에게 재앙을 내린다.'[176]고 하였지만 때로 어긋나는데, 이렇게 되면 재앙과 복록조차 또한 믿을 수 없게 된다. 사람은 다만 의리에 합당해야 할 뿐 이익과 손해를 일체 생각해선 안 된다."

法令 법령

[68-5-1]

程子曰 : "三王之法, 各是一王之法, 故三代損益, 文質隨時之宜. 若孔子所立之法, 乃通萬世不易之法. 孔子於他處亦不見說, 獨答顏回云'行夏之時, 乘殷之輅, 服周之冕, 樂則韶舞', 此是於四代中擧這一箇法式. 其詳細雖不可見, 而孔子但亦言其大法, 使後人就上修之, 二千年來亦無一人識者."[177]

정자[程頤]가 말하였다. "삼왕三王의 법은 각기 한 왕조의 법인 까닭에 삼대시절에 보태거나 줄여서 우아함과 질박을 시대에 알맞게 했다. 예컨대 공자가 세운 법은 만세에 바꾸지 못할 법이다. 공자가 다른 곳에서는 또한 말씀하지 않고 홀로 안회顏回에게만 '하나라의 역법을 행하고, 은나라의 수레를 타고, 주나라의 면류관을 쓰고, 음악은 소무韶舞를 써야 한다.'[178]고 하였는데 이는 네 왕조 가운데서 한 가지씩 법을 거론한 것이다. 그에 관한 상세함은 찾아볼 수 없고, 공자 역시 그 큰 법만을 말하여 후인들이 이를 닦게 하였는데, 2천 년 이래 또한 어느 한 사람도 이를 아는 사람이 없다."

[68-5-2]

"居今之時, 不安今之法令, 非義也. 若論爲治, 不爲則已, 如復爲之, 須於今之法度內, 處得其當, 方爲合義. 若須更改而後爲, 則何義之有?"[179]

(정자가 말하였다.) "오늘날에 살면서 오늘날의 법령에 편안해하지 못하는 것은 의리가 아니다. 만일

흉한 곳이란 말인가? 내가 당연히 저곳에 가서 경험해보겠노라.' 하였다. 이런 말이 있은 뒤 며칠이 지나 여산에서 돌아와 친한 환자에게 '머리를 땅에 짓찧은 자의 말을 어찌 믿을 수 있겠나?'라고 하였다.(寶曆中, 敬宗皇帝欲幸驪山, 時諫者至多, 上意不決. 拾遺張權輿伏紫宸殿下叩頭諫曰, '昔周幽王幸驪山為戎所殺, 秦始王葬驪山國亡, 明皇帝宮驪山而禄山亂, 先皇帝幸驪山而享年不長.' 帝曰'驪山若此之凶耶? 我宜往以驗彼'. 言後數日, 自驪山回, 語親倖曰, '叩頭者之言, 安足信哉?')"고 하였다.

176 '天道는 … 내린다.' : 『書經』「湯誥」

177 『河南程氏遺書』 권17

178 '하나라의 역법을 … 한다.' : 『論語』「衛靈公」

179 『河南程氏遺書』 권2상

정치 집행을 논한다 해도 정치를 않으면 그만일까 만일 하기로 든다면 모름지기 오늘날 법도 안에서 조치가 합당해야 비로소 의리에 합치할 것이다. 만일 반드시 (법을) 바꾸어야 할 수 있다면 무슨 의리가 있겠는가?"

[68-5-3]

"古之人重改作. 變政易法, 人心始以爲疑者, 有之矣. 久而必信, 乃其改作之善者也. 始旣疑之, 終復不信, 而能善治者, 未之有也."[180]

(정자가 말하였다.) "옛사람은 고치는 일을 어렵게 생각하였다. 정치를 바꾸고 법령을 고치면 사람들 마음이 처음에는 의심한다. 오랜 시간이 지나 굳게 믿어야 비로소 잘 고친 것이다. 처음에 이미 의심받았고 끝까지 다시 믿음을 사지 못하고서도 잘 다스린 사람은 없다."

[68-5-4]

"爲政必立善法, 俾可以垂久而傳遠. 若後世變之, 則末如之何矣."[181]

(정자가 말하였다.) "정치를 하려면 반드시 선한 법령을 만들어 오래도록 유전되고 먼 훗날까지 전해져야 한다. 후세에 바꾸는 것은 어쩔 수 없다."

[68-5-5]

龜山楊氏曰 : "立法要使人易避而難犯. 至於有犯, 則必行而無赦, 此法之所以行也."[182]

구산 양씨楊時가 말하였다. "법령을 만들 때는 사람들이 쉽게 피하고 범하기 어렵게 해야 한다. 범하는 일이 발생했을 때는 반드시 법을 시행하고 용서가 없어야 하니, 이것이 법령을 행해지게 함이다."

[68-5-6]

元城劉氏曰 : "嘗考載籍以推先王之道, 雖禮樂刑政號爲治具, 而所以行之者, 特在於命令而已. 昔之善觀人之國者, 不視其勢之盛衰, 而先察其令之弛張 ; 未論其政之醇疵, 而先審其令之繁簡. 惟其慮之旣熟, 謀之已臧, 發之不妄, 而持以必行, 則堅如金石, 信如四時, 敷天之下莫不傾耳承聽, 聳動厭服. 此聖人所恃以鼓舞萬民之術也. 『書』曰'愼乃出令, 令出惟行弗惟反'. 『易』曰'渙汗其大號'. 傳曰'令重則君尊'. 又曰'國之安危在出令'. 凡此皆聖人愼重之意也."[183]

원성 유씨[劉安世]가 말하였다. "일찍이 책들을 살펴 선왕의 도를 추정해보니, 예악과 형정刑政이 정치의 도구로 불렸지만, 그것을 행해지게 하는 것은 다만 명령에 달려있을 뿐이었다. 예전에 나라를 잘 살피는

180 『二程粹言』 권상 「論政篇」
181 『二程粹言』 권상 「論政篇」
182 『龜山集』 권12 「語錄 3 · 餘杭所聞」
183 『盡言集』 권1 「論命令數易」

사람은 그 국가 형세의 성쇠를 보지 않고 먼저 명령이 얼마나 느슨해졌는지를 살폈고, 그 국가 정치의 순수성을 논하기 전에 먼저 명령이 복잡한지 번거로운지를 살폈다. 이리저리 재봄이 이미 원숙하고 책략이 이미 훌륭하고 발표가 망령되지 않은데, 지켜서 반드시 실행시킨다면 견고함이 쇠와 돌 같고 미더움이 사계절과 같아서, 온 천하가 귀기울여 따르고 펄쩍 뛰며 마음으로 복종하지 않음이 없게 된다. 이것이 성인이 믿고 만백성을 고무시키는 방법이다. 『서경』에 '신중히 명령을 내려라. 명령을 내리는 것은 시행하려는 것이지 막혀 되돌아오게 하려는 것이 아니다.'[184]라고 하였고, 『주역』에 '흐른 땀이 온몸을 적시듯 큰 호령을 내린다.'[185]라고 하였고, 전傳에 '명령이 중후하면 군주가 존귀해진다.'[186]라고 하고, 또 '나라의 안위는 명령을 내는 데 달렸다.'[187]고 말했다. 이들 모두가 성인이 신중하게 여긴 뜻이다."

[68-5-7]

"人君命令雖在必行, 苟處之得其理, 則執之不可變. 惟其不合衆望, 違咈人情, 關天下之盛衰, 繫朝廷之輕重, 所宜擇善, 何憚改爲?"[188]

(원성 유씨가 말하였다.) "군주의 명령은 반드시 시행하려는 데 있으니, 진정 조치가 이치에 옳으면 집행하고 변경하여선 안 된다. 오직 뭇사람의 바람에 부합하지 않고 백성들 마음에 거슬려 천하의 성쇠와 관계되고 조정의 안위가 달리게 되면, 의당 선한 길을 선택해야 하니, 어찌 바꾸기를 꺼릴 일이랴?"

[68-5-8]

五峯胡氏曰: "荀子云有治人無治法, 竊譬之欲撥亂反之正者, 如越江湖, 法則舟也, 人則操舟者也. 若舟破楫壞, 雖有若神之技, 人人知其弗能濟矣. 故乘大亂之時必變法, 法不變而能成治功者, 未之有也."[189]

오봉 호씨[胡宏]가 말하였다. "『순자荀子』에 '다스리려는 사람은 있는데 다스리려는 법은 없다.'[190]라고 하는데, 발란반정撥亂反正을 하려는 사람에게 비교하면, 예컨대 강과 호수를 건널 때, 법은 배고 사람은 배를 조종하는 자와 같다. 만일 배가 파손되고 노가 망가지면 신기神技를 지녔더라도, 누구나 그가 건너지 못할 줄을 안다. 그러므로 크게 혼란한 때를 만났으면 반드시 법을 바꾸어야 하니, 법을 바꾸지 않고

184 '신중히 명령을 … 아니다.': 『書經』「周官」
185 '흐른 … 내린다.': 『周易』「渙卦」 九五 爻辭이다. 사람 몸에 땀이 흠뻑 젖어있듯, 명령이 사방에 잘 전달되어진 것을 비유한 말이다.
186 '명령이 중후하면 … 존귀해진다.': 『管子』 권5 「重令」
187 '나라의 안위는 … 달렸다.': 『史記』 권112 「主父偃傳」에서 주보언이 한무제에게 올린 상소문에서 『周書』에 있는 말이라고 인용하였다.
188 『眞言集』 권3 「論胡宗愈除右丞不當」
189 『知言』 권3
190 '다스리려는 사람은 … 없다.': 『荀子』 권8 「君道篇」

서 다스리는 일을 잘 이뤄낸 자는 있지 않다."

[68-5-9]

"法制者, 道德之顯爾; 道德者, 法制之隱爾. 天地之心, 生生不窮者也. 必有春秋冬夏之節, 風雨霜露之變, 然後生物之功遂. 有道德結於民心, 而無法制者爲無用, 無用者亡. 劉虞之類. 有法制繫於民身, 而無道德者爲無體, 無體者滅. 暴秦之類. 是故法立制定, 苟非其人, 亦不可行也."[191]

(오봉 호씨가 말하였다.) "법과 제도는 도덕의 (이념을 현실로) 드러내 만든 것일 뿐이고, 도덕은 법과 제도가 숨겨져 있는 곳일 뿐이다. 천지의 마음은 끊임없이 생명을 싹틔운다. 그러나 반드시 봄 여름 가을 겨울의 계절과, 바람 비 서리 이슬의 변화가 있은 다음이라야 만물을 싹틔운 공이 이뤄진다. 도덕이 백성들 마음에 굳혀져 있어도 법과 제도가 없는 자는 그것을 쓰지 못하고, 쓰지 못한 자는 멸망한다. 유우劉虞[192]가 그런 부류다. 법과 제도가 백성들 몸을 휘감고 있어도 도덕이 없는 자는 그 체계가 없고, 체계가 없는 자는 멸망한다. 포악한 진秦나라가 그런 부류다. 그러므로 법이 만들어지고 제도가 정해져도 진정 적임자가 없으면 또한 시행할 수 없다."

[68-5-10]

朱子曰: "古人立法, 只是大綱, 下之人得自爲, 後世法皆詳密, 下之人只是守法. 法之所在, 上之人亦進退, 下之人不得."[193]

주자가 말하였다. "옛날 사람은 법을 만드는 것이 다만 큰 강령뿐이어서 아랫사람이 자신의 생각대로 할 수 있었으나, 후세에는 법이 모두 세밀하여 아랫사람은 단지 법대로 지켜야 할 뿐이다. 법에 정해져 있어도 윗사람은 또한 재량권을 행사할 수 있는데 아랫사람은 그렇게 할 수 없다."

[68-5-11]

"朝廷紀綱, 尤所當嚴. 上自人主以下至於百執事, 各有職業, 不可相侵. 蓋君雖以制命爲職, 然必謀之大臣, 參之給舍, 使之熟議以求公議之所在. 然後揚于王庭, 明出命令而公行之. 是以朝廷尊嚴, 命令詳審. 雖有不當, 天下亦皆曉然知其謬之出於某人, 而人主不至獨任其責.

191 『知言』 권1

192 劉虞: 후한의 郯 사람. 자는 伯安. 孝廉으로 천거되어 幽州刺史와 幽州牧을 지내며 온화한 정사를 펴고 농사를 중시하여, 유주로 귀의하는 백성이 1년에 1백만을 헤아렸다. 靈帝 때 太尉에 오르고 容丘侯에 봉해졌다. 董卓이 정권을 잡았을 때 大司馬에 오르며 襄賁侯에 봉해졌다. 종실의 어른이라 하여 袁術 등이 천자로 옹립하려는 것을 한사코 거절하였다. 부하 公孫瓚의 토벌에 실기하여 잘못 늦게 군사를 일으키려다 도리어 피살당하였다.(『後漢書』 권103 「劉虞傳」)

193 『朱子語類』 권108, 51조목

臣下欲議之者, 亦得以極意盡言而無所憚. 此古今之常理也."[194]

(주자가 말하였다.) "조정의 기강은 더더욱 마땅히 엄해야 한다. 위로 군주에서 아래로 갖은 집사까지 각기 직책과 하는 일이 있으니 서로 영역을 침해해선 안 된다. 군주가 칙명을 직책으로 삼고 있지만 반드시 대신과 의논하고 급사給舍[195]의 뜻을 참작해, 그들에게 난상토론 하여 공정한 의리가 무엇인지를 찾게 해야 한다. 그런 뒤에 조정에서 일컬어 말하고 분명하게 명령을 내려 공정히 시행해야 한다. 그럼으로 조정이 존엄해지고 명령이 자상하고 분명해진다. 부당한 점이 있더라도 천하가 또한 그 잘못이 누구에게서 비롯되었는지 모두 환히 알아, 군주 혼자 그 책임을 지는 데 이르지 않는다. 신하로서 의견을 말씀드리려는 자 역시 마음을 다 쏟아 말을 다할 수 있고 꺼릴 것도 없게 된다. 이것이 고금의 떳떳한 이치이다."

賞罰 상벌

[68-6-1]

程子曰 : "聖人所知, 宜無不至也 ; 聖人所行, 宜無不盡也. 然而『書』稱堯 · 舜, 不曰刑必當罪, 賞必當功, 而曰'罪疑惟輕, 功疑惟重, 與其殺不辜, 寧失不經'. 異乎後世刻核之論矣."[196]

정자가 말하였다. "성인이 알고 있는 것은 의당 지극하지 않음이 없고, 성인이 행한 것은 의당 미진한 것이 없을 것이다. 그런데도 『서경』에서 일컬은 요임금과 순임금은 '형벌은 반드시 죄에 합당해야 하고, 상은 반드시 공훈에 합당해야 한다.'고 말하지 않고, '죄가 의심스러우면 가벼운 벌을 따르고 공훈이 의심스러우면 높은 상을 따라야 한다. 죄 없는 사람을 죽이기보다는 차라리 법 적용을 잘못하는 실수를 하라.'[197]고 하였다. 후세의 각박한 주장과는 다르다."

[68-6-2]

"萬物皆只是一箇天理, 已何與焉? 至如言'天討有罪, 五刑五用哉! 天命有德, 五服五章哉!' 此都只是天理自然當如此. 人幾時與? 與則便是私意. 有善有惡, 善則理當喜, 如五服自有一箇次第以章顯之. 惡則理當惡, 彼自絶於理, 故五刑五用. 曷嘗容心喜怒於其間哉? 舜擧十六相, 堯豈不知? 只以他善未著, 故不自擧. 舜誅四凶, 堯豈不察? 只爲他惡未著, 那誅得他? 擧與誅, 曷嘗有毫髮厠於其間哉? 只有一箇義理, 義之與比."[198]

194 『朱文公文集』 권14 「經筵留身面陳四事劄子」
195 給舍 : 給事中과 中書舍人을 아울러 이르는 말
196 『河南程氏遺書』 권25
197 '죄가 의심스러우면 … 하라.' : 『書經』「大禹謨」에서 皐陶가 한 말이다.
198 『河南程氏遺書』 권2상

(정자가 말하였다.) "만물은 모두 다만 하나의 천리일 뿐인데 내가 어찌 관여할 수 있겠는가? 예컨대 '하늘이 죄 있는 사람을 벌하거든 오형五刑을 가지고 다섯 등급으로 구분하여 형벌하고, 하늘이 덕 있는 사람을 임명하거든 오복五服을 가지고 다섯 등급으로 구분하여 빛내소서.'[199]라고 한 말에 이르러도, 이 모두가 다만 천리의 자연이니 당연히 이와 같이해야 할 뿐이다. 사람이 조금이라도 관여할 수 있겠는가? 관여한다면 사사로운 뜻이다. 선함과 악한 일이 있을 경우, 선하면 이치상 당연히 기뻐하여, 예컨대 오복五服에 본시 일정한 차례가 있으니 그것으로 빛나게 해야 한다. 악하면 이치상 당연히 미워해야 하니, 그 사람 스스로 천리를 단절한 까닭에 오형을 다섯 등급으로 구분 지어 형벌해야 한다. 어찌 그 사이에 기쁜 감정이나 성낸 감정이 개입될 수 있겠는가? 순임금이 16명의 상국을 임용[200]하였는데 요임금이 그들을 왜 몰랐겠는가? 다만 그들의 선함이 아직 드러나지 않은 까닭에 자신이 임용하지 않은 것이다. 순임금이 사흉四凶[201]의 죄를 다스렸는데 요임금이 어찌 그들을 살피지 못했겠는가? 다만 그들의 악행이 아직 드러나지 않았는데 어떻게 그들 죄를 다스릴 수 있겠는가? 임용과 죄를 다스리는데 어찌 그 틈새에서 털끝만큼의 끼어듦도 있을 수 있겠는가? 다만 하나의 의리가 있으니 '의로움과 함께해야 할 뿐이다.'[202]이다."

[68-6-3]

元城劉氏曰："人主所以鼓動天下, 制馭臣民之柄, 莫大於賞罰. 使賞必及於有功, 罰必加於有罪, 則四海之內, 竦然向風而無不心服者矣. 惟其無功者虛受, 有罪者幸免, 遂容僭濫, 而其弊將至於無所勸懲. 然則爲天下者, 安可不以至公而愼用之乎?"[203]

원성 유씨劉安世가 말하였다. "군주가 천하의 마음을 고동치게 하고, 신하와 백성을 다잡아 다스리는 힘은 상벌보다 클 것이 없다. 상을 반드시 공이 있는 자에게 내려지게 하고, 벌을 반드시 죄 있는 사람에게 베풀어지게 하면, 천하는 덕화에 우러르며 심복하지 않음이 없을 것이다. 다만 공훈이 없는 자가 헛되게 상을 받고 죄 있는 자가 요행으로 벌을 면하면, 마침내 참람함이 끼어들며 그 폐단은 상의 권면과

199 '하늘이 죄 … 빛내소서.':『書經』「皐陶謨」의 글이다. 다만「皐陶謨」에는 말의 순서가 이와 반대로 하늘이 덕 있는 사람 운운이 먼저 나오고 다음으로 죄에 대한 말이 이어져 있다. 여기서 오형은『書經』「舜典」의 "오형으로 유배하는 것으로 용서하라.(流宥五刑)"에서 蔡沈은 "墨刑(刺字刑), 劓刑(코를 베는 형벌), 剕刑(발목을 자르는 형벌), 宮刑(거세하는 형벌), 大辟(사형)이다.(墨·劓·剕·宮·大辟)"라고 하고, 오복은 公侯伯子男의 오등 작위를 가진 제후가 각기 자기 작위에 따라 입는 옷이다. 예를 들면 천자는 12장복을 입는 것에 상대하여, 공은 9장복, 후와 백은 7장복, 자남은 5장복, 孤卿은 3장복, 卿大夫는 1장복을 입는다.

200 순임금이 16명의 … 임용: 순임금 시절에 등용된 16명의 인재. 十六族이라고도 한다.『春秋左傳』「文公 18년」 기사에서 高陽氏의 여덟 아들 八凱와 高辛氏의 여덟 아들 八元을 이른다고 하였다.

201 四凶:『書經』「舜典」에서 共工, 驩兜, 三苗, 鯀이라고 하였다.

202 '의로움과 함께 … 뿐이다.':『論語』「里仁」에서 공자가 "군자가 천하의 일에 오로지 주장하여 따르는 것도 없고 막무가내로 부정하지도 않으니, 의로움과 함께 해야 한다.(君子之於天下也, 無適也; 無莫也, 義之與比.)"라고 하였다.

203『盡言集』권2「論開封官吏妄奏獄空冒賞事」

벌의 징계가 없어진다. 그렇다면 천하를 다스리는 자가 어찌 지극히 공정함으로 상벌을 신중히 사용하지 않을 수 있으랴?"

[68-6-4]

華陽范氏曰 : "人君賞一人, 而天下莫不勸 ; 罰一人, 而天下莫不懼, 豈其力足以勝億兆之衆哉? 處之中理, 而能服其心也. 用一不肖, 而四方莫不解體 ; 殺一無罪, 而百姓莫不怨怒, 豈必人人而害之哉? 處之不中理, 而不能服其心也."[204]

화양 범씨華陽范氏[范祖禹]가 말하였다. "군주가 한 사람에게 상을 내리면 천하가 권면하지 않음이 없고, 한 사람에게 벌을 내리면 천하가 두려워하지 않는 것이 없음은, 어찌 군주의 힘이 억조창생의 대중을 이기기에 충분해서이랴? 조치한 일이 이치에 합당하여 그들 마음을 복종시킬 수 있어서이다. 불초한 한 사람을 임용하면 사방 사람 마음이 뿔뿔이 흩어지고, 죄 없는 한 사람을 죽이면 백성들이 원망하고 성내지 않음이 없는 것은 어찌 반드시 사람마다를 해쳐서 이랴? 조치한 것이 이치에 합당하지 않아 그들 마음을 복종시킬 수 없어서다."

[68-6-5]

武夷胡氏曰 : "人主以天下爲度者也. 所好當遵王道, 不可以私勞行賞 ; 所惡當遵王路, 不可以私怨用刑. 其喜怒則當發必中節, 和氣絪縕而育萬物也."[205]

무이 호씨武夷胡氏[胡寅]가 말하였다. "군주는 천하를 법도로 삼는 사람이다. 좋아하는 것도 당연히 선왕의 도리를 따라야 하고 개인에 대한 공로에 상을 내려선 안 되고, 미워하는 것도 당연히 선왕의 길을 따라야 하고 개인에 대한 노여움으로 형벌을 써서는 안 된다. 기뻐함과 노여움을 마땅히 드러낼 때마다 반드시 절도에 합당해야 화평한 기운이 어우러져 만물이 양육된다."

[68-6-6]

呂氏 本中 曰 : "賞必當功, 罰必當罪, 刻核之論也 ; 罪疑惟輕, 功疑惟重, 君子長者之心也. 以君子長者之心爲心, 則自無刻核之論. 如君子不盡人之歡, 不竭人之忠. 去其臣也, 必可使復仕 ; 去其妻也, 必可使復嫁. 如此等論, 上下薰蒸, 則太平之功可立致也. 芝草生, 甘露降, 醴泉出, 皆是此等和氣薰蒸所生."[206]

여씨 본중本中이 말하였다. "'상은 반드시 공훈에 합당해야 하고 벌은 반드시 죄에 합당해야 한다.'는 것은 각박한 주장이고, '죄가 의심스러우면 가벼운 벌을 공훈이 의심스러우면 높은 상을 따라야 한다.'는 것은 군자이자 어른스러운 마음이다. 군자이자 어른스런 마음을 마음으로 삼으면 저절로 각박한 주장이

204 『唐鑑』 권18 「憲宗 13년」
205 『斐然集』 권25 「先公行狀」
206 『紫微雜說』

없어진다. 예컨대 군자는 남이 마음을 다해 나를 좋아하도록 하지 않고, 남이 마음을 다 쏟아 나에게 충성하도록 하지 않으며,[207] 신하를 내보낼 적에도 반드시 다시 벼슬할 수 있게 하고, 아내를 내쫓을 적에도 반드시 다시 시집갈 수 있게 한다[208]고 했다. 이 같은 말로 상하가 훈도된다면 천하태평의 일은 금방 이뤄질 것이다. 지초芝草[209]가 생겨나고, 감로甘露(맛이 단 이슬)가 내리고, 예천醴泉(맛이 단 샘물)이 솟는 것[210]도 모두 이런 화평한 기운의 훈도에 의해 생겨난 것이다."

[68-6-7]

朱子曰: "古之欲爲平者, 必稱其物之大小高下, 而爲其施之多寡厚薄, 然後乃得其平. 若不問其是非曲直而待之如一, 則是善者常不得伸, 而惡者反幸而免. 以此爲平, 是乃所以爲大不平也. 故雖堯舜之治, 旣擧元凱, 必放共兜, 此又易象所謂'遏惡揚善順天休命'者也. 蓋善者, 天理之本然; 惡者, 人欲之邪妄. 是以天之爲道, 旣福善而禍淫, 又以賞罰之權, 寄之司牧, 使之有以補助其禍福之所不及. 然則爲人君者, 可不謹執其柄, 而務有以奉承之哉?"[211]

주자가 말하였다. "옛날에 공평을 이루려는 자는 반드시 그 사물의 크기와 높이를 헤아려 그에 대한 다과多寡와 후박厚薄을 베풀었으니, 그런 뒤 비로소 공평을 얻었다. 만일 그 시비곡직을 따지지 않고 똑같이 대하면 선한 사람은 늘 기를 펴지 못하고, 악한 사람은 거꾸로 요행히 죄를 면한다. 이를 공평으로 여긴다면, 이는 크게 공평하지 않은 것이다. 그러므로 요순 정치에서 원개元凱[212]를 등용하고서도 반드시 공두共兜[213]를 추방한 것이니, 이는 또 역상易象에서 말한 '악을 막고 선을 드날려 하늘의 아름다

207 군자는 남이 … 않으며: 『禮記』「曲禮」에서 "군자는 남이 마음을 다해 나를 좋아하도록 하지 않고, 남이 마음을 다 쏟아 나에게 충성하도록 하지 않음으로 사귐을 온전히 한다.(君子不盡人之歡; 不竭人之忠, 以全交也.)"고 하였다.

208 신하를 내보낼 … 한다.: 『李文公集』 권10 「論故度支李尙書事狀」의 말이다. 李翶는 이 글에서 "증자가 아내를 내보낼 적에 배를 잘못 삶은 것을 이유로 … 포영이 아내를 내보내며 시어머니 앞에서 개를 꾸짖었다는 이유를 들었다.(曾參之去妻也, 以蒸梨不熟 … 鮑永之去妻也, 以叱狗姑前.)"고 하였다.

209 芝草: 전설상의 상서로운 풀로 靈芝라고도 한다. 『文選』「西京賦」의 "영지를 주가로 씻는다.(濯靈芝以朱柯)"의 薛綜 주에 "영지는 모두 바다 가운데 신령한 산에서 자라는 신령한 풀이름으로 신선이 먹는다.(靈芝, 皆海中神山所有神草名, 仙之所食者.)"고 하였다.

210 芝草가 생겨나고, … 것: 모두 상서의 조짐으로 나타나는 현상이다. 『春秋集解』 권16 「宣公 16년」 "큰 풍년이 들었다.(大有年)"의 기사에 呂本中이 "가물이 들고 강물이 넘치고 기근이 거듭되는 것은 재앙이고, 산이 무너지고 지진이 일어나고 혜성이 나타나 길게 떨어져 내리는 것은 災異이고, 상서로운 별이 뜨고 단 이슬이 내리고 단 샘물이 솟고 백곡이 풍년드는 것은 상서이다. … 모든 재이나 경사스러운 상서는 모두 사람들의 감동이 빚어낸 것에 하늘이 그대로 호응한 것이다. 사람의 일이 아래에서 순하게 이뤄지면 하늘의 기운이 위에서 화답한다.(旱乾·水溢·饑饉薦臻者災也, 山崩·地震·彗孛飛流者異也, 景星·甘露·醴泉·芝草·百穀順成者祥也 … 凡災異慶祥, 皆人為所感, 而天以其類應之者也. 人事順於下, 則天氣和於上.)"고 하였다.

211 『文公易說』 권8 「象上傳」

212 元凱: 八元과 八凱를 이른다.

213 共兜: 共工과 驩兜를 이른다.

운 명을 순히 한다.'[214]는 것이다. 선은 천리의 근본이고, 악은 사람 욕심의 사악함이다. 그러므로 하늘 도리는 선한 자에게 복록을 음탕한 자에게 재앙을 내리면서도, 또 상벌을 사목司牧(군주)에게 맡겨 재앙과 복록이 미치지 못하는 곳에 보조하게 한 것이다. 그렇다면 군주 된 자는 신중하게 그 근본을 붙잡아 힘써 받듦이 있어야 하지 않겠는가?"

214 '악을 막고 … 한다.' : 『周易』「大有卦」 象辭

性理大全書卷之六十九

성리대전서 권69

治道四 치도 4

治道四
다스리는 도리 4

王伯 왕도와 패도

[69-1-1]

程子曰 : "得天理之正, 極人倫之至者, 堯舜之道也 ; 用其私心, 依仁義之偏者, 伯者之事也. 王道如砥, 本乎人情, 出乎禮義, 若履大路而行, 無復回曲. 伯者崎嶇反側於曲徑之中, 而卒不可與入堯舜之道. 故誠心而王則王矣, 假之而伯則伯矣. 二者其道不同, 在審其初而已. 『易』所謂'差若毫釐, 繆以千里'者, 其初不可不審也. 故治天下者, 必先立其志. 志先立,[1] 則邪說不能移, 異端不能惑, 故力進於道而莫之禦也. 苟以伯者之心, 而求王道之成, 是衒石以爲玉也. 故仲尼之徒無道桓文之事, 而曾西恥比管仲者, 義所不由也, 況下於伯者哉?"[2]

정자程子[程顥]가 말하였다. "천리의 바름을 얻어 인륜의 지극함을 다하는 것은 요순의 도이고, 사사로운 마음을 써서 인의仁義의 어느 한쪽에 의지하는 것은 패자霸者가 하는 일이다. 왕도는 숫돌과 같아[3] 사람의 마음에 근본하고 예의에서 비롯되어, 큰길을 밟아 가듯 전연 굽음이 없다. 패자는 굽이진 오솔길에 울퉁불퉁 이리 굽고 저리 굽으니 끝내 요순의 도에 함께 들어갈 수 없다. 그러므로 진실 된 마음으로 왕 노릇 하면 왕이 되고, 명분만을 빌려 천하의 패자 노릇을 하면 패자가 된다. 두 가지의 길은 그 길이 같지 않으니 그 시작점을 살피는 것에 달렸다. 『주역』에서 말한 '털끝만큼의 차이 같지만 천리만리 틀어진다.'[4] 라는 것이니 그 시작점을 살피지 않아선 안 된다. 그러므로 천하를 다스리는 사람은 반드시

1 志先立 : 『河南程氏文集』 권2 「奏疏表 · 論王霸之辨」에는 '正'志先立으로 되어 있다.

2 『河南程氏文集』 권2 「奏疏表 · 論王霸之辨」

3 왕도는 숫돌과 같아 : 공평 정직함을 나타내는 말이다. 『詩經』「小雅 · 大東」의 시구 "주나라로 가는 길, 숫돌과 같아 그 쭉 곧음이 화살 같도다.(周道如砥, 其直如.)"에서 인용하였다.

4 『周易』에서 말한 … 틀어진다.' : 이는 『周易』에 있는 글은 아니다. 송나라 程迥의 저서 『周易章句外編』에 다음과 같은 글이 있다. "한나라 시대 유자가 『周易』을 인용하여 '군자가 시작을 바르게 하면 모든 일이

자신의 뜻을 먼저 세워야 한다. 뜻을 먼저 세우면 사악한 말이 변질시키지 못하고 이단이 유혹할 수 없는 까닭에 도를 향하여 힘껏 나가게 되어 막을 수 없다. 진실로 패자의 마음을 가지고 왕도의 성공을 구하는 것은 돌덩이를 팔며 옥이라 말하는 것이다. 그러므로 중니의 학문을 배우는 자로 제환공齊桓公과 진문공晉文公의 일을 말한 자가 없고,[5] 증서曾西가 관중管仲에게 빗대어지는 것을 부끄럽게 여긴 것[6]은 의리상 용납되지 않아서이니, 하물며 패자보다 못한 자이랴?"

[69-1-2]

"王者奉若天道, 動無非天者, 故稱天王. 命則天命也, 討則天討也. 盡天道者, 王道也. 後世以智力持天下者, 伯道也."[7]

(정자가 말하였다.) "왕자는 천도를 받들어 순히 따르며 행동마다 천도가 아님이 없는 까닭에 천왕天王이라 일컫는다. 그의 명령은 천명天命이고 그의 토벌은 천토天討이다. 천도를 다하는 것은 왕자의 도리이다. 후세에 지혜와 힘으로 천하를 움켜 쥔 것은 패자의 도리다."

[69-1-3]

涑水司馬氏曰: "合天下而君之之謂王, 王者必立三公. 二公分天下而治之曰二伯, 一公處乎內, 皆王官也. 周衰二伯之職廢, 齊桓晉文糾合諸侯以尊天子, 天子因命之爲侯伯, 修舊職也. 伯之語轉而爲霸, 霸之名自是興."[8]

속수 사마씨[司馬光]가 말하였다. "천하를 통합하여 임금 노릇 하는 사람을 왕이라 하는데, 왕자는 반드시 삼공三公을 세운다. 두 사람의 공公이 천하를 나누어 다스리는 것을 이백二伯이라 하는데, 공 한 사람은 조정에 있으니, 모두 왕조王朝의 관원이다. 주나라가 쇠락하며 이백의 일이 폐해졌는데 제환공과 진문공이 제후를 규합하여 천자를 높이자, 천자가 이어 그들을 명명하기를 후백侯伯(제후의 우두머리)이라 하였으니, 예전 이백의 일을 닦아서이다. 백伯이란 말이 변하여 패覇가 되니, 패자란 명칭은 이때부터 생겨났다."

순조롭다. 털끝의 차이가 천리만리 틀어진다.'고 말했다. 이는 緯書의 글로 『周易』의 모든 괘를 증험하기 위한 문장이다. 선유들이 『左氏傳』을 인용하며 『春秋』라고 말하는 것과 같다.(漢儒引易曰, '君子正其始, 萬事理. 差之毫釐, 繆以千里.' 此緯書, 通卦驗之文也. 亦猶先儒引左氏傳爲春秋也.)"

5 중니의 학문을 … 없고: 齊宣王이 맹자에게 이들 두 사람에 대해 묻자 맹자가 이렇게 대답하고, 왕도에 대해 말할 것을 제안한 내용이 『孟子』「梁惠王上」에 전한다.

6 曾西가 … 것: 증서는 曾子의 손자이다. 맹자의 제자 公孫丑가 管仲과 晏子가 세운 공훈을 맹자에게 권유하자, 맹자가 증서의 말을 빌려 이를 반박한 내용으로 『孟子』「公孫丑上」에 전한다.

7 『二程粹言』 권하 「君臣篇」

8 『傳家集』 권74 「迂書·道同」

[69-1-4]

問: "如管仲之才, 使孔子得志行乎天下, 還用之否?"

龜山楊氏曰: "管仲高才自不應廢, 但綱紀法度不出自他, 儘有用處."

曰: "若不使他自爲, 或不肯退聽時, 如何?"

曰: "如此, 則聖人廢之, 不問其才."

又曰: "王道本於誠意, 觀管仲亦有是處, 但其意別耳. 如伐楚事, 責之以包茅不貢, 其言則是. 若其意, 豈爲楚不勤王, 然後加兵? 但欲楚尊齊耳. 尊齊而不尊周, 管仲亦莫之詰也. 若實尊周, 專封之事, 仲豈宜爲之? 故孟子曰'五伯假之也', 蓋言其不以誠爲之也."

又曰: "自孟子後, 人不敢小管仲, 只爲見他不破. 近世儒者如荊公雖知卑管仲, 其實亦識他未盡, 況於餘人? 人若知王良羞與嬖奚比, 比而得禽獸雖若丘陵弗爲之意, 則管仲自然不足道."

又曰: "管仲只爲行詐, 故與王者別. 若王者, 純用公道而已."[9]

물었다. "관중管仲 같은 인재는, 공자가 뜻을 얻어 천하에 도를 펴게 되었을 때 또한 등용하여 쓰겠습니까?"

구산 양씨가 대답하였다. "관중 같이 높은 인재야 당연히 폐해지지 않을 것이나, 다만 강령과 기강, 법도가 그에게서 나오지 않더라도 충분히 등용할 만한 점이 있을 것이다."

물었다. "만일 그에게 생각대로 행하지 못하게 하고, 혹여 기꺼이 뒷전으로 물러나 명령을 들으려 하지 않을 때에는 어떻게 해야 합니까?"

(구산 양씨[楊時]가) 대답하였다. "이런 경우라면 성인은 폐출하고 그 재주는 따지지 않을 것이다."

또 말하였다. "왕도는 '성실한 뜻[誠意]'에 뿌리를 두는데, 관중을 살펴보면 또한 이런 점이 있으나 다만 그의 뜻[意]이 별다를 뿐이다. 예컨대 초楚나라 정벌에서 포모包茅를 공물로 바치지 않은 것을 지적한 것[10]은 그의 말이 옳다. 그러나 그의 생각처럼 어찌 초나라가 왕국을 위해 힘쓰지 않는 것을 이유로 군사를 동원했겠는가? 다만 초나라가 제나라를 높이게 하려는 생각뿐이었다. 제나라를 높이고 주나라를 높이지 않았다면 관중은 또한 힐난하지 않았을 것이다. 만일 실지 주나라를 높였다면 독단으로 제후를 봉하는 일[11]을 관중이 어찌 의당 했겠는가? 그러므로 맹자가 '오패五伯는 명분을 빌린 것일 뿐이다.'[12]고

9 『龜山集』 권12 「語録 3 · 餘杭所聞」

10 楚나라 정벌에서 … 것: 『春秋左傳』「僖公 4년」에, 제나라 환공이 少姬 때문에 노하여 제후 군대를 동원하여 남쪽으로 蔡나라를 쳐들어가 이기자, 이어 楚나라를 치면서 包茅를 주나라에 바치지 않아 왕실에서 제삿술을 거를 수 없다고 꾸짖었다.

11 독단으로 제후를 … 일: 『穀梁傳』「僖公 2년」 經文 기사에 "정월에 초구에 성을 쌓았다.(正月, 城楚丘.)"고 하였다. 이에 대해서 곡량전에, "초구는 어디인가? 衛나라 수도이니, 나라인데 이곳에 성을 쌓았다고 하였다. 성이라고 말한 것은 왜인가? 위나라를 봉해준 것이다. 그렇다면 위나라에 성을 쌓았다고 말하지 않은 것은 왜인가? 위나라가 아직 천도하지 않아서다. 위나라의 천도를 말하지 않은 것은 왜인가? 제나라 군주가 독단으로 봉해준 것을 인정하지 않아서다. 성을 쌓았다고만 말한 것은 독단한 것을 나타내려는 말이다. 그러므로 천자가 아니면 제후를 독단으로 봉해줄 수 없으니 제후는 독단으로 제후를 봉해줄 수 없다.(楚丘者何? 衞邑

한 것이니 그가 성실하지 않음을 말한 것이다."
또 말하였다. "맹자 이후에도 사람들이 감히 관중을 낮잡아보지 않은 것은 다만 그의 속셈을 꿰뚫어보지 못해서다. 근세의 유자儒者 왕형공王荊公[王安石] 같은 사람도 관중의 비루함을 알면서도 기실 또한 그에 대한 앎이 미진하였는데 하물며 기타 사람들이랴? 사람들이 만일 왕량王良이 군주의 총애를 받는 해奚와 어울리는 것을 부끄러워하여, 그와 짝이 되어서는 짐승을 산더미처럼 잡는다 하여도 하지 않겠다고 한 뜻[13]을 안다면, 관중은 저절로 말할만한 것이 못될 것이다."
또 말하였다. "관중은 다만 속임수를 쓴 것일 뿐인 까닭에 왕자와는 구별된다. 왕자는 순수하게 공정한 도리를 쓸 뿐이다."

[69-1-5]

問 : "或謂衛於王室爲近, 懿公爲狄所滅, 齊桓公攘戎狄而封之. 當是時戎狄橫而中國微, 桓公獨能如此, 故孔子曰'微管仲, 吾其被髮左衽矣', 爲其功如此也. 觀晉室之亂, 胡羯猖獗於中原, 當是時只爲無一管仲, 故顚沛如此. 然則管仲之功, 後世信難及也."

曰 : "若以後世論之, 其功不可謂不大 ; 自王道觀之, 則不可以爲大也. 今人只爲見管仲有此, 故莫敢輕議, 不知孔孟有爲, 規模自別. 見得孔孟作處, 則管仲自小."

물었다. "어떤 사람이 위衛나라는 주나라 왕실과 가까운 친족이었는데 의공懿公이 적狄에게 멸망되자 제환공이 오랑캐를 물리치고 나라를 봉해주었다고 합니다.[14] 이 당시 오랑캐가 횡행하였으나 중국이 미약하여 환공 홀로 이렇게 할 수 있었습니다. 그런 까닭에 공자가 '관중이 아니었다면 우리는 머리를 풀어헤치고 옷깃을 왼쪽으로 여몄을 것이다.'[15]고 한 것이니, 그의 공훈은 이러합니다. 진晉나라 왕조의

也, 國而曰城此邑也. 其曰城何也? 封衛也. 則其不言城衛何也? 衛未遷也. 其不言衛之遷焉何也? 不與齊侯專封也. 其言城之者, 專辭也. 故非天子不得專封諸侯, 諸侯不得專封諸侯.)"라고 하였다. 위나라는 앞서 狄에게 망하였는데 이때 제나라가 초구에 다시 위나라를 세워준 것이다.

12 '五伯는 명분을 … 뿐이다.' : 『孟子』「盡心上」에 있는 말이다. 맹자는 "요순은 타고난 본성대로 행한 분이고, 탕임금과 무왕은 몸으로 실천하여 성을 회복하였고, 오패는 인의의 이름을 빌어 자신들의 사욕을 이뤘다.(堯舜性之也, 湯武身之也, 五霸假之也.)"고 하였다.

13 王良이 군주의 … 뜻 : 『孟子』「滕文公上」에 실린 말이다. 간단하게 설명하면 다음과 같다. 晉나라의 대부 趙簡子가 천하의 수레몰이꾼 왕량에게 자신이 사랑하는 해의 수레를 몰아 사냥하게 하였다. 그런데 하루 종일 한 마리의 짐승도 잡지 못하였다. 이에 해는 조간자에게 왕량을 형편없는 수레몰이꾼이라고 깎아내렸다. 이 말을 들은 왕량은 명예를 회복하고자 해에게 수레몰이를 다시 청하여 하루아침에 10여 마리를 잡았다. 이 보고를 받은 조간자는 왕량에게 해의 전속 수레몰이꾼이 되기를 부탁하였다. 왕량은 해의 활쏘기 실력이 없어 속임수의 수레몰이를 해야 겨우 사냥을 하는 이런 사람과는 설사 짐승을 산더미처럼 잡는다고 하여도 부끄러운 일이라며 거절하였다.

14 '衛나라는 주나라 … 합니다.' : 위나라는 문왕의 아들이자 무왕의 아우인 封에게 봉해준 나라이다. 나머지 기사는 [69-1-4]의 주석을 참고할 것. 의공은 위나라가 적에게 망할 때의 군주이다.

15 '관중이 아니었다면 … 것이다.' : 『論語』「憲問」에서 공자가 관중의 공훈을 칭송한 말이다. 여기서 운운한 말은 모두 오랑캐의 풍속으로 중국의 풍속과 전연 다른 것들이다. 곧 상투를 틀어 올리지 않고 저고리의

혼란을 살펴보면 호갈胡羯[16]이 중원에 창궐하는데도 당시 다만 관중 같은 사람이 한 사람도 없었던 까닭에 이같이 여지없이 무너진 것입니다. 그렇다면 관중의 공훈은 후세에서 참으로 따라잡기 어렵습니다." 대답하였다. "후세를 가지고 논하면 그의 공훈은 크다고 말할 수 있겠으나 왕도의 측면에서 살피면 크다고 말할 수 없다. 오늘날 사람들은 다만 관중의 이 같음만을 보는 까닭에 감히 하찮은 사람으로 말하지 못하나, 공자와 맹자가 일을 하게 된다면 규모가 본래 남달랐을 것이라는 사실을 알지 못하고 있다. 공자와 맹자가 하게 될 일을 안다면 관중은 저절로 하찮아질 것이다."

曰 : "孔孟如何?"

曰 : "必也以天保以上治内, 以采薇以下治外, 雖有夷狄, 安得遽至中原乎? 如小雅盡廢, 則政事所以自治者俱亡, 四夷安得而不交侵, 中國安得而不微? 方是時縱能救之於已亂, 雖使中國之人, 不至被髮左衽, 蓋猶賢乎周衰之列國耳, 何足道哉? 如孟子所以敢輕鄙之者, 蓋以非王道不行故也."

曰 : "然則孔子何爲深取之?"

曰 : "聖人之於人, 雖有毫末之善必錄之, 而況於仲乎! 若使孔子得君如管仲, 則管仲之事蓋不暇爲矣."[17]

물었다. "공자와 맹자의 다스림은 어떻습니까?"
대답하였다. "반드시 천보편天保篇 이상의 일로 국내를 다스리고 채미편采薇篇 이하의 일로 밖을 다스렸을 것[18]이니 오랑캐가 있어도 어떻게 냉큼 중원을 침입할 수 있겠는가? 소아小雅가 모두 폐해지며 정치에서 스스로를 다스릴 수 있는 것이 모두 사라졌으니, 사방 오랑캐가 어떻게 번갈아 침략하지 않으며, 중국이 어찌 미약해지지 않을 수 있겠는가? 이때에 설사 이미 혼란해진 것을 구제하여 중국 사람들이 머리를 풀어헤치고 옷깃을 왼쪽으로 여미는 데까지 이르지 않았어도, 주나라가 쇠락한 시절의 열국列國보다 나았을 뿐 무어라 말할 만한 가치가 있겠는가? 맹자가 관중을 깔보고 비루하게 여긴 까닭은 왕도가

옷섶을 오른쪽으로 여미지 않고 왼쪽으로 여미는 오랑캐 세상이 되었을 것이라는 말이다.

16 胡羯 : 진나라 왕조 때 중원을 어지럽힌 북방의 여러 흉노족을 이르는 말. 호갈은 보통 羯胡로 지칭되는데 『魏書』「石勒傳」에서 살피면 "석륵의 조상은 흉노족의 일부로 上黨의 武鄕 羯室 지역에 분산되어 산 까닭에 그들을 갈호라 한다.(其先匈奴別部, 分散居於上黨武鄕羯室, 因號羯胡.)"고 하였다. 여기서 북방의 오랑캐를 이르는 말로 파생되었다.

17 『龜山集』 권12 「語錄 3 · 餘杭所聞」

18 天保篇 이상의 … 것이니 : 이는 『詩經』「小雅」의 詩篇을 두고 한 말이다. 「小雅」는 조정의 燕饗에 쓰는 음악 가사로 신하의 기쁨과 선왕의 덕을 노래한 시이다. 「小雅」는 10편 묶음으로 편차가 구성되었는데 「天保」와 「采薇」는 그 가운데 첫 10편 묶음인 「鹿鳴之什」의 시편 이름이다. 「天保篇」 이상의 시는 「鹿鳴」 · 「四牡」 · 「皇皇者華」 · 「常棣」 · 「伐木」 · 「天保篇」으로 이어지는데 이들 시는 주로 연향 때 연주하는 시이고, 「采薇篇」 이하는 「采薇」 · 「出車」 · 「杕杜」 · 「南陔」 등 편의 시인데 이들 시는 국가의 부역에 나가거나 돌아온 사람들을 위로하는 시들이다.

아니면 행하지 않았기 때문이다."
물었다. "그렇다면 공자는 왜 그를 깊이 취하였습니까?"[19]
대답하였다. "성인은 사람들에 있어 털끝만 한 좋은 점도 반드시 기록해 주는데 하물며 관중이랴! 만일 공자가 군주의 신임을 얻음이 관중 같았다면 관중이 했던 일은 아마도 하지 않았을 것이다."

[69-1-6]

問 : "管仲之功, 孔子與之, 其曰'如其仁!' 何也?"

和靖尹氏曰 : "如, 似也. 與其功而不與其仁."

問 : "何故不與其仁?"

曰 : "只爲大本錯了."

問 : "如何是大本錯?"

曰 : "且如初相子糾, 其錯亦大矣."

물었다. : "관중의 공을 공자가 인정하여 '누가 그의 인과 같겠는가[如其仁]'라고 말씀한 것은 어째서입니까?"
화정 윤씨[尹焞]가 대답하였다. "같음[如]은, 흡사하다[似]이다. 그의 공은 인정했으나 그의 인은 인정하지 않은 것이다."
물었다. "무슨 까닭에 그의 인을 인정하시지 않으셨습니까?"
대답하였다. "다만 대본大本에서 어긋난 까닭이다."
물었다. "무슨 까닭에 대본에서 어긋났습니까?"
대답하였다. "우선 처음에 자규子糾[20]를 도운 것에서 그 어긋남이 또한 크다."

問 : "如何是錯?"

曰 : "觀春秋所書莊公九年夏, '公伐齊, 納子糾, 齊小白入于齊, 九月齊人取子糾殺之', 可見也.

19 공자는 왜 … 취하였습니까? : 『論語』「憲問」에서 "자로가 '환공이 공자규를 죽였는데 (똑같은 공자규의 신하로) 소홀은 죽었는데 관중은 죽지 않았습니다. 인하지 못함이 아니겠습니까?'하자, 공자가 대답하였다. '환공이 제후를 규합하면서 군사의 힘을 사용하지 않은 것은 관중의 힘이다. 누가 그의 인과 같겠는가! 누가 그의 인과 같겠는가!'(子路曰, '桓公殺公子糾, 召忽死之, 管仲不死. 曰未仁乎?' 子曰, '桓公九合諸侯, 不以兵車, 管仲之力也. 如其仁! 如其仁!')"라고 하여 그를 깊이 인정하였다.

20 子糾 : 춘추시대 齊나라 襄公의 아들. 후일 환공으로 불리는 小白과 함께 아버지 양공의 환난을 피해, 자규는 魯나라로, 소백은 莒나라로 피신하였다. 양공이 죽자 왕위를 차지하려 입국을 서두르는 과정에서 소백이 왕위를 차지하고 자규는 실패하여 소백의 명령에 따라 죽임을 당하였다. 이 과정에서 소홀과 관중은 자규를 따랐는데, 소홀은 자규를 따라 죽었으나 관중은 죽지 않고 환공을 도와 후일 제환공을 패자로 만드는 데 공훈을 세웠다. 여기서 구산 양씨는 자규가 소백의 아우였기 때문에 자규를 도운 것부터가 잘못이라는 말이다. 그러나 『史記』「齊太公世家」에는 소백이 아우이고 자규는 형이었다고 하여 형제 순서에 대해 이견이 있다.

管仲功高, 豈可補過? 但只是忍恥能就其功, 故孔子與其功也, 其於仁也何有? 若夫舍王道而行伯道, 以富國强兵爲本, 則更不待論也. 如責包茅不入, 昭王不返, 亦謂假仁以行其伯. 孟子雖說'久假而不歸', 然怎生謂之假, 豈能久而不歸? 若到得不歸處時, 只是假之以成功也, 然桓公尙在五伯中爲盛者也. 孟子責'管仲功烈如此其卑者', 以其不能行王道以至于仁也. 孔子謂'九合諸侯一正天下者', 以其功也. 孔孟之意則同, 舍此皆穿鑿也."

물었다. "무슨 까닭에 어긋나게 된 것입니까?"

대답하였다. "『춘추』에 기록된 장공莊公 9년 여름의 일을 살펴보면, '장공이 제나라를 쳐서 자규를 들여보내려 하였는데 제나라 소백小白이 제나라에 들어가더니, 9월에 제나라 사람이 자규를 붙잡아 죽였다.'고 한 데에서 알 수 있다. 관중의 공이 높지만 어찌 잘못을 벌충할 수 있겠는가? 다만 부끄러움을 참고 공을 잘도 이뤄낸 까닭에 공자가 그의 공은 인정했으나 그의 인이야 하잘 것이 있는가? 왕도를 버리고 패도를 행하고 부국강병을 근본으로 삼았으니 다시 거론할 것조차 없다. 포모를 공물로 보내지 않고 소왕昭王이 돌아오지 않은 것을 추궁한 일[21]도 또한 인의 이름만 빌려 그의 패도를 행한 것이다. 맹자가 '오랫동안 빌리고 돌려주지 않았다.'[22]고 말했으나 어찌 빌렸다 말할 수 있으며 어떻게 오래 돌려주지 않을 수 있겠는가? 돌려주지 않고 있을 때 다만 빌려서 공을 이루었을 뿐이라도, 환공은 여전히 오패五伯 가운데 성대한 제후가 되어 있다. 맹자가 '관중의 공훈이 저와 같이 낮다.'[23]고 한 것도 그가 왕도를 행하여 인의 경지에 이르지 못한 까닭이다. 공자가 '제후를 규합하고 천하를 완전히 바로잡았다.'[24]고

21 昭王이 돌아오지 … 일 : 『春秋左傳』「僖公 4년」에 제환공이 蔡나라를 이기고서 이어 초나라를 치면서 포모를 공물로 보내지 않은 일과, 소왕이 남쪽 제후국 순수길에 나섰다가 돌아오지 못한 것을 초나라의 잘못으로 지적하였다. 그러나 소왕은 漢水를 건너려다가 배가 침몰되어 죽은 것이지 초나라와는 관계가 없었다.

22 '오랫동안 빌리고 … 않았다.' : 『孟子』「盡心上」의 말이다. 맹자가 오패를 논하여, "인의의 명분을 빌렸을 뿐이다." 하고서 이어 "오랫동안 빌리고서 돌려보내지 않았으니 어떻게 자신이 실제 소유하지 못했음을 알랴?(久假而不歸, 惡知其非有也.)"라고 하였다. 이를 주자는 『集註』에서, "평생토록 빌렸으니 자신이 참으로 소유하지 못한 것조차 스스로 알지 못했음을 말한 것이다.(言竊其名以終身, 而不自知其非眞有.)"고 했고 또 "혹자는 세상 사람들이 그 거짓됨을 깨닫지 못하고 있음을 탄식한 것이라고 하는데 역시 통한다.(或曰, 蓋歎世人莫覺其僞者, 亦通.)"고 하였다.

23 '관중의 공훈이 … 낮다.' : 『孟子』「公孫丑上」에서 "(증자의 손자 曾西에게 어떤 사람이) '그대와 관중은 누가 더 나은가?'라고 묻자, 증서가 발끈 노여워하며 다음과 같이 말했다. '그대가 어째서 나를 관중에게 비교하는가? 관중이 군주의 신임을 산 것이 저와 같이 오롯하여 국정을 집행한 것이 저와 같이 오래였는데도 공훈이 저와 같이 비루한데 그대가 어째서 나를 이 자에게 비교하는가?'(然則吾子與管仲孰賢? 曾西艴然不悅曰, 爾何曾比予於管仲? 管仲得君, 如彼其專也; 行乎國政, 如彼其久也, 功烈如彼其卑也, 爾何曾比予於是?)"라고 하였다.

24 '제후를 규합하고 … 바로잡았다.' : 이는 『論語』「憲問」에서 관중의 공을 평한 두 장의 말을 하나로 인용한 것이다. 제후 규합은 자로의 물음에 대한 것이니 위 주석에 자세하고, 천하 운운은 "자공이 '관중은 인한 사람이 아닐 것입니다! 환공이 공자규를 죽였는데 죽지 못하고 게다가 또 그를 도왔습니다.'고 하자, 공자가 말했다. '관중이 환공을 도와 제후의 패자가 되어 천하를 완전히 바로잡음으로서 백성들이 오늘날까지 그 은혜를 받았다. 관중이 아니었다면 우리는 머리를 풀어헤치고 옷깃을 왼쪽으로 여몄을 것이다.'(子貢曰, '管仲非仁者與! 桓公殺公子糾, 不能死, 又相之.' 子曰, '管仲相桓公, 霸諸侯, 一匡天下, 民到于今受其賜. 微管仲,

말한 것은 그의 공훈 때문이다. 공자와 맹자의 뜻은 동일하니 이 밖에는 모두 천착의 말이다."

問 : "孔門羞稱五伯, 何也?"

曰 : "七十子之徒, 皆未必能作得管仲之功. 然所以羞稱者, 只爲錯了大本, 不知學者也. 學者不可不知此也."

물었다. "공자 문하에서 오패에 대해 말하는 것조차 부끄러워한 것[25]은 어째서입니까?"
대답하였다. "70명 문하생 무리 모두가 반드시 관중이 해낸 일을 능히 해내지는 못한다. 그러나 말하기조차 부끄러워한 것은 다만 대본大本에서 어긋나서이니 학문이 어떤 것인지 알지 못해서이다. 배우는 사람은 이를 알지 못해선 안 된다."

[69-1-7]

五峯胡氏曰 : "三王正名興利者也, 故其利大而流長; 五伯假名爭利者也, 故其利小而流近."[26]

오봉 호씨[胡宏]가 말하였다. "삼왕은 명분을 바르게 하고 이로운 일을 만들어 낸 까닭에 그 이로움도 크고 유전됨이 멀리 갔고, 오패는 명분을 빌리고 이로움을 다툰 까닭에 그 이로움도 적고 유전됨이 짧았다."

[69-1-8]

豫章羅氏曰 : "王者富民, 伯者富國. 富民, 三代之世是也; 富國, 齊晉是也. 至漢文帝行王者之道, 欲富民而告戒不嚴, 民反至於奢; 武帝行伯者之道, 欲富國而費用無節, 國反至於耗."[27]

예장 나씨[羅從彦]가 말하였다. "왕자는 백성을 부유하게 하고 패자는 나라를 부강하게 한다. 백성을 부유하게 한 것은 삼대 세상이고, 나라를 부강하게 한 것은 제齊나라와 진晉나라이다.[28] 한문제漢文帝 때 이르러 왕자의 도리를 행하여 백성을 부유하게 하고자 하였으나 경계시키는 말이 엄격하지 않아, 백성들은 도리어 사치에 빠졌고, 무제武帝 때는 패자의 도리를 행하여 나라를 부강하게 하고자 하였으나, 재화를 낭비하고 절제가 없어 나라가 도리어 텅텅 비었다."

吾其被髮左衽矣.')"고 하였다.

25 공자 문하에서 … 것 : 『漢書』 권56 「董仲舒傳」에서 武帝의 물음에 대답한 말 가운데 일부로, "인한 사람은 의리만을 바로잡고 이익은 도모하지 않고, 도를 밝히고 공은 생각하지 않습니다. 그리하여 중니의 문하에서는 5척 동자도 오패에 대해 말하기를 부끄러워합니다. 그들이 속임수와 힘을 앞세우고 인과 의를 뒷전으로 미루는 까닭입니다.(仁人者, 正其誼不謀其利, 明其道不計其功. 是以仲尼之門, 五尺之童, 羞稱五伯. 爲其先詐力而後仁誼也.)"라고 하였다.

26 『知言』 권3

27 『豫章文集』 권11 「雜著 · 議論要語」

28 齊나라와 晉나라이다. : 춘추시대 패자인 제환공과 진문공을 이른다.

[69-1-9]

南軒張氏曰 : "學者要須先明王伯之辨, 而後可論治體. 王伯之辨, 莫明於孟子. 大抵王者之政, 皆無所爲而爲之 ; 伯者則莫非有爲而然也. 無所爲者天理, 義之公也 ; 有所爲者人欲, 利之私也. 考左氏所載齊桓晉文之事, 其間豈無可喜者, 要莫非有所爲而然 ; 考其迹, 而其心術之所存固不可掩也."[29]

남헌 장씨[張栻]가 말하였다. "배우는 사람은 모름지기 왕자와 패자의 구분부터 우선 밝혀야, 그 다음에 정치의 요체를 말할 수 있다. 왕자와 패자에 대한 구분은 맹자보다 분명할 수 없다. 대체로 왕자의 정치는 모두 노리는 것 없이 그렇게 하는데, 패자는 모두가 노리는 것이 있어서 그렇게 한다. 노림이 없는 것은 천리이니 의로운 공정함이고, 노림이 있는 것은 사람의 욕심이니 이롭고자 하는 사사로움이다. 『좌전』에 실린 제환공과 진문공이 한 일을 살펴보면 한 일들 속에 왜 기뻐할 일이 없겠는가마는 결과는 그 모두가 노리는 것이 있어서 한 일이고, 그들의 자취를 짚어보아도 심술이 담겨 있음을 참으로 가릴 길 없다."

[69-1-10]

問 : "王伯如何分別?"

潛室陳氏曰 : "司馬溫公無王伯之辨, 要之, 源頭只是王伯兩字, 以其爲天下王, 故謂之王. 以其爲方伯, 故謂之伯. 以王天下言之謂之王, 猶伯之爲伯也. 未見其美玉珷玞之辨. 後來制字有不備, 故伯字有覇字, 王字只是王字點發爲之. 然伯字亦無詐力之義. 故言三王, 以其王天下也 ; 言五伯, 以其伯諸侯也. 自其有三王之至公, 有五伯之智力, 而後有王伯是非誠僞之分. 故今之言王伯之分者, 當以孟子德行仁力假仁爲正."[30]

물었다. "왕과 패자는 어떻게 분별합니까?"

잠실 진씨[陳埴]가 대답하였다. "사마온공은 왕자와 패자에 대한 구분이 없으니, 결론을 내린다면 본래에 왕王과 백伯 두 글자는 그가 천하의 왕이었던 까닭에 왕이라 하고, 그가 방백方伯이었던 까닭에 패자伯라 한 것일 뿐이다. 천하에 왕이었으므로 왕이라 칭한 것은, 방백을 패자라 칭한 것과 같다. 그것에 '아름다운 옥[美玉]'인지 무부珷玞(옥 비슷한 아름다운 돌)인지의 분별은 없다. 후세에 글자를 제정하는 데 미비 함이 있었던 까닭에 백伯 자에는 패覇 자가 만들어지고 왕王 자는 그대로 왕자에다 점발點發법[31]을 썼다. 그러나 백 자에 역시 속임수나 힘을 내세우는 뜻은 없다. 그런 까닭에 삼왕이라는 말은 그가 천하에 왕노릇 한 까닭이고, 오패라는 말은 그가 제후의 패자여서다. 그들 말속에 삼왕은 지극한 공정함이 있고,

29 『南軒集』 권16 「史論 · 漢家雜伯」

30 『木鍾集』 권10

31 點發법 : 글자의 네 귀퉁이에 점을 찍어 글자의 음과 뜻을 밝히는 방법이다. 예를 들면 평성의 경우 글자의 왼쪽 아래 귀퉁이에 점을 찍고, 상성일 경우 왼쪽 위 귀퉁이에, 거성일 경우 오른쪽 위 귀퉁이에, 입성일 경우 오른쪽 아래 귀퉁이에 점을 찍는 일이다.(顔師古, 『匡謬正俗』 권6 「副」)

오패에는 지혜와 힘이 따라붙으면서부터, 그 뒤 왕과 패자에, 옳고 그름, 진실과 거짓의 구분이 생겼다. 그러므로 오늘날에 왕자와 패자의 나뉨에 대해 말하려는 자는 당연히 맹자가 말한 덕으로 인을 행하고, 힘으로 인을 빌렸다는 말을 바름으로 삼아야 한다."

[69-1-11]

西山眞氏曰: "義·信·禮, 爲國之本, 不可一日離. 古之王者動必由之, 非有所爲而爲之也. 子犯之爲晉文公謀, 必曰示之義, 示之信, 示之禮, 則皆有爲而爲之矣. 王伯粹駁之異, 其不以此哉?"

서산 진씨[眞德秀]가 말하였다. "의義·신信·예禮는 나라를 다스리는 근본으로 하루도 떨어질 수 없다. 옛날의 왕은 하는 일마다 반드시 이를 따랐고 노림수가 있어서 하는 일은 없었다. 자범子犯이 진문공晉文公을 위한 계책을 세우며 반드시 의를 보이고, 신을 보이고, 예를 보이라고 한 말[32]은 모두가 노림수가 있어 그렇게 한 것이다. 왕자와 패자의 순수함과 순수하지 않음의 다름은 이런 까닭이 아니겠는가?"

田賦 전답의 세금

[69-2-1]

或問: "井田今可行否?"

程子曰: "豈古可行, 而今不可行者? 或謂'今人多地少', 不然. 譬諸草木, 山上著得許多, 便生許多. 天地生物常相稱, 豈有人多地少之理?"[33]

어떤 사람이 물었다. "정전법을 오늘날 시행할 수 있습니까?"

정자[程頤]가 대답하였다. "어떻게 예전에 시행하였는데 오늘날 시행할 수 없겠는가? 어떤 사람들은 '오늘날은 인구는 많고 땅은 비좁다.'고 말하나 그렇지 않다. 초목에 비긴다면 산에는 수많은 것들이 의지해 살며 허다한 것들을 살리고 있다. 하늘과 땅이 만물을 생장시키는 데 항상 서로 들어맞으니 어찌 인구는 많고 땅은 비좁을 리가 있겠는가?"

[69-2-2]

問: "古者百畝, 今四十一畝餘. 若以土地計之, 所收似不足以供九人之食."

曰: "百畝九人固不足, 通天下計之則亦可. 家有九人, 只十六已別受田, 其餘皆老少也, 故可供. 有不足者, 又有補助之政, 又有鄉黨賙捄之義, 故亦可足."[34]

32 子犯이 … 말: 『春秋左傳』「僖公 27年」
33 『河南程氏遺書』 권22상 「伊川語錄」

물었다. "옛날의 1백 묘는 오늘날에는 41묘 남짓입니다. 만일 토지로만 따지면 수확이 9명 식구의 식량 공급에 모자랄 듯합니다."
(정자가) 대답하였다. "1백 묘가 9명의 식량에 절대 모자라지만 천하를 통틀어 따진다면 또한 가능할 수 있다. 집 식구가 9명이더라도 나이 16세가 되면 이미 따로 전답을 받고,[35] 그 나머지 식구는 모두 늙은이와 어린이들인 까닭에 공급될 수 있다. 모자란 것은 또 보조해 주는 정령政令이 있고, 또 고을에서 구휼해 주는 법도 있으니 그러므로 또한 넉넉할 수 있다."

[69-2-3]

又嘗與張子厚論井地曰[36]: "地形不必謂寬平可以畫方, 只可用算法折計地畝以授民."
子厚謂: "必先正經界, 經界不正, 則法終不定. 地有坳垤不管,[37] 只觀四標竿, 中間地雖不平饒, 與民無害. 就一夫之間, 所爭亦不多. 又側峻處, 田亦不甚美. 又經界必須正南北, 假使地形有寬狹尖斜, 經界則不避山河之曲. 其田則就得井處爲井, 不能就成處, 或五七, 或三四, 或一夫, 其實四數則在. 又或就不成一夫處, 亦可計百畝之數而授之, 無不可行者. 如此, 則經界隨山隨河, 皆不害於畫之也. 苟如此畫定, 雖便使暴君汚吏, 亦數百年壞不得. 經界之壞, 亦非專在秦時, 其來亦遠, 漸有壞矣."
(정자程子[程頤]가) 또 일찍이 장자후張子厚[張載]와 정전법의 땅에 관해 논하였다. "땅 모양이 꼭 평평하고 넓어야 네모반듯하게 경계를 그을 수 있다 말할 것은 아니고, 다만 계산법을 사용하여 땅의 너비로 계산해서 백성들에게 공급할 수도 있습니다."
자후가 말하였다. "반드시 먼저 경계부터 바로잡아야 하니 경계가 바르지 않으면 법은 끝내 정착하지 못한다. 땅은 울룩불룩한 것을 따지지 말고 다만 네 곳의 표지 깃대만을 살펴, 그 안의 땅이 평평하거나 비옥하지 않더라도 백성들에게 해될 것은 없다. 1부夫[38] 정도의 땅에서는 다툴 일도 또한 많지 않을 것이다. 또 비탈진 곳은 전답 역시 크게 비옥하지 않다. 또 경계는 반드시 남북이 바르게 해야 하니, 가령 지형이 넓고 좁고 뾰족하고 비탈지더라도 경계는 산과 내의 굽이를 피하지 않아야 한다. 전답에

34 『河南程氏遺書』 권2下
35 16세가 되면 … 받고: 『孟子』「滕文公上」에서 정전에 대한 설명 가운데 "경 이하의 관원에게는 반드시 圭田이 있으니 규전은 50묘이고, 餘夫에게는 25묘를 준다.(卿以下必有圭田, 圭田五十畝, 餘夫二十五畝.)"고 하였다. 『集注』에 程子의 말을 인용하여, "만일 아우가 있으면 이 사람은 여부이다. 나이 16세가 되면 별도로 전답 25묘를 받는다.(如有弟, 是餘夫也. 年十六別受田二十五畝.)"고 하였다.
36 又嘗與張子厚論井地曰: 『河南程氏遺書』 권10에는 '二程謂'로 되어 있다. 그래서 끝에 명도와 이천 형제의 말이 따로 있는 것이다.
37 地有坳垤不管: 『河南程氏遺書』 권10에는 '地有坳垤處不管'이라고 하였다.
38 1夫: 땅의 너비를 나타내는 기준의 하나. 사방 100步라고도 하고, 사방 100묘라고도 한다. 『周禮』「地官·小司徒」의 "9부가 정이 된다.(九夫爲井.)"에 대해 鄭玄은 "『司馬法』에 '6척이 보가 되고, 100보가 묘가 되고, 100묘가 부가 된다.'고 했다.(司馬法曰, '六尺爲步, 步百爲畝, 畝百爲夫.')"고 하였고, 『周禮』「考工記·匠人」의 "시장과 조정은 1부이다.(市朝一夫.)"에 대해 鄭玄은 "사방 각 100보이다.(方各百步.)"라고 하였다.

있어 정전을 만들 수 있는 곳은 정전을 만들고, 정전의 경계를 그을 수 없는 곳은 혹 5명이나 7명의 몫, 혹 서너 사람의 몫, 혹 1명 몫으로 만들어도 그 실제 4로 계산하는 것[39]은 그대로일 수 있다. 또 혹여 1부도 못 되는 곳에 있어서는 또 1백 묘의 너비를 계산해서 백성에게 줄 수 있으니 시행하지 못할 곳이 없다. 이 같으면 경계가 산과 시내를 따라 획정해도 획정하는 일에 모두 해될 것이 없다. 진실로 이같이 획정한다면 포악한 군주와 다라운 관리더러 수백 년 동안 무너뜨리게 해도 무너뜨리지 못할 것이다. 경계의 무너짐이 또한 오로지 진秦나라 시대에 있었던 것[40]이 아니고 그 유래는 오래되었으니 점차 무너져 왔다."

又曰 : "井田今取民田, 使貧富均, 則願者衆, 不願者寡".

正叔言 : "亦未可言民情怨怒, 正論可不可爾.[41] 須使上下都無怨怒, 方可行."[42]

(자후가) 또 말하였다. "정전법으로 오늘날 백성들 전답을 가져다가 빈부를 고르게 한다면 원하는 사람은 많고 원하지 않는 사람은 적을 것이다."

정숙正叔[程頤]이 말하였다. "또한 백성들 여론의 원한과 노여움은 말할 만한 것이 아니고, 옳은지 옳지 않은지만을 바르게 논해야 합니다. 그러나 모름지기 위아래 모두가 원한과 노여움이 없어야 비로소 시행할 수 있습니다."

[69-2-4]

藍田呂氏曰 : "古之取民, 貢·助·徹三法而已. 校數歲之中以爲常是爲貢 ; 一井之地八家, 八家皆私百畝, 同治公田百畝是爲助, 不爲公田, 俟歲之成, 通以十一之法, 取于百畝是爲徹."

남전 여씨[呂大臨]가 말하였다. "옛날 백성들에게 거두는 세금은 공법貢法·조법助法·철법徹法 세 가지일 뿐이다. 여러 해의 평균 수확을 비교하여 일정한 법으로 삼은 것은 공법이고, 1정井의 땅을 여덟 집에 나누어 주어 여덟 집이 모두 1백 묘를 따로따로 농사를 짓고 공전公田 1백 묘를 함께 가꾸는 것은 조법이

39 실제 4로 … 것 : 『周禮』「地官·大司徒」에 "토지를 경영하여 전답을 정과 목으로 만들어 9부로 정을 만들고, 4정으로 읍을 만들고, 4읍으로 구를 만들고, 4구로 전을 만들고, 4전으로 현을 만들고 4현으로 도를 만들어 땅의 일을 책임지우고 공물과 세금을 다스린다.(乃經土地而井牧其田野, 九夫爲井, 四井爲邑, 四邑爲丘, 四丘爲甸, 四甸爲縣, 四縣爲都, 以任地事而令貢賦.)"고 하여 정전에 대한 규정을 말하고 있다. 여기서 땅을 나타내는 단위가 4를 기준으로 변한 데에서 횡거가 이를 四數라고 말한 것이다. 곧 기왕에 그런 큰 기준은 변함없이 새로운 제도를 만들 수 있다는 말이다.

40 오로지 秦나라 … 것 : 秦나라 孝公이 商鞅을 등용하여 變法을 꾀하는 과정에서 기왕에 있어 왔던 정전 형태의 전답 두둑을 헐어내고 경계를 새롭게 획정하였다. 이를 『史記』 권68 「商鞅傳」에서 "전답의 일을 새로 다스려서 경계와 두둑을 새로 획정하였다.(爲田, 開阡陌封疆.)"고 하였다.

41 正論可不可爾. : 『河南程氏遺書』 권10에는 '正'자가 '止'자로 되어 있다.

42 『河南程氏遺書』 권10. 이 글은 매우 긴 글이다. 子厚의 말이 끝나고 明道의 말이 이어지는 사이에 본래의 문장에는 伊川과 명도, 또 자후의 주고받는 말이 이어진 다음 지금 보는 명도와 이천의 말이 이어져 있고, 또 이 글 다음에도 여기에 실리지 않은 긴 말이 이어진다.

고, 공전을 만들지 않고 한 해의 농사가 익기를 기다려 통틀어 10분의 1을 취하는 법으로 1백 묘에서 세금을 거두는 것은 철법이다."

[69-2-5]

龜山楊氏曰 : "先王爲比閭族黨州鄕以立軍政. 居則爲力耕之農, 出則爲敵愾之士. 蓋當是時, 天下無不受田之夫, 故均無貧焉, 而人知食力而已. 游惰姦凶不軌之民, 無所容於其間也."[43]

구산 양씨[楊時]가 말하였다. "선왕이 비려比閭와 족당族黨과 주향州鄕[44]을 위해 군대 제도를 정립하였다. 그래서 살면서는 농사에 힘쓰는 농사꾼이 되고 군대에 동원되면 적개심에 싸우는 군인이 되었다. 이때는 천하에 전답을 받지 않은 백성이 없었던 까닭에 고르게 가난한 사람이 없었고, 백성들이 농사를 지어 살아야 할 뿐임을 알았다. 놀고 게으름을 부리며 간사하고 흉악하여 법도에 어긋난 백성은 그 사이에 끼일 수 없었다."

[69-2-6]

五峯胡氏曰 : "仁心, 立政之本也 ; 均田, 爲政之先也. 田里不均, 雖有仁心而民不被其澤矣. 井田者, 聖人均田之要法也. 恩義聯屬, 姦宄不容, 少而不散, 多而不亂, 農賦旣定, 軍制亦明矣. 三王之所以王者, 以其能制天下之田里. 政立仁施, 雖匹夫匹婦, 一衣一食, 如解衣衣之, 如推食食之. 其於萬物誠有調燮之法, 以佐贊乾坤化育之功."[45]

오봉 호씨[胡宏]가 말하였다. "인한 마음은 정사를 세우는 근본이고, 전답을 균등하게 하는 것은 정사 시행에 있어 첫째이다. 전답과 주택이 균등하지 않으면 (군주가) 인한 마음을 가지고 있어도 백성이 그 혜택을 입지 못한다. 정전은 성인이 전답을 균등히 하는 중요한 법이다. 은택과 의리가 서로 연이어지면 겁탈과 강탈이 용납되지 않아, 인구가 적어도 흩어지지 않고 많아도 어지러워지지 않아, 농사에 대한 세금이 기왕에 정해져 있고 군대 제도 역시 분명하다. 삼왕이 왕 노릇 하게 된 까닭은 천하의 전답과 주택 제도가 잘 제정된 까닭이다. 정사가 확립되고 인한 마음이 베풀어지면 평범한 한 사람의 남녀가 한 벌 옷과 한 끼 식사를, 군주가 자신의 옷을 벗어 입혀주듯이 자신의 식사를 밀쳐서 먹여주는 것 같이 생각한다. 만물에 있어서도 참으로 섭리를 잘 조화시키는 방법이 있어 하늘과 땅이 벌이는 화육化育의 일을 도울 것이다."

43 『龜山集』 권6 「辨1 · 保甲」

44 比閭와 族黨과 州鄕 : 『周禮』「地官 · 大司徒」에서 "5호로 비를 만들어 서로서로 보호하게 하고, 5비로 여를 만들어 서로서로 받아들이게 하고, 4여로 족을 만들어 서로서로 장례를 치러주게 하고, 5족으로 당을 만들어 서로서로 재난을 구제하게 하고, 5당으로 주를 만들어 서로 구휼하게 하고, 5주로 향을 만들어 서로서로 서울에 추천해 올리게 한다.(令五家爲比, 使之相保 ; 五比爲閭, 使之相受 ; 四閭爲族, 使之相葬 ; 五族爲黨, 使之相救 ; 五黨爲州, 使之相賙 ; 五州爲鄕, 使之相賓.)"고 하였다. 이 방법에 따르면 1여는 25호, 1족은 100호, 1당은 500호, 1주는 2,500호, 1향은 1만 2,500호이다.

45 『知言』 권3

[69-2-7]

華陽范氏曰 : “自井田廢而貧富不均, 後世未有能制民之産, 使之養生送死而無憾者也. 立法者未嘗不欲抑富, 而或益助之, 不知富者所以能兼并, 由貧者不能自立也. 貧者不能自立, 由上之賦斂重而力役繁也. 爲國者必曰‘財用不足, 故賦役不可以省’, 盍亦反其本矣? 昔哀公以年飢用不足問於有若, 有若曰‘盍徹乎?’ 夫徹非所以裕用, 然欲百姓與君皆足, 必徹而後可也. 後之爲治者, 三代之制雖未能復, 唯省其力役, 薄其賦斂, 務本抑末, 尙儉去奢, 占田有限, 困窮有養, 使貧者足以自立, 而富者不得兼之, 此均天下之本也. 不然, 雖有法令, 徒文具而已, 何益於治哉?”[46]

화양 범씨[范祖禹]가 말하였다. “정전 제도가 폐해져 빈부가 균등하지 않게 되면서, 후세에는 백성의 산업을 제정하여 산 사람을 봉양하고 죽은 자를 장례 치르는 일에 여한이 없게 하는 제후가 없다. 법을 만드는 사람이면 부자를 억제하려 하지 않음이 없었으나 혹여 더 보태주게 된 것은, 부유한 자가 겸병할 수 있는 까닭이 가난한 백성이 자립하지 못한 데에서 연유한 것을 몰라서다. 가난한 자가 자립하지 못함은 군주가 거두어가는 세금이 많고 인력 동원이 번거로워서다. 나라를 다스리는 사람들은 언제나 ‘재용이 부족하여 세금과 인력 동원을 줄일 수 없다.’고 말하나, 어찌하여 근본으로 되돌아가려 하지 않을까? 옛날 애공哀公이 흉년이 들어 재용이 부족하게 되자 유약有若에게 물었는데, 유약은 ‘왜 철법徹法을 쓰지 않으십니까?’라고 하였다.[47] 철법이 재용을 여유롭게 해주는 것은 아니지만 백성과 군주가 모두 풍족하려면 반드시 철법을 시행하여야 가능하다. 후대의 위정자들이 삼대제도를 회복시킬 수는 없겠지만, 인력 동원을 줄이고, 세금을 경감하고, 농사에 힘써 상업을 억제하고, 검소를 숭상하여 사치를 없애고, 전답 점유에 한계를 두고, 곤궁한 자를 생활할 수 있게 하여, 가난한 자가 자립하기에 충분하고 부자가 겸병할 수 없게 하는 것이 천하를 고르게 하는 근본이다. 그렇지 않으면 법령이 있다 해도 한낱 겉치레일 뿐 어찌 정치에 도움이 되겠는가?”

[69-2-8]

問 : “橫渠‘爲世之病井田難行者, 以亟奪富人之田爲辭, 然處之有術, 期以數年, 不刑一人而可復.’ 不審井議之行於今, 果如何?”

46 『唐鑑』 권2 「高祖下 7년」

47 哀公이 흉년이 … 하였다. : 『論語』「顔淵」에 “애공이 유약에게 ‘흉년이 들어 재용이 부족하니 어떻게 했으면 좋겠습니까?’ 하자, 유약이 대답하기를, ‘왜 철법을 실시하지 않습니까?’ 하였다. 애공이 ‘10분의 2로도 우리가 오히려 부족한데 어떻게 철법을 쓸 수 있겠소?’ 하자, 유약이 대답하기를, ‘백성이 풍족하면 임금이 누구와 부족하겠으며, 백성이 부족하면 임금님께서 누구와 풍족할 수 있겠습니까?’라고 하였다.(哀公問於有若曰, ‘年饑, 用不足, 如之何? 有若對曰, 盍徹乎?’ 曰, 二, 吾猶不足, 如之何其徹也? 對曰, ‘百姓足, 君孰與不足 ; 百姓不足, 君孰與足?’)”고 하였다. 여기서 철법이란 『孟子』「滕文公上」에 “하후씨는 50묘로 공법을 시행하고 은나라는 70묘로 조법을 시행하고 주나라는 100묘로 철법을 시행하니, 그 실제는 모두 10분의 1을 징수하는 것이다.(夏后氏五十而貢, 殷人七十而助, 周人百畝而徹, 其實皆什一也.)”라고 하였다.

朱子曰："講學時，且恁講. 若欲行之，須有機會. 經大亂之後，天下無人，田盡歸官，方可給與民. 如唐口分世業，是從魏晉積亂之極，至元魏及北齊後周，乘此機方做得. 荀悅漢紀一段正說此意，甚好. 若平世，則誠爲難行."[48]

물었다. "횡거가 '세상에서 정전법 시행의 어려움을 지적하는 자는, 부자의 전답을 대뜸 빼앗기 어렵다는 점을 말하고 있으나, 조치에 방법이 있고 몇 해를 기한하고서 시행한다면 한 사람을 형벌하지 않고서도 정전제도를 회복시킬 수 있다.'고 했습니다. 정전법에 대한 주장을 오늘날 시행한다면 과연 어떨지 모르겠습니다."

주자가 대답하였다. "공부할 때 이를 생각해본 적이 있다. 만일 시행하고자 하면 당연히 기회를 만나야 한다. 큰 난리를 겪어 천하에 백성도 없고 전답이 모두 정부에 귀속되어야 비로소 백성들에게 제공할 수 있다. 당唐나라의 구분전口分田과 세업전世業田[49] 같은 것은 위진魏晉시대 극도의 난리를 겪고서 원위元魏[50]와 북제北齊와 후주後周시대에 이르러 이 기회를 타고서 비로소 해낸 것이다. 순열荀悅의 저서 『한기漢紀』의 한 단락에서도 이런 뜻을 말하였는데[51] 매우 좋다. 평탄한 세상이라면 참으로 시행하기 어렵다."

[69-2-9]

東萊呂氏曰："孔子言王道，曰'道千乘之國，敬事而信，節用而愛人，使民以時.' 孟子言王道，須說'百畝之田，八口之家，及材木不可勝用'之類，何故須說許多? 以此見得春秋時井田尚在，戰國時已自大故廢，須要人整頓. 如史記說'決裂阡陌，以靜天下之業'，又以此見得井田亦不易廢."[52]

동래 여씨[呂祖謙]가 말하였다. "공자가 왕도에 대해서 '천승千乘의 나라를 다스리려면 일에 공경하여 미더움을 사고, 용도를 절약하여 백성을 사랑해야 하며, 백성을 부리는 일을 때에 맞게 해야 한다.'[53]고 하였다. 맹자는 왕도에 대해 말하며,[54] 꼭 '1백 묘의 전답, 8명의 식구, 재목을 다 쓸 수 없게 해야 한다.'는 것들을 말하였다. 어인 까닭에 이 허다한 것들을 말하였을까? 여기에서 춘추시대에는 정전제도가 아직

48 『朱子語類』 권98, 121조목

49 口分田과 世業田 : 당나라 시대 농부 한 사람에게 분배한 전답. 보통 한 농부 집안에 100묘의 전답이 주어졌는데 이 가운데 20묘는 永業田으로 죽은 뒤에도 자식에게 물려주는 전답이고 나머지 80묘는 口分田으로 죽으면 정부에 돌려주었다. 영업전은 세업전으로도 불렸다. 이 제도는 北魏에서 시작되어 당대에까지 시행되었다. (『魏書』「食貨志」; 『通典』「食貨志」; 『隋書』「食貨志」; 『新唐書』「食貨志一」)

50 元魏 : 北魏를 이르는 말. 위나라 孝文帝가 낙양으로 천도하고 성씨 拓跋을 元氏로 바꾸자 역사에서 북위를 원위로 호칭하였다.

51 『漢紀』의 … 말하였는데 : 『前漢紀』 권8 「孝文帝」 13년의 기사에 자세하다.

52 『東萊外集』 권6 「庚子所記」

53 '千乘의 … 한다.' : 『論語』「學而」

54 맹자는 왕도에 대해 말하며 : 『孟子』「梁惠王上」에서 양혜왕과 齊宣王에게 왕도에 대해 설명하며 이런 여러 가지 기본 정책들을 하나하나 거론하였다.

남아 있었고, 전국시대에는 이미 대략적인 것들이 폐해져 누군가의 정돈을 필요로 했음을 알 수 있다. 『사기』[55]의 '경작지의 경계를 헐어서 천하의 산업을 안정시켰다.'고 말하고 있으니, 또다시 여기에서 정전법이 역시 쉽게 폐해지지 않았음을 알 수 있다."

理財 재용 다스리기

[69-3-1]

龜山楊氏曰："古之制國用者，量入以爲出，故以九賦斂之，而後以九式均節之，使用財無偏重不足之處，所謂均節也. 取之有藝，用之有節，然後足以服邦國，以致其用. 先王所謂'理財者，亦均節之，使當理而已.'"[56]

구산 양씨가 말하였다. "옛날 국가의 재용을 다스리는 사람은 수입을 헤아려 지출한 까닭에 구부九賦[57]로 거두어들이고 이후에는 구식九式[58]으로 균등하게 조절하여, 재용의 사용이 편중되거나 부족한 곳이 없게 하였으니 이른바 '균등한 조절[均節]'이란 것이다. 거두는 일에 법도가 있고 쓰는 것에 절제가 있은 뒤라야 나라를 충분히 복종시켜 용도를 지극히 할 수 있다. 선왕이 말한 '재용을 다루면서는 또한 균등하게 조절하여 이치에 합당하게 해야 할 따름이다.'라는 것이다."

[69-3-2]

"『周官』泉府之官，'以市之征布，斂市之不售，貨之滯於民用，以其價買之，物揭而書之，以待不時而買者.' 夫物貨之有無，民用之贏乏，常相因而至也. 不售者有以斂之，蓋將使行者無滯

55 『史記』：『史記』 권79 「蔡澤傳」

56 『龜山集』 권6 「辨 1・神宗日録辨」

57 九賦：주나라 시대 9종의 조세 징수법. 여러 잡세를 두루 이르는 말이다. 그 자세한 것은 『周禮』「天官・大宰」에 "9종의 조세 징수법으로 재화를 거두어들이니 그것들은, 첫째 도성 안의 징수, 둘째 사방 교외 100리에서의 징수, 셋째 도성 밖 200리에서의 징수, 넷째 도성 밖 300리에서의 징수, 다섯째 도성 밖 400리에서의 징수, 여섯째 도성 밖 500리에서의 징수, 일곱째 관문과 저자에서의 징수, 여덟째 산과 늪 지역에서의 징수, 아홉째 생산된 과정에서 생겨난 부스러기에 대한 징수이다.(以九賦斂財賄，一曰邦中之賦，二曰四郊之賦，三曰邦甸之賦，四曰家削之賦，五曰邦縣之賦，六曰邦都之賦，七曰關市之賦，八曰山澤之賦，九曰幣餘之賦.)"라고 하였다."

58 九式：용도를 균등하게 조절하는 아홉 가지 기준. 그 자세한 것은 『周禮』「天官・大宰」에 "아홉 가지 기준으로 재용을 균등하게 조절하니, 첫째 제사에 드는 기준, 둘째 빈객 접대에 드는 기준, 셋째 초상과 흉년에 드는 기준, 넷째 음식과 복장에 드는 기준, 다섯째 기물을 만드는데 드는 기준, 여섯째 제후의 사신에게 내리는 폐백에 드는 기준, 일곱째 소와 말먹이에 드는 기준, 여덟째 신하들에게 내리는 물건에 드는 기준, 아홉째 연향과 선물에 드는 기준이다.(以九式均節財用，一曰祭祀之式，二曰賓客之式，三曰喪荒之式，四曰羞服之式，五曰工事之式，六曰幣帛之式，七曰芻秣之式，八曰匪頒之式，九曰好用之式.)"고 하였다.

貨, 非以其賤故買之也 ; 不時買者有以待之, 蓋將使居者無乏用, 非以其貴故賣之. 蓋所以阜通貨賄也. 此商賈所以願藏於王之市, 而有無贏乏皆濟矣."[59]

(구산 양씨가 말하였다.) "『주례』 천부泉府의 관원[60]은 '저자에서 징수한 세금으로, 시장에서 팔지 못한 것과 팔아야 할 물건으로 민간에 적체되어 있는 것을 모아, 그들 값대로 사들여서는 물건마다 그 값을 써 붙여두고서 불시에 사려는 자에 대비한다.'고 하였다. 상품이 있느냐와 바닥났느냐, 백성들의 사용에 모자라느냐와 남아 있느냐는 언제나 서로 맞물려 나타난다. 팔리지 않은 물건을 거두어 두는 것은, 떠돌이 장사에게 재고로 쌓이는 상품이 없게 하려는 것이지 값이 싸서 사들이는 것이 아니고, 불시에 사려는 자에 대비한다는 것은 거주민의 생활용품이 떨어짐이 없게 하려는 것이지 값이 비싸질까 해서 사들이는 것이 아니다. 모두 다 상품을 잘 유통되게 하려는 것이다. 이것이 떠돌이 장사와 앉아서 파는 장사가 왕도를 행하는 나라의 저자에 자신의 상품을 쌓아두고자 하는 까닭이니, 있는 곳은 있고 없는 곳은 없으며 남는 곳은 남아있고 모자라는 곳은 모자라는 것이 모두 해결된다."

[69-3-3]

"先王所謂理財者, 非盡籠天下之利而有之也. 取之以道, 用之有節, 各當於義之謂也. 取之不以其道, 用之不以其節, 而不當於義, 則非理矣. 故『周官』以九職任之, 而後以九賦斂之, 其取之可謂有道矣. 九賦之入, 各有所待, 如關市之賦以待王之膳服, 邦中之賦以待賓客之類是也. 邦之大用, 内府待之, 邦之小用, 外府受焉, 有司不得而侵紊之也. 冢宰以九式均節之, 下至工事 · 芻秣之微, 匪頒 · 好用, 皆有式焉, 雖人主不得而逾之也. 所謂'惟王及后世子不會', 特膳服之類而已. 有不如式, 雖有司不會, 冢宰得以式論之矣."[61]

(구산 양씨가 말하였다.) "선왕이 말한 재용을 다스림이란, 천하의 이익을 독차지하여 소유하려는 것이 아니다. 거두어들이는 데 도리가 있고 그 사용에 절제가 있어, 각기 의리에 합당하게 하는 것을 말함이다. 거두어들임이 도리에 맞지 않고 사용이 절제가 없어 의리에 합당하지 않는 것은 다스리는 것이 아니다. 그러므로 『주례』는 구직九職[62]으로 안정시키고, 다음에 구부로 거두어들이니 거두어들임에 도리

59 『龜山集』 권6 「辨 1 · 神宗日録辨」

60 泉府의 관원 : 벼슬 이름으로 주나라 때 地官의 司徒의 속관이다. 이 문장은 『周禮』「地官 · 泉府」에 실렸다.

61 『龜山集』 권20 「書 · 答胡康侯 8」

62 九職 : 주나라 때의 9종의 직업. 자세한 것은 『周禮』「天官 · 大宰」에 "9종의 직종으로 만백성을 안정시키니, 첫째 세 곳에서 아홉 가지 곡식을 생산하는 일, 둘째 과수원과 채전에서 풀과 나무를 기르는 일, 셋째 산과 늪에서 산과 늪의 재목을 기르는 일, 넷째 목초지에서 가축을 기르는 일, 다섯째 온갖 기술자가 여덟 가지의 재료를 이용하여 물건을 만드는 일, 여섯째 장사가 재화를 왕성하게 유통시키는 일, 일곱째 부인네가 길쌈하는 일, 여덟째 하층의 남자나 여자가 거친 먹을거리를 거두어들이는 일, 아홉째 한가히 노닐며 아무 일이 없는 사람은 남의 집 일을 돌보게 하는 것이다.(以九職任萬民, 一曰三農, 生九穀 ; 二曰園圃, 毓草木 ; 三曰虞衡, 作山澤之材 ; 四曰藪牧, 養蕃鳥獸 ; 五曰百工, 飭化八材 ; 六曰商賈, 阜通貨賄 ; 七曰嬪婦, 化治絲枲 ; 八曰臣妾, 聚斂疏材 ; 九曰閒民, 無常職, 轉移執事.)"라고 하였다.

가 있다고 말할 수 있다. 구부에 의해 들어온 것은 각기 공급하는 곳이 있으니, 예컨대 관문關門과 저자에서 거둔 세금은 왕의 반찬과 복장 비용에 공급하고, 도성 안에서 거둔 것은 외국에서 방문하는 손님들의 비용에 공급하는 따위다. 나라의 큰 재용은 내부內部[63]가 공급하고 나라의 소소한 재용은 외부外府[64]에서 받아 오니, 유사가 넘보아 문란하게 할 수 없다. 총재冢宰가 구식九式[65]으로 균등하게 조절하여, 아래로 '기물을 만드는 일[工事]'이며 '소와 말 먹이[芻秣]'의 미미한 것에서, '신하들에게 내리는 것[匪頒]'과 '연향과 선물[好用]'[66]까지 모두 법이 있어, 군주라 해도 넘어설 수 없다. 이른바 '왕과 후비와 세자는 계산하지 않는다.[67]'는 것도 다만 반찬 따위일 따름이다. 기준과 같지 않음이 있을 경우 유사는 따져 계산하지 않아도 총재는 기준에 따라 말해야 한다."

[69-3-4]

"什一, 天下之中制, 自堯舜以來未之有改也. 取其所當取, 則利卽義矣. 故曰國不以利爲利, 以義爲利, 則義利初無二致焉."[68]

(구산 양씨가 말하였다.) "10분의 1을 취하는 것은 천하의 중정한 제도여서, 요순 이후 고치지 않았다. 당연히 거두어들일 것을 거두어들이는 것은 이로움이자 바로 의리다. 그러므로 나라는 이로움을 이로움으로 삼지 않고 의리를 이로움으로 삼는 것이니[69] 의리와 이로움은 전혀 따로따로 이루어지는 것이 아니다."

[69-3-5]

朱子曰: "古者荒歲方鑄錢, 『周禮』所謂'國凶荒札喪, 則市無征而作布', 旣可因此以養飢民, 又可以權物之重輕. 蓋古人錢闕, 方鑄錢以益之.[70]"[71]

주자가 말하였다. "옛날에는 흉년이 든 해에 동전을 주조하였으니 『주례』에서 '나라에 흉년이 들거나,

63 內府 : 왕실의 창고를 관장하는 관아. 『周禮』「天官 · 內府」에, "내부는 구공과 구부와 구공의 재화와, 좋은 병장기와 좋은 기물들을 받는 일을 관장하니 이것들을 나라의 큰일에 공급한다.(內府掌受九貢 · 九賦 · 九功之貨賄 · 良兵 · 良器, 以待邦之大用.)"고 하였다.

64 外府 : 나라의 재화를 관장하는 관아. 『周禮』「天官 · 外府」에 "외부는 나랏돈의 입출을 관장하여 사들이거나 만들어 나라가 사용하는 일에 공급한다.(外府掌邦布之入出, 以共百物, 而待邦之用.)"고 하였다.

65 九式 : 위 [69-3-1]의 주석 참고.

66 '기물을 만드는 … 선물까지[好用]' : 위 [69-3-1]의 주석 참고.

67 '왕과 후비와 … 않는다.' : 『周禮』「天官 · 膳夫」에 의거하면, 선부는 왕이 드시는 음식을 관장하는 벼슬이다. 그런데 선부가 취급하는 여러 비용을 한 해 말이면 회계를 하는데 오직 "왕과 왕후, 세자의 음식으로 지출된 것에 대해서는 계산하지 않는다.(王及后世子之膳不會.)"고 하였다.

68 『龜山集』 권6 「辨 1 · 神宗日録辨」

69 나라는 이로움을 … 것이니 : 『대학장구』 傳 10장

70 方鑄錢以益之. : 『朱子語類』 권111, 35조목에는 '方鑄將來添'으로 되어 있다.

71 『朱子語類』 권111, 35조목

전염병이 돌거나, 사상자가 발생하면 저자에서 세금을 징수하지 않고 동전을 주조하였다.'[72]고 했으니 이를 통해서 굶주린 백성을 기를 수 있고, 또 물건의 값을 조절할 수 있어서다. 옛사람은 비용이 모자랄 때 동전을 주조하여 보탰다."

節儉 절약과 검소

[69-4-1]

程子曰 : "仁宗一日問, '折米折幾分?' 曰'折六分.' 怪其太甚也, 有旨, 只令折五分. 次供進, 偶覺藏府痛, 曰'習使然也.' 却令如舊.[73] 又一日思生荔枝, 有司言已供盡. 近侍曰'有鬻者, 請買之.' 上曰'不可. 令買, 來歲必增上供之數, 流禍百姓無窮.' 又一日, 夜中甚飢, 思燒羊頭, 近侍乞宣取, 上曰'不可. 今次取之, 後必常備. 日殺三羊, 暴殄無窮.' 竟夕不食."[74]

정자程顥가 말하였다. "인종仁宗이 어느 날 묻기를, '쌀을 도정할 때 몇 번을 도정하느냐?', '6번 도정하옵니다.'고 하자, 너무 많은 것을 괴이하게 여겨, 유지有旨를 내려 5번만 도정하도록 하였다. 다음번 수라를 장만하여 올리는데 우연히 오장육부五臟六腑에 통증을 느꼈으나, '늘 그런 것이다.' 하고서 예전처럼 도정하게 하였다. 또 어느 날 싱싱한 여주 생각이 나는데 담당 관원이 올라온 것이 이미 떨어졌다고 하였다. 가까이서 모시는 자가 '파는 자가 있으니 청컨대 사가지고 오겠습니다.'라고 하자, 인종이 '옳지 않다. 사들이면 다음 해에 반드시 조정에 올리는 숫자가 많아져 백성에게 미치는 재앙이 끝이 없을 것이다.'라고 하셨다. 또 어느 날 밤중에 매우 시장기가 들어 양머리로 조리한 음식이 생각났는데, 가까이서 모시는 자가 황제의 칙지로 그 음식을 갖추게 할 것을 청하자, 인종은 '불가하다. 이번에 그렇게 취하게 되면 나중에는 반드시 늘 갖추어 두려 할 것이다. 날마다 양 세 마리를 잡는다면 낭비가 끝이 없을 것이다.' 하고서 밤이 새도록 잡수시지 않으셨다."

[69-4-2]

元城劉氏曰 : "仁宗恭儉出於天性, 故四十二年如一日也, 『易』所謂'有始有卒者.' 世以明皇初節儉後奢侈, 疑相去遼絶. 此說非也, 此正是一箇見識耳. 夫錦繡珠玉, 世之所有也, 己不好之則不用, 何至焚之? 焚之必於前殿, 是欲人知之, 此好名之弊也. 夫恭儉不出於天性, 而出於好名, 好名之心衰, 則其奢侈必甚, 此必至之理也. 故當時識者, 見其焚珠玉, 知其必有末年之

72 '나라에 흉년이 … 주조하였다.' : 『周禮』「地官 · 司市」

73 却令如舊. : 『河南程氏外書』 권12에는 이 문장 아래 '又禁中進膳, 飯中有砂石, 含以密示嬪御曰, 切勿語人, 朕曽食之. 此死罪也.'가 더 있다. 이는 이 단원의 검소와 관계가 없어 삭제한 듯하다.

74 『河南程氏外書』 권12

弊. 若仁宗則不然, 若非大臣問疾, 則無由見其黄絁被漆唾壺."75

원성 유씨[劉安世]가 말하였다. "인종의 공손과 검소함은 타고난 천성인 까닭에 42년이 하루 같으셨으니 『주역』에서 말한 '시작도 있고 끝도 있다.'라는 것이다. 세상에서 명황明皇76의 처음에는 절약하고 검소하다 나중에 사치한 것을 두고 서로 너무 차이 난 것을 의심한다. 이 의심은 틀린 말이다. 이는 바로 극히 하찮은 식견일 뿐이다. 저 수놓은 비단과 주옥은 세상에 있어왔던 것이니 자신이 좋아하지 않으면 쓰지 않을지언정 무얼 태우기까지 할 일인가? 태우는 것도 굳이 궁궐의 앞77인 것은 남들에게 알리려는 짓이니 이는 명예를 좋아하는 폐단이다. 공손과 검소가 천성에서 비롯되지 않고 명성을 좋아하는 데에서 나올 경우, 명성을 좋아하는 마음이 시들면 그 사치가 반드시 심해지는 것은 필연의 이치다. 그러므로 당시 상식이 있었던 자는 주옥을 불태우는 것을 보고서 그에게 반드시 늘그막의 폐단이 있을 줄 알았다. 인종은 그렇지 않았으니, 대신이 병문안을 하지 않았다면 누렇고 거친 이불과 옻칠한 타구唾具78를 보지 못하였을 것이다."

[69-4-3]

五峯胡氏曰 : "上侈靡而細民皆衣帛食肉, 此飢寒之所由生, 盜賊之所由作也. 天下如是, 上不知禁, 又益甚焉. 然而不亡者, 未之有也."79

오봉 호씨[胡宏]가 말하였다. "군주가 사치스러운데 하층 백성마저 모두 비단옷을 입고 고기반찬을 먹는 것은 굶주림과 추위에 떠는 일을 생겨나게 하고, 도적을 일어나게 하는 연유다. 천하가 이 같은데 군주가 금지할 줄 모르면 또 더욱 심하여진다. 그러고서도 망하지 않는 나라는 있지 않다."

[69-4-4]

朱子曰 : "先聖之言治國, 而有節用愛人之說. 蓋國家財用皆出於民, 如有不節而用度有闕, 則橫賦暴斂必將有及於民者, 雖有愛人之心, 而民不被其澤矣. 是以將愛人者, 必先節用, 此不

75 『元城語錄解』 권上

76 明皇 : 唐玄宗을 이르는 말. 그의 시호가 至道大聖大明孝皇帝이다.

77 태우는 것도 … 앞 : 『新唐書』 권5 「玄宗本紀」에 開元 2년 "7월 을미일에 수놓은 비단과 주옥을 궁궐 앞에서 불태웠다.(七月乙未, 焚錦繡珠玉于前殿.)"고 하였다.

78 누렇고 거친 … 唾具 : 『歸田錄』 권상에 "인종은 성스러운 본성이 공손하고 검소하다. 至和 2년 봄에 건강이 좋지 않아 兩府(中書省과 樞密院)의 대신들이 날마다 누워계시는 전각에 이르러 성체의 안부를 물었다. 상이 쓰시는 그릇들이며 옷가지를 보니 질박하여, 장식이 없이 옻칠을 한 둥근 타구를 사용하셨고 장식이 없는 자기 그릇에 약을 담아 올렸으며, 침상의 이불이며 요도 모두 누른색의 거친 비단이고 색깔마저 이미 투색하였다. 궁인이 급히 새 이불로 그 위에 펴드렸는데 역시 누렇고 거친 비단이었다. 그런데도 아는 외인은 없었고 양부가 병을 살피는 길에 보았을 뿐이다.(仁宗聖性恭儉. 至和二年春不豫, 兩府大臣日至寢閣, 問聖體. 見上器服簡質, 用素漆唾壺盂子, 素甆盞進藥, 御榻上衾褥皆黄絁, 色已故暗, 宮人遽取新衾覆其上, 亦黄絁也. 然外人無知者, 惟兩府侍疾因見之爾.)"고 하였다.

79 『知言』 권5

易之理也."[80]

주자가 말하였다. "선성先聖(공자)이 나라 다스리는 일에 대한 말씀에 '용도를 절약하여 백성을 사랑하라.'[81]는 말씀이 있다. 그것은 국가의 재용은 모두 백성에게서 나오니, 만일 절약하지 않아 용도가 모자라게 되면, 법에 없는 세금과 포악한 징수가 반드시 백성들에게 닥쳐 백성을 사랑하는 마음이 있어도 백성은 그 혜택을 입지 못한다. 그러므로 백성을 사랑하는 군주는 반드시 우선 용도부터 절약해야 하니, 이는 바꿀 수 없는 이치다."

[69-4-5]

東萊呂氏曰: "古人自奉簡約, 類非後人所能及. 如飮食高下, 自有制度. '諸侯無故不殺牛, 大夫無故不殺羊, 士無故不殺犬豕,' 此猶是極盛時制度也. 大抵古人得食肉者至少, 如'食肉之祿, 氷皆與焉,' '肉食者謀之', '肉食無墨', 此言貴者方得肉食也. 比之後人, 簡約甚矣."[82]

동래 여씨가 말하였다. "옛사람이 자신에 대해 검소했던 것은 대부분 후인들이 따라잡을 수 있는 것이 아니다. 예컨대 음식에 대한 높낮이도 본디 제도가 있다. '제후는 일이 없으면 소를 잡지 않고, 대부는 일이 없으면 양을 잡지 않고, 사士는 일이 없으면 개나 돼지를 잡지 않았으니'[83] 이는 더없이 융성했던 시절의 제도다. 옛사람은 고기를 먹을 수 있는 자가 극히 적어, 예컨대 '고기 먹는 녹봉에는 얼음을 내린다.'[84] '고기 먹는 자가 세운 계책이다.'[85]느니, '고기 먹는 자는 얼굴색에 어두움이 없다.'[86]라는 이런 말은 귀한 자여야 비로소 고기를 먹을 수 있다는 것을 말한 것이다. 후세 사람에게 비기면 검소함이 매우 심하다."

80 『朱文公文集』 권12 「己酉擬上封事」
81 『論語』「學而」
82 『少儀外傳』 권상
83 '제후는 일이 … 않았으니' : 『禮記』「王制」
84 '고기 먹는 … 내린다.' : 『左傳』「昭公 4년」 기사이다. 이를 杜預는 "고기 먹는 녹봉이란 조정에서 벼슬하여 책임진 일을 처리하며 나라의 녹봉을 먹는 자를 이른다.(食肉之祿, 謂在朝廷治其職事, 就官食者.)"고 하였다. 고기 먹는 사람이란 곧 조정에서 벼슬하는 사람을 통칭하는 말이다.
85 '고기 먹는 … 계책이다.' : 『左傳』「莊公 10년」 기사이다. "제나라 군사가 노나라에 쳐들어와 장공이 싸우려 나서는데, 曹劌(조귀)가 장공에게 알현을 청하였다. 조귀의 고향 사람이 '고기 먹는 자들이 계책을 세웠는데 또 뭘 간여하려 하는가?' 하니, 조귀는 '고기 먹는 사람은 비루하여 원대한 계책을 세우지 못한다.' 하고서 장공에게 들어와 알현하였다.(齊師伐我, 公將戰, 曹劌請見. 其鄕人曰'肉食者謀之, 又何間焉?' 劌曰, '肉食者鄙, 未能遠謀,' 乃入見.)."
86 '고기 먹는 … 없다.' : 『左傳』「哀公 13년」의 기사이다. "사마인이 되돌아와서 '고기 먹는 사람은 얼굴색에 어둠이 없는데 지금 오왕은 어둠이 있으니 나라가 이기겠는가? 태자가 죽을 것이다!'고 말하였다.(司馬寅反, 曰'肉食者無墨, 今吳王有墨, 國勝乎? 太子死乎!')"고 하였는데 두예는 "어둡다[墨]는, 기색이 쳐져있는 것이다.(氣色下.)"고 하였다.

[69-4-6]

魯齋許氏曰 : "地力之生物有大數, 人力之成物有大限. 取之有度, 用之有節, 則常足 ; 取之無度, 用之無節, 則常不足. 生物之豐歉由天, 用物之多少由人."[87]

노재 허씨[許衡]가 말하였다. "땅의 힘으로 생산하는 만물에는 큰 한계가 있고 사람의 힘으로 만들어내는 물건에도 큰 한계가 있다. 거두어들이는 것에 법도가 있고 쓰는 것에 절도가 있으면 늘 풍족하고, 거두어들이는 것에 법도가 없고 쓰는 것에 절도가 없으면 늘 부족하다. 생산되는 물건의 흉년과 풍년은 하늘에 달렸고 쓰는 물건의 풍족과 부족은 사람에게 달렸다."

[69-4-7]

"天地間爲人爲物, 皆有分限. 分限之外, 不可過求, 亦不得過用. 暴殄天物, 得罪於天."[88]

(노재 허씨가 말하였다.) "천지 사이에 사람을 위한 것이나 만물을 위한 것에는 모두 제한이 있다. 제한 외에 더 구하여도 안 되고 또 더 써도 안 된다. 하늘이 준 사물을 함부로 낭비하는 것은 하늘에 죄를 짓는 일이다."

賑恤 구휼

[69-5-1]

元城劉氏曰 : "昔堯有九年之水, 湯遇七年之旱, 而國無捐瘠之民者, 蓋備之有素而已."[89]

원성 유씨[劉安世]가 말하였다. "옛날 요임금 시대는 9년 홍수가 있고 탕임금은 7년 가뭄이 있었으나 나라에 뼈로 나뒹굴고 수척한 백성[90]이 없었던 것은 대비가 평소에 있었던 까닭이다."

[69-5-2]

"聖王爲國, 必有九年之蓄. 故雖遇旱乾水溢之災, 民無菜色. 今歲一不登, 人且狼狽. 若有司不度事勢, 拘執故常, 必俟春夏之交, 方行祈禱之理, 民已艱食, 旋爲賑貸之計, 所謂大寒而後

87 『魯齋遺書』 권1 「語錄上」

88 『魯齋遺書』 권1 「語錄上」

89 『盡言集』 권6 「爲愆亢乞徹樂損膳精誠祈禱等事」

90 뼈로 나뒹굴고 … 백성 : 『漢書』「食貨志上」에, "요임금과 우임금 시대에 9년 홍수가 있고 탕임금 시대에 7년 가물이 있었으나 나라에 버려지고[捐] 수척한 자[瘠]가 없었던 것은 축적한 것이 많고 대비를 먼저 갖추어서다.(堯禹有九年之水, 湯有七年之旱, 而國亡捐瘠者, 以畜積多而備先具也.)"고 했는데 이를 顔師古의 注에서 "맹강은 '살이 썩어 들어가는 것을 瘠, 捐은 뼈를 묻지 않은 것이다.'고 하였는데 瘠은 수척해 짐이다.(孟康曰, '肉腐爲瘠 ; 捐, 骨不埋者.' 瘠, 瘦病也.)"고 하였다.

索衣裘, 亦無及矣."[91]

(원성 유씨가 말하였다.) "성왕이 나라를 다스리면 반드시 9년을 살 수 있는 비축이 있다.[92] 그러므로 가뭄과 홍수의 재난을 만나도 백성들이 부황이 나지 않는다. 지금은 한 해만 곡식이 흉년이 져도 백성이 우선 낭패를 겪는다. 만일 담당 관원이 일의 형세를 헤아리지 않고 옛날의 틀에 얽매여 반드시 봄이 가고 여름이 오는 때를 기다려 비로소 기도하는 일을 행하고, 백성이 식량난을 만난 뒤에야 이내 구제책을 세우려든다면, 이른바 '크게 추워진 뒤에 옷을 찾는다.'[93]는 것이니 또한 구제할 수 없다."

[69-5-3]

龜山楊氏曰 : "先王之時, 三年耕有一年之積, 故凶年飢歲民免於死亡, 以其豫備故也. 不知爲政, 乃欲髡其人而取其資, 以爲賑飢之術, 正孟子所謂'雖得禽獸若丘陵弗爲也'."[94]

구산 양씨가 말하였다. "선왕 시대에는 3년 농사를 지으면 1년 치를 비축시킨 까닭[95]에 흉년이 든 굶주린 해에도 백성이 죽음에서 벗어나는 것은 미리 대비한 때문이다. 정치의 방법을 몰라 백성의 머리를 깎아 중이 되게 하는 것으로 자산을 만들어 굶주린 자를 구휼하는 방법으로 삼고자 하였으니,[96] 맹자가 말한 '짐승을 산더미처럼 얻는다 하여도 하지 않는다.'[97]는 것이다."

91 『盡言集』 권6 「爲愆亢乞擧禋祀荒政及求言郵刑」

92 9년을 살 … 있다. : 『禮記』「王制」에, "나라에 9년의 비축이 없는 것을 부족하다고 하고, 6년의 비축이 없는 것을 급박하다고 하고, 3년의 비축이 없는 것을 나라가 나라일 수 없다고 한다. 3년 농사를 지으면 반드시 1년 치를 남겨야 하고, 9년 농사를 지으면 반드시 3년 치를 남겨야 하니, 30년을 단위로 계산한다면, 흉년이 드는 가뭄과 홍수가 넘쳐도 백성들이 부황이 난 일은 없다.(國無九年之蓄曰不足, 無六年之蓄曰急, 無三年之蓄曰國非其國也. 三年耕必有一年之食, 九年耕必有三年之食, 以三十年之通, 雖有凶旱水溢, 民無菜色.)"고 하였다.

93 『揚子法言』 권5 「寡見篇」

94 『龜山集』 권6 「神宗日録辨」

95 3년 농사를 … 까닭 : 바로 윗글 원성 유씨 주장의 주석 참고

96 백성의 머리를 … 하였으니 : 『宋史全文』 권11 송나라 神宗의 기사에서 살피면 다음과 같다. 신종 2년 9월에 "신종이 물었다. '程顥(明道)가 「祠部에서 도첩을 팔아 常平倉의 종잣돈을 만들려는 것은 불가하다.」고 하니 어떤가?' 왕안석이 대답하였다. '정호는 스스로 왕도의 바름을 말했다고 생각하겠지만, 신은 정호의 말은 왕도의 권도를 알지 못한 말이라고 생각합니다. 지금 도첩으로 얻을 수 있는 곡식이 모두 45만 석이나 됩니다. 만일 흉년에 백성들에게 3石을 대여해 주면 15만 생명을 온전히 할 수 있습니다. 사부가 도첩 3천 장을 발행하게 되면 구제하여 살릴 수 있는 자가 15만 생명입니다. 만일 불가하다고 한다면 이는 권도를 모르는 일입니다.'(上問曰, '程顥言「不可賣祠部度牒, 作常平本錢.」 如何?' 安石曰, '顥所言自以爲王道之正, 臣以爲顥所言未達王道之權. 今度牒所得可置粟凡四十五萬石. 若凶年人貸三石, 則可全十五萬人性命. 賣祠部所剃者三千人頭, 而所可捄活者十五萬人性命. 若以爲不可, 是不知權也.')"고 하였다.

97 '짐승을 산더미처럼 … 않는다.' : 옳지 않은 방법은 그것이 아무리 큰 수확이 있어도 하지 않아야 함에 대해 한 말이다. 윗글 [69-1-4]의 주석 참고

[69-5-4]

朱子曰："夫先王之世，使民三年耕者，必有一年之蓄．故積之三十年，則有十年之蓄，而民不病於凶飢．此可謂萬世之良法矣．其次則漢之所謂常平者,[98] 其法亦未嘗不善也."[99]

주자가 말하였다. "선왕 시대는 백성들에게 3년 농사를 지으면 반드시 1년 먹을 것을 비축하게 하였다. 그런 까닭에 30년이 쌓이면 10년 먹을 것이 저축되어, 백성이 흉년의 굶주림을 어려워하지 않았다. 이는 만세의 좋은 법이라 할 수 있다. 그 다음은 한漢나라 때의 상평법常平法[100]이니 그 법 역시 선하지 않음이 없다."

[69-5-5]

"救荒之政，蠲除賑貸，固當汲汲於其始，而撫存休養，尤在謹之於其終．譬如傷寒大病之人，方其病時，湯劑砭灸，固不可以少緩，而其旣愈之後，飮食起居之間，所以將護節宣，少失其宜，則勞復之證，百死一生，尤不可以不深畏也."[101]

(주자가 말하였다.) "구황 정사에서 세금 면제와 곡식 빌려주는 일은 당연히 구황 초기에 급히 서둘러야 하나, 다독여 안정된 삶을 유지시킴은 그 마지막을 신중히 하는 일에 달렸다. 비유하자면 상한증의 큰 병을 앓는 사람이 바야흐로 그 병을 앓을 때 탕약과 침, 뜸 치료를 진정 조금도 늦추어선 안 되지만 그 병이 이미 낫고 난 다음에 음식 먹고 활동하는 일에 조섭하는 조절이 조금이라도 그 알맞지 않으면 병이 다시 도지는 증상[102]으로 100명에 한 사람이 살아날 정도이니 더더욱 깊이 두려워하지 않으면 안 된다."

[69-5-6]

"自古救荒自有兩說,[103] 第一是感召和氣，以致豐穰；其次只有儲蓄之計．若待他餓時理會，更有何策?"[104]

(주자가 말하였다.) "옛부터 구황에 대해서는 본래 두 가지 말이 있으니, 첫째는 화평한 기운을 감동시켜 풍년이 들게 하는 것, 다음은 다만 저축에 대한 계책이다. 만일 굶주릴 때를 기다려 일을 처리하려 든다

98 其次則漢之所謂常平者：『朱文公文集』 권80 「常州宜興縣社倉記」에는 이 문장 다음에 '今固行之' 네 글자가 더 있다.

99 『朱文公文集』 권80 「常州宜興縣社倉記」

100 常平法：한나라 宣帝 때 耿壽昌이 제창한 미곡 가격 조절법. 값이 쌀 때 사들여 비축하였다가 비쌀 때 파는 것이 주된 내용이다.(『事物紀原』「利源調度・常平」)

101 『朱文公文集』 권16 「繳納南康任滿合奏禀事件狀」

102 병이 다시 도지는 증상：이 글의 원문 '勞復之證'에 대해 『朱子大全箚疑輯補』 권16에서 '勞復'을, 箚疑는 '병이 나은 다음에 기운을 피곤하게 하여 다시 도지는 것이다.(病愈之後，因勞其氣力而復發也)'고 하였고, 節補는 '상한에 식복과 노복 등 여러 증상이 있다.(傷寒有食復勞復諸證)'고 하였다.

103 自古救荒自有兩說：『朱子語類』 권106, 14조목에는 '自古救荒只有兩說'이라고 하여 '自'자가 '只'자로 되어 있다.

104 『朱子語類』 권106, 14조목

면 다시 무슨 대책을 세울 수 있겠는가?"

[69-5-7]

"或說救荒賑濟之意固善, 而取出之數, 不節不可."

黃直卿云, "制度雖只是這箇制度, 用之亦在其人. 如糴米賑飢, 此固是. 但非其人, 則做這事亦將有不及事之患."

曰 : "然."[105]

(주자가 말하였다.) "어떤 사람이 말한 구황과 곡식을 빌려주는 뜻은 참으로 좋지만 받아드리고 빌려주는 숫자[106]에 절제가 없으면 안 된다."

황직경이 말하였다. "제도는 다만 이 제도겠지만 그 운용은 사람에게 달렸습니다. 쌀을 사들여 굶주린 자에게 빌려주는 일은 참으로 옳습니다. 다만 적임자가 아니면 이 일을 하여도 또한 때를 맞추어내지 못하는 걱정이 있게 될 것입니다."

대답하였다. "그렇다."

[69-5-8]

"嘗謂爲政者當順五行, 修五事, 以安百姓. 若曰賑濟於凶荒之餘, 縱饒措置得善, 所惠者淺, 終不濟事."[107]

(주자가 말하였다.) "지난날 '정치를 하는 사람은 당연히 오행五行에 순응하고 오사五事를 닦아서 백성을 편하게 해야 한다.[108]'고 말하였다. 흉년이 든 뒤 곡식을 빌려주어 구제하는 것과 같은 일은, 설사 조치가

105 『朱子語類』 권111, 15조목. 이 조목은 시작 부분이 '余正甫說時, 煞說得好, 雖有智者爲之計, 亦不出於此. 然所說救荒賑濟之意固善, 而上面取出之數 …'로 되어 있다.

106 숫자 : 이 글의 원문을 위 주석에서 살피면 '윗글에서 말하는 숫자는(而上面取出之數)'으로 되어 있는데 인용하며 '上面'이란 말을 산삭하였음을 볼 수 있다. 여기서 상면이란 『朱子語類』 권111, 15조목의 윗글 14조목을 말한다. 14조목은 "오늘날 흉년 구제의 일에는 이로움이 10의 7분이고 해로움이 3분인데 3분의 해로움을 무릅쓰고 7분의 이로움을 온전히 해야 한다. 그렇게 하지 않고 기어이 전체를 다하려 들면 이른바 이롭다는 것마저 함께 잃을 우려가 있다.(今賑濟之事, 利七而害三, 則當冒三分之害, 而全七分之利. 不然, 必欲求全, 恐併與所謂利者失之矣!)"고 하였다.

107 『朱子語類』 권111, 13조목

108 五行에 … 백성을 편하게 해야 한다. : 이들은 모두 『書經』「洪範」에 근원한 말이다. 홍범에서 첫째가 오행인데 이를 순히 한다는 말은, 군주가 이들 金木水火土가 가진 相生과 相克의 기능에 순응하여 정책을 폄을 말한다. 오사는 군주의 태도에 따라 하늘이 보여주는 상서와 재앙의 조짐을 말한 것이다. 먼저 오사는 「洪範」에 의하면 다음과 같다. "첫째 공손한 모습, 둘째 조리있는 말, 셋째 밝게 살피는 눈, 넷째 밝게 듣는 귀, 다섯째 슬기로운 생각이다.(五事, 一曰貌, 二曰言, 三曰視, 四曰聽, 五曰思.)" 이들 다섯 가지는 군주의 외모에 나타나는 것들로, 그것이 순리적으로 이뤄지면 하늘이 감응하여 여러 징후를 내보이는데, 그것을 「洪範」의 庶徵에서 살피면 다음과 같다. "공손한 모습에는 비가 적당하고, 조리있는 말에는 쨍쨍 쬐는 해가 적당하고, 밝게 살피는 눈에는 따뜻함이 적당하고, 밝게 듣는 귀에는 차가움이 적당하고, 슬기로운 생각에는 바람

매우 좋다 하여도 혜택을 입은 자가 적어 끝내 일을 이뤄내지 못한다."

[69-5-9]

"賑飢無奇策, 不如講求水利. 到賑濟時成甚事?"[109]

(주자가 말하였다.) "굶주린 백성을 구제하는 일에 기이한 계책이란 없고, 수리 시설을 강구하는 것보다 나을 것은 없다. 구제해야 할 때에 닥쳐서 무슨 일을 이룰 수 있겠는가?"

[69-5-10]

象山陸氏曰 : "社倉固爲農之利,[110] 然年常豐, 田常熟, 則其利可久. 苟非常熟之田, 一遇歉歲, 則有散而無斂, 來歲闕種糧時, 乃無以賑之. 莫若兼置平糴一倉, 豐時糴之, 使無價賤傷農之患 ; 闕時糶之, 以摧富民閉廪騰價之計. 析所糴爲二, 每存其一, 以備歉歲代社倉之匱, 實爲長利也."[111]

상산 육씨陸九淵가 말하였다. "사창社倉이 참으로 농부들에게는 이로우나, 해마다 늘 풍년이 들고 전답에 늘 곡식이 영글면 그 이로움은 오래갈 수 있다. 만일 늘 영그는 전답이 아닐 경우 한 번 흉년을 만나면 흩어져 나가 모아 살게 할 길이 없으며, 다음 해에 파종할 씨앗마저 없을 경우 구제할 길마저 없다. 차라리 평적平糴[112] 창고 하나를 겸해 설치해서, 풍년이 드는 해에는 사들여서 값이 하락해 농부가 피해 입을 걱정을 없게 하고, 파종할 씨앗이 없을 때에는 팔아서 부유한 백성이 창고 문을 닫아 값이 다락같이 뛰게 하려는 속셈을 꺾음만 못하다. 사들인 곡식도 둘로 나누어 매번 그 반을 남겨 흉년에 사창이 바닥날 때를 대비한다면 실제 오래도록 이로울 것이다."

禎異 상서와 재이

[69-6-1]

程子曰 : "陰陽運動有常而無忒, 凡失其度, 皆人爲感之也. 故『春秋』災異必書. 漢儒傳其說而

이 적당하다.(曰肅, 時雨若 ; 曰乂, 時暘若 ; 曰哲, 時燠若 ; 曰謀, 時寒若 ; 曰聖, 時風若.)" 여기서 원문의 肅·乂·哲·謀·聖은 앞 五事가 쓰여지는 과정에 나타나는 모습들이다.

109 『朱子語類』 권106, 15조목

110 社倉固爲農之利 : 『象山集』 권8 書, 「與陳教授」에는 이 부분의 문장이 다음과 같이 많이 다르다. "弊里社倉, 目今固爲農之利, 而愚見素有所未安. 蓋年常豐, 田常熟 … "

111 『象山集』 권8 「書·與陳教授 1」

112 平糴 : 정부가 풍년이 들었을 때 공평한 값으로 곡식을 사들여 쌓아두었다가, 흉년이 졌을 때 파는 것을 이르는 말이다.

不得其理, 是以所言多失."[113]

정자[程頤]가 말하였다. "음양의 운동은 일정하여 어긋남이 없으니 그 궤도에서 벗어나는 것은 모두 인간의 행위가 감응되어서다. 그런 까닭에 『춘추』는 재이를 반드시 기록하였다. 한漢나라 유자들은 『춘추』의 주석을 달면서 그 이치를 터득하지 못한 때문으로 잘못한 말이 많다."

[69-6-2]

或問: "'鳳鳥不至, 河不出圖', 不知符瑞之事果有之否?"

曰: "有之. '國家將興, 必有禎祥.' '人有喜事, 氣見面目.' 聖人不貴祥瑞者, 蓋因災異而修德, 則無損; 因祥瑞而自恃, 則有害也."

어떤 사람이 물었다. "'봉황새가 나타나지 않고 황하에서 용마도가 나오지 않는다.'[114]고 하셨으니, 상서로운 징조가 나타나는 일이 과연 있을 수 있는 일인지 알지 못하겠습니다."

(정자[程頤]가) 대답하였다. "있는 일이다. '국가가 흥성해지려면 반드시 상서가 있다.'[115]고 했고, '사람에게 좋은 일이 있으려면 그 기운이 얼굴에 나타난다.'고 했다. 성인이 상서를 귀히 여기지 않은 것은 재이로 인해서 덕을 닦으면 잘못될 일이 없고, 상서로 인해서 자신을 믿으면 해가 있어서다."

問: "五代多祥瑞, 何也?"

曰: "亦有此理. 譬如盛冬時, 發出一花相似. 和氣致祥, 乖氣致異, 此常理也. 然出不以時, 則是異也. 如麟是太平和氣所生, 然後世有以麟駕車者, 却是怪也. 譬如水中物生於陸, 陸中物生於水, 豈非異乎?"

물었다. "오대五代시대에 상서가 많았던 것은 어째서입니까?"

(정자[程頤]가) 대답하였다. "또한 그럴 만한 이치가 있다. 비유하면 한겨울에 한 송이 꽃이 핀 것과 같다. 화목한 기운은 상서를 일구고 사악한 기운은 재이를 부르니, 이는 당연한 이치다. 그러나 상서가 때에 맞지 않게 나타나면 이것도 재이이다. 예컨대 기린은 태평시대 화목한 기운에 의해 태어나지만 후세에 기린으로 수레를 끌게 한 일[116]도 있었으니, 이는 괴이함이다. 비유하자면 물에서 사는 생물이 뭍에서 자라고, 뭍에서 사는 생물이 물에서 자란다면 왜 이상한 일이 아니겠는가?"

又問: "漢文多災異, 漢宣多祥瑞, 何也?"

113 『二程粹言』 권上 「論書篇」

114 '봉황새가 나타나지 … 않는다.': 『論語』「子罕」에서 공자가 한 말씀이다.

115 '국가가 흥성해지려면 … 있다.': 『中庸』 제24장

116 기린으로 수레를 … 일: 『玉芝堂談薈』 권1 「帝王瑞應」에서 "石虎(五胡시대 後趙의 군주)가 즉위하자 군국에서 푸른 기린 12마리를 바치자 군주의 수레를 몰게 하였다.(石虎即位, 郡國獻蒼麟十二, 以駕法車.)"고 하였다.

曰："且譬如小人多行不義，人却不說，至君子未有一事，便生議論，此是一理也．至白者易汚，此是一理也．『詩』中幽王大惡爲小惡，宣王小惡爲大惡，此是一理．"

또 물었다. "한문제漢文帝 때 재이가 많고 한선제漢宣帝 때 상서가 많았던 것은 어째서입니까?"
(정자程頤가) 대답하였다. "우선 비유한다면 소인이 불의한 짓을 수없이 저질러도 사람들이 말하지 않다가, 군자에 이르러는 한 가지 사건도 있지 않은데도 곧잘 시비를 만들어내니 이것이 한 가지 이치다. 지극히 흰 것은 쉬이 더럽혀지는 것이니 이것도 한 가지 이치다. 『시경』에서 유왕幽王[117]에게는 큰 악행을 작은 악행처럼 말하고, 선왕宣王[118]에게는 작은 악행을 큰 악행처럼 말하였으니, 이것도 한 가지 이치다."

又問："日食有常數，何治世少而亂世多？豈人事乎？
曰："理會此到極處，煞燭理明也．天人之際甚微，宜更思索．"
曰："莫是天數人事看那邊勝否？"
曰："似之，然未易言也．"

또 물었다. "일식은 일정 수치가 있는 것인데 왜 치세에는 적었고 난세에는 많았습니까? 어찌 사람에 달린 일이 아니겠습니까?"
(정자程頤가) 대답하였다. "이 일을 이해함이 극도의 경지에 이르러야 이치를 꿰뚫어 앎이 분명해질 것이다. 하늘과 사람 사이의 일은 매우 은미하니, 의당 다시 한 번 생각해 찾아야 한다."
물었다. "하늘의 운행과 인간의 일을 어느 측면에서 보아야 좋을 것인지의 일이 아니겠습니까?"
대답하였다. "그럴 것 같지만 쉽게 말할 수 없는 일이다."

又問："魚躍于王舟，火復于王屋流爲烏，有之否？"
曰："魚與火則不可知，若兆朕之先應亦有之．"[119]

또 물었다. "왕의 배에 고기가 뛰어오르고 불이 왕의 집으로 내려오다가 까마귀로 변했다는 것[120]은

117 幽王：주나라의 왕. 褒姒에게 마음을 빼앗겨 폭정을 일삼다 申나라의 공격을 받아 나라가 망하며 죽음을 당하였다. 이때까지를 주나라의 西周시대라 한다. 아들 平王이 제후의 도움으로 洛陽에 도읍하고 나라를 이어간 것을 역사에서 東周라 한다.

118 宣王：유왕의 父王이다. 아버지 厲王이 반란을 만나 彘 땅으로 달아나 죽은 뒤 등극하여 많은 정벌로 나라를 중흥시켰다. 『詩經』「小雅 · 祈父」의 주자 『集傳』에서 "태자 진이 아버지 영왕에게 간하는 말에서 '우리 선대왕 유왕 선왕 평왕이 하늘의 재앙을 탐하여 오늘까지 그것이 그치지 않고 있습니다.'고 하였다. 선왕은 주나라를 중흥한 군주인데, 유왕이며 여왕과 똑같이 말하는 것은 그 말이 과하지만, 이 시에서 비난하고 있는 것을 본다면 태자 진의 말이 왜 까닭이 없겠는가?(太子晉諫靈王之詞曰，自我先王厲宣幽平而貪天禍，至于今未弭．宣王中興之主也，至與幽厲並數之，其詞雖過，觀是詩所刺，則子晉之言，豈無所自歟？)"라고 하였다.

119 『河南程氏遺書』 권18

120 왕의 배에 … 것：이는 모두 무왕 시대에 紂를 치러 가는 길에 있었던 일이다. 『史記』「周本紀」에 "무왕이

있는 일입니까?"
대답하였다. "고기와 불은 알 수 없는 일이나, 조짐이 먼저 나타나는 것은 또한 있는 일이다."

[69-6-3]

或問 : "東海殺孝婦而旱, 豈國人寃之所致邪?"

曰 : "國人寃固是. 然一人之意, 自足以感動天地, 不可道殺孝婦不能致旱也."

或曰 : "殺姑而雨, 是衆人寃釋否?"

曰 : "固是衆人寃釋, 然孝婦寃亦釋也. 其人雖亡, 然寃之之意自在. 不可道殺姑, 不能釋婦寃而致雨也."[121]

어떤 사람이 물었다. "동해군東海郡에서 효부를 죽이자 가뭄이 든 것[122]은 나라 사람들의 원한이 빚어낸 것이 아니겠습니까?"
(정자[程頤]가) 대답하였다. "나라 사람들의 원한이란 말은 진실로 옳다. 그러나 한 사람의 마음일지라도 본시 천지를 감동시키기에 충분하니, 효부를 죽인 것만으로 가뭄을 빚을 수 없다고 해선 안 된다."
어떤 사람이 말하였다. "시어머니를 죽이자 비가 내렸는데 이는 여러 사람의 원한이 풀려서입니까?"
대답하였다. "여러 사람의 원한이 풀려서라지만 효부의 원한도 풀려서다. 그 사람이 죽었다지만 원한 서린 뜻은 그대로 남았다. 시어미를 죽인 것으로, 며느리의 원한을 풀어지게 하여 비를 내릴 수 없다고 말해선 안 된다."

[69-6-4]

五峯胡氏曰 : "變異見於天者, 理極而通, 數窮而更, 勢盡而反, 氣滋而息, 興者將廢, 成者將敗. 人君者, 天命之主, 所宜盡心也. 德動於氣, 吉者成, 凶者敗, 大者興, 小者廢, 夫豈有心於彼此哉? 謂之譴告者, 人君覩是宜以自省也. 若以天命爲恃, 遇災不懼, 肆淫心而出暴政, 未有不亡者也."[123]

오봉 호씨[胡宏]가 말하였다. "이변이 하늘에 나타나는 것은 사리가 극에 달하면 통하고 운수가 다하면 다시 시작되고, 형세가 다하면 되돌아오고, 기운이 불어나면 쉬게 되고, 일어난 것은 언젠가 폐해지고

(은나라를 치려) 황하를 건너는데 중류쯤에 이르렀을 때 흰 물고기가 무왕의 배로 뛰어오르자 무왕이 몸을 굽혀 주워서는 제사를 지냈다. 다 건넜을 때 불이 하늘에서부터 내려오다가 왕의 집에 이르러 모양이 변해 까마귀가 되었는데 그 빛은 붉고 그 소리는 안정되었다.(武王渡河, 中流, 白魚躍入王舟中, 武王俯取以祭. 既渡, 有火自上復于下, 至于王屋, 流爲烏, 其色赤, 其聲魄云.)"고 하였다.

121 『河南程氏遺書』 권18

122 동해군에서 효부를 … 것 : 『宋書』 권60 「范泰傳」에 의하면 漢나라 때 "동해군에서 효부를 억울하게 죽여 3년 동안 가뭄이 지더니 그의 묘에 제사를 지내자 소나기가 그 자리에서 내려 그해 풍년이 들었다.(東海枉殺孝婦, 亢旱三年, 及祭其墓, 澍雨立降, 歲以有年.)"고 하였다.

123 『知言』 권1

이루어진 것은 언젠가 무너지기 때문이다. 군주는 하늘이 명하여 이것들을 주관하게 하였으니 의당 마음을 다해야 한다. 마음은 모습에 나타나니 선한 사람은 성공하고 흉한 사람은 실패하며, 큰 자는 일어나고 작은 자는 폐해지지만 하늘이 어찌 이쪽과 저쪽에 어떤 마음을 두어서이랴? 하늘이 꾸짖어 알려주는 것을 군주는 모두의 것들에 의당 스스로 반성해야 한다. 만일 천명을 자신의 것으로 믿어 재이를 만나서도 두려워하지 않고, 음탕한 마음을 멋대로 부리며 포악한 정치를 펼치고서 망하지 않은 사람은 없다."

[69-6-5]

朱子曰 : "商中宗時, 有桑穀並生于朝, 一莫大拱. 中宗能用巫咸之言, 恐懼修德, 不敢荒寧, 而商道復興, 享國長久, 至于七十有五年. 高宗祭于成湯之廟, 有飛雉升鼎耳而鳴. 高宗能用祖己之言, 克正厥事, 不敢荒寧, 而商用嘉靖, 享國亦久, 至于五十有九年. 古之聖王遇災而懼, 修德正事, 故能變災爲祥, 其效如此."[124]

주자가 말하였다. "상商나라 중종中宗 때 뽕나무와 닥나무가 함께 조정 뜰에 자라나[125] 하루저녁에 큰 아름이 되었다. 중종이 무함巫咸의 말을 잘 받아들여 두려워하며 덕을 닦아 감히 군주의 일을 황폐화시키며 편안함을 누리려 하지 않자, 상나라는 다시 일어났고 오랫동안 제위帝位를 누려 75년에 이르렀다. 고종高宗이 성탕成湯의 사당에 제사를 지내는데 꿩이 제사 '그릇의 귀[鼎耳]'에서 울었다. 고종이 조기祖己의 말을 잘 받아들여[126] 자신의 일을 능히 바로잡고 감히 군주의 일을 황폐화시키며 편안함을 누리지 않아, 상나라가 이로 인해 아름답게 안정되고 제위 또한 오랫동안 누려 59년에 이르렀다. 옛날 성왕은 재이를 만나면 두려워하며, 덕을 닦고 일을 바로잡은 까닭에 재이를 변화시켜 상서로움이 되게 한 그 효험이 이와 같다."

[69-6-6]

象山陸氏曰 : "昔之言災異者多矣. 如劉向 · 董仲舒 · 李尋 · 京房 · 翼奉之徒, 皆通乎陰陽之理, 而陳於當時者非一事矣. 然君子無取焉者, 爲其著事應之說也 ; 孔子書災異於『春秋』, 以

124 『朱文公文集』 권14 「論災異劄子」

125 뽕나무와 닥나무가 … 자라나 : 『史記』「封禪書」에 "太武(중종의 이름)가 황제가 되자 뽕나무와 닥나무가 조정에서 자라올라 하루저녁에 큰 아름으로 자라자 두려워하였다. 이척이 '요망함은 덕을 이기지 못합니다.' 고 하자 태무가 덕을 닦으니 뽕나무와 닥나무가 모두 죽었다.(至帝太戊, 有桑穀生於廷, 一暮大拱, 懼. 伊陟曰, 妖不勝德. 太戊脩德, 桑穀死.)"고 하였다. 이척은 伊尹의 아들이다. 『尚書注疏』 권8 「書序」에는 "이척이 태무의 상국이 되었을 때 상나라의 수도 박땅에 불길한 징조가 나타나 뽕나무와 닥나무가 조정에 자라올랐다. 이척이 무함에게 알려 「咸乂」 4편을 지었다.(伊陟相太戊, 亳有祥, 桑穀共生于朝, 伊陟贊于巫咸, 作咸乂四篇.)"고 하였다. 여기서 이척이 군주 중종에게 고한 말은 이척이 무함에게 자문을 받아 한 말임을 짐작할 수 있다.

126 고종이 祖己의 … 받아들여 : 『書經』「高宗肜日」에 자세하다.

爲後王戒, 而君子有取焉者, 爲其不著事應之故也. 夫旁引物情, 曲指事類, 不能無偶然而合者. 然一有不合, 人君將忽焉而不懼. 孔子於『春秋』著災異, 不著事應者, 實欲人君無所不謹, 以答天戒而已."[127]

상산 육씨[陸九淵]가 말하였다. "옛날에 재이에 대해 말한 사람은 많다. 예컨대 유향劉向, 동중서董仲舒, 이심李尋, 경방京房, 익봉翼奉 같은 무리는 모두 음양의 이치에 통달하여 당시에 열거한 말들이 한 가지가 아니다. 그런데도 군자가 그들의 말을 받아들이지 않은 것은 어떤 일에 붙여 나타난 것으로 말한 까닭이고, 공자가 『춘추』에 재이를 기록하여 왕의 경계가 되게 한 것들을 군자가 받아들이는 것은 그것이 어떤 일에 대응해 나타난 것이라고 주장하지 않은 까닭이다. 사람들의 여론을 이리저리 인용하고 유사한 일을 세세히 지적하다 보면 우연하게 합치되는 것이 없지 않다. 그러나 하나라도 합치하지 않으면 군주는 시큰둥하고 두려워하지 않게 된다. 공자가 『춘추』에 재이를 드러내면서도 어떤 일에 대응한 것으로 드러내지 않은 것은 실상 군주가 모든 것을 삼가서 하늘의 경계에 대응하게 하고자 해서다."

[69-6-7]

西山眞氏曰: "祥多而恃, 未必不危; 異衆而戒, 未必不安. 顧人主應之者何如耳."

서산 진씨[眞德秀]가 말하였다. "상서가 많더라도 이를 믿게 되면 반드시 위험해지고, 재이가 많더라도 경계하면 반드시 안정된다. 다만 군주가 대응하는 것이 어떤가 일 뿐이다."

[69-6-8]

魯齋許氏曰: "三代而下, 稱盛治者, 無若漢之文·景. 然考之當時, 天象數變, 如日食·地震·山崩·水潰·長星·彗星·孛星之類, 未易遽數. 前此後此凡若是者, 小則有水旱之應, 大則有亂亡之應, 未有徒然而已者. 獨文·景克承天心, 消弭變異, 使四十年間, 海內般富, 黎民樂業. 移告訐之風, 爲醇厚之俗, 且建立漢家四百年不拔之業, 猗歟偉歟! 未見其比也.

노재 허씨[許衡]가 말하였다. "삼대 이후 융성한 정치로 일컬어지는 군주는 한漢나라의 문제文帝와 경제景帝만 한 군주가 없다. 그러나 당시를 살펴보면 하늘 기상의 수없는 변고로, 예컨대 일식·지진·산사태·제방 유실·장성長星·혜성·패성孛星[128] 같은 유들이, 손쉽게 계산할 수 없을 정도다. 앞선 역사에서나 뒷날의 역사에서도 이 같은 일에 작게는 가뭄과 홍수의 응험이 있고 크게는 나라가 혼란에 빠지거나 망하는 응험도 있었으니 공연한 것 뿐만은 아니다. 유독 문제와 경제가 하늘의 마음을 잘 받들어 이변을

127 『象山集』 권13 「與鄭溥之」

128 長星·혜성·孛星: 『漢書』「文帝紀」에 "(문제 8년에) 장성이 동쪽 하늘에 출현하였다.(有長星出於東方.)"고 하였다. 이를 顔師古가 "패성과 혜성과 장성에 대한 점의 결과는 대략 동일하지만 그 형상은 약간 다르다 … 장성은 빛살이 일직선으로 뻗어나가 혹 하늘 끝까지 뻗기도 하며, 혹 10丈, 혹 3장, 혹 2장 정도 뻗어 일정함이 없다. 크게 나눈다면 패성과 혜성은 대부분 낡은 일을 없애고 새로운 제도를 펴는 것이나 화재를 가리키고, 장성은 대부분 전쟁을 나타낸다.(孛·慧·長三星, 其占略同, 然其形象小異 … … 長星光芒有一直指, 或竟天, 或十丈, 或三丈, 或二丈, 無常也。大法, 孛、彗星多爲除舊布新, 火災, 長星多爲兵革事.)"고 하였다.

풀어냄으로써, 40년 동안 천하는 부유하고 백성들은 자신이 하는 일을 즐거워할 수 있었다. 고소하고 고자질하는 인심을 바꾸어 순후한 풍속으로 만들어내고, 또 한나라 4백 년의 탄탄한 기반을 일구었으니 아름답고 위대함이여! 견줄만 한 군주를 보지 못하겠다.

秦之苦天下久矣, 加以楚漢之戰, 生民糜滅, 户不過萬. 文帝承諸呂變故之餘, 入繼正統, 專以養民爲務. 其憂也, 不以己之憂爲憂, 而以天下之憂爲憂; 其樂也, 不以己之樂爲樂, 而以天下之樂爲樂. 今年下詔勸農桑也, 恐民生之不遂; 明年下詔減租稅也, 慮民用之或乏. 懇愛如此, 宜其民心得而和氣應也."[129]

진秦나라가 천하를 괴롭힌 지 오래더니 초楚나라와 한漢나라의 전쟁이 더해지자 생민은 산산조각이 나 총 호수가 1만 호戶를 넘지 못하였다. 문제[130]가 여러 여씨呂氏가 변난을 일으킨 여파를 이어받아 들어와 정통을 이으며, 백성 양육만을 자신의 책무로 삼았다. 그가 근심하는 것은 자신의 근심거리를 근심하지 않고 천하의 근심거리를 근심하는 것이었으며, 그가 즐거워하는 것은 자신의 즐거움으로 즐거움을 삼지 않고 천하의 즐거움으로 즐거움을 삼았다. 올해 조서詔書를 내려 농사와 누에치기를 권면하면서 민생이 생활하지 못할까를 두려워하고, 다음해 조서를 내려 세금을 감면시키면서[131] 백성들 용도가 혹여 모자랄까 걱정하였다. 정성과 사랑이 이같았으니 백성들의 마음을 얻고 화기和氣가 나타난 것이 마땅하다."

[69-6-9]

或問天變. 曰: "胡氏一說好. '如父母嗔怒, 或是子婦有所觸瀆而怒, 亦有父母別生憂惱時. 爲子者皆當恐懼修省.' 此言殊有理."[132]

어떤 사람이 하늘의 이변에 대해 물었다.

(노재 허씨가) 대답하였다. "호씨胡氏의 말이 좋다. '만일 부모가 진노한 일이 있다면, 혹여 아들이나 며느리가 거스르거나 소홀히 한 일이 있어서거나, 또는 부모에게 별도의 근심거리나 머리 아픈 일이 있어서이이다. 자식 된 사람은 모두 마땅히 두려워하며 몸을 닦아 반성해야 한다.'고 하였으니 이 말이 크게 일리가 있다."

129 『魯齋遺書』 권7 「時務五事 · 爲君難」

130 문제: 한고조의 아들. 당시 代王으로 봉해져 있다가 여씨 집안의 반란을 제거한 周勃과 陳平 등 여러 대신들의 추대로 한나라의 정통을 이었다.(『史記』 권10 「孝文帝本紀」)

131 다음해 조서를 … 감면시키면서: 한 문제가 13년에 농사를 권면하기 위하여 농지의 조세를 없앤다고 명령한 조서.(『漢書』「文帝紀」)

132 『魯齋遺書』「語錄上」

論兵 군사에 대해 논한다

[69-7-1]

程子曰 : "兵以正爲本. 動衆以毒天下而不以正, 則民不從而怨敵生, 亂亡之道也. 是以聖王重焉. 東征西怨, 義正故也."

又曰 : "行師之道, 以號令節制. 行師無法, 幸而不敗且勝者, 時有之矣, 聖人之所戒也."[133]

정자가 말하였다. "군사는 바름을 근본으로 삼는다. 군사를 동원하여 천하에 독을 퍼뜨리면서 바르지 않으면, 백성이 따르지 않으면서 원망과 적이 생겨나니 혼란이 일어나거나 망하는 길이다. 그러므로 성왕은 이를 중시하였다. 동쪽 나라를 공격하자 서쪽나라가 원망한 것[134]은 의리에 바른 까닭이다."

또 말하였다. "군대를 지휘하는 방법은 호령이 절제되어 있어서다. 군사 지휘에 법도가 없으면서 요행히 실패하지 않고 또 승전한 경우가 때로 있지만 성인이 경계한 일이다."

[69-7-2]

"用兵以能聚散爲上."[135]

(정자가 말하였다.) "군사 지휘는 모으고 흩는 일에 능한 것을 으뜸으로 삼는다."

[69-7-3]

"兵陣須先立定家計, 然後以游騎旋旋量力, 分外面與敵人合, 此便是合內外之道. 若游騎太遠, 則却歸不得. 至如聽金鼓聲, 亦不忘却自家如何. 如符堅一敗, 便不可支持, 無本故也."[136]

(정자가 말하였다.) "군사 작전은 반드시 먼저 자신의 계책을 세워 둔 뒤 유격대 기병으로 천천히 힘을 헤아려 밖의 기병과 힘을 나누어 적군과 맞붙어 싸우는 것이 내외를 하나로 모으는 도리이다. 만일 유격 기병이 너무 멀리 있으면 급작스럽게 돌아올 수 없게 된다. 예컨대 징소리나 북소리를 들었을 때 또한 자신이 어떻게 해야 할지를 잊어먹지 않아야 한다. 부견符堅[137]이 한차례 실패하자 곧장 지탱할

133 『二程粹言』 권상 「論政篇」

134 동쪽 나라를 … 것 : 이는 商나라 湯임금의 고사다. 『孟子』「梁惠王下」에 "탕이 첫 정벌을 갈나라에서부터 시작하였는데 천하가 탕의 마음을 믿어, 동쪽을 향해 정벌하자 서쪽 나라들이 원망하고 남쪽을 향해 정벌하자 북쪽 나라들이 원망하여 '왜 우리를 뒷전으로 돌릴까?'라고 했다.(湯一征自葛始, 天下信之, 東面而征, 西夷怨 ; 南面而征, 北狄怨, 曰'奚爲後我'.)"고 하였다.

135 『二程粹言』 권상 「論政篇」

136 『河南程氏遺書』 권7

137 符堅 : 오호십육국시대 前秦의 군주. 주로 苻堅으로 쓴다. 略陽 臨渭 사람으로, 氐族이다. 文玉이라는 이름으로도 불린다. 자는 永固, 시호는 宣昭帝, 묘호는 世祖이며, 健의 손자이자 雄의 아들이다. 東晉 升平 원년(357)에 苻生을 죽이고 제위에 올라 大秦天王이라 칭하였다. 漢人 王猛 등을 중용하여 학문을 장려하고 농경을 활발히 일으켜 국세를 크게 떨쳤다. 前燕과 前凉을 병탄하여 강북 지방을 통일하였으나, 동진을

수 없었던 것[138]은 근본이 없었던 까닭이다."[139]

[69-7-4]

"技擊不足以當節制, 節制不足以當仁義. 使人人有子弟衛父兄之心, 則制挺以撻秦楚之兵矣."[140]

(정자가 말하였다.) "기예에 의한 공격은 엄한 규율을 익힌 군대에 맞설 수 없고 엄한 규율을 익힌 군대는 인의의 군대에 맞설 수 없다. 사람들마다 아들과 아우가 아버지와 형을 호위하려는 마음이 있게 하면 몽둥이를 다듬어서 진秦나라와 초楚나라의 군사들을 두들겨 팰 수 있을 것이다."[141]

[69-7-5]

"韓信多多益辦, 分數明而已."[142]

(정자가 말하였다.) "한신이 많을수록 더 잘 싸울 수 있었던 것은 조직과 편제[143]에 밝아서였을 뿐이다."

공략하다가 淝水 전투에서 대패하고 後秦의 姚萇에게 붙잡혀 살해되었다. 고구려에 順道를 보내 불교를 전파하기도 하였다. 재위 27년(357~385).(『晉書』「載記·苻堅」)

138 한차례 실패하자 … 것 : 부견의 秦나라가 군사 1백 만을 동원하여 晉나라를 공격하여 淮肥에 진영을 차리자, 晉나라는 사안을 征討大都督에 임명하였다. 부견의 1백 만 군사가 淝水에 진을 치자, 사현은 비수를 건널 수 없었다. 이에 부견의 아우 苻融에게 "그대들이 멀리 이곳까지 왔으나 강가에 진영을 늘어세운 것은 빨리 전투할 생각이 없는 것이다. 그럴 바에는 군사를 조금 물려 장수들이 서로 활동할 수 있는 공간을 주고 우리 둘이는 말고삐를 느긋히 잡고서 구경하는 것이 즐거운 일이 아니겠소!"라고 넌지시 물었다. 부견의 군사들이 모두 반대하였으나 부견은 이를 받아들여 상대 군대가 모두 건너왔을 때 자신의 鐵騎 수십 만 병사로 무찔러버리기로 하였다. 부융도 동의하였다. 마침내 퇴각 명령이 내려졌다. 군대가 퇴각하는 사이 전열이 흐트러진 것을 사현이 정예 군사 8천 명으로 공격하여 그들을 격파하였다. 이 싸움에서 부견은 어깨에 화살을 맞는 부상을 입었고, 자신의 아우 부융에게 전쟁의 책임을 물어 목을 베었으며, 군사들은 달아나다 비수에 빠져 비수의 물이 흐르지 못할 정도였다. 부견의 군대는 풀숲을 헤치고 달아나며 바람 소리와 새 울음 소리에도 晉나라 군대의 추격으로 오인하고 혼비백산하였다.(『晉書』 권79「謝玄傳」)

139 근본이 없는 까닭이다. : 이 말은 "근본이 없으면 설 수 없다.(無本不立.)"라는 『禮記』「禮器」의 뜻에 의거하여 한 말이다. 곧 근본이 있었으면 한 번의 실패에서 무너지지 않았을 것이란 말이다.

140 『河南程氏遺書』 권6

141 몽둥이를 다듬어서 … 것이다. : 『孟子』「梁惠王上」에서 양혜왕이 맹자에게 齊나라와 秦나라와 楚나라에 전쟁에 진 원한을 갚을 방법을 묻자 대답한 말 가운데 일부이다. 맹자는 "왕이 만일 백성들에게 인정을 베풀어 형벌을 경감하고 세금 거두기를 박하게 하여, (백성이) 전답을 깊이 쟁기로 갈아 손질하고 김매게 하고, 장성한 자는 틈나는 대로 효제충신의 도리를 닦게 하여 집에 들어와서는 부모와 형을 섬기고 밖에 나와서는 웃어른과 상급자를 섬기에 한다면, 몽둥이를 다듬어서 진나라와 초나라의 단단한 갑옷과 예리한 병장기로 무장한 군사들을 두들겨 팰 수 있을 것입니다.(王如施仁政於民, 省刑罰薄稅斂, 深耕易耨, 壯者以暇日, 脩其孝悌忠信, 入以事其父兄, 出以事其長上, 可使制梃, 以撻秦楚之堅甲利兵矣.)"고 하였다.

142 『二程粹言』 권하「聖賢篇」

143 조직과 편제 : 이 글은 『近思錄』 권9에 실려 있는데 이 글의 원문 分數를 葉采는 "分은 계급을 관할하는

[69-7-6]

"管轄人, 亦須有法, 徒嚴不濟事. 今帥千人, 能使千人, 依時及節得飯喫, 只如此者能有幾人? 嘗謂軍中夜驚, 亞夫堅卧不起. 不起善矣, 然猶夜驚, 何也? 亦是未盡善."[144]

(정자[程頤]가 말하였다.) "사람을 관리하여 거느림에 또한 당연히 법도가 있어야 하니, 단지 엄한 것만으로는 일을 성공시키지 못한다. 지금 1천 사람의 우두머리가 1천 사람을 때와 절차에 의거하여 밥을 먹을 수 있게 해야 하는데 다만 이 같이 할 수 있는 자가 몇 사람이나 되겠는가? 일찍이 '군대가 밤에 놀라 술렁이는데 아부亞夫가 꼼짝하지 않고 누워 있었다.'[145]고 말한다. 일어나지 않은 것은 잘한 일이지만 그러나 밤에 놀라 술렁였던 것은 어인 일이었을까? 또한 아주 잘한 일은 못 된다."

[69-7-7]

"善兵者有二萬人未必死, 彼雖十萬人, 亦未必能勝二萬人. 古者以少擊衆而取勝者多, 蓋兵多亦不足恃. 昔者袁紹以十萬阻官渡, 而曹操只以萬卒取之; 王莽百萬之衆, 而光武昆陽之衆有八千, 仍有在城中者, 然則只是數千人取之; 符堅下淮百萬, 而謝玄纔二萬人, 一麾而亂. 以此觀之, 兵衆則易老, 適足以資敵人, 一敗不支, 則自相蹂踐. 至如聞風聲鶴唳, 皆以爲晉軍之至, 則是自相殘也. 譬之一人軀幹極大, 一人輕捷, 兩人相當, 則擁腫者遲鈍, 爲輕捷者出入左右之, 則必困矣."[146]

(정자가 말하였다.) "군사를 잘 쓰는 사람은 2만의 군사가 반드시 죽음을 걸고 싸우지 않아도, 저들 10만의 군사가 또한 반드시 2만 군사를 이길 수 있는 것은 아니다. 옛날에 적은 군사로 많은 군사를 공격하여 이긴 일이 많았으니, 군사 수효의 많음이 또한 믿을 만한 것이 못 된다. 예전에 원소袁紹가 10만의 군사로 관도官渡의 길을 막았는데, 조조曹操가 단지 1만 군사로 그를 이겼고,[147] 왕망王莽은 1백만 군사였고 광무제光武帝의 곤양昆陽 군사는 8천이었으나 성중에 그대로 남아 있는 군사도 있었으니, 그렇다면 다만 수천의 군사로 이긴 것이며, 부견符堅은 1백 만의 군사로 회수淮水에 주둔하였고 사현謝玄은 겨우 2만 명이었는데 한차례의 전투에 어지러워졌다. 이를 가지고 본다면 군사가 많으면 쉽게 지쳐 다만 적들에게 도움을 줄 뿐이고, 한차례의 패배에 버티지 못하면 자기 군대끼리 서로 짓밟고 짓밟힐 뿐이다. 바람소리와 학의 울음소리만을 듣고도 모두가 진晉나라 군사가 이른 것으로 생각하였으니, 자신들끼리 서로를 죽였을 뿐이다. 한 사람은 신체가 더없이 크고 한 사람은 가볍고 날렵한데 두 사람이 서로 맞붙은 경우에 비교하면, 비대한 자는 느리고 굼떠 가볍고 날렵한 자가 좌우로 들락거리면 반드시

것을, 數는 항오의 다과에 대한 숫자다.(分者 管轄階級之分, 數者 行伍多寡之數)."라고 하였다.

144 『河南程氏遺書』 권10

145 '군대가 밤에 … 있었다.' : 『史記』「絳侯周勃世家」에 "밤에 군대 사이에 놀라서 자신들끼리 서로 공격하여 요란함이 주발의 군막 근처까지 밀려왔다. 주발은 끝내 누워서 일어나지 않았다. 조금 지나자 다시 안정되었다.(夜軍中驚, 内相攻擊, 擾亂至於太尉帳下, 太尉終臥不起. 頃之復定.)"고 하였다.

146 『河南程氏遺書』 권2상

147 袁紹가 10만의 … 이겼고 : 『三國志』「魏志」 建安 6년의 기사에 자세하다.

곤궁해진다."

[69-7-8]

"餽運之術, 雖自古亦無不煩民不動搖而足者. 然於古則有兵車, 其中載糗糧, 百人破二十五人. 然古者行兵在中國, 又不遠敵. 若是深入遠處, 則決無省力. 且如秦運海隅之粟以饋邊, 率三十鍾而致一石, 是二百倍以來. 今日師行, 一兵行, 一夫饋, 只可供七日, 其餘日必俱乏食也. 且計之, 須三夫而助一兵, 仍須十五日便回. 一日不回, 則一日乏食. 以此校之, 無善術. 故兵也者, 古人必不得已而後用者, 知此耳."[148]

(정자가 말하였다.) "군량을 운반하는 방법은 예로부터 백성을 번거롭게 하지 않고 술렁이게 하지 않고서 충족된 적은 없다. 그렇지만 옛날에는 병거兵車가 있었고 그 병거에 말린 양식거리를 실어, 군사 1백 명이면 25명이 그 군량 운반에 동원되었다. 그러나 옛날에는 군사 출동은 중국 안이었고 또 먼 곳과 맞서 싸우지 않았다. 만일 먼 지역으로 깊숙이 들어가려면 결코 힘을 줄일 길은 없다. 예컨대 진秦나라가 바닷가 곡식을 운송하여 변경을 먹이느라 대체로 30종鍾을 운반하여 1석 정도를 도착시켰으니[149] 이는 2백 배의 힘을 들여 운반한 것이다. 오늘날 군사 출동에는 군사 한 사람의 출동에 짐꾼 한 사람이 식량을 나르면 7일의 식량을 제공할 뿐이어서, 그 나머지 날들은 반드시 모두가 먹을 것이 바닥난다. 또 계산해 보면 짐꾼 3명을 동원하여 군사 1명을 돕게 해도 그대로 15일이 지나면 곧장 돌아와야 한다. 하루를 돌아오지 않으면 하루 먹을 것이 모자란다. 이렇게 따져보면 좋은 방안은 없다. 그러므로 군대를 옛 사람들이 부득이한 뒤라야 썼던 것이니 이 점을 알아서이다."

[69-7-9]

龜山楊氏曰 : "自黃帝立丘乘之法以寓軍政, 歷世因之, 未之有改也. 至周爲尤詳, 居則爲比閭族黨州鄕, 出則爲伍兩軍師之制. 使之相保相愛, 刑罰慶賞相及, 用一律也. 天子無事, 歲三田以供祭祀賓客, 充君之庖而已. 其事宜若緩而不切也, 而王執路鼓親臨之, 敎以坐作進退, 有不用命者則刑戮隨之, 其敎習之嚴如此. 故六鄕之兵出則無不勝, 以其威令素行故也.

구산 양씨[楊時]가 말하였다. "황제黃帝가 구승법丘乘法[150]을 만들어 그 안에 군사 정책이 담겨 있게 한 것을 역대에서 그대로 따르며 바꾸지 않았다. 주周나라에 이르러 더욱더 자상해져 거주하면 비려比閭와

148 『河南程氏遺書』 권2하

149 30鍾을 운반하여 … 도착시켰으니 : 『史記』 권112 「主父偃傳」에서, 진시황이 아들 蒙恬을 보내 胡를 쳐 국토를 北河까지 1천리를 넓히고 이를 지키기 위해 군량을 나르는 어려움을 이렇게 말하였다. 여기서 1鍾은 6섬 4말[斗], 또 8섬, 10섬이라는 여러 설이 있다. 섬은 곧 1석이다.

150 丘乘法 : 농지 구획법의 단위 이름. 구승은 『禮記』 「郊特牲」에 "社의 제사는 구승이 粢盛(제사 공물)을 제공한다.(唯社, 丘乘共粢盛.)"고 하였다. 이를 鄭玄은 "丘는 16井이니, 4구는 64정이고 이를 甸이라 하고, 혹 乘이라고도 한다. 승이라고 하는 것은 戰車로 兵車 1대를 내서이다.(丘, 十六井也, 四丘, 六十四井曰甸, 或謂之乘. 乘者, 以於車賦出長轂一乘.)고 하였다."

족당族黨과 주군州郡이 되고,[151] 출동하게 되면 오량伍兩의 군사 제도[152]가 되었다. 서로 보호하고 서로 사랑하게 하여, 형벌과 상 받는 일을 서로 함께 하게 하여 동일 규정을 적용시켰다. 천자가 아무런 일이 없을 때면 해마다 세 차례 사냥을 나가 (얻은 짐승을) 제사와 손님 접대에 쓰고, 천자의 음식거리에 쓸 따름이었다. 이런 일은 당연히 느긋해서 긴급하지 않은 듯하지만 왕이 노고路鼓[153]의 북채를 잡고서 친림하여 좌작진퇴坐作進退의 법을 가르치고 가르침을 따르지 않은 자에게는 형륙刑戮이 따랐으니 그 가르쳐 익히는 엄숙함이 이 같다. 그리하여 육향六鄕의 군대[154]가 출동하면 승리하지 않음이 없었으니 위엄스런 호령이 평소에 행해졌던 까닭이다.

丘井之廢久矣, 兵農不可以復合, 而伍兩軍師之制不可不講. 無事之時, 使之相保相愛, 刑罰慶賞相及. 用之於有事之際, 則申之以卒伍之令, 督之旌旗指揮之節, 臨難而不相救, 見敵而不用命, 必戮無赦. 使士卒畏我而不畏敵, 然後可用. 若夫伍法不修, 雖有百萬之師, 如養驕子, 不可用也. 傳曰'秦之銳士, 不可當齊晉之節制; 齊晉之節制, 不可以當湯武之仁義.' 某竊謂'雖有仁義之兵, 苟無節制, 亦不可以取勝.'

구정丘井에 관한 법령[155]이 폐해진 지 오래여서 군사 정책과 농사가 다시 합쳐질 수 없겠지만 오량伍兩의 군사 제도는 익히지 않아선 안 된다. 아무런 일이 없을 때는 서로 보호하며 서로 사랑하게 하고 형벌과 상 받는 일은 서로 함께 하게 해야 한다. 어떤 일이 발생하여 그들을 동원할 즈음에는 졸오卒伍[156]에 대한 호령을 거듭 인식시키고 깃발로 지휘하는 절차를 훈련시켜, 환난을 만나 서로 구원하지 않고 적군을 보고 명령대로 행동하지 않으면 반드시 죽이고 용서하지 않았다. 군사는 나를 두렵게 하고 적군을 두렵게 하지 않은 다음이라야 군사를 쓸 수 있다. 만일 졸오에 관한 법이 닦이지 않으면 1백 만 군대가 있다 해도 마치 교만한 자식을 기른 것 같아 쓸모가 없다. 옛 책에 '진秦나라의 정예 군사는 제齊나라와 진晉나라의 절도와 법제를 감당할 수 없고, 제나라와 진나라의 절도와 법제는 탕임금과 무왕의 인의仁義를 감당할 길이 없다.'고 하였다. 나는 '인의의 군사가 설사 있다 해도 진실로 절도와 법제가 없으면 또한 승리를 취할 길 없다.'고 생각한다.

151 거주하면 比閭와 … 되고 : 윗글 [69-2-5]의 주석 참고

152 伍兩의 군사 제도 : 옛 군대의 편제 단위. 『周禮』「地官·小司徒」에 "5명이 伍가 되고 5오가 兩이 되고, 4량이 卒이 되고, 5졸이 旅가 되고, 5려가 師가 되고, 5사가 軍이 된다.(五人爲伍, 五伍爲兩, 四兩爲卒, 五卒爲旅, 五旅爲師, 五師爲軍.)"고 하였다.

153 路鼓 : 북 이름으로, 모양은 사방 모두를 칠 수 있는 모양의 북이다. 『周禮』「地官·鼓人」에 "노고로 귀신의 제사에 울린다.(以路鼓鼓鬼享.)"고 하였다. 이를 정현은 "노고는 4면 북이다.(路鼓, 四面鼓也.)"라고 하였다.

154 六鄕의 군대 : 천자의 군대를 이른다. 주나라 제도에서 "천자국은 국도의 100리 이내를 여섯 개의 鄕으로 만든다.(王城之外百里以內, 分為六鄕.)"고 하였다.

155 丘井에 관한 법령 : 농지 구획제도의 하나. 자세한 것은 『周禮』「地官·小司徒」에 "9夫가 井이 되고, 4정이 邑이 되고, 4읍이 丘가 된다.(九夫爲井, 四井爲邑, 四邑爲丘.)"고 하였다. 이를 鄭玄은 "4정의 읍은 사방 2里이고, 4읍의 구는 사방 4리이다.(四井爲邑, 方二里; 四邑爲丘, 方四里)"라고 하였다.

156 卒伍 : 윗글 [69-7-9] 주석 중 오량운운 참고

「甘誓」曰'左不攻于左, 汝不恭命; 右不攻于右, 汝不恭命, 弗用命則孥戮之.' 「牧誓」曰'不愆于六步七步, 乃止齊焉; 不愆于四伐五伐六伐, 乃止齊焉.' 其節制之嚴蓋如此. 故聖人著之於經, 以爲後世法也. 故諸葛孔明曰, '有制之兵, 無能之將, 不可以敗; 無制之兵, 有能之將, 不可以勝.' 此之謂也."[157]

「감서甘誓」[158]에 '왼쪽이 왼쪽을 공격하지 않으면 네가 명령에 공손하지 않음이고, 오른쪽이 오른쪽을 공격하지 않으면 네가 명령에 공손하지 않음이니, 명령대로 따르지 않으면 처자식마저 죽일 것이다.'라고 하였고, 「목서牧誓」[159]에는 '여섯 걸음 일곱 걸음을 넘어서지 않고 이내 멈추어 정돈하고, 네 차례 치고 찌르며 다섯 차례 치고 찌르며 여섯 차례 치고 찌르기를 넘어서지 않고 이내 멈추어 정돈하라.'고 하였다. 그 절도와 법제의 엄격함이 대체로 이 같다. 그런 까닭에 성인이 경서에 기록하여 후세의 법이 되게 한 것이다. 그러므로 제갈공명은 '법도가 있는 군사는 무능한 장수일지라도 (그 군사를) 패하게 하지 못하고, 법도가 없는 군사는 유능한 장수일지라도 (그 군사로) 승리할 수 없다.'[160]고 하였으니 이를 두고 한 말이다."

[69-7-10]

"韓信用兵, 在楚漢之間, 則爲善矣. 方之五伯, 自已不及, 以無節制故也. 如信之軍修武, 高祖卽其臥內奪之印, 易置諸將, 信尙未知, 此與棘門霸上之軍何異? 但信用兵, 能以術驅人, 使自爲戰. 當時亦無有以節制之兵當之者, 故信數得以取勝也. 王者之兵, 未嘗以術勝人, 然亦不可以計敗. 後世惟諸葛亮李靖爲知兵. 如諸葛亮已死, 司馬仲達觀其行營軍壘, 不覺歎服; 而李靖惟以正出奇, 此爲得法制之意, 而不務僥倖者也. 古人未嘗不知兵, 如『周官』之法, 雖坐作進退之末, 莫不有節. 若平時不學, 一旦緩急何以應敵? 如此, 則學者於行師御衆戰陣營壘之事, 不可不講."[161]

(구산 양씨가 말하였다.) "한신韓信의 군사력 사용은 초楚나라와 한漢나라 사이에 있어서는 훌륭한 것이다. 하지만 오패五伯[五霸]에 비기면 본디 따라갈 수 없으니 그것은 절도와 법제가 없는 까닭이다. 예컨대 한신의 군대가 수무修武에 주둔하였을 때 고조高祖가 그의 침실 안까지 들어가 그의 인印을 탈취하여 여러 장수를 바꾸어 배치하였으나 한신은 까마득히 그것을 몰랐으니,[162] 극문棘門과 패상霸上의 군대[163]

157 『龜山集』 권20 「書 · 答胡康侯其八」

158 「甘誓」: 『尙書』「夏書」의 편명. 禹임금이 苗族을 토벌하러 나선 길에 甘땅에서 군사들에게 주지시킨 말의 일부이다.

159 「牧誓」: 『尙書』「周書」의 편명. 武王이 은나라의 紂를 정벌하고자 출동하여 제후의 군사들과 牧땅에서 만나, 군사들에게 주지시킨 말의 일부이다.

160 '법도가 있는 … 없다.': 『李衛公問對』 권中

161 『龜山集』 권10 「語錄 · 荊州所聞」

162 高祖가 … 몰랐으니: 한고조 3년의 일이다. 한고조가 관중을 평정하고서 남쪽으로 항우를 공격하고 한신은 북쪽의 여러 항우 세력들을 공격하게 하였다. 그러나 한고조는 항우와의 싸움에서 滎陽에서 패하고, 이어

와 무엇이 다른가? 다만 한신의 군사 지휘는 능히 술수로 사람을 몰아 스스로 싸우게 하였다.[164] 당시에 또한 절도와 법제가 있는 군대로 맞서는 자가 있지 않았던 까닭에 한신이 거푸 이길 수 있었다. 왕도王道로 다스리는 군사는 술수로 남을 이기지 않으나 그렇지만 또한 꾀로 패하게 할 수도 없다. 후세에는 제갈량諸葛亮과 이정李靖[165]이 군사를 지휘할 줄 알았다. 예컨대 제갈량이 죽은 뒤에 사마중달司馬仲達이 그가 주둔했던 군영을 살펴보고 자신도 모르게 탄복하였고,[166] 이정은 정도正道로 기계奇計를 사용하여 이것들이 법제의 뜻과 맞았으니 요행에 힘쓰지 않은 자이다. 옛사람이 누구도 군사에 대해 모르지 않은

成皐에서 참패하여 滕公과 둘이 수레를 타고서 겨우 성고를 탈출할 수 있었다. 이에 북쪽으로 황하를 건너 小脩武의 驛站에서 자고서 새벽에 한신과 장이가 주둔해 있는 조나라의 성벽으로 달려가 한나라의 사신이라 하고서 바람같이 달려 들어갔는데 한신과 장이는 아직 잠자리에서 일어나지 않고 있었다. 이에 한고조는 바로 한신과 장이가 자고 있는 방으로 들어가 여기에서 말하고 있는 일들을 진행하여 한신과 장이의 군대를 모두 빼앗아버렸다.(『資治通鑑』 권10 「漢紀 · 古制 3년」

163 棘門과 霸上의 군대 : 기율이 없는 군대를 이르는 말이다. 한나라 文帝 때 흉노가 침략하자 劉禮는 霸上, 徐厲는 棘門, 周亞夫는 細柳에 주둔시켜 흉노에 대비토록 하였다. 문제가 이들 군대를 친히 위로하고자 찾았을 때 패상과 극문에서는 곧바로 들어갈 수 있었다. 그러나 주아부를 찾았을 때 주아부의 군영은 기율이 반듯하여 선발대가 성문에 이르러 문제가 찾아온 이유를 밝혔으나 "군대 안에서는 장군의 명령을 듣고, 천자의 조칙은 듣지 않는다.(軍中聞將軍之令, 不聞天子之詔.)"며 들여보내지 않았다. 문제가 마침내 성문에 이르렀으나 역시 들어갈 수 없자, 문제는 부절을 갖춘 사신에게 조칙을 내려 주아부에게 위로하려고 왔음을 밝혔다. 그제야 주아부는 성문을 열게 하였다. 문제가 들어가려고 하자 성문 담당 군사는 문제를 호위한 車騎에게 "장군께서 군영에서는 말을 달릴 수 없게 하였습니다."라고 하였다. 문제는 이에 스스로 말고삐를 잡고서 천천히 나아갔다. 中營에 이르렀을 때 주아부가 나와 揖하며 "무장한 군사는 절을 하지 않습니다. 軍禮로 천자에 인사드리기를 청하겠습니다."라고 하였다. 문제가 위로를 마치고 성문을 나서며 "이 사람은 참으로 장군이다. 지난번 패상과 극문은 마치 애들 장난 같았다. 그곳의 장수는 덮쳐서 포로로 잡을 수도 있다. 그러나 주아부는 범할 수 있겠는가?"라고 하였다.(『漢書』「張陳王周傳」)

164 한신의 군사 … 하였다. : 한신의 背水陣을 이르는 말이다.

165 李靖 : 唐나라 雍州 三原 사람. 자는 藥師. 일설에는 본명이 약사라고 한다. 시호는 景武이다. 병법에 뛰어났고 文才를 아울러 갖췄다. 高祖 때 行軍總管에 임명되어 蕭銑을 평정하고 輔公祏의 군대를 진압하였다. 太宗 때 刑部尙書兼檢校中書令과 兵部尙書를 역임하며 突厥을 격파하여 大國公에 봉하여지며 尙書右僕射에 올랐다. 치사한 뒤에도 吐谷渾이 침범하자, 다시 西海島行軍大總管에 등용되고 衛國公에 봉하여졌다. 후인들이 그의 병법을 기술하여 『李衛公問對』 또는 『李衛公兵法』이라 한다.(『舊唐書』 권67 ; 『新唐書』 권93)

166 제갈량이 죽은 … 탄복하였고 : 제갈공명이 오장원에 진영을 차리고 사마의와의 싸움을 기다렸으나 사마의는 끝까지 싸움에 응하지 않았다. 이 사이 공명이 오장원에서 숨을 거두었다. 촉나라 군사는 진영을 불사르고 하룻밤 사이에 퇴각하였다. 주변에 살던 백성들이 급히 이 소식을 사마의에게 전하였다. 사마의가 군사를 동원하여 추격하자 제갈공명의 長史인 楊儀가 군대 방향을 바꾸어 북을 치며 사마의 군대를 향해 나아왔다. 이에 사마의는 추격을 멈췄다. 양의는 진영을 차렸다가는 떠나갔다. 그리고서 하루가 지난 뒤 사마의는 오장원의 제갈공명 진영을 순시하며 "천하의 특출한 인재다.(天下奇才也.)"고 하였다. 세상에서 이를 두고 "죽은 제갈공명이 산 사마중달을 도망치게 하였다."고 수군거렸다. 사마중달이 이 소문을 듣고서는 "내가 그의 살았을 적은 잘 헤아렸으나 그의 죽음은 잘 헤아리지 못한 까닭에서다.(吾能料生, 不便料死也.)"고 하였다.(『晉書』「宣帝紀」)

것은, 예컨대 『주관周官』[『周禮』]의 법에 좌작진퇴의 지엽적인 것마저 절도가 있지 않음이 없어서다. 만일 평소에 배워두지 않았다면 어느 날 급해졌을 때 무엇으로 적에게 대응하겠는가? 이러하니 학자는 군사 지휘와 군사 작전, 진영과 진영 배치에 관한 일들도 익혀두지 않으면 안 된다."

[69-7-11]

或問: "今之爲將帥者, 不必用狙詐固是. 奈兵官武人之有智略者, 莫非狙詐之流? 若無狙詐, 如何使人?"

曰: "君子無所往而不以誠. 但至誠惻怛, 則人自感動."

曰: "至誠惻怛可也. 然今之置帥, 朝除暮易. 若以至誠爲務, 須是積久, 上下相諳, 其效方見. 卒然施之, 未必有補."

曰: "誠動於此, 物應於彼, 速於影響, 豈必在久? 如郭子儀守河陽, 李光弼代之, 一號令而金鼓旗幟爲之精明. 此特其號令各有體耳."[167]

어떤 사람이 물었다. "오늘날에 장수 된 자는 굳이 교묘한 속임수를 쓰려 하지 않아야 합니다. 어찌하여 무관武官이나 무인武人으로 지략이 있다는 사람들은 교묘한 속임수를 쓰는 부류 아닌 자가 없습니까? 만일 교묘한 속임수가 없다면 어떤 방법으로 군사를 부릴 수 있습니까?"

(구산 양씨가) 대답하였다. "군자란 어디에서나 성실하지 않은 경우가 없다. 단지 지극한 정성으로 애틋이 아파해하면 사람들은 저절로 감동한다."

물었다. "지극한 정성으로 애틋이 아파해 하는 것은 좋습니다. 그러나 오늘날에는 장수를 선발하면 아침에 임명하였다가 저녁이면 바꿉니다. 만일 지극한 정성을 책무로 삼으려면 모름지기 오랜 세월이 쌓여 상하가 서로 믿어야 비로소 효험을 볼 수 있습니다. 갑작스럽게 시행하려면 아마 도움이 되지 않을 것입니다."

(구산 양씨가) 대답하였다. "성실이 나에게서 나타나면 상대편이 저곳에서 감응하는 것은 그림자나 메아리보다 빠른데 어찌 꼭 오랜 세월이 있어야하랴? 예컨대 곽자의郭子儀[168]가 하양河陽 수령을 지내다가 이광필李光弼[169]로 교체되었을 때, 한 번의 호령에 징소리며 북소리며 깃발이 그대로 선명하였다. 이는 다만 그들의 호령에 각기 일정한 준칙이 있어서이다."

167 『龜山集』 권10 「語錄·荆州所聞」

168 郭子儀: 당나라 華州 鄭縣 사람. 벼슬은 朔方節度使와 中書令 등을 지내고 汾陽郡王에 봉해졌다. 安史의 난을 토벌하여 長安과 洛陽을 수복하고 僕固懷恩의 吐番과 결탁한 반란을 진압하는 등 당대 최고의 무장으로 손꼽혀 郭令公으로 불렸다.(『舊唐書』 권120; 『新唐書』 권137)

169 李光弼: 당나라 柳城 사람. 아버지는 契丹의 추장이었다. 시호는 武穆이다. 安史의 난을 평정하는 데 큰 공을 세워 곽자의와 함께 李郭으로 병칭되었다. 벼슬은 天下兵馬都元帥였고 臨淮郡王에 봉해졌다.(『舊唐書』 권110; 『新唐書』 권136)

[69-7-12]

華陽范氏曰 : "古之明王, 天下有不順者, 必諄諄而告敎之, 至于再至于三. 告之不可, 然後征之, 則其民知罪而用兵有辭矣."[170]

화양 범씨[范祖禹]가 말하였다. "옛날 현명한 군주는 사리에 어긋난 자가 있으면 반드시 정성스레 가르쳐 일러줌이 두 번 세 번에 이르렀다. 일러줌이 소용이 없은 뒤에 정벌에 나서면 그의 백성도 죄를 알아 군사력 사용에 명분이 있다."

[69-7-13]

朱子曰 : "先王之制, 內有六鄕六遂都鄙之兵, 外有方伯連帥之兵. 內外相維. 緩急相制."[171]

주자가 말하였다. "선왕의 제도는 안으로 육향六鄕과 육수六遂[172]와 도비都鄙(중앙정부와 지방)의 군대가 있고 밖에는 방백方伯과 연수連帥[173]의 군사가 있어, 안팎이 서로 받쳐주고 위급할 때 서로 견제하였다."

[69-7-14]

"本强, 則精神折衝 ; 不强, 則招殃致凶."[174]

(주자가 말하였다.) "근본이 강하면 정신력으로 상대의 병거兵車를 되돌리게 하고, 강하지 않으면 재앙과 흉함을 불러들인다."

[69-7-15]

"兵法以能分合爲變. 不獨一陣之間有分合, 天下之兵皆然."[175]

(주자가 말하였다.) "병법이란 능숙하게 나누고 합치는 것으로 변화를 만든다. 단지 한 진영 간에서만 나누고 합쳐야 할 것이 아니라 천하의 군대 모두가 그러해야 한다."

[69-7-16]

"兵之勝負, 全在勇怯."

170 『唐鑑』 권20 「武宗」

171 『朱子語類』 권110 「論兵」 1조목

172 六鄕과 六遂 : 주나라 제도에서 육향은 수도 경계 밖 100리까지를 여섯 鄕으로 나눈 것이고, 육수는 100리에서 200리까지의 땅을 여섯 遂로 나눈 것이다.

173 方伯과 連帥 : 방백은 한 지역의 우두머리 제후이고, 연수는 제후국 열 나라를 연합한 우두머리 제후이다. 『禮記』「王制」에, "왕국으로부터 1천 리 밖에 방백을 두고, 다섯 개 나라를 屬으로 삼아 속에 우두머리를 두고, 열 개의 나라를 連으로 삼아 연에 帥를 둔다.(千里之外設方伯, 五國以為屬, 屬有長 ; 十國以為連, 連有帥.)"고 하였다.

174 『朱子語類』 권110 「論兵」 2조목

175 『朱子語類』 권110 「論兵」 13조목

又曰[176]: "用兵之要, 敵勢急, 則自家當委曲以纏繞之. 敵勢緩, 則自家當勁直以衝突之."[177]

(주자가 말하였다.) "전쟁의 승부는 전부 용맹과 겁에 달렸다."

또 말하였다. "군사력 사용의 요점은 적군의 형세가 급박하면 자신은 마땅히 부드럽게 에워싸 속박하고, 적군의 형세가 느긋하면 자신은 마땅히 세차게 들이쳐야 한다."

[69-7-17]

"厮殺無巧妙, 只是死中求生. 兩軍相拄, 一邊立得脚住不退, 卽贏矣. 須是死中求生, 方勝也."[178]

(주자가 말하였다.) "싸움터에서 마구 죽이는데 묘책이란 없고 단지 죽음 속에서 살길을 찾아야 할 뿐이다. 양쪽 군대가 서로 버틸 때, 한쪽에 주둔하여 물러서지 않는 것이 바로 이기는 일이다. 모름지기 죽음 속에서 살 길을 찾아야 바야흐로 이길 수 있다."

[69-7-18]

"'晝戰聽金鼓, 夜戰看火候.' 嘗疑夜間不解戰, 蓋只是設火候, 防備敵來刼寨之屬. 古人屯營, 其中盡如井形, 於巷道十字處置火候. 如有間諜, 一處擧火, 則盡擧. 更走不得."[179]

(주자가 말하였다.) "'대낮 전투는 징소리와 북소리를 따르고, 밤 전투는 불 신호를 살펴야 한다.'고 하였다. 지난날 밤에는 전투하는 방법을 알지 못해서, 단지 불 신호만을 설치하여 적군이 쳐들어와 영채를 습격하는 따위만을 방비하는 것으로 의심하였다. 옛날의 둔영은 그 안을 모두 정자井字 형태처럼 만들고 골목의 사거리가 되는 곳에 불 신호를 설치하였다. 만일 간첩이 있어 한 곳에서 불 신호를 올리면 모두가 불을 들어 올려 다시 달아날 수 없었다."

[69-7-19]

"管仲內政士鄕十五, 乃戰士也. 所以敎之孝悌忠信, 尊君親上之義, 夫子曰'以不敎民戰, 是謂棄之.' 故雖伯者之道, 亦必如此."[180]

(주자가 말하였다.) "관중管仲의 내정內政에서 사향士鄕[181] 15곳은 바로 전투하는 군사이다. 효제충신과

176 又曰 : 『朱子語類』 권132, 11조목에는 '曰'자가 '云'자로 쓰여 있다.

177 『朱子語類』 권132, 11조목

178 『朱子語類』 권131, 14조목

179 『朱子語類』 권138, 60조목

180 『朱子語類』 권134, 58조목

181 內政에서 士鄕 : 내정은 국가 내부의 정치를 이른다. 『國語』 「齊語」에, "관자가 대답하기를 '국가 내부 정치에 군대의 명령을 담아야 합니다.'라고 하였다.(管子對曰, '作內政而寄軍令焉.')"고 하였고, 이어 "환공이 '백성들의 거주지는 어떻게 해야 하는가?' 하자, 관중이 '나라를 나누어 21鄕으로 만들어야 합니다.'고 하자, 환공은 '훌륭하다.' 하였다. 관중이 이에 나라를 나누어 21향으로 만들어 공인과 상인의 향을 6개, 사의 향을 15곳으로 만들었다.(桓公曰, 定民之居若何? 管子對曰, '制國以為二十一鄕.' 桓公曰善. 管子於是制國以為二十一鄕, 工商之鄕六, 士鄕十五.)"고 하였다.

군주를 높이고 상관에게는 친근하게 하는 의리를 가르칠 사람이다. 공자가 '가르치지 않은 백성으로 전쟁하는 것은 백성을 팽개치는 것이다.'[182]고 말하였다. 패자覇者가 하는 일도 또한 반드시 이 같다."

[69-7-20]

"五代時兵甚驕矣. 周世宗高平一戰旣敗, 却忽然誅不用命者七十餘人, 三軍大振, 遂復合而克之. 凡事都要人有志."[183]

(주자가 말하였다.) "오대五代시대의 군사는 매우 교만하다. 후주後周의 세종世宗이 고평高平의 한 전투에서 패하고 난 뒤 급작스럽게 명령에 따르지 않은 사람 70여 명을 목 베자, 삼군이 크게 떨쳐 일어나 마침내 다시 합쳐지며 전쟁에 이겼다. 모든 일은 모두 사람이 뜻을 어떻게 가질지를 요구한다."

[69-7-21]

或言 : "古人之兵, 當如子弟之衛父兄, 而孫吳之徒, 必曰'與士卒同甘苦而後可.' 是子弟必待父兄施恩而後報也."

曰 : "'巡而拊之, 三軍之士皆如挾纊', 此意也少不得."[184]

어떤 사람이 말하였다. "옛날의 군사는 당연히 아들과 아우가 아버지와 형을 호위하듯이 하였는데 손무孫武와 오기吳起 무리는 '사졸들과 달고 쓴 일을 함께한 뒤라야 군사를 쓸 수 있다.'고 말합니다. 이는 아들과 아우가 아버지와 형이 반드시 은혜를 베풀어 주기를 기다린 뒤라야 갚아주는 것입니다."

(주자가) 대답하였다. "'순시하며 다독이자 삼군의 군사가 모두 솜옷을 입은 듯이 하였다.'[185]는 이 뜻을 조금도 알지 못한 말이다."

[69-7-22]

"陣者, 定也. 八陣圖中有奇正. 前面雖未整, 猝然遇敵, 次列便已成正軍矣."[186]

(주자가 말하였다.) "진陣이란 대오를 확정하는 것이다. 팔진도八陣圖[187]에는 기奇와 정正이 있다. 선봉이 아직 정연하지 않은 상태에서 졸연히 적군을 만나면, 다음 대열이 바로 정군正軍의 대오를 이룬다."

---

182 '가르치지 않은 … 것이다.' : 『論語』「子路」

183 『朱子語類』 권110 「論兵」 20조목

184 『朱子語類』 권110 「論兵」 3조목

185 '순시하며 다독이자 … 하였다. : 『春秋左傳』「宣公 12년」 기사에서, "신공 무신이 말하기를 '군사들이 추워하는 자가 많았는데 왕께서 삼군을 돌며 어루만지며 힘쓰게 하자 삼군의 군사가 모두 솜옷을 입은 듯이 하였다.'라고 하였다.(申公巫臣曰, '師人多寒, 王巡三軍, 拊而勉之, 三軍之士皆如挾纊.')"고 하였다.

186 『朱子語類』 권136, 24조목

187 八陣圖 : 陣法의 하나. 삼국시대 諸葛孔明이 병법을 근거로 하여 처음 만들었다고 한다. 『三國志』「蜀志 · 諸葛亮傳」에 "병법을 미루어 연역해서 팔진도를 만들었다.(推演兵法, 作八陣圖.)"고 하였다.

[69-7-23]

或問："『史記』所書高祖垓下之戰，季通以爲'正合八陣之法.'"

曰："此亦後人好奇之論. 大凡有兵須有陣，不成有許多兵馬相戰鬪，只袞作一團，又只排作一行. 必須左右前後，部伍行陣，各有條理，方得. 今且以數人相撲言之，亦須擺布得所而後相角. 今人但見『史記』所書甚詳，『漢書』則略之，便以司馬遷爲曉兵法，班固爲不曉，此皆好奇之論. 不知班固以爲行陣乃用兵之常，故略之，從省文爾. 看古來許多陣法，遇征戰亦未必用得. 所以張巡用兵，未嘗倣古兵法，不過使兵識將意，將識士情. 蓋未論臨機應變，方略不同. 只如地圓則須布圓陣，地方則須布方陣，亦豈容槩論也?"188

어떤 사람이 물었다. "『사기』에 기록된 고조高祖의 해하垓下 전투189를 계통季通(蔡元定의 字)이 '팔진도의 진법에 꼭 맞다.'고 하였습니다."

(주자가) 대답하였다. "이 역시 후인의 기이한 것을 좋아한 말이다. 대체로 군사가 있으면 당연히 진법이 있어야 하나 수많은 사병과 기마騎馬가 서로 싸우는데, 싸잡아 한 무리로 만들거나 또 늘어세워 한 줄로 만들 수는 없다. 반드시 전후좌우와 부오部伍190며 줄이 각기 조리가 있어야 비로소 완전할 수 있다. 지금 우선 몇 사람이서 서로 맞붙는 일을 가지고 말해도 또한 당연히 배치가 제자리를 얻은 뒤라야 서로 겨눈다. 요새 사람은 다만 『사기』에 대해서는 매우 자세히 보면서 『한서』는 간과하여, 곧잘 사마천司馬遷은 병법을 알고 반고班固(『漢書』의 저자)는 몰랐다고 말하나, 이는 모두 기이한 것을 좋아한 말이다. 반고는 진 치는 일을 군사력 사용의 일상적인 것으로 여긴 까닭에 간과해 버린 것을 알지 못한 것이니, 그에 따라 문장도 생략한 것이다. 옛날의 수많은 진법을 살펴보면 정벌 전쟁에서는 또한 꼭 이를 쓰지 않았다. 장순張巡(唐나라 현종玄宗 때의 장수)은 군사력 사용에 조금도 옛 병법을 따르지 않아, 군사들에게는 장수의 의도를 알게 하고 장수는 군사의 마음을 알게 한 정도였다. 대체로 임기응변은 말할 것도 없고 전략도 같지 않았다. 다만 둥그런 지형에서는 반드시 둥그런 진을 쳤고 모난 지형에서는 반드시 모난

188 『朱子語類』 권136, 22조목

189 垓下 전투 : 한고조와 항우의 마지막 전투라 할 수 있는 전쟁이다. 항우가 한고조와 鴻溝를 기준으로 서쪽은 한고조가, 동쪽은 항우가 차지하는 것으로 약속을 맺고 서로 싸움을 끝냈다. 돌아서려는 순간 장량은 한고조에게 항우를 돌려보내는 것은 호랑이를 기르는 일이라며 공격을 주장하였다. 한고조는 한신에게 陳땅에서부터 동해바다까지를 떼어주고, 팽월에게는 淮陽의 북쪽에서부터 穀城까지를 떼어주는 것을 약속하며 함께 항우를 공격할 것을 제안하였다. 마침내 이들의 동의를 받아 해하로 군대를 집결시켰다. 항우는 해하에서 四面楚歌의 궁지에 몰리자 밤중에 일어나 마지막까지 자신을 따라 준 虞美人에게 "힘은 산을 뽑고 기세는 세상을 덮을 만 하건만 시대는 불리하고 오추마는 떠나가지 않네! 오추마야 네 떠나지 않으나 어찌할 수 있느냐! 우미인아! 우미인아! 어찌할거나.(力拔山兮氣蓋世, 時不利兮騅不逝. 騅不逝兮可奈何, 虞兮虞兮奈若何.)"의 시를 읊조리며 눈물을 뿌렸다.(『史記』「項羽本紀」)

190 部伍 : 군대의 편제 단위. 部는 部曲을 이르고 伍는 行伍를 이른다. 『史記』「李將軍傳」에 "이광 군대의 행군에는 부오며 行伍가 없다.(廣行無部伍行陳.)"고 했는데 司馬貞은 "장군이 군대를 거느리는 데는 모두 부곡이 있다. 대장군은 5부를 두니 부에 교위는 1명이고, 부 아래 곡이 있고 곡에는 군후 1명이 있다.('將軍領軍皆有部曲. 大將軍營五部, 部校尉一人, 部下有曲, 曲有軍候一人也.)"고 하였다.

진을 쳤으니 또한 어찌 한 잣대로 말할 수 있는 일이랴?"

又曰: "常見老將說, 大要臨陣, 又在番休遞上. 分一軍爲數替, 將戰則食. 第一替人旣飽, 遣之入陣, 便食第二替人. 覺第一替人力將困, 卽調發第二替人往代. 第三替人亦如之. 只管如此更番, 則士常飽健, 而不至困乏."[191]

또 말하였다. "일찍이 늙은 장수가 하는 말을 들었는데 진에서 크게 중요한 것은, 또 순번으로 쉬어주고 돌아가며 전쟁에 나서게 하는 일이다. 한 군대를 나누어 몇 개의 순번으로 만들어서 싸우려면 밥을 먹여야 한다. 첫 순번이 배가 부르면 내보내 진영으로 들여보내고, 바로 두 번째 순번에게 밥을 먹여야 한다. 첫 순번의 군사가 지치는 기색이 엿보이면 바로 둘째 순번을 정돈해 내보내서 번갈아야 한다. 셋째 순번 역시 이같이 해야 한다. 단지 이처럼 관리하여 순번을 바꾸면 군사는 항상 배부르고 건장하여 고달프거나 지치지 않을 것이다."

[69-7-24]

問: "選擇將帥之術?"

曰: "當無事之時, 欲識得將, 須是具大眼力. 如蕭何識韓信方得."[192]

물었다. "장수를 선발하는 방법은 어떠해야 합니까?"

(주자가) 대답하였다. "일이 없을 때 장수를 알아보려면 모름지기 사람을 알아보는 큰 식견을 갖추어야 한다. 예컨대 소하蕭何가 한신韓信을 알아보았으므로[193] 그를 얻을 수 있었다."

191 『朱子語類』 권136, 22조목

192 『朱子語類』 권110, 23조목

193 蕭何가 韓信을 알아보았으므로: 한신은 처음에 項梁을 따르다가 항량이 죽은 뒤 항우에게 郞中 벼슬을 받아 크게 눈에 띄지 못하였다. 이에 유방에게 귀의하였다. 유방에게서도 등용되지 못하였고 소하와 어울려 지내면서 남다른 인정을 받았다. 한고조가 漢王이 되어 서쪽 끝 漢中 땅으로 나아갈 때 한고조의 군사들은 산동 출신들이어서 많은 장수와 군사들이 중간에 고향으로 도망쳤다. 한신도 이 중의 한 사람이 되어 떠나갔는데 소하가 이 말을 듣고서 한고조에게 미처 사유를 말하지 않고 한신을 만류하려 길을 나섰다. 이를 소하가 도망친 것으로 소식을 들은 한고조는 양쪽 손을 잃어버린 것처럼 어찌할 바를 몰랐다. 소하가 한신을 데리고 돌아오자 한고조는 한신의 사람됨을 물었다. 그러자 소하는 한고조가 천하를 경영하려는 생각이 있다면 한신이 반드시 필요한 인물임을 설파하였다. 그 말을 들은 한고조는 마침내 한신을 대장으로 삼기로 하고 대장 임명식이 있을 것을 발표하였다. 이때 한고조를 따르던 장수들은 각기 한고조가 자신을 대장에 임명할 것으로 기대하였다. 한신이 임명되자 전체 군대가 모두 깜짝 놀랐다. 이를 『史記』 「淮陰侯傳」에 "군인들마다 각자 대장이 될 것이라고 여겼는데 대장을 임명하는데 한신이었다. 온 군대 안이 다 놀랐다.(人各自以爲得大將. 至拜大將, 乃信也, 一軍皆驚.)"라고 기록하고 있다. 한신을 알아본 것이 소하뿐이었음을 보여주는 대목이다.

[69-7-25]

南軒張氏曰: "君子於天下之事, 無所不當究. 況於兵者, 世之興廢, 生民之大本存焉, 其可忽而不講哉? 夫兵政之本在於仁義, 其爲教根乎三綱. 然至於法度紀律, 機謀權變, 其條不可紊. 其端爲無窮, 非素考索, 烏能極其用? 一有所未極, 則於酬酢之際, 其失將有間不容髮者, 可不畏哉?"[194]

남헌 장씨[張栻]가 말하였다. "군자는 천하의 일을 어떤 것도 연구해 보지 않아선 안 된다. 하물며 군사의 일은 한 시대의 흥망과 백성의 큰 근본이 달린 일인데 소홀히 생각하고 강구해 보지 않을 수 있겠는가? 군사 업무의 근본은 인의仁義에 있고 그것의 가르침은 삼강三綱[195]에 근거한다. 그러나 법도와 기율, 책략과 임기응변에 이르면 그 조목을 문란히 할 수 없다. 그 단서가 무궁하니 평소에 연구해 찾아보지 않고서 어떻게 수단을 다 쓸 수 있겠는가? 어느 하나도 다 공부하지 못한 것이 있으면 맞서는 사이에 그 잘못이 털끝 하나의 틈도 허용치 않으니 두렵지 않을 수 있는가?"

[69-7-26]

東萊呂氏曰: "後世用兵者, 以爲『黄石』一書無與比者. 不知『黄石公』未出之前, 三代之兵, 一擧而無敵於天下, 兵書何在? 『黄石公』有一秘法在人間, 人自不識. 三代之得天下, 亦不過此道, 唯仁一字爾."[196]

동래 여씨[呂祖謙]가 말하였다. "후세에 군사력을 사용하는 자들은 『황석黃石』[197] 한 책을 견줄 만한 책이 없는 것으로 여긴다. 모르는 일이지만 『황석공』이 아직 세상에 나오기 이전에도 삼대三代[夏殷周]의 군사는 한 번 군사를 일으키면 천하에 맞설 자가 없었으나 병서兵書가 어디 말이나 있었던가? 『황석공』에도 한 가지 비법이 있어 사람에게 달렸는데 사람들이 혼자서 모르고 있다. 삼대가 천하를 얻은 것 역시 이 한 가지 도리를 넘어서지 못하니 인仁 한 가지일 따름이다."

[69-7-27]

西山眞氏曰: "古之用武者, 不急於治兵, 而急於擇將. 將之勇怯, 兵實係焉. 故天下無必勝之兵, 而有不可敗之將. 昔人未嘗不用民兵也, 然旣募之後, 則有紀律焉, 馬燧之練戍精卒是也;[198] 方募之始, 則有差擇焉, 馬隆之立標揀試是也."[199]

서산 진씨[眞德秀]가 말하였다. "옛날에 무력을 쓰려는 자는 군사 다스리는 일을 서두르지 않고 장수 선택

194 『南軒集』 권3 「跋孫子」

195 三綱: 漢나라 班固의 저서 『白虎通』「三綱六紀」에 "삼강은 무엇을 말하는가? 군신과 부자와 부부이다.(三綱者, 何謂也? 君臣·父子·夫婦也.)"고 하였다.

196 『東萊外集』 권6 「雜說·門人周公謹介所記」

197 『黃石』: 황석공이 張良에게 주었다는 兵書. 『黃石公』이라고도 하고, 『黃石公三略』이라고도 한다.

198 馬燧之練戍精卒是也: 『西山文集』 권32 「館職策」에는 '戍'자가 '成'자로 되어 있다.

199 『西山文集』 권32 「館職策」

을 서둘렀다. 장수의 용맹과 겁은 군사의 실제와 연관된다. 그러므로 천하에 반드시 승리하는 군사도 없고 승리하지 못할 장수도 없다. 옛사람이 민병民兵[200]을 쓰지 않은 사람이 없었으나, 모집된 뒤에 바로 기율이 있었던 것은 마수馬燧가 훈련시켜 정예 병사를 만든 것[201]이고, 모집 시작부터 선발을 한 것은 마륭馬隆이 기준을 세우고 가려 시험하였던 것[202]이다."

[69-7-28]

鶴山魏氏曰 : "余少讀書於十三卦制作之象, 見所謂門柝以待暴客, 弧矢以威天下, 每嘆風氣旣開, 人情易動, 雖黄帝 · 堯 · 舜有不容不先事而爲慮者. 及觀古制之詳, 莫備於周. 有井牧之田, 有伍兩之兵, 有溝樹之固,[203] 有郊關之限, 有巡鼜之警, 有壺樣之守. 不得已而用民也, 則鄉遂三邑三等采地, 以次召發. 不止, 則諸侯, 又不止也, 則有遍境出之法.[204] 乃知古人雖以禮義廉恥爲域民固國之道, 然未嘗不設險用師以輔之也."[205]

학산 위씨[魏了翁]가 말하였다. "내가 어린 시절 13괘卦의 기구 제작에 관한 상象의 글[206]을 읽으며 이른바 '대문과 딱따기로 도적을 대비하고, 활과 화살로 천하에 위엄을 드러낸다.'는 글을 볼 때마다, 풍조나 습속이 열리면 사람들 마음이 쉽게 동요하는 것이기에, 황제黃帝나 요堯 · 순舜도 일에 앞서 생각해보지

200 民兵 : 『玉海』 권139에, "군인은 네 종류가 있다 … 첫째 禁兵 … 둘째 廂兵 … 셋째 役兵 … 넷째는 민병인데 농부 가운데 건장하고 재간 있는 자를 문서에 올려두었다가 궐원이 있을 때 바로바로 보충하고 한 해에 한 차례 점고한다.(凡軍有四 … … 一曰禁兵 … 二曰廂兵 … 三曰役兵 … 四曰民兵, 農之健而材者籍之, 闕者輒補, 歲一閱焉.)"고 하였다.

201 馬燧가 훈련시켜 … 것 : 이는 唐玄宗의 安祿山 난리에 마수의 행적을 칭송한 일부이다. 『新唐書』 권155 「馬燧傳旣」에서 "마수가 河東節度留後로 전직되었다가 節度使로 승진하였다. 太原이 鮑防의 실패에 따라 병력의 손실을 입어 허약해졌다. 마수가 종살이하는 자들을 모집하여 수천 군사를 얻어 모두 기병에 보충시키고 전투 교육을 실시하여 몇 달 만에 정예 병사를 만들었다.(遷河東節度留後, 進節度使. 太原承鮑防之敗, 兵力衰單. 燧募厮役, 得數千人, 悉補騎士, 教之戰, 數月成精卒.)"고 하였다.

202 馬隆이 기준을 … 것 : 마륭은 晉나라 武帝 때의 장수다. 『晉書』 권57 「馬隆傳」에 의하면, 凉州刺史 楊欣이 羌戎과 우호를 유지하지 못하며 그들에게 살해되자 황하 서쪽의 길이 막혔다. 이때 무제가 황하 서쪽의 길을 복원시킬 장수를 구하였다. 마륭이 지원하며 군사 선발의 필요성을 강조하였다. 마륭은 군사 3천 명이 필요하다며 이들의 선발 기준을 허리로 36鈞(1균은 30斤)의 쇠뇌를 당길 수 있는 자, 4균의 힘을 가진 활시위를 당길 만한 팔 힘이 있는 자를 제시하였다. 여러 대신들의 반대가 있었으나 무제의 허락을 받아 이 기준을 걸고 군사 3,500명을 선발하여 이들을 이끌고 강융을 격파하였다.

203 有溝樹之固 : 『鶴山集』 권42 「簡州見思堂記」에는 '樹'자가 '封'자로 되어 있다.

204 則有遍境出之法. : 『鶴山集』 권42 「簡州見思堂記」에 '出'자 아래 '師'자가 더 있다.

205 『鶴山集』 권42 「簡州見思堂記」

206 13卦의 기구 … 글 : 『周易』「繫辭下」 제2장을 말한다. 離(䷝)괘에서 그물, 益(䷩)괘에서 '보습과 따비[耜耒]', 噬嗑(䷔)괘에서 시장[市], 乾(䷀)괘와 坤(䷁)괘에서 변화하는 가운데 無爲의 정치, 渙(䷺)괘에서 '배와 노[舟楫]', 隨(䷐)괘에서 말과 소를 부리는 법, 豫(䷏)괘에서 성문과 딱따기로 도둑을 예방하는 법, 少過 (䷽)괘에서 '절구와 확[杵臼]', 睽(䷥)괘에서 활과 화살, 大壯(䷡)괘에서 집, 大過(䷛)괘에서 棺槨, 夬(䷪)괘에서 문자[書契] 등의 원리를 찾아내 만들었다고 하였다.

않는 것을 용납하지 하지 않았음을 탄식하였다. 옛 제도를 자상히 살피면 주나라보다 구비된 나라는 없다. 경작지와 목초지의 전답이 있고,[207] 오량伍兩의 병사가 있고,[208] 구봉溝封의 튼튼함이 있고,[209] 교외郊外와 관문關門의 한계가 있고, 순척巡鼜의 경계가 있고,[210] 호탁壺欜의 지킴이 있다.[211] 부득이 백성을 동원할 경우 향수鄕遂 세 읍邑의 세 등급 채지[212]의 백성을 차례로 징발하였다. 그래도 중지되지 않으면 제후의 군대를 징발하고, 또 중지되지 않으면 온천하가 군사를 출동시키는 법이 있었다. 비로소 옛사람이 예의와 염치로 사는 곳을 경계 짓고 국토를 튼튼히 하는 도리로 삼았으며, 험한 지형에 방비 시설을 설치하고 군대를 조직하여 그것을 보조하였음을 알 수 있다."

論刑 형벌에 대해 논한다

[69-8-1]

龜山楊氏曰 : "文帝之去肉刑, 其用志固善也. 夫紂作炮烙之刑, 其甚至於刳剔孕婦, 則雖秦之用刑不慘於是矣. 而商之頑民, 亦非素教, 不聞周繼之而廢肉刑也, 豈武王周公皆忍人哉? 若文帝之承秦, 蓋亦務爲厚養而素教之耳, 不思所以教養之而去肉刑, 是以圖其末也. 則王通謂其傷於義, 恐未爲過論. 及夫廢之已久, 而崔鄭之徒乃驟議復之, 則其不知本末也甚矣."[213]

구산 양씨가 말하였다. "문제文帝는 육형肉刑을 없앴으니[214] 그 의지는 참으로 훌륭하다. 주紂가 숯불에

207 경작지와 목초지의 … 있고 : 전답을 나눌 때 경작할 수 있는 땅은 정전을 만들어 경작하게 하고, 늪처럼 경작할 수 없는 땅은 목초지로 지정하는 것을 이른다.(『周禮』「地官 · 遂師」)

208 伍兩의 병사가 있고 : 옛 군대의 편제 단위. 『周禮』「地官 · 小司徒」에 "5명이 伍가 되고 5오가 兩이 되고, 4량이 卒이 되고, 5졸이 旅가 되고, 5려가 師가 되고, 5사가 軍이 된다.(五人爲伍, 五伍爲兩, 四兩爲卒, 五卒爲旅, 五旅爲師, 五師爲軍.)"고 하였다.

209 溝封의 튼튼함이 있고 : 경계를 획정 지으며 땅을 파 도랑을 만들거나 흙을 도도록이 쌓아올리는 것을 이른다. 『周禮』「地官 · 大司徒」의 "1천리 강토의 경계를 다스리며 도랑을 파거나 흙을 도도록이 쌓아올린다.(制其畿疆而溝封之.)"라고 하였다.

210 巡鼜의 경계가 있고 : 밤에 북을 치며 순라도는 일을 이른다. 『周禮』「夏官 · 掌固」에 "밤사이에 북을 세 차례 쳐서 경계하도록 한다.(夜三鼜以號戒.)"고 하였다.

211 壺欜의 지킴이 있다. : 『周禮』「夏官 · 挈壺氏」에 "군사 관계의 일에서는 물시계를 달아매고 更의 차례대로 사람들을 모아 딱따기를 친다.(凡軍事縣壺, 以序聚欜.)"고 하였다.

212 鄕遂 세 … 채지 : 여기서 향수는 주나라 제도에서 천자의 왕성 밖 1백 리 안에 둔 六鄕과 1백 리 밖에 둔 六遂를 이른다. 이곳은 천자가 자신의 공경 대부들을 공후백자남의 작위를 내리고 이 땅을 그들의 채지로 주었다. 여기서 세 등급 운운은 1백 리의 땅을 채지로 받은 公侯와, 70리의 채지를 받은 伯과 50리를 채지로 받은 子男을 이른다.

213 『龜山集』 권17 「答吳仲敢」

214 文帝는 肉刑을 없앴으니 : 漢文帝 때에 太倉令으로 있던 淳于意가 죄를 지어 長安으로 잡혀가 팔다리가

떨어뜨리는 형벌을 만들고[215] 심지어 임신부의 배를 가르는 일까지 있었으니,[216] 진秦나라의 형벌도 이보다 참혹하지는 않았다. 상나라의 고집불통인 백성은 또한 평소 그 나라가 가르치지 않아서이나, 주나라도 상나라를 이어 나라를 세우고서 육형을 폐지했다는 말을 들을 수 없으니, 무왕과 주공이 모두 잔인해서겠는가? 문제는 진나라 시대를 이었으니 또한 힘써 후하게 기르고 평소에 가르쳐야 한다는 심산이었을 뿐, 기르고 가르칠 방법을 생각하지 않고서 육형을 없앴으니 이는 지엽적인 도모이다. 왕통王通이 말한 '의리를 손상시킨 일이다.'[217]란 말이 아마 과한 말이 아닌 성싶다. 폐기된 지 이미 오랜 시간이 흘렀는데 최정崔鄭 무리가 갑작스럽게 되돌릴 것을 주장[218]한 것은, 그들이 본말을 몰라도 너무 몰랐다."

[69-8-2]

或曰："特旨，乃人君威福之權不可無也."

曰："不然，古者用刑，王三宥之，若案法定罪而不敢赦，則在有司．夫惟有司守法而不移，故人主得以養其仁心．今也法不應誅，而人主必以特旨誅之，是有司之法不必守，而使人主失仁心矣."

어떤 사람이 말하였다. "제왕의 특별 명령은 군주의 위엄을 보이고 복록을 내리는 권한이니 없을 수 없습니다."

(구산 양씨가) 말하였다. "그렇지 않다. 옛날에 형벌을 집행할 때 군왕이 세 번 용서하였으나,[219] 법에

잘리는 肉刑을 받게 되었다. 그의 막내딸 緹縈이 따라가서 "죽은 자는 다시 살아날 수 없고 잘려진 육신은 다시 붙일 수 없으니, 원컨대 대신 官婢가 되어 아비의 죄를 속죄하겠다."고 애절한 소장을 올리니, 문제가 감동하여 순우의의 죄를 사면해 주고 肉刑을 없애도록 조서를 내렸다.(『漢書』 권23 「刑法志」)

215 紂가 숯불에 … 만들고 : 殷나라의 紂王이 시행했던 가혹한 형벌의 한 가지로, 구리 기둥 아래 숯불을 피우고 그 위로 죄인을 걷게 하여 숯불에 떨어져 타 죽게 하였던 혹형이다.(『史記』「殷本紀」)

216 심지어 임신부의 … 있었으니 : 紂王의 악행 중의 한 가지로 『書經』「泰誓上」에 "임신부의 배를 갈랐다.(刳剔孕婦)"고 하였다.

217 '의리를 손상시킨 일이다.' : 『中說』 권3 「事君篇」

218 崔鄭 무리가 … 주장 : 『通志』 권60 「刑法略 · 肉刑議」에서 "후한 獻帝 때 천하가 혼란스러워진 뒤 형벌로 악행을 징계하기에 부족하였다. 이에 명망이 있는 유자와 큰 재주를 지녔던 崔寔, 鄭康成(鄭玄), 陳紀 같은 무리가 모두 당연히 육형을 되돌려야 한다고 말하였다.(後漢獻帝之時, 天下既亂, 刑罰不足以懲惡, 於是, 名儒大才崔寔鄭康成陳紀之徒, 咸以爲宜復肉刑.)"고 하였다.

219 군왕이 세 … 용서하였으나 : 『周禮』「秋官 · 司刺」에 "사자는 삼자와 삼유와 삼사의 법을 관장하여 사구가 옥송 다스리는 것을 돕는다 … 첫 용서는 '잘 몰라서였다.' 하고, 두 번째 용서는 '과실이었다.'고 하고, 세 번째 용서는 '잊어서이다.'고 말한다.(司刺掌三刺 · 三宥 · 三赦之法, 以贊司寇聽獄訟 … … 壹宥曰不識, 再宥曰過失, 三宥曰遺忘.)"고 하였다. 이를 鄭玄은 "識은 살핌이다. 살피지 못했다는 말은 지금 원수를 마땅히 甲이란 사람에게 보복해야 하는데 乙을 잘못 갑으로 오인하고 죽인 것이다. 과실은 도끼를 들어 나무를 베거나 장작을 패는데 도끼를 손에서 놓쳐 사람이 맞은 경우이다. 잊었다는 장막을 사이에 두고서 그 안에 사람이 있었다는 것을 깜박하고 무기나 화살을 쏘아 맞춘 경우이다.(識, 審也. 不審, 若今仇讐當報甲, 見乙誠以為甲而殺之者. 過失, 若舉刃欲斫伐, 而軼中人者. 遺忘, 若間帷薄, 忘有在焉, 而以兵矢投射之.)"고 하였다.

따라 죄를 결정하고 감히 풀어주지 않는 것은 유사에게 달렸다. 유사가 법을 고집하고 바꾸지 않은 까닭에 군주가 인심仁心을 기를 수 있었다. 오늘날엔 법리상 당연히 죽임에 해당되지 않는데 군주가 굳이 특별 명령으로 죽이니 이는 유사의 법이 꼭 지켜지지 않아 군주에게 인심을 잃게 하는 것이다."

[69-8-3]

因論特旨曰: "此非先王之道. 先王只是好生, 故『書』曰'好生之德, 洽于民心.' 爲天子豈應以殺人爲己任? 『孟子』曰'國人皆曰可殺, 然後殺之, 故曰國人殺之也', 謂國人殺之, 則殺之者非一人之私意, 不得已也. 古者司寇以獄之成告于王, 王命三公參聽之. 三公以獄之成告于王, 三宥然後致刑. 夫宥之者, 天子之德; 而刑之者, 有司之公. 天子以好生爲德, 有司以執法爲公, 則刑不濫矣. 若罪不當刑而天子必刑之, 寧免於濫乎? 此事其漸有因, 非獨人主之過. 使法官得其人, 則此弊可去矣. 舜爲天子, 若瞽瞍殺人, 皐陶得而執之, 舜猶不能禁也. 且法者天下之公, 豈宜徇一人之私意?

(구산 양씨가) 특별 명령에 대해 논하다 말하였다. "이는 선왕 시대의 도리가 아니다. 선왕은 다만 살리기를 좋아한 까닭에 『서경』에 '살리기를 좋아하는 덕이 백성들 마음에 흡족히 스몄다.'[220]고 한 것이다. 천자가 어찌 살인을 자신의 당연한 책무로 여길 수 있겠는가? 『맹자』에 '나라 사람이 모두 「죽일 만하다.」고 말한 뒤에 죽인 까닭에 「나라 사람이 죽였다.」고 말한다.'[221]고 하였다. 나라 사람이 죽였다면 죽임은 한 사람의 개인 뜻이 아닌 부득이한 것이다. 옛날 사구司寇가 송사를 결정하여 왕에게 고하면 왕은 삼공에게 참여해 듣도록 했다.[222] 삼공이 송사가 결정되었음을 고하면 세 번 용서의 명령을 내린 뒤 사형을 집행하였다. 용서는 천자의 덕이고, 사형을 집행하는 것은 유사의 공정함이다. 천자가 살리기를 좋아하는 것을 덕으로 삼고 유사는 법을 집행하는 것을 공정함으로 삼아야 형벌이 남용되지 않는다. 만일 죄가 사형에 합당하지 않은데 천자가 기어이 사형시키려 한다면 어찌 남용을 면할 수 있겠는가? 이 일은 여기에 이르게 된 까닭이 있으니 군주 한 사람의 잘못만도 아니다. 법관에 적임자를 앉혔다면 이 폐단은 없앨 수 있는 것이다. 순임금이 천자였을 때 만일 고수가 살인하였다면 고요皐陶가 잡아들여 구속하는 것은 순임금으로서도 금지할 수 없다.[223] 또 법이란 천하에서 공정한 것이니 어찌 당연히 한 사람 개인의 뜻을 따를 수 있겠는가?

220 '살리기를 좋아하는 … 스몄다.': 『書經』「大禹謨」에서 당시 형벌을 관장하던 皐陶가 순임금에게 한 말이다.
221 '나라 사람이 … 말한다.': 『孟子』「梁惠王下」
222 옛날 司寇가 … 했다.: 『孔子家語』「刑政」에 "공자가 말했다. '옥사가 담당 관원에 의하여 결정이 내려지면 그 관원은 옥사가 결정되었음을 正(우두머리)에게 고하고, 정이 그것을 다 듣고서는 大司寇에게 아뢴다. 대사구가 그것을 다 듣고서 왕에게 받들어 올린다. 왕은 삼공과 卿士에게 가시나무 아래서 그 내용을 참여해 듣게 한다. 그런 뒤에 옥사의 결정을 왕에게 아뢴다. 왕은 세 번 용서를 내리면 명령에 따라 형벌을 결정한다.'(孔子曰, '成獄成於吏, 吏以獄成告於正, 正既聽之, 乃告大司寇. 聽之, 乃奉於王. 王命三公·卿士參聽棘木之下, 然後乃以獄之成告於王. 王三宥之, 以聽命而制刑焉.')"고 하였다."
223 皐陶가 잡아들여 … 없다.: 『孟子』「盡心上」에서 제자 桃應이 맹자에게 물은 내용이다.

嘗怪張釋之論渭橋犯蹕事, 謂'宜罰金', 文帝怒, 釋之對曰, '法者, 天子所與天下公共也. 今法如是, 更重之, 是法不信於民也.' 此說甚好. 然而曰'方其時使人誅之則已', 以謂'爲後世人主開殺人之端者, 必此言也夫!' 旣曰'法天子與天下公共', 則得罪者, 天子必付之有司, 安得擅殺? 使當時可使人誅之, 今雖下廷尉, 越法而誅之, 亦可也."[224]

일찍이 장석지張釋之가 위교渭橋에서 천자의 어가를 범한 사건을 처리하며 '벌금형이 의당합니다.'라고 하여 문제文帝가 노하자, 석지가 대답하기를 '법이란 천자가 천하와 함께하는 것입니다. 지금 법이 이러한데 다시 무겁게 하신다면 법이 백성들로부터 불신당할 것입니다.'[225]고 하였다. 이 말이 매우 좋다. 그러나 '바야흐로 그 당시 사람을 시켜 죽였다면 그만이었을 것'이란 말은, '후세 군주들의 사람을 죽이는 단초를 연 것은 반드시 이 말일 것이다!'고 말할 수 있다. '법이란 천자가 천하와 함께하는 것이다.'고 말했다면 죄를 지은 사람은 천자가 반드시 유사에게 넘겨야 하는 것이지 어떻게 멋대로 죽일 수 있는가? 만일 당시에 사람을 시켜 죽일 수 있었다면 지금 정위廷尉에게 내려졌다 해도, 법을 어기고 죽이는 일을 또한 할 수 있다."

[69-8-4]

五峯胡氏曰 : "生刑輕則易犯, 是敎民以無恥也 ; 死刑重則難悔, 是絶民自新之路也. 死刑生刑, 輕重不相懸, 然後民知所避, 而風化可興矣."[226]

오봉 호씨五峯胡氏[胡宏]가 말하였다. "살리는 형벌을 가볍게 내리면 죄를 쉽게 저질러 백성들이 부끄러움

224 『龜山集』 권13 「語錄 4 · 餘杭所聞」

225 渭橋에서 … 것입니다. : 한나라 문제 때 장석지가 법을 담당하는 정위가 되었을 때 일어난 일이다. 자세한 내용은 『史記』 권102 「張釋之傳」을 참고하면 다음과 같다. "문제가 위교에 거둥하였을 때 어떤 사람이 다리 아래에서 뛰쳐나와 천자의 수레를 끌던 말이 놀라는 일이 발생하였다. 이에 기마병에게 붙잡게 하여 정위에게 내려 죄를 다스리게 하였다. 장석지가 심문하자 대답하기를, '자신은 長安縣 사람으로 천자의 거가에 의한 「물렀거라.」는 말을 듣고서 다리 아래로 숨었습니다. 한참이 지나 거가가 이미 지나갔을 것으로 생각하고 나갔다가 천자의 수레를 보고서 바로 뛰었습니다.'고 하였다. 정위가 결정한 처벌을 아뢰어 '한 사람이 천자의 어가 길을 범하였으니 당연히 벌금으로 처벌해야 합니다.'고 하였다. 그러자 문제가 노하여 '이 자가 내 말을 놀라게 하였는데 내 말이 온순해서 덕을 보았다. 만일 다른 말 같았다면 참으로 나를 다치게 하지 않았겠는가? 그런데도 정위가 벌금형으로 판결하는가!'라고 하였다. 이에 장석지가 '법은 천자가 천하와 함께하는 것입니다. 지금 법이 이러한데 다시 무겁게 하신다면 법이 백성들로부터 불신당할 것입니다. 또 바야흐로 그때 황상께서 바로 죽였다면 그만일 것이나 지금 이미 정위에게 내리셨고, 정위는 천하의 공평을 집행하는 사람이니, 한번 기울어지면 천하의 법 집행이 모두 따라서 오르내리는데, 백성들이 어디에 손과 발을 놓아두어야 할지 알겠습니까? 폐하께서는 이 점을 살피십시오.'(上行出中渭橋, 有一人從橋下走出, 乘輿馬驚. 於是使騎捕, 屬之廷尉. 釋之治問, '縣人來, 聞蹕, 匿橋下. 久之, 以爲行已過, 即出, 見乘輿車騎, 即走耳'. 廷尉奏當, '一人犯蹕, 當罰金'. 文帝怒曰, '此人親驚吾馬, 吾馬賴柔和. 令他馬, 固不敗傷我乎? 而廷尉乃當之罰金!' 釋之曰, '法者天子所與天下公共也. 今法如此而更重之, 是法不信於民也. 且方其時, 上使立誅之則已, 今既下廷尉, 廷尉天下之平也, 一傾而天下用法皆爲輕重, 民安所錯其手足? 唯陛下察之.')"

226 『知言』 권1

을 모르게 하고, 죽이는 형벌을 가중시키면 뉘우침을 어렵게 하여 백성들이 스스로 새로워지는 길을 끊어지게 한다. 죽이는 형벌과 살리는 형벌의 가볍고 가중시킴이 서로 현격하지 않아야 백성이 피할 줄을 알아, 교육과 감화의 기풍이 일어날 수 있다."

[69-8-5]

豫章羅氏曰 : "朝廷立法不可不嚴, 有司行法不可不恕. 不嚴則不足以禁天下之惡, 不恕則不足以通天下之情. 漢之張釋之, 唐之徐有功, 以恕求情者也. 常袞一切用法, 四方奏請莫有獲者, 彼庸人哉. 天下後世典獄之官, 當以有功爲法, 以袞爲戒."[227]

예장 나씨豫章羅氏[羅從彦]가 말하였다. "조정의 법률 제정은 엄하지 않아선 안 되며, 유사의 법 집행은 용서가 없으면 안 된다. 엄하지 않으면 충분히 천하의 악을 금할 수 없고 용서가 없으면 충분히 천하의 마음을 이해할 수 없다. 한나라 장석지와 당唐나라 서유공徐有功[228]은 용서로 천하의 마음을 찾으려 한 자들이다. 상곤常袞[229]은 일체를 법으로 다스려 사방의 주청이 받아들여진 적이 없었으니 그는 용렬한 위인이다. 천하 후세의 옥사를 관장하는 관원은 당연히 서유공을 법으로 삼고 상곤을 경계로 삼아야 한다."

[69-8-6]

朱子曰 : "昔者帝舜以百姓不親, 五品不遜, 而使契爲司徒之官, 敎以人倫, 父子有親, 君臣有義, 夫婦有別, 長幼有序, 朋友有信. 又慮其敎之或不從也, 則命皐陶作士, 明五刑以弼五敎, 而期于無刑焉. 蓋三綱五常, 天理民彝之大節, 而治道之本根也. 故聖人之治, 爲之敎以明之, 爲之刑以弼之. 雖其所施或先或後, 或緩或急, 而其丁寧深切之意, 未嘗不在乎此也. 乃若三

227 『豫章文集』 권11 「雜著 · 議論要語」

228 徐有功 : 이름은 弘敏. 孝敬皇帝의 휘를 피하여 字로 행세하였다. 시호는 忠正. 明經科에 급제한 뒤 蒲州의 司法參軍으로 부임해 백성에게 매 한 대 때리지 않고 임기를 채운 일로 유명하다. 당시 포주 백성이 그 은혜에 감사하여 서로 약속하기를 "서참군에게 형장을 맞는 죄를 범한 자는 반드시 우리들이 배척하자.(犯徐參軍杖者, 必斥之.)"고 하였다. 司刑丞과 秋官郎中, 司僕少卿의 벼슬을 역임하였다. 죽은 뒤 司刑卿이 내려졌다. 당시 則天武后 시대를 만나 많은 逆獄이 일어나 무고한 사람이 수없이 죽어나갔다. 서유공은 형관 벼슬을 역임하며 그 자신도 강직한 성품으로 인해 세 차례나 죽을 고비를 넘기며 공정하게 형벌을 처벌하여 수많은 사람을 살렸다. 『新唐書』 권113 「徐有功傳」에서 사관은 이렇게 그를 칭송하고 있다. "서유공은 당나라와 측천무후의 주나라 시대에 살며 마음을 이랬다저랬다 하지 않고 한결같이 법리만을 따랐다. 그 자신도 죽음에 내몰리면서 남의 죽음을 구한 까닭에 시기심 많은 측천무후와 혹독한 형관들 사이에서도 용서로 자신을 가꾸며 안으로 학정의 불길을 꺾어 천하를 불구덩이 속에 타들어가지 않게 하였다. 仁人이라 말할 수 있을 것이다.(徐有功不以唐周貳其心, 惟一於法. 身蹈死以救人之死, 故能處猜后酷吏之間, 以恕自將, 內挫虐焰, 不使天下殘於燎. 可謂仁人也哉.)"

229 常袞 : 唐나라 京兆 사람. 天寶 말엽에 진사과에 올랐다. 代宗시대 국정을 다스렸으나 늘 너무 야박하고 시기심이 많아 자신의 생각이 아니면 모두 배척하였다.(『新唐書』 권150 「常袞傳」)

代王者之制, 則亦有之, 曰'凡聽五刑之訟, 必原父子之親, 立君臣之義以權之. 蓋必如此, 然後輕重之序可得而論, 淺深之量可得而測. 而所以悉其聰明, 致其忠愛者, 亦始得其所施而不悖.

주자가 말하였다. "옛날 순임금이 백성들이 서로 친하지 않고 오륜이 순조롭지 않자 설契을 사도司徒의 관원으로 삼아 인륜을 가르치게 하니, 부자유친, 군신유의, 부부유별, 장유유서, 붕우유신이다.[230] 또 그 가르침을 혹여 따르지 않을까 염려하여, 고요皐陶를 임명하여 사士로 삼고 오형五刑을 밝혀서 오륜의 가르침을 보필하여 형벌이 없는 세상을 기약하도록 하였다.[231] 삼강오륜은 천리天理와 인간본성[民彝]의 큰 관건이고 정치 도의의 근본이다. 그러므로 성인의 정치는 이를 가르쳐 밝히고 이를 형벌로 보필하게 하였다. 그것들의 시행에 있어 혹은 앞세우고 혹은 뒤로 미루고, 혹은 늦추고 혹은 서둘렀으나 그것에 대한 간절하여 깊고 절실한 뜻은 삼강오상에 있지 않은 적이 없었다. 삼대 시대의 제도에도 또한 이런 말이 있으니, '5형五刑의 옥사를 처리할 때는 반드시 부자간의 친애함에 근본을 두고, 군신 간의 의리를 확립하는 데서 죄를 저울질하라.'[232]고 하였다. 반드시 이같이 하고 난 뒤라야 죄의 무게에 대한 차례를 말할 수 있고, 천심淺深의 형량을 헤아릴 수 있다. (죄안 심리에) 자신의 총명을 다하고 자신의 진실과 사랑의 마음을 다한다는 것도 또한 비로소 베풀어질 곳이 있어 어긋나지 않는다.

此先王之義刑義殺, 所以雖或傷民之肌膚, 殘民之軀命, 然刑一人, 而天下之人聳然不敢肆意於爲惡, 則是乃所以正直輔翼, 而若其有常之性也. 後世之論刑者, 不知出此, 其陷於申商之刻薄者, 旣無足論矣. 至於鄙儒姑息之論, 異端報應之說, 俗吏便文自營之計, 則又一以輕刑爲事. 然刑愈輕而愈不足以厚民之俗, 往往反以長其悖逆作亂之心, 而使獄訟之愈繁, 則不講乎先王之法之過也."[233]

이는 선왕시대의 마땅한 형벌이고 마땅한 사형이니[234] 혹여 백성의 살갗을 손상하고[235] 백성의 생명을

230 옛날 순임금이 … 붕우유신이다. : 『書經』「舜典」에서 순임금이 "契아! 백성이 친애하지 않고 다섯 가지 인륜[五品]이 순조롭지 않다. 너를 司徒로 삼으니, 공경히 다섯 가지 가르침을 펴되 너그럽게 하라."고 하였다.

231 皐陶를 … 하였다. : 『書經』「大禹謨」에 순임금이 "고요야! 이 신하와 백성들이 혹시라도 나의 정사를 범하는 자가 없는 것은 네가 士師가 되어서 다섯 가지 형벌을 밝히고, 다섯 가지 인륜의 가르침을 도와 나의 정치를 치세에 이르도록 기약했기 때문이다. 형벌을 쓰되 형벌이 없는 경지에 이를 것을 기약하여 백성들이 中道에 맞는 것이 너의 공이니, 힘쓸지어다."라고 하였다.

232 '오형의 옥사를 … 저울질하라.' : 『禮記』「王制」에 "五刑의 옥사를 처리할 때는 반드시 부자간의 친애함에 근본을 두고, 군신 간의 의리를 확립하는 데서 죄를 저울질하고, 죄질의 경중 순서를 논하며 죄질의 많고 적음의 양을 신중히 헤아려 형량을 구별 지어야 한다. (사구는) 자신의 총명을 다하고, 성실과 사랑의 마음을 다한다.(凡聽五刑之訟, 必原父子之親, 立君臣之義以權之 ; 意論輕重之序, 慎測淺深之量以別之. 悉其聰明, 致其忠愛以盡之.)"고 하였다.

233 『朱文公文集』 권14 「戊申延和奏劄」

234 선왕시대의 의로운 … 사형이니 : 『書經』「康誥」의 말이다.

235 살갗을 손상하고 : 오형을 이른다. 오형은 죄인의 몸에 내리는 형벌들로, 刺字刑, 코를 베는 형벌, 발목을

죽이는 것이지만, 한 사람을 형벌하는 것으로 천하 사람이 깜짝 놀라 감히 멋대로 죄악을 짓지 않는다면, 이는 바로 바르게 하고, 올곧게 하고, 도와 서게 하고, 도와 걷게 하여[236] 사람이 가진 본성을 순히 하는 것이다. 후세에 형벌에 대해 말하는 자는 이렇게 해야 함을 몰라, 신불해申不害와 상앙商鞅의 각박함에 빠진 자는 진작에 말할 가치조차 없다. 비루한 유자의 고식적인 논리나, 이단의 인과응보설과,[237] 세속 아전[俗吏]의 자신에게 편할 대로 문구를 해석하여 자신을 도모하려는 계책[238]들에 이르면, 또 한결같이 형벌을 가볍게 하는 것만을 일삼고 있다. 그러나 형벌이 가벼워질수록 더더욱 백성들의 풍속을 도탑게 할 수 없고, 종종 거꾸로 패역하고 난을 일으키려는 마음만 길러주는 역효과를 가져와 옥송만 더욱 빈번해지니, 선왕의 법을 강론하지 않은 잘못이다."

[69-8-7]

"以舜命皐陶之辭考之, 士官所掌, 惟象流二法而已. 鞭扑以下, 官府學校隨事施行, 不領於士官, 事之宜也 **其曰'惟明克允', 則或刑或宥, 亦惟其當而無以加矣, 又豈一於宥而無刑哉? 今必曰'堯舜之世有宥而無刑', 則是殺人者不死, 而傷人者不刑也. 是聖人之心不忍於元惡大憝, 而反忍於御寃抱痛之良民也.**[239] **是所謂'怙終賊刑, 刑故無小者', 皆爲空言以誤後世也. 其必不然也亦明矣.**

(주자가 말하였다.) "순임금이 고요皐陶에게 명한 말로 살피면 사관士官이 관장하는 일은 다만 상형象刑과 유형流刑의 두 가지일 따름이다.[240] 채찍과 회초리 이하는 관청과 학교에서 일에 따라 시행하고 사관에게 소속되지 않아야 일로서 마땅하다. '밝게 살펴야 믿음을 산다.[惟明克允]'[241]고 하였으니, 혹은 신체에 형벌을 내리고,

베는 형벌, 宮刑, 사형 등이다.

236 바르게 하고, … 하여 : 『孟子』「滕文公上」에서 요임금이 契에게 한 말을 이렇게 소개하고 있다. "힘든 자를 위로하고, 찾아오는 자를 오게 하고, 사악한 자를 바로잡아 주고, 굽은 자를 곧게 해주고, 도와서 서게 하고, 도와서 걸을 수 있게 하고, 또 거기에 덕을 진작시켜라.(放勳曰, 勞之來之, 匡之直之, 輔之翼之, 使自得之, 又從而振德之.)"

237 이단의 인과응보설 : 불교의 인과응보설을 가리킨다.

238 자신에게 편할 … 계책 : 원문은 '便文自營'이다. 『朱子大全箚疑輯補』의 「箚疑」에는 "혼자서 자신의 뜻대로 문서의 규정을 편리한 대로 해석하여 죄인을 풀어주고 뇌물을 받는 것이다.(謂自以己意 便其文案 縱出罪人而受賂也.)"라고 하였고, 「翼增」에는 "「趙充國傳」에 '여러분들이 다만 문서만을 편케 여기고 스스로의 영리만을 도모한다면 공실을 위한 진정한 계책이 아닙니다.'(「趙充國傳」諸君但欲便文自營, 非爲公家忠計也.)"라고 하였다. 「趙充國傳」은 『漢書』 권69의 「趙充國傳」을 이른다.

239 而反忍於御寃抱痛之良民也. : 『朱文公文集』 권37 「答鄭景望」 제2書에는 '御'자가 '銜'자로 되어 있다.

240 순임금이 皐陶에게 … 따름이다. : 『書經』「舜典」에서 "일정 오형의 형벌을 천하에 드러내 보여주되 유배형으로 오형을 용서하고, 채찍을 관원의 형벌로 쓰고 회초리를 학교의 형벌로 쓰되, 돈을 속죄의 형벌로 써야 한다.(象以典刑, 流宥五刑, 鞭作官刑, 扑作敎刑, 金作贖刑.)"고 하였다. 여기서 오형은 刺字刑, 코를 베는 형벌, 발목을 베는 형벌, 宮刑, 사형 등이다. 이들은 신체에 내려지는 형벌이다. 이 오형을 시행하는 중에 용서의 필요성이 있는 사람에게 유배형을 내려 신체에 형벌하지 않는 것이 일종의 용서에 해당한다. 이 말로 살폈을 때 사관이 관장하는 형벌은 바로 오형과 유배형 두 가지일 따름이라는 말이다.

241 '밝게 살펴야 … 산다[惟明克允]' : 『書經』「舜典」에 순임금이 皐陶에게 "사방 오랑캐가 중화를 어지럽히며

혹은 귀양으로 용서하는 일 역시 오직 마땅하게만 하고 자신의 생각을 곁들인 것이 없어야지, 또 어찌 하나같이 용서하고 형벌이 없어야하겠는가? 지금 반드시 '요순 시대는 용서만 있고 형벌은 없었다.'고 말한다면, 이는 사람을 죽인 자를 죽이지 않고, 사람을 상하게 한 자를 형벌하지 않는 것이다. 성인의 마음은 거악巨惡을 저질러 크게 미워해야 할 자를 용인하지 않는데,[242] 거꾸로 억울해하고 비통해하는 선량한 백성에 대한 형벌을 용인하는 것이다. 이는 이른바 '믿고 버티는 자와 재범하는 자는 사형으로 벌하고, 일부러 저지른 죄의 형벌은 아무리 작은 죄라도 형벌하지 않음이 없다.'[243]는 말이 모두 빈말이 되어 후세를 그르친다. 반드시 그렇지 않았을 것임이 또한 분명하다.

夫刑雖非先王所恃以爲治. 然以刑弼敎, 禁民爲非. 則所謂傷肌膚以懲惡者, 亦'旣竭心思而繼之以不忍人之政'之一端也. 今徒流之法, 旣不足以止穿窬淫放之姦, 而其過於重者, 則又有不當死而死. 如强暴贓滿之類者, 苟采陳羣之議, 一以宮剕之辟當之, 則雖殘其支體, 而實全其軀命. 且絶其爲亂之本, 而使後無以肆焉, 豈不仰合先王之意, 而下適當世之宜哉? 況君子得志而有爲, 則養之之具, 敎之之術, 亦必隨力之所至而汲汲焉. 固不應因循苟且, 直以不養不敎爲當然, 而熟視其爭奪相殺於前也."[244]

형벌은 선왕이 그것에 의지해 정치를 하는 것이 아니다. 그러나 형별로써 교화를 돕고, 백성의 죄짓는 일을 금한다. 이른바 살갗을 손상시키는 것으로 악을 징벌한다는 말은, 또한 '마음과 생각을 다하고서, 이어 차마 하지 못하는 정사를 백성에게 쓴다.'[245]는 일단이다. 오늘날의 도형徒刑과 유형流刑에 관한 법은 벽을 뚫고 들어가고 담장을 넘어가는 음란과 방종한 간악 행위를 그치는 일에 이미 부족하고, 지나친 중형은 또 당연히 죽지 않아야 할 사람을 죽게 한다. 강포하고 한껏 장물을 챙기는[贓滿] 유와 같은 것은 참으로 진군陳群의 주장[246]을 채택하여, 하나같이 궁형宮刑이나 비형剕刑으로 죄를 다스리면,

겁탈과 살인이 나라의 안팎에서 일어나고 있다. 네가 士이니 오형의 형벌 받는 곳을 두어야 하나 오형의 형벌 받는 곳을 세 곳으로 나아가 받게 하며, 다섯 등급의 유배형을 받을 사람을 살게 하는 곳을 두어야 하나 다섯 등급의 유배인이 살 곳을 세 곳에서 살게 해야 할 것이다. 밝게 하여야만 백성의 믿음을 살 것이다.(蠻夷猾夏, 寇賊姦宄. 汝作士, 五刑有服, 五服三就, 五流有宅, 五宅三居. 惟明克允.)"고 하였다.

242 巨惡을 저질러 … 않는데 : 『書經』「康誥」에서 "거악은 크게 미워한다.(元惡大憝.)"고 하였다.

243 『書經』「舜典」에서, "과오나 불행스럽게 저지른 죄는 사면하여 풀어주고, 믿고 버티는 자와 재범하는 자는 사형으로 형벌하라.(眚災肆赦, 怙終賊刑.)."고 하였고, 또 『書經』「大禹謨」에서 고요가 "과오에 의한 죄의 용서는 크더라도 용서하지 않는 경우가 없고, 일부러 저지른 죄의 형벌은 아무리 작은 죄라도 형벌하지 않는 경우가 없다.(皐陶曰 … 宥過無大, 刑故無小.)"고 하였다.

244 『朱文公文集』 권37 「答鄭景望」 제2書

245 '마음과 생각을 … 쓴다.' : 『孟子』「離婁上」에서 맹자가 "성인은 시력의 힘을 다하고서 이어 규구준승을 쓰시니 네모, 둥긂, 평평함, 곧음을 만드는 데 이루다 쓸 수 없으며, 청력의 힘을 다하고서 이어 육률을 쓰시니 오음을 바로잡는 데 이루다 쓸 수 없으며, 마음과 생각을 다하고서 이어 백성에게 차마하지 못하는 정사를 쓰니 인이 천하를 덮는다.(聖人既竭目力焉, 繼之以規矩準繩, 以爲方員平直不可勝用也 ; 既竭耳力焉, 繼之以六律, 正五音不可勝用也 ; 既竭心思焉, 繼之以不忍人之政, 而仁覆天下矣.)"고 하였다.

그 지체는 손상시켜도 실제 생명은 온전히 한다. 한편으로 그 혼란을 일으키는 근본을 끊고 차후로 날뛸 수 없게 하니, 어찌 위로는 선왕의 뜻에 맞고, 아래로는 당 시대에 맞는 일이 아니겠는가? 하물며 군자가 뜻을 얻어 일을 할 수 있으면, 백성을 기르는 수단과 가르치는 방법에 또한 기어코 힘닿는 데까지 급급하게 해야 한다. 참으로 옛날 해왔던 대로 구차히 세월을 보내며, 기르지 않고 가르치지 않는 것을 당연한 것으로 여기고서, 눈앞에서 다투고 싸워 서로 죽이는 것을 빤히 바라보는 것은 당연히 안 된다."

[69-8-8]

"獄事人命所繫, 尤當盡心. 近世流俗惑於陰德之論, 多以縱出有罪爲能, 而不思善良之無告, 此最弊事, 不可不戒. 然哀矜勿喜之心, 則不可無也."[247]

(주자가 말하였다.) "옥사는 사람의 생명이 매인 것이니 더더욱 마음을 다해야 한다. 근래 세속이 음덕을 쌓아야 한다는 말에 혹하여 대부분이 죄 있는 사람을 풀어 내보내는 것으로 유능을 삼고, 선량하여 하소연할 곳 없는 사람들은 생각하지 않는 것은, 가장 잘못된 폐단이어서 경계하지 않을 수 없다. 그러나

246 陳群의 주장 : 진군은 三國魏시대 조조에게 벼슬한 사람이다. 『三國志』「魏志 22 · 陳群傳」에서 살피면 다음과 같다. "太祖(曹操)가 肉刑의 부활을 의논하게 하며 '사리를 꿰뚫는 군자이자 고금에 환한 자를 얻어 이 일을 공평히 수 있을까? 예전에 陳鴻臚(진군의 아버지 紀를 벼슬로 이른 말)는 「사형에도 仁恩을 베풀 수 있다.」고 한 말은 바로 이를 말한 것이다. 御史中丞(진군을 이르는 말)은 그대의 아버지 주장을 거듭 말할 수 있겠는가?'라고 하자, 진군이 대답하였다. '신의 애비 紀가 漢나라가 육형을 없애고 笞刑을 늘린 것은 본래 仁의 마음에서 출발한 것이었는데, 죽은 사람이 더욱 많아진 것은, 이른바 명칭상 가볍게 해준 것이나 실제상 무거워져서입니다. 명칭이 가벼워지면 죄를 범하기 쉽고, 실제가 무거워지면 백성을 다치게 합니다. 『書經』에 말하기를 「오직 五刑에 공경을 다하여 三德을 이루라.」고 하였고, 『周易』에도 코를 베고 발목을 자르고 발가락을 자르는[劓刖滅趾] 법이 실렸으니, 정사를 돕고 교화를 도와 惡을 응징하고 살인을 멈추게 하려는 것입니다. 또 살인에 목숨으로 갚게 한 것은 옛날 제도에 합당합니다. 사람을 죽게 하였는데 혹 그 몸의 일부를 훼손시키거나, 머리털을 자르게 하는 형벌은 이치가 아닙니다. 만약 고대의 형벌을 적용하여, 음탕한 자는 형을 받고서 상처가 아무는 동안 누에치는 집에 내려보내 살게 하고, 도둑질한 자는 그 발을 자른다면 영원히 음탕하고 담을 뚫고 들어가는 간악한 자가 없을 것입니다. 옛 법조항 3천 조목을 모두 회복할 수 없더라도 이들 몇 가지는 이 시대의 우환이니, 마땅히 먼저 시행해야 합니다. 한나라 漢律에서 사형으로 처리한 참수형에 해당한 죄인은 仁이 미칠 바가 아닙니다. 그 나머지 사형에 해당한 죄인은 육형으로 사형을 대신할 수 있습니다. 이 같이 하면 사형에 처한 바와 살려준 것이 충분히 서로 엇비슷해질 것입니다. 지금 매질하여 죽이는 형법을 죽이지 않는 육형으로 대체한다면 사람의 지체는 중히 여기면서 사람의 목숨은 가볍게 여기는 것입니다.'(太祖議復肉刑, 令曰, '安得通理君子, 達於古今者, 使平斯事乎? 昔陳鴻臚以爲死刑有可加於仁恩者, 正謂此也. 御史中丞能申其父之論乎?' 羣對曰, '臣父紀以爲「漢除肉刑而增加笞, 本興仁惻而死者更衆, 所謂名輕而實重者也. 名輕則易犯, 實重則傷民. 『書』曰惟敬五刑以成三德, 『易』著劓刖滅趾之法, 所以輔政助教, 懲惡息殺也. 且殺人償死, 合於古制. 至於傷人, 或殘毀其體而裁翦毛髮, 非其理也. 若用古刑, 使淫者下蠶室, 盜者刖其足, 則永無淫放穿踰之姦矣. 夫三千之屬, 雖未可悉復, 若斯數者, 時之所患, 宜先施用. 漢律所殺殊死之罪, 仁所不及也. 其餘逮死者, 可以刑殺. 如此則所刑之與所生, 足以相貿矣. 今以笞死之法, 易不殺之刑, 是重人支體, 而輕人軀命也.)" 그러나 이 주장은 당시 시행되지 못하였다.

247 若如飢荒竊盜之類 : 『朱文公文集』 권45 「答廖子晦」 제8書

'불쌍해 하고 기뻐하지 말라.'[248]는 마음이 없어서는 안 될 것이다."

[69-8-9]

"今人說輕刑者, 只見所犯之人爲可憫, 而不知被傷之人尤可念也. 如劫盜殺人者, 人多爲之求生, 殊不念死者之爲無辜, 是知爲盜賊計, 而不爲良民地也. 若如飢荒竊盜之類,[249] 猶可以情原其輕重大小而處之."[250]

(주자가 말하였다.) "오늘날 가벼운 형벌을 주장하는 자들은 다만 죄를 범한 자의 불쌍한 것만 알고, 다친 자의 더욱더 측은해야 할 점은 모른다. 예컨대 강도와 살인죄를 저지른 자에 대하여 사람들은 대부분 살길을 찾아주려 하고 죽임을 당한 자의 무고함은 결코 생각하려 하지 않으니, 이는 도적을 위한 계책만 알고 양민을 위한 일은 하지 않는 것이다. 흉년에 저지른 도적질과 같은 경우는 그래도 정황에 따라 그 경중대소를 참작해 조치할 수 있을 것이다."

[69-8-10]

"今人獄事只管理會要從厚. 不知不問是非善惡, 只務從厚, 豈不長姦惠惡? 大凡事付之無心, 因其所犯, 考其實情, 輕重厚薄, 付之當然, 可也. 若從薄者固不是, 只云'我只要從厚', 則此病所係亦不輕."[251]

(주자가 말하였다.) "요즘 사람은 옥사에 대해 다만 후한 쪽으로만 이해하려 한다. 시비와 선악을 따지지도 않고 알지도 못하면서 단지 후한 쪽으로만 힘쓴다면 어찌 간특한 자를 기르고 흉악한 자를 사랑하는 일이 아니겠는가? 모든 것을 타산하지 않는 것에 맡기고 저지른 죄에 따라 그 정황을 살펴서 형별의 높낮이를 당연한 바에 맡겨야 옳다. 박하게만 하려는 경우도 참으로 옳지 않으나, 다만 '나는 단지 후한 쪽을 따르려 한다.'고 말한다면 이 병통에 관계된 바가 또한 가볍지 않을 것이다."

[69-8-11]

"今之法家, 惑於罪福報應之說, 多喜出人罪, 以求福報. 夫使無罪者不得直, 而有罪者得倖免, 是乃所以爲惡爾, 何福報之有? 『書』曰'欽哉欽哉, 惟刑之恤哉!' 所謂欽恤者, 欲其詳審曲直, 令有罪者不得免, 而無罪者不得濫刑也. 今之法官惑於欽恤之說, 以爲當寬人之罪而出其死. 故凡罪之當殺者, 必多爲可出之塗, 以俟奏裁, 則率多減等, 當斬者配, 當配者徒, 當徒者杖,

248 '불쌍해하고 … 말라.' : 『論語』「子張篇」에서 증자가 한 말이다. 제자 양부가 士師의 벼슬에 부임하며 도리를 묻자 "군주가 다스릴 도리를 잃어 백성들 마음이 흩어진 지 오래이니, 만일 죄상을 찾아냈더라도 불쌍해하고 기뻐하지 말라.(上失其道, 民散久矣, 如得其情, 則哀矜而勿喜.)"고 하였다.

249 若如飢荒竊盜之類 : 『朱子語類』 권110, 32조목. '若如' 아래 '酒稅偽會子及' 글자가 더 있다.

250 『朱子語類』 권110, 32조목

251 『朱子語類』 권106, 47조목

當杖者笞. 是乃賣弄條貫, 舞法而受賕者耳, 何欽恤之有? '罪之疑者從輕, 功之疑者從重', 所謂疑者, 非法令之所能決, 則罪從輕而功從重, 惟此一條爲然耳. 非謂凡罪皆可以從輕, 而凡功皆可以從重也."[252]

(주자가 말하였다.) "오늘날의 법가法家는 죄와 복이 인과응보因果應報라는 설에 혹하여 대부분 남을 죄에서 빼주는 것으로 복의 응보를 구하기 좋아한다. 죄 없는 자가 소송에서 이기지 못하고 죄지은 자가 요행으로 죄를 면할 수 있다면, 이는 악이 될 따름인데 무슨 복의 응보가 있겠는가? 『서경』에 '공경하고 공경하여 형벌을 결정하는 데 불쌍한 마음을 두도록 하라.'[253]고 하였는데, 이른바 공경히 불쌍해 하라는 말은 곡직을 자상히 살펴 죄지은 자는 면죄 받을 수 없고 죄 없는 자는 형벌이 남발될 수 없게 하려 해서다. 오늘날의 법관이 '공경히 불쌍해 하라.'는 말의 갈피를 못 잡아 마땅히 사람의 죄를 너그럽게 판결하여 죽음에서 빼내주는 것으로 생각하고 있다. 그런 까닭에 죄가 사형에 해당하는 자를 반드시 많은 빠져나갈 길을 만들어 황제에게 아뢰어 재결을 기다리게 하면 대부분 죄가 강등되어, 참수형에 해당하는 자는 유배형, 유배형에 해당하는 자는 도형徒刑, 도형에 해당하는 자는 장형杖刑, 장형에 해당하는 자는 태형笞刑이 된다. 이는 법조문으로 장난질 치고 법조문을 왜곡시켜 뇌물을 받으려는 것일 뿐이니, 어디에 공경히 불쌍해하라는 뜻이 있겠는가? '형벌에 의심이 가면 가벼운 형벌을 따르고, 상에 의심이 가면 높은 상을 따르라.'[254]는 것에서, 이른바 의심스럽다는 것은 법령으로 결정할 수 없을 경우, 죄는 가벼운 형벌을 상은 높은 상을 따르라는 것이니, 오직 이 한 조항만 그러라는 것일 뿐이다. 모든 죄는 다 가벼운 형벌을 따를 수 있고, 모든 공은 다 높은 상으로 따를 수 있다고 말한 것은 아니다."

[69-8-12]

南軒張氏曰: "治獄所以多不得其平者, 蓋有數說. 吏與利爲市, 固所不論, 而或矜知巧以爲聰明, 持姑息以爲惠姦慝. 上則視大官之趨向而重輕其手, 下則惑胥吏之浮言而二三其心. 不盡其情而一以威怵之, 不原其初而一以法繩之. 如是而不得其平者抑多矣. 無是數者之患, 郵罰麗於事, 而深存哀矜勿喜之意, 其庶矣乎! 在上者又當端其一心, 勿以喜怒好惡一毫先之. 聽獄之成而審度其中, 隱於吾心, 竭忠愛之誠, 明敎化之端, 以期無訟爲本. 則非惟可以臻政平訟理之效, 而收輯人心, 感召和氣. 其於邦本所助, 豈淺也哉?"[255]

남헌 장씨[張栻]가 말하였다. "옥사를 다스리는데 흔히 그 공평을 얻지 못하는 데는 몇 가지 설이 있다. 관원이 이익과 돈거래를 하는 것은 참으로 말할 것도 없지만, 어떤 사람은 기꺼이 지혜의 교묘함을

252 『朱子語類』 권110, 33조목

253 '공경하고 공경하여 … 하라.' : 『書經』「舜典」

254 '형벌에 의심이 … 따르라.' : 『書經』「舜典」에서 고요가 순임금의 덕을 칭송한 말 가운데 한 마디이다. 본래 말은 "형벌에 의심이 가면 가벼운 형벌을 따르고, 상에 의심이 가면 높은 상을 따른다.(罪疑惟輕, 功疑惟重.)" 이다.

255 『南軒集』 권11 「潭州重脩左右司理院記」

총명으로 삼고, 고식적인 태도를 유지해 간악하고 사특한 자에게 은혜를 베푼다. 위로는 관직이 높은 자의 호오好惡를 헤아려 자신의 수단을 조절하기도 하고, 아래로는 서리의 유언비어에 홀려 자신의 마음을 이랬다저랬다 하기도 한다. 진상 파악에 마음을 다하지 않고 하나같이 위엄으로 죄인을 두렵게 하고, 그 시초를 거슬러 파악하지 않고 하나같이 법으로 옭아매려 든다. 이 같은 일로 그 공평을 얻지 못한 경우가 많다. 이들 몇 가지 걱정거리가 아니어도 죄를 지은 사람에게 형벌을 내릴 때는 형벌이 죄에 부합하고[256] 불쌍해 하고 기뻐하지 않는 마음[257]을 깊이 간직하여야 그나마 옳은 태도이다. 상급자는 또 당연히 자신의 마음을 단정히 지니고서, 기쁨과 성냄 좋고 나쁨의 감정을 털끝만큼도 앞세우지 않아야 한다. 옥사에 대한 심리가 이루어져 담긴 진실을 살펴 헤아렸다 하여도 마음속에 감추어 두고, 진심과 사랑의 정성을 다하고 교화의 단서를 밝혀서, 송사 자체가 없게 하는 것[258]을 근본으로 삼아야 한다. 그렇게 하면 정사가 화평하고 송사에 억울함이 없는[259] 효험이 나타나는 데 이를 수 있을 뿐만 아니라, 민심이 수습되고 하늘의 화평한 기운이 감동되어 나타날 것이다. 그것이 나라의 근본에 도움이 되는 바 어찌 적으랴?"

[69-8-13]

象山陸氏曰 : "獄訟惟得情爲難. 唐虞之朝, 惟皐陶見道甚明, 羣聖所宗, 舜乃使之爲士. 「周書」亦曰'司寇蘇公式敬爾由獄.' 賁象亦曰'君子以明庶政, 無敢折獄.' 賁乃山下有火, 火爲至明, 然猶言無敢折獄. 此事正是學者用工處. 噬嗑, 離在上則曰'利用獄', 豐, 離在下則曰'折獄致刑.' 蓋貴其明也."

상산 육씨陸九淵가 말하였다. "소송에서는 진상 파악이 어렵다. 요임금과 순임금의 조정에서는 고요皐陶가 도리를 보는 것이 매우 밝아 뭇 성인들의 으뜸이었으므로 순임금이 사관士官의 일을 맡긴 것이다. 「주서周書」[260]에서도 역시 '사구 벼슬에 있는 소공蘇公이 자신이 다스리는 옥사를 공경히 처리하고 있다.'

256 죄를 지은 … 부합하고 : 이 글의 원문 '郵罰麗於事'는 『禮記』「王制」의 말이다. 陳澔『集說』에, "郵는 尤 자와 같은 뜻이니 죄의 뜻이다. 죄를 지어 다스려야 할 자가 있을 경우, 죄와 형벌을 반드시 서로 부합하게 하면 지공무사하여 형벌이 그 죄에 합당할 것이다.(郵, 與尤同, 責也. 凡有罪責而當誅罰者, 必使罰與事相附麗, 則至公無私, 而刑當其罪矣.)"라고 하였다.

257 불쌍해하고 기뻐하지 … 마음 : 윗글 [69-8-8]의 주석 참고

258 송사 자체가 … 것 : 『大學』 제4장에서 "공자가 말하였다. '송사를 다스림은 나도 남들 정도는 다스릴 수 있다. 진실이 없는 자가 자신의 말을 다할 수 없게 한 것은, 크게 백성들 마음에 두려움을 갖게 해서이다. 이를 근본을 아는 것이라 말할 수 있다.'(子曰, 聽訟吾猶人也, 必也使無訟乎! 無情者, 不得盡其辭, 大畏民志. 此謂知本.)"고 하였다. 곧 송사를 잘 파악하여 정당한 형벌을 내리는 것이 근본 치유책이 아니고 송사 자체를 일어나지 않게 백성을 교화하는 것이 우선이라는 말이다.

259 정사가 화평하고 … 없는 : 이는 『漢書』「循吏傳序」의 말이다. 자세히 보면 다음과 같다. "서민이 고향에서 편안해하고 탄식하거나 한하는 마음을 없게 하는 것은 정사가 화평하고 송사에 억울함이 없어서다.(庶民所以安其田里而亡歎息愁恨之心者, 政平訟理也.)"

260 「周書」 : 『書經』「立政」을 이른다.

고 하였고, 비괘賁卦(☶☲)의 괘상卦象에 '군자가 이를 본받아 여러 정사를 밝히고 함부로 옥사를 재판하지 않는다.'고 하였다. 비괘는 산(☶) 아래에 불(☲)이 있으니 불은 지극히 밝은 것인데도 여전히 '함부로 옥사를 재판하지 않는다.'고 말하였다. 이 말이 바로 배우는 자들이 힘써야 할 점이다. 서합괘噬嗑卦(☲☳)는 이괘離卦(☲)가 상괘上卦인데 '옥사에 사용하는 것이 이롭다.'고 하였고, 풍괘豐卦(☳☲)는 이괘가 하괘下卦(☲)인데 '옥사를 재판하여 형벌을 지극히 한다.'고 하였으니 대체로 밝음을 귀히 여긴 것이다."

[69-8-14]

"夫五刑五用, 古人豈樂施此於人哉?, 天討有罪不得不然耳. 是故大舜有四裔之罰, 孔子有兩觀之誅. 善觀大舜孔子寬仁之實者, 於四裔兩觀之間而見之矣. 近時之言寬仁者則異於是. 蓋不究夫寬仁之實, 而徒欲爲容姦廋慝之地. 殆所謂以不禁姦邪爲寬大, 縱釋有罪爲不苛者也.

(상산 육씨가 말하였다.) "'다섯 가지 형벌을 다섯 가지로 사용한다.'[261]고 하였으나 옛사람들이 어찌 사람에게 형벌을 즐겨 사용했겠는가? 하늘이 죄 있는 사람을 벌주시니 그렇게 형벌하지 않을 수 없었을 뿐이다. 그런 까닭에 대순大舜은 사방 변경으로 유배형벌을 내렸고,[262] 공자는 '두 관兩觀' 사이에서 벌하셨다.[263] 대순과 공자의 너그럽고 인자한 실재를 잘 살피려면 사방 변경으로의 유배와 두 관 사이의 벌에서 볼 수 있다. 근래에 너그럽고 인자함에 대해 말하는 사람들은 이와 다르다. 너그러움과 인자함의 실제를 따지지 않고 다만 간악을 용서하고 사특한 자를 숨겨주는 짓만을 행하고자 한다. 이른바 간사奸邪를 금하지 않는 것을 관대함으로 삼고, 죄 있는 자를 풀어주는 것으로 까다롭지 않음을 삼으려는 것이다.

'罪疑惟輕', 罪而有疑, 固宜惟輕. '與其殺不辜, 寧失不經', 謂罪疑者也. 使其不輕甚明而無疑, 則天討所不容釋, 豈可失也? '宥過無大, 刑故無小', 使在趨走使令之間, 簿書期會之際, 偶有過誤, 宥之可也. 若其貪黷姦宄出於其心, 而至於傷民蠹國, 則何以宥爲? 於其所不可失而失之,

261 '다섯 가지 … 사용한다.' : 『書經』「皐陶謨」에서 고요가 禹에게 한 말이다. 그 全文은 다음과 같다. "하늘이 차례 지은 떳떳한 법도가 있으니 우리의 오륜을 바르게 유지하여 다섯 가지를 도타워지게 하고, 하늘이 차례 지은 예의가 있으니 우리의 다섯 가지 예부터 떳떳하게 하소서. 당연히 함께 공경하고 함께 공손하여 모든 것이 조화되게 하소서. 하늘이 덕 있는 이를 벼슬에 임명하면 다섯 가지 복장을 다섯 가지로 드러나게 하고, 하늘이 죄 있는 사람을 다스리거든 다섯 가지 형벌을 다섯 가지로 사용하여, 정사에 힘쓰고 힘쓰십시오.(天敍有典, 勅我五典, 五惇哉; 天秩有禮, 自我五禮, 有庸哉. 同寅協恭, 和衷哉. 天命有德, 五服五章哉; 天討有罪, 五刑五用哉. 政事懋哉懋哉.)"

262 大舜은 사방 … 내렸고 : 『書經』「舜典」에서 순임금이 "공공을 유주에 유배하고, 환도를 숭산에 안치시키고, 삼묘를 삼위산에 내쫓아 가두고, 곤을 우산에 가두어 고생시켰다.(流共工于幽洲, 放驩兜于崇山, 竄三苗于三危, 殛鯀于羽山, 四罪, 而天下咸服.)"고 하였다.

263 '兩觀' 사이에서 벌하셨다. : 觀은 대궐에 드는 길의 대문 양쪽의 望樓이다. 闕이라고도 한다. 이 고사는 『孔子家語』의 「始誅」에 전한다. 공자가 노나라의 司寇가 되어 재상의 일을 겸하게 되었다. "정사를 행한 지 7일만에 정사를 어지럽히는 대부 소정묘의 죄를 다스려 두 관 아래서 죽였다.(爲政七日, 而誅亂政大夫少正卯, 戮之于兩觀之下.)"고 하였다.

於其所不可宥而宥之, 則爲傷善, 爲長惡, 爲悖理, 爲不順天, 殆非先王之政也."[264]

'형벌에 의심이 가면 가벼운 형벌을 따르라.'[265]고 하였으니, 형벌에 의심이 들면 당연히 가벼운 형벌을 따라야 한다. '무고한 사람을 죽이는 것보다는 차라리 법을 법답게 지키지 못한 실수를 하라.'[266]가 형벌이 의심스러운 경우를 말한 것이다. 가벼운 형벌을 내릴 수 없음이 매우 분명하여 의심날 것이 없다면 하늘 뜻으로 판결하는 처지에서 풀어줌은 용납될 수 없으니 어찌 풀어줄 수 있겠는가? '실수에 대한 용서는 큰 실수라도 예외가 없고 일부러 저지른 자에 대한 형벌은 작은 죄라도 예외가 없다.'고 하였으니, 일을 집행하려고 분주히 뛰어다니고 문서의 기한을 준수하려는 사이의 우연한 과오가 있었다면 용서함이 옳다. 그러나 탐욕스럽고 다라우며 겁탈과 살인 행위가 마음에서 나와 백성을 해치고 나라를 좀먹었다면 어떻게 용서할 수 있겠는가? 풀어줄 사항이 아닌데 풀어주고 용서해야 할 사항이 아닌데 용서한다면, 선을 해침이고 악을 조장함이며, 이치에 어긋남이고 하늘에 순응하지 않음이니, 절대 선왕의 정사일 수 없다."

夷狄 오랑캐

[69-9-1]

或問 : "蠻狄猾夏, 處之若何而後宜?"

程子曰 : "諸侯方伯明大義以攘却之, 義也; 其餘列國, 謹固封疆可也. 若與之和好以苟免侵暴, 則亂華之道也. 是故『春秋』謹華夷之辨."

어떤 사람이 물었다. "오랑캐가 중화를 어지럽힐 때 조치가 어떠해야 마땅합니까?"

정자가 대답하였다. "제후와 방백方伯(한 지역의 우두머리 제후)은 대의를 밝혀 물리치는 것이 의리고, 그 나머지 여러 나라는 신중하게 국경을 단단히 해야 한다. 그들과 우호를 유지하는 것으로 구차하게 침략의 포악을 면하는 것은 중화를 어지럽히는 도리다. 그런 까닭에 『춘추』는 중화와 오랑캐에 대한 구분에 신중하였다."

264 『象山集』 권5 「與辛幼安」

265 '형벌에 의심이 … 따르라.' : 다음 주석 참고

266 '무고한 사람을 … 하라.' : 『書經』「大禹謨」의 말이다. 자세한 내용은 다음과 같다. "고요가 말하였다. '요임금의 덕에는 잘못된 것이 없어 신하를 대하는 도리는 간결하고 백성을 다스리는 도리는 관대하며, 형벌은 자손에게 미치지 않게 하고 상훈은 대대로 미치게 하였습니다. 실수에 대한 용서는 큰 것이라도 예외가 없고 일부러 저지른 자에 대한 형벌은 작은 것이라도 예외가 없었습니다. 형벌에 의심이 가면 가벼운 형벌을 따르고 상에 의심이 가면 높은 상을 내리셨고, 무고한 사람을 죽이는 것보다는 차라리 법을 법답게 지키지 못한 실수를 하여, 살리려는 덕이 백성들 마음에 흡족히 스며들었습니다. 이에 형법 담당자의 죄를 범하지 않게 되었습니다.'(皐陶曰, '帝德罔愆, 臨下以簡, 御衆以寬. 罰弗及嗣, 賞延于世, 宥過無大, 刑故無小. 罪疑惟輕, 功疑惟重, 與其殺不辜, 寧失不經, 好生之德, 洽于民心, 茲用不犯于有司.')"

[69-9-2]

元城劉氏曰 : "中國與夷狄爲鄰,[267] 正如富人與貧人鄰居. 待之以禮, 結之以恩, 高其墻垣, 威以刑法. 待之以禮, 則國家每有使命往來, 有立定條貫禮數, 束縛之也 ; 結之以恩, 則歲時嘗以遺餘之物, 厭飽之也 ; 高其墻垣, 則平日講和, 而不失邊備也 ; 威以刑法, 待其先犯邊, 然後當用兵也."[268]

원성 유씨[劉安世]가 말하였다. "중국과 사방 오랑캐가 이웃으로 지내는 것은 바로 부자가 가난한 자와 이웃해 사는 것과 같다. 예로 상대하고 은혜로 결속하며, 성벽을 높이고 형법으로 위엄을 보여야 한다. 예로 상대한다는 것은 국가가 매번 사행을 왕래시키며 정해진 규정과 예의로 그들을 얽매는 것이고, 은혜로 결속하는 것은 1년이나 사철에 늘 남아도는 물품으로 그들을 배부르게 해 주는 일이며, 성벽을 높이는 것은 평소에 우호를 맺더라도 변경의 방비를 잃지 않음이고, 형법으로 위엄을 보이는 것은 그들이 먼저 변경을 범하기를 기다렸다가 그 뒤에 당연히 군사력을 사용하는 일이다."

[69-9-3]

龜山楊氏曰 : "邊事之興, 多出於饕功幸利之人. 黷武玩寇不以朝廷大計爲念,[269] 視生靈荼毒, 若非己事, 恬不以爲戚. 夫蠻獠猖獗, 自古然也. 緩之則豺噬豨勇, 干紀而不受命 ; 急之則鳥驚魚散, 依險以自匿, 蓋其常態也. 不務撫馴之, 使恩威兩行, 乃欲幸其有事, 草薙而獸獮之, 以求有功. 一有失律, 則敗衄不支, 上貽朝廷憂, 此邊吏之大弊也."[270]

구산 양씨[楊時]가 말하였다. "변경에 사변이 발생하는 것은 대부분 공훈을 탐하고 이로움을 구하는 자가 무력을 남용하며 적을 쉽게 생각하고 조정의 큰 계략을 염두에 두지 않아, 백성의 어려움을 자신의 일이 아닌 양 편안히 걱정하지 않아서이다. 오랑캐의 창궐은 예부터 그래왔다. 느긋히 대하면 승냥이처럼 물고 멧돼지처럼 용맹스러워 법도를 어기며 명령을 받지 않고, 엄하게 대하면 새가 놀라듯 물고기 흩어지듯 험한 지역에 의지하여 자신을 숨기는 것이 그들이 늘 보이던 태도다. 얼러 길들이는 데에 힘써 은혜와 위엄 두 가지가 시행되게 하지 않고서, 전쟁을 요행으로 여기고 풀을 베고 짐승을 사냥하듯 공훈을 세우고자 한다. 만에 하나 법도를 잃으면 전쟁에 져 지탱하지 못함으로서 위로 조정에 걱정을 끼치니, 이것이 변경 장수의 큰 폐단이다."

[69-9-4]

"觀戰國用兵, 中原之戰也 ; 若今之用兵, 禦夷狄耳.[271] 力可以戰則戰, 勢利於守則守, 來則拒

267 中國與夷狄爲鄰 : 夷狄이 『元城語錄解』 권中에는 '契丹'으로 되어 있다.
268 『元城語錄解』 권中
269 黷武玩寇不以朝廷大計爲念 : '黷'자가 『龜山集』 권18 「寄毛憲書」에는 '媟'자로 되어 있다.
270 『龜山集』 권18 「寄毛憲書」
271 禦夷狄耳 : 『龜山集』 권10 「語録 · 荊州所聞」에는 '夷狄'이 '邊塞'로 쓰여 있다. 다음 이어지는 글의 '夷狄'도 역시 그렇다.

之, 去則勿追, 則邊鄙自然無事.[272] 蓋夷狄之戰,[273] 與中原之戰異. 夷狄難與較曲直是非, 惟恃力耳, 但以禽獸待之可也. 以禽獸待之, 如前所爲是矣."[274]

(구산 양씨가 말하였다.) "살펴보면 전국시대의 군사력 사용은 중원의 전투였고, 오늘날의 군사력 사용은 오랑캐 방어일 뿐이다. 힘에서 전쟁할 수 있으면 전쟁을 벌이고 형세상 수비가 이로우면 지켜, 몰려오면 막고 떠나면 추격하지 않으면 변경은 저절로 아무 일이 없다. 오랑캐와의 전쟁은 중원의 전쟁과는 다르다. 오랑캐는 시비곡직을 가리기가 어렵고 힘만을 믿을 뿐이니 다만 짐승으로 상대해야 옳다. 짐승으로 상대하는 것은 앞에서 말한 대로이다."

[69-9-5]

五峯胡氏曰 : "中原無中原之道, 然後夷狄入中原也 ; 中原復行中原之道, 則夷狄歸其地矣."

오봉 호씨[胡宏]가 말하였다. "중원에 중원다운 도가 없어진 뒤에 오랑캐가 중원을 침입하고, 중원이 다시 중원의 도리를 행하면 오랑캐는 자신의 땅으로 돌아간다."

[69-9-6]

"制井田, 所以制國也 ; 制侯國, 所以制王畿也. 王畿安彊, 萬國親附, 所以保衛中夏, 禁禦四夷也. 先王建萬國親諸侯, 高城深池徧天下. 四夷雖虎猛狼貪, 安得肆其欲而逞其志乎? 此三王爲後世慮, 禦四夷之上策也. '王公設險以守其國,' 孔子之所以書於習坎之象也 ; '城郭溝池以爲固,' 孔子之所以答言偃之問也."[275]

(오봉 호씨가 말하였다.) "정전법 제정은 나라를 다스리는 일이고, 제후국을 제정하는 일은 천자의 국토를 다스리는 일이다. 천자의 국토가 편안하고 부강하면 온갖 나라가 친근하게 따라붙으니, 이는 중하中夏를 보위하고 사방 오랑캐를 금지해 막는 일이다. 선왕先王 시대 1만 제후국을 세워 제후와 친근히 지내고 높은 성곽과 깊은 해자를 천하에 두루 설치하였다. 사방 오랑캐가 호랑이처럼 용맹하고 이리처럼 탐욕스러웠지만 어떻게 욕심껏 자신의 뜻을 채울 수 있겠는가? 이것이 삼대의 왕이 후세를 위한 염려이자 사방 오랑캐를 방어하는 최상의 계책이다. '천자와 제후가 험한 지형에 방어시설을 갖추어 자신의 나라를 지킨다.'는 공자가 감괘坎卦의 단사彖辭에 쓴 바이고, '성곽과 해자를 단단히 해야 한다.'는 공자가 언언言偃[子游]의 물음에 대답한 바[276]이다."

272 則邊鄙自然無事. : 『龜山集』 권10 「語錄 · 荊州所聞」에는 이 글 다음에 다음과 같은 글이 더 있다. "今乃反挑之, 且侵其地, 已非理矣. 其決勝必取, 而至於用狙詐也, 又何足怪. 若賢將必不以窮黷遠討爲事, 何用狙詐".

273 蓋夷狄之戰 : 夷狄은 『龜山集』 권10 「語錄 · 荊州所聞」에는 '邊塞'로 쓰여 있다.

274 『龜山集』 권10 「語錄 · 荊州所聞」

275 『知言』 권5

276 '성곽과 해자를 … 바' : 『禮記』 「禮運」

[69-9-7]

朱子曰 : "益之戒舜曰'儆戒無虞, 罔失法度, 罔游于逸, 罔淫于樂, 任賢勿貳, 去邪勿疑.' 而終之曰'無怠無荒, 四夷來王'. 周之文武, 亦以天保以上治内, 采薇以下治外, 始於憂勤, 終於逸樂. 其後中微, 小雅盡廢, 四夷交侵, 中國衰削. 宣王承之, 側身修行, 任賢使能, 内修政事, 外攘夷狄, 而周道粲然復興. 某嘗以是觀之, 然後知古先聖王所以制禦夷狄之道. 其本不在乎威彊而在乎德業, 其備不在乎邊境而在乎朝廷, 其具不在乎兵食而在乎紀綱, 蓋決然矣."[277]

주자가 말하였다. "익益이 순임금을 경계시켜[278] '걱정거리가 없을 때 경계하시고 법과 제도를 실추시키지 말 것이며 편안하게 노닐려 말고 즐거움에 빠지지 마십시오. 현명한 이를 임용하였으면 간신이 끼어들 수 없게 하고 사악한 사람을 내보낼 때는 망설이지 마십시오.' 하고서 마지막에 '게으름도 없고 일을 황폐시킴도 없으면 사방 오랑캐가 찾아와 조회할 것입니다.'고 하였다. 주나라의 문왕과 무왕 때도 역시 「천보天保」 이상은 국내를 다스린 일이고 「채미采薇」 이하는 국외를 다스린 일[279]이지만 처음엔 걱정하고 애썼지만 끝내는 일락에 빠졌다. 그 뒤 중간에 쇠미해지더니 소아小雅가 모두 사라지며 사방 오랑캐가 번갈아 침입하여 중국이 쇠미해지고 국토가 깎였다. 선왕宣王이 이를 물려받아 몸을 웅크리고 행실을 닦아[280] 현명한 사람을 임용하고 능력 있는 사람을 부려 안으로 정사를 닦고 밖으로 오랑캐를 물리쳐 주나라의 도리가 찬연히 다시 빛났다. 내가 일찍이 이를 살펴보고서야 옛날 성왕聖王의 오랑캐를 제어하는 도리를 알 수 있었다. 그 근본은 위엄과 강함에 있지 않고 덕업에 있으며, 그 방비는 변경에 있지 않고 조정에 있고, 그 도구는 군사와 식량에 있지 않고 기강에 있음이 분명하다."

[69-9-8]

西山眞氏曰 : "爲國者當示人以難犯之意, 不可示人以易窺之形. 昔春秋時晉師入齊, 齊使國佐求盟于晉, 其勢亟矣. 一聞齊之封内盡東其畝之言, 雖債軍之餘, 不肯苟從以紓一旦之禍. 蓋敵國之相與, 有以折其謀, 則爲和也易 ; 有以啓其嫚, 則爲和也難. 況戎狄豺狼,[281] 變詐百出, 又非可以中國常理待之乎!"[282]

서산 진씨[眞德秀]가 말하였다. "나라를 다스리는 사람은 마땅히 남들에게 침범하기 어려운 뜻을 보여주고

277 『朱文公文集』 권13 「垂拱奏劄三」

278 益이 순임금을 경계시켜 : 익은 순임금 때 산천초목을 관리하는 虞벼슬을 지낸 사람이다. 경계시킨 '걱정거리로부터 조회할 것입니다.'까지는 『書經』「大禹謨」에 실린 익의 말이다.

279 「天保」 이상은 … 일 : 이는 『詩經』「小雅 · 鹿鳴之什」에 편집된 10편의 시를 두고 이른 말이다. 「鹿鳴之什」의 편집 순서는 「鹿鳴」, 「四牡」, 「皇皇者華」, 「常棣」, 「伐木」, 「天保」, 「采薇」, 「出車」, 「杕杜」, 「南陔」이다. 여기서 「南陔」는 제목만 있고 시는 사라지고 전하지 않는다.

280 宣王이 이를 … 닦아 : 선왕은 아버지 厲王이 포악한 정치로 폭동을 만나 彘땅으로 달아나 그곳에서 생을 마친 뒤에 등극하였다. 선왕이 정치에 힘을 쏟은 것은 『詩經』「大雅 · 雲漢」의 시에 자세하다.

281 況戎狄豺狼 : 『西山文集』 권2 「對越甲藁 · 戊辰四月上殿奏劄一」에는 '戎狄豺狼'이 '中外相仇'로 되어 있다.

282 『西山文集』 권2 「對越甲藁 · 戊辰四月上殿奏劄一」

남들이 쉽게 넘볼 수 있는 모습을 보여주면 안 된다. 옛날 춘추시대에 진晉나라 군사가 제齊나라에 침입하여 제나라가 국좌國佐를 사신으로 보내 진나라에 맹약을 청할 때[283] 그 형세가 급박하였다. 제나라 국경 내의 전답 이랑을 모두 동서東西쪽으로 내라는 말을 듣고서, 군대가 패한 끝이었으나 기꺼이 구차하게 따르는 것으로 하루아침의 화를 늦추려 하지 않았다. 적국과 상대할 때 그들의 책략을 꺾으면 화평하기 쉬운 경우가 있고, 그들의 오만한 마음을 열어주면 화평하기 어려운 경우가 있다. 하물며 오랑캐는 승냥이와 이리이기에 변화와 속임수가 무궁하니, 또한 중국의 상식적인 이치로 상대할 수 없는 것이겠는가!"

[69-9-9]

"中國有道, 夷狄雖盛不足憂；内治未修, 夷狄雖微有足畏. 蓋昔者五胡之紛擾, 與單于爭立之事同, 而拓拔氏之東西, 與匈奴之分南北亦無以異. 然宣帝因呼韓之朝, 而益彊其國；劉·石·符·姚之變, 晉迄不能以成寸功. 光武因南單于之歸, 拓地千里. 而侯景内附, 適以兆蕭梁之釁. 所遇略同而成敗以異者, 豈固有幸不幸哉? 蓋光武之政修, 而晉梁之政失也."

(서산 진씨가 말하였다.) "중국에 도리가 있으면 오랑캐가 성대하여도 근심될 것이 없고, 국내 정치가 닦여있지 않으면 오랑캐가 미약해도 두려워하기에 충분하다. 옛날 오호五胡의 어지러움은 선우單于가 후계자를 다툰 경우와 동일하고,[284] 탁발씨拓拔氏가 동서로 나뉘고[285] 흉노가 남북으로 나뉜 것[286]과도 또한 다를 것이 없다. 그러나 선제宣帝는 호한呼韓[287]이 조회 온 것을 기회로 국경을 더욱 넓혔는데, 유劉·석石·부符·요姚[288]의 변란에 진晉나라는 끝내 조그마한 공마저 이뤄내지 못하였다. 광무제는 남선우南單于의 귀의를 기회로 천리의 국경을 개척하였는데, 후경侯景의 조정 귀의는 다만 소량蕭梁의 빌미

283 國佐를 사신으로 … 때 : 이는 成公 2년의 일이다. 이때 晉나라를 패자로 한 여러 제후국 군대와 제나라가 鞌땅에서 싸워 제나라가 대패하였다. 이에 제나라가 국좌를 파견하여 서로 맹약하기로 하였는데, 진나라가 제나라에 전 국토를 진나라가 말을 달리기에 편한 동서쪽으로 이랑을 낼 것을 요구하였다.

284 五胡의 어지러움은 … 동일하고 : 오호는 晉나라 시대 북쪽을 차지한 북방민족의 여러 나라가 난립하여 왕국을 세웠다 무너진 것이 16개 왕조에 이를 정도로 어지러웠던 시대를 이른다. 선우는 흉노족의 군주로 그들은 태자가 정해져 있지 않고 늘 힘이 센 자가 군주의 자리를 차지하고, 또 반역이 수없이 일어나 부침이 끝이 없었다.

285 拓拔氏가 동서로 나뉘고 : 탁발씨는 道武帝(拓拔珪)가 세운 魏나라를 이르고 역사에서는 北魏라 이른다. 북위는 서기 386년에 건국하여 10대를 지낸 뒤 534년에 망하였다. 망하는 해에 탁발씨의 후손 拓拔善見이 東魏를 세우고 또 다음 해에 拓拔修가 西魏를 세웠다.(『魏書』 권11~12 ; 『北史』 권5)

286 흉노가 남북으로 … 것 : 한나라 光武帝 24년에 흉노의 薁鞬日逐王比가 귀의하였다. 이어 북쪽의 오랑캐 세력을 막아줄 것을 한나라에 청하였다. 그리고 스스로 南單于가 되었다. 이때부터 흉노는 남북으로 나뉘어 대립하였다.(『後漢書』「光武帝紀」)

287 呼韓 : 漢 宣帝 때 匈奴의 선우. 보통 呼韓邪로 불린다. 이름은 稽侯狦이다. 郅支와 선우를 다투다가 한나라에 귀의하여 元帝의 후궁 王昭君을 하사받았다.(『漢書』「宣帝紀」)

288 劉石符姚 : 이들은 진나라 시대 오호십육국의 한 왕조를 이룬 성씨들이다. 먼저 유는 前趙를 창건한 劉淵, 석은 後趙를 건국한 石勒, 부는 前秦을 건국한 符健, 요는 後秦을 건국한 姚萇 등을 이른다.

의 조짐이었다.[289] 상황은 엇비슷하였는데 성패가 달랐으니, 어찌 행불행이 본래 정해져 있다 하겠는가? 그것은 광무제는 정치가 닦여 있었고, 진晉나라와 양梁나라의 정사에는 병통이 있어서다."

[69-9-10]

魯齋許氏曰 : "天下事, 常是兩件相勝負, 從古至今如此, 大抵只是陰陽剛柔相勝. 前人謂如兩人角力相抵, 彼勝則此負, 此勝則彼負. 但勝者不能止於其分, 必過其分然後止, 負者必極甚然後復. 各不得其分, 所以相報復到今不已. 如中國與夷狄, 中國勝, 窮兵四遠臣伏戎夷, 夷狄勝, 必潰裂中原極其慘酷. 如此報復何時能已? 三代盛時, 分別中夏夷狄, 君子小人各安其分, 所以大治後世不及也. 且如周成康, 漢文景, 世所謂大治者, 然土宇廣狹可見. 彼四君者, 未嘗事遠略也, 治吾所當治者而已. 不取其勝夷狄也, 故亦不至爲夷狄所敗."[290]

노재 허씨[許衡]가 말하였다. "천하의 일은 늘 둘이서 서로 이기고 지는 일이니, 예전부터 지금까지 이 같았다. 크게 보면 음과 양, 강剛과 유柔가 서로를 이기는 것일 뿐이다. 옛사람이 말하기를, 두 사람이 각력角力(무예의 일종)을 서로 겨루는 것과 같아, 저쪽이 이기면 이쪽이 지고, 이쪽이 이기면 저쪽이 진다. 다만 이기는 쪽은 자신의 분수에 그치지 않고 반드시 자신의 분수를 넘어서야 그치고, 지는 쪽은 반드시 극심해진 뒤에야 되돌아선다. 각기 자신의 분수를 얻지 못한 것이 서로 보복하는 일이 지금까지 그치지 않는 까닭이다. 예컨대 중국과 오랑캐도 중국이 이기면 사방 먼 변경까지 군사력을 남용하여 오랑캐를 신하로 두려 하고, 오랑캐가 이기면 반드시 중국을 이리저리 찢어 참혹이 극에 달한다. 이 같은 보복이 어느 날 그칠 수 있겠는가? 삼대의 융성했던 시절에 중국과 오랑캐를 나누고, 군자와 소인이 각기 자신의 분수에 편안하니, 크게 잘 다스려진 정치를 후세가 따라잡을 수 없는 까닭이다. 또 주周나라의 성왕成王과 강왕康王, 한漢나라의 문제文帝와 경제景帝 시대는 세상에서 말하는 크게 잘 다스려진 세상이나, 강토의 너비가 달랐음을 살펴 볼 수 있다. 저들 네 군주는 일찍이 원대한 계책을 경영하지 않고 내가 담당해 다스릴 땅만을 다스렸을 뿐이었다. 오랑캐에게 이기려 하지 않은 까닭에 또 오랑캐에게 지지 않았다."

289 侯景의 조정 … 조짐이었다. : 蕭梁은 蕭衍이 세운 양나라를 역사에서 이르는 말이다. 南朝梁이라고도 부른다. 후경은 남조 양시대 사람으로 北魏의 爾朱榮의 부하가 되었다가 이주영이 高歡에게 토벌되자 남조 양의 무제에게 항복하였다. 河南王에 봉해졌으나 반란을 일으켜 무제를 굶겨 죽이고 簡文帝를 옹립하였다가 간문제마저 시해하고 스스로 왕위에 올라 漢帝를 칭하였다.(『梁書』 권56 ; 『南史』 권80)

290 『魯齋遺書』 권1 「語錄上」과 『魯齋遺書』 권2 「語錄下」에 중복되어 나온다. 단, 두 곳 모두 '到今不已'까지만 있고 나머지 글은 출전을 확인할 수 없다.

性理大全書卷之七十
성리대전서 권70

詩·文 시·문

詩
시

古選 고선

[70-1-1]

乾坤吟 건곤음 邵子 소자

用九見群龍	9를 써서 뭇 용을 나타내는 것은
首能出庶物	으뜸으로 만물에 뛰어나서이고
用六利永貞	6을 쓸 때는 오래고 바름이 이로우니
因乾以爲利	건을 따름을 이로움으로 삼는다.
四象以九成	천의 사상[陽爻][1]이 9로 이루어지면
遂爲三十六	드디어 36이 되고[2]
四象以六成	지의 사상[陰爻][3]이 6으로 이루어지면

1 천의 사상[陽爻]:『性理大全書』 권8 經世天地四象圖를 인용하면 다음과 같다. “서산 채씨가 말했다. ‘움직이는 것은 하늘[天]이고 하늘에는 음양이 있다.(양은 움직임의 시초이고 음은 움직임의 끝이다.) 음양 속에 또 각각 음양이 있기 때문에 태양·태음·소양·소음이 있다. 태양은 日(해)이 되고, 태음은 月(달)이 되고, 소양은 星(보이는 별)이 되고, 소음은 辰(배경 공간, 보이지 않는 별)이 되니, 이것이 하늘의 四象이다.’(西山蔡氏曰, ‘動者爲天, 天有陰陽(陽者動之始, 陰者動之極). 陰陽之中又各有陰陽. 故有太陽太陰少陽少陰. 太陽爲日, 太陰爲月, 少陽爲星, 少陰爲辰, 是爲天之四象.’)”

2 36이 되고:『性理大全書』 권10 「觀物內篇」 11에서, 邵伯溫은 “36은 건괘 한 爻의 策數이다.(四因九得三十六, 是爲乾一爻之策數.)”고 하였다. 揲蓍法에 따라 얻어지는 양효의 책수라는 말이다. 또 다른 주장은 아래 주석 [70-2-15] 참고

3 象以 陰爻:『性理大全書』 권8, 經世天地四象圖를 인용하면 다음과 같다. “(서산 채씨가 말했다.) 고요함은 地이고, 땅에는 강유가 있다.(유는 고요함의 시초이고 강은 고요함의 끝이다.) 강유 속에 또 각각 강유가

遂成二十四	드디어 24가 된다.[4]
如何九與六	어떻게 9와 6이
能盡人間事[5]	인간의 일 모두 포괄할까.

[70-1-2]

皇極經世一元吟 황극경세일원음 소자

天地如蓋軫	하늘과 땅은 수레의 덮개와 바닥 같은데
覆載何高極	덮고 싣음 어찌 그리 높고 넓은가.
日月如磨蟻	해와 달 맷돌 위의 개미[6]처럼
往來無休息	가고 옴 쉼이 없어라.
上下之歲年	오간 해 그 햇수여
其數難窺測	그 수 헤아리기 어려우나
且以一元言	우선 일원[7]으로 말하면
其理尚可識	그 이치 거의 알 수 있다.
一十有二萬	일십하고 또 이만
九千餘六百	구천하고도 육백 년이니
中間三千年	그중 삼천 년은
迄今之陳迹	오늘날 세상에서 지나간 시간
治亂與廢興	치세와 난세 일어나고 망함
著見於方策	목간 죽책에 드러나 있으니
吾能一貫之	내 충분히 하나의 이치로 꿰어
皆如身所歷[8]	모두 내 몸으로 겪은 것 같아라.

있기 때문에 태강·태유·소강·소유가 있다. 태유는 水(물)가 되고 태강은 火(불)가 되고 소유는 土(흙)가 되고 소강은 石(돌)이 되니 이것이 땅의 4상이다.'(靜者爲地, 地有柔剛.(柔者靜之始, 剛者靜之極) 剛柔之中又有剛柔, 故有太剛太柔少剛少柔. 太柔爲水, 太剛爲火, 少柔爲土, 少剛爲石, 是爲地之四象.)"

4 24가 된다. : 『性理大全書』 권10, 「觀物內篇」 11에서, 邵伯溫은 "坤卦의 한 효의 책수이다.(四因六得二十四, 是爲坤一爻之策數.)"라고 하였다.

5 『擊壤集』 권13

6 맷돌 위의 개미 : 맷돌 위의 개미가 끝없이 맷돌을 따라 도는 것을 해와 달에 비긴 것이다.(『晉書』「天文志上」)

7 일원 : 宋나라 소옹이 주장한 학설. 천지의 소멸과 생성의 한 주기를 129,600년이니 곧 이것이 일원이라고 하였다. 또 일원 12會, 1회는 30運, 1운은 12世, 1세는 30년이라고 하였다.(『皇極經世』「觀物篇」 1)

8 『擊壤集』 권13

[70-1-3]

觀物詩 관물시 소자

地以靜而方	땅은 가만있으면서 네모나고
天以動而圓	하늘은 움직이면서 둥글다.
旣正方圓體	네모와 둥긂의 형체 이미 바르고
還明動靜權	또 동정의 기준까지 밝혀주네.
靜久必成潤	가만함이 오래면 언제나 습해지고
動極遂成然	움직임이 극에 달하면 마침내 타오른다.
潤則水體具	습함에 물의 본체가 갖춰있고
然則火用全	타오름에 불의 묘용 온전하다.
水體以器受	물은 그릇으로 받아내고
火用以薪傳	불은 섶으로 전하여 진다.
體在天地後	본체는 하늘과 땅 이후에 존재하고
用起天地先[9]	묘용은 하늘과 땅에 앞서 생겼느니라.

熊氏剛大曰, "此用字, 妙用之用. 如所謂'冲漠無朕, 萬象森然已具'也."

웅강대가 말하였다. "이 용用자는 묘용妙用의 용자이다. 이른바 '고요히 텅 비어 아무런 조짐이 없는 곳에 만상의 온갖 것이 이미 갖추어졌다.'는 말과 같다."

○此篇論陰陽動靜之理.

이 시는 음양 동정의 이치를 논하였다.

[70-1-4]

偶得吟 우득음 소자

日爲萬象精	해는 온갖 상의 정수이고
人爲萬物靈	사람은 만물의 영장.
萬象與萬物	이들 만상과 만물은
由天然後生	하늘에서 생겨난 것들.
言由人而信	말은 사람에 의지하여 미더워지고
月由日而明	달은 해에 의지하여 빛나니
由人與由日	사람에 의지하고 해에 의지하여

9 『擊壤集』 권14

何嘗不太平[10]	어느 한번 태평하지 않았더냐.

[70-1-5]

心安吟 심안음　　　　소자

心安身自安	마음이 편안하면 몸도 덩달아 편안하고
身安空自寬	몸이 편안하면 공간은 덩달아 넓어지지.
心與身俱安	마음과 몸이 함께 편안하면
何事能相干	무슨 일이 끼어들손가.
誰謂一身小	누가 한 몸이 작다 하는가
其安若泰山	그 무겁게 자리함 태산 같고
誰謂一室小	누가 한 집이 작다하는가
寬如天地間[11]	너르기가 마치 하늘과 땅이라오.

[70-1-6]

答人書意 보내온 편지에 답한 시　　　　소자

仲尼言正性	중니는 성을 바르게 지니라 하고[12]
子輿言踐形	맹자는 생긴 대로 살라[13]고 한다.
二者能自得	두 가지를 스스로 깨칠 수만 있다면
殆不爲虛生	아마도 인생 헛되지 않으리라.
所交若以道	사귐을 만일 도 대로 하고
所感若以誠	느낀 것을 성실히 행한다면
雖三軍在前	눈앞에 삼군이 있다한들
而莫得之凌[14]	업신여길 수 없으리라.

10 『擊壤集』 권11

11 『擊壤集』 권11

12 중니는 성을 … 하고 : 『周易』「乾卦」의 단전에서 "건도의 변화에 각기 성명을 바르게 하여 태화를 보전하여 일치시킨다.(乾道變化, 各正性命, 保合太和.)"고 하였다.

13 생긴 대로 살라 : 『孟子』「盡心上」에서 "형체와 색깔은 하늘로부터 타고난 것이니 성인이라야 형체대로 실천할 수 있다.(形色, 天性也, 惟聖人然後可以踐形.)"고 하였다. 곧 이목구비의 기능을 천성의 본연대로 실천하라는 말이다.

14 『擊壤集』 권4

[70-1-7]

此日不再得示學者 오늘은 다시 오지 않음을 학생들에게 보임

龜山楊氏 구산 양씨: 楊時

此日不再得	오늘은 다시 얻을 수 없어
頹波注扶桑	도도한 물결 동쪽으로 가 듯 가버린다.

熊氏剛大曰, "此言光陰之易過也."

웅강대가 말하였다. "이 구절은 세월이 쉬이 흘러감을 말한 것이다."

躚躚黃小群	뒤뚱 뒤뚱이던 어린애가

『唐』「食貨志」云, "人始生爲黃; 四歲爲小."

『당서』「식화지」에, "사람이 막 태어난 것을 황黃, 네 살이 되면 소小라 한다."고 하였다.

毛髮忽已蒼	머리털 어느새 희끗희끗 희었어라
願言媚學子	원하건대 어여쁜 학동들은
共惜此日光	모두 오늘 하루의 시간을 아끼게나.
術業貴及時	학업이란 때맞춤이 귀중하니
勉之在青陽	어린 날에 힘써야 한다.
行矣愼所之	시작할 적 갈길 신중히 하고
戒哉畏迷方	경계할 손 혼미에 빠져 듦 두려워하라.
舜跖善利間	순과 도척의 갈림길은 선과 이로움
所差亦毫芒	차이란 또한 털끝이었니라.
富貴如浮雲	부귀란 뜬구름이거니
苟得非所臧	기어 얻으려 함 잘한 일 아니고
貧賤豈吾羞	빈천이 어찌 부끄러움이랴.
逐物乃自戕	외물 추구는 스스로를 해침이다.
胼胝奏艱食	굳은 살 박힌 손으로 어렵사리 먹거리 해결하고[15]

15 굳은 살 … 알려주고: 이는 禹임금의 고사이다. 굳은 살 박힌 손은 『史記』「李斯傳」에서 이세 황제가 李斯에게 "우임금은 (홍수를 다스리기 위해) 용문산을 파내 대하의 물길을 틔우고 구하의 물길을 파내 … 바다로 흘려보내느라 허벅지에 털이 없어지고 정강이도 털이 없어졌으며 손과 발에는 굳살이 박혔다.(禹鑿龍門, 通大夏, 疏九河 … 致之海, 而股無胈, 脛無毛, 手足胼胝.)"고 하였고, 먹거리 운운은 『書經』「益稷」에서 순임금이 우에게 훌륭한 말을 하라고 권유하자 우가 "직과 (백성들에게) 오곡을 파종하게 하고 여러 어려운 먹거리와

一瓢甘糟糠　　한 표주박 물과 거친 음식도 달게 먹어라.[16]
所逢義適然　　하는 일이 의리에 합당하다면
未殊行與藏　　벼슬하고 안함이 다르지 않으리라.

熊氏剛大曰, "道行則爲禹, 不行則爲顔, 所異者時, 不異者理."

웅강대가 말하였다. "(자신의) 도가 행해지면 우임금처럼, 행해지지 않으면 안자처럼 할 것이니, 다른 것은 시대이고 다르지 않는 것은 의리이다."

斯人已云沒　　이분들 진작에 떠나갔는데
簡編有遺芳　　책 속에 꽃다운 이름 남겼나니라.
晞顔亦顔徒　　안자를 꿈꾸면 또한 안자의 무리지만
要在用心剛　　중요함은 마음 씀의 굳셈이다.
譬猶千里馬　　비유하면 천리마와 같으니
駕言勿彷徨　　길을 나섰으면 방황하지 말라.
驅馬日云遠　　말을 몰아 날마다 멀리멀리 나아가면
誰謂阻且長　　누가 험하고도 멀다 하랴.
末流學多岐　　후세의 학문 갈래 많아져
倚門誦韓莊　　한퇴지와 장자莊子에 기대어 공부들 하나
出入四寸間　　귀로 들어가 입으로 나오는 네 촌寸 사이이고[17]
雕鐫事辭章　　갈고 다듬느니 문장 일이나
學成欲何用　　학문 이룬들 어디에 쓸 것인가?
奔趨利名場　　명리名利 마당에 분주히 쏘다닐 뿐.
挾策博簺遊　　책을 끼었거나 도박장을 떠돎이
異趣均亡羊　　취향은 다르지만 양을 잃음 마찬가지.

熊氏剛大曰, "挾簡策以讀書, 志在圖名之人, 與博奕爲事, 以圖利之人, 其志趣雖不同, 均爲失其所守. 言臧穀二人牧羊, 臧貪書, 穀貪博, 俱亡其羊."

웅강대가 말하였다. "책을 끼고서 글을 읽더라도 명예를 도모하는 데 뜻이 있는 사람은, 장기나 바둑을 일삼아 돈 벌기를 도모하는 사람과는 그 뜻과 취향이 같지 않으나, 자신이 지켜야 할 것을 잃었다는 점은 똑같다. 장臧과 곡穀[18] 두 사람이 양을 치면서, 장은 글에 빠지고 곡은 장기에 빠져

날 먹거리들을 먹게 하였다.(曁稷, 播奏庶艱食鮮食.)"에 근거할 말이다.

16 한 표주박 … 먹어라. : 이는 顔子의 고사인 一簞食와 一瓢飮에 근거한 말이다.

17 귀로 들어가 … 사이이고 : 곧 口耳之學을 이른다. 귀와 입의 거리가 4촌이다.

모두 자신의 양을 잃은 것을 말한다."

我懶心意衰	나는 게으름에다 마음마저 늙어
撫事多遺忘	하는 일마다 흔히 빠뜨리고 잃어버리나
念子方妙齡	생각하면 그대들 막 묘령의 나이이니
壯圖宜自強	장한 포부 위해서 의당 스스로 힘쓰게.
至寶在高深	지극한 보물은 높고 깊은 곳에 있으니
不憚勤梯航	부지런히 사다리면 사다리 배면 배 꺼리지 말라.

熊氏剛大曰, "天理高深, 須強力以求之也."

웅강대가 말하였다. "천리는 높고 깊으니 모름지기 힘을 강화하여 구해야 한다."

芒芒定何求	망망한데 어디라 정해서 찾으며
所得安能常	터득한들 어찌 불변되게 유지되랴?
萬物備吾身	세상 모든 것이 내 몸에 다 있나니
求得舍即亡	구하면 얻고 놓는 순간 잃어진다.
雞犬猶知尋	닭과 개도 찾을 줄 알면서[19]
自棄良可傷	자신은 버리고 있으니, 참으로 애닯구나.
欲爲君子儒	군자유 되고자 한다면
勿謂予言狂[20]	내 말을 미친 말로 여기지 말라.

熊氏剛大曰, "此篇, 論爲學, 當在少年能擇向方."

웅강대가 말하였다. "이 시는 학문이란 당연히 소년시절에 방향을 잘 잡아야 함을 말했다."

[70-1-8]

送元晦 원회元晦 (주자의 字)를 전송하며　　南軒張氏 남헌 장씨 : 張栻

君侯起南服	그대 남녘에서 태어나
豪氣蓋九州	호걸스런 기개 구주를 뒤덮어

18 장과 곡 : 臧과 穀은 『莊子』「騈拇」에 등장하는 인물들이다.

19 닭과 개도 … 알면서 : 『孟子』「告子上」에서 맹자가 "사람이 닭이나 개를 잃어버리면 찾을 줄 알면서 마음은 잃어버리고서도 찾을 줄 모른다. 학문의 길은 다른 것이 아니다. 잃어버린 마음을 찾는 것이다.(人有雞犬放則知求之, 有放心而不知求. 學問之道無他, 求其放心而已矣.)"고 하였다.

20 『龜山集』 권38

頃登文石陛	지난번 폐하에게 나아가
忠言動宸旒	충성된 말 마음을 뭉클하게 하고
坐令聲利場	앉아서 명리名利의 객客들을 호령하여
縮頸仍包羞	목을 움츠리고 부끄럽게 하였지.
却來卧衡門	훌훌히 돌아와 가난한 집에 누우니
無愧自日休	부끄러울 일 없어 절로 하루가 아름다워라.
盡收湖海氣	천하의 기개를 모두 쓸어안고
仰希洙泗游	우러러 공자를 닮음이 꿈이었지.
不遠關山阻	막힌 관문과 산악을 멀다 아니하였고
爲我再月留	나를 위해 두 달을 머물러 주니
遺經得紬繹	경전의 뜻 파고들 수 있었고
心事兩綢繆	마음 물샐틈없이 서로 합치하여
超然會太極	초연히 태극의 묘리 터득하니
眼底無全牛	눈앞에 온전한 소가 없었어라.[21]
惟玆斷金友	쇳덩이도 끊을 우리 사이여[22]
出處寧殊謀	출처에 어찌 생각이 다를 건가
南山對床語	남산에서 책상 마주하고 나눈 말들
匪爲林壑幽	산이며 계곡 그윽해서가 아니었다.
白雲正在望	흰 구름 눈앞에 마주하자[23]
歸袂風飂飂	돌아가는 소매에 바람이 펄럭펄럭
朝來出別語	아침에 떠난단 말 꺼낼 적부터
已抱離索憂	벗 보내고 혼자 지낼 근심 일었네.

21 온전한 소가 없었어라. : 묘리가 완전히 이해됨을 이르는 말. 『莊子』「養生主」에서 "처음 신이 소를 잡기 시작할 적에 보이는 것 모두가 소로만 보이더니, 3년 뒤에는 온전한 소가 눈에 보이지 않았다.(始臣之解牛之時 所見無非牛者 三年之後 未嘗見全牛也.)"고 한 말에서 유래하였다.

22 쇳덩이도 끊을 … 사이여 : 『周易』「繫辭上」에서 "두 사람이 마음을 함께하면 그 날카로움은 쇳덩이도 끊어낸다.(二人同心, 其利斷金.)"라는 말에서 유래하여 정이 깊은 친구 사이를 이르는 말로 쓰였다.

23 흰 구름 … 마주하자 : 흰 구름은 어버이 생각을 이르는 말. 『舊唐書』「狄仁杰傳」에서, "적인걸의 부모가 河陽의 별장에서 지냈는데, 적인걸이 并州로 가기 위해 太行山에 올랐다. 남쪽 하늘에 흰 구름이 홀로 떠 있는 것을 보고서 좌우의 따르는 사람들에게 '내 어버이 계신 곳이 저 구름 아래다.' 하고서 한참 동안을 우두커니 서 있다가 구름이 자리를 옮기자 마침내 떠났다.(其親在河陽別業, 仁傑赴并州, 登太行山. 南望見白雲孤飛, 謂左右曰, '吾親所居, 在此雲下.' 瞻望佇立久之, 雲移乃行.)"고 하였다.

妙質貴強矯　　아름다운 자질도 강하고 굳셈이 귀하고
精微更窮搜　　정미한 곳들 다시 끝까지 찾아보게나.
毫釐有不察　　털끝만이라도 살펴내지 못함 있다면
體用豈周流　　체와 용이 어찌 두루 물 흐르듯 하랴.
驅車萬里道　　만 리 길에 수레를 몰고 나섰는데
中途可停輈　　중도에 바퀴를 쉴 일인가.
勉哉共無斁　　힘쓰며 함께 싫증 내지 말고
邈矣追前修[24]　　멀리 옛 현인들을 따라 보세나!

熊氏剛大曰, "此篇, 述朋友相得之情."

웅강대가 말하였다. "이 시는 친구 사이에 마음이 서로 맞는 회포를 기술한 것이다."

[70-1-9]

感興 二十首 감흥 20수　　朱子 주자

1

昆侖大無外　　저 하늘은 커서 더 밖이 없고
旁礴下深廣　　저 지구는 아래에서 깊고 넓어라.
陰陽無停機　　음과 양 쉬는 일 없어
寒暑互來往　　추위와 더위 번갈아 오간다.
皇羲古聖神　　복희씨 옛 황제는
妙契一俯仰　　단번에 천지의 이치 깨우쳐
不待窺馬圖　　하도河圖의 무늬 기다릴 것 없이
人文已宣朗　　예악 제도 등에 벌써 훤하였다.
渾然一理貫　　혼연히 한 이치가 관통하여
昭晰非象罔　　또렷하게 흐릴 것 없는데
珍重無極翁　　귀중하신 무극옹無極翁[25]이
爲我重指掌　　우릴 위해 거듭 손바닥에 올려 밝히셨네.

24 『南軒集』 권1

25 無極翁 : 송나라 周敦頤가 그의 저술 太極圖의 첫머리에서 無極而太極이라는 말로 태극이 무극에서 기원하였음을 밝힌 데에서 그를 지칭하는 말로 쓰였다.

熊氏剛大曰, "此篇, 論天地陰陽寒暑運行之氣, 有理融貫其間, 以爲之主."
웅강대가 말하였다. "이 시는 천지 음양, 추위와 더위의 운행하는 기氣에는 리가 그 사이에 관통하여 주인이 되어 있음을 말하였다."

2

吾觀陰陽化	내 음과 양의 조화 살펴보니
升降八紘中	온 우주에 오르내리나
前瞻旣無始	앞을 보아도 시작이 없으니
後際那有終	뒤라 하여 어찌 끝이 있을 손가?
至理諒斯存	지극한 이치는 참으로 이에 있나니
萬世與今同	훗날의 끝없는 세월도 오늘과 같으리
誰言混沌死	누가 혼돈[26]이 죽었다 말하는가
幻語驚盲聾	허튼소리로 소경과 귀머거리를 놀라게 한다.

熊氏剛大曰, "此篇, 論陰陽一太極."
웅강대가 말하였다. "이 시는 음양이 하나의 태극임을 말하였다."

3

人心妙不測	마음의 오묘함 헤아릴 수 없으나
出入乘氣機	들락임은 기氣의 기능을 타야 한다.
凝冰亦焦火	얼음처럼 차갑다 불처럼 뜨겁고
淵淪復天飛	연못에 잠겼다 다시 하늘을 나르네.
至人秉元化	지인은 조화造化대로 지녔기에
動靜體無違	동과 정이 본체에서 어긋남 없어라.
珠藏澤自媚	진주가 사는 호수 절로 아름답고
玉韞山含輝	옥이 묻힌 산 빛을 담고 있듯
神光燭九垓	신령스러운 빛은 천지를 비추고
玄思徹萬微	깊은 생각은 온갖 기미에 미쳤네.

26 혼돈 : 혼돈은 천지가 아직 나뉘기 이전의 상태를 理로 이른다. 이를 의인화하여 『莊子』「應帝王」에서, 混沌에게 인간처럼 일곱 구멍을 갖게 해 주려고 하루에 한 구멍씩 뚫어 주었는데 7일 만에 그만 혼돈이 죽고 말았다고 하였다. 리가 없는 상태에서 氣가 존재할 수 없는데 장자가 혼돈이 죽었다고 말하여 氣가 홀로 존재하는 양 말한 것은 옳지 않다는 말이다.

塵編今寥落　　옛 책들 지금 적막하기만 하니
歎息將安歸　　어디로 귀의할지 탄식만이 이누나.

熊氏剛大曰, "此篇, 論人心出入之機."

웅강대가 말하였다. "이 시는 사람 마음의 들락거리는 기틀을 말하였다."

4

靜觀靈臺妙　　고요히 마음의 오묘함 살펴보니
萬化從此出　　모든 변화가 이로부터 나오네.
云胡自蕪穢　　왜 스스로 묵게 하여
反受衆形役　　거꾸로 육신의 부림을 받게 하랴.
厚味分朶頤　　맛진 음식에 입이 해 벌어지고

熊氏剛大曰, "朶, 垂貌 ; 頤, 口旁也. 言欲食."

웅강대가 말하였다. "타朶는 늘어진 모양이고, 이頤는 입가이다. 음식을 먹고자 함을 말하였다."

姸姿坐傾國　　아리따운 미색 이로 인해 나라가 기운다.
崩奔不自悟　　무너지는 줄 스스로 깨닫지 못하고
馳騖靡終畢　　쏘다님이 끝내 끝이 없구나.
君看穆天子　　그대 목천자[27]를 보게나.
萬里窮轍迹　　온 천하를 모두 찾아다녔으니
不有祈招詩　　기소의 시[28] 있지 않았다면
徐方御宸極　　서나라[29]가 천자의 나라 되었으리.

熊氏剛大曰, "此篇論人心陷溺之過. 所擧穆天子之事, 特借此, 以喩人心之馳騖流蕩. 若不知

---

27 목천자: 周의 穆王을 이르는 말.

28 기소의 시: 목왕의 욕심을 중지시킨 시. 『春秋左傳』「昭公 12년」 조에 다음과 같은 기소의 내용이 실려 있다. "예전 목왕이 자신의 마음을 한껏 펴 천하를 두루 여행하여 온 천하에 자신의 수레바퀴 자국과 말발굽 자국을 남기고자 하였다. 祭公謀父(채공 모보)가 기소의 시를 지어 왕의 마음을 중지시킨 까닭에 왕이 祇宮에서 죽을 수 있었다 … 그 시는 다음과 같다. 기소의 차분함이여! 덕스러운 말을 말하도다. 우리 왕의 법스러움 생각하니 금옥과 같아라. 백성의 힘에 따라 쓰실 뿐 취하도록 마시고 배부르게 먹으려는 마음 없으시도다.(昔穆王欲肆其心, 周行天下, 將皆必有車轍馬跡焉. 祭公謀父作祈招之詩以止王心, 王是以獲沒於祇宮 … 詩曰祈招之愔愔, 式昭德音. 思我王度, 式如玉式如金. 形民之力, 而無醉飽之心.)"

29 서나라: 서나라는 목천자 당시의 서나라의 제후 徐偃을 이른다. 『韓非子』「五蠹」에서 "서언왕이 한수 동쪽에서 살았는데 국토가 사방 5백 리였다. 인의를 행하자 땅을 떼어 바치며 조회하는 나라가 36나라였다.(徐偃王處漢東, 地方五百里. 行仁義, 割地而朝者三十有六國.)"고 하였다.

止, 則心失主宰, 而物欲反據而爲之主矣. 此六經之比也.[30]"
웅강대가 말하였다. "이 시는 사람 마음이 어디에 푹 빠지는 잘못을 말하였다. 거론한 목천자의 일은 다만 이를 빌려서 사람 마음이 날뛰어 경계를 넘어서 흔들림을 말하였다. 만일 그칠 줄 모르면 마음이 주재하는 도리를 잃고 물욕이 거꾸로 마음을 차지해 주인 노릇 하게 된다. 이 시는 『시경』의 육의六義의 비比에 해당한다."

5

涇舟膠楚澤	경수의 배 아교로 풀칠되어 초나라 강에 띄워지니[31]

熊氏剛大曰, "此言周室衰替之由. 蓋自昭王無道, 南游於楚, 濟漢. 船人惡之, 即涇水之舟, 膠合以進. 至中流而膠液, 遂沉沒於楚江焉."
웅강대가 말하였다. "이 시는 주나라가 쇠퇴한 이유를 말하였다. 소왕昭王이 무도하여 남쪽의 초나라에 노닐고자 한수漢水를 건너려 하였다. 뱃사공이 이를 미워하여 경수의 배를 아교로 붙여서 강에 띄웠다. 중류에 이르자 아교가 녹아 마침내 초나라 강에 침몰하였다."

周綱已陵夷	주나라 왕국의 기강 무너진 지 예전
况復王風降	하물며 왕풍王風[32]으로 강등되어
故宮黍離離	옛 궁터엔 기장 이삭만 무성히 늘어졌네.[33]
玄聖作春秋	공자가 『춘추』를 지은 것도
哀傷實在玆	애틋한 아픔 실상 여기에 있었던 것.[34]

30 此六經之比也. : 다른 본에는 '經'자가 '義'자로 되어 있다. 이를 따른다.
31 경수의 배 … 띄워지니 : 『朱子大全箚疑輯補』 권4에서 "경수의 배는 『詩經』「大雅」의 棫樸篇의 시구에서 나온 말이다. 그 시는 다음과 같다. '느릿느릿 저어가는 저 경수의 배여 수많은 무리가 노질하도다. 주나라 천자가 길을 나서니 육사가 따라 나섰도다.'라고 하고 그 注에서 '이 시는 문왕의 덕에 사람들이 귀의한 것을 말하였다.'고 하였다. 주자가 이 시의 涇舟膠楚澤의 시구의 뜻은 주나라 천자의 배가 본래 이 같았는데 지금은 도리어 초나라 강의 배들을 아교로 만들었다는 것을 말한 것이지 소왕이 경수에서 배를 타고 초나라까지 가자 초나라 사람들이 아교로 그 배를 고쳐 빠져 죽게 하였다고 말한 것이 아니다. 더욱이나 경수는 실제 초나라 강과는 심하게 동떨어졌다. 그런데도 경수의 배를 초나라 강에 아교로 붙여서 띄웠다고 한다면 큰 오류이다. (按涇舟本出大雅棫樸篇. 其詩曰, '淠彼涇舟, 烝徒楫之. 周王于邁, 六師及之'. 注, 言文王之德, 爲人所歸也. 先生此詩之意, 蓋謂周王之舟本如是, 而今反膠於楚澤也, 非謂昭王自涇水乘舟至楚, 楚人以膠改裝其舟而死之溺也. 況涇水實與楚澤, 隔絶又甚焉, 猶以爲涇水之舟膠於楚, 則大誤矣.)"고 하였다.
32 王風 : 雅가 강등되어 風으로 전락한 것을 이른다. 주나라가 幽王 시대 申나라의 공격으로 유왕이 죽고 수도 鎬가 함락되어 당시 東都 洛陽으로 수도를 옮겼다. 이때부터 지어진 시가 雅가 아닌 王風이라 불리며 왕권도 제후국의 반열로 전락하였다.
33 기장 이삭만 … 늘어졌네. : 『詩經』「王風」에 있는 「黍離」편의 시를 인용하여 西周의 왕궁터가 기장이 자라 있는 황량한 곳임을 서러워한 시이다.

祥麟一以踣	상서의 상징 기린마저 하나같이 고꾸라지다니
反袂空漣洏	옷소매로 닦는 눈물 공연히 끝없어라.[35]
漂淪又百年	영락한 세월 또 백 년이 흘러
僭侯荷爵珪	참람한 제후들 작위와 홀을 훔쳐 지녔네.[36]
王章久矣喪	천자의 법도 사라진 지 오래거니
何復嗟嘆爲	탄식한들 다시 무얼 하랴.
馬公述孔業	사마광이 공자의 일 따라하며
託始有餘悲	책의 시작에 끝없는 비통 담아
拳拳信忠厚	간절한 우의寓意 참으로 충후하나
無乃迷先幾	시작점의 기미는 잘못 잡은 것[37] 아닐는지.

熊氏剛大曰, "此篇, 論周室君臣之失."

웅강대가 말하였다. "이 시는 주나라 왕실의 군주와 신하의 잘못을 말하였다."

6

東京失其御	동경이 국권國權을 잃어[38]
刑臣弄天綱	환관이 천자의 권위 농락하더니
西園植姦穢	서원에 간악하고 다라운 자 들어서고[39]

34 실상 여기에 … 것. : 『春秋』가 魯나라 隱公에서 시작하는데 이때가 바로 유왕의 아들 平王이 서주를 회복하지 못하고 東周의 洛陽에서 즉위한 때이다.

35 눈물 공연히 끝없어라. : 노나라 哀公 14년에 노나라가 서쪽으로 사냥을 나갔다가 기린을 잡았다. 이때 아무도 기린을 알아보는 사람이 없었다. 이에 공자를 불러서 알아보게 하였다. 이때 기린은 포획을 피해 달아나다 왼쪽 앞다리가 부러지는 상처를 입었다. 공자가 달려와 이를 보고서 훌륭한 군주가 나타났을 때 상서를 알리기 위해 나와야 할 기린이 이 어려운 시대에 나타나 이 모진 고초를 겪느냐며 소매로 눈물을 닦았는데 그 눈물이 저고리 앞섶을 적실 정도였다. 공자는 이때부터 『春秋』의 집필을 시작하여 기린이 잡힌 이 해에 絶筆하였다.(『春秋左傳』「哀公 14년」; 『家語』「辨物」)

36 제후 작위와 … 지녔네. : 대부가 자칭하여 제후가 된 것을 이른 말이다. 기린이 나타난 이후 백년의 세월이 흐른 뒤 晉나라의 세 대부 魏斯와 趙籍, 韓虔이 진나라를 무너뜨리고 셋이서 魏와 趙, 韓나라를 세운 일을 이른다. 宋나라 司馬光은 『資治通鑑』 편찬에서 진나라를 무너뜨리고 세 대부가 나라를 세웠는데도 주나라 천자가 아무 제재도 없이 그대로 추인한 것을 『資治通鑑』의 첫머리로 삼았다.

37 시작점의 기미 … 것 : 당시 벌써 제후가 실권을 지니고 있었고 또 제후국의 대부들도 강성하여 주나라 왕실은 유명무실하였다. 당연히 이보다 앞서 이렇게 된 기미의 시점을 머리로 잡았어야 하는데 굳이 이 사건을 『資治通鑑』의 시작점으로 잡은 것은 판단의 기준이 잘못된 것이 아닐까라는 말이다.

38 동경이 國權을 잃어 : 동경은 낙양에 도읍한 後漢 시대를 이른다. 후한은 桓帝와 靈帝 때부터 천자의 권위를 잃고 환관들이 득세하였다.

39 서원에 간악하고 다라운 자 들어서고 : 서원은 후한 시대에 둔 왕실의 정원 이름이다. 영제가 中平 5년 8월에,

五族沉忠良	오족은 충신과 선량한 신하를 몰락시켰네.[40]
青青千里草	푸르고 푸른 천리초![41]
乘時起陸梁	때를 타고 날뛰더니
當途轉凶悖	조조는 한층 더 흉하고 패악스러워[42]
炎精遂無光	불의 운세[43] 마침내 빛이 사위는데
桓桓左將軍	위엄차고 당당한 좌장군[44]
仗鉞西南疆	도끼 잡고 남서 지역에서 일어나자
伏龍一奮躍	복룡[45]도 힘차게 뛰어오르고
鳳雛亦飛翔	봉추[46] 또한 나래 펴고 날아올라
祀漢配彼天	한나라를 저 하늘과 짝하게 하려
出師驚四方	군사를 출동시켜 사방을 놀라게 하였건만
天意竟莫回	하늘의 뜻 끝내 돌릴 길 없어

서원에 8명의 校尉를 처음으로 두었는데 이들이 모두 간악한 자들이었다. 내용은 다음과 같다. 小黃門 蹇碩이 上軍校尉, 虎賁中郎將 袁紹가 中軍校尉, 屯騎校尉 鮑鴻이 下軍校尉, 議郎 曹操가 典軍校尉, 趙融이 助軍左校尉, 馮芳이 助軍右校尉, 諫議大夫 夏牟가 左校尉, 淳于瓊가 右校尉였다. 이들 8명을 西園軍이라 불렀고 이들은 건석이 통솔하였다.(『後漢書』「靈帝記」 권8)

40 오족은 충신과 … 몰락시켰네. : 『續後漢書』 권26 「魏曹丕傳」의 "나라 정권을 멋대로 주무른 자는 다섯 집안이다.(擅國者五族)"의 注에 다섯 집안은 '竇憲, 閻顯, 梁冀, 竇武, 何進이다."라고 하였다. 이들은 정권을 잡고서 陳蕃과 李膺 등 많은 충신과 어진 선비를 黨錮의 죄명으로 묶어 꼼짝하지 못하게 하였다.

41 푸르고 푸른 천리초! : 역신 董卓을 이르는 말이다. 『後漢書』「五行志 권1」에 이런 기사가 있다. "후한 獻帝 초기에, 수도 서울에 아이들 노래가 유행하였는데 그 내용은 다음과 같다. '千里草여! 어찌 그리도 푸르른가. 10일을 점쳐보아도 살길이 없구나.'(獻帝踐祚之初, 京都童謠曰, 千里草, 何青青. 十日卜, 不得生.)" 천리초는 동탁의 성 董자를 파자하여 이른 말이고, 10일 점 운운은 동탁의 이름 卓자를 파자하여 이른 말이다.

42 조조는 한층 … 패악스러워 : 이 글의 원문 '當途'는 후한 말기 曹操 일가가 세운 魏나라를 이르는 은어이다. 當途高로도 쓰인다. 『後漢書』「袁術傳」에, "(원술이) 또 젊은 시절 참위서에 '한나라를 대신할 사람은 당도고이다.'를 보고서 자신의 이름 글자가 이에 해당한다고 생각하였다.(又少見讖書, 言'代漢者當塗高', 自云名字應之.)"의 李賢의 注에 "당도고는 魏를 이른다.(當塗高者, 魏也.)"고 하였다.

43 불의 운세 : 한나라는 고조가 赤帝子의 전설을 남기며 火德을 한나라의 표상으로 삼았다. 불의 운세란 곧 한나라를 이르는 말이다.

44 위엄차고 당당한 좌장군 : 劉備를 이른다. 獻帝 建安 3년에 좌장군이 되었다.(『三國志』「蜀志」)

45 복룡 : 삼국 시대 촉의 諸葛亮을 이른다.

46 봉추 : 삼국 시대 촉의 龐統을 이른다. 『續後漢書』 권7에, "소열황제가 형주에 머물 때 司馬徽를 찾아 세상일을 물었다. 사마휘는 '진부하고 용렬한 사람이 어찌 시대의 일을 알겠습니까? 시대의 일을 아는 것은 준걸한 자의 몫입니다. 이곳에 「묻혀 있는 용(伏龍)」과 「봉의 새끼(봉추)」가 있습니다.' 소열이 누구인지를 묻자 사마휘가 대답했다. '제갈공명과 방사원입니다.'(昭烈在荊州, 訪世事於司馬徽. 徽曰, 腐儒俗士豈識時務識, 時務者在乎俊傑. 此間自有伏龍鳳雛. 昭烈問爲誰, 曰諸葛孔明龐士元也.)"라고 하였다. 사원은 방통의 字이다.

王圖不偏昌	한나라 회복의 꿈 외진 서촉에서 펼치지 못하였네.
晉史自帝魏	진晉나라의 사관 위나라를 황제로 일컬은 것을[47]
後賢盍更張	후세의 현인[48]마저 왜 바로잡지 않았을까?
世無魯連子	세상에 노중련[49] 없으니
千載徒悲傷	천년 두고 부질없이 비통할밖에.

熊氏剛大曰, "此篇, 論漢室君臣之失, 秉史筆者不能黜魏而尊蜀."

웅강대가 말하였다. "이 시는 한나라 왕조의 군신의 잘못과, 역사책을 기술한 자들이 위나라를 내치고 촉나라를 높이지 않은 것을 말하였다."

7

晉陽啓唐祚	진양궁에서 문을 연 당나라 왕조[50]
王明紹巢封	왕명이 소봉巢封의 대를 이었네.[51]
垂統已如此	드리운 역사 이미 이러하니

47 위나라를 황제로 … 것을 : 진나라의 사관 陳壽가 『三國志』를 편찬하며 조조의 위나라를 정통 국가로 인정하였다.

48 후세의 현인 : 현인은 『資治通鑑』을 편찬한 司馬光을 이른다. 사마광은 『資治通鑑』을 편찬하며 조조의 위나라에 『三國志』처럼 정통을 부여하였다.

49 노중련 : 전국시대 齊나라 사람이다. 趙나라에 머무를 때 秦나라가 趙나라를 침략하자 魏(梁)나라와 조나라를 설득하여 진나라를 격퇴하였다. 이때 그가 "저 진나라가 기세를 펼쳐 천하의 제왕이 된다면 나 노중련은 동해에 뛰어들어 죽을지언정 백성이 되는 것을 원하지 않는다.(彼即肆然而爲帝於天下, 則連有蹈東海而死耳, 不願爲之民也.)"고 했는데 이 말은 뒷날 많은 충신들의 입에 회자되는 명언이 되었다. 천하의 高士로 추앙되었다.(『史記』「魯仲連傳」; 『資治通鑑』 권5 「周赧王 57년」)

50 진양궁에서 문을 … 나라왕조 : 진양궁은 隋나라 왕조의 별궁이다. 후일 당나라 高祖가 된 李淵은 晉陽宮監을 지냈다. 이때 고조의 둘째 아들 李世民(太宗)이 아버지에게 봉기하여 수나라 왕조를 뒤바꾸자고 설득하였다. 허락을 받을 수 없자 아버지와 가까운 진양궁의 副監 裴寂을 설득하였다. 마침내 배적은 진양궁의 宮人을 데려다 이연의 잠자리를 받들게 하였다. 그리고 어느 날 이연과 술을 거나하게 마시고서는, "둘째 아드님이 몰래 군사와 말들을 비축하여 큰일을 일으키고자 하는 것은, 바로 제가 궁인을 데려다 당신의 잠자리를 받들게 한 것이 들통나 함께 죽임을 당할까 두려워서 이렇게 계책을 서두르는 것입니다. 여러 사람의 마음이 이미 모였으니, 공의 생각은 어떠십니까?(二郎陰養士馬, 欲擧大事, 正爲寂以宮人侍公, 恐事覺并誅, 爲此急計耳. 衆情已協, 公意如何?)"라고 하자 이연은 "내 아이에게 참으로 이런 책략이 있고 일이 이미 이같이 되었는데 지금에 다시 어떻게 하겠는가? 따를 뿐이다.(吾兒誠有此謀, 事已如此, 當復奈何? 正須從之耳.)"고 하고 마침내 봉기하였다.(『資治通鑑』 권183)

51 왕명이 巢封의 … 이었네 : 왕명은 태종의 아들인 王子明이고, 소봉은 태종의 아우인 元吉의 封號 巢剌王을 이른다. 태종이 왕위 쟁탈 과정에서 형과 아우를 죽인 뒤 제수씨를 빼앗아 아들 명을 낳았다. 그 아들을 아우의 양자로 주고 齊王에 봉하여 아우 소랄왕을 잇게 하였다.(『資治通鑑』 권198 「唐紀 · 太宗 貞觀 21년」 8월 丁酉

繼體宜昏風	대를 이은 왕 당연히 혼미할밖에.
麀聚瀆天倫	부자父子가 한 여자를 보아[52] 천륜을 더럽히고
牝晨司禍凶	암탉이 울었으니 재난은 맡아놓은 것[53]
乾綱一以墜	왕조의 기강 모두 추락하고[54]
天樞復崇崇	천추의 기둥[55]만 우뚝 높고 높아라.
淫毒穢宸極	음탕한 노애嫪毒 왕의 자리 더럽히고[56]
虐焰燔蒼穹	잔학한 기세 하늘을 불살랐네.
向非狄張徒	적인걸狄仁傑 장간지張柬之[57] 아니었다면

52 父子가 한 … 보아 : 이 글의 원문 '麀聚'는 『禮記』「曲禮上」에서, "짐승은 예의가 없다. 그런 까닭에 애비와 새끼가 한 암컷을 상대한다.(夫唯禽獸無禮. 故父子聚麀.)"고 한 말에서 온 말이다. 則天武后가 처음 태종의 才人이었다가 태종이 죽은 뒤 출가하여 승려가 되었는데, 아들 高宗이 데려다 황후로 삼은 것을 지적한 말이다.

53 암탉이 울었으니 … 것 : 측천무후가 고종의 총애로 승려에서 궁으로 돌아와 昭儀가 되고 永徽 6년(서기 655년)에 마침내 황후가 되었다. 병으로 정사를 돌보지 못하는 고종을 대신하여 정사를 전결하자 세상이 '두 천자[二聖]'라 불렀다. 고종이 죽자 조정에 나와 칭제하며, 이어 등극한 중종을 여릉왕으로 강등시켜 내쫓고, 睿宗(고종의 아들)을 등극시키고서도 정사에 참여시키지 않고 정사를 전횡하였다. 天授 원년(서기 690년)에 聖神皇帝를 자칭하며 周나라로 국호를 바꾸고, 예종을 皇嗣로 삼아 무씨 성을 하사하여 쓰게 하였다. 16년을 군림하다 神龍 원년(서기 710년)에 당시 나이 83세로 병이 들어 죽었다.(『舊唐書 · 新唐書』「則天皇后本紀」)

54 왕조의 기강 … 추락하고 : 측천무후가 실권을 장악하고 고종의 일곱째 아들로 등극한 李顯을, 즉위하자마자 廬陵王으로 강등시켜 房州와 均州로 옮겨 살게 한 일을 이른다.(『新唐書』「中宗本紀」)

55 천추의 기둥 : 측천무후가 중종 11년에 端門 밖에 자신의 공덕을 기록하여 세운 구리 기둥.(『舊唐書』「則天皇后紀」)

56 음탕한 嫪毒 … 더럽히고 : 노애는 秦나라 때 呂不韋의 舍人으로 진시황의 母后와 私通한 인물이다. 나중에 들통나 결국 죽임을 당하였다. 여기서는 당나라 측천무후 시절의 張易之와 張昌宗 두 사람을 이른다. 張易之와 張昌宗은 형제이다. 音律과 갖은 기예로 무후의 총애를 사 등용되며 측천무후와 갖은 소문을 일으켰다.(『史記』「呂不韋傳」; 『舊唐書 · 新唐書』「則天皇后本紀」; 『新唐書』 권104 「張行成傳 · 族子易之昌宗」)

57 狄仁傑 張柬之 : 적인걸은 당나라 幷州 太原 사람으로 則天武后에게 直諫을 잘하였고, 張柬之와 姚崇 등의 유능한 선비를 추천하여 朝野의 존경을 받았다. 측천무후는 주나라를 세우고 친정 조카 武三思로 皇統을 이으려는 大逆을 꾀하였다. 적인걸이 여릉왕에 봉해져 방주에 머물고 있는 중종을 황사로 정할 것을 간청하며, 중종에게 자리를 물려주면 천추만대에 종묘에서 제사를 받을 수 있지만, 무삼사에게 황제 자리를 물려주면 무씨 왕조에서 고모를 종묘에서 제사 지내지 않을 것이라며, 모자 사이의 恩情을 강조하였다. 마음이 수그러든 측천무후는 마침내 중종을 불러올려 황사로 삼았다. 적인걸은 측천무후의 주나라 聖曆 3년(서기 700년)에 죽었으나 그가 추천한 인재들이 측천무후의 주나라를 무너뜨리고 중종을 복위시킨 까닭에 이렇게 말한다.(『舊唐書』 권89 ; 『新唐書』 권115)
장간지는 중종을 복위시킨 오왕의 한 사람으로, 측천무후의 제거를 제일 먼저 제창하여 실현시킨 사람이다. 장간지를 측천무후에게 추천한 사람은 적인걸이다. 측천무후가 16년을 군림하다 神龍 원년(서기 705년) 정월에 당시 나이 83세로 병이 들자 張易之와 張昌宗이 병을 살핀다며 내전에 들어 모반을 꾀하였다. 장간지 등 五王이 左右羽林軍을 거느리고 장역지와 장창종 형제를 측천무후가 보는 앞에서 죽이고, 측천무후를 上陽

誰辨取日功	뉘라서 천자를 되찾는 공 해냈으랴.
云何歐陽子	어쩐 일로 구양수歐陽脩는
秉筆迷至公	『신당서新唐書』에서 공정한 도리에 어두워
唐經亂周紀	당나라 역사책에 주나라 연호로 어지럽혔나.[58]
凡例孰此容	범례라 한들[59] 뉘라서 이를 용납할 것인가?
侃侃范太史	온화하고 순후한 범 태사[60]
受說伊川翁	이천선생에게 교훈을 받더니
春秋二三策	춘추의 몇 마디 말씀[61]
萬古開群蒙	만고의 뭇 어리석음을 일깨웠네.

熊氏剛大曰, "此篇, 論唐室君臣之失, 秉史筆者不能黜武后而尊唐."

웅강대가 말하였다. "이 시는 당나라 왕실의 여러 군주와 신하의 잘못과, 역사서를 편찬하는 자가 무후를 내치고 당나라를 높이지 못한 것을 논하였다."

8

朱光遍炎宇	붉은 태양 여름 하늘에 가득해도
微陰眇重淵	여린 음기 깊은 땅속에 조그맣게 자리하고[62]
寒威閉九野	매서운 추위 천지 사방을 뒤덮어도
陽德昭窮泉	따뜻한 양기 깊은 땅 아래 뚜렷하다.[63]

宮으로 옮겨 거처하게 하였다. 중종이 이 거사에 참여하여 잃었던 황제위를 바로 되찾았다. 측천무후는 이해 11월에 병으로 죽었다.(『舊唐書 · 新唐書』「則天皇后本紀」; 『新唐書』 권120 「張柬之傳」)

58 주나라 연호로 어지럽혔나 : 구양수가 『新唐書』를 편찬하며 당나라 제4대 천자로 등극한 중종이 버젓이 살아 있는데도 『新唐書』에 측천무후의 재위기간에 중종의 연호를 쓰지 않고 측천무후의 연호를 쓴 것을 비판한 것이다.

59 범례라 한들 : 구양수가 『新唐書』의 편찬을 끝내고서 曾貢을 대신하여 올린 표문에서 "義類凡例에 모두 근거가 있다.(義類凡例, 皆有據依.)"고 하였다.(『文忠集』 권91 「進新修唐書表」)

60 범 태사 : 范祖禹를 이른다. 범조우는 『資治通鑑』 편찬에 참여하여 얻어진 생각을 정리하여 24권의 『唐鑑』을 편찬하였다. 이 책에서 범조우는 측천무후의 재위 기간에 측천무후의 연호를 쓰지 않고 매년 첫머리에 '중종은 放陵에 있다.(帝在放陵.)'라고 써서 당나라 정통을 밝혔다.

61 춘추의 몇 … 말씀 : 춘추시대 노나라 昭公이 재위 28년째에 三家에 의해 乾侯로 쫓겨나 임종을 맞는 32년까지 머물렀다. 이를 공자는 『春秋』에서 이 기간 동안을 매해 첫 역사로 거론하여 "공은 건후에 계신다.(公在乾侯.)"라고 하였다.

62 음기 깊은 … 자리하고 : 한여름 5월은 『周易』의 卦로 따지면 양효뿐인 4월의 건괘(☰)가 다하고 건괘의 제일 밑 첫 효에 음효가 자란 姤卦(☴)가 됨을 이른다.

63 양기 깊은 … 뚜렷하다. : 한겨울 동짓달은 『周易』의 卦로 따지면 음효뿐인 10월의 곤괘(☷)가 다하고 곤괘의

文明昧謹獨	문명한 사람도 신독愼獨에 어둡고
昏迷有開先	혼미한 사람도 열릴 희망 있으니
幾微諒難忽	기미는 참으로 소홀하기 어렵고
善端本綿綿	선의 싹은 본디 면면히 이어지는 것.
掩身事齋戒	몸을 숨기고 재계 일삼을 것이니[64]
及此防未然	이때에 미쳐 음의 재앙 미연에 막고
閉關息商旅	관문 닫아걸고 상인과 여행객을 금하여[65]
絶彼柔道牽	저 음이 끌고 가려는 것[66] 끊도록 하라.

熊氏剛大曰, "此篇, 論姤乃陰之始, 復乃陽之始."

웅강대가 말하였다. "이 시는 구괘는 음의 시작이고 복괘는 양의 시작임을 말하였다."

9

微月墜西嶺	초생달 서산에 지고
爛然衆星光	찬란하게 뭇 별이 빛을 뿌리네.
明河斜未落	은하수는 비스듬히 아직 지지 않았는데
斗柄低復昂	북두칠성의 자루별이 낮아졌다 높아지네.
感此南北極	이 남극과 북극에 감응하여
樞軸遙相當	추축이 멀리서 서로 마주하고 있다.
太一有常居	북극성 늘 한곳에 붙박여
仰瞻獨煌煌	우러름에 홀로 빛나고 빛나
中天照萬國	중천에서 천하를 비추니
三宸環侍旁	해와 달, 별들이 둘러서서 모시네.
人心要如此	사람 마음도 이와 같아서

제일 밑 첫 효에 양효가 자란 復卦(䷗)가 됨을 이른다.

64 몸을 숨기고 … 것이니 : 음력 5월 하지에 행하는 일을 이른 말이다. 『禮記』「月令」의 仲夏之月에 관한 말에서, "군자가 재계하여, 머무르는 곳에서 몸을 숨기고 가볍게 행동하지 말고, 음탕한 음악이나 여색을 그쳐 혹여도 가까이 하지 말라.(君子齊戒, 處必掩身, 毋躁 ; 止聲色, 毋或進.)"고 하였다.

65 관문 닫아걸고 … 금하여 : 음력 동짓달 동짓날 행하는 일을 이른다. 『周易』「復卦」의 象辭에서 "선왕이 복괘의 덕을 본받아 동짓날이면 관문을 닫아걸고 상인과 여행객들을 통행하지 못하게 하고 군주도 사방을 돌아다니며 살피는 일을 하지 않는다.(先王以至日閉關, 商旅不行, 后不省方.)"고 하였다.

66 음이 끌고 … 것 : 『周易』「姤卦(䷫)」의 初六爻의 象辭에 "(수레를) 쇠로 만든 굄목으로 괴고 묶는 것은, 음이 끌고 가려 해서이다.(繫于金柅, 柔道牽也.)"고 하였다.

寂感無邊方　　적연寂然과 감통感通[67]이 끝없어야지.

熊氏剛大曰, "此篇, 論天之北極, 則人心之太極."

웅강대가 말하였다. "이 시는 하늘의 북극성이 사람 마음의 태극임을 말하였다."

10

放勳始欽明　　방훈放勳도 공경과 광명에서[68] 시작하였고

南面亦恭己　　순임금의 남면도 공손할 따름[69]

大哉精一傳　　위대하다! 우임금에게 전한 유정유일惟精惟一이여.

萬世立人紀　　만세에 인간의 기강으로 섰네.

猗歟嘆日躋　　아름다워라! 날마다 높아져 찬탄하고[70]

穆穆歌敬止　　심원하다! 공경히 그침을 노래함이여.[71]

戒獒光武烈　　여오旅獒의 경계[72]에서 무왕의 공훈 빛을 더하고

待旦起周禮　　날 밝기 기다리며 주나라 제도를 일구셨네.[73]

恭惟千載心　　천년을 이어진 그 마음 생각하니

秋月照寒水　　가을 달 두둥실 맑은 강물에 비추네.

67 寂然과 感通 : 『周易』「繫辭上」의 "아무런 생각도 없고 아무런 행위도 없이 고요히 움직임이 없다가 감촉하는 것이 있으면 마침내 천하의 일을 환히 안다.(無思也, 無爲也, 寂然不動, 感而遂通天下之故.)"에서 온 말이다.

68 放勳도 공경과 광명에서 : 『書經』「堯典」에서 "옛 제왕 요를 살펴보면 사방으로 뻗어간 공훈을 세웠다 할 것이니, 공경함, 광명함, 우아함, 깊은 사색들이 자연스러웠다.(曰若稽古帝堯, 曰放勳, 欽明文思安安.)고 하였다.

69 공손할 따름 : 『論語』「衛靈公」에서 "아무 하는 일 없이 다스린 분은 순임금일 것이다. 무엇을 하리요? 몸을 공손히 하고서 남향하고 계실 뿐이었다.(無爲而治者, 其舜也與! 夫何爲哉? 恭己正南面而已矣.)"고 하였다.

70 높아져 찬탄하고 : 탕임금의 덕이 날로 달라짐을 이른 말이니, 『詩經』「商頌 · 長發」 제3장의 "탕임금의 탄생 더디지 않아 성스러움과 공경이 날로 높아졌다.(湯降不遲, 聖敬日躋.)"에서 온 말이다.

71 공경히 그침을 노래함이여. : 문왕의 덕을 이르는 말이다. 『大學』「전3장」에서 『詩經』「文王篇」의 시를 인용하고 이어 문왕의 덕을 이렇게 노래하였다. "深遠하신 문왕이여! 아! 끊임없이 밝혀 공경히 제자리에 그치셨다. 군주가 되어서는 인에 그쳤고, 신하가 되어서는 공경에 그쳤고, 아들이 되어서는 효도에 그쳤고, 아버지가 되어서는 사랑에 그쳤고, 나라 백성들과의 교류에서는 신의에 그쳤다.(詩云穆穆文王! 於緝熙敬止. 爲人君止於仁, 爲人臣止於敬, 爲人子止於孝, 爲人父止於慈, 與國人交止於信.)"

72 旅獒의 경계 : 무왕이 은나라를 정벌하고 주나라를 세우자 旅나라에서 개[獒]를 공물로 바쳤다. 이에 무왕의 아우인 召公奭이 형 무왕에게 이런 것들은 잘못 玩物喪志가 될 수 있다며 경계의 말을 올렸다. 이 경계의 말이 『書經』「旅獒篇」이다.

73 주나라 제도를 일구셨네. : 주공의 덕을 칭송한 말이다. 『孟子』「離婁下」에서 맹자가 주공의 덕을 칭송하여, "주공은 우 · 탕 · 문 · 무의 덕을 겸하여 그분들이 행한 네 가지 일을 시행하기를 생각하였다. 그 가운데 맞지 않은 것이 있으면 우러러 생각하여 밤까지도 낮 생각을 이어갔다. 요행이 깨달음이 얻어지면 앉아서 아침이 되기를 기다렸다.(周公思兼三王, 以施四事. 其有不合者, 仰而思之, 夜以繼日. 幸而得之, 坐以待旦.)"고 하였다.

魯叟何常師　　공자님이야 어찌 일정한 스승 있으리오.[74]

刪述存聖軌　　산삭하고 저술하여 성인 규범 보존했네.

熊氏剛大曰, "此篇, 言堯舜禹湯文武周公傳心之法在乎敬."

웅강대가 말하였다. "이 시는 요·순·우·탕·문·무·주공의 마음을 전하는 법이 경에 있음을 말하였다."

11

吾聞庖羲氏　　내 듣기에 복희씨가

爰初闢乾坤　　맨 먼저 건·곤괘로 역易의 문 펼쳐내

乾行配天德　　건괘의 도리 하늘의 덕에 짝지우고

坤布協地文　　곤괘의 펼침 땅의 아름다움에 합치시켰다.

仰觀玄渾周　　우러러 하늘의 운행 살피니

一息萬里奔　　단숨에 만 리를 달리고

俯察方儀靜　　아래로 네모난 땅의 고요함 살피자

頹然千古存　　순하게 천고를 버텼네.

悟彼立象意　　저 상象 세운 뜻만 깨친다면

契此入德門　　그곳이 덕에 들어가는 문인 줄 알리.

勤行當不息　　부지런히 공부하며 당연히 쉬지 말고

敬守思彌敦　　공경히 지키며 더욱 돈독하길 생각하라.

熊氏剛大曰, "此篇, 論易首乾坤, 庖羲畫此以示後世, 君子當體乾坤以進德."

웅강대가 말하였다. "이 시는 『주역』 맨 앞의 건괘와 곤괘는 복희씨가 이 괘를 효로 그어서 후세에 보였으니, 군자들은 당연히 건괘와 곤괘를 체득하여 덕을 높여가야 함을 말하였다."

12

大易圖象隱　　『주역』의 선천도며 괘상卦象은 은미하고

詩書簡編訛　　『시경』과 『서경』은 책장이 착오 났네.

74 일정한 스승 있으리오 : 『論語』「子張篇」에서 자공이 스승 공자를 칭찬한 말 속의 한 구절이다. 자공은 "문왕과 무왕의 도가 아직 땅에 떨어지지 않고 세상 사람들에게 남아 있었다. 현명한 자는 그 가운데 큰 것을 기억하고 좀 덜 현명한 자는 그 가운데 작은 것을 기억하고 있어 문왕과 무왕의 도를 지니지 않은 자가 없었다. 선생님께서 어떤 것을 배우지 않았겠으며 또한 어찌 일정한 스승이 있었겠는가?(文武之道未墜於地, 在人. 賢者識其大者, 不賢者識其小者, 莫不有文武之道焉. 夫子焉不學, 而亦何常師之有?)"라고 하였다.

禮樂矧交喪	『예』도 『악』도 그 책들 번갈아 없어지고
春秋魚魯多	『춘추』도 글자에 틀림이 많아
瑤琴空寶匣	옥 장식한 거문고 상자 속에서 할 일 없고
絃絶將如何	줄마저 끊겼으니 무엇을 할 수 있나
興言理餘韻	여운을 다스릴 생각을 일으켜 세워
龍門有遺歌	용문[75]에 남긴 노래가 있게 되었네.

熊氏剛大曰, "此篇, 論六經散失已久, 千載之下, 惟有程伊川能繼孔子六經之絶學."

웅강대가 말하였다. "이 시는 육경六經이 산실된 지 이미 오래되었는데 천여 년 후에 정이천이 있어 공자가 남긴 육경의 끊긴 학문을 이었음을 말하였다."

13

顔生躬四勿	안자는 네 가지 말라는 것[76]을 몸소 행하고
曾子日三省	증자는 날마다 세 가지로 자신 살폈지.[77]
中庸首謹獨	『중용』에는 첫 장에 신독을 말하고
衣錦思尙絅	비단옷에 홑옷 걸치기[78]를 생각하였다.
偉哉鄒孟氏	위대할 손 추나라의 맹자
雄辨極馳騁	그 웅변 끝없이 내달았으나
操存一言要	잡아 보존하란 한마디가 요점이니[79]
爲爾挈裘領	그대들 위해 강령을 들어줌이다.
丹靑著明訓	단청처럼 저명한 훈계

75 용문: 용문은 程伊川(程頤)을 이르는 말이니, 정이천이 살던 곳이다.

76 안자는 네 … 것: 『論語』「顔淵篇」에서 말한 예가 아니면 보지도 듣지도 말하지 행하지도 말라는 四勿을 이른다.

77 세 가지로 … 살폈지.: 『論語』「學而篇」에서 증자가 말하기를 "나는 날마다 세 가지로 내 몸을 살피니, '남을 위해 꾀하며 내 자신을 다하지 않았는가? 벗과 사귀며 미덥지 못했는가? 배운 것을 익히지 않았는가?'이다(曾子曰, 吾日三省吾身, 爲人謀而不忠乎? 與朋友交而不信乎? 傳不習乎?)"고 하였다.

78 『中庸』에는 … 걸치기: 『中庸』 첫 장에서 "어두운 곳의 일보다 드러나는 것은 없고 미세한 일보다 환해지는 일은 없다. 그러므로 군자는 홀로만이 아는 것을 삼가는 것이다.(莫見乎隱, 莫顯乎微, 故君子愼其獨也.)"고 하였고 제33장인 마지막 장에서 "비단옷 입고 위에 홑옷을 걸쳐 입는다.(衣錦尙絅.)"고 하였다. 곧 비단옷 위에 홑옷을 걸쳐 비단옷의 반짝거림을 가린다는 뜻이다.

79 잡아 보존하란 … 요점이니: 『孟子』「告子上」에서 맹자가 공자의 말을 인용하여 "잡으면 간직되고 놓아버리면 없어져, 드나듦이 때가 없고 방향을 알 수 없는 것은 마음일 것이다.(孔子曰, 操則存, 舍則亡, 出入無時, 莫知其鄕, 惟心之謂與!)"고 하였다.

今古垂煥炳	고금에 빛나게 드리웠건만
何事千載餘	무슨 일로 천여 년 동안
無人踐斯境	이 길 걷는 사람 없을까?

熊氏剛大曰, "此篇, 論顔曾思孟傳孔子之道, 亦惟能潛其心. 又重嘆後人之不能."
웅강대가 말하였다. "이 시는 안자와 증자와 자사와 맹자가 공자의 도를 전하였고, 또 자신들의 마음이 공자의 도에 푹 젖어 있었음을 말하였다. 또 후세 사람들이 그렇게 하지 못한 것을 거듭 탄식하였다."

14

元亨播群品	원과 형은[80] 뭇 사물에 담기고
利貞固靈根	이와 정은[81] 근본을 굳게 하네.
非誠諒無有	성誠 아니면 참으로 이들이 있을 손가
五性實斯存	인의예지신 오성도 실상 원형이정을 보존한 것.
世人逞私見	세상 사람들 제 소견만 채우려하여
鑿智道彌昏	지혜를 부릴수록 도는 더욱 어두워지네.
未若林居子	어찌 산림에 은거한 자의
幽探萬化原	고요한 조화의 원리 탐구만 하랴.

熊氏剛大曰, "此篇, 言異端詞章之學, 害道妨教. 故先發此, 以明吾道之本原也."
웅강대가 말하였다. "이 시는 이단과 사장에 대한 학문이 도를 해치고 가르침을 방해하고 있는 까닭에 먼저 이를 말하여 우리 도의 본원을 밝혀야 함을 말하였다."

15

飄飄學仙侶	표표히 신선을 배워서
遺世在雲間	세상 버리고 산과 구름 사이에 살며
盜啓玄命祕	몰래 하늘의 비밀 훔쳐보고서
竊當生死關	생사의 관문을 훔치려 하네.
金鼎蟠龍虎	금정에 용과 호랑이의 기가 서리고[82]

80 원과 형은: 원형이정은 하늘의 네 가지 덕이다. 이 원은 사계절 가운데 봄으로 만물이 싹을 틔우고, 형은 여름으로 만물이 한창 뻗어 성장한다. 이 원형은 이것들이 이러한 것을 하게 한다.
81 이와 정은: 利는 사계절 가운데 가을로 만물을 이루게 하고, 貞은 겨울로 만물을 영글게 한다.
82 금정에 용과 … 서리고: 金鼎은 道家에서 단약을 달이는 데 쓰는 솥을 이른다. 용과 호랑이의 기는 단약을

三年養神丹　　삼 년 동안 신령한 영약을 달여
刀圭一入口　　도규[83]로 한 입 삼키자마자
白日生羽翰　　대낮에 날개가 돋혀 새처럼 날아오른다네.
我欲往從之　　나도 그 길을 가기로 들면
脫屣諒非難　　현실을 벗어던짐 참으로 어려우랴만
但恐逆天道　　다만 두려움은 천도를 거스리고
偸生詎能安　　도둑질한 장생불사 편할 수 있을까.

熊氏剛大曰, "此篇, 論仙學之失."

웅강대가 말하였다. "이 시는 선학仙學의 잘못을 말하였다."

16

西方論緣業　　불교[84]는 인연과 업보를 말하여
卑卑喩群愚　　천박하게 어리석은 군상 달래지만
流傳世代久　　전해진 햇수 오래라서
梯接凌空虛　　왕조를 이어오며 가공과 허무를 오갔다.
顧瞻指心性　　보는 것마다 심성心性을 일컫고
名言超有無　　하는 말이면 유와 무를 초월하여
捷徑一以開　　첩경 한 번 열리며
靡然世爭趨　　휩쓸리듯 세상이 앞 다투어 따르나.
號空不踐實　　공空만 부르짖고 실천 없으니
躓彼荊榛塗　　저 가시덤불의 길에 넘어진 꼴이다.
誰哉繼三聖　　뉘라서 세 성인[85]의 뒤를 이어

달일 때 피어나는 기운이다. 주자는 그의 저서 『周易參同契考异』에서 "坎이니 離이니 물[水]이니 불[火]이니 용이니 호랑이[虎]니 납[鉛]이니 수은[汞]이니 하는 것들은 다만 이름을 서로 바꾼 것일 뿐 그 실제는 다만 精과 氣일 뿐이다. 정은 물이고 감이고 용이고 수은이며, 기는 불이고 이이고 호랑이고 납이다.(坎離水火龍虎鉛汞之屬, 只是互換其名, 其實只是精氣二者而已. 精, 水也, 坎也, 龍也, 汞也 ; 氣, 火也, 離也, 虎也, 鉛也.)"고 하였다.

83 도규 : 약의 양을 재는 극히 작은 그릇. 오동나무 씨 크기라고 한다.

84 불교 : 이 글의 원문 西方은 중국에서 불교를 서쪽에서 온 종교로 본 데에서 불교를 이르는 말로 쓰였다.

85 세 성인 : 우임금, 周公, 공자를 이른다. 『孟子』「滕文公下」에서 맹자가 "(나는) 세 분 성인을 잇고자 함이지, 어찌 말하기를 좋아함이겠는가? 나는 부득이해서다.(以承三聖者, 豈好辯哉, 予不得已也.)"고 하였는데 주자는 『集註』에 "세 분 성인은 우임금 · 주공 · 공자이다.(三聖, 禹 · 周公 · 孔子也.)"고 하였다.

為我焚其書　　　우리를 위해 그 책들 불태울까.

熊氏剛大曰, "此篇, 論佛學之非."

웅강대가 말하였다. "이 시는 불교의 그름을 말하였다."

17

聖人司教化　　　성인이 교화를 책임져
黌序育群材　　　학교에서 뭇 인재 양성하며
因心有明訓　　　마음을 따라 밝은 가르침 만드니
善端得深培　　　선의 싹 크게 배양되었네.
天敍旣昭陳　　　하늘이 세운 질서[86] 환히 펼쳐지고
人文亦褰開　　　예악제도도 따라서 열렸더니.
云何百代下　　　어찌하여 백대 후에
學絶教養乖　　　학문 끊기며 가르침과 기름 어긋나
群居競葩藻　　　모여 공부하는 자 문장만을 겨루고
爭先冠倫魁　　　앞 다투어 과장의 장원만 하려드네.
淳風久淪喪　　　순후한 풍속 사라진 지 오래이니
擾擾胡爲哉　　　이 어수선함 무얼 하자는 걸까?

熊氏剛大曰, "此篇, 論大學之教. 蓋道者文之本, 文者道之末. 古人當於本者加意, 故設學教育, 惟以天理人倫爲重, 文藝之間, 特餘力游意云耳. 後世於末者用工, 故設學教育, 惟以文詞葩藻爲尙, 天理人倫曾不講明. 此朱子所以深嘆也."

웅강대가 말하였다. "이 시는 태학의 교육을 말하였다. 도道는 문장의 근본이고, 문장은 도의 지엽이다. 옛사람은 당연히 근본에 뜻을 쏟은 까닭에 학교를 세워 교육함이 천리天理와 인륜을 중시하고 문장과 예술은 다만 남은 힘이 있을 때 뜻을 두었을 뿐이다. 후세에는 지엽에만 공을 들인 까닭에 학교를 세워 교육할 때 문사의 꽃다움만을 숭상하고 천리와 인륜은 조금도 강구해 밝히고자 하지 않았다. 이것이 주자가 깊이 탄식한 까닭이다."

18

童蒙貴養正　　　어린이는 바르게 키움이 귀한 일이니

86 하늘이 세운 질서 : 『書經』「皐陶謨」에서 "하늘이 차례 지은 법도가 있다.(天敍有典.)"고 하고서 蔡沈은 『集傳』에서 "차례란 군신, 부자, 형제, 부부, 붕우의 차례이다.(敍者, 君臣父子兄弟夫婦朋友之倫敍也.)"고 하였다. 곧 우리가 말하는 五倫이다.

遜弟乃其方	공손이 바로 그 방법이다.
鷄鳴咸盥櫛	첫닭 홰치면 너도나도 세수하고 빗질하고서
問訊謹暄涼	부모님의 밤사이 안부 살피고
奉水勤播灑	물 길어다 열심히 땅 위에 뿌려
擁篲周室堂	온 집안 깨끗이 비질해야지.
進趨極虔恭	부모님께 나아갈 땐 더없이 공순하고
退息常端莊	물러와 쉴 때도 늘 단정하여라.
劬書劇嗜炙	공부에 부지런함 불고기보다 더 즐기고
見惡逾探湯	악을 보거든 끓는 물에 닿은 것보다 더 놀래며
庸言戒麤誕	평소의 말에 거칠고 부질없음 삼가고
時行必安詳	때로 하는 행동 반드시 차분하라.
聖途雖云遠	성인으로 가는 길 멀다지만
發軔且勿忙	시작에 너무 서둘지 말라.
十五志于學	십오 세 때 학문에 뜻 두어도
及時起高翔	때가 되면 일어나 높이 날리라.

熊氏剛大曰, "此篇, 論小學之教."

웅강대가 말하였다. "이 시는 소학小學의 가르침을 말하였다."

19

哀哉牛山木	슬프다! 저 우산의 나무여.[87]
斤斧日相尋	도끼가 베려고 날마다 찾아드니
豈無萌蘖生	새로 돋는 싹들 왜 없으랴만
牛羊復來侵	소와 양 또 찾아와 먹어치운다.
恭惟皇上帝	생각하면 위대한 상제께서
降此仁義心	인의의 마음 내려주었지만
物欲互攻奪	물욕이 번갈아 공격하고 빼앗으니

87 우산의 나무여: 타고난 본성의 선함을 이른 말이다. 『孟子』「告子上」에서 맹자가 "우산의 나무가 지난날 아름다웠는데 그곳이 큰 수도의 교외라서 도끼들로 베어가니 아름다울 수 있겠는가? … 사람에게 보존되어 있는 것에도 어찌 인의의 마음이 없겠는가? 그런데 그 양심을 잃게 하는 것들은 나무를 도끼로 아침마다 베는 것과 같으니 아름다울 수 있겠는가?(牛山之木嘗美矣, 以其郊於大國也, 斧斤伐之, 可以爲美乎? … 雖存乎人者, 豈無仁義之心哉? 其所以放其良心者, 亦猶斧斤之於木也, 旦旦而伐之, 可以爲美乎?)"라고 하였다.

孤根孰能任　　외로운 인의예지 누군들 간직할까?
反躬艮其背　　내 몸에 되돌려서 그쳐야 할 곳에 그치고[88]
肅容正冠襟　　엄숙한 품새로 의관을 바르게 하라.
保養方自此　　보존해 기르는 일이 예서 시작되니
何年秀穹林　　언젠가는 무성한 숲에서 우뚝하리라.

熊氏剛大曰, "此篇, 借牛山之木, 形容仁義之心所當保養."

웅강대가 말하였다. "이 시는 『맹자』의 우산지목장[89]의 말을 빌려 인의의 마음을 당연히 보존해 길러야 함을 형용하였다."

20

玄天幽且默　　하늘이 그윽이 말이 없기에
仲尼欲無言　　중니도 말씀 없고자 하셨지.[90]
動植各生遂　　동식물들 제각기 삶을 이루고
德容自清溫　　덕스러운 품새 저절로 맑고 따스하여라.
彼哉夸毗子　　저들 떠벌이며 아첨하는 자들
呫囁徒啾喧　　소곤대는 말들 도무지 시끄럽게
但騁言辭好　　듣기 좋은 말만을 둘러대니
豈知神鑑昏　　영명한 거울 어두워졌음을 어찌 알리요?
曰余昧前訓　　나조차도 옛 말씀에 어둡다보니
坐此枝葉繁　　이러해서 지엽적인 말만 많아졌네.
發憤永刊落　　발분하여 영원히 끊어버리고

88 그쳐야 … 그치고 : 이 글의 원문 '艮其背'는 『周易』「간괘(☶)」의 괘사이다. 전체 괘사는 "등에서 그치면 자신의 몸을 따르지 않으며, 뜰을 걷더라도 그 사람을 보지 못하여 허물이 없을 것이다.(艮其背, 不獲其身, 行其庭, 不見其人, 无咎.)"이다. 주자의 『本義』에서는 이렇게 말하였다. "간은 그침이다. 양효 한 효가 두 음효의 위에 멈춰 있으니 양효가 아래로부터 올라와 극도에서 그친 것이다. 그 象이 산인 것은 땅이 위로 융기한 모양을 취한 것이니, 역시 극도에 그치고 나아가지 않는 것이다. 그 점은 반드시 등에서 그치고 자신의 몸을 따르지 않으며 뜰을 걷더라도 그 사람을 보지 모하여 허물이 없는 것이다.(艮, 止也. 一陽止於二陰之上, 陽自下升, 極上而止也. 其象爲山, 取坤地而隆其上之狀, 亦止於極而不進之意也. 其占則必能止于背, 而不有其身 ; 行其庭而不見其人, 乃无咎也.)"

89 우산지목장 : [70-1-9] 「感興」 二十首의 '우산' 주석 참고

90 중니도 말씀 … 하셨지. : 『論語』「陽貨」에서 "공자가 '내가 말을 않고자 하노라.'하시자, 자공이 '선생님께서 말씀하지 않으신다면 저희들은 무엇을 따라할 수 있겠습니까?'하니, 공자께서 말하였다. '하늘이 무슨 말을 하던가? 네 계절이 운행하고 갖은 동식물이 태어나는데 하늘이 무슨 말을 하시던가?'(子曰, 子欲無言. 子貢曰, 子如不言, 則小子何述焉. 子曰, 天何言哉? 四時行焉, 百物生焉, 天何言哉?)"고 하였다.

奇功收一原[91]　　남다른 노력으로 일본一本의 공 이루리라.

熊氏剛大曰, "此篇, 論天道不言, 聖人無言, 後世多言之弊."

웅강대가 말하였다. "이 시는 천도도 말이 없고 성인도 말이 없었는데, 후세에 말이 많아진 폐단을 말하였다."

[70-1-10]

酬南軒 남헌의 시에 답한다. 　　주자

昔我抱冰炭　　예전의 나는 얼음과 불덩이가 가슴에 오갔는데

從君識乾坤　　그대 따라 건곤의 이치 알고선

始知太極蘊　　비로소 태극의 깊은 뜻 알아냈으나[92]

要眇難名論　　깊고 오묘함 말로 말하기 어려워라.

謂有寧有跡　　있다고 한들 무슨 자취 있으며

謂無復何存　　없다 해버리면 다시 무엇이 남는가?[93]

惟應酬酢處　　응당 수작하는 곳에서

特達見本根　　분명히 근본을 터득해야지.

萬化自此流　　갖은 변화도 이 태극에서 시작되었고

千聖同茲源　　뭇 성인도 이 근원을 함께 하고 있지.

曠然遠莫禦　　그 너름 멀리까지 펴져가 막을 길 없고

惕若初不煩　　삼가면 애당초 번거로울 것 없건만

云何學力微　　어찌하여 공부 이토록 미미하여

未勝物慾昏　　물욕의 혼미를 이겨내지 못할까.

涓涓始欲達　　졸졸졸 물이 막 솟구치려는데[94]

91 『朱文公文集』 권4

92 비로소 태극의 … 알아냈으나 : 위 [70-1-8]의 남헌 장씨[張栻]가 주자와 이별하며 지은 시 '원회를 전송하며[送元晦]'에서 "'超然會太極' 초연히 태극의 묘리 터득하니 '眼底無全牛' 눈앞에 온전한 소가 없었어라."라고 하여 둘이서 태극에 대해 논의했음을 알 수 있다.

93 없다 해버리면 … 남는가! : 『朱子大全箚疑輯補』 권5에 이 시를 설명하며, "시의 본의는 만일 태극을 있는 물건으로 삼는다면 어디에 가리킬 수 있는 형적이 있으며, 만일 태극을 없는 물건으로 삼는다면 어떤 것이 능히 남아서 음양과 만물의 뿌리가 될 수 있겠는가?(詩之本意, 蓋謂若以太極爲有底物, 則寧有形迹之可指乎 ; 若以太極爲無底物, 則何者能存, 而爲陰陽萬物之根柢乎?)"라고 하였다.

94 졸졸졸 물이 … 솟구치려는데 : 인간의 선한 마음이 우러나오는 것을 샘에서 물이 솟아오르는 것에 빗댄 말이다.

已被黄流呑	황톳물에 벌써 뒤덮여서이나
豈知一寸膠	어찌 알랴 한마디의 아교가
救此千丈渾	천 길 혼탁한 물도 맑히는 것을[95]
勉哉共無斁	우리 함께 힘쓰고 싫증 내지 말지니
此語期相敦[96]	이 시로 서로 도탑기를 기약하세.

熊氏剛大曰, "此篇論太極之理, 萬化自出."

웅강대가 말하였다. "이 시는 태극의 이치에서 온갖 변화가 비롯되어 나옴을 말하였다."

[70-1-11]

觀物二首 사물 감상 2수 魯齋許氏 노재 허씨: 許衡

物産天地間	천지 사이에 생겨난 사물
精粗據兩偏	훌륭하거나 조잡함 둘로 나뉘나
兩偏互倚伏	둘은 서로 의지하는 것들이라서
一氣常周旋	하나의 기氣가 늘 그 사이를 오간다.
善善不可緩	선 좋아하기 늦추지 말고
安安貴能遷	편안함에 안주해도 잘 옮아감이 귀한 법.
人生喻此意	사람이 이 뜻 알았다면
自當心乾乾	저절로 노력하게 되리라.

事物形雖同	사물의 겉모양 동일하지만
中間勢各異	그 사이의 형세 각기 다르고
推遷無寧期	변화란 정지된 순간이 없기에
倏忽幾易位	어느 사이 기미는 뒤바뀌지.
智者識幾微	지혜로운 사람은 기미를 알기에
安焉處平易	편안히 평이하게 살아가고
人生貴無私	삶에서 사사로움 없음이 귀하니
莫使聞見累[97]	보고 듣는 것에 묶이지 말라.

95 혼탁한 물도 … 것을: 『夢溪筆談』「辯證 1」에 "동아 지역에 또 濟水가 지나는데 샘물을 길어다 동물의 가죽이나 뿔을 달인 것을 아교라고 한다. 이것으로 혼탁한 물을 휘저으면 맑아진다.(東阿亦濟水所經, 取井水煮膠, 謂之阿膠. 用攪濁水則淸.)"고 하였다.

96 『朱文公文集』 권5 「二詩奉酬敬夫贈言并以爲別」의 2수 가운데 두 번째 시이다.

律 율시

[70-2-1]

復卦詩 복괘시　　　　　邵子 소자

冬至子之半	동짓날의 한밤중
天心無改移	하늘마음 그대로인데
一陽方動處	한 양陽이 막 싹트고
萬物未生時	만물은 아직 생겨나지 않은 때
玄酒味方淡	무술[98]처럼 그 맛 담박하고
大音聲正希	큰 음악 소리처럼 소리 희미하다.[99]
此言如不信	내 말 만일 미덥지 않거든
更請問庖犧[100]	청하노니 복희씨께 물어보게나.

熊氏剛大曰, “此篇, 論陰剝於坤, 陽萌於復. 坤復中間爲無極, 天之心尙未變動.”

웅강대가 말하였다. “이 시는 음은 곤괘에서 사그라지고 양은 복괘에서 싹튼다. 곤괘와 복괘의 중간은 무극으로, 하늘의 마음이 아직 변동이 없는 것을 말하였다.”

[70-2-2]

天道吟 천도음　　　　　소자

天道不難知	천도 아는 일 어렵지 않건만
人情未易窺	사람 마음 쉬이 엿보지 못할 네라.
雖聞言語處	하는 말 들었어도
更看作爲時	다시 행동하는 것 보아야 하니

97 『魯齋遺書』 권11 「觀物」 4수 가운데 2수이다.

98 무술: 제사 때 술 대신에 쓰는 맑은 찬물. 여기서는 아직 동지 때여서 현상으로 느낄 수 없는 것을 상징하는 말로 쓴 것이다.

99 큰 음악 … 희미하다.: 『老子』「同異」에서 “큰 음악은 소리가 희미하다.(大音希聲.)”고 하였다. 이를 『朱子語類』 권71, 56조목에 “그러나 이때 한 양이 막 발동하였으나 만물은 아직 생겨나지 않아, 아직 소리나 냄새, 기운이나 맛이 들을 수 있거나 볼 수 있는 것이 없다. 이것이 이른바 ‘무술[玄酒]의 맛은 그 맛 담박하고 큰 음악은 소리가 희미하다.’는 것이다(然當是時, 一陽方動, 萬物未生, 未有聲臭氣味之可聞可見. 所謂‘元酒味方淡, 太音聲正稀也.’)”고 하였다.

100 『擊壤集』 권18

隱几功夫大	책상에서의 공부 그다지 크더니만
揮戈事業卑	공훈이라곤 볼품 그지없어라.[101]
春秋賴乘興	봄가을 날 흥취가 일면
出用小車兒[102]	관광에는 자그마한 수레에 오른다.

[70-2-3]

爲善吟 선을 행하다. 소자

人之爲善事	사람은 선한 일 행해야 하니
善事義當爲	선한 일이란 도의에 당연한 일
金石猶能動	쇳덩이 돌덩이도 감동시킬 수 있으나
鬼神其可欺	귀신을 그 속일 수 있으랴.
事須安義命	일에서는 대의와 천명에 편안해 하고
言必道肝脾	말은 반드시 속마음을 말해야지
莫問身之外	자신의 몸을 떠나 남들이
人知與不知[103]	알아주느냐는 따지지 말라.

[70-2-4]

閑吟 한가함 소자

忽忽閑拈筆	홀연히 한가롭게 붓을 쥐고서
時時樂性靈	때때로 이는 즐거움을 적어 본다.
何嘗無對景	언제 적 마주하는 경치 없었더냐만
未始便忘情	한때도 마음에서 지우지 못했었지.
句會飄然得	한 글귀 퍼뜩 얻어지면
詩因偶爾成	시도 덩달아 우연처럼 이루어지네.
天機難狀處	하늘의 기미 말로하기 어려운 곳
一點自分明[104]	그 한 곳이 저절로 선명해져 온다.

101 공훈이라곤 볼품 그지없어라. : 『淮南子』「覽冥訓」에서 "노나라 양공이 한나라와 전쟁이 붙어 전쟁이 무르익었는데 해가 저물어 창을 움켜잡고 휘두르니 해가 그로 인해 3舍(1사는 30리)를 물러섰다.(魯陽公與韓搆難, 戰酣日暮, 援戈而撝之, 日爲之反三舍.)"고 하였다. 곧 이런 것이 큰 공훈이란 표현이다.

102 『擊壤集』 권10

103 『擊壤集』 권11

[70-2-5]

觀物 사물을 본다. 소자[105]

萬物備吾身	만물이 내 몸에 갖추어졌으니
身貧道未貧	몸은 가난치만 도는 가난치 않아
觀時見物理	시절을 보고서는 사물의 이치 알고
主敬得天眞	경을 지녀서 하늘의 참 체득한다.
心爽星辰夜	마음은 별이 뜨는 밤이면 맑아지고
情忻草木春	정감은 초목이 피어나는 봄이 기뻐라.
自憐斵喪後	슬퍼라! 만신창이가 되고서야
能作太平人[106]	겨우 태평한 사람 될 수 있다는 게.

[70-2-6]

仁術 인을 구하는 방법 소자[107]

在昔賢君子	옛날의 현명한 군자는
存心每欲仁	마음을 언제나 인하고자 하였다.
求端從有術	단서를 찾는 데 따라야 할 방법 있듯이
及物豈無因	사물에 베푸는 길 어찌 단서 없으랴!
惻隱求何自	측은지심은 어디에서 찾을까?
虛明覺處眞	허명에서 깨달아야 참됨이겠지.
擴充從此念	이 생각 따라 넓히고 채우면
福澤遍斯民	복록과 은택이 백성에게 두루 하리.
入井愴惶際	우물에 빠져드는 아이에 놀라 허겁대고[108]
牽牛觳觫辰	끌려가는 소가 벌벌 떠는 때이리.[109]

104 『擊壤集』 권4

105 소자 : 이 시는 魯齋許氏(許衡)의 시이다. 간혹 소자의 시로 실린 경우도 있다.

106 『魯齋遺書』 권11

107 소자 : 이 시는 주자의 시이다.

108 우물에 빠져드는 아이에 놀라 허겁대고 : 『孟子』「公孫丑上」에서 맹자가 "사람마다 남에게 차마 못하는 마음이 있다고 말하는 것은 지금 사람이 어린아이가 우물에 빠져듦을 언뜻 보고서 모두가 놀라고 측은해하는 마음을 가져서이다.(所以謂人皆有不忍人之心者, 今人乍見孺子將入於井, 皆有怵惕惻隱之心.)"고 하였다.

109 끌려가는 소가 … 때이리. : 『孟子』「梁惠王上」에서 "양혜왕이 당상에 앉아있는데 소를 끌고서 당하를 지나가는 자가 있었다. 왕이 그것을 보고서 '소는 어디로 끌고 가는가?' 대답하기를 '흔종의 일에 쓰려고 합니다.'

向來看楚越	이제껏 남의 일로 보아왔는데[110]
今日備吾身[111]	이제 보니 내 몸에 갖춰 있을 줄이야.

[70-2-7]

聞善決江河 선한 말을 들으면 선함에 대한 깨달음이 강물이 터져 나가듯 한다.

소자[112]

大舜深山日	순이 궁벽진 산중에 사실 때
靈襟保太和	가슴에 천지의 순수함을 지녀
一言分善利	한마디 말에 선과 사리私利를 구분 지음
萬里決江河	강하의 물결이 만 리에 터져나가듯 하였네.[113]
可欲非由外	탐낼 만함[114] 겉모습이 아니 듯
惟聰不在他	총명도 다른 데에 있지 않는 것
勇如爭赴壑	용맹 골짜기를 앞다투는 물길 같은데
進豈待盈科	진취가 어찌 구덩이 차길 기다리랴?[115]

하자, 왕은 '놓아주어라. 내 차마 벌벌 떨며 죄 없이 죽을 곳으로 걸어가는 것을 보지 못하겠노라.'라고 하였다.(王坐於堂上, 有牽牛而過堂下者. 王見之曰, '牛何之?' 對曰, '將以釁鐘.' 王曰, '舍之. 吾不忍其觳觫若無罪而就死地.')"고 하였다. 이를 맹자는 仁術에서 나온 것이라고 설파하였다.

110 남의 일로 보아왔는데 : 『莊子』「德充符」에 "중니가 말하였다. '서로 다른 측면에서 보면 자신의 간과 쓸개도 초나라와 월나라처럼 멀고, 서로 하나인 측면에서 보면 만물이 모두 하나이다.'(仲尼曰, 自其異者視之, 肝膽楚越也 ; 自其同者視之, 萬物皆一也.)"고 하였다. 여기서 초나라와 월나라는 중원과 멀리 떨어져 있어 전혀 상관이 없는 것의 비유로 인용한 것이다.

111 『朱文公文集』 권2

112 소자 : 이 시는 주자의 시이다.

113 만 리에 … 하였네. : 『孟子』「盡心上」에서 맹자가 "순이 궁벽진 산중에 사실 때 나무와 돌들과 살며 사슴이며 돼지들과 놀아, 궁벽진 산중의 야인들과 다른 점이 거의 없었다. 그러나 한마디 선한 말을 듣고 한 가지 선한 행실을 보면 마치 강하가 터져나가듯 환히 깨닫는 기세를 막을 수 없었다.(舜之居深山之中, 與木石居, 與鹿豕遊, 其所以異於深山之野人者, 幾希. 及其聞一善言見一善行, 若決江河, 沛然莫之能禦也.)"고 하였다.

114 탐낼 만함 : 『孟子』「盡心下」에서 맹자가 浩生不害의 물음에 대답한 말 중의 한 구절이다. "'어쩌면 선인이라 하며 어쩌면 신인이라 합니까?'라고 하자, 맹자는 '탐낼 만하면 선인이라 하고 그것을 자신에게 완성시킨 사람을 신인이라 한다.'고 하였다.('何謂善, 何謂信?' 曰, '可欲之謂善, 有諸已之謂信.')"

115 구덩이 차길 기다리랴? : 『孟子』「離婁下」에서 "서자가 '중니는 자주 물을 일컬으셔서 「물이여! 물이여!」라고 말씀하셨는데 무엇을 물에서 취하신 것입니까?'라고 하니, 맹자가 대답하였다. '물구멍에서 솟구쳐 올라 밤낮을 쉬지 않으니 구덩이가 있으면 구덩이를 가득채운 뒤 흘러가 사방 바다에 이른다. 근본이 있는 것은 이와 같으니 이것을 취하신 것이다.'(徐子曰, ' 尼亟稱於水曰, 水哉水哉! 何取於水也?' 孟子曰, '原泉混混, 不舍晝夜, 盈科而後進, 放乎四海. 有本者如是, 是之取爾.')"고 하였다.

學海功難並　　바다를 배웠어도 이룬 공 함께하기 어렵고[116]
防川患益多　　냇물 막으려 하면 재앙만 더욱 불어나지.[117]
何人親祖述　　누가 직접 높이 받들어서
耳順肯同波[118]　　순히 받아들여 즐거이 한 물결 되려나.

[70-2-8]

秋日 가을 날　　　　　　程子 정자: 程顥

閑來無事不從容　　한가로우니 무슨 일도 느긋하여져
睡覺東窻日已紅　　잠 깨자 동창엔 햇살 벌써 붉었어라.
萬物靜觀皆自得　　만물들 유심히 들여다보니 제 삶에 만족하여
四時佳興與人同　　사시사철의 아름다운 흥취 사람이나 매한가지.
道通天地有形外　　(사람이면) 도의 경지 천지 밖까지 통하고
思入風雲變態中　　생각은 풍운의 수없는 변화도 알아
富貴不淫貧賤樂　　부귀에도 넘침 없고 빈천도 즐거워라
男兒到此是豪雄[119]　　남아가 이 경지면 영웅호걸이리라.

熊氏剛大曰, "此篇, 形容心體廣大, 超乎天地萬物之上, 外物不足爲累."
웅강대가 말하였다. "이 시는 마음의 광대함이 천지 만물에서 초월하여 외물이 누가 되게 하지 못함을 형용하였다."

[70-2-9]

和堯夫打乖吟 요부堯夫의 타괴음에 답한다.　　　　程顥 정자

116 바다를 배웠어도 … 어렵고 : 『法言』「學行」에, "수없는 냇물은 바다를 배워 바다에 이르는데, 언덕은 산을 배웠으면서도 산을 이루는 데 이르지 못하였다. 그런 까닭에 스스로 금을 긋고 하지 않는 것을 미워한다.(百川學海而至於海, 丘陵學山不至於山. 是故惡夫畫也.)"고 하였다.

117 냇물 막으려 … 불어나지. : 『春秋左傳』「襄公 31년」에서, "나는 진실과 선으로 원망을 줄인다는 말은 들었지만, 위엄으로 원망을 막는다는 말은 듣지 못했습니다. 어떻게 대뜸 중지시키지 않을 일이겠습니까? 그러니 냇물을 막는 것과 같습니다. 크게 터진 물길이 범람하는 곳에 다치는 사람이 많아 내가 구원할 수 없습니다.(我聞忠善以損怨, 不聞作威以防怨. 豈不遽止? 然猶防川. 大決所犯, 傷人必多, 吾不克救也.)"라고 하였다. 여기서 사람을 다치게 한다는 말은 이 문장 풀이에 해당하지 않는다. 다만 순의 지혜가 뻗어나가는 것을 물이 쏟아져 나가는 것에 빗대, 아무도 막을 수 없다는 뜻을 말한 것일 뿐이다.

118 『朱文公文集』 권2

119 『明道文集』 권1

打乖非是要安身	타괴[120]가 몸 편안히 하고자 함 아니고
道大方能混世塵	도의 경지 높아서 속세와 뒤섞일 수 있었지
陋巷一生顔氏樂	허름한 골목에서의 한 평생 안씨다운 즐거움이라면
清風千古伯夷貧	천고의 맑은 기풍 백이 가난이리.
客求墨妙多攜卷	묘경의 글씨 탐내 사람들 수없이 찾아들고
天爲詩豪剩借春	시호에게 봄기운을 하늘은 넘치게 주어
儘把笑談親俗子	우스개로 세속인들과 친하였으나
德言猶足畏鄕人[121]	덕스러운 말에 고을 사람들 두려워 하였네.

熊氏剛大曰, "此篇, 形容堯夫居貧樂道, 雖混處塵俗, 而至德之容, 自使人畏."

웅강대가 말하였다. "이 시는 요부가 가난하게 살면서도 도를 즐거워하고, 세속과 섞여 지내면서도 지극히 덕스러운 용모가 저절로 사람들을 두렵게 하였음을 형용하였다."

[70-2-10]

和堯夫首尾吟 요부의 수미음[122]에 답한다. 정자

先生非是愛吟詩	선생이 시 읊조리기 좋아해서 아니고
爲要形容至樂時	지극한 경지의 즐거움을 형용하려 함이었지.
醉裏乾坤都寓物	취한 날의 천하도 모두 사물에 붙여 읊었거니
閑來風月更輸誰	한가할 적 바람과 달을 다시 누구에게 주랴!
死生有命人何與	죽음은 운명이거니 사람이 어찌하며
消長隨時我不悲	영고성쇠는 시절에 맡기고 슬퍼할 일 없다잖나.
直到希夷無事處	무성무취의 일 없는 경지에 성큼 올라섰으니[123]
先生非是愛吟詩[124]	선생이 시 읊조리기 좋아함 아니었다.

120 타괴 : 邵康節의 호이다. 요부는 그의 字이다.

121 『明道文集』 권1

122 수미음 : 한 편의 시에서 首句와 末句가 서로 같은 글자로 이루어진 시를 이른다. 소강절이 처음 시도한 것으로 그의 문집 『擊壤集』 권20에 「首尾吟」이라는 제목으로 "堯夫非是愛吟詩"로 시작하여 "堯夫非是愛吟詩"로 끝나는 135수의 시가 있다. 이어지는 [70-2-16] 참고

123 무성무취의 일 … 올라섰으니 : 『老子』「贊玄」에서 "보아도 보이지 않는 것을 夷라 하고, 들어도 들리지 않는 것을 希라 한다.(視之不見名曰夷 ; 聽之不聞名曰希.)"고 하고, 河上公 注에서, "색깔이 없는 것을 이, 소리가 없는 것을 희라 한다.(無色曰夷 ; 無聲曰希.)"고 하였다.

124 『明道文集』 권1

[70-2-11]

龍門道中 용문가는 길에서 邵子 소자

物理人情自可明 사리와 인간의 욕심에 환할 수 있거니
何嘗慼慼向平生 무어라 평생 내내 근심걱정이랴.
卷舒在我有成筭 진퇴는 내게 달렸기에 굳힌 생각 있지만
用舍隨時無定名 등용은 때에 따를 뿐 정해둔 것 없노라.
滿目雲山俱是樂 눈 가득히 구름과 산천이 하나같이 즐거운데
一毫榮辱不須驚 털끝같은 영욕에 놀랄 일 없잖은가.
侯門見說深如海 현달한 자의 집은 저 바닷속처럼 깊다기에[125]
三十年前掉臂行[126] 서른 해 전부터 마음껏 살았노라.

熊氏剛大曰, "此篇, 言觀物達理, 泰然自處, 是非榮辱, 不足爲吾累."

웅강대가 말하였다. "이 시는 사물을 살펴 이치에 통하고서 태연히 처신하며, 시비와 영욕이 자신에게 누가 되지 못함을 말하였다."

[70-2-12]

天意 하늘 뜻 소자

天意無他只自然 하늘 뜻이 별건가 그저 자연이지
自然之外更無天 자연 밖에 다시 하늘은 없으리.
不欺誰怕居暗室 속임 없다면 깜깜한 방에 산들 두려워하며
絶利須求在一源 사리私利 끊으려면 일一의 근원에서 찾아야지.
未喫力時猶有說 공부 아직 익지 않았을 때 여전히 말이 있지만
到收功處更何言 공부가 경지에 이른 곳에 다시 무슨 말이 있으랴.

熊氏剛大曰, "此乃無聲無臭底意."

웅강대가 말하였다. "이는 무성무취의 경지이다."

125 현달한 자의 … 깊다기에 : 현달한 집안은 출입이 어려워 외인의 접근이 쉽지 않음을 이른 말이다. 唐나라 進士 崔郊가 고모 집안의 시비와 정을 나누었는데 고모 집안이 몰락하여 그 계집종이 권세가에 팔렸다. 최교가 잊지 못하던 중 그 계집종이 寒食 때 고모 집안으로 나들이 하였다. 최교가 울고 떠나지 못하는 옛 연인을 만나 시를 지어 주었는데 그 시가 당나라 范攄의 『雲溪友議』 권1에 다음과 같이 실렸다. "공자며 왕손들은 부귀를 좇아 여념이 없는데 진주처럼 고운 미인 눈물이 수건을 적시네. 현달한 자의 대문은 한 번 들어가면 바다와 같아 이제부터 사랑하는 사람은 서로 모르는 사람 되리라.(公子王孫逐後塵, 綠珠垂淚滴羅巾. 侯門一入深如海, 從此蕭郎是路人.)"

126 『擊壤集』 권3

聖人能事人難繼　　성인에게 쉬운 일도 사람들 따르기 어려운데
無價明珠止在淵[127]　값을 못 매길 명주는 저 깊은 연못 속에 있다네.

熊氏剛大曰, "此篇, 言天道自然, 人當絶利慾之心, 以求造聖人之極致.
웅강대가 말하였다. "이 시는 천도는 자연이니 사람이 마땅히 이욕의 마음을 끊고 성인의 극치에 나아가기를 찾아야 함을 말하였다."

[70-2-13]

極論 마음껏 말해 보다.　　　　소자

下有黃泉上有天　　아래는 황천 위는 하늘
人人許住百來年　　사람마다 백년을 허락받아 머물지만
還知虛過死萬遍　　또한 헛된 삶이면 만 번을 살고 간들
却似不曾生一般　　태어나지 않은 것이나 마찬가지.
要識明珠須巨海　　명주를 찾으려면 당연히 큰 바다이고
如求良玉必名山　　아름다운 옥 구하려면 언제나 명산이지.

熊氏剛大曰, "此言欲求衆理, 當求之此心."
웅강대가 말하였다. "이 시는 여러 이치를 찾으려면 당연히 마음에서 찾아야 함을 말하였다."

先能了盡世間事　　우선 세상사를 잘 행해 낼 수 있어야

熊氏剛大曰, "此卽三綱五常四端萬善也."
웅강대가 말하였다. "이 시는 바로 삼강오륜과 사단과 온갖 선을 말하였다."

然後方言出世間[128]　비로소 세속을 벗어났다 말할 수 있으리라.

熊氏剛大曰, "此篇, 言人生天地間只有百年, 必須反己以求至貴, 而爲出人之事."
웅강대가 말하였다. "이 시는 사람이 천지 사이에 존재하는 시간은 다만 1백 년이니, 반드시 제 몸에서 지극히 귀한 것을 찾아야 남보다 뛰어난 일을 할 수 있음을 말하였다."

[70-2-14]

觀易 역을 살핀다.　　　　소자

一物其來有一身　　태극이 변화하여 한 몸이 생겼으니

127 『擊壤集』 권10
128 『擊壤集』 권14

一身還有一乾坤　한 몸에는 또한 한 개의 하늘과 땅이 있다.
能知萬物備於我　만물의 이치가 나에게 갖추어졌음 안다면
肯把三才別立根　삼재[129]의 뿌리를 따로 세우려 하랴.
天向一中分造化　하늘은 태극에서 조화가 나뉘고

熊氏剛大曰, "一即太極."
웅강대가 말하였다. "하나는 바로 태극이다."

人於心上起經綸　사람은 마음에서 경륜이 일어난다.

熊氏剛大曰, "一與心, 即上文所謂立根也."
웅강대가 말하였다. "태극과 마음은 위 구절에서 말한 뿌리를 세움이다."

天人焉有兩般義　하늘과 사람이 어찌 의리 서로 다르랴.
道不虛行只在人[130]　도는 저절로 행해지지 않고 사람에게 달렸다.

熊氏剛大曰, "此篇, 言天以一爲太極, 人以心爲太極, 天人之理則一, 當充而廣之."
웅강대가 말하였다. "이 시는 하늘은 하나를 태극으로 삼고 사람은 마음을 태극으로 삼아, 하늘과 사람의 이치가 하나이니 마땅히 채워서 넓혀야 함을 말하였다."

[70-2-15]

觀物 사물을 살핀다. 소자

耳目聰明男子身　귀 밝고 눈 밝은 남자의 몸이니
洪鈞賦予不爲貧　하늘이 나에게 주신 것 적지 않아라.
須探月屈方知物　월굴月屈을 탐구해야 만물을 비로소 알 것이나[131]
未躡天根豈識人　천근天根을 밟아보지 않고서 어찌 사람을 알랴?[132]

---

129 삼재 : 하늘과 땅과 사람을 이른다.
130 『擊壤集』 권15
131 만물을 비로소 … 것이나 : 『性理群書句解』 권4의 '須探月屈方知物' 이 시에 대한 熊剛大 주는 다음과 같다. "이는 또다시 先天圖로 말한 것이니, 姤卦(☰)는 한 음효가 아래서 생겨난 것이다. 月은 陰이고, 窟은 한 음효가 생겨난 곳을 가리켜 한 말이다. 구괘는 伏羲六十四卦方位之圖의 윗자리에 있는 까닭에 探자를 쓴 것이지 참으로 손으로 더듬는다는 뜻은 아니다. 당연히 구괘의 음효가 생겨난 곳을 더듬어 보아야 비로소 음으로서 천한 것이 사물이 되었음을 알 것이다.(此又以先天圖言, 姤卦一陰生於下. 月, 陰也; 窟, 指一陰生處言也. 姤卦處圖之上, 故言探, 非眞以手探也. 須探姤之月窟, 方知陰而賤者爲物.)"
132 어찌 사람을 알랴? : 『性理群書句解』 권4의 '未躡天根豈識人' 이 시에 대한 熊剛大 주는 다음과 같다. "복괘(☷)는 한 양효가 아래서 생겨난 것이다. 天은 陽이고, 根은 한 양효가 생겨난 곳을 가리켜 한 말이다. 복괘는

乾遇巽時爲月窟 건괘乾卦가 손괘巽卦를 만나는 곳에서 월굴이 되고[133]
地逢雷處見天根 곤괘坤卦가 진괘震卦를 만나는 곳에서 천근을 본다.[134]
天根月窟閑來往 천근과 월굴이 한가로이 오가니
三十六宮都是春[135] 삼십육궁이 온통 봄이로구나.

熊氏剛大曰, "三十六宮, 乾一兌二則三宮也 ; 離三震四, 合三與四則爲七, 則以三乘七, 十宮也 ; 巽五坎六, 合五與六爲十一, 以十乘十一, 則二十一宮也 ; 艮七坤八, 合七與八則十五, 以二十一乘十五, 則三十六宮也."

웅강대가 말하였다. "삼십육궁은, 건괘는 1[136] 태괘는 2이니 삼궁이고, 이괘는 3 진괘는 4이니 3과 4를 합하면 7이 되어 3과 7을 합하면 10궁이며, 손괘는 5 감괘는 6이니 5와 6을 합하면 11이고 10에 11을 합하면 21궁이고, 간괘는 7 곤괘는 8이니 7과 8을 합하면 15이고 21에 15를 합하면 36궁이다."

○"三十六宮, 此就先天八卦圖看, 以八卦圓圖言之, 乾三畫坤六畫, 則數九也 ; 震坎艮各五畫, 則數十五也 ; 巽離兌各四畫, 則數十二也, 合之爲三十六. 此篇, 言姤復陰陽及八卦之數."

(웅강대가 말하였다.) "삼십육궁은 선천 팔괘도에서 본 것이다. 팔괘도의 원도圓圖를 가지고 말하면 건괘는 모두 3획 곤괘는 6획이니 숫자로 9이고, 진괘 감괘 간괘는 각기 5획이니 숫자로 15이고, 손괘 태괘는 각기 4획이니 숫자로 12이니 합하면 36이다. 이 시는 구괘와 복괘의 음양과 팔괘의 숫자를 말한 것이다."

[70-2-16]

首尾吟三首 수미음 3수 소자

堯夫非是愛吟詩 요부[137]가 시 읊기 좋아함 아니고

伏義六十四卦方位之圖의 아랫자리에 있는 까닭에 밟다라고 말한 것이지 참으로 발로 밟는다는 뜻은 아니다. 복괘의 양효가 생겨난 곳을 밟아보지 않고서 어떻게 양으로서 귀한 것이 사람이 되었음을 알 수 있겠는가?(復卦一陽生於下, 天, 陽也 ; 根, 指一陽生處言也. 復卦處圖之下, 故言躡, 非眞以足躡也. 未履復之天根, 豈識陽而貴者爲人?)"

133 월굴이 되고 : 『性理群書句解』 권4의 '乾遇巽時爲月屈' 시에 대한 熊剛大 주는 다음과 같다. "건괘(☰)와 손괘(☴)가 만나면 그 괘는 구괘(䷫)가 된다. 이때가 月窟(음효가 제일 아래서 생겨난 것)이 되는 것이다.(乾與巽遇, 其卦爲姤. 此時是爲月窟.)"

134 천근을 본다. : 『性理群書句解』 권4의 '地逢雷處見天根' 시에 대한 熊剛大 주는 다음과 같다. "곤괘(☷)와 진괘(☳)가 만나면 그 괘는 복괘(䷗)가 된다. 이곳에서 천근(양효가 제일 아래서 생겨난 것)을 볼 수 있다.(坤與震逢, 其卦爲復. 此處可以見天根.)"

135 『擊壤集』 권16

136 여기서 말하는 건괘 1이란 伏義八卦次序之圖에서 팔괘의 순서를 乾兌離震巽坎艮坤으로 나열하고 건괘는 1, 태괘는 2 등으로 숫자를 순차적으로 붙인 것을 이른다.

詩是堯夫可愛時	시는 요부가 사랑할 만한 것이 있을 때 읊는 것.
寶鑑造形難隱髮	보배로운 거울 앞에 나설 때 털끝도 감추기 어렵고
鸞刀迎刃豈容絲	난도 가는 곳에 오라기 하난들 남아나랴!
風埃若不來侵路	바람에 날린 티끌이 길로 날리지 않는다면
塵土何由上得衣	흙먼지가 어찌 옷을 더럽힐 수 있으랴![138]
欲論誠明是難事	성명誠明[139]이 어렵다는 것 말하려 함이지
堯夫非是愛吟詩[140]	요부가 시 읊기 좋아해서가 아니다.

熊氏剛大曰, "此篇, 借物, 形容本體淸明, 纖毫人慾不能惑."

웅강대가 말하였다. "이 시는 사물을 빌려서 본체가 청명하면 털끝만큼의 사욕이 유혹할 수 없음을 형용하였다."

堯夫非是愛吟詩	요부가 시 읊기 좋아함 아니고
詩是堯夫不強時	시는 요부가 억지가 아닌 때 읊는 것.
事到強爲須涉迹	일이 닥쳐 억지로 하다보면 흔적이 남나니
人能知止是先機	그칠 곳을 알 수 있어야 기미에 앞섬이다.
面前自有好田地	눈앞에 본래 좋은 본성이 있는데
天下豈無平路岐	천하에 어찌 평탄으로 가는 길 없으랴
省力事多人不做	힘 안 드는 일 널렸건만 사람이 하지 않나니
堯夫非是愛吟詩	요부가 시 읊기 좋아해서가 아니다.

熊氏剛大曰, "此篇, 言凡事不可強爲, 當知所止. 況吾身自有寬平田地, 天下亦有平坦路岐, 正不消如此."

웅강대가 말하였다. "이 시는 모든 일은 억지로 해서는 안 되니 마땅히 최선의 곳을 알아야 한다. 더욱이나 내 몸에 본래 너르고 평탄한 본성이 갖춰있고 천하에도 역시 평탄한 길로 갈려져 감이 있으니 이같이 억지로 힘쓸 것이 없다는 것을 말하였다."

137 요부: 邵雍의 字이다.

138 옷을 더럽힐 … 있으랴!: 『性理群書句解』 권4의 '塵土何由上得衣' 시에 대한 熊剛大 주는 다음과 같다. "먼지가 몸을 더럽힐 수 없다는 것은, 사람이 만일 지혜가 사물에 유혹당하여 동화하지 않는다면 사욕이 또한 본심을 가릴 수 없음을 빗댄 것이다.(則塵土無因上身, 喩人若不爲知誘物化, 則私欲亦不得以蔽其本心.)"

139 誠明: 誠明은 『中庸』 제21장의 "성으로부터 밝아진 것을 성이라 한다.(自誠明謂之性.)"를 말한 것이다. 주자는 『集註』에서 "덕이 진실되지 않음이 없고 밝음이 비추지 않음이 없는 것은, 성인의 덕이 타고난 성대로 지닌 것이다.(德無不實而明無不照者, 聖人之德所性而有者也.)"고 하였다.

140 『擊壤集』 권20의 「首尾吟」 135수 가운데 3수만 인용한 것이다.

堯夫非是愛吟詩　요부가 시 읊기 좋아함 아니고
詩是堯夫喜老時　시는 요부가 늘그막의 기쁠 때 읊는 것.
明著衣冠爲士子　어엿이 의관을 정제하니 선비의 모습이요
高談仁義作男兒　고상하게 인의를 말하니 남아의 기상
敢於世上明開眼　그래도 세상사에 훤히 눈을 떴거니
肯向人間浪皺眉　어찌 사람에게 부질없이 눈썹 찡그리랴!
六十七年無事客　육십칠 년을 탈 없이 살아온 나그네[141]
堯夫非是愛吟詩　요부가 시 읊기 좋아해서가 아니다.

熊氏剛大曰, "此篇, 言其平生脩身窮理, 所見高, 所處泰, 不爲物慾昏撓."

웅강대가 말하였다. "이 시는 그가 평생 동안 몸을 닦고 이치를 궁리해, 견해가 높고 처신이 편안해져 물욕에 어지러워지지 않았음을 말하였다."

[70-2-17]

先天吟示邢和叔 선천시를 형화숙[142]에게 보여주다. 소자

一片先天號太虛　한 덩이 선천을 태허라 하니
當其無事見眞腴　아무 하는 일 없을 때 참모습을 알리라.
胸中美物肯自衒　가슴속 아름다움을 자랑하려들지만
天下英才敢厚誣　천하의 영재를 감히 감쪽같이 속이랴.
理順是言皆可放　이치에 순한 말들 모두 의지할 수 있거니
義安何地不能居　의리에 편하다면 어딘들 살지 못하랴
直從宇泰收功後　마음 편안해지는 곳 따라 공효를 얻으면
始信人間有丈夫[143]　비로소 대장부 있음을 믿게 되리라.

[70-2-18]

仁者吟 인한 사람 소자

仁者難逢思有常　인자라도 생각 일정하게 지니기 어렵나니
平居愼勿恃無傷　평소에 부디 해될 것 없다는 말 믿으려 말라

141 육십칠 년을 … 나그네: 소강절은 송나라 眞宗 大中祥符 4년(서기 1011)에 태어나 67세를 살고 神宗 熙寧 10년(1077)에 죽었다.

142 형화숙: 화숙은 邢恕의 자이다. 송나라 明道(程顥)의 제자이다.

143 『擊壤集』 권16

爭先徑路機關惡　앞다퉈 지름길 감은 마음 씀이 악해서이고
近後語言滋味長　겸양하려는 말에 곱씹는 맛이 영원하니라.
爽口物多須作疾　입에 맛진 음식 많으면 당연히 병이 되고
快心事過必爲殃　마음에 시원한 일 뒤엔 반드시 재앙이 되나니
與其病後能求藥　병난 뒤 약 구하는 것이
不若病前能自防[144]　병나기 전 스스로 예방함만 못하리라.

[70-2-19]

安樂窩中自貽 안락와에서 자신에게　소자

物如善得終爲美　선하게 얻어진 사물이면 끝내 아름다우나
事到巧圖安有公　교묘히 꾀한 것이라면 어찌 공정할 일이랴!
不作風波於世上　세상에 풍파 만들지 아니하면
自無冰炭到胸中　마음에 갈등 저절로 없어지리.
災殃秋葉霜前墜　재앙은 가을 잎이 서리 앞에 떨어져나가듯 하고
富貴春花雨後紅　부귀는 봄꽃이 비온 뒤의 붉음 같도록 하라.
造化分明人莫會　천지의 조화 분명하건만 사람이 알지 못하니
枯榮消得幾何功[145]　영고성쇠가 무슨 노력으로 이뤄지더냐!

[70-2-20]

次卜掌書落成白鹿佳句 복장서가 백록서원 낙성에 지어준 시에 차운하다.　朱子 주자

重營舊舘喜初成　거듭 옛집을 수리하여 막 이루어짐 기뻐하니
要共群賢聽鹿鳴　뭇 현자들과 녹명鹿鳴[146]을 듣고자 함
三爵何妨奠蘋藻　세 잔 술에 네가래며 다북떡쑥인들 어쩌겠으며.[147]
一編詎敢議明誠　백록동부에 어찌 감히 명과 성을 논하리오.[148]

144 『擊壤集』 권6
145 『擊壤集』 권8
146 鹿鳴 : 『詩經』「小雅」의 한 편명이다. 이 시는 宴享 때 연주하는 음악이다. 서원을 낙성하며 여러 손님과 연향을 열어 함께 기뻐하고자 하였다는 뜻이다.
147 네가래며 다북떡쑥인들 어쩌겠으며 : 이것들은 제수에 쓰는 나물들이다. 백록동서원을 낙성하며 先聖과 先師에게 釋菜의 의식을 거행하는 일이 있기에 이 말을 쓴 것이다. 여기서 선성이나 선사로 운위되는 분은 周濂溪와 정명도와 정이천 두 형제다.

深源定自閑中得　깊은 근원이야 본디 한가함 속에서 얻어지고
妙用元從樂處生　묘용은 원래 즐거움에서 생겨나는 것
莫問無窮菴外事　서당 밖의 끝없는 일들은 셈해보려 말고
此心聊與此山盟[149]　이 마음 애오라지 이 산과 함께하길 맹서한다오.

[70-2-21]

白鹿講會次卜丈韻　백록 강회에서 복씨 어른의 시에 차운하다.　주자

宮墻蕪没幾經年　집과 담장들 풀숲에 묻힌 지 얼마던고
秖有寒煙鎖澗泉　찬 안개만 계곡 물을 감싸고 있더니.
結屋幸容追舊觀　이룬 집 다행스레 옛 모습 닮았는데
題名未許續遺編　선생안에 성명 올리기를 허락하지 않으시네.[150]
青雲白石聊同趣　푸른 구름 흰 돌이야 취향 같겠지만[151]
霽月光風更別傳　제월광풍이야 다시 따로 전해졌으리.[152]
珍重箇中無限樂　이 가운데 진귀한 무한한 즐거움은
諸郎莫苦羡騰騫[153]　학생들 벼슬 선망하여 고민함 없음이요.

148 백록동부에 어찌 … 논하리오. : 주자가 지은 「白鹿洞賦」에서 "지혜의 밝음과 진실함 두 가지 공부를 끌어올리고 敬과 義도 함께 확립시켜야지.(曰明誠其兩進, 抑敬義其偕立.)"라고 한 것을 거론한 것이다. [70-7-2]의 「白鹿洞賦」 참고

149 『朱文公文集』 권7

150 선생안에 성명 … 않으시네. : 『朱文公文集』 권7의 이 시에는 "동주가 되어 줄 것을 청했는데 대답이 없다.(請爲洞主不報)"고 한 주자가 스스로 붙인 주가 있다. 『朱子大全箚疑輯補』 권7에는, "題名은 앞서 전임자의 성명을 기록하는 일이다.(題名, 記前任人姓名.)"고 하고 이어 "遺編은 바로 題名記이니 오늘날의 先生案(전임자 성명)과 같다.(遺編, 即題名記, 如今所謂先生案也.)"고 하였다. 아마 복장에게 백록동의 동주가 되어 줄 것을 청했는데 이때까지 허락을 받지 못한 것을 말한 것 같다.

151 푸른 구름 … 같겠지만 : 『朱文公文集』 권7의 이 시에는 "서간 유공을 말한다.(謂西澗劉公.)"는 주자가 스스로 붙인 주가 있다. 『朱子大全箚疑輯補』 권7에는, "서간 유공이 벼슬을 버리고 여산에 은거하자 구양공이 「廬山高」라는 시를 지어 아름다워 하였는데, 그 시구에 푸른 구름 흰 돌에도 깊은 정취가 서렸다.(西澗劉公棄官隱廬山, 歐陽公作廬山高詩以美之, 有青雲白石有深趣之句.)"고 하였다. 여기서 서간은 송나라 劉渙을 이른다. 그의 자는 凝之이고 筠州 사람이다. 주자가 南康軍事로 있을 때 그의 묘가 남강군의 城 서북쪽에 있어 조그만 정자를 짓고 묘 둘레에 담장을 둘러쳐 보호하였다.(『方輿勝覽』 권10 「南康軍」)

152 제월광풍이야 다시 … 전해졌으리. : 『朱文公文集』 권7의 이 시에는 "염계 선생을 이른다.(謂濂溪夫子.)"는 주자가 스스로 붙인 주가 있다. 제월광풍은 바로 주자가 염계의 畫像贊에 쓴 말이기도 하다. 『朱子大全箚疑輯補』 권7에는, "염계의 학문은 본래 당연히 별도로 전수된 곳이 있고 자신은 끼일 수 있음이 아니라고 한 것이다. 선생의 겸손이다.(濂溪之學則自宜有別傳授處, 非己所可與. 蓋先生自謙也.)"고 하였다.

153 『朱文公文集』 권7

[70-2-22]

蒼蒼吟寄答曹州李審言龍圖 창창음을 조주曹州의 이심언 용도에게 부쳐 답한다.

邵子 소자

一般顔色正蒼蒼	늘 똑같이 푸르고 푸르건만
今古人曾望斷腸	예전부터 사람들 우러러 애간장이 끊겠지.
日往月來無以異	해 가고 달 오는 것 다를 것 없어
陽舒陰慘不相妨	양기로 펴고 음기로 움츠리게 함 거리끼지 않았지.
迅雷震後山川裂	우루룽 천둥소리 뒤엔 산천이 찢기나
甘露零時草木香	단 이슬이 내리는 땐 초목이 향기롭다.
幽暗巖崖生鬼魅	으슥한 바위 벼랑에 귀신이 깃들고
清平郊野見鸞凰	태평한 들녘엔 난새와 봉황을 볼레라.
千花爛爲三春雨	갖은 꽃의 무르녹음은 봄날의 비이고
萬木凋因一夜霜	온갖 나무의 시듦은 하룻밤의 서리이네.
此意分明難理會	이러한 뜻 분명하나 이해하기 어려우니
直須賢者入消詳[154]	반드시 현자께서 자세하게 궁구해 보시길.

絶句 절구

[70-3-1]

書舂陵門扉 용릉 대문에 써 붙이다. 周子 주자

有風還自掩	바람에 절로 닫히기도 하지만
無事晝常關	일 없어 낮에도 늘 닫혀 있다.
開闔從方便	열리고 닫힘이 제 하고픈 대로
乾坤在此間	하늘과 땅의 도리 이 사이에 있다오.

154 『擊壤集』 권8

[70-3-2]

月到梧桐上吟 달이 오동나무 가지에 오르다. 邵子 소자

月到梧桐上	달은 오동나무 위에 두둥실
風來楊柳邊	바람은 버들가지에 살랑살랑
院深人復靜	깊은 뜨락이라 인적마저 고요하니
此景共誰言[155]	이 아름다움을 누구와 나눌까.

熊氏剛大曰, "此篇, 借物, 形容聖人淸溫之德. 蓋月到梧桐, 天光瑩也; 風來楊柳, 天氣溫也. 必聖人德性昭融, 方足語此, 故末復云'此景共誰言', 厥有旨哉."

웅강대가 말하였다. "이 시는 사물을 빌어다 성인의 맑고 따스한 덕을 형용하였다. '월도오동月到梧桐'은 하늘빛의 맑음을, '풍래양류風來楊柳'는 날씨의 따스함이다. 반드시 성인의 밝고 원융한 덕성이라야만 비로소 이를 말할 수 있는 까닭에 끝 구절에서 다시 '이 아름다움을 누구와 나눌까.'라고 하였으니, 멋진 뜻이 담겼다."

[70-3-3]

淸夜吟 맑은 달밤 소자

月到天心處	달은 휘영청 하늘 가운데 자리하고
風來水面時	바람이 물 위를 스쳐오는 때
一般淸意味	이 예삿 풍경의 맑은 뜻을
料得少人知[156]	헤아려 아는 이 적어라.

熊氏剛大曰, "此篇, 借物, 形容聖人本體淸明, 人慾淨盡. 蓋月到天心, 則雲翳盡掃; 風來水面, 則波濤不興. 此正人慾淨盡, 天理流行時也."

웅강대가 말하였다. "이 시는 사물을 빌어서 성인의 본체가 청명하여 인욕이 깨끗이 사라졌음을 형용하였다. '월도천심月到天心'은 구름 한 점 없음이고, '풍래수면風來水面'은 파도가 일지 않음이다. 이는 바로 인욕이 깨끗이 사라지고 천리가 유행하는 순간이다."

[70-3-4]

安分吟 분수에 편안함 소자

安分身無辱	분수에 편안하면 몸에 욕될 일 없고

155 『擊壤集』 권12
156 『擊壤集』 권12

知機心自閑	기미를 알면 마음 절로 한가롭나니
雖居人世上	속세에 산다해도
却是出人間[157]	인간 세상을 초월함이리.

熊氏剛大曰, "此篇, 論安分知機, 乃是出人之事."

웅강대가 말하였다. "이 시는 분수에 편안하고 기미를 아는 것이 바로 인간 세상의 일을 초월한 것임을 말하였다."

[70-3-5]

天聽吟 하늘을 들음 소자

天聽寂無音	하늘 소리 들으려도 고즈넉이 소리 없고
蒼蒼何處尋	푸르고 푸르기만 하니 어디에서 찾을고.
非高亦非遠	높지도 또 멀지도 않나니
都只在人心[158]	모두 그냥 마음속에 있을 뿐.

熊氏剛大曰, "此篇, 論上天之道, 只是人心之理."

웅강대가 말하였다. "이 시는 하늘의 도가 다만 사람 마음의 이치임을 읊었다."

[70-3-6]

感事吟 어떤 느낌 소자

芝蘭種不榮	난초는 심어도 자라지 않고
荊棘剪不去	가시나무는 베어내도 없어지지 않네.
二者無奈何	이 둘을 어찌하지 못하고
徘徊歲將暮[159]	머뭇대며 서성이다 한 해가 저문다.

熊氏剛大曰, "此篇, 言善根難培, 惡習難克, 因循荏苒, 老將至矣. 堯夫詠此, 以警後學也."

웅강대가 말하였다. "이 시는 선의 뿌리는 배양하기 어렵고 악습은 이겨내기 어려워 이럭저럭 지나는 사이 늙음이 이르러 옴을 말하였다. 요부가 이 시를 읊어서 후학들을 깨우쳤다."

157 『擊壤集』 권12
158 『擊壤集』 권12
159 『擊壤集』 권16

[70-3-7]

至靈吟 지극히 신령함 소자

至靈之謂人	지극히 신령한 자 사람이고
至貴之謂君	지극히 고귀한 자 군주
明則有日月	밝은 곳에 해와 달이 있고
幽則有鬼神[160]	어두운 곳에 귀신이 있다.

[70-3-8]

人鬼吟 사람과 귀신 소자

旣不能事人	사람을 섬기지 못하고서
又焉能事鬼	또 어찌 귀신을 섬기랴.
人鬼雖不同	사람과 귀신이 같지 않지만
其理何嘗異[161]	그 이치야 어찌 다를 수 있으랴.

[70-3-9]

仁聖吟 인자와 성자 소자

盡道之謂聖[162]	도를 다하는 사람은 성자
如天之謂仁	하늘같은 사람은 인자
如何仁與聖	어찌하여 인자와 성자는
天下莫敢倫[163]	천하에 감히 비길 자 없을까.

[70-3-10]

心耳吟 마음과 귀 소자

意亦心所至	뜻은 마음이 가 있는 곳이고
言須耳所聞	말은 귀로 통해 들어야 한다.
誰云天地外	누가 천지의 밖에

160 『擊壤集』 권8
161 『擊壤集』 권12
162 盡道之謂聖 : 『擊壤集』 권11에는 '盡'이 '體'자로 되어 있다.
163 『擊壤集』 권11

別有好乾坤[164]　　또 다른 별천지 있다 하는가.

[70-3-11]

偶成 우연히 읊다.　　　　　程子 정자 : 程顥

雲淡輕風近午天　　실구름 사이로 바람이 살랑대는 한낮

熊氏剛大曰, "此正陽明勝陰濁消之時也".

웅강대가 말하였다. "이는 바로 양의 밝은 기운이 자라오르고 음의 탁한 기운이 스러지는 때이다."

傍花隨柳過前川　　꽃 따라 버들가지 따라 앞개울을 걷는다.

熊氏剛大曰, "取其生意春融, 與己一也".

웅강대가 말하였다. "생명력이 봄에 무르녹음이 자신과 똑같음을 취한 것이다."

時人不識予心樂　　남들은 내 마음의 즐거움 알리 없어

將謂偷閑學少年[165]　한가하여 아이들 짓 따라한다 하겠지.

熊氏剛大曰, "此篇, 借物, 形容陽勝陰消, 生意春融."

웅강대가 말하였다. "이 시는 사물을 빌려 양기가 자라오르고 음기가 스러져 생명력이 봄날에 화창해짐을 형용하였다."

[70-3-12]

謝王佺寄丹 왕전이 단약을 보내 준 것을 사례하다.　　　정자

至誠通聖藥通靈　　지성은 성인의 경지를, 약은 영험의 경지를 틔워주는데

遠寄衰翁濟病身　　멀리 늙은이에게 보내주어 병든 몸 구완하네.

我亦有丹君信否　　나에게도 단약 있는데 그대가 믿어줄지

熊氏剛大曰, "此指儒道言也."

웅강대가 말하였다. "이는 유학의 도를 가리켜 말한 것이다."

用時還解壽斯民[166]　쓰는 날에 저들 백성을 장수케 함 알리라.

熊氏剛大曰, "此篇, 言丹藥之丹, 不如吾道之丹, 能壽一世."

164 『擊壤集』 권12

165 『程顥』 권1

166 『河南程氏(伊川)文集』 권9

옹강대가 말하였다. "이 시는 단약의 단丹은, 우리 도의 단이 한 세상을 장수하게 하는 것보다 못함을 말하였다."

[70-3-13]

酬韓資政湖上獨酌見贈[167] 한자정이 호수에서 홀로 술을 마시다 지은 시를 보내온 것에 대한 화답

정자

對花酌酒公能樂　꽃 마주해 기울이는 술에 공은 즐겁고
飯糗羹藜我自貧　미숫가루 밥 명아주 국은 내 본디 가난하여서오.
若語至誠無內外　만일 지성에 안팎이 없다 말한다면[168]
却因分別更迷眞[169]　예서의 분별은 다시 진리의 미혹이리.[170]

[70-3-14]

恍惚吟 황홀

邵子 소자

恍惚陰陽初變化　황홀히 음과 양이 변화하려는 처음
氤氳天地乍迴旋　천지의 어우러진 기운이 막 돌아서는
中間些子好光景　시공에 펼쳐진 이 아름다움을
安得功夫入語言[171]　어떤 공부로서 말에 담아낼 수 있을까.

167 酬韓資政湖上獨酌見贈 : 『明道文集』 권1에는 '酬韓持國資政 … '이라고 하여 자정대부가 韓維(자는 持國)임을 밝히고 있다.

168 지성에 안팎이 … 말한다면 : 『中庸』 제25장에서 "진실무망의 경지에 이른 사람은 스스로 자신의 덕만 이룰 뿐 아니고 사물들의 덕도 이루어지게 한다. 자신의 덕을 이루는 것은 인이고 사물의 덕을 이루어지게 하는 것은 지혜이니 (그것들은) 성의 덕이자 안팎을 합한 도리이다. 그런 까닭에 때로 하는 일들이 마땅하다.(誠者非自成已而已也, 所以成物也. 成已仁也, 成物知也, 性之德也, 合内外之道也. 故時措之宜也.)"고 하였다. 이 시의 안팎이 없다는 바로 『中庸』에서 말한 진실무망의 誠의 경지에 이른 사람의 경지를 두고 한 말이다.

169 『河南程氏(明道)文集』 권1

170 『河南程氏(明道)文集』 권1에는 다음과 같은 한지국이 보내온 시가 실렸다. "팔베개하고 맹물 마시는 것은 정부자이고 혼자 앉아서도 향 피우는 것은 범사군이다. 부끄럽게도 나는 외물의 낙을 잊지 못하여 술 한잔에 마른안주로 석양을 마주하네.(曲肱飮水程夫子, 宴坐焚香范使君. 愧我未能忘外樂, 綠尊紅芰對西曛.)"

171 『擊壤集』 권12

[70-3-15]

誠明吟 성명　　　　　　　　소자

孔子生知非假習　공자는 생지의 성인이라 익힐 일 없고
孟軻先覺亦須脩　맹자는 선각자이기에 또한 닦아야 했지.
誠明本屬吾家事　성과 명이 본래 나의 일인데[172]
自是今人好外求[173]　지금 사람들 밖에서만 찾으려 드네.

[70-3-16]

暮春吟 늦봄　　　　　　　　소자

林下居常睡起遲　산속의 삶 늦잠에 늘 늦는데
那堪車馬近來稀　게다가 근래에는 찾는 사람마저 뜸하구나.
春深晝永簾垂地　늦봄 긴긴날 발은 땅 닿도록 드리워 있고

熊氏剛大曰, "此可見其靜定氣象."
웅강대가 말하였다. "여기에서 그의 고요한 기상을 볼 수 있다."

庭院無風花自飛[174]　바람도 없는 정원에 꽃 이파리만 나른다.

熊氏剛大曰, "此可見其天理流行, 從容洒落氣象."
웅강대가 말하였다. "여기서 천리가 유행하는 여유롭고 깨끗한 기상을 볼 수 있다."

[70-3-17]

芭蕉 파초　　　　　　　　張子 장자: 張載

芭蕉心盡展新枝　파초는 속잎 다 피며 새 잎 내밀어

熊氏剛大曰, "猶人之爲學, 已有新益矣."
웅강대가 말하였다. "사람의 학문이 이미 새로워짐이 있음과 같다."

172 성과 명이 … 일인데 : 『中庸』 제21장에 "진실무망한 성의 경지로부터 밝아진 것을 타고난 본성대로라고 하고, 밝게 선을 밝힘으로부터 진실무망의 경지에 이른 것을 가르침이라 한다. 진실무망하면 밝아지고 밝아지면 진실무망하게 된다.(自誠明謂之性, 自明誠謂之教. 誠則明矣, 明則誠矣)"고 하였다. 여기서 진실무망한 성의 경지는 공자를, 밝게 선을 밝힘으로부터는 맹자를 빗댄 말이다.
173 『擊壤集』 권4
174 『擊壤集』 권13

新卷新心暗已隨　　돌돌말린 새 속잎이 어느새 뒤따른다.

熊氏剛大曰, "猶人心之義理無窮, 方其得新益之時, 又有新益存於其間也."

웅강대가 말하였다. "사람 마음의 무궁한 의리는, 새로운 것을 얻었을 때에 또 새로 얻어야 할 것이 그 사이에 존재하고 있다."

願學新心養新德　　새 속잎을 배워 새 덕을 기르려면
旋隨新葉起新知[175]　　바로 새잎 따라 새 앎을 일으켜라.

熊氏剛大曰, "此篇, 借物, 形容人心生生之理無窮. 細玩此四句, 上兩句是狀物, 下兩句是體物. 新心養新德, 尊德性功夫也; 新葉起新知, 道問學功夫也. 橫渠先生觀物性之生生不窮, 以明義理之源源無盡. 學者當深味之, 毋徒以詩句觀也."

웅강대가 말하였다. "이 시는 사물을 빌려 사람 마음의 생생의 이치가 무궁함을 형용하였다. 네 글귀를 자세히 감상하면 위 두 글귀는 파초의 모양을 그렸고 아래 두 글귀는 파초의 이치를 체득한 것이다. '새 속잎이 새 덕을 기름'은 존덕성尊德性 공부이고, '새잎에 새로운 앎을 일으키는' 것은 도문학道問學 공부이다. 횡거선생이 사물 본성의 낳고 낳음의 끝없음을 보고서 의리가 샘물 솟듯 끝이 없음을 밝혔다. 배우는 자는 당연히 깊이 음미하여 다만 시 구절로만 보지 말라."

[70-3-18]

和陳瑩中了齋自警五首 진영중 요재[176]의 자경시自警詩 5수에 화답하다.

龜山楊氏 구산 양씨 : 楊時

畫前有易方知易　　효爻를 긋기 전 역이 있었음 알아야 비로소 역을 앎
曆上求玄恐未玄　　책력에서 찾는 까마득한 옛날이 까마득한 옛날일까?
白首紛如成底事　　흰 머리칼 수북하도록 무슨 일 이뤘는가
蠹魚徒自老青編　　한 마리의 좀으로 부질없이 책 속에서 늙었구려.

八荒同宇混車書　　팔방 끝까지 한 집이자 한 문화이니[177]
一視那知更有渠　　똑같이 생각하면 어찌 다시 남이랴?
憑軾自應由砥道　　수레에 기대어 응당 평탄한 길 따라야지.

175 『張子全書』 권13

176 진영중 요재 : 송나라 陳瓘의 자와 호이다.

177 한 문화이니 : 이 글의 원문 '混車書'의 '車書'는 『中庸』 제28장의 "오늘날 천하는 수레의 궤적이 서로 같고, 서적의 글자가 서로 같고, 행동의 기준이 서로 같다.(今天下, 車同軌, 書同文, 行同倫.)"고 한 말을 인용한 것이다.

徑蹊無處問歸愚　지름길은 없는데 묻는다면 바보이리.

行藏須信執中難　벼슬과 은거에 진실해야 하지만 중도를 잡기 어려움은
時措應容道屢遷　때마다 차려야 할 도리 수없이 바뀜이지.
一目全牛無肯綮　한눈에 들어오는 온 마리 소에 어려울 곳 없어[178]
騞然投刃用方安　바람을 가르는 칼질[179]이 비로소 빈틈없어라.

聖門事業學須彊　성인으로 가는 길 자강불식이라서
俚耳從來笑折楊　속된 견문[180]이지만 마냥 절양가[181]를 비웃었다.
詭遇得禽非我事　속임수의 짐승 사냥[182] 내 할 일 아니고
但知無有是吾鄉　아무것도 갖지 않음이 바로 나의 고향이리.[183]

盈科日進幾時休　웅덩이 채우며 가는 길 어느 때나 쉬려나.
到海方能止衆流　바다에 이르러야 비로소 그치누나.

178 온 마리의 … 없어 : 『莊子』「養生主」에 "처음 신이 소를 잡기 시작할 적에 보이는 것 모두가 소로만 보이더니, 3년 뒤에는 온 마리의 소로 눈에 보이지 않았습니다. 바야흐로 지금 신은 정신으로 만나고 눈으로 보지 않으며, 오감으로 해야 할 일을 알아채고 정신으로 일하고자 하며, 소가 가진 결대로 큰 틈을 가르고, 큰 공간이 인도하는 대로 따릅니다. 본래 대로 따르기에 재주가 '뼈와 살이 붙어있는 곳[肯綮]'을 건드리는 짓도 일찍이 하지 않는데 하물며 큰 뼈를 건드리겠습니까?(始臣之解牛之時 所見無非牛者 三年之後 未嘗見全牛也. 方今之時, 臣以神遇而不以目視, 官知止而神欲行, 依乎天理, 批大郤, 導大窾. 因其固然, 技經肯綮之未嘗, 而況大軱乎?)"라고 하였다.

179 바람을 가르는 칼질 : 대응이 자유자재임을 이르는 말. 『莊子』「養生主」에 "포정이 문혜군을 위해 소를 잡는데, 손이 닿고 어깨로 기대고 발로 밟고 무릎의 힘이 쏠리는 순간마다 서걱서걱 소리가 나고 칼질에 바람소리가 일어, 그것들이 모두 음률에 맞아 商湯 시대의 상림의 舞樂과 堯임금 때의 경수의 음절과 맞았다.(庖丁爲文惠君解牛, 手之所觸, 肩之所倚, 足之所履, 膝之所踦, 砉然嚮然, 奏刀騞然. 莫不中音, 合於桑林之舞, 乃中經首之會.)"고 하였다.

180 속된 견문 : 음악을 감상할 만한 능력을 갖지 못한 속된 사람을 이르는 말이다.

181 절양가 : 남녀의 정회를 노래한 악곡 이름이다.

182 속임수의 짐승 사냥 : 『孟子』「滕文公下」에, 趙簡子라는 사람이 천하의 유명한 수레몰이꾼 王良을 시켜 자신이 총애하는 奚의 수레를 몰아 사냥을 하게 했다. 그런데 한 마리도 잡지 못하였다. 해의 불만을 사자 왕량은 다시 그의 수레 몰기를 자청하여 하루아침에 열 마리를 잡았다. 이에 조간자는 왕량에게 계속해서 해의 수레 모는 일을 맡으라고 하였다. 그러자 왕량은, "내가 그를 위해 수레 모는 일을 법대로 하였더니 종일 한 마리도 잡지 못하더니, 그를 위해 속임수로 만나게 하자 하루아침에 열 마리를 잡았습니다.(吾爲之範我馳驅, 終日不獲一, 爲之詭遇, 一朝而獲十.)" 하며 사양하였다.

183 나의 고향이리. : 『莊子』「逍遙游」에서 말한 "지금 그대가 가진 큰 나무가 쓸모가 없음을 걱정하는데 왜 아무것도 없는 땅 끝없는 들녘에 심으려 하지 않는가?(今子有大樹, 患其無用, 何不樹之於無何有之鄉, 廣莫之野.)"를 이른 듯하다.

只恐達多狂未歇　도달한 경지에 아직 광기가 서렸을까 두려워
坐馳還愛鏡中頭[184] 생각 굴리는데 거울속의 흰 머리칼이 더욱 사랑스럽구나.

[70-3-19]

水口行舟 수구[185]에 배를 띄우고　　　　朱子 주자

昨夜扁舟雨一蓑　지난밤 쪽배에서 도롱이로 피했던 비
滿江風浪夜如何　온 강에 일던 풍랑 밤사이에 어찌됐나?
今朝試揭孤蓬看[186] 아침에 뜸 걷고 슬며시 내다보니
依舊青山綠樹多[187] 어제 같은 청산에 푸른 나무 그지없네.

熊氏剛大曰, "此篇, 形容人慾之波自在泛溢, 天理常常昭著."
웅강대가 말하였다. "이 시는 욕심의 물결이 멋대로 넘치더라도 천리는 늘 밝게 빛나고 있음을 형용하였다."

[70-3-20]

詠開窓 창문을 열고 읊는다　　　　주자

昨日土墻當面立　어제는 담장 앞에 얼굴 맞대 섰더니
今朝竹牖向陽開　오늘은 댓살 창문 동쪽 향해 열렸네.
此心若道無通塞　마음에 통하고 막힘이 없다 한다면
明暗如何有去來[188] [189] 밝음과 깜깜함은 어찌하여 있을까?

熊氏剛大曰, "此篇, 詠塞者既去, 明者自來."
웅강대가 말하였다. "이 시는 막힘이 걷히면 밝음이 절로 오는 것을 읊었다."

[70-3-21]

克己 사욕을 이겨내다.　　　　주자

寶鑑當年照膽寒　보배 거울 얻던 그날 가슴속까지 환하더니

184 『龜山集』 권42
185 水口 : 閩關으로 일러지던 곳으로 古田溪가 閩江과 만나는 곳에 있다. 나중에 水口鎭을 두기도 하였다.
186 今朝試揭孤蓬看 : 『朱文公文集』 권10에는 '揭'자가 '捲'자로 되어 있다.
187 『朱文公文集』 권10
188 明暗如何有去來 : 『朱文公文集』 권10에는 '如何'가 '何緣'으로 되어 있다.
189 『朱文公文集』 권10

向來埋沒太無端	어느 날 매몰되어 흔적 없이 사라졌네.
秖今垢盡明全見	오늘에야 때 다 씻겨 밝음 온전히 드러나니
還得當年寶鑑看[190]	그날의 보배 거울 다시 얻어 볼레라.

[70-3-22]

觀書有感二首 책을 읽다가 느낌을 적는다. 2수 주자

半畝方塘一鑑開	조그만 네모 연못 거울처럼 열려서
天光雲影共徘徊	하늘이며 구름 그림자 함께 노닌다.
問渠那得清如許	묻노니 너 어찌 그처럼 맑을 수 있는가?
爲有源頭活水來	물구멍에서 산 물이 솟아나준 때문이리.

昨夜江邊春水生	어젯밤 강가에 봄물이 불어나
蒙衝巨艦一毛輕	몽충[191] 저 거대한 배가 깃털처럼 가벼워라.
向來枉費推移力	지난날 옮겨보려 그 헛심을 쏟았더니
此日中流自在行[192]	오늘 강물 위를 자유로이 떠다니네.

[70-3-23]

公濟和詩見閔耽書勉以教外之樂以詩請問二首 공제의 화답 시 가운데 책에 묻혀 지내는 것을 민망해하며, 가르침 밖의 즐거움으로 즐거워하기를 면려하였다. 이에 시를 지어 묻는다. 2수[193]

주자

至理無言絶淺深	지극한 이치는 말이 없기에 깊이와 얕음도 없어
塵塵刹刹不相侵	티끌과 불국토가 서로 침해할 것 없는데
如云教外傳眞的	만일 가르침 밖에 진리를 전한다고 한다면
却是瞿曇有兩心	이는 석가에게 두 마음이 있음이리.

190 『朱文公文集』 권2
191 몽충 : 戰船의 하나
192 『朱文公文集』 권2
193 이 시에 "공제가 참선하는 일에 빠져 선생이 책에 묻혀 있음을 민망해 하였기에 화답하는 시에서 이런 말을 한 것이다.(公濟溺於禪學, 悶先生耽書, 和詩有所云.)"고 하였다.

未必瞿曇有兩心	필시 석가에게 두 마음 없을 터이니
莫將此意擾儒林	이런 말로 유림을 어지럽히지 말게.
欲知陋巷憂時樂	누항의 근심을 즐거워한 뜻[194] 알려 하면
只向韋編絶處尋[195]	주역의 가죽끈 해짐에서[196] 더듬어 보게.

[70-3-24]

石子重兄示詩留別次韻爲謝三首 석자중[197] 형이 떠나가며 지은 시에 차운하여 사례하다. 3수

주자

此道知君著意深	그대 공자의 도에 쏟은 마음 깊었기에
不嫌枯淡苦難禁	청빈을 괘념 않고 한사코 매달렸지.
更須涵養鑽研力	더욱 모름지기 연찬의 힘 함양하여
彊矯無忘此日心	강하고 굳세게 그 마음 잊지 말게.

克己功夫日用間	극기 공부를 일상생활로 삼았으니
知君此意久睎顔	그대의 안자顔子의 꿈[198] 오래였음 아노라.
摛文妄意輸朋益	앞의 글[199]에 부질없이 벗에게 도움 되기 생각했으나
何似書紳有訂頑	어찌 띠에 「정완」을 써둠만 하겠는가?[200]

194 누항의 근심을 … 뜻 : 공자가 제자 顔淵의 훌륭함을 칭찬한 말이다. 『論語』「雍也」에서 공자가 "현명하다. 안자여! 한 대그릇의 밥과 한 표주박의 물로 허름한 골목에서 사는 것에 사람들이 그 걱정을 견뎌내지 못하는데 안자는 자신의 즐거움을 바꾸지 않으니 현명하다 안자여!(賢哉回也! 一簞食一瓢飮, 在陋巷, 人不堪其憂, 回也不改其樂, 賢哉回也.)"라고 하였다.

195 『朱文公文集』 권6

196 가죽끈 해짐에서 : 가죽끈은 예전 竹簡을 묶던 끈을 이른다. 이 말은 『史記』「孔子世家」에서 司馬遷이 공자가 "『易』을 공부하였는데 가죽으로 맨 끈이 세 번이나 끊겼다.(讀『易』, 韋編三絶.)"는 말에서 유래하여 공자를 지칭한 말로 가죽 끈[韋編]은 『周易』을 이르는 말로 쓰였다.

197 석자중 : 자중은 주자의 친구인 石𡼏의 字. 저서로 『中庸集解』가 있다.

198 顔子의 꿈 : 안자가 『論語』「顔淵」에서 극기복례를 물은 까닭에 이렇게 말한 것이다.

199 앞의 글 : 『朱子大全箚疑輯補』는 "선생이 석자중을 위해 그의 서당 기문을 지어준 까닭에 이 말을 한 것이다.(先生爲子重作齋記故云.)"고 하였다.

200 어찌 띠에 … 하겠는가? : 여기서 띠 운운은 『論語』「衛靈公」에 "자장이 자신의 뜻이 세상에 행해지는 도리를 묻자, 공자는 '말이 진실하고 믿음직하며 행실이 도탑고 공경스러우면 오랑캐 나라라도 내의 뜻이 행해지겠지만, 말이 진실하고 믿음직하지 않으며 행실이 도탑고 공경스럽지 않으면 동네며 고을에선들 행해지겠는

喜見薰成百里春　향기를 이룬 백리의 봄 기쁘게 바라보는데[201]
更慚謙誨極諄諄　그지없이 간절하고 겸손한 가르침에 더욱 부끄러워라.
願言勉盡精微蘊　바라건대 정미한 공부 끝까지 추구하게
風俗期君使再淳[202]　세속은 그대가 다시 순박하게 해주길 기대한다오.

[70-3-25]

送林熙之二首 임희지[203]를 전송하며 2수 주자

仁體難明君所疑　인의 체 밝히기 어려움을 그대 의심하는가?
欲求直截轉支離　단번에 찾으려 들면 점점 지리해 지니
聖言妙蘊無窮意　성인 말씀의 오묘하고 끝없는 뜻을
涵泳從容只自知　느긋하게 푹 젖다보면 저절로 알아지리.

天理生生本不窮　하늘 이치의 끝없는 생생 본래 다함없으니
要從知覺驗流通　지각하고서 세상에서 증험해 보게.
若知體用元無間　체와 용 사이에 본래 간격 없음 알게 되면
始笑前來說異同[204]　예전의 이러쿵저러쿵 한 말들 웃음이 나오리라.

[70-3-26]

春日 봄날 주자

勝日尋芳泗水濱　이 좋은 날 사수 물가로 꽃 찾아 나섰더니
無邊光景一時新　끝없는 풍광들이 일시에 새로워라.

가? 서 있을 때는 이 말이 눈앞에 나타나 있는 듯하고 수레에 올라 있으면 이 말이 멍에에 기대져 있음을 보듯이 한 뒤라야 내 뜻이 행해질 것이다.' 하자, 자장이 이 말씀을 띠에 써넣었다.(子張問行, 子曰, '言忠信行篤敬, 雖蠻貊之邦行矣, 言不忠信行不篤敬, 雖州里行乎哉? 立則見其參於前也, 在輿則見其倚於衡也, 夫然後行'. 子張書諸紳.)"고 하였다. 또 「訂頑」은 張子(張載)가 지은 「西銘」의 다른 이름이다. 「西銘」은 정자가 『二程遺書』 권2상에서 "「訂頑」의 말은 더없이 순수하고 잡됨이 없으니 진한 이후의 학자가 이르지 못한 경지이다.(訂頑之言, 極純無雜, 秦漢以來學者所未到.)"고 하였다.

201 향기를 이룬 … 바라보는데 : 이 시를 보았을 때 석자중이 知南康軍事를 지내고 있을 때 이 시를 주고받은 성싶다. 여기서 백리란 고을이나 고을의 수령을 지칭하는 대명사다.

202 『朱文公文集』 권4

203 임희지 : 희지는 林大春의 字이고, 임대춘은 주자의 제자이다.

204 『朱文公文集』 권6

等閑識得東風面	봄소식 챙기기를 등한히 하였더니
萬紫千紅總是春[205]	수없는 울긋불긋 모두가 봄이로다.

[70-3-27]

春日偶成[206] 봄날에 우연히 읊다. 주자

聞道西園春色深	서원에 봄이 무르녹는단 소문 듣고서
急穿芒屩去登臨	급히 짚신 꿰어 차고 찾아 나서니
千葩萬蕊爭紅紫	천만 꽃술과 송이들 붉음 분홍을 다투네.
誰識乾坤造化心[207]	누구라 하늘과 땅의 조화를 알까!

[70-3-28]

敬義堂 경의당[208] 주자

高臺巨牓意何如	높은 대에 거대한 현판 그 뜻도 대단하니
住此知非小丈夫	이 집에 사는 이 아마도 소장부 아니리라.
浩氣擴充無內外	호연지기 확충되어 안팎이 없어지면
肯誇心月夜同孤[209]	마음의 달 밤하늘의 달과 같음 자랑하려 들까보냐.

[70-3-29]

答袁機仲論啓蒙 원기중[210]의 『역학계몽』을 논한 글에 답하여 주자

忽然半夜一聲雷	홀연히 한밤에 이는 한줄기 뇌성에[211]

205 『朱文公文集』 권2

206 春日偶成 : 『朱文公文集』 권2에 '成'자가 '作'자로 되어 있다.

207 『朱文公文集』 권2

208 경의당 : 이 시는 「次呂季克東堂九詠」 중의 한 수이다. 여계극은 주자 문인이고 이름은 勝己이다.

209 『朱文公文集』 권8

210 원기중 : 기중은 袁樞의 자이고, 원추는 國子祭酒를 지냈다.

211 홀연히 한밤에 … 뇌성에 : 『性理群書句解』에는 이 시구를 이렇게 말하고 있다. "홀연히 동짓날 밤 子時의 中和한 氣에 한 陽이 되돌아오는데 마치 땅속에서 한줄기 뇌성이 울려 퍼지는 것 같다. 復卦는 상괘는 坤卦, 하괘는 震卦이고, 그 象에 '우레가 땅속에 있는 것이 복괘다.'라고 하였다. 우레는 陽이다. 한 양이 아래에서 생겨난 것을 말한 것일 뿐이다. 참으로 동짓날 밤에 뇌성이 운다는 말이 아니다.(忽然於冬至夜, 交子之中氣, 一陽來復, 如一聲雷震於地下. 復卦坤上震下, 象曰, '雷在地中復'. 雷, 陽也. 言一陽生於下耳. 非真謂冬至夜有雷鳴也.)"

萬戶千門次第開	일만 창문 일천 문이 차례로 열린다.
若識無心含有象[212]	무無 속에 만상萬象이 담겨 있음 안다면
許君親見伏羲來[213]	그대 복희씨를 뵙고 왔다고 인정해 줌세.

[70-3-30]

易二首 역 2수 　　주자

立卦生爻事有因	괘 만들려 효를 뽑음은 일이 있어서이나
兩儀四象已前陳	양의와 사상은 그 이전에 있었던 것
須知三絶韋編者	모름지기 가죽끈 세 번 해지게 했던 분은[214]
不是尋行數墨人	글이나 외고 따지던 사람 아니리라.

潛心雖出重爻後	마음을 기울이는 것은 괘가 만들어진 뒤이지만
著眼何妨未畫前	효가 만들어진 이전에 착안함이 무엇이 나쁘랴.
識得兩儀根太極	양의가 태극에 뿌리하고 있음 안다면
此時方好絶韋編[215]	이때가 역을 공부하는 가장 좋은 때이리.

212 若識無心含有象 : 『朱文公文集』 권9에는 '心'자가 '中'자이다. 이를 따른다.

213 『朱文公文集』 권9

214 가죽끈 세 … 분은 : 공자를 지칭한 말이다. 가죽끈은 예전 竹簡을 묶던 끈이다. 세 번 운운은 『史記』「孔子世家」에서 司馬遷이 공자가 "『易』을 공부하였는데 가죽으로 맨 끈이 세 번이나 끊겼다.(讀『易』, 韋編三絕.)"는 말에서 유래하여 공자를 지칭한 말로 쓰였다.

215 『朱文公文集』 권10

文
문장

贊 찬

[70-4-1]

原象贊 원상찬　　　　　　　　　　朱子 주자

太一肇判, 陰降陽升. 陽一以施, 陰兩而承. 惟皇昊羲, 仰觀俯察. 奇耦旣陳, 兩儀斯設. 旣幹迺支, 一各生兩. 陰陽交錯, 以立四象. 奇加以奇, 曰陽之陽 ; 奇而加耦, 陰陽以章. 耦而加奇, 陰內陽外 ; 耦復加耦, 陰與陰會. 兩一旣分, 一復生兩. 三才在目, 八卦指掌.

태일이 처음 갈라져 음은 내려가고 양은 올라가, 양은 하나(–)로 베풀고 음은 둘(--)로 받든다. 위대한 태호복희씨여! 우러러 살피고 굽어살폈다. 홀(–)과 짝(--)이 펼쳐져 양의(– · --)가 만들어졌도다. 기왕의 줄기에 가지가 돋아 각기 하나가 둘을 낳고, 음과 양이 서로 섞여서 사상四象이 섰도다. 홀(–)에 홀(–)을 더하여 양의 양(⚌)이라 하고, 홀(–)에 짝(--)을 더하여 음과 양(⚍)이 채색을 이뤘다. 짝(--)에 홀(–)을 더하여 음은 안쪽 양은 밖(⚎), 짝(--)에 또 짝(--)을 더하여 음과 음이 서로 모였다(⚏). 양의의 한 획이 나뉜 뒤에 그 한 획은 다시 둘을 낳는다. 삼재三才(하늘과 인간과 땅)가 눈앞에 서고 팔괘가 손바닥에 올려진 듯하다.

奇奇而奇, 初一曰乾 ; 奇奇而耦, 兌次二焉 ; 奇耦而奇, 次三曰離 ; 奇耦而耦, 四震以隨 ; 耦奇而奇, 巽居次五 ; 耦奇而耦, 坎六斯睹 ; 耦耦而奇, 艮居次七 ; 耦耦而耦, 八坤以畢. 初畫爲儀, 中畫爲象, 上畫成卦, 人文斯朗. 因而重之, 一貞八悔 ; 六十四卦, 由內達外. 交易爲體, 往此來彼 ; 變易爲用, 時靜而動.

홀과 홀에 홀을 더하여 첫째 건괘乾卦(☰), 홀과 홀에 짝을 더하여 태괘兌卦(☱)가 차례의 둘째, 홀과 짝에 홀을 더하여 차례의 셋째는 이괘離卦(☲), 홀과 짝에 짝을 더하여 넷째로 진괘震(☳)가 따르고, 짝과 홀에 홀을 더하여 손괘巽卦(☴)는 차례의 다섯째, 짝과 홀에 짝을 더하여 감괘坎卦(☵)를 여섯째로 보고, 짝과 짝에 홀을 더하여 간괘艮卦(☶)는 차례의 일곱째, 짝과 짝에 짝을 더하여 여덟째 곤괘坤卦(☷)로 마친다. 첫 획은 양의兩儀가 되고 가운데 획은 사상四象이 되며 위 획은 괘가 이뤄져, 인간의 예악제도가 환하여졌다. 이를 따라 거듭하여 하나의 정괘貞卦[內卦]에 팔괘의 회괘悔卦[外卦]를 반복시킴이니, 육십사괘는 안에서 밖으로 뻗어나간다. 교역交易은 체體이니 이것이 가고 저것이 옴이고, 변역은 용用이니 때로 정靜하고 동動한다.

降帝而王, 傳夏曆商, 有占無文, 民用弗彰. 文王繫彖, 周公繫爻. 視此八卦, 二純六交. 乃乾斯父, 乃坤斯母. 震坎艮男, 巽離兌女. 離南坎北, 震東兌西. 乾坤艮巽, 位以四維. 建官立師, 命曰『周易』. 孔聖傳之, 是爲十翼. 遭秦弗燼, 及宋而明. 邵傳羲畫, 程演周經. 象陳數列, 言盡理得. 彌億萬年, 永著常式.[216]

복희시대로부터 삼왕三王 시대까지 하夏나라를 거쳐 상商나라에 전해지며, 점치는 일만 있고 문자가 없어, 백성들의 점침이 십분 분명하지 못하였다. 이에 문왕이 단사彖辭를 지으시고 주공이 효사爻辭를 지으셨다. 여기서 팔괘를 살피면 순음純陰 순양純陽인 괘는 두 괘(건괘☰와 곤괘☷)이고 여섯 괘는 음양이 서로 섞였다. 건괘는 아버지이고 곤괘는 어머니, 진괘☳와 감괘☵와 간괘☶는 아들, 손괘☴와 이괘☲와 태괘☱는 딸이다. 이괘는 남쪽 감괘는 북쪽,[217] 진괘는 동쪽 태괘는 서쪽이다. 건괘와 곤괘와 간괘와 손괘는 간방間方에 자리한다. 관직을 만들고 스승을 두면서 『주역』이라 이름했고 공자가 지은 전傳은 십익十翼이 되었다. 진시황秦始皇의 분서焚書 시대를 만나서도 불타지 않았고 송대宋代에 이르러 밝아지니, 소강절은 복희의 선천역의 주를 내고 정이천은 『주역』의 경을 연역했다. 상이 베풀어지고 수가 나열되어, 해야 할 말 다 말하여졌고 이치에 꼭 맞으니, 억만년에 이어질 영원한 법이 드러났다.

[70-4-2]

述旨贊 술지찬 주자

昔在上古, 世質民淳. 是非莫判, 利害不分. 風氣旣開, 乃生聖人. 聰明睿知, 出類超群. 仰觀俯察, 始畫奇耦. 教之卜筮, 以斷可否. 作爲君師, 開鑿户牖. 民用不迷, 以有常守. 降及中古, 世變風移. 淳澆質喪, 民僞日滋.

예전 상고 시대에 세상 질박하고 사람들 순박하여, 시비도 판결하려 않고 이해도 따지지 않았다. 풍속이 열리며 성인이 탄생하니, 총명예지가 무리에 뛰어나 출중하였다. 우러러 살피고 굽어살피사 비로소 음효와 양효를 긋고, 거북점과 시초점 가르쳐서 가부를 결단하게 하였다. 군주와 스승이 되어 밝은 길 열어주니, 백성들이 그로 인해 미혹에 빠지지 않고 일정하게 지킬 도리 지니게 되었다. 중고 시대에 미쳐 세상이 변하고 풍속이 바뀌어, 순박함이 야박해지고 질박함을 잃으며 백성들의 거짓이 날로 불어나게 되었다.

216 『朱文公文集』 권85
217 이괘는 남쪽 … 북쪽: 팔괘의 방위를 文王方位圖의 방위에 따라 한 말이다.

穆穆文王, 身蒙大難. 安土樂天, 惟世之患. 乃本卦義, 繫此彖辭. 爰及周公, 六爻是資. 因事設教, 丁寧詳密. 必中必正, 乃亨乃吉. 語子惟孝, 語臣則忠. 鈎深闡微, 如日之中. 爰暨末流, 淫於術數. 僂句成欺, 黃裳亦誤.

깊이를 가늠할 길 없는 문왕이 자신은 큰 환난을 당하면서도,[218] 상황에 편안해하고 운명을 즐거워하며 세상을 걱정하였다. 괘의 뜻에 바탕하여 단사彖辭를 짓고, 주공에 이르러는 육효의 효사爻辭가 그의 힘을 빌렸다. 일에 따라 베푼 가르침 간절하게 물샐틈없고 자상하니, 반드시 중中하고 반드시 정正하여야 형통하고 길하니라. 자식에겐 효도 신하에겐 충성하라 말하며, 깊은 뜻을 콕 짚어 내고 은미한 뜻 밝힘이 마치 해가 중천에 뜬 듯하였다. 그러나 말류시대에 미쳐 술수에 빠져들며, 누구僂句는 속이라고 하고[219] 황상마저 또한 잘못되었다.[220]

大哉孔子, 晩好是書. 韋編旣絶, 八索以袪. 乃作彖象, 十翼之篇. 專用義理, 發揮經言. 居省象辭, 動察變占. 存亡進退, 陟降飛潛. 曰毫曰釐, 匪差匪謬. 假我數年, 庶無大咎. 恭惟三古, 四聖一心. 垂象炳明, 千載是臨.

위대하다 공자여 말년에 이 책을 좋아하여, 가죽으로 맨 끈이 끊어지고서야 팔삭八索[221]이 사라졌다. 마침내 단전彖傳과 상전象傳을 저술하니 십익十翼이요, 오로지 의리로 경의 뜻을 발휘시켰다. 평소에는 상象과 사辭를 살피고 움직이려면 변화와 점占을 살펴야 한다. 보존과 망함, 발전과 퇴보, 승진과 퇴출, 출세와 묻힘에 털끝만큼의 잘못이나 오류가 없다. 나에게 몇 년만 공부할 시간을 준다면 아마 큰 허물은

218 자신은 큰 … 당하면서도 : 문왕이 紂의 미움을 사 羑里獄에 갇힌 일을 이른다. 문왕은 이 유리옥에 갇혔을 때 『周易』의 괘사를 지었다.

219 僂句는 속이라고 하고 : 여기서 말하는 僂句는 거북이 나오는 땅 이름이고 그것이 변해서 거북을 이르는 말이 되며, 거북점에 쓰이는 거북을 상징하는 말이 되었다. 『春秋左傳』「昭公 25년」 기사에서, "臧昭伯이 晉나라로 떠났을 때 臧會가 장소백의 거북 누구를 훔쳐 진실한 것이 좋을지 진실치 않는 것이 좋을지 점을 쳤는데 진실치 않은 것이 길하다는 점괘가 나왔다.(初臧昭伯如晉, 臧會竊其寶龜僂句, 以卜爲信與僭, 僭吉.)"고 하였다. 그 뒤 장회는 진나라에 가서 장소백이 묻는 말에 점괘에 따라 모호한 대답을 하여 장소백에게 미움을 사 위기를 맞았으나, 결국 장씨 집안 대표로 선발되어 장씨 집안의 벼슬을 승계하게 되자 "누구가 나를 속이지 않았다.(僂句不余欺也.)"고 하였다.

220 황상마저 또한 잘못되었다. : 黃裳은 누른 빛깔의 치마이고, 누른빛은 땅과 군주를 상징하니 『周易』「坤卦」 六五爻의 爻辭에 黃裳元吉이란 말이 있다. 곧 황상을 갖추었으니 크게 길하다는 말이다. 점괘에서 이 괘효를 얻으면 크게 길함이 된다. 그런데 『春秋左傳』「昭公 12년」 기사에는 南蒯가 季平子를 배반하려고 하면서 점을 쳐 坤卦(☷)가 比卦(☵☷)로 변한 점괘를 얻자, 점을 친 사람이 곤괘 육오의 이 효사를 들어 길하다고 하였다. 子服惠伯에게 보이자 자복혜백은 "내가 점을 배웠다. 성실하고 미더운 일일 경우라면 좋겠지만 그렇지 않다면 반드시 패할 것이다.(吾嘗學此矣. 忠信之事則可, 不然必敗.)"고 하였다. 남괴는 결국 실패하고 齊나라로 도망쳤다.

221 八索 : 옛 책이름이다. 『春秋左傳』「昭公 12년」에서 "이 사람은 『三墳』과 『五典』과 『八索』과 『九丘』를 읽는다.(是能讀『三墳』『五典』『八索』『九丘』.)"고 하였고 杜預의 주에 "팔괘에 대한 말을 『八索』이라 한다.(八卦之說, 謂之八索.)"고 하였다.

없을 것[222]이다. 삼가 생각컨대 예전 세 시대의 네 분 성인[223]은 한마음이니, 드리운 상 밝고 밝게 천년에 미쳐있다.

惟是學者, 不本其初. 文辭象數, 或肆或拘. 嗟予小子, 旣微且陋. 鑽仰沒身, 奚測奚究. 匪警滋荒, 匪識滋陋. 維用存疑, 敢曰垂後?[224]

배우는 자들 그 기초를 바탕 삼지 않고, 문사文辭와 상象과 수數를 혹 넘치게 해석하고 혹 너무 구애되었다. 아! 나 소자야 미천하고 또 비루하니, 죽도록 파보고 우러른들 어찌 헤아리고 어찌 연구해내랴. 깨우치지 않으면 더더욱 황폐해지고 알지 않으면 더더욱 비루해지기에 의심난 생각을 기록해 둠이지, 감히 후세에 남긴다 말하랴?

[70-4-3]

明筮贊 명서찬 주자

倚數之元, 參天兩地. 衍而極之, 五十乃備. 是曰大衍, 虛一無爲. 其爲用者, 四十九蓍. 信手平分, 置右於几, 取右一蓍, 掛左小指. 乃以右手, 揲左之策. 四四之餘, 歸之於扐. 初扐左手, 无名指間. 右策左揲, 將指是安. 再扐之奇, 通掛之算, 不五則九, 是謂一變. 置此掛扐, 再用存策, 分掛揲歸, 復準前式. 三亦如之, 奇皆四八. 三變旣備, 數斯可察.

수를 붙이는 근원은 하늘은 3으로 땅은 2로 한다. 부연하여 끝까지 가면 50의 수가 나온다. 이것은 대연수라 하는데 1은 비워서 쓰지 않는다. 쓰는 것은 49개의 시초다. 손 가는 대로 반으로 나누어 오른손의 시초는 책상에 놓아둔다. 오른쪽 시초 하나를 가져다 왼손 새끼손가락 사이에 걸어둔다. 마침내 오른손으로 왼손의 시초를 센다. 넷씩 세고서 나머지를 손가락에 끼운다. 처음 끼우는 것은 왼손의 무명지 사이에 끼운다. 오른쪽 시초는 왼손으로 세어서 가운뎃 손가락에 끼운다. 나머지를 두 번 끼운 것과 앞서 걸어둔 것을 통틀어 계산하면, 5가 아니면 9이니, 이를 일변一變이라 한다. 앞서 걸어두고 끼웠던 시초는 그대로 두고 다시 나머지 시초를 사용한다. 나누고 손가락에 걸고 세고 끼우기를 다시 앞의 방식대로 한다. 세 번째도 그렇게 하면 나머지는 모두 4나 8이다. 삼변三變이 갖추어지면 수를 알 수 있다.

數之可察, 其辨伊何? 四五爲少, 八九爲多. 三少爲九, 是曰老陽. 三多爲六, 老陰是當. 一少兩多, 少陽之七. 孰八少陰? 少兩多一. 旣得初爻, 復合前蓍, 四十有九, 如前之爲. 三變一爻,

222 아마 큰 … 것: 『論語』「述而」에서 공자는 "나에게 몇 년을 빌려주어 易 배우는 일을 마치게 해준다면 큰 허물은 없을 수 있을 것이다.(加我數年, 五十以學易, 可以無大過矣.)"고 하였다.

223 세 왕조의 … 성인: 세 왕조는 복희씨 시대, 문왕 시대, 공자 시대 이고, 네 분 성인은 복희, 문왕, 주공, 공자를 이른다.

224 『朱文公文集』 권85

通十八變. 六爻發揮, 卦體可見, 老極而變, 少守其常. 六爻皆守, 彖辭是當, 變視其爻, 兩兼首尾; 變及三爻, 占兩卦體; 或四或五, 視彼所存. 四二五一, 二分一專. 皆變而化, 新成舊毀. 消息盈虛, 舍此視彼. 乾占用九, 坤占用六. 泰愕匪人, 姤喜來復.[225]

수를 알았으면 그 구분은 어떻게 할까? 4와 5는 소少, 8과 9는 다多이다. 소가 셋이면 9이니 이를 노양老陽이라 한다. 다가 셋이면 6이니 노음老陰이라한다. 소 하나에 다가 둘이면 소양少陽의 7이다. 왜 8이 소음少陰인가? 소가 둘에 다가 하나일 경우이다. 초효를 얻은 뒤 다시 앞서의 시초를 합친다. 49개의 시초를 만들고 앞에서 했던 것과 같이한다. 3변의 과정을 거치면 한 효가 만들어지니 통틀어 (한 괘는) 18변의 결과이다. 여섯 효가 발휘되어야 괘체卦體를 볼 수 있으나 노老는 극에 달했음으로 변하고 소少는 일정함을 지킨다. 여섯 효가 모두 본래의 효를 지킬 경우 단사彖辭가 해당 점사占辭이다. 변하였을 경우 효를 보아야 하니 두 효가 변했을 경우 위아래의 효爻를 겸하여 살피고, 변효變爻가 세 효일 경우 본괘와 지괘之卦의 괘체卦體로 점을 치고, 변호가 혹 네 효, 혹 다섯 효일 경우 지괘의 불변효不變爻를 살펴야 한다. 네 효가 변하고 두 효가 변하지 않거나 다섯 효가 변하고 한 효가 변하지 않았을 경우, 변하지 않은 두 효를 나누어 살피고 변하지 않은 효가 한 효일 경우 그 효만 살핀다. 모든 효가 변하였으면 지괘가 이뤄지고 본괘는 없어진다. 사라지고 자라나며 차고 비우니, 본괘를 버리고 저 지괘를 보라. 건괘는 용구用九로 점을 치고 곤괘는 용육用六으로 점을 친다. 태괘泰卦는 비인匪人에 놀라는데 구괘姤卦는 되돌아오는 것을 기뻐한다.[226]

[70-4-4]

稽類贊 계류찬 주자

八卦之象, 說卦已全. 考之於經, 其用弗專. 彖以情言, 象以像告. 惟是之求, 斯得其要. 乾健天行, 坤順地從. 震動爲雷. 巽入木風. 坎險水泉, 亦雲亦雨. 離麗文明, 電日而火. 艮止爲山, 兌說爲澤. 以是擧之, 其要斯得. 凡卦六虛, 奇耦殊位. 奇陽耦陰, 各以其類. 得位爲正, 二五爲中. 二臣五君, 初始上終. 貞悔體分, 爻以位應. 陰陽相求, 乃得其正. 凡陽斯淑, 君子居之. 凡陰斯慝, 小人是爲. 常可類求, 變非例測. 非常曷變? 謹此爲則.[227]

팔괘의 상에 대해서는 「설괘전說卦傳」에 다 말하였다. 경문에서 살피면 그 쓰임새는 어느 하나만이 아니다. 단사는 정황을 말하고 상사는 상像을 말한다. 이것으로 찾으면 그 핵심을 터득하리라. 건괘의 굳건함

225 『朱文公文集』 권85

226 건괘는 用九로 … 기뻐한다. : 점을 쳐서 모든 효가 老陰과 老陽이 나왔을 때를 이른 말이다. 건괘의 모든 효가 변하였으면 곤괘의 用六으로 점치고, 곤괘의 모든 효가 변하였으면 건괘의 用九로 점을 치라는 말이다. 태괘는 모든 효가 변하면 否卦가 되는데 비괘의 괘사가 "그른 사람이 아니다.(否之匪人.)"이기에 그 말을 인용하여 비괘를 나타낸 것이고, 구괘는 모든 효가 변하면 復卦가 된다. 그래서 되돌아오는 것을 기뻐한다고 말한 것이다.

227 『朱文公文集』 권85

은 하늘의 운행이고 곤괘의 유순함은 땅의 따라줌이다. 진괘는 동하여 우레가 되고 손괘는 들어가 나무가 되고 바람이 되고, 감괘는 험하여 물이 되고 샘이 되며, 구름도 되고 또 비도 된다. 이괘는 음이 양에 걸려있어 문명함이며 번개, 해, 불이 된다. 간괘는 그쳐서 산이 되고 태괘는 기뻐함으로 못이 된다. 이렇게 말하면 그 핵심을 터득한 것이다. 모든 괘는 여섯 효가 자리를 비워두고 홀수와 짝수에 따라 자리가 다르다. 홀수의 양과 짝수의 음은 각기 그 유에 따라 사용한다. 양이 양 자리, 음이 음 자리를 얻으면 바름이고 두 번째 효와 다섯 번째 효가 중中이다. 두 번째 효는 신하이고 다섯 번째 효는 군주이며, 초初는 시작하는 효이고 상上은 마지막 효다. 내괘와 외괘로 체體는 나뉘고 효는 자리에 따라 호응하니, 음효와 양효가 서로 교류해야 비로소 바르다. 양은 선함이라 군자가 처하고 음은 사특함이라 소인이 해당한다. 일정한 것은 유추하여 찾을 수 있고 변한 것은 상례로 헤아릴 수 없으나, 일정함이 아니면 어찌 변함이 있으랴? 신중히 이를 법칙으로 삼아야 한다.

[70-4-5]

警學贊 경학찬 以上易五贊. 이상은 『역』에 대한 다섯 찬이다. 주자

讀易之法, 先正其心, 肅容端席, 有翼其臨. 於卦於爻, 如筮斯得, 假彼象辭, 爲我儀則. 字從其訓, 句逆其情. 事因其理, 意適其平. 曰否曰臧, 如目斯見; 曰止曰行, 如足斯踐. 毋寬以畧, 毋密以窮. 毋固而可, 毋必而通. 平易從容, 自表而裏, 及其貫之, 萬事一理.

『주역』을 읽는 방법은 먼저 자신의 마음을 바르게 하고, 용모를 엄숙히 자리를 단정히 하여 공경스런 태도로 책을 대하라. 괘와 효는 마치 점을 쳐 얻은 것처럼 하고, 저 상징하는 말들을 가져다 나의 법도로 삼아라. 글자는 그 새기는 말을 따르고 글귀는 그 정황을 헤아려라. 일에서는 그 이치를 따르고 마음은 공평하게 가지라. '나쁘다.' '좋다.'란 말에서는 마치 눈으로 본 것처럼 하고, '그쳐라.' '행하라.'란 말에서는 마치 발로 그 자리에 서있는 듯이 하라. 너그러워 생략하려 들지 말고 치밀하여 끝까지 파고들지 말며, 고집하여 옳다 하지 말고 기필하여 관철시키려 말라. 평이하고 조용하게 겉으로부터 안으로 이르러야 할 것이니, 관통의 경지에 이르면 모든 일이 한 이치이다.

理定旣實, 事來尙虛. 用應始有, 體該本無. 稽實待虛, 存體應用. 執古御今, 由靜制動. 潔靜精微, 是之謂易. 體之在我, 動有常吉. 在昔程氏, 繼周紹孔, 奧旨宏綱, 星陳極拱. 惟斯未啓, 以俟後人, 小子狂簡, 敢述而申.[228]

이치는 정해져 확고하나 일의 발생은 늘 엉뚱한 것, 용用은 대응에 따라 비로소 생겨나나 체體는 본래 무無까지 포괄한다. 확고함에 근거하여 엉뚱함에 대처하고 체를 가지고 용에 대응하라. 옛날을 잡아서 오늘날을 다스리고 고요함[靜]으로 움직임[動]을 제어하라. 청정하고 정미한 것이 역易이라 할 것이니, 체득하여 내게 있으면 하는 일마다 늘 길하리라. 옛날 정이천程伊川이 주나라의 문왕과 주공과 공자를

228 『朱文公文集』 권85

이으니, 깊은 뜻과 큰 강령이 수많은 별들이 북극성을 향하여 벌려 선 듯하다. 이를 후생에게 열어 말씀하지 않고 후인을 기다렸기에, 소자 광간狂簡하여 감히 펼쳐 말하노라.

[70-4-6]

復卦贊 복괘찬　　　　　　　　주자

萬物職職, 其生不窮. 孰其尸之? 造化爲工. 陰闔陽開, 一靜一動. 於穆無疆, 全體妙用. 奚獨於斯, 潛陽壯陰. 而曰昭哉, 此天地心?. 蓋翕無餘, 斯闢之始. 生意闖然, 具此全美. 其在於人, 曰性之仁. 斂藏方寸, 包括無垠. 有茁其萌, 有惻其隱. 於以充之, 四海其準. 曰惟茲今, 眇綿之間. 是用齋戒, 掩身閉關. 仰止羲圖, 稽經協傳. 敢贊一辭, 以詔無倦.[229]

만물은 수없고 그 태어나고 태어남도 끝이 없다. 누가 그 일 주관하는가? 조화옹이 그 일을 한다. 음은 닫고 양은 열며 한번은 고요하고 한번은 움직인다. 아! 심원하여 끝이 없으니 전체가 신묘의 작용이다. 왜 유독 복괘가 이루어질 때 양은 맨 아래에 잠복하고 음은 장대한데, 분명하게 이를 천지의 마음이라고 말하고 있을까?[230] 이는 남김없이 닫힘이 열림의 시작이어서다. 생명의 기미가 쏘옥 고개를 내미니 여기에 온전한 아름다움이 갖춰있다. 그것이 사람에서는 본성의 인이다. 방촌 가운데 갈무리되어 감싸 안음이 끝이 없다. 쏘옥 내미는 그 움틈속에 불쌍해함이 숨어 있다. 이를 채워내는 일이 천하 모든 곳의 기준이자 양이 막 되돌아오는 지금이 보일락 말락 이어지는 사이이다. 재계하여 몸을 근신하고 문마저도 폐쇄하라.[231] 복희씨의 하도河圖를 우러르고 경문을 연구하여 전문傳文과 하나가 되라. 감히 한마디 말을 덧붙여 게으르지 말 것을 고하노라.

[70-4-7]

復卦義贊 복괘의찬　　　　　　　　南軒張氏 남헌 장씨 : 張栻

天地之心, 其體則微. 於動之端, 斯以見之. 其端伊何?, 維以生生. 群物是資, 而以日亨. 其在於人, 純是惻隱. 動匪以斯, 則匪天命. 曰義·禮·智, 位雖不同, 揆厥所基, 脉絡該通. 曷其保之? 日乾夕惕. 斯須不存, 生道或息. 養而無害, 敬立義集. 是爲'復亨, 出入無疾.'[232]

천지의 마음은 그 체가 은미하다. 꿈틀대는 시작에서야 그것을 볼 수 있다. 시작이란 어떤 것인가? 끊임

229 『朱文公文集』 권85

230 천지의 마음이라고 … 있을까? : 「復卦」의 단사에서 "복괘에서 천지의 마음을 볼 수 있다.(復, 其見天地之心乎.)"고 하였다.

231 문마저도 폐쇄하라. : 『周易』「復卦」의 象辭에서 "선왕이 복괘의 덕을 본받아 동짓날이면 관문을 닫아걸고 상인과 여행객들을 통행하지 못하게 하고 군주도 사방을 순행하며 살피는 일을 하지 않는다.(先王以至日閉關, 商旅不行, 后不省方.)"고 하였다.

232 『南軒集』 권36

없는 생생이다. 뭇 사물은 이를 의지하여 날로 형통한 삶을 누린다. 그것이 사람에서는 순수한 측은이다. 마음의 꿈틀거림이 여기서 시작하지 않으면 그것은 하늘이 명한 본성이 아니다. 의義·예禮·지智도 자리는 같지 않지만 그것들의 처음을 헤아리면 맥락이 닿아있다. 어떻게 보존할까? 종일토록 힘쓰고 저녁까지 두려워하라. 잠깐이라도 지니지 않으면 생생의 도리 어쩌면 사라질 것이다. 이를 양성하며 해치지 않으려면 경을 확립하고 의를 축적해야 한다. 이것이 '돌아옴이 형통하여 돌아옴이 발전되어가는 길에 잘못이 없다.'[233]는 것이다.

[70-4-8]

心經贊 『심경』찬 　　　　西山眞氏 서산 진씨 : 眞德秀

舜禹授受, 十有六言. 萬世心學, 此其淵源. 人心伊何? 生於形氣, 有好有樂, 有忿有懥. 惟慾易流, 是之謂危. 須臾或放, 衆慝從之. 道心伊何? 根於性命, 曰義曰仁, 曰中曰正. 惟是無形, 是之謂微. 毫芒或失, 其存幾希.

순과 우가 물려주고 물려받은 것은 열여섯 글자[234]이다. 만세의 심학心學은 이 말이 그 근원이다. 인심人心이란 무엇인가? 형기形氣에서 생겨나니, 좋아함, 즐거워함, 분노, 성냄이다. 욕심은 흘러넘침이 쉽기에 그래서 위험하다고 말한다. 잠시라도 놓아버리면 뭇 사특이 따라 이른다. 도심道心이란 무엇인가? 성명性命에서 뿌리 하니, 의義와 인仁, 중中과 정正이다. 리理는 형체가 없기에 그래서 은미하다고 말한다. 털끝만큼이라도 혹여 잃는다면 보존된 도심 얼마이랴?

二者之間, 曾弗容隙. 察之必精, 如辨白黑. 知及仁守, 相爲始終. 惟精惟一, 惟一故中. 聖賢迭興, 體姚法姒. 持綱挈維, 昭示來世. 戒懼謹獨, 閑邪存誠. 曰忿曰慾, 必窒必懲. 上帝實臨, 其敢或貳? 屋漏雖隱, 寧使有愧?

인심과 도심의 사이는 조금도 틈을 용서치 않는다. 이 둘을 살피는 일에을 반드시 정밀히 하여 마치 흑과 백을 변별하듯 하라. 지혜로 미쳐 알아내고 인으로 그것을 지키는 것[235]이 서로가 시작하고 끝을 맺음이다. 오직 정밀하고 오직 한결같아야 하니 한결같은 까닭에 중中이 이루어진다. 성인과 현인이 번갈아 세상에 나왔으니 요姚(순임금의 姓)을 체화하고 사姒(우임금의 姓)를 법 받아라. 강령을 떨쳐 일으키고 사유四維를 들어서 후세에 밝게 보여주셨느니라. 계신공구戒愼恐懼하고 신독愼獨하여 사악을 막고 성심을 보존해야 하고, 분노와 욕심은 반드시 막고 각성해야 한다. 옥황상제가 실제 보고 계시는데 감히 혹여도 두 마음을 가지랴?, 집안의 가장 숨겨진 곳에서마저 어찌 부끄러움이 있게 하랴?

233 '돌아옴이 형통하여 … 없다.' : 『周易』「復卦」의 卦辭

234 열여섯 글자 : 『書經』「大禹謨」의 "人心惟危, 道心惟微, 惟精惟一, 允執厥中."을 이른다.

235 지혜로 미쳐 … 것 : 『論語』「衛靈公」에 공자가 "지혜로 (이치를) 미쳐 알았더라도 인으로 그것을 (몸에 지녀) 지켜내지 못하면 얻었다 하더라도 반드시 잃게 될 것이다.(知及之, 仁不能守之, 雖得之, 必失之.)"고 하였다.

四非當克, 如敵斯攻; 四端旣發, 皆廣而充. 意必之萌, 雲捲席撤; 子諒之生, 春噓物茁. 雞犬之放, 欲知其求; 牛羊之牧, 濯濯是憂. 一指肩背, 孰貴孰賤? 簞食萬鍾, 辭受必辨. 克治存養, 交致其功. '舜何人哉?' 期與之同.

봄, 들음, 말함, 행동의 비례非禮는 당연히 극복해야 하니 마치 적군을 공격하듯이 하고, 사단四端이 우러나온 것이거든 모두를 넓혀 채우도록 하라. 의도와 기필하려는 생각이 움트거든 구름이 밀려가고 자리를 걷어치우듯이 하고, 자애로움이나 성실한 마음이 우러나거든 봄바람이 불어 사물을 자라게 하듯 하라. 닭이나 개를 잃어버렸을 때 찾아야 할 줄 알 듯[236]이 하고 소와 양이 방목되었을 때 민둥산을 걱정해야[237] 한다. 손가락 한 개와 어깨며 등[238]에서 어떤 것이 귀하고 어떤 것이 천하며? 대바구니의 밥과 1만 종鍾의 녹에서 무엇을 거절하고 받을지[239] 반드시 분별하라. 사욕을 이기는 일과 보존해 기르는 일을 번갈아 공을 극진히 하라. '순임금은 어떤 사람인가?'[240]라고 하였으니, 똑같은 사람이 되려 하라.

維此道心, 萬善之主. 天之與我, 此其大者. 斂之方寸, 太極在躬; 散之萬事, 其用弗窮. 若寶靈龜, 若奉拱璧. 念玆在玆, 其可弗力? 相古先民, 以敬相傳. 操約施博, 孰此爲先? 我來作州, 茅塞是懼, 爰輯格言, 以滌肺腑. 明窻棐几, 清晝爐薰. 開卷肅然, 事我天君."[241]

236 닭이나 개를 알 듯: [70-1-7] 참고

237 민둥산을 걱정해야: 『孟子』「告子上」에서 맹자가 "우산의 나무가 지난날 아름다웠는데 그곳이 큰 수도의 교외라서 도끼들로 베어내니 아름다울 수 있겠는가? 이들 초목이 밤사이에 자라고 이슬과 비가 촉촉하게 적셔주어 싹이 움트는 일이 없지 않았는데 소와 양들이 또 자란 대로 뜯어먹어 저와 같이 민둥산이 되었다. … 사람에게 보존되어 있는 것에도 어찌 인의의 마음이 없겠는가? 그런데 그 양심을 잃게 하는 것들은 나무를 도끼로 아침마다 베는 것과 같으니 아름다울 수 있겠는가?(牛山之木嘗美矣, 以其郊於大國也, 斧斤伐之, 可以爲美乎? 是其日夜之所息, 雨露之所潤, 非無萌蘖之生焉, 牛羊又從而牧之, 是以若彼濯濯也. … 雖存乎人者, 豈無仁義之心哉? 其所以放其良心者, 亦猶斧斤之於木也, 旦旦而伐之, 可以爲美乎?)"라고 하였다.

238 손가락 한 … 등: 『孟子』「告子上」에서 맹자가 "몸에는 귀하고 천한 것과 적고 큰 것이 있으니 적은 것으로 큰 것을 해침이 없고 천한 것으로 귀한 것을 해치지 않아야 한다. 적은 것을 기르는 자는 소인이고 큰 것을 기른 자는 대인이다. … 손가락 하나를 기르고 어깨나 등을 잃는다면 지혜가 없는 것이니 뒤를 돌아보지 못하는 병을 앓는 사람이다.(體有貴賤有小大, 無以小害大, 無以賤害貴. 養其小者爲小人, 養其大者爲大人. … 養其一指, 而失其肩背, 而不知也, 則爲狼疾人也.)"고 하였다.

239 대바구니의 밥과 … 받을지: 『孟子』「告子上」에서 맹자가 "한 대그릇의 밥과 한 나무그릇의 국을 얻으면 살고 얻지 못하면 죽게 되더라도 혀를 차며 그것을 주면 길가는 사람도 받아먹지 않고, 발로 차서 건네주면 거지도 달가워하지 않는다. 만종이라면 예의를 변별하지 않고 받아들이니 만종이 나에게 어떤 보탬이 되는 것인가?(一簞食一豆羹, 得之則生, 弗得則死, 嘑爾而與之, 行道之人弗受, 蹴爾而與之, 乞人不屑也. 萬鍾則不辨禮義而受之, 萬鍾於我何加焉.)"라고 하였다. 여기서 만종의 종은 용량의 단위어로 6섬 4말이라는 설과 8섬, 10섬이라는 주장이 있다.

240 '순임금은 어떤 사람인가?': 『孟子』「滕文公上」에서, "안연이 말하길, '순은 어떤 사람이며 나는 어떤 사람인가? 하는 자는 또한 이같이 될 것이다.'(顏淵曰, '何人也, 予何人也? 有爲者亦若是.')"고 하였다.

241 『心經』

이 도심은 온갖 선의 주인이다. 하늘이 나에게 준 것 중의 큰 것이다. 마음에 거두면 태극이 나에게 있고, 온갖 일들에 흩어뜨리면 그 쓰임새는 끝이 없다. 신령한 거북딱지를 보배로 여기듯 하고 큰 옥벽璧을 받들 듯이 하라. 어느 생각이나 도심이어야 하니 힘들이지 않을 수 있겠는가? 예전의 선현을 살피면 경敬을 서로 전하였다. 간직하기에 간결하고 쓰임새의 넓음이 무엇이 이것에 앞서랴? 내가 이곳에 수령으로 부임하고서 흉금이 띠 풀에 막힐 것이 두려워, 격언들을 모아 이것으로 가슴을 씻으려 한다. 환한 창문 책상 위에 맑은 대낮에 향불을 피우고서 책을 펴고 숙연히 나를 주재하는 천군天君(마음)을 받든다."

箴 잠

[70-5-1]

敬齋箴 경재잠[242]　　朱子 주자

正其衣冠, 尊其瞻視. 潛心以居, 對越上帝. 足容必重, 手容必恭. 擇地而蹈, 折旋蟻封. 出門如賓, 承事如祭. 戰戰兢兢, 罔敢或易. 守口如瓶, 防意如城. 洞洞屬屬, 毋敢或輕. 不東以西, 不南以北. 當事而存, 靡他其適. 勿貳以二, 勿參以三. 惟精惟一, 萬變是監. 從事於斯, 是曰持敬.

의관을 바르게 차리고 시선을 단정히 하며, 마음을 가라앉혀 생활하고 상제를 마주한 듯이 하라. 발 모습은 반드시 무겁고 손 모습은 반드시 공손하게 지녀, 땅도 가려서 걸음을 걷고 개밋둑 같은 좁은 길을 꺾고 돌 듯 신중히 하라. 대문을 나서면 손님을 만난 듯, 일을 맡았을 때에는 제사를 받들 듯이 하여,[243] 두려워하고 경계하며 혹여도 감히 소홀함 없게 하라. 입 지키기를 병마개 막듯이 하고 삿된 생각 막기를 성문 지키듯 하라. 질박하며 오롯하여 감히 혹여 경솔함 없게 하라. 동쪽으로 가려다가 서쪽으로 가지 말고, 남쪽으로 가려다가 북쪽으로 가지 말라. 만난 일에 마음 모으고 다른 일에 옮겨가지 않게 하라. 두 곳에 마음을 써 마음이 둘로 나뉘게 말고 마음을 세 곳으로 써 마음이 세 곳에 나뉘게 말라. 오직 정밀히 살피고 오직 한결같이 지켜서 갖은 변화를 살펴라. 이렇게 하는 것이 지경持敬이다.

242 敬齋箴 : 이 잠은 『朱文公文集』 권85에 "장경부(장식의 자)의 「主一箴」을 읽고서 그 글에서 언어진 뜻을 모아 경재잠을 지어 벽에 써 붙여두고 스스로를 깨우친다.(讀張敬夫主一箴, 掇其遺意作敬齋箴, 書齋壁以自警云.)"는 소서가 있다.

243 대문을 나서면 … 하여, : 『論語』「顔淵」에서 "중궁이 인을 묻자, 공자가 말하였다. '대문을 나서서는 큰손님을 뵌 듯이 하고 백성을 부릴 적에는 큰제사를 받들 듯이 하며 자신이 하고자 하지 않는 일을 남에게 시키지 말라.'(仲弓問仁, 子曰, '出門如見大賓, 使民如承大祭, 己所不欲勿施於人.')"고 하였다.

動靜弗違, 表裏交正. 須臾有間, 私欲萬端. 不火而熱, 不冰而寒. 毫釐有差, 天壤易處. 三綱旣淪, 九法亦斁. 於乎小子, 念哉敬哉. 墨卿司戒, 敢告靈臺.[244]

동과 정에 어긋남 없게 하고 안팎을 번갈아 바르게 하라. 잠시라도 틈을 주면 갖은 사욕이 일어난다. 불이 없는데도 열이 치솟고 얼음이 없는데도 으스스하다. 털끝만큼의 차이에서 하늘과 땅이 뒤바뀌며, 삼강이 사라지고 홍범구주洪範九疇마저 무너진다. 아! 소자들아! 생각하고 공경하라. 먹[墨卿]에게 이 경계의 말 쓰는 일을 담당시켜 감히 영대靈臺(마음)에게 고하노라."

[70-5-2]

主一箴 주일잠　　　南軒張氏 남헌 장씨 : 張栻

人稟天性, 其生也直. 克愼厥彝, 則靡有忒. 事物之感, 紛綸朝夕. 動而無節, 生道或息. 惟學有要, 持敬勿失. 驗厥操舍, 乃知出入. 曷爲其敬, 妙在主一. 曷爲其一? 惟以無適. 居無越思, 事靡他及. 涵泳於中, 匪忘匪亟. 斯須造次, 是保是積. 旣久而精, 乃會於極. 勉哉勿倦, 聖賢可則.[245]

사람은 천성을 부여받아 그 태어남의 이치 또한 곧으니, 능히 그 떳떳한 도리 삼간다면 어긋남이 없다. 사물의 유혹은 아침부터 저녁까지 수도 없으니, 행동에 절제 없으면 태어날 때 받은 이치 아마도 사라질 것이다. 배우는 긴요한 도리 있으니 경을 잡고 잃지 않음이다. 잡고 있는지 놓아버렸는지의 증험으로 마음이 나갔는지 들어와 있는지를 알 것이다. 무엇을 그 경이라고 할까? 오묘함은 하나에 오롯함이다. 무엇을 그 하나라 말할까? 다른 데로 옮겨가지 않음이다. 생활에서 본분에 넘친 생각 말고 일에서 다른 생각하지 말라. 그 속에 파묻혀서 잊지도 서두름도 없어야 하니, 잠깐도 창졸간도 이를 보존하고 이 공을 쌓도록 하라. 오랜 시간이 가 정밀해진다면 최고의 경지 만나게 될 것이다. 노력하고 게으름 피우지 말 것이니 성인과 현인만을 본받도록 하라.

[70-5-3]

勿齋箴 물재잠[246]　　　西山眞氏 서산 진씨 : 眞德秀

天命之性, 得之者人. 人之有心, 其孰不仁. 人而不仁, 曰爲物役. 耳蕩於聲, 目眩於色. 以言則肆, 以動則輕. 人欲放紛, 天理晦冥. 於焉有道, 禮以爲準. 惟禮是由, 匪禮勿循. 曰禮伊何? 理之當然. 不雜以人, 一循乎天. 勿之爲言, 如防止水. 孰其尸之? 曰心而已.

하늘이 명령하듯 부여해 준 본성 얻은 자 사람이니, 사람이 둔 마음 그 누구라 인하지 않으랴. 사람이 인하지 못한 것은 사물의 종이 되어서니 귀는 음악에 방탕해지고 눈은 빛에 부시어진다. 말이 방탕하고

244 『朱文公文集』 권85
245 『南軒集』 권36
246 勿齋箴 : 『西山文集』 권33에 陳無競에게 지어준 글이라고 하였다.

행동이 경솔해지면, 욕심이 어지러이 내달리고 천리는 어두워진다. 여기에 도가 있어 예가 그 준칙이니, 예만을 따르고 예가 아니면 따르지 말라. 예란 어떤 것인가? 천리의 당연함이다. 욕심이 섞여들지 않게 하고 하나같이 천리만을 따르라. 물勿이란 말의 뜻은 막아서 물을 멈추게 하는 것과 같은 것, 누가 그것을 주관하는가? 마음일 따름이다.

聖言十六, 一字其機. 機牙旣幹, 鈞石必隨. 我乘我車, 駟馬交騣. 孰範其驅? 維轡在手. 是以君子, 必正其心. 翼翼兢兢, 不顯亦臨. 萬夫之屯, 一將之令. 霆鍧颷馳, 孰敢干命? 衆形役之, 統於心官. 外止弗流, 內守愈安. 其道伊何? 所主者敬. 表裏相維, 動靜俱正. 莠盡苗長, 醅化醴醇. 方寸盎然, 無物不春. 惟勿一言, 萬善自出. 念玆在玆, 其永無斁.[247]

성인 말씀의 열여섯 글자[248]는 (물자) 한 글자가 그 기틀이니, 기아機牙[249]가 근간으로 자리 잡으면 균석鈞石[250]은 반드시 따른다. 내가 탄 내 수레 네 마리 말이 번갈아 달리니, 무엇이 그 몲의 법칙일까? 고삐가 손안에 있느니라. 그러므로 군자는 반드시 자신의 마음부터 바로잡나니, 공경하고 공경하며 조심하고 조심하여, 아무도 모르는 곳에서도 하늘이 보고 계신 듯이 하라. 1만 군사가 주둔한 곳에 한 장수가 명령하건만, 우레가 치고 바람이 휩쓸 듯한데 뉘라 감히 명령을 범하랴? 신체가 하는 일은 마음에 의해 통솔되니, 밖을 막아 넘치지 않게 하면 안이 지켜져 더욱 편안하리라. 그 방법은 무엇일까? 주장삼아야 할 것 경敬이니, 안팎에서 서로 붙잡으면 동動과 정靜이 함께 바르리라. 가라지를 모두 없애야 곡식은 자라고 술도 떠있는 찌끼가 삭아야 술맛이 깊나니, 마음이 성대하면 하는 일마다 봄이 아닌 것 없느니라. '물勿'이란 한 글자에서 갖은 선이 비롯되니. 생각 생각을 여기에 두어 영원히 싫증 내지 말라.

[70-5-4]

思誠齋箴 사성재잠 서산 진씨

誠者天道, 本乎自然. 誠之者人, 以人合天. 曰天與人, 其本則一. 云胡差殊? 蓋累於物. 心爲物誘, 性逐情移. 天理之眞, 其存幾希? 豈惟與天, 邈不相似. 形雖人斯, 實則物只. 皇皇上帝, 命我以人. 我顧物之, 抑何弗仁? 維子思子, 深憫斯世. 指其本源, 祛俗之蔽. 學問辨行, 統之以思, 擇善固執, 惟日孜孜. 狂聖本同, 其忍自棄? 人十己千, 弗止弗已.[251] **雲披霧卷, 太虛湛然; 塵掃鏡空, 淸光自全. 曰人與天, 旣判復合, 渾然一眞, 諸妄弗作. 孟氏繼之, 命曰思誠, 更兩鉅賢, 其指益明. 大哉思乎! 作聖之本. 歸而求之, 實近非遠.**[252]

247 『西山文集』 권33
248 성인 말씀의 … 글자: 윗글 『心經』찬의 주석 참고
249 機牙: 쇠뇌에서 화살을 걸고 있는 시위 줄의 제동장치
250 鈞石: 중량의 단위. 鈞은 30근, 石은 120근이다. 이들은 쇠뇌 활줄기를 당기는 힘의 크기를 이른다.
251 弗止弗已: 『西山文集』 권33에는 '止'자가 '至'자로 되어 있다. 이를 따른다.
252 『西山文集』 권33

성誠은 하늘의 도이니 하늘 그대로에 뿌리하고, 성하려는 자는 사람이니 사람으로서 하늘과 똑같아야 한다. 하늘과 사람은 그 근본이 하나인데, 어찌하여 차이가 생겼을까? 물욕에 사로잡혀서이다. 마음이 물욕에 유혹되면 성性은 정情을 따라 옮겨가니, 천리天理의 참됨 남은 게 얼마나 되랴? 어찌 하늘과만 동떨어져 얼토당토않으랴. 형체만 사람일 뿐 실상은 하나의 물건일 뿐이지. 위대하신 상제님이 나에게 사람의 형체 주셨는데 내 물건일 따름이면 왜 그다지 불인不仁해졌을까? 자사子思가 이 한세상 깊이 걱정하여 본원을 들춰내 세속의 의혹을 걷어내셨다. 배움, 물음, 분변, 행동은[253] 신사愼思에 통솔되니, 선한 길을 가려내 굳게 잡고서 날마다 힘쓰고 힘쓰라. 광자狂者와 성인도 본래는 동일한데 어찌 차마 스스로 본성을 포기하랴? 남이 열 번이면 나는 천 번하여 이르지 못하거든 그치지 말라. 구름 걷히고 안개 개이면 하늘이 맑듯, 티끌 다하고 거울처럼 텅 비면 맑은 빛이 저절로 온전하리라. 사람과 하늘이 둘로 나뉘었다가 다시 합하여졌으니, 하나의 참됨이 온전하여져 모든 망령이 일어나지 않으리라. 맹자가 계승하여 성誠하기 생각하라[254] 하니, 두 분 큰 현인을 거치며 그 뜻 더욱 밝아졌다. 위대할 손 생각함이니, 성인이 되는 근본이다. 마음 돌려 찾다보면 실제 가깝고 멀리 있지 않다.

[70-5-5]

夜氣箴 야기잠[255] 　　　　서산 진씨

子盍觀夫冬之爲氣乎? 木歸其根, 蟄坯其封! 凝然寂然, 不見兆朕, 而造化發育之妙, 實胚胎乎其中. 蓋闔者闢之基, 正者元之本,[256] 而艮所以爲物之始終. 夫一晝一夜者, 三百六旬之積, 故冬四時之夜, 而夜乃一日之冬. 天壤之間, 群動俱閴, 窈乎如未判之鴻濛. 維人之身, 嚮晦宴息, 亦當以造物而爲宗. 必齋其心, 必肅其躬. 不敢弛然自放於牀第之上, 使慢易非辟得以賊吾之衷. 雖終日乾乾, 靡容一息之間斷, 而昏冥易忽之際, 尤當致戒謹之功. 蓋安其身, 所以爲

253 배움, 물음, … 행동은 : 『中庸』 제20장에서 말한 博學 審問 愼思 明辨 篤行을 이른다.

254 맹자가 계승하여 … 생각하라 : 『孟子』「離婁上」에서 맹자는 "이런 까닭에 성은 하늘의 도이고 성하기를 생각하는 것은 사람의 도이다.(是故誠者天之道也, 思誠者人之道也.)"라고 하였다. 이는 자사의 저술 『中庸』 제20장의 "성은 하늘의 도이고 성하려는 것은 사람의 도이다.(誠者天之道也, 誠之者人之道也.)"를 이어받은 말이다.

255 夜氣箴 : 夜氣는 타고난 선한 기질을 말한다. 『孟子』「告子上」에서 맹자가 "우산의 나무가 지난날 아름다웠는데 그곳이 큰 수도의 교외라서 도끼들로 베어가니 아름다울 수 있겠는가? … 사람에게 보존되어 있는 것에도 어찌 인의의 마음이 없겠는가? 그런데 그 양심을 잃게 하는 것들이 자라나는 나무를 도끼로 아침마다 베어내는 것과 같은데 아름다울 수 있겠는가? 주야로 자라는 것과 새벽 사이의 氣가 好惡에서 남들과 서로 가깝다 할 수 있는 것이 아주 미미한데 그 사람의 밤낮으로 하는 일이 그것에 수갑을 채워 죽어가게 한다. 수갑 채우는 일을 반복하게 되면 夜氣는 존재할 수 없고 야기가 존재할 수 없으면 금수와의 거리가 멀지 않다.(牛山之木嘗美矣, 以其郊於大國也, 斧斤伐之, 可以爲美乎? … 雖存乎人者, 豈無仁義之心哉? 其所以放其良心者, 亦猶斧斤之於木也, 旦旦而伐之, 可以爲美乎? 其日夜之所息, 平旦之氣, 其好惡與人相近也者幾希, 則其旦晝之所為, 有梏亡之矣. 梏之反覆, 則其夜氣不足以存, 夜氣不足以存, 則其違禽獸不遠矣.)"라고 하였다.

256 正者元之本 : 『西山文集』 권33에는 '正'자가 '貞'으로 되어 있다.

朝聽晝訪之地, 而夜氣深厚, 則仁義之心亦浩乎其不窮. 本旣立矣, 而又致察於事物周旋之頃, 敬義夾持, 動靜交養, 則人欲無隙之可入, 天理皦乎其昭融. 然知及之, 而仁弗能守之, 亦空言其奚庸? 爰作箴以自砭, 常凜凜瘝恫.[257]

그대 왜 겨울날의 기氣의 실체를 보지 않았는가? 나뭇잎은 뿌리로 돌아가고 동면하는 동물들 문까지도 봉해버리는 것을! 죽은 듯 고요하여 조짐조차 없으나 발육하는 조화의 오묘함은 실상 그 사이에서 배태되고 있지. 닫힘은 열림의 터전이고 정貞은 원元의 근본이니,[258] 간괘艮卦(그침)가 사물의 시작과 끝이 되는 까닭[259]이다. 하루 낮과 하룻밤이 360일 동안 쌓이니, 겨울은 네 철의 밤이고 밤은 바로 하루의 겨울이다. 하늘과 땅 사이에 각종의 활동들이 모두 고즈넉하니, 고즈넉함은 마치 아직 분화하기 전의 혼돈상태와 같다. 사람의 몸도 날이 저물어 쉴 적에는 또한 당연히 조물주의 뜻을 받들어야 한다. 반드시 마음을 가지런히 하고 반드시 몸을 엄숙히 하라. 감히 긴장을 풀고 침상에서 방종하여 부질없고 그릇된 일이 나의 본성을 손상시킬 수 없게 하라. 하루 종일 조심조심 숨 한 번 들이키는 사이의 틈을 허용하지 않았다 해도, 날이 어두워져 소홀하기 쉬운 시간까지도 더더욱 마땅히 계신공구戒愼恐懼의 일을 지극히 하라. 자신의 몸을 편안하게 하는 것이 아침이면 좋은 말을 듣고 낮이면 의견을 찾아 듣게 하는 바탕이니, 야기夜氣가 깊고 두터우면 인의의 마음이 또한 성대하여 다함이 없을 것이다. 근본이 확립된 뒤라도 세상살이의 일들에서 살피기를 극진히 하여, 경敬과 의義로 안팎에서 붙잡고 동動과 정靜에서 번갈아 수양하면, 인간의 욕심이 파고들 틈이 없어 천리가 환히 밝아질 것이다. 그러나 지혜로 알았더라도 인으로 그것을 지켜내지 못하면[260] 또한 빈말일 뿐이니 무슨 소용이랴? 이에 잠箴을 지어 나의 약으로 삼고서 늘 두려움 속에 병을 앓듯 아파하듯 하노라.

[70-5-6]

理一箴 리일잠　　臨川吳氏 임천 오씨 : 吳澄

或問予天, 予對曰理. 陰陽五行, 化生萬類. 其用至神, 然特氣爾. 必先有理, 而後有氣. 蒼蒼蓋高, 包含無際. 其體至大, 然特形只. 形氣之凝, 理實主是. 無聲無臭, 於穆不已. 天之爲天, 斯其爲至. 分而言之, 名則有異. 乾其性情, 天其形體, 妙用曰神, 主宰曰帝, 以其功用, 曰神曰鬼, 專而言之, 曰理而已. 大哉至哉! 理之一言! 天以此理, 位上爲天. 物資以始, 是謂乾元. 地以此理, 而位下焉, 物資以生, 實承乎乾.

누군가 나에게 하늘을 묻기에 나는 리理라고 대답하였노라. 음양과 오행이 온갖 수많은 것들을 만들어 냈도다. 그 작용 지극히 신묘하나 그러나 다만 기氣일 뿐이다. 반드시 먼저 리가 있고서야 이후에 기는

257 『西山文集』 권33
258 貞은 元의 근본이니 : 元亨利貞을 오행설에 의거하여 이를 사철에 비교하면 봄은 元, 여름은 亨, 가을은 利, 겨울은 貞에 해당한다. 겨울이 있어 봄이 준비됨을 이른 말이다.
259 艮卦(그침)가 사물의 … 까닭 : 그친 데에서 새로 시작할 수 있는 준비가 마련되는 까닭에 하는 말이다.
260 지혜로 알았더라도 … 못하면 : [70-4-8] 「心經贊」 참고

있다. 푸르르게 높이서 덮고 있음이여 싸안음이 끝이 없어라. 그 덩치 지극히 크다지만 다만 형체일 뿐이다. 형체[形]와 기氣의 응어리는 리가 실상 주관한다. 소리도 없고 냄새도 없으면서 아! 심원하게 그침이 없도다. 하늘의 하늘 됨은 이점이 그 지극함이다. 구분 지어 말하면 이름에 따라 다름이 있다. 건乾은 그 성정性情이고, 천天은 그 형체이다. 오묘한 작용은 신神이라 하고, 주재하는 것은 제帝라고 말한다. 그 공용功用은 신神이라 귀鬼라 말한다. 하나만 들어 말한다면 리일 따름이다. 위대하고 지극하다! 리 한 글자여! 하늘은 이 리에 의지해 위에 자리하여 하늘이 되었다. 사물들이 그것에서 도움 받아 생명을 시작하니 이것을 일러 건원乾元乾德의 큰 시작이라 한다. 땅은 이 리에 의지해 낮은 자리에 자리하였다. 사물들이 그것에서 도움 받아 탄생하나 실제는 하늘을 이어받았을 뿐이다.

人生其間, 眇然有己. 乃位乎中, 而參天地. 惟其理一, 所以如此. 天地與人, 理固一矣. 人之與物, 抑又豈二? 天地人物, 萬殊一實. 其分雖殊, 其理則一. 天地無情, 純乎一眞. 至誠不息, 終古常新. 曰天地人, 理則惟鈞. 或不相似, 以人有身. 氣質不齊, 私欲相因. 惟聖無欲, 與天地參.

사람은 그 사이에 태어나 미미하게 한 몸을 두었다. 그 중간에 자리하여 하늘과 땅의 공용에 참여한다. 그 '리가 하나[理一]'인 까닭에 이 같을 수 있는 것이다. 하늘땅과 사람은 리가 본디 하나이다. 사람과 사물이 또한 어찌 둘이랴? 하늘과 땅, 사람과 만물이 만 가지로 다르지만 하나[一]가 그 실지이다. 그 분수는 다르나 그 리는 하나이다. 하늘과 땅은 사사로운 마음이 없기에 순수하게 하나의 참이다. 지성至誠은 쉼이 없기에 옛날부터 지금까지 늘 새로웠다. 하늘과 땅과 사람은 리에 있어선 서로 균등하다. 혹 서로 같지 않은 것은 사람에게 몸이 있어서이다. 기질이 가지런하지 않으면 사욕이 고리처럼 서로 이어진다. 성인만이 사욕이 없어 하늘과 땅의 공용에 참여하여 셋이 된다.

理渾然一, 形肖而三. 下聖一等, 于時保之. 未能樂天, 畏天之威. 畏天伊何? 無終日違. 及其至也, 與聖同歸. 一者謂誠, 惟天惟聖. 希聖之賢, 主一持敬. 敬而戒懼, 弗聞弗見. 敬而謹獨, 莫見莫顯. 敬而窮理, 則明乎善. 如臨如履, 心常戰戰. 一而無適, 有失者鮮. 如或不爾, 禽獸不遠.

리는 순수히 하나이고 형체는 닮았으나 세 등급이다. 성인에서 한 단계 아래는 언제나 리를 보존한다. 천명을 즐거워하지는 못하고 하늘의 위엄을 두려워한다. 하늘을 두려워함이란 어떤 것인가? 종일토록 어김이 없음이다. 그것이 지극해지면 성인과 같아진다. 하나[一]는 성誠을 말하니, 오직 하늘과 성인만이 그러하다. 성인을 꿈꾸는 현인은 하나를 주장하여 공경으로 잡는다. 공경하여 계신공구하는 것을 듣는 일도 보는 일도 하지 않는 곳에서도 지니고,[261] 공경하여 홀로를 삼감을 어두워 드러나지 않고 미미하여

261 계신공구하는 것을 … 지니고 : 『中庸』 제1장의 "군자는 자신이 보는 일을 하지 않을 때도 삼가고 자신이 듣는 일을 하지 않을 때도 두려워한다.(君子戒愼乎其所不睹, 恐懼乎其所不聞.)"고 한 말을 인용한 것이다. 곧 도에서 떠나지 않으려고, 어떤 일을 할 때만 조심하는 것이 아니고 아무것도 하지 않을 때도 삼가고

알려지지 않은 곳에서도 지닌다.[262] 공경하여 리를 궁구하면 선에 환하여지고, 깊은 못에 임하여 선 듯 살얼음을 밟고 선 듯 마음을 늘 두려워하고 두려워하라. 하나를 주장하고 마음을 다른 일에 쓰지 않으면 잘못이 적을 것이나, 만일 혹여도 그렇지 않으면 날짐승과 멀지 않으리라.

人物之初, 理同一原. 人靈於物, 曷爲其然? 形氣之禀, 物得其偏. 是以於理, 不通其全. 人得其正, 固非物比. 全體貫通, 性爲最貴. 最貴之中, 又有不同. 氣有淸濁, 質有美惡. 曰聖賢愚, 其品殊途. 濁者惡者, 愚不肖也. 其淸其美, 則爲賢知. 得美之美, 得淸之淸. 無過不及, 純粹靈明. 天理渾然, 無所虧喪. 斯爲聖人, 至誠無妄. 聖性而安, 賢學而行. 愚而能學, 雖愚必明. 愚而不學, 是自暴棄. 下愚不移, 正此之謂.

사람과 사물의 태어난 처음은 리가 똑같이 근원이였는데, 사람이 사물보다 신령하니 어찌하여 그렇게 되었을까? 형체와 기氣를 받음이 사물은 한쪽을 얻으니, 그리하여 리에서 그 전체에 막혀있다. 사람은 그 바름을 얻음이 참으로 사물에 비유할 바 아니다. 전체를 꿰뚫어 통하였으니 성性이 가장 귀하다. 가장 귀함 속에서도 또 동일하지 않음은 있다. 기氣에는 맑음[淸]과 탁함[濁]이 있고 질質에는 아름다움[美]과 악함[惡]이 있다. 성인과 현인과 우매한 자는 그 등급의 길이 다르다. 탁한 자와 악한 자는 우매하고 불초한 자이며, 맑고 아름다운 자는 현자와 지혜로운 자다. 아름다움의 아름다움을 얻고 맑음의 맑음을 얻으면, 지나침도 미치지 못함도 없어 순수하고 영명靈明하며, 천리가 온전하여 일그러짐도 잃음도 없으니, 이는 성인의 지성至誠이고 망령이 없음이다. 성인은 타고난 성대로 편안히 행하고 현인은 배워서 행한다. 우매한 자도 잘 배우면 우매함이 반드시 밝아진다. 우매한데 배우지 않음이 자포자기이다. '하등의 어리석은 자는 변화하지 않는다.'[263]는 바로 이를 두고 한 말이다.

乾父坤母, 民胞物與. 四而實一, 窮亘今古. 四者之內, 物爲最賤. 天地與人, 則無少間. 胡世之人, 多間以私. 上不化贊, 下甘物爲? 上智下愚, 學知困知. 就人而論, 亦分四岐. 理焉本一, 人自爲四. 下愚之人, 蓋不足齒. 困知可賢, 聖可學能. 奈何爲人, 不求踐形?

하늘은 아버지이고 땅은 어머니이며 백성들은 형제이고 사물은 내가 함께하는 것들이다. 네 가지이나 실지 하나이니 예부터 지금까지 그래 왔다. 네 가지에서 사물이 가장 천하고, 하늘과 땅과 사람은 조금의 차이도 없다. 어찌하여 세상 사람은 대부분 사욕이 끼어들어, 위로는 하늘의 화육을 돕지 못하고[264]

두려워한다는 말이다.

262 드러나지 않고 … 지닌다. : 『中庸』 제1장의 "어두운 곳에서 한 일보다 드러나는 일은 없고 미미한 일보다 밝혀짐은 없다. 그러므로 군자는 그 홀로를 삼간다.(莫見乎隱, 莫顯乎微. 故君子愼其獨也.)"고 한 말을 인용한 것이다. 곧 꽁꽁 숨기고자 하는 일, 곧 마음만이 아는 일은 언젠가 반드시 세상에 드러나게 되어 있음을 말한 것이다.

263 '하등의 어리석은 … 않는다.' : 『論語』「陽貨」에 공자가 말씀하기를 "상등의 지혜를 가진 사람과 하등의 어리석은 자는 바뀌지 않는다.(唯上知與下愚, 不移.)"고 하였다.

264 하늘의 화육을 … 못하고 : 『中庸』 제22장의 "천하의 지극한 誠이라야 자신의 性을 다할 수 있고, 자신의

아래로 사물로 전락하는 것을 달게 여길까? 상등의 지혜와 하등의 어리석은 자, 배워서 알고 곤궁하게 앎[265]이 있으니, 사람의 측면에서 논한다면 또한 네 가지로 나뉜다. 리는 본래 하나였는데 사람이 혼자서 네 가지로 나뉘었다. 하등의 어리석은 자는 말할 것이 못 되리라. 곤궁하게 아는 사람도 현인이 될 수 있고 성인도 배워서 능히 이룰 수 있다. 어찌하여 사람이 되었으면서 천형踐形[266]을 배우지 않을까?

理在兩間, 一本殊分. 散爲百行, 别爲四端. 或謂之道, 或謂之誠. 千言萬語, 一之異名. 萬事萬物, 胥此焉出. 理一之義, 周遍詳密. 理萬而一, 心爲主宰. 心一而萬, 理之宗會. 在天曰理, 在人曰心. 理一曰實, 心一曰欽.

리란 둘 사이에 있으니 하나의 근본이 다르게 나뉘어졌다. 흩어져 갖은 행실이 되기도 하며 나뉘어 사단四端이 되기도 한다. 누군가는 그것을 도道라 하고 누군가는 성誠이라 말한다. 천만 가지 말이나 하나를 다르게 명칭한 것이다. 오만 가지의 일과 물物이 서로서로 여기에서 비롯된다. 리일理一의 뜻은 두루 널리 자세하고 물샐틈없다. 리의 수많음이 하나일 수 있음은 마음이 주제해서이고, 마음 하나가 만 가지로 쓰여 질 수 있음은 리가 거두잡아 총괄해서이다. 하늘에 있으면 리이고 사람에게 있으면 마음이다. 리가 하나인 것은 성실[實], 마음이 하나인 것은 공경[欽]이다.

銘 명

[70-6-1]

東銘 동명　　　　　　張子 장자 : 張載

戱言, 出於思也 ; 戱動, 作於謀也. 發於聲, 見乎四支, 謂非己心, 不明也 ; 欲人無己疑, 不能也. 過言, 非心也 ; 過動, 非誠也. 失於聲, 謬迷其四體,[267] 謂己當然, 自誣也 ; 欲他人己從,

性을 다할 수 있으면 남의 성도 다하게 할 수 있으며, 남의 성을 다하게 할 수 있으면 사물의 성도 다하게 할 수 있으며, 사물의 성을 다하게 할 수 있으면 천지의 화육을 도울 수 있으며, 천지의 화육을 도울 수 있으면 하늘과 땅의 공덕에 참여해 셋이 될 수 있을 것이다.(唯天下至誠爲能盡其性, 能盡其性則能盡人之性, 能盡人之性則能盡物之性, 能盡物之性則可以贊天地之化育, 可以贊天地之化育則可以與天地參矣.)"고 하였다.

265 배워서 알고 … 앎 : 『中庸』 제20장의 "어떤 사람은 태어나면서부터 알고 어떤 사람은 배워서 알고 어떤 사람은 곤궁하게 노력하여 알지만 앎에 미쳐서는 동일하다.(或生而知之, 或學而知之, 或困而知之, 及其知之一也.)"고 한 말을 인용한 것이다.

266 踐形 : 천부적으로 갖추고 태어난 것을 그대로 실천해내는 일. 『孟子』「盡心上」에서, "형색은 천성으로 갖춘 것이니 성인만이 갖추고 태어난 형색대로 실천한다.(形色, 天性也, 惟聖人然後可以踐形.)"고 하였다. 여기서 형색은 사람이 태어날 때 부여받은 모든 것을 이른다.

267 謬迷其四體 : 『張子全書』 권3에는 '謬'가 '繆'로 되어 있다.

誣人也. 或者, 謂出於心者, 歸咎於己戱；失於思者, 自誣謂己誠. 不知戒其出汝者, 反歸咎其不出汝者. 長敖且遂非, 不知孰甚焉.[268]

농담도 생각에서 나오고 장난도 계획에서 나온다. 말에서 드러났고 행동에 나타났는데, 자신의 마음이 아니라고 하는 것은 지혜가 밝지 못한 것이고, 남들이 자신을 의심하지 않게 하려는 것은 가능하지 않다. 실수한 말은 본심이 아니고 실수한 행동은 진심이 아니다. 말에서 실수이고 행동에서 착오인데 자신의 당연한 것이라 하는 것은 자신을 속임이고, 남들이 자신을 따르게 하고자 하는 것은 남을 속임이다. 누군가가 마음에서 나온 것을 자신의 장난에서 나온 허물로 돌려 하고, 생각에서의 실수를 스스로 자신의 진심이었다고 속이려 한다. 네게서 나온 것을 경계 할 줄 모르고 거꾸로 네게서 나오지 않은 것에 허물을 돌리려 함이다. 오만함을 기르고 잘못을 끝까지 이루려는 행위이니 지혜롭지 못함이 무엇이 이보다 심하랴?

[70-6-2]

顔樂亭銘 안락정명[269] 程子 정자 : 程顥

天之生民, 是爲物則. 非學非師, 孰覺孰識? 聖賢之分, 古難其明. 有孔之遇, 有顔之生. 聖以道化, 賢以學行. 萬世心目, 破昏爲醒. 周爰闕里, 惟顔舊止. 巷汙以榛, 井湮而圮. 鄉閭蚩蚩, 弗視弗履. 有卓其誰? 師門之嗣. 追古念今, 有惻其心. 良價善諭, 發帑出金. 巷治以闢, 井渫而深. 淸泉澤物, 佳木成陰. 載基載落, 亭曰顔樂. 昔人有心, 予忖予度. 千載之上, 顔惟孔樂.[270] 百世之下, 顔居孔作. 盛德彌光, 風流日長. 道之無疆, 古今所常. 水不忍廢, 地不忍荒. 嗚呼正學, 其何可忘?[271]

하늘이 사람을 내며 사물과 법칙이 생겨났다. 배우지 않고 스승이 아니면 누가 깨닫게 하고 누가 알게 해주랴? 성인과 현인의 구분은 예전에도 밝히기 어려웠다. 천하가 공자를 만났을 때 안자가 탄생하였다. 성인은 도道로 교화하고 현인은 배운 것을 행한다. 만세에 마음과 눈이 되어 어리석음을 깨트려 깨닫도록 해주었다. 궐리闕里(공자의 고향)의 주위는 안자의 옛터 골목은 가시나무로 뒤덮이고 샘은 파묻혀 무너졌건만, 시골의 어리석고 어리석은 자들을 살피지도 찾아보지도 않았네. 우뚝이 책임을 진 자 누구인고? 공자의 후손이다. 옛날을 추상하고 오늘을 생각하니 마음 슬퍼지네. 훌륭히 돈을 내놓도록 좋은 말로 깨우치니 창고 문을 열어 돈을 내놓았도다. 골목은 손질되어 길이 열리고 샘은 준설하여 깊어졌다. 맑은 샘물은 만물을 적시고 아름다운 나무들 그늘을 이루었네. 바로 터가 닦이고 곧 낙성하니 정자 이름 '안락정'이다. 옛 안자의 마음을 내가 헤아려 낸 것이다. 천년 전에 안자가 오직 공자를 배우더니, 백대 이후에 안자의 터에 공자의 후손이 정자를 세웠도다. 안자의 훌륭한 덕 더더욱 빛나고 기풍 유행함

268 『張子全書』 권3
269 顔樂亭銘 : 『河南程氏文集(明道文集)』 권1에는 "孔周翰을 위해 지은 것이다.(銘爲孔周翰作.)"고 하였다.
270 顔惟孔樂. : 『河南程氏文集(明道文集)』 권1에는 '樂'자가 '學'자로 되어 있다.
271 『河南程氏文集(明道文集)』 권1

날로 뻗어나도다. 도道의 무궁함은 예나 지금이나 영원한 것, 샘물 차마 폐허가 되지 않을 것이며 터도 차마 황폐하지 않으리. 아! 안자의 정학正學을 어떻게 잊을 수 있으랴?

[70-6-3]

克己銘 극기명 藍田呂氏 남전 여씨: 呂大臨

凡厥有生, 均氣同體. 胡爲不仁, 我則有己. 立己與物, 私爲町畦. 勝心橫生, 擾擾不齊. 大人存誠, 心見帝則. 初無吝驕, 作我蟊賊. 志以爲帥, 氣爲卒徒. 奉辭於天, 誰敢侮予? 且戰且徠, 勝私窒慾. 昔焉冠讎, 今則臣僕. 方其未克, 窘我室廬. 婦姑勃谿, 安取其餘. 亦旣克之, 皇皇四達. 洞然八荒, 皆在我闥. 孰曰天下, 不歸吾仁? 痒痾疾痛, 擧切吾身. 一日至之, 莫非吾事. 顔何人哉, 晞之則是.

모든 생명을 가진 것은 기氣를 똑같이 받은 동일한 몸이다. 왜 불인해질까? 나라는 몸을 두어서이다. 몸과 사물을 상대시키고 혼자서 너와 나의 경계를 만들어서이다. 이기려는 마음 방자히 생겨나 시끌시끌 어수선해진다. 대인大人은 성誠을 보존하여 마음으로 하늘의 법칙을 보기에, 애당초 인색함이나 교만함으로 자신을 갉아먹는 일[272] 없다. 뜻으로 장수를 삼고 기氣로 졸병을 삼아,[273] 하늘의 말씀을 받들거니 뉘라 감히 나를 업신여기겠는가? 한편으로 싸워 이기고 한편으로 찾아들게 하여 사욕 이겨내고 욕심 막으면, 예전에 원수였던 것이 오늘은 신하와 종이 되리라. 바야흐로 이겨내지 못할 땐 내 마음의 군속함이, 며느리와 시어미가 다투는 듯한데 어찌 다른 생각을 하랴? 또한 이겨낸 뒤이면 사방이 환히 열리고, 팔방 끝까지 환하여 모두 나의 영역일 것이다. 뉘라서 천하가 나의 인에 귀의하지 않는다고 말하는가? 세상의 가려워함 아파해 함 모두가 내 몸의 절박한 일. 어느 날 이 경지에 이른다면 내일 아님이 없으리. 안자顔子가 별 사람이랴?[274] 꿈을 꾼 자 그런 사람 될 것이다.

272 갉아먹는 일: 이 문자의 원문 蟊賊은 곡식을 해치는 해충이다. 蟊는 뿌리를 파먹는 해충이고, 賊은 마디를 파먹는 해충이다.

273 뜻으로 장수를 … 삼아: 『孟子』「公孫丑上」에서 "뜻은 기의 장수이고 기는 몸을 채우고 있는 것이다.(志氣之帥也, 氣體之充也.)"란 말을 인용한 것으로, 사람은 뜻이 중하고 기는 뜻을 따르게 되어 있다는 말이다.

274 顔子가 별 사람이랴?: 안자가 『論語』「顔淵」에서 사욕을 이겨내는 길을 물은 일에 의거하여 이 명을 지었기 때문에 안자를 거론한 것이다. 그 자세한 내용은 다음과 같다. "안자가 공자에게 인을 묻자, 공자가 말하였다. '사욕을 이겨내고 예를 회복하는 것이 인을 온전히 함이다. 어느 하루 사욕을 이겨내고 예를 회복시킨다면 천하가 그의 인을 허여할 것이다. 인을 온전히 하는 일이 나에게 달린 것이지 남에게 달린 일이랴?'(顔淵問仁, 子曰, '克己復禮爲仁. 一日克己復禮, 天下歸仁焉. 爲仁由己, 而由人乎哉?')" 이어서 안자가 그 조목을 묻자 공자는 예가 아니면 보지도 듣지도 말하지도 행하지도 말라는 조목을 말씀하였다. 『論語』의 이 번역은 주자의 『集註』를 따른 것이다. 그러나 '不歸吾仁'은 남전 여씨의 전후 문맥에 따라 번역을 바꾸었다.

[70-6-4]

敬恕齋銘 경서재명[275] 朱子 주자

出門如賓, 承事如祭. 以是存之, 敢有失墜? 己所不欲, 勿施於人. 以是行之, 與物皆春. 胡世之人, 恣己窮物? 惟我所便, 謂彼奚卹. 孰能反是? 斂焉厥躬. 於墻於羹, 仲尼子弓. 內順於家, 外同於鄰. 無小無大, 罔時怨恫. 爲仁之功, 曰此其極. 敬哉恕哉, 永永無斁.[276]

대문을 나서면 손님을 뵌 듯이 일을 맡았으면 제사를 받들듯 하라[277]는 이 마음을 지니면 감히 실추시킴이 있으랴? 자신이 하고 싶지 않는 일 남에게 베풀지 말라는 이 말을 실행한다면 남들과 모두 봄날이리라. 어찌하여 세상은 자신을 방종하고 남은 곤궁하게 할까? 내 편한 대로 살 뿐 남을 왜 생각하랴 해서이다. 무엇으로 이를 뒤집을까? 자신의 몸을 거두잡음이다. 담장에서 국그릇에서[278] 공자가 중궁仲弓에게 한 말씀대로 하라. 안에서는 집안을 이것으로 순히 하고 밖에서는 이웃과 이것으로 함께하라. 크고 작은 일들에서 원망이나 마음 아파함 없게 하라. 인을 행해내는 일이란 이런 일을 다함이다. 공경하고 용서하여 영원토록 싫증 내지 말라.

[70-6-5]

學古齋銘 학고재명[279] 주자

相古先民, 學以爲己. 今也不然, 爲人而已. 爲己之學, 先誠其身. 君臣之義, 父子之仁. 聚辨居行, 無怠無忽. 至足之餘, 澤及萬物. 爲人之學, 燁然春華. 誦數是力, 纂組是誇. 結駟懷金, 煌煌煒煒. 世俗之榮, 君子之鄙. 維是二者, 其端則微. 眇綿不察, 胡越其歸. 卓哉周侯, 克承先志! 日新此齋, 以廸來裔. 此齋何有, 有圖有書. 厥裔伊何? 衣冠進趨. 夜思晝行, 咨詢謀度. 絶今不爲, 惟古是學. 先難後獲, 匪亟匪徐. 我則銘之, 以警厥初.[280]

275 敬恕齋銘 : 『朱文公文集』 권85에 이 글의 소서가 있다. "보양 진사중의 독서하는 집을 신안 주희가 '경서'라 현판하고서 또 그를 위해서 명을 짓는다.(莆陽陳師中讀書之室, 新安朱熹題以敬恕, 且爲之銘.)"

276 『朱文公文集』 권85

277 대문을 나서면 … 듯하라 : 『論語』「顔淵」에서 "중궁이 인을 묻자, 공자가 말하였다. '대문을 나서서는 큰손님을 뵌 듯이 하고 백성을 부릴 적에는 큰제사를 받들 듯이 하며 자신이 하고자 하지 않는 일을 남에게 시키지 말라.'(仲弓問仁, 子曰, '出門如見大賓, 使民如承大祭, 己所不欲勿施於人.')"고 하였다.

278 담장에서 국그릇에서 : 『後漢書』「李固傳」에서, "옛날 요임금이 돌아가신 뒤 순임금이 3년을 우러러 생각하여, 앉으면 요임금을 담장에서 보고 밥을 먹을 때면 국에서 보았다.(昔堯殂之後, 舜仰慕三年, 坐則見堯於牆, 食則睹堯於羹.)"는 말에서 온 말이다. 선현을 우러르는 모습을 나타낸 말로 쓰였다.

279 學古齋銘 : 『朱文公文集』 권85에 이글의 小序가 있다. "浦城고을의 수령 周嗣恭이 아버지 徽猷公이 지은 옛 서당을 수리하여, 종족 자제를 가르쳐 몸가짐을 가지런하게 하였다. 신안 주희가 그 扁額을 써주었는데, 주씨 수령이 또 찾아와 명을 지어주기를 청하기에 그 뜻을 추측하여 명을 짓는다.(浦城周侯嗣恭, 葺其先大父徽猷公所作學古齋, 以教齊宗族子弟. 新安朱熹爲題其榜. 周侯又来請銘, 則推其意乃作銘.)"

280 『朱文公文集』 권85

옛 성현을 살펴보면 배움은 자신을 위한 것이었다. 오늘날은 그렇지 않아 남에게 알려지기 위한 것일 따름이다. 자신을 위한 학문은 먼저 자신 몸을 성실히 하는 것이니, 군주와 신하 사이의 의義와 아버지와 아들 사이의 인仁이다. 배워 축적하고 변별하고 처신하고 행하는 일에[281] 게으름 피우거나 소홀하지 말라. 지극하여진 뒤이면 은택이 만물에 미치리라. 남에게 알려지기 위한 학문은 선명함이 봄날의 꽃과 같다. 읽는 횟수에 힘을 들이고 문장을 엮어 과시한다. 네 마리의 말이 끄는 수레에 관인官印을 가슴에 품음이[282] 번쩍번쩍 휘황하나, 세상의 속된 영화여서 군자는 비루하게 여긴다. 이들 위기爲己와 위인爲人 두 가지는 그 시작은 미미하다. 소홀히 생각하고 살피지 않으면 북쪽의 호족胡族과 남쪽의 월越나라처럼 동떨어진다. 위대하다, 주씨 수령의 능히 어버이 뜻을 계승함이여! 학고재를 날마다 새롭게 하여 후손을 인도하도다. 이 학고재에 어떤 것을 두어야 하는가? 도圖와 책이다. 주씨 수령의 자손은 어떠해야 하는가? 의관을 정제하고 나다녀라. 밤이면 생각하고 낮이면 행하며 널리 물어서 헤아려보도록 하라. 오늘날의 위인爲人은 뚝 끊고 하지 말고 옛것만을 배워라. 어려움을 앞서 생각하고 얻어지는 것은 뒤로 미루며 서두르지 말고 늦추지도 말라. 내가 이를 명으로 지어 학문을 시작하는 자들을 깨우치노라.

[70-6-6]

求放心齋銘 구방심재명[283] 주자

天地變化, 其心孔仁. 成之在我, 則主於身. 其主伊何? 神明不測. 發揮萬變, 立此人極. 晷刻放之, 千里其奔. 非誠曷有, 非敬曷存? 孰放孰求, 孰亡孰有? 屈伸在臂, 反覆惟手. 防微愼獨, 茲守之常. 切問近思, 曰惟以相.[284]

천지의 변화는 그 마음이 매우 인仁하다. 그것이 이루어져 나에게 있으면서 한 몸을 주재한다. 그 주재란 무엇인가? 신령하고 영명하여 헤아릴 수 없다. 온갖 변화를 발휘하고 이것에서 사람의 도리도 확립된다. 잠시라도 놓아버리면 천리 밖으로 달아나니, 성심이 아니면 어떻게 지니며 공경이 아니면 어떻게 보존되겠는가? 누가 놓아버리고 누가 찾는 것이며 누가 없어지게 하고 누가 보존하게 하는가? 굽히고 폄은 어깨가 하고, 엎고 뒤집음은 손이 하고픈 대로다. 은미함에서 막고 홀로를 삼감이 이를 지키는 불변의 법이고, 간절한 것을 묻고 가까운 것부터 생각하는 것으로 돕도록 하라.

281 배워 축적하고 변별하고 … 일에 : 『周易』「乾卦 · 文言」의 "군자는 배워 축적하고, 물어서 변별하고, 여유롭게 처신하고, 인으로 그것을 행한다.(君子學以聚之, 問以辨之, 寬以居之, 仁以行之.)"를 인용한 것이다.

282 네 마리의 … 품음이 : 세속에서 영화롭게 여기는 높은 관직을 이른다. 『法言』「學行篇」에 "붉은 인끈을 늘어뜨리고 금색의 官印을 가슴에 품게 한다면 그 즐거움은 헤아릴 수 없을 것이다.(使我紆朱懷金, 其樂不可量已.)"고 하였다.

283 求放心齋銘 : 『朱文公文集』 권85에 소서가 있다. "번양 정정사가 구방심재를 짓자, 왕자경이 여옥을 축하해서 명을 지었었다. 신안 주희가 그 글에 남긴 뜻을 모아 다시 이 글을 짓는다.(番陽程正思作求放心齋, 汪子卿祝汝玉既爲之銘. 新安朱熹掇其遺意, 復爲作此.)"

284 『朱文公文集』 권85

[70-6-7]

尊德性齋銘 존덕성재명[285] 주자

維皇上帝, 降此下民. 何以予之? 曰義曰仁. 雖義與仁,[286] 維帝之則. 欽斯承斯, 猶懼弗克. 孰昏且狂, 苟賤汚卑. 淫視傾聽, 惰其四肢. 褻天之明, 慢人之紀. 甘此下流, 衆惡之委. 我其監此, 祇栗厥心. 有幽其室, 有赫其靈.[287] 執玉奉盈, 須臾顚沛. 任重道悠, 其敢或怠?[288]

위대하신 상제께서 이들 백성을 내셨다. 무엇을 주었는가? 의義와 인仁이다. 의와 인이지만 상제의 법칙이다. 이를 공경하고 이를 받들며 감당하지 못할까 두려워하라. 누가 혼매하고 또 미친 짓을 저지르나, 구차하고 천하고 더럽히고 비하함이다. 부정한 것을 보거나 듣고 사지를 게을리함이다. 하늘의 밝음을 대수롭잖아 하고 사람의 기강도 소홀히 한다. 하류에 처함을 달갑게 여기면 뭇 악한 일이 내게로 모아진다. 내가 이를 살피고서 마음을 공경하고 엄숙하게 지녀라, 어둑한 방이라도 상제가 환히 임해 계신 듯하라. 옥을 손에 든 듯 가득한 물을 받들 듯이 하고 잠깐의 순간 넘어지고 자빠지면서도 이 마음에서 떠나지 말라. 책임은 무겁고 길은 머니 감히 혹여도 게을리하랴?

[70-6-8]

志道齋銘 지도재명[289] 주자

曰趨而揖者, 孰履而持? 曰飢而寒者, 誰食而衣? 故道也者, 不可須臾離. 子不志於道, 獨罔罔其何之?[290]

종종걸음하고 읍揖하는 일 누가 걷게 하고 주재하나? 굶주리고 추운 자에게 누가 먹게 하고 입게 하는가? 그러므로 도道는 잠시도 떠날 수 없다. 그대 도에 뜻 두지 않고 홀로 혼미하게 어디로 가는가?

[70-6-9]

據德齋銘 거덕재명 주자

語道術, 則無往而不通. 談性命, 則疑獨而難窮. 惟其厚於外而薄於内, 故無地以崇之.[291]

285 尊德性齋銘 : 『朱文公文集』 권85에 소서가 있다. "외종제 정윤부가 '도문학'이라는 이름을 자신의 집 이름으로 삼았다. 내가 당연히 '존덕성재'로 바꾸어야 한다고 하자 윤부가 명을 지어줄 것을 청하기에 그 말에 따라 이 명을 짓는다.(内弟程允夫, 以道問學名齋. 予謂當以尊德性易之, 允夫請銘, 因爲作此.)"

286 雖義與仁 : 『朱文公文集』 권85에는 '雖'자가 '維'자로 되어 있다. 이를 따른다.

287 有赫其靈. : 『朱文公文集』 권85에는 '靈'자가 '臨'자로 되어 있다. 이를 따른다.

288 『朱文公文集』 권85

289 지도재명 : 이어지는 「據德齋銘」, 「依仁齋銘」, 「游藝齋銘」과 함께 『朱文公文集』 권85에 四齋銘의 제목 아래 함께 실렸다. 이 명들은 『論語』 「述而」의 공자가 말씀하신 '志於道, 據於德, 依於仁, 游於藝.'를 부연한 것이다.

290 『朱文公文集』 권85

291 『朱文公文集』 권85

도술에 대한 말은 어느 것도 알지 못할 것 없으나, 성명에 대한 말이라면 나 혼자인가 의심스러워 끝까지 규명해내기 어렵다. 밖에 후하고 내심에 박한 까닭에[292] 덕을 높일 길이 없구나.

[70-6-10]

依仁齋銘 의인재명 주자

擧之莫能勝, 行之莫能至. 欲依之, 安得而依之? 爲仁由己, 而由人乎哉? 雖欲違之, 安得而違之.[293]

들려 해도 들 수 없고 가려 해도 이를 수 없거니. 의지하련들 어떻게 의지할 수 있겠는가? 인을 행함 나에게 달렸지 남에게 달렸나? 어기려 해도 어떻게 어길 길 없구나.

[70-6-11]

游藝齋銘 유예재명 주자

禮云樂云, 御射書數. 俯仰自得, 心安體舒. 是之謂游, 以游以居. 嗚呼游乎, 非有得於內, 孰能如此其從容而有餘乎![294]

예와 악과 말몰이, 활쏘기, 글자 익히기, 셈하기를 우러르고 굽어살펴 터득이 있으면 마음도 편하고 몸도 자유로우리라. 이를 노닒이라 말하는 것이니 이렇게 노닐고 이렇게 생활하라. 아! 노닒이여. 마음속에 터득이 있지 않고 누가 이처럼 한가롭고 여유로우랴!

[70-6-12]

崇德齋銘 숭덕재명[295] 주자

尊我德性, 希聖學兮. 玩心神明, 蛻汙濁兮.[296]

나의 덕성을 높임이여 성인을 꿈 삼아 배움이고, 신명神明에 오로지 마음을 쏟음이여 비루함의 껍질 벗겨지리라.

292 밖에 후하고 … 까닭에 : 『大學』 경1장의 "그 근본이 어지러운데 그 끝이 다스려지는 일은 없고, 그 두터이 해야 할 곳에 박하게 하고서 그 박하게 해야 할 곳에 두터이 하는 일은 있지 않다.(其本亂而末治者否矣, 其所厚者薄而其所薄者厚未之有也.)"에서 온 말이다.

293 『朱文公文集』 권85

294 『朱文公文集』 권85

295 崇德齋銘 : 『朱文公文集』 권85에 이어지는 「廣業齋銘」, 「居仁齋銘」, 「由義齋銘」과 함께 「又四齋銘」 제목 아래 함께 실렸다.

296 『朱文公文集』 권85

[70-6-13]

廣業齋銘 광업재명 주자

樂節禮樂, 道中庸兮; 克勤小物, 奏膚公兮.[297]

예와 악으로 절도 삼기 좋아함이여 중용의 덕을 따름이고, 자잔한 일조차 잘 부지런히 함이여 큰 공훈을 이루리라.

[70-6-14]

居仁齋銘 거인재명 주자

勝己之私, 復天理兮; 宅此廣居, 純不已兮.[298]

자신의 사사로운 욕심을 이겨냄이여 천리를 회복함이고, 이 너른 집에 사는 일이여[299] 순수함 끊임없음이리라.

[70-6-15]

由義齋銘 유의재명 주자

羞惡爾汝, 勉擴充兮; 遵彼大路, 行無窮兮.[300]

너라는 말 들음을 부끄러워함이여[301] 힘써 의로움을 넓혀 채워야 하고, 저 큰길을 따라 걸어감이여 행함에 막힘이 없으리라.

[70-6-16]

蒙齋銘 몽재명[302] 주자

物盈兩間, 有萬其數. 天理流行, 無一不具. 維象之顯, 理寓乎中. 反而求之, 皆切吾躬. 觀天

297 『朱文公文集』 권85

298 『朱文公文集』 권85

299 이 너른 … 일이여: 『孟子』「滕文公下」에서, 천하의 너른 집에 살며 천하의 바른 자리에 서서, 천하의 대도를 행하라.(居天下之廣居, 立天下之正位, 行天下之大道.)"라고 하였는데 주자의 『集註』에서 "너른 집은 인이다.(廣居, 仁也.)"라고 하였다.

300 『朱文公文集』 권85

301 너라는 말 … 부끄러워함이여: 『孟子』「盡心下」에서, "사람이 너라는 말을 받지 않으려는 실제를 채워낸다면 하는 일마다 의롭지 않음이 없을 것이다.(人能充無受爾汝之實, 無所往而不爲義也.)"고 하였다.

302 蒙齋銘: 『西山文集』 권33에 소서가 실려 있다. "계양의 수령 張某가 자신의 집을 '몽'이라 이름 지었다. 이에 서산 늙은이 眞某가 (『周易』「蒙卦」 象辭의) '행실에 과감하고 덕을 기른다.'는 뜻을 취하여 그를 위해 명을 짓는다.(桂陽使君張侯某, 以蒙名齋. 西山傻眞某, 取果行育德之義爲之銘.)"

之行, 其敢遑息. 察地之勢, 亦厚於德. 天人一體, 物我一源. 驗之義經, 厥旨昭然. 卦之有蒙, 内險外止. 止莫如山, 險莫如水. 曷不曰水, 而謂之泉? 濫觴之初, 厥流涓涓. 其生之微, 若未易達. 其行之果, 則不可遏. 有崇玆山, 潤澤所鍾. 維靜而正, 出乃不窮. 始焉一勺, 終則萬里. 問奚以然? 有本如是.

하늘과 땅 사이를 채운 사물 그 수효 만 가지이나, 천리의 유행은 어느 하나에도 갖추어지지 않음이 없네. 상象이 드러난 곳이면 리는 그 안에 깃들었으니, 되돌려 찾아보면 모두 내 몸에 절실한 것들. 하늘 운행을 살피고서 그 감히 틈을 내 쉴까보며, 땅의 형세 살폈다면 또한 덕을 후하게 가져야지. 하늘과 사람이 일체이듯 사물과 나도 근원은 하나, 『주역』에서 살피면 그 뜻 훤하지. 몽괘蒙卦(䷃)의 생김은 내괘는 험險(☵)함 외괘는 그침(☶). 그침에는 산山만 함이 없고 험하기론 물만 함이 없지. 왜 물이라 하지 않고 샘이라 일렀을까?[303] 술잔 하나 띄울 정도의 샘물 솟는 자리에선 그 샘물 겨우 졸졸졸. 그 솟아오름의 연약함이란 쉽게 달려갈 수 없을 듯하건만, 그 달려감 기운차 막을 길 없어라. 높다란 저 산이여 은택이 모인 곳. 고요하고 올발라 솟아남 끝이 없어라. 처음에 한 구기 남짓이던 물 끝내 만 리를 흘러가니, 묻노니 어찌하여 그러한고? 근본이 있어 그 같다네.

是以君子, 法取於斯. 維義所在, 必勇於爲. 維行有本, 繄德焉出. 是滋是培, 其體乃立. 靜而養源, 澄然一心. 動而敏行, 萬善畢陳. 厚化川流, 初豈二致. 溥博淵泉, 其用弗匱. 於惟簡肅, 宜有此孫. 揭名齋扉, 目擊道存. 養正於蒙, 奚必童穉. 終身由之, 作聖之地.[304]

그래서 군자는 여기서 법을 취해, 의가 있는 일이면 반드시 용맹하게 행하지. 행실에 근본이 있으면 덕은 여기서 나오는 것. 이를 불리고 북돋우면 그 본체 확립되지. 고요히 근원을 길러 맑게 마음을 하나로 하고, 하는 일마다 민첩하게 행동하면 온갖 선이 모두 펼쳐지리. 조화가 두터워지고 시냇물 갈래져 흐름이 애당초 어찌 둘이겠으며[305] 두루 너르고 깊고 깊으니 그 쓰임새 끝이 없으리. 오호 간숙공簡肅公이여![306] 의당 이런 자손 두어야지. 몽재라 편액하니 눈으로 보며 그 도 보존하려 함이리라. 어린아이[蒙]를 바름으로 길러야 하나 어찌 꼭 어린아이뿐이랴. 죽을 때까지 따른다면 성인 되는 길이리라.

303 왜 물이라 … 일렀을까?: 『周易』「蒙卦」의 象辭에 "산 아래 샘물이 솟는 것이 몽괘의 뜻이다.(山下出泉, 蒙.)"고 한 것을 왜 '山下出水'라고 하지 않았는지를 이르는 말이다.

304 『西山文集』 권33

305 조화가 두터워지고 … 둘이겠으며: 천지의 작은 덕과 큰 덕이 모두 조화되어 서로 상충됨이 없이 구현됨을 이른 말이다. 『中庸』 제30장에서 "작은 덕은 시냇물의 갈래와 같고 큰 덕은 조화를 도탑게 하니, 이것이 천지가 큼이 되는 까닭이다.(小德川流, 大德敦化, 此天地之所以爲大也.)"고 하였다.

306 簡肅公이여!: 송나라 張大經의 시호

[70-6-17]

敬義齋銘 경의재명 주자

惟坤六二, 其德直方. 君子體之, 爲道有常. 內而立心, 曰直是貴. 惟敬則直, 不偏以陂. 外而制事, 曰方是宜. 惟義則方, 各當其施. 曰敬伊何? 惟主乎一. 凛然自持, 神明在側. 曰義伊何? 惟理是循. 利害之私, 罔汨其眞. 靜而存養, 中則有主. 動而酬酢, 莫不中矩. 大哉敬乎! 一心之方. 至哉義乎! 萬事之綱. 敬義夾持, 不二不忒. 表裏洞然, 上達天德.

곤괘坤卦의 육이효六二爻는 그 덕이 올곧고 방정함[直方]이니, 군자가 이를 본받으면 도道에 일정함 있게 된다. 안으로 마음을 세움은 올곧음이 귀하니, 경敬하면 올곧아 치우쳐 기욺 없고, 밖으로 일을 다스릴 적에 방정함이 마땅하니 의義로우면 방정하여 그 하는 일마다 마땅하리라. 경은 무엇인가? 하나를 주장함이니 엄숙히 몸가짐 하면 신명이 곁에 있고, 의는 무엇인가? 리理만을 따름이니, 이해利害의 사사로움으로 그 참됨을 어지럽히지 말라. 고요히 보존해 기르면 마음에 주장함 있게 되어, 행동하는 일마다 법도에 맞지 않음 없으리라. 위대하다 경이여! 한 마음을 방정하게 하고, 지극하다 의여! 모든 일의 강령이로다. 경과 의가 양쪽에서 붙잡으면 두 마음도 없고 사특함도 없어 안팎이 환해지며 위로 하늘의 덕 깨달으리라.

昔有哲王, 師保是詢. 『丹書』有訓, 西面以陳. 敬與怠分, 義與欲對. 一長一消, 禍福斯在. 怠心之萌, 闒焉昏沉. 欲心之熾, 蕩乎狂奔. 惟此二端, 敗德之賊. 必壯乃猶, 如敵斯克. 怠欲旣泯, 敬義斯存. 直方以大, 協德於坤. 一念小差, 眂此齋扁.[307] 嚴師在前, 永詔無倦.[308]

옛날의 철왕哲王이 사보師保에게 묻자, 『단서丹書』에 있는 훈계[309]를 서향하여 말씀하였네. 경敬과 게으름[怠]으로 나누고, 의義를 욕심[欲]에 짝지어 말했으니, 하나가 커 가면 하나가 줄어드니 재앙과 복은 여기에 달렸네. 게으름이 움트면 속되어 정신이 흐리고 욕심이 불붙으면 이리저리 미친 듯 날뛰는 것. 이 둘은 덕을 망치는 도적이니, 반드시 꾀함을 엄숙히 하여 마치 적군을 꺾듯이 하라. 게으름과 욕심이 사라져야 경과 의가 보존되나니, 올곧고 방정함을 성대하게 하여 자신의 덕을 곤괘坤卦에 합치시켜라. 한 생각이 잠간이라도 벗어나면 이 경의재의 편액을 보도록 하라. 엄한 스승이 눈앞에 있으니 영원히 마음에 알려 게으름 피우지 말라.

307 眂此齋扁. : 『西山文集』 권33에는 '眂'자가 '視'자로 되어 있다. 이를 따른다.

308 『西山文集』 권33

309 『丹書』에 있는 훈계 : 『儀禮經傳通解』 권13 「學禮 14 · 踐阼」에서 "(무왕이) 동쪽으로 향해 서자, 사상보가 서향하여 서서 책의 내용을 말하였다. '공경이 게으름을 이기는 사람은 길하고, 게으름이 공경을 이기는 사람은 멸망하며, 의로움이 욕심을 이기는 자는 순히 살아가고 욕심이 의로움을 이기는 자는 흉하게 됩니다.(東面而立, 師尚父西面道書之言, 曰敬勝怠者吉, 怠勝敬者滅 ; 義勝欲者從, 欲勝義者凶.)"고 하였다고 했다. 여기서 책이란 바로 『丹書』로, 이책은 문왕이 태어났을 때 赤雀이 입에 물고 와 문왕이 있는 창 아래 떨어뜨리고 갔다고 한다.

[70-6-18]

克齋銘 극재명[310]

南軒張氏 남헌 장씨 : 張栻

惟人之生, 父乾母坤. 允受其中, 天命則存. 血氣之萌, 物欲斯誘. 日削月朘, 噫鮮能久. 越其云爲, 匪我之自. 營營四馳, 擾擾萬事. 聖有謨訓, 克己是宜. 其克伊何? 本乎致知. 其致伊何? 格物是期. 動靜以察, 晨夕以思. 良知固有, 匪緣事物. 卓然獨見, 我心皦日. 物格知至, 萬事可窮. 請事克己, 日新其功.

"사람이 태어날 때 아버지는 하늘, 어머니는 땅이다. 진실로 그 중中을 받았으니 천명을 지님이다. 혈기가 움트고 물욕이 유혹하며 날마다 깎고 달마다 쭈그리니, 아! 오래 지닌 자 드물도다. 그리하여 말과 행동들이 내게서 비롯되지 않는데, 이리저리 사방으로 날뛰고 시끌시끌 온갖 일을 해대도다. 성인이 말씀하신 교훈 사욕을 이겨냄이 마땅할 것이니, 그 이겨냄 어떻게 해야 하나? 앎을 지극히 함에 근본해야 한다. 그 지극히 함은 어떻게 할 것인가? 사물 이치의 끝까지 파고듦을 기약하라. 동과 정을 이것으로 꼼꼼히 살피고 새벽부터 석양까지 이것으로 생각하라. 양지良知란 고유한 것이기에 사물에 인연된 것 아니다. 탁연히 홀로 깨닫는다면 내 마음 저 태양처럼 밝으리라. 사물의 이치가 터득되어 앎이 지극해지면 만사를 모두 궁리할 수 있으리니, 청컨대 사욕 이기는 일을 일삼아서 날마다 자신의 공부 새로워지게 하라.

莫險於人欲, 我其平之. 莫危於人心, 我其安之. 我視我聽, 勿蔽勿流. 我言我動, 是出是由. 涵濡泳游, 不競不絿. 允蹈彝則, 靡息厥脩. 逮夫旣克, 曰人而天. 悠久無疆, 匪然而然. 爲仁之功, 於斯其至. 我稽古人, 其惟顔氏. 於穆聖學, 具有始終. 循循不舍, 與天同功. 請先致知, 以事克己. 仁遠乎哉, 勉旃吾子.[311]

욕심보다 험한 것 없으니 내 그것을 평정하고 마음보다 위태로운 것 없으니 내 그것을 안정시켜라. 나의 봄과 듣는 일에서 가리는 것 없으며 따라감 없게 하고, 나의 말과 행동이 이것에서 나오고 연유하게 하라. 그 속에 푹 젖어 노닐고 급급해하거나 느슨해하지 말며, 진실로 법도를 실천하고 닦는 일 쉬지 말라. 이겨냄에 미치면 사람이라지만 곧 하늘이니, 유구히 끝이 없어 하려 하지 않아도 저절로 될 것이다. 인仁을 행하는 일 이렇게 되어야 그 지극해짐이니, 내 옛 분들에서 찾아보니 안씨顔氏뿐이었다. 아! 심원한 성인의 길이여 시작과 끝이 여기에 갖춰져 있다. 따르고 따르며 쉬지 않아야 하늘과 똑같게 되리라. 청컨대 우선 앎을 지극히 하여 사욕 이겨내는 일을 일삼도록 하라. 인이 멀리 있으랴? 우리 그대는 힘쓸지어다.

310 克齋銘 : 『南軒集』 권36에 소서가 있다. "청강 진택지의 집 이름이 '극'이어서 극자의 뜻을 감히 연역하여 명을 짓는다.(淸江陳擇之燕居之齋曰克, 敢衍其義而爲之銘.)"고 하였다. 여기서 克은 『論語』「顔淵」의 克己復禮의 '극'을 말한다.

311 『南軒集』 권36

[70-6-19]

敬齋銘 경재명[312]　　　　　　　　　남헌 장씨

“天生斯人, 良心則存. 聖愚曷異? 敬肆是分. 事有萬變, 統乎心君. 一頹其綱, 泯焉絲棼. 自昔先民, 脩己以敬. 克持其身, 順保常性. 敬匪有加, 惟主乎是. 履薄臨深, 不昧厥理. 事至理形, 其應若響. 而實卓然, 不與俱往. 動靜不違, 體用無忒. 惟敬之功, 協乎天德.

“하늘이 인간을 내면서 양심이 바로 존재하였다. 성인과 바보는 어디에서 달라졌나? 공경과 방종에서 나뉘었다. 일이 가진 만 가지 변화는 심군心君(마음)에 의해 거느려진다. 그 강령 한번 무너지면 (양심은) 소멸되고 실타래는 흐트러진다.[313] 예전부터 선현들은 자신을 경敬으로 수양하였다. 자신 한 몸을 추슬러서 떳떳한 본성을 순히 보전하라. 경에 어떤 것을 더하지 말고 경만을 주장하라. 살얼음을 밟듯 깊은 연못에 다다른 듯 생활하며 리理에 어둡지 않아야 한다. 일이 닥치면 리가 마음속에 잡히며 대응이 메아리 같아야 한다. 실제에도 탁연하여 물욕에 이끌리지 마라. 동과 정에 어긋나지 않으면 체와 용에 틀어짐 없으리라. 경에 노력하여 하늘의 덕에 합치시켜라.

嗟爾君子, 敬之敬之. 用力之久, 其惟目知.[314] 勿憚其艱, 而或怠遑. 亦勿迫切, 而以不常. 毋忽事物, 必精吾思. 察其所發, 以會於微. 忿慾之萌, 則杜其源. 有過斯改, 見善則遷. 是則天命, 不遏於躬. 魚躍鳶飛, 仁在其中. 於焉有得, 學則不窮. 知至而至, 知終而終. 嗟爾君子, 勉哉敬止. 成已成物, 匪曰二致. 任重道遠, 其端伊邇. 毫釐有差, 繆則千里. 惟建安公, 自力古義. 我作銘詩, 以諗同志.”[315]

아! 군자들아 공경하고 공경하라. 노력함 오래이면 스스로 느껴질 것이다. 어렵다고 꺼리거나 혹여도 게으름 피우지 말고, 또 절박하다 하여 이상한 짓 하지 마라. 사사물물에 소홀하지 말고 반드시 나의 생각을 정하게 기울이고, 우러나는 생각들을 살펴서 기미에서 알아내도록 하라. 분노와 욕심이 싹트면 그 근원에서 막고, 허물이 있으면 이내 고칠 것이며 선한 일 보거든 따라 바꾸어라. 이것이 천명天命을 제 몸에서 단절시키지 않음이다. 물고기가 연못에서 뛰고 소리개가 하늘로 날아오름 속에 인仁은 그곳에 있다. 여기에서 터득하면 학문이 곤궁하지 않으리라. 이르러야 할 곳을 알아 이르고 끝낼 곳을 알아

312 敬齋銘 : 『南軒集』 권36에 소서가 있는데 “乾道(송나라 孝宗의 연호) 4년(서기 1168)에 建安劉公이 樞密院에서 豫章의 수령으로 부임하더니, 관청 옆에 집을 마련하여 아침저녁으로 한가하게 거처하며 편액을 敬齋라고 하였다.(乾道四年, 建安劉公, 自樞密庭, 出鎮豫章, 闢室於聽事之側, 朝夕燕處, 扁曰敬齋.)”고 하며 그래서 이 명을 지어주었다고 하였다.

313 실타래는 흐트러진다. : 『春秋左傳』「隱公 4년」에 노나라 隱公이 신하 衆仲에게 衛나라의 일이 성공할 수 있을 것인지를 묻자, 중중이 “신은 덕으로 백성을 화합시킨다는 말을 들었지 난리로 합치시킨다는 말은 듣지 못하였습니다. 난리로 합치시키려는 것은 실을 손질하며 흩어뜨리는 것과 같습니다.(臣聞以德和民, 不聞以亂. 以亂, 猶治絲而棼之也.)”고 하였다.

314 其惟目知. : 『南軒集』 권36에는 ‘目’자가 ‘自’로 되어 있다. 이를 따른다.

315 『南軒集』 권36

마치도록 하라. 아! 그대 군자들은 힘써 공경할지어다. 자신의 덕을 이루고 남의 덕을 이루게 하는 일이 두 가지가 아니다. 책임 무겁고 갈 길 머나 그 실마리 가깝고, 털끝의 차이가 천 리로 달라진다. 건안공建安公[316]이 스스로 옛 의리에 힘쓰기에 내가 이 명을 지어 동지에게 고하노라.

[70-6-20]

敦復齋銘 돈복재명[317] 남헌 장씨

惟聖作易, 研幾極深. 惟卦有復, 於昭天心. 六爻之義, 各隨所乘. 其在於五, 敦復是明. 其敦如何? 篤志允蹈. 順保其中, 而以自考. 我觀爻義, 厥有戒辭. 君子體之, 敬戒是資. 人欲易萌, 天理難存. 毫釐之間, 消長所分. 凡百君子, 枩何不敬. 祇於夙夜, 以若天命. 惟積惟久, 匪俟乎外. 敢曰無悔, 庶幾寡悔.[318]

성인이 역易을 지으며 기미를 살펴 깊은 뜻을 다하였다. 괘 가운데 복괘復卦(䷗)에 하늘마음을 밝게 드러냈다. 여섯 효爻의 뜻은 각기 효의 위치에 따라 다르다. 그 육오효에서 되돌아옴의 돈독을 밝혔다.[319] 돈독함이란 무엇인가? 도타운 뜻으로 진실을 실행함이다. 순히 그 중정한 도리를 보전하여 그것으로 스스로를 살피도록 하라. 내 그 육오효의 효사의 뜻 살펴보건대 경계의 말 담겼으니, 군자들은 이를 본받아 경계하는 마음으로 삼으라. 욕심은 쉽게 싹트고 천리天理는 보존하기 어려워 털끝의 차이에서 사라지고 자람이 갈린다. 모든 군자들은 어찌 공경하지 않으리오. 다만 아침부터 늦은 밤까지 천명을 순히 따르라. 쌓기를 오래할 일이지 밖에서 기다릴 일은 아니다. 감히 '후회가 없을 것이다.'고야 말하랴. 거의 후회가 적을 것이다.

[70-6-21]

恕齋銘 서재명[320] 남헌 장씨

刑成不變, 君子盡心. 明動麗止, 象著羲經. 所存曷先, 其恕之云. 自盡於己, 以察其情. 意有所先, 則弗敢成. 見雖云獨, 亦靡敢輕. 幽隱之枉, 是達是由. 毫釐之疑, 是析是明. 俾爾寡弱, 無有或困. 於爾強慝, 靡誅靡遁. 及得其情, 又以勿喜. 古人於此, 恕有餘地. 我名於齋, 意實

316 建安公 : 『南軒集』 권36의 이 글의 小序에는 "公의 뜻이 원대하도다! 대저 敬은 마음을 쓰는[宅心] 요령이요 聖學의 연원이다. 감히 銘을 지어 公의 뜻을 넓힌다."라고 하였다.

317 敦復齋銘 : 『南軒集』 권36에서 南徐 陳希顏에게 지어주는 명이라고 하였다.

318 『南軒集』 권36

319 육오효에서 되돌아옴의 … 밝혔다. : 『周易』「復卦」 육오효에서 "돌아옴이 돈독하니 후회가 없을 것이다.(敦復无悔.)"고 하였다.

320 恕齋銘 : 『南軒集』 권36, 이 글의 小序에 "潭州 右司理 벼슬에 재직 중인 海陵 周俊卿이 나에게 그의 집 이름을 지어주기를 청하였다. 내가 '서재'라 이름 붙이고서 이 글을 짓는다.(潭州右司理之治, 海陵周俊卿請予名其齋. 予名之以恕, 爲之詞.)"고 하였다.

在玆. 嗟嗟來者, 尚克念之.[321]

형벌은 결정되면 바꿀 수 없으니 군자는 마음을 모두 기울여야 한다. 밝게 알고서야 행동하고[322] 그침이 (결정이) 밝음에 의지해야 함[323]은 희경羲經(『주역』)의 상사象辭에 드러나 있다. 무엇을 먼저 보존해야 하나? 그 서恕[推己及人]이다. 스스로 마음을 다 기울여서 상대의 정황을 살펴라. 짐작 가는 마음이 있더라도 감히 그 생각을 이루려 말고, 식견이 남다르더라도 또한 감히 가볍게 보지 말라. 묻히고 어두운 억울함은 완전히 파악하여 근원을 찾아내고 털끝의 의심도 분석하여 분명히 하라. 힘없는 사람일지라도 혹여도 곤궁하게 하지 말고 거악巨惡일지라도 두려워하거나 도망치려 하지 말라. 그 죄의 정상을 파헤쳤더라도 또 기뻐하지 말지니,[324] 옛사람은 이 점에서 추기급인에 넉넉함이 있었다. 내가 집 이름을 서재라 한 뜻은 실상 여기에 있다. 아! 이 집을 찾는 사람은 늘 이를 생각할지어다.

[70-6-22]

主一齋銘 주일재명[325] 남헌 장씨

人之心, 一何危? 紛百慮, 走千岐. 惟君子, 克自持. 正衣冠, 攝威儀. 澹以整, 儼若思. 主於一, 復何之. 事物來, 審其幾. 應以專, 匪可移. 理在我, 寧彼隨. 積之久, 昭厥微. 靜不偏, 動靡違. 嗟勉哉, 自邇卑. 惟勿替, 日在玆.[326]

사람의 마음 하나같이 왜 위험할까? 분분하게 수백 가지 생각하고 수천 갈래를 오가서이다. 군자만이 능히 붙잡나니, 의관을 단정히 하고 위의를 거두잡아라. 담박하여 정연하고 엄숙하여 생각에 잠긴 듯하

321 『南軒集』 권36

322 밝게 알고서야 행동하고 : 『周易』「豐卦(䷶)」의 彖辭에서 "풍은 성대함이다. 밝게 알고서 행동한 까닭에 풍성하다.(豐, 大也. 明以動, 故豐.)"고 하였다. 이 글에서 이 풍괘의 단사를 인용한 것은, 풍괘의 상사에 "(풍괘는) 外卦의 우레(☳)와 內卦의 번개(☲ 곧 밝음)가 모두 모인 것이 풍괘이다. 군자가 그것을 법 받아 옥사를 판결하여 형벌을 시행한다.(雷電皆至, 豐. 君子以, 折獄致刑.)"고 한 까닭에 형벌의 정의를 말하며 인용한 것이다.

323 그침이(결정이) 밝음에 … 함 : 『周易』「旅卦(䷷)」의 단사에서 "여괘가 조금 형통할 수 있는 것은 육오효가 외괘의 중정함을 얻으면서 위아래의 양효에 순응하고 그침이(결정이) 밝음에 의지하고 있다.(旅小亨, 柔得中乎外而順乎剛, 止而麗乎明.)"고 하였다. 이 글에서 이 여괘의 단사를 인용한 것은 여괘의 상사에 "산 위에 불이 있는 것이 여괘이다. 군자가 그것을 법 받아 형벌을 결정할 때 밝게 살피고 삼가며 옥사를 미루지 않는다.(山上有火, 旅. 君子以, 明愼用刑, 而不留獄.)"고 한 까닭에 인용한 것이다.

324 기뻐하지 말지니 : 『論語』「子張」에서 "맹씨가 陽膚를 士師(범죄 담당 관리)에 임명하자, (양부가 사사의 도리를) 증자에게 물었다. 증자가 대답하기를 '군주가 자신이 행해야 할 도리를 잃은 지 오래여서 백성들 마음이 흩어진 지 오래다. 만일 죄의 정황을 파악했다 하더라도 불쌍해 하고 기뻐하지 말라.'고 하였다.(孟氏使陽膚為士師, 問於曾子. 曾子曰, '上失其道, 民散久矣. 如得其情, 則哀矜而勿喜.)"고 하였다.

325 主一齋銘 : 『南軒集』 권36 이 글의 소서에 "주일재명은 성도에 사는 범문숙이 자신의 집을 '주일'이라 명명하였기에 내 그의 뜻을 가상히 여겨 이 명을 지어 면려한다.(主一齋銘, 成都范文叔, 以主一名齋, 予嘉其志, 爲銘以勉之.)"고 하였다.

326 『南軒集』 권36

라. 하는 일 하나에 전념할 것이니 다시 어디로 옮아가랴? 사물이 눈앞에 이르면 그 기미에서 살피고, 대응할 때 오롯이 하여 옮아감 없게 하라. 이치 나에게 있는데 어찌 상대를 따라 판단하랴? 쌓인 지 오래이면 그 은미했던 도심道心이 밝아져, 아무 일 없을 때도 치우치지 않고 행동할 때도 어긋나지 않으리라. 아! 힘쓸지어다. 가깝고 쉬운 일로부터. 빠뜨리지 말지니 날마다 이들 일들을.

[70-6-23]

敬銘 경명　　　　　　　　　　　　　　臨川吳氏 임천 오씨 : 吳澄

維人之心, 易於放逸. 操存舍亡, 或入或出. 敬之一字, 其義精密. 學者所當, 服膺弗失. 收斂方寸, 不容一物. 如入靈祠, 如奉軍律. 整齊嚴肅, 端莊靜一. 戒愼恐懼, 兢業戰栗. 如見大賓, 罔敢輕率. 如承大祭, 罔敢慢忽. 視聽言動, 非禮則勿. 忠信傳習, 省身者悉. 把捉於中, 精神心術. 檢束於外, 形骸肌骨. 常令惺惺, 又新日日. 敢以此語, 鏤於虛室.

사람의 마음은 뛰쳐나가기 쉽다. 붙잡으면 보존되고 놓으면 사라져 들락날락이다. 경敬 한 글자여 담긴 뜻 정밀하니 배우는 자 당연히 가슴에 새기고 잃지 말라. 방촌에 수렴하여 한 사물도 끼어듦 없게 하라. 신사神祠에 들어간 듯 군률軍律을 받들 듯이 하라. 정제하고 엄숙하며 단정하고 고요하여, 경계해 삼가고 두려워하며 긍긍업업兢兢業業 전율하라. 큰손님을 뵌 듯 감히 경솔함 없고, 큰제사를 받들 듯 감히 소홀함 없게 하라. 보고 듣고 말하고 행동함에 예 아니거든 하지말라. 남을 위한 충심[忠], 벗 사이의 믿음[信], 배운 것을 익히는 일들이 몸에서 살펴야 할 전체이다. 이를 마음에 붙잡으면 정신과 마음이 되고, 겉모양을 단속하면 형체와 뼈대가 될 것이다. 늘 초롱초롱하고 또 날마다 새로워지게 하라. 용감히 이 말들을 마음에 새기어라.

[70-6-24]

和銘 화명　　　　　　　　　　　　　　임천 오씨

和而不流, 訓在中庸. 顏之豈弟, 孔之溫恭. 孔顏往矣, 孰繼遐蹤? 卓彼先覺, 元公淳公. 元氣之會, 淳德之鍾. 瑞日祥雲, 霽月光風. 庭草不除, 意思沖沖. 天地生物, 氣象融融. 萬物靜觀, 境與天通. 四時佳興, 樂與人同. 泯若圭角, 春然心胷. 如玉之潤, 如酒之醲. 晬面盎背, 辭色雍容. 待人接物, 德量含洪. 和粹之氣, 涵養之功. 敢以此語, 佩於厥躬.

'조화를 이루어도 넘치지 말라.'란 훈계는 『중용』에 있다.[327] 안자顏子는 화락하였고 공자는 온화하고 공손하였다. 공자와 안자 떠나갔고 누가 그 큰 자취 이을까? 우뚝하다 저 선각자는 원공元公(元을 의인화한 말)과 순공淳公(淳을 의인화한 말)이다. 원元은 기氣가 모인 것이고 순淳은 덕이 모인 것이니, 서기 어린 해이자 상서로운 구름이며 비 개인 뒤의 달빛이자 빛이 일렁이는 바람이다. 뜰의 풀을 뽑지 않음이여[328]

327 『中庸』에 있다. : 『中庸』 제10장
328 뜰의 풀을 … 않음이여 : 『伊洛淵源錄』 권1 「濂溪先生 · 遺事」에 "주무숙이 창문 앞의 풀을 뽑지 않기에

생각이 따뜻하고, 천지의 사물을 탄생시킴이여 기상이 따스하다. 만물도 가만히 살피면 경지가 하늘과 서로 하나인 듯, 네 철의 우아한 흥취 즐거움이 사람과 똑같아라. 모난 성깔 사그라뜨리면 마음이 봄다워져, 옥처럼 반지르르 술처럼 맛스러우리. (쌓인 덕) 얼굴이 청화하고 등까지 넘쳐나 말과 낯빛마저 따뜻해져, 남을 대하고 만나는 일에 덕스러운 도량 너그럽고 관후하리라. 화락하고 청수한 기상은 함양의 공이니 용감히 이들 말을 몸에 꼭꼭 지녀라.

[70-6-25]

自新銘 자신명　　　　임천 오씨

齒本白, 一朝不漱, 其汚已積. 面本白, 一旦不頮, 其垢已黑. 體本白, 一日不浴, 其形已墨. 齒雖汚, 漱之則即無. 面雖垢, 頮之則即不. 體雖墨其形, 浴之則瑩然如玉潔且清. 是知齒本無汚, 其汚也實自吾. 面本無垢, 其垢也實自取. 體本潔且清, 其形之墨也實自成. 齒本白, 而我自汚, 誰之辜. 面本白, 而我自垢, 誰之咎. 體本白, 而我自墨, 誰之慝? 幸而一朝漱其齒, 白者復爾. 一旦頮其面, 白者復見. 一日潔其體而浴, 白者復如王. 盍曰向也吾身, 白者已塵. 今焉澡雪, 舊染維新. 而今而後, 殆不可復.

이는 본래 희나 하루라도 닦지 않으면 더러움이 벌써 쌓이고, 얼굴은 본래 희나 하루라도 씻지 않으면 때에 벌써 검어지며, 몸은 본래 희나 하루라도 목욕하지 않으면 그 형체 벌써 시커멓다. 이가 더러워졌어도 닦으면 곧 사라지고, 얼굴에 때가 끼었어도 닦으면 곧 없어지며, 몸이 그 형체 시커메졌어도 목욕하면 마치 옥처럼 깨끗하고 맑게 빛이 난다. 여기에서 알 수 있으니, 이는 본래 더러움 없으니 그 때는 실제 나에게서 비롯된 것이고, 얼굴은 본래 때 없으니 그 때는 실제 나에게서 비롯된 것이며, 몸은 본래 깨끗하고 맑으니 형체가 시커메진 것은 실제 나로부터 이뤄진 것이다. 이는 본래 흰데 내가 스스로 더럽게 하였으니 누구의 허물이며, 얼굴은 본래 흰데 내가 스스로 때가 끼게 하였으니 누구의 잘못이며, 몸은 본래 흰데 내가 스스로 시커메지게 하였으니 누구의 잘못인가? 행여 이를 닦으면 흰 빛이 하루에 되돌아오고, 얼굴을 씻으면 흰 빛이 하루에 다시 나타나며, 몸을 깨끗이 목욕하면 하루에 흰 빛이 다시 옥과 같다. 지난번 내 몸은 흰 것이 더러워졌던 것이고, 오늘 때를 씻자 예전의 더럽혀진 것이 새로워졌다 하지 않으랴. 지금부터 이후로는 절대 다시 그런 일 없어야 하리.

士子守己, 當如女子. 文人治身, 當如武人. 女子居室, 必無一毫點汚. 介然自守, 如此, 是謂守己如女. 武人殺敵, 必須直前不顧. 勇於自治, 如此, 是謂治身如武. 女不女, 易所謂不有躬也. 武不武, 傳所謂我非夫者. 身之白者渾全而未壞, 貴常以不女之女爲戒. 身之白者旣壞而求全, 謹無若不武之武人然.

선비는 자신 지키기를 당연히 여자와 같이 하고 문사文士는 몸 다스리기를 당연히 무인武人처럼 해야

물으니 '나의 생각과 같아서이다.'고 하였다.(周茂叔窓前草不除去, 問之云, '與自家意思一般.')"고 하였다.

한다. 여자는 집에 머무를 때 털끝만큼의 오점도 없어야 한다. 고결하게 자신을 지킴이 이 같아야 몸 지킴이 여자와 같다고 할 수 있다. 무인은 적을 죽일 때 반드시 곧장 앞으로 나아가고 뒤돌아보지 않는다. 자신을 다스리는 용맹이 이 같아야 몸 다스림이 무인과 같다고 할 것이다. 여자가 여자답지 못한 것은 『주역』의 '자신의 몸을 간수하지 못했다.'[329]이고, 무인이 무인답지 못한 것은 『좌전』의 '나는 장부가 아니다.'[330]이다. 몸의 깨끗함을 온전히 하여 아직 무너지지 않았을 때는 항상 여자답지 못한 여자를 경계 삼음을 귀히 여기고, 몸의 깨끗함이 이미 무너져 온전하기를 구할 때는 신중히 무인답지 못한 무인 같음이 없게 하라.

[70-6-26]

自脩銘 자수명 임천 오씨

養天性, 治天情. 正天官, 盡天倫. 奚而養, 奚而治. 奚而正, 奚而盡. 未知之, 則究之. 旣知之, 則踐之. 究者何, 窮其理. 踐者何, 履其事. 若何而爲仁義禮智之道, 若何而爲喜怒哀懼愛惡之節, 若何而爲耳目鼻口手足四支之則, 若何而爲君臣父子夫婦長幼朋友之常. 探其所以然, 求其所當然, 是之謂窮其理. 存之於心則如此, 見之於事則如此, 行之於身則又如此, 內而施之於家則如此, 外而推之於人則如此, 大而措之於天下則又如此. 躬行之焉, 力踐之焉, 是之謂履其事. 然則其先如之何, 曰立誠而居敬.

천성天性을 기르려면 타고난 감정[天情]을 다스리고, 천관天官(사람이 갖춘 여러 기능)을 바루려면 천륜天倫을 다하라. 어떻게 기르고 어떻게 다스리며, 어떻게 바로잡고 어떻게 다하나? 몰랐을 때는 탐구하고, 알고 나서는 실천하라. 탐구란 어떤 것인가? 이치의 궁리이고, 실천이란 어떤 것인가? 그 일의 실행이다. 어떻게 하는 것이 인의례지仁義禮智의 길이며, 어떻게 하는 것이 희노애구애오喜怒哀懼愛惡의 절도 이며, 어떻게 하는 것이 이목비구수족사지耳目鼻口手足四支의 법칙이며, 어떻게 하는 것이 군신君臣 · 부자父子 · 부부夫婦 · 장유長幼 · 붕우朋友의 법도인가? 그 소이연을 탐구하고 그 당연한 도리를 찾아보는 것, 이것이 앞에서 말한 이치의 궁리다. 마음에 두는 것이 바로 이 같음이고, 일로 나타내는 것이 바로 이 같음이고, 몸으로 행하는 것이 또 바로 이 같음이며, 안으로 집안에 시행하는 것이 바로 이 같음이고, 밖으로 남에게 미루어가는 것도 바로 이 같음이며, 크게 천하에 시행하는 것도 바로 또 이 같음이어야 한다. 몸소 행하고 힘써 실천하는 것 이것이 앞에서 말한 일의 실행이다. 그렇다면 이에 앞서 무엇을 해야 할까? 성誠을 확립하고 경敬하여야 한다.

329 '자신의 몸을 … 못했다.' : 「蒙卦」 六三爻의 효사이다.
330 '나는 장부가 아니다.' : 『春秋左傳』「宣公 12년」에 "적군의 강함을 듣고서 물러나는 것은 장부가 아니다.(聞敵強而退, 非夫也.)"고 하였다.

[70-6-27]

消人欲銘 소인욕명　　임천 오씨

人欲之極, 惟色與食. 食能殞軀, 色能傾國. 紾兄摟子, 食色乃得. 將紾將摟, 不亦大惑. 必也謀道, 必也好德. 而勿謀食, 而勿好色. 飮食男女, 大欲存焉. 不爲欲流, 乃可聖賢. 我思古人, 以理制欲. 常戒以懼, 惟愼其獨. 賢賢易色, 好善不足. 何暇色耽, 恣情悅目? 食無求飽, 志學惟篤. 何暇食求, 以極其腹? 如或不然, 是人其天. 貪淫蠱惑, 有愧格言. 好色是欲, 德未見好. 惡食是恥, 未足議道. 嗚呼食色! 今其戒玆. 戒之如何? 剛以治之.

욕심의 극치는 여색女色과 음식[食]이다. 음식은 한 몸을 죽게 하고 여색은 한 나라를 기울게 한다. 형의 어깨를 비틀고 이웃집 처녀를 끌어와야 음식과 아내를 얻을 수 있다 하여 어깨를 비틀고 끌어온다면 또한 큰 의혹에 빠짐이 아니겠는가? 반드시 도道만을 꾀하고 반드시 덕만을 좋아하여, 음식을 꾀하지 말고 여색을 좋아하지 말라. 음식과 남녀에는 인간의 큰 욕심이 존재해 있으니, 욕심에 흐르지 않아야 성인과 현인이 된다. 내 옛 분들을 생각하니 리理로 욕심을 제어하고, 늘 경계하며 두려워하여 홀로를 삼갔다. 현명한 분을 현명한 분으로 생각하기를 여색을 좋아하는 마음과 같이 하고 선 좋아하기를 부족해 하듯 한다면, 어느 겨를에 여색을 탐하고 욕정을 방자히 하여 눈을 즐겁게 하랴? 음식에 배부름을 찾지 말고 학문에 뜻 세움을 돈독히 한다면, 어느 겨를에 음식을 찾아 그 배 채우는 일을 다하랴? 만일 혹여도 그렇지 않다면 인간의 욕심을 하늘 이치로 생각함이니, 끝없는 탐욕과 여인에게 홀림은 옛 격언格言에 부끄러움이다. 예쁜 여색을 욕심내면 덕에 좋은 것을 볼 수 없고 거친 음식을 부끄럽게 여기면 도를 함께 말하지 못하리라. 아 여색과 음식이여! 지금 이를 경계시키니 경계란 어떻게 할 것인가? 굳셈으로 다스려라.

[70-6-28]

長天理銘 장천리명　　임천 오씨

天理之至, 惟仁與義. 仁只在孝, 義只在弟. 苟孝於親, 是能爲子. 苟弟於兄, 是能爲弟. 能爲子弟, 他不外是. 此之不能, 何况他事? 盡乎人倫, 堯舜爲至. 然其爲道, 孝弟而已. 知斯二者, 即所謂知. 節斯二者, 即所謂禮. 實有二者, 即信之謂. 安行二者, 樂則生矣. 五常百行, 不離斯二. 窮神知化, 亦由此始. 如或不然, 流入佛氏. 名爲周遍, 實外倫理. 事親從兄, 豈不甚易. 人非不能, 特不爲耳. 嗚呼仁義, 爲之由己. 尚勉之哉, 毋自暴棄.

천리의 지극함은 인仁과 의義이다. 인은 효도[孝]에 있고 의는 공손[弟]에 있다. 진실로 어버이에게 효도하면 자식 노릇을 잘함이고 진실로 형에게 공손하면 아우 노릇을 잘함이다. 아들과 아우 된 도리를 잘한다면 다른 일들은 여기서 벗어날 게 없다. 이를 잘해내지 못하고서 어찌 다른 일을 어림하랴? 인륜을 다한 분은 요순이 지극하나, 그 도리란 효도와 공손일 뿐이다. 이 두 가지를 아는 것은 이른바 지혜이고, 이 두 가지를 마디 짓는 일은 이른바 예이다. 실제 이 두 가지를 지닌 것을 바로 신信이라 하고, 이

두 가지를 자연스레 행한다면 즐거움이 우러날 것이다. 오륜과 모든 행실은 이 두 가지에서 떠나지 않는다. 사물의 신묘한 이치를 궁리하고 조화를 아는 일도 또한 이로부터 시작한다. 만일 혹여 그렇지 않다면 불교에 흘러든 것이니, 말이야 두루에 온전함이지만 실지는 윤리에서 벗어난 것이다. 어버이를 섬기고 형을 따르는 것이 어찌 매우 쉽지 않은가? 사람이 못할 것이 아니니 다만 하지 않을 뿐이다. 아! 인과 의는 행하는 일이 나에게 달린 것이다. 부탁하노니 힘쓰고 자포자기하지 말라.

[70-6-29]

克己銘 극기명　　　　　　　　　　　　임천 오씨

去病非難, 當拔其根. 己私旣克, 天理復還. 克他未得, 但加裁抑. 固不猖獗, 終尙潛匿. 克者伊何? 譬如破敵. 戰而勝之, 是之謂克. 二者異情, 學者當明. 人欲如敵, 入據吾城. 被吾戰勝, 遠屛退聽. 不敢復來, 攻城犯命. 或敵在內, 毆之城外. 閉門固拒, 控守要害. 雖不得入, 禍胎猶在. 守備一疎, 又被攻壞. 一戰有功, 敵自服從. 區區固守, 敵敢力鬪?

병을 제거함이 어려운 일 아니니 당연히 그 뿌리를 뽑아야 한다. 자신의 사사로움을 이겨내야 천리天理는 다시 되돌아온다. 이겨내지 못하고 억제하기만 한다면 세차게만 일어나지 않을 뿐 끝내는 여전히 감춰져 있다. 이겨냄은 어떤 것인가? 적을 격파하는 일에 비유하면, 싸워 승리한 것을 이겨냄이라 할 것이다. 두 일은 실제가 서로 다름을 배우는 자는 당연히 밝게 알아야 한다. 욕심은 적군과 같아서 쳐들어와 내 성을 차지한다. 내가 싸워서 이겨야만 멀리 물러나 명령을 따르고, 감히 다시 찾아와 성을 공격하고 명령을 범하지 않는다. 혹여 적군이 안에 있으면 성 밖으로 몰아내고서, 성문을 닫아 굳게 막고 요해처를 지켜라. 들어올 수 없어도 재앙의 뿌리가 여전히 남아있으면, 수비가 조금이라도 소홀하면 또다시 공격을 받아 무너진다. 한차례의 싸움에서 공훈을 세우면 적군은 저절로 복종할 것이다. 하나하나를 굳게 지키면 적군이 감히 힘써 싸우려 하겠는가?

一日克己, 隨卽復禮. 天下歸仁, 其效如此. 克伐怨欲, 苟徒力制. 而使不行, 仁則猶未. 去惡之道, 如農去草. 旣已芟夷, 復蘊崇之. 絶其本根, 勿使能殖. 則善者信, 無復蟊賊. 不能勝敵, 其何能國? 爲學亦然, 其可弗力? 以士希賢, 顔眞準的. 力到功深, 優入聖域.

어느 하루 사사로움을 이겨내면 따라서 바로 예가 회복되고, 천하도 인仁을 인정하니 그 효험은 이와 같다. 이기기, 자랑, 원한, 탐욕[331]을 구차히 다만 제압하기에 힘써, 벌어지지 않게만 하면 인은 여전히 부족하다. 악을 제거하는 도리는 농부가 풀을 제거하는 것처럼, 베어내 제거하고서 다시 그것을 더미로 쌓아 썩게 하여,[332] 그 뿌리가 끊겨 번식할 수 없게 해야 한다. 그러면 선한 사람들이 믿어주고 다시

331 이기기, 자랑, … 탐욕 : 『論語』「憲問」에서 : "'이기기, 자랑, 원한, 탐욕을 행해지지 않게 하면 인일 수 있습니까?' 하자 공자는, '어렵다고 말할 수 있겠지만 (그것이) 인일지는 내가 알지 못하겠다.'고 하였다.('克 · 伐 · 怨 · 欲不行焉, 可以爲仁矣?' 子曰, '可以爲難矣, 仁則吾不知也.')"고 하였다.

332 그것을 더미로 … 하여 : 『春秋左傳』「隱公 6년」에 "周任이 말하였다. '나라를 다스리는 사람은 악한 일을

안에서 적이 생겨나지 않는다. 적군도 이겨내지 못하면서 어떻게 나라를 다스릴 수 있겠는가? 학문도 역시 그러하다. 노력하지 않을 수 있으랴? 선비로 현인을 꿈꾼다면 안자顏子가 참된 표적이다. 힘을 모두 쏟아 노력이 깊어지면 넉넉히 성인의 영역에 들 것이다.

賦 부

[70-7-1]

拙賦 졸부　　周子 주자: 周敦頤

巧者言, 拙者黙. 巧者勞, 拙者逸. 巧者賊, 拙者德. 巧者凶, 拙者吉. 嗚呼, 天下拙, 刑政徹. 上安下順, 風清弊絶.[333]

교자는 말하고 졸자는 침묵하며, 교자는 힘들고 졸자는 편안하며, 교자는 남을 해치고 졸자는 덕스러우며, 교자는 흉하고 졸자는 길하다. 아! 천하가 졸하다면 형벌과 정령政令이 사라져, 군주는 편안하고 백성은 순하며 풍속은 맑고 폐단은 끊길 것이다.

[70-7-2]

白鹿洞賦 백록동부　　朱子 주자

承后皇之嘉惠, 宅廬阜之南畺. 閔原田之告病, 惕農扈之非良. 粤冬孟之旣望, 夙余駕乎山之塘. 徑北原以東騖, 陟李氏之崇岡. 揆厥號之所繇, 得頹址於榛荒. 曰昔山人之隱處, 至今永久而流芳. 自昇元之有土, 始變塾而爲庠. 儼衣冠而弦誦, 紛濟濟而洋洋. 在叔季之且然, 矧休明之景運. 皇穆穆以當天, 一軌文而來混. 念篤敦於化原, 乃搜剔乎遺遯. 肹黄卷以置郵,[334] 廣青衿之疑問. 樂菁莪之長育, 拔儁髦而登進. 逮繼照於咸平, 又增修而罔倦. 旋錫冕以華其歸, 琛以肯堂而詒孫. 悵茂草於熙寧, 尚兹今其奚論.

임금님의 훌륭한 은총 입어 여산廬山의 남쪽 땅 수령이 되었네.[335] 산비탈 전답의 하소연 안타깝고 농사 담당 관원의 훌륭하지 못함이 걱정되누나. 첫겨울 열엿샛날의 아침 일찍 산의 연못으로 내 수레를 달려,

보았을 때 농부가 힘써 풀을 제거하는 것과 같이 해야 한다. 베어내서는 쌓아 썩게 하여 그 뿌리가 끊기고 번식할 수 없게 해야 선한 사람이 믿는다.'(周任有言曰, 爲國家者, 見惡, 如農夫之務去草焉. 芟夷蘊崇之, 絕其本根, 勿使能殖, 則善者信矣.)"고 하였다.

333 『周元公集』 권2

334 肹黄卷以置郵: 『朱文公文集』 권1에는 '肹'자가 '肸'자로 되어 있다.

335 廬山의 남쪽 … 되었네.: 여산은 南康軍 소속의 한 지역이다. 이때 주자가 知南康軍事였다.

북쪽 언덕을 지나 동쪽으로 꺾어 이씨산의 정상에 올랐다.[336] 산 이름의 연유 헤아려 가시덤불 속에서 황폐한 자취 찾아냈다. 예전에 은자가 은거했던 곳이기에[337] 오늘까지 영원히 꽃다운 이름 전해오누나. 승원昇元 연간에 토지를 마련하고 비로소 마을 학당을 바꾸어 지방의 학교로 만들었다.[338] 어엿하게 의관 차리고서 글 읽고 악기 타니 수없는 생도들의 위의 당당하고 낭랑하여라. 쇠퇴한 (승원)시대에도 그러하였는데 하물며 아름답고 청명한 (송대의) 호시절이랴. 훌륭하고 훌륭한 천자가 천하를 다스려 제도와 문자를 통일시켜 동일하게 하였도다. 교화의 근원을 돈독히 하려 생각하고 버려져 은둔한 현자를 수소문해 찾았도다. 금새 역驛을 통해 경전을 내리니 배우는 자들의 의심난 것을 묻는 길을 넓혀주려 함이네. 수많은 선비 배양함을 즐거워하고 뛰어난 인재 등용하여 발탁하셨네.[339] 연이어 함평咸平 시대까지 황제의 보살핌 이어져 또 증수하여 게으름이 없으셨네.[340] 선선히 손면孫冕의 돌아감에 꽃다운 명령 내리고 침琛은 서당 지어 자손에게 물려주었네.[341] 희녕熙寧 연간에 풀이 무성해진 것 슬퍼하였는데[342]

336 이씨산의 정상에 올랐다. : 『朱文公文集』 권1의 주자 자신이 쓴 주에 "지명이 李家山이다.(地名李家山.)"고 하였다.

337 예전에 은자가 은거했던 곳이기에 : 『朱文公文集』 권1의 주자 자신이 쓴 주에 "陳舜俞의 「廬山記」에서, '唐나라 때 李渤은 자가 濬之인데, 그 형 涉과 함께 白鹿洞에 은거하였다. 뒤에 江州刺史가 되자, 백록동에 터를 잡아 臺榭를 새로 짓고 물이 돌아 흐르게 하고 꽃과 나무를 심어, 한때의 명승지가 되었다.'라고 하였다.(陳舜俞「廬山記」云, 唐李渤, 字濬之, 與兄涉偕隱白鹿洞. 後爲江州刺史, 乃即洞創臺榭, 環以流水, 雜植花木, 爲一時之勝.)"고 하였다.

338 昇元 연간에 … 만들었다. : 『朱文公文集』 권1의 주자 자신이 쓴 주에 "「廬山記」에서 또 이르기를, '南唐 昇元(烈祖의 연호) 연간에 백록동에 學館을 세우고 토지를 장만하여 제생들에게 음식을 제공하니 학자들이 크게 모여들었다. 이에 國子監 九經博士 李善道를 洞主로 삼아 교육을 관장시켰다.'고 하였다. 江南의 야사에도 '당시에 이를 白鹿國庠이라 하였다.'고 하였다.(廬山記又云, '南唐昇元中, 因洞建學館置田, 以給諸生, 學者大集. 乃以國子監九經李善道爲洞主, 掌其教授.' 江南野史亦云, '當時謂之白鹿國庠.')"고 하였다.

339 인재 등용하여 발탁하셨네. : 『朱文公文集』 권1의 주자 자신이 쓴 주에 "삼가 『國朝會要』를 살펴보니, 太平興國 2년에 知江州 周述이 백록동에 九經을 하사해 주기를 청하자, 조서로 그 요청에 따라 역을 통하여 보내주었다. 6년에는 동주 明起를 蔡州 褒信縣 主簿로 삼아, 유학을 표창하고 향의 학교를 영광되게 하였다.(謹按『國朝會要』, 太平興國二年, 知江州周述乞以九經賜白鹿洞, 詔從其請, 仍驛送之. 六年以洞主明起爲蔡州褒信主簿, 旌儒學, 榮鄉校也.)"고 하였다.

340 또 증수하여 … 없으셨네. : 『朱文公文集』 권1의 주자 자신이 쓴 주에 "「廬山記」에서 또 이르기를 '咸平(송나라 眞宗의 연호) 5년에 중수를 명하고, 또 공자와 十哲의 塑象을 만들었다.'고 하였다.(廬山記又云, 咸平五年, 敕重修, 又塑宣聖十哲之象.)"고 하였다.

341 琛은 서당 … 물려주었네. : 『朱文公文集』 권1의 주자 자신이 쓴 주에 "郭祥正의 「書院記」에 '祥符(송나라 眞宗의 연호) 초년에 直史館 孫冕이 질병을 이유로 사직하며 백록동 동주를 시켜 여생을 보내게 해달라고 하자, 조서를 내려 그대로 따랐다. 손면이 미처 돌아가지 못하고 죽었다. 皇祐 5년에 그 아들 比部郎中 琛이 학관의 옛터에 집을 짓고 '書堂'이라 현판을 붙이고 자제들에게 거처하며 공부하게 하였다. 사방 선비가 찾아오자 모두 음식을 제공하였다.(郭祥正書院記云, 祥符初, 直史館孫冕以疾辭于朝, 願得白鹿洞以歸老, 詔從之. 冕未及歸而卒. 皇祐五年, 其子比部郎中琛, 即學之故址爲屋, 榜曰書堂, 俾子弟居而學焉. 四方之士來者, 亦給其食.)"고 하였다.

342 풀이 무성해진 … 슬퍼하였는데 : 『朱文公文集』 권1의 주자 자신이 쓴 주에 "「廬山記」는 熙寧(송나라 神宗의

오늘에야 그 무엇을 더 말하랴.

天旣啓予以堂壇, 友又訂予以冊書. 謂此前修之逸迹, 復關我聖之宏撫. 亦旣震於余衷, 乃謀度而咨諏. 尹悉心以綱紀, 吏竭蹙而奔趨. 士釋經而敦事, 工殫巧而獻圖. 曾日月之幾何, 屹厦屋之渠渠. 山蒽瓏而遶舍, 水汩瀧而循除. 諒昔人之樂此, 羌異世而同符. 偉章甫之峩峩, 抱遺經而來集. 豈顓眺之爲娛, 實宮墻之可入. 愧余修之不敏, 何子望之能給. 矧道體之無窮, 又豈一言之可緝? 請姑誦其昔聞, 庶有開於時習. 曰明誠其兩進, 抑敬義其偕立. 允莘摯之所懷, 謹巷顔之攸執. 彼青紫之勢榮, 亦何心於俛拾.

하늘은 나에게 서당 터 알려주고 친구는 또 옛 기록으로 나를 바로잡아 주었네.[343] 이곳은 앞 시대의 현인이 은거했던 곳이라[344] 일컬어지고, 거기에다 우리 선대왕의 원대한 규모와도 관계있던 곳이다. 또 진작 내 마음을 울렁였기에 마침내 계획을 세우고 찾아 묻게 되었다. 고을 원은 마음 다해 근간을 세우고 관원들은 힘을 다해 이리 뛰고 저리 뛰네. 선비는 책을 놓고 일을 감독하고 장인은 솜씨를 다해 설계도대로 집을 짓도다. 세월 얼마 지났는고, 우람한 큰 집이 우뚝하여라. 푸르른 산은 집을 에워싸고 졸졸졸 시냇물은 뜰을 돌아 흐르네. 믿거니 옛 분도 이를 즐거워하였으리니 아! 시대 다르건만 부절처럼 똑같아라. 위대하다! 높다란 관 쓴 선비들 옛 책 품에 안고 모여 오네. 어찌 경치의 눈요기 위함이랴 실로 성현의 문 찾아 들려는 것이다. 부끄럽긴 내 공부의 민첩하지 못함으로 어떻게 그대들 바람에 잘 부응할지. 하물며 도의 본체 무궁하니 또 어찌 한 마디 말로 옛 도를 잇게 할 수 있겠는가? 우선 옛날에 들었던 것을 말해주면 아마도 시습時習의 길을 열어주고, 명明과 성誠 둘을 함께 진취시키면 아마도 경敬과 의義 함께 확립되겠지. 신莘나라 이윤伊尹이 품었던 꿈[345]에 성실하고 안자顔子가 꼭 붙잡았던 뜻을 삼가라. 저 비단옷 걸친 고관대작의 영화로운 형세쯤이야 또 무슨 마음으로 허리 굽혀 구하랴.

연호) 연간에 지어진 글인데, 그때 이미 '온통 무성한 풀밭이었다.'고 하였다.(廬山記熙寧中作, 已云'鞠爲茂草'矣.)"고 하였다.

343 옛 기록으로 … 주었네. : 『朱文公文集』 권1의 주자 자신이 쓴 주에 "찾아 나선 처음에 나무하는 자가 그 터 일러주었고, 손님 楊方 子直(양방의 字)이 서원 세우는 계획을 도왔다. 이윽고 劉淸之 子澄(유청지의 字)이 또 서원의 고사를 수집하여 보내주었다.(尋訪之初, 得樵者指告其處, 客楊方子直遂贊興作之謀. 旣而, 劉淸之子澄, 亦裒集故實來寄.)"고 하였다.

344 앞 시대의 … 곳이라 : 위의 '예전에 은자가 은거했던 곳이기에' 주석 참고

345 莘나라 伊尹이 … 꿈 : 신은 이윤의 고향이고 摯는 이윤의 이름이다. 『孟子』「萬章上」에 "탕이 이윤에게 세 차례 사신을 보내 초빙하자, 이윽고 뜻을 확 바꾸어 내가 시골에 살면서 이렇게 요순의 도를 즐기는 것이 내 어찌 이 군주를 요순과 같은 군주가 되게 함 같겠으며, 어찌 이들 백성을 요순의 백성으로 만들어줌과 같겠는가? 내가 어찌 내 몸에서 직접 눈으로 봄과 같겠는가?(湯三使往聘之, 旣而幡然改曰, 與我處畎畝之中, 由是以樂堯舜之道, 吾豈若使是君爲堯舜之君哉, 吾豈若使是民爲堯舜之民哉. 吾豈若於吾身親見之哉.)" 라고 하고 탕의 초빙에 응하였다고 하였다. 바로 군주를 요순으로, 백성을 요순의 백성으로 만들려 한 것이 이윤의 뜻이었다.

亂曰, 澗水觸石, 鏘鳴璆兮. 山木苯蓴, 枝相樛兮. 彼藏以修, 息且游兮. 德崇業茂, 聖澤流兮. 往者弗及, 余心憂兮. 來者有繼兮, 我將焉求兮.[346]

끝맺는 마지막 말이여!

시냇물 돌부리 부딪쳐 졸졸졸 경쇠 소리인 듯, 산의 나무들 울창하여 가지들 서로 엉켰네. 저 분 은거하여 수양하며 쉬고 놀던 자리, 높은 덕德 성대한 공훈에 성군의 은택마저 넘쳤네. 지난날 미처 살피지 못함 내 마음의 걱정이었으나, 찾아드는 자 뜻을 이으니 내 또 무엇을 더 구하랴.

[70-7-3]

遂初堂賦 수초당부[347] 주자[348]

皇降衷於下民兮, 粤惟其常. 猗歟穆而難名兮, 維生之良. 翕衆美而具存兮, 不顯其光. 彼孩提而知愛親兮, 豈外鑠緊中藏. 年燁燁而寢長兮, 紛事物之交相. 非元聖之生知兮, 懼日遠而日忘. 緣氣稟之所偏兮, 橫流始夫濫觴. 感以動兮不止, 乃厥初之或戕. 旣志帥之莫御, 氣決驟以翺翔. 六情放而曷禦, 百骸弛而莫強. 自青陽而逆旅, 暨黃髮以茫茫. 儻矍然於中道, 盍反求於厥初. 厥初伊何,[349] 夫豈遠歟. 彼匍匐以向井, 我惻隱之拳如.

하늘이 중정한 이치 사람들에게 내리니 그것은 바로 오상五常이요, 심원深遠하여 이름 붙일 수 없게 아름다우니 태어나며 지녀진 어짊이다. 갖은 아름다움 모아서 모두 갖추니 어찌 그 빛 드러나지 않으며, 저 겨우 가슴에 안길 만한 아이의 어버이를 사랑할 줄 앎이 어찌 밖에서 들어온 것이랴 본래 가슴에 간직된 것이다. 나이 꽃답게 점점 성장하며 어지럽게 사물들이 눈앞을 오가도다. 대성大聖의 생지生知의 경지 아니기에 나날이 멀어지며 나날이 잊힐까 두렵도다. 타고난 기질의 치우침에서 비롯되었지만 길을 벗어난 큰 물결은 남상濫觴에서 시작된다. 물욕에 의한 동요 그치지 않아 그 타고난 본성이 혹 해쳐지고, 이미 장수인 뜻[志]이 다스리려 하지 않아[350] 기질이 치달려서 하늘을 휘젓는다. 육정六情[351]의 터져 나옴을 어찌 막으며 온 몸뚱이의 느슨해짐을 강화시킬 길 없다. 청춘시절부터 나그네로 나돌았으니 흰머리 누런 오늘에는 (타고난 본성과는) 아득하기만 하여라. 중도에 화들짝 놀랐다면 어찌 되돌아가 타고난

346 『朱文公文集』 권1

347 遂初堂賦 : 『南軒集』 권1의 이 부의 소서에 "낙양 석백원이 자신의 집 북쪽에 당을 짓고서 수초당이라고 현판하였다. 광한 장식이 그를 위해 이 부를 짓는다.(洛陽石伯元, 作堂於所居之北, 榜曰遂初. 廣漢張某爲之辭.)"고 하였다.

348 주자 : 이는 남헌 장씨[張栻]의 잘못이다.

349 厥初伊何 : 『南軒集』 권1에는 '伊'자가 '如'자로 쓰였다.

350 장수인 뜻[志]이 … 않아 : 『孟子』「公孫丑上」에서의 "뜻은 기의 장수이고 기는 몸을 채우고 있는 것이다.(志氣之帥也, 氣體之充也.)"란 말을 인용한 것으로, 기질의 욕심이 지나쳐 이를 제어할 뜻을 제어하려 하지 않음을 이른 말이다.

351 六情 : 인간의 여섯 가지 감정. 『白虎通』「情性」에서 "육정은 무엇을 이르는가? 기쁨·노여움·슬픔·즐거움·사랑·미워함을 일러 육정이라 한다.(六情者何謂也? 喜·怒·哀·樂·愛·惡謂六情.)"고 하였다.

처음을 구하지 않으랴. 그 처음은 무엇이며 어찌 멀리 있으랴? 저 우물로 기어드는 아이에게 내 더없이 측은해함이다.

驗端倪之所發, 識大體之權輿. 如寐而聽, 如迷而途. 知睨視之匪遐, 乃本心之不渝. 嗚呼! 予旣知其然兮, 予惟以遂之.[352] 若火始然而泉始達兮, 惟不息以終之. 予視兮毋流, 予聽兮毋從, 予言兮毋易, 予動兮以躬. 惟日反兮於理, 玆日新兮不窮. 逮充實而輝光, 信天資而本同. 極存神而過化, 亘萬古而常通. 嗚呼. 此義文之所謂復, 而顔氏之所謂爲萬世道學之宗歟[353].[354]

단서가 우러나오는 곳에서 증험한다면 큰 본체의 출발점을 알리라. 마치 잠결에 부르는 소리에 잠이 깨고 미로에서 길을 찾음과 같으리라. 흘겨보나 멀리 있지 않음을[355] 알 것이니 바로 본심을 변치 않음이다. 아! 내 이미 그러한 줄 알았으니 내 오직 이를 이루어 내리라. 마치 불이 처음 타오르고 샘물이 처음 솟아남과 같이 하여, 쉬지 않고 완성시키리라. 내 볼 적이면 눈동자를 이리저리 굴리지 않고, 내 들을 적이면 들리는 대로 따르지 않고, 내 말할 적이면 쉽게 말하지 않고, 내 행동할 적이면 내 처지로 생각해보라. 날로 천리에 되돌아가면 날로 새로워짐 무궁하리니, 그것이 충실하여져서 빛이 드러나면 타고난 자품이 서로 똑같음 믿게 되리라. 마음에 간직된 신묘함 지극하여 지나는 곳마다 변화 일어나고 만세에 걸쳐 언제나 막힘 없으리라. 아! 이것이 복희伏羲와 문왕文王이 『주역』에서 말한 복괘復卦의 뜻이자 안자顔子가 만세 도학의 종사宗師가 된 까닭이다.[356]

[70-7-4]

太極賦 태극부 　　　　黃溍 황진[357]

厥初漻翼以瞢闇兮[357], 維玄黃其孰分. 爰揭揭於中立兮, 配天地以爲人. 曩旣學而有志兮, 紛

352 子惟以遂之 : 『南軒集』 권1에는 '子'자가 '予'자로 쓰였다.

353 而顔氏之所謂爲萬世道學之宗歟. : 『南軒集』 권1에는 '顔氏之子所以爲道學之宗也歟.'로 되어 있다. 이를 따른다. 또 이 문장 다음으로도 '吾友石君, 築室湘城, 伊抗志之甚遠, 揭華榜以惟新. 命下交兮勿固, 演妙理以旁陳. 探上古之眇微, 得斯說於遺經. 謂非迂而匪異, 試隱几而一聽, 然則玆其為遂初也, 豈孫興公所能望洋而瞠塵者乎?'가 더 있다.

354 『南軒集』 권1

355 흘겨보나 멀리 … 않음을 : 『中庸』 제13장에서 "『詩經』에 이르기를 '도낏자루 감을 벰이여! 도낏자루 감을 벰이여! 그 자루 감의 규격이 멀지 않다.'라고 하니, 도낏자루를 잡고서 도낏자루 감을 베면서도 흘겨보며 오히려 멀게 여긴다. 그러므로 군자는 그 사람에게 있는 도리로 그 사람을 다스리다가 고치면 중지한다(『詩』云, 伐柯伐柯, 其則不遠, 執柯以伐柯, 睨而視之, 猶以爲遠. 故君子以人治人, 改而止.)"고 하였다.

356 顔子가 만세 도학의 종사가 된 까닭이다. : 『性理群書句解』는 "안자가 3개월 동안 인을 어기지 않았으며 3개월이 지난 뒤 잠간 인에서 떠났다가 바로 그 처음을 회복하였다. 이것이 백세 도학의 스승이 된 까닭이다.(顔氏三月不違仁, 三月之後, 雖少離去, 即復其初. 所以為百世道學之師.)"고 하였다.

357 황진 : 元나라 婺州 義烏 사람. 자는 晉卿, 호는 日損齋, 시호는 文獻. 延祐 연간의 진사. 『宋史』, 『遼史』, 『金史』의 편찬에 참여하였다. 죽은 뒤 江夏郡公에 봉하여졌다. 저서로 『日損齋稿』와 『義烏志』 『筆記』가

遑遑其求索. 曰道不可名兮, 孰無徵而有獲. 繄皇羲之神聖兮, 感龍馬之負圖. 得妙契於俯仰兮, 何有畫而無書. 豈至道之玄遠兮, 非名言之可摹. 懿尼丘之降神兮, 廓人文以宣朗. 揭日月於中天兮, 啓群昏之罔象. 指道妙於難名兮, 曰以一而生兩. 是謂太極兮, 非虛無與惚恍. 高下以位兮, 天尊地卑. 燥濕以類兮, 五行順施. 南乾北坤兮, 西坎東離. 物錯綜兮, 殊鉅細與姸蚩. 孰主張是兮, 玆一本之所爲.

처음의 뿌옇게 엉켜져 있음이여! 하늘과 땅으로 누가 나누었을까? 우뚝하게 그 가운데 자리함이여! 하늘과 땅에 짝하여 사람이 되었도다. 배움의 길에 뜻을 둠이여! 이리저리 정신없이 진리를 찾도다. 도道란 무엇이라 말할 수 없는데 누가 조짐도 없는 곳에서 얻어낼 수 있을까. 아 저 복희씨의 신성함이여! 용마의 등 그림에서 느낌을 얻었도다. 신묘한 깨달음 하늘을 우러르고 땅을 굽어봄에서 터득함이여! 어찌하여 괘효卦爻만 그리고서 글은 없었을까. 지극한 도리의 심원함이여! 말로 설명하여 묘사할 수 없어서는 아니겠지. 아름다워라 중니仲尼의 신성한 강림이여! 예악교화며 제도를 넓혀 밝히셨도다. 해와 달이 하늘에 떠 있음이여! 뭇 어리석은 자들의 모호함을 밝혀주었도다. 도의 오묘함 가리켜 설명하기 어려움을, 하나에서 양의兩儀가 생겨났다고 말하니, 태극을 말한 것이니 헛되거나 뜬구름 같은 말이 아니어라. 높고 낮음을 자리로 정함이여! 하늘은 높고 땅은 낮아서이다. 마르고 습한 것들이 끼리끼리 짝지음이여! 오행五行이 순히 베풀어짐이다. 남쪽에 건괘 북쪽에 곤괘가 배치됨이여! 서쪽은 감괘 동쪽은 이괘로다.[358] 사물이 이리저리 어우러짐이여! 구분 짓자면 크거나 작거나 예쁘고 추악한 것들이다. 누가 이를 주관하였을까? 일본一本이 한 것이다.

歷兩都而江左兮, 胡論說之紛霏. 豈淸言之弗美兮, 去道遠而. 偉先哲之獨詣兮, 重指掌於無極. 揭座右以爲圖兮, 開盲聾於千億. 謂斯道之匪他兮, 在夫人而曰誠. 幾善惡猶陰陽兮, 玆吉凶之所生. 嗟奇論之後出兮, 穴墻垣爲户牖. 析同異於一言兮, 或曰無而曰有. 蕕終不可使薰兮, 堊終不可使黝. 道惟辨而愈明兮, 貽話言於不朽.

양도兩都(漢나라 시대) 시대를 지나 강좌江左(東晉 시대) 시대여! 어인 논설들이 그리도 분분할까. 청담淸談[359]의 아름답지 못함이여! 도와의 거리가 멀어서이다. 위대할 손 선철의 우뚝한 조예여! 거듭 무극無極을 손바닥에 올려놓고 설명하였네.[360] 자리 오른쪽에 도圖로 그려 걸어두니, 수없는 눈멀고 귀먹은 자의 눈과 귀를 틔웠도다. 도道란 별 것이 아니라고 말하니, 사람에게 있어 성誠일 뿐이다. 선과 악의 기점 음양과 같으니. 여기서 길과 흉이 생겨 나니라. 아 기괴한 말들이 후세에 쏟아짐이여! 담장에 구멍을 내 창문으로 삼음이다. 한 마디 말을 두고 이러쿵저러쿵 분석함이여! 어떤 사람은 없다[無]하고 혹은

있다.(『元史』 권181)

358 남쪽에 건괘 … 이괘로다. : 복희팔괘방위도를 설명한 말이다.

359 淸談 : 魏晉 시대에 세상일은 외면하고 老莊을 숭상하여 공연히 玄理를 주장했던 사람의 말들. 何晏, 夏侯玄, 王弼, 王衍 등이 대표적인 사람들이다.

360 無極을 손바닥에 … 설명하였네. : 송나라 周敦頤(濂溪)의 「太極圖」를 두고 한 말이다.

있다[有]하네. 악취 나는 풀을 끝내 향초가 되게 할 수 없 듯, 흰색을 끝내 검게 할 수 없느니라. 도를 분변함 더더욱 밝아, 불후의 말씀 후세에 남겼네.

昔聖門之多賢兮, 纔入室而升堂. 端木氏之穎悟兮, 僅有覩其文章. 雖亞聖之挺生兮, 猶嘆其前後之無方. 疇敢索無聲於窅默兮, 孰能求無形於渺茫. 惟下學而上達兮, 炳聖謨之洋洋. 諸生之貿貿兮, 方鉤深而摘隱. 探賜也之未聞兮, 誇神奇而捷敏. 持空言於繫影兮, 曾不滿夫一哂. 曰予未有知兮, 何太極之敢言. 秉思誠之遺訓兮, 矢顚沛而弗諼. 庶返觀而有得兮, 明萬理之一原. 申誦言以自詔兮, 聊抒意於斯文.[361]

예전 공자 문하에 많았던 현인들이여! 성대히 입실入室의 경지에 이르거나 당堂에 올랐도다. 단목씨端木氏[子貢]의 영오함이여! 겨우 공자의 문장文章을 보았을 뿐이고,[362] 아성亞聖[顔子]의 걸출함으로도 여전히 전후를 가늠할 길 없음을 탄식하였네.[363] 누가 감히 고요히 소리조차 없는 속에서 찾아내며, 누가 능히 아득히 형상도 없는 곳에서 찾아낼까. 아래로 인간의 일을 배워 위로 하늘의 이치 통달하면 환한 성인의 말씀 어디에나 넘실거리리라. 여러 제자의 어리석고 어리석음이여! 바야흐로 깊은 곳에서 파내고 은미한 곳에서 캐내려 하도다. 자공의 성性과 천도天道를 듣지 못했음 더듬어 살펴보면, 신기하고 민첩함을 과시하려 듦이다. 빈말을 붙잡고 그림자를 묶으려 듦이여! 한차례 미소 지을 대상도 못 되도다. 내 아무런 지식 없는데 어찌 태극을 감히 말하리오. 성誠하기를 생각하란 유훈遺訓을 가슴에 새겨, 맹세코 죽는 날까지 잊지 않으리. 내 몸을 되돌려 봄에서 깨닫는다면 모든 이치가 한 근원임에 환하리라. 거듭 이 말을 내 자신에게 말하고 그 뜻을 문장으로 서술하노라.

361 『文獻集』 권3

362 공자의 文章을 … 뿐이고 : 『論語』「公冶長」에서 자공이 "선생님의 문장은 들을 수 있었는데 선생님이 말씀하시는 성과 천도는 들을 수 없다.(夫子之文章, 可得而聞也, 夫子之言性與天道, 不可得而聞也.)"고 하였다.

363 전후를 가늠할 … 탄식하였네. : 『論語』「子罕」에서 안연이 스승 공자의 도의 가늠할 수 없음을 "안연이 길게 아! 하고 탄식하며 말하였다. '우러르니 더욱 높고 뚫으려 하니 더욱 단단하고 쳐다보니 앞에 있더니 어느 사이 뒤에 있도다.'(顔淵喟然歎曰, '仰之彌高, 鑽之彌堅, 瞻之在前, 忽焉在後.')"라고 말하고 있다.

해제解題

성리대전 권63~64「역대歷代」해제

'역대歷代 인물人物 평가'로, 요堯 순舜부터 북송北宋의 장구성張九成 이춘李椿까지 주요 군주와 유명한 정치가 등 수백 명의 행적을 성리학적 관점에서 비평한 것이다.

권63에서는 진晉과 당唐의 제왕과 신하에 대해서 평했다. 진晉의 제왕으로는 원제元帝만 거론되었고, 신하로는 온교溫嶠 고영顧榮 하순賀循 왕도王導 사안謝安 은호殷浩 부견符堅 환온桓溫 도잠陶潛 최호崔浩 등이 거론되었다. 당唐의 제왕으로는 고조高祖 태종太宗 중종中宗 측천무후則天武后 현종玄宗 숙종肅宗 헌종憲宗 등이 거론되었고, 신하로는 왕규王珪 위징魏徵 마주馬周 저수량褚遂良 적인걸狄仁傑 육지陸贄 양관楊綰 양성陽城 장순張巡 등이 논의되었다.

권64에서는 오대五代와 송宋의 제왕과 신하에 대해서 비평했다. 오대의 제왕과 신하로는 후당後唐의 명종明宗 후주後周의 세종世宗 풍도馮道가 거론되었고, 송의 제왕으로는 태조太祖 태종太宗 진종眞宗 인종仁宗 신종神宗 흠종欽宗 효종孝宗 영종寧宗 등이 거론되었고, 신하로는 상민중向敏中 왕수王隨 양억楊億 범중엄范仲淹 한기韓琦 사마광司馬光 여공저呂公著 왕안석王安石 범순인范純仁 추호鄒浩 증조曾肇 종택宗澤 이강李綱 왕백언王伯彦 황잠선黃潛善 조정趙鼎 홍호洪皓 장준張浚 장준張俊 한세충韓世忠 유광세劉光世 악비岳飛 진회秦檜 호전胡銓 등이 논의되었다.

이상 인물들에 대한 평가에서 대표적인 것을 몇 가지 들어 간략하게 논의하기로 한다.

진晉의 평가에서 도잠陶潛에 대해 위요옹魏了翁은 "풍風과 아雅의 시 이후 시인의 문장이 '즐거워하면서도 바른 도리를 벗어나지 않고, 슬퍼하면서도 마음의 상처에까지 이르지 않으며,' 사물을 사물로 이해하여 사물에 이끌리지 않고, 성정性情을 노래하며 감정에 얽매이지 않기가 어느 누가 공만 하겠는가?"라고 하여, 『시경詩經』과 같은 훌륭한 시를 지었다고 평했다. 오징吳澄은 "사람의 도리에서 삼강三綱이 으뜸을 차지하는데, 선생의 한 몸에서 삼강에 모두 부끄러울 것이 없다. 참다운 뜻에서 할 말을 잊고 운명을 천지에 맡겼으니 거의 도道와 똑같다 할 것이다. 누가 한위漢魏 이후 이만한 사람이 있다 말할 수 있겠는가?"라고 하여, 도와 같이한 한위 이후 최상의 인물로 평했다. 문학을 구가한 인물을 최상으로 추켜세운 것이다.

진晋나라의 총론總論에서 호굉胡宏은 "위진魏秦시대 이후는 모두 남의 권력을 빌려 삼강을 무너뜨린 죄가 없는 경우가 없어, 인의가 서지 못하고 기강이 펼쳐지지 않아 민심을 굳게 붙잡아 둘 수 없었으니, 차지하고 편안히 오랫동안 누리려 한들 그럴 수 있겠는가?"라고 하여, 삼강을 무너뜨려 오랫동안 누리지 못하였다고 평했다. 암울한 시대라고 평한 것이다.

당唐의 평가에서 태종太宗에 대해 진식陳埴은 "군사를 일으킨 것은 어지러움으로 어지러움을 대신한 것이고, 큰 걸주에 작은 걸주이다. 애석하다! 태종이 세상을 구제하려는 뜻은 가졌으나 속히 이루고자 하는 절박함에 잘못된 나머지, 도리어 예禮와 의리상 당당한 군사를 스스로 난신적자의 무리에 빠뜨렸다. 세상의 이치에 분명하고 의리에 올곧은 일이, 단지 학술이 올바르지 못하고 행동이 명확하지 않아 그만 일의 근간을 무너뜨리는 경우가 있다."라고 하여, 군사를 일으킨 것은 어지러움으로 어지러움을 대신한 것으로 학술이 올바르지 못해 일의 근간을 무너뜨렸다고 평했다. 또 진식은 "사람을 알아보는 일은 매우 어려운 일이니, 태종이 다만 허경종許敬宗[측천무후를 세우도록 한 인물]의 일에만 잘못한 것이 아니다. 이적李勣[역시 측천무후를 세우도록 한 인물]을 큰일을 맡길 수 있는 사람으로 생각한 것은 더 큰 잘못 가운데서도 큰 잘못이다."라고 하여, 허경종 이적을 등용한 인사정책의 잘못을 저질렀다고 하였다. 중국 역사상 매우 큰 치적인 정관지치貞觀之治를 이룬 태종도 학술과 인사 문제에 결점이 있다고 폄하된 것이다.

저수량褚遂良에 대해 양시楊時는 "저수량이 수기거주脩起居注이었을 때 당태종이 '짐에게 잘못이 있으면 경은 또한 당연히 그것을 기록하려는가?' 하니, 어떤 사람이 그에 대해서 '가령 저수량이 기록하지 않는다 하여도 천하가 또한 그 일을 기록할 것입니다.'라고 하였는데 이 말이 또한 좋다."라고 하여, 사관史官의 직필直筆 기상을 찬양했다.

적인걸狄仁傑에 대해 양시楊時는 "적인걸은 측천무후 시대에 혼란한 일을 다스려 올바르게 되돌렸으니 사직신社稷臣이라고 이르는 것이 옳다. 그렇게 하면서도 또한 어찌 한번이나 꼼수를 쓰거나 술수를 부린 적이 있던가! 사관이 기록한 것에서 살피면, 그의 주장은 올바르지 않은 적이 없다."라고 하여, 사직신이라고 평했다.

나종언羅從彦은 명황明皇[玄宗]에 대해 "명황은 한 군주만을 가지고 논하더라도 개원開元 연간에 마음을 잘 맑게 하였고 사람을 잘 알아보았다. 무혜비武惠妃 소숭蕭嵩 양사욱楊思勗이 어찌 그 마음을 바꾸게 할 수 있었는가? 천보天寶 연간에 들어서서 마음을 맑게 갖지 못하고 사람을 알아보지 못하였다. 그러자 양귀비楊貴妃 이림보李林甫 고력사高力士가 마침내 그 마음을 혼란시켰다. 마음을 맑게 하고 사람을 알아보는 것은 군주가 치적을 이루는 근본일 것이다!"라고 하여, 사람을 알아보는 것이 치적을 이루는 근본인데, 개원 연간에는 사람을 잘 알아보았으나 천보 연간에는 양귀비 등이 혼란시켜 사람을 잘 알아보지 못하였다고 평하였다.

진식陳埴은 제왕들에 대해 "광무제와 태종은 몸소 갖은 전쟁을 치렀으니 참으로 천고의 영웅이다. 한나라 고조만 같지 못한 까닭은 한고조는 장수의 일은 제대로 못해냈으나 장수를 거느리는 일은 잘해냈으니 이것이 광무제와 태종이 한나라 고조의 밑으로 들어가는 까닭이다."라고 하여, 광무제와 태종은 한고조가 장수를 잘 거느린 것에 못 미친다고 평했고, 또 "삼대 이후의 영명한 군주는 한나라 효문제를 능가할 군주가 없으니, 태종은 다만 창업공신만을 얻는 데 그쳤고, 군주의 덕에 있어서는 시비할 수 있는 곳이 매우 많아 공손과 검소에 한정되지 않는다. 효문제는 공훈이 없지 않으니, 다만 문덕文德을 지켜야 할 때였던 까닭에 정벌의 공훈을 드러내지 않았을 뿐이다. 태종은 다만 평정하여 안정시킨 공뿐이고, 덕이 백성들에게 남은 것은 적다."라고 하여, 문제가 공손 검소 공훈이 있어 공훈뿐인 태종보다 우월하다고 평했다. 문제는 창업의 공훈이 없는데도 있는 인물과 비교하여 우월하다고 한 것이다.

풍도馮道에 대해 호원胡瑗은 "오대五代의 도덕이 쇠미한 시대에 백성의 간과 뇌수가 땅에 발려지는 데까지 이르지 않은 것은 풍도의 힘이었다. 원수를 섬겼지만 해 될 것은 없다."라고 하여, 백성을 구제한 공이 있다고 평했으나, 사마광은 "충신은 두 군주를 섬기지 않고 현명한 여자는 두 지아비를 섬기지 않는다. 사책仕策에 이름을 써 올리고 폐백을 군주에게 바쳐 신하가 되었으면 죽음만 있고 다른 마음을 갖지 않음은 하늘의 법이다. 저 풍도는 살아서는 무슨 마음으로 앞 왕조의 백성을 대하며, 죽어서는 무슨 얼굴로 앞 왕조의 군주를 뵐 수 있겠는가? 예로부터 오늘날까지 신하의 불충 가운데서도 이 풍도와 비길 수 있는 사람은 있지 않다."라고 하여, 가장 불충했다고 평했다. 풍도는 오대五代 때 73세의 장수를 누리면서 다섯 왕조에 걸쳐 여덟 개의 성을 가진 열한 명의 임금을 장군과 재상이 되어 섬겼다. 이에 대해 백성을 구제했다는 평과 불충했다는 평으로 나뉜 것이다.

송의 태조太祖에 대해 유안세劉安世는 "태조는 책읽기를 매우 좋아하여 밤마다 침전寢殿에서 역대의 역사책을 보며 어느 때는 밤중까지 보기도 하였다. 다만 사람들이 그것을 몰랐고 (태조도) 미쳐 입 밖에 내지 않았을 뿐이다. 대신들과 일을 논할 적에 이르러 간혹 하는 한 마디 말이 가끔씩 이해利害의 실상을 완전 파악하고 있었다."라고 하여, 독서하여 이해를 잘 파악한 제왕으로 평했다.

왕안석王安石에 대해 주자朱子는 "그의 마음은 진실로 백성을 구제하고자 하였겠지만 그 방법은 사람을 죽이기에 충분하였다. 어떻게 그의 죄가 아니라 할 수 있겠는가?"라고 하여, 사람을 죽인 죄인이라고 극론했다. 뒷날 당송팔대가로 추앙받는 뛰어난 문장의 업적은 무시된 것이다.

장준張浚(장식의 아버지)에 대해 주자朱子는 "장위공張魏公(장준의 봉호)의 재능과 역량은 부족하였으나 충의에 대한 마음은 아낙네와 어린이들도 모두 알았다. 그런 까닭에 당시 천하 사람들이 그가 등용되지 않을까 두려워하였다. 장위공은 남들과 일을 함께 하려 하지 않고 혼자서 해내려는 뜻이 있다. 그것은 당시에 함께 일할 수 있는 사람이 적어서겠지만 그러더라도 또한 이 같아선 안 된다."라고 하여, 역량은 부족하였으나 충의의 마음이 있었고, 혼자 일하려는 경향이 있었다고 평하였다. 주자는 친구의 아버지를 논하면서 충의와 독단의 양면으로 포폄한 것이다.

진회秦檜에 대해 주자朱子는 "화의론을 선창하여 나라를 그르치고 금나라 오랑캐의 형세를 끼고 군주를 협박하여, 결국 하늘로부터 받은 떳떳한 도리를 무너지게 하며 어버이를 버리고 군주를 뒷전이 되게 하였으니 이것이 그의 죄 가운데 큰 죄다. 살육이 원로에 미치고, 충신과 양신良臣이 해를 입고, 남의 공훈을 빼앗아 자신의 것으로 삼은 것은, 또 거기에 끼이지 못할 것이다."라고 하여, 국가 오도, 군주 협박, 군부 외면 등의 큰 죄를 지었다고 평했다.

총론總論에서 정자程子는 "예전에 삼대三代 이후의 역사를 살펴보니, 우리 송나라 왕조에 고금의 역사에서 뛰어난 다섯 가지가 있다. 1백 년 동안 내란內亂이 없었던 것, 네 천자가 1백년을 재위한 것, 송나라가 건국될 때 저자의 가게들이 변동이 없었던 것, 1백 년 동안 대신을 죽이는 일이 없었던 것, 지극한 정성으로 오랑캐를 대한 것 등이다. 이 모두는 충후忠厚와 염치를 나라의 기강으로 삼았기 때문에 이 같을 수 있었던 것이다. 슬기로운 군주가 나라의 기틀을 세우며 규모가 특별하여서다."라고 하여, 대신을 안 죽인 일 등 송나라 건국 이후 1백 년 간의 네 가지 치적을 들었다. 정자는 남송시대의 고난을 겪지 않았으므로 장점만 들고 단점을 들지 않았던 것이다.

이상 인물의 평가 관점은 도道에 기준을 두고 포폄褒貶하였기 때문에 포장褒奬보다 폄하貶下가 상당히 많다. 이는 송대宋代 성리학자들이 자신들의 학문이 우월하다는 의식 속에 한당漢唐 등의 학자들을 폄하한 데서 나온 경향이라고 하겠다. 이룩한 업적에 만족하지 않고 주마가편走馬加鞭 식의 더 잘하라는 권장과 질책이 많이 나타난 것이다. 따라서 이를 살펴보면 성리학자들이 추구한 인물에 대한 이상형과 함께 편견을 살필 수 있는 바, 치적이 있더라도 도에 합치되는 인물만 포장하고 합치되지 않는 인물은 폄하한 것이다. 그리하여 현실보다 이상을 추구하고 당연성을 제시하게 된 것이다. 이 경향은 유비劉備의 촉한蜀漢이 정당한 정통이고 위나라와 오나라는 망해야 할 나라로 나타났고, 절의의 급암汲黯과 은자인 엄광嚴光 등을 후하게 평가한 것이다. 그리고 역대 인물을 선정 편집한 호광胡廣 등 명초明初 학자들의 인물관도 살필 수 있는바, 역사적으로 경세제민經世濟民에 관여한 큰 인물들을 추려서 수록하였는데, 이에 반대되는 인물인 반경세제민자反經世濟民者, 예컨대 송나라 진회秦檜 등도 수록하여 경세제민에 대한 경계를 하게 하였다.

이 점에서 『성리대전』이 심성론을 위한 저술일 뿐만 아니라 '천하를 다스리는 큰 법칙[治天下之大經大法]'의 저술로 기획된 것을 살필 수 있다. 이 경향은 권65의 「군도君道」, 권66~69의 「치도治道」로 이어져서 더욱 여실히 드러난다.

성리대전 권65 「군도君道」 해제

권65에서는 군도君道로, 그 전체적인 논의를 앞에 제시하고, 그 조목을 군덕君德, 성학聖學, 저사儲嗣[太子], 군신君臣, 신도臣道의 5가지로 논했다. 신도는 독립시키지 않고 군도에 포함시켰다.

군도君道의 논의에서 가장 중요하게 제시된 것은 임금의 마음을 바로잡는 일이다. 정자程子는 "군주 도리의 큰 요점은 마음을 바르게 먹고 욕심을 막고 현인을 구하고 인재를 기르는 것[正心窒欲, 求賢育材]으로 우선을 삼아야 한다."라고 하여, 마음을 바르게 하는 4가지를 제시했다. 범조우范祖禹 역시 "군주가 한번이라도 자신의 마음을 바르게 갖지 않으면 수많은 일을 바르게 할 수 없다."라고 하고, 주자朱子 역시 "천하의 기강은 혼자서 설 수 없으니, 반드시 군주의 마음 씀이 공평 정대하여, 치우치거나 무리 지으며 정도에 반하거나 공평하지 않은 사사로움이 없는 뒤에 기강이 그것에 매여 설 수 있다."라고 하여, 마음을 바르게 해야 한다고 했다. 심성을 바로잡는 문제를 우선한 것은 논평자 자신들이 성리학에 깊은 뿌리를 두고 있는 점에서 찾을 수 있다.

군덕君德은 임금의 도덕을 논한 것이다. 그 논의에서 나종언羅從彦은 "인仁과 의義는 군주가 사용하는 수단이다. 항상 인仁하기만 하면 천하 사람들이 사랑하지만 경외할 줄 모르고, 항상 의義하기만 하면 천하 사람들이 경외하지만 사랑할 줄 모른다. 삼대의 군주는 인과 의 모두 융성했기 때문에 나라의 역사가 장구하기에 이르렀다. 한漢나라 이후로는 혹 그 한쪽만을 얻었으니, 예컨대 한나라의 문제文帝는 인에 지나쳤고 선제宣帝는 의에 지나쳤다. 인은 지나쳐도 되지만 의는 지나쳐서는 안 된다."라고 하여, 인仁과 의義를 쓰되 인은 지나치더라도 의는 지나치지 말라고 하였다. 주자朱子는 "덕을 닦는 실제는 인욕을 버리고 천리를 보존하는 데 있다. 인욕이 꼭 성색聲色과 재화財貨와 재리財利를 즐기고, 궁실과 관광과 유람의 사치만은 아니다. 다만 마음에 간직된 것이 조금만 바름을 잃어도 바로 인욕이다."라고 하여, 인욕을 버려 천리를 보존하라고 했다. 역시 심성의 문제를 제시하여 인과 의를 대등하게 추구하고 인욕을 버려야 한다는 것이다.

성학聖學은 임금의 학문을 논한 것이다. 그 논의에서 정자程子는 "제왕의 학문은 선비들의 그것과는 다르다. 선비는 장구章句의 글 뜻에 종사해야 하나, 제왕은 그 요점을 터득하기에 힘써 사업에 적용하여야 한다. 성인의 세상에 대한 경륜은 책속에 갖추어 있다. 진실로 그 요점만 터득한다면 그것을 들어 시행하는데 어려움이 없을 것이다. 군주의 학문은 눈앞의 일로 급선무를 삼아야 하니, 말이나 문장은 우선할 것이 아니다."라고 하여, 제왕의 학문은 경륜의 요점을 터득하고 장구에 힘쓰지 말고 문장을 우선하지 말라고 하였다. 호안국胡安國 역시 "현명한 군주는 학문에 힘쓰는 것을 급선무로 삼고, 성인聖人의 학문은 마음을 바로잡는 것을 요점으로 삼는다. 마음은 사물의 으뜸이니 마음을 바로잡는 것은 사물을 헤아리고 다스리는 저울이다. 육경六經에 실린 옛 가르침을 살펴보지 않을 수 없다. 장章을 나누고 구절(句)을 떼며 문장의 뜻에 얽매이는 것은 심술心術(마음의 덕)에는 아무 도움 될 것이 없으니 제왕의 학문이 아니다."라고 하여, 육경을 살펴 마음을 바로잡도록 하고 구두句讀에 얽매이지 말라고 하였다. 주자朱子는 "천하의 일은 그 근본이 한 사람에게 있고 한 사람의 몸은 그 주인의 한 마음에 있다. … 그런 까닭에 예전의 명철한 제왕으로 덕을 천하에 밝히고자 했던 군주는 하나같이 마음을 바로잡는 것으로 근본을 삼지 않은 이가 없었다."라고 하여, 마음을 바로잡는 것으로 근본을 삼아야 한다고 했다. 경륜의 요점을 터득하고 장구와 문장을 중시하지 말라는 것이다. 특히 마음을 바로잡는 것이 누차 강조되었는데 이는 군도君道를 이룩하는 기초 학업으로 설정된 것이다.

저사儲嗣는 임금의 후계자 즉 태자를 논한 것이다. 그 논의에서 사마광司馬光은 "예전에 지혜가 밝은 군주가 태자를 가르쳐 기를 때, 그 일을 위해 행실이 방정하고 마음이 도탑고 선량한 선비를 가려 스승이나 사우師友를 삼아 아침저녁으로 함께 노닐게 하였다. 그리하여 전후좌우가 바른 사람이 아님이 없었고, 출입하고 생활하는 것이 바른 도리가 아님이 없었다."라고 하여, 주위 인물을 바른 사람으로 배치하여 바른 도리로 생활하게 했다고 했다. 즉 교육환경을 유리하게 조성해야 한다는 것이다. 주자朱子는 "가의賈誼가 보부전保傅傳을 지었는데 그 말 속에 '천하의 명운은 태자에게 달렸고, 태자의 착함은 일찍 깨닫게 가르치는 일과 좌우 측근의 선발에 달렸다. 가르침이 완전하고 좌우 측근이 바르면 태자가 바르고 태자가 바르면 천하는 안정된다.'라고 하였다. 이는 천하의 더없이 훌륭한 말이자 만세에 바꿀 수 없는 확정된 말이다. 가르쳐 깨닫게 하는 방법에 대한 주장에 이르러도 반드시 효인예의孝仁禮義로 근본을 삼았다."라고 하여, 좌우 측근의 교육환경을 중시하고, 천하의 명운이 태자에게 달렸다고 하고 효인예의로 근본을 삼아야 한다고 하였다.

군신君臣은 임금과 신하 관계를 논한 것이다. 그 논의에서 정자程子는 "군주의 귀함은 총명이고 살피는 것이 귀함이 아니며, 신하의 귀함은 바름이고 권세가 귀함이 아니다."라고 하여, 군주의 귀함은 총명이고 신하의 귀함은 바름이라고 했다.

범조우范祖禹는 "군주는 인재를 알아보는 것으로 밝음을 삼고, 신하는 직책을 맡는 것으로 어짊을 삼는다. 군주가 인재를 알아보면 현명한 자가 자신의 학문을 행할 수 있고, 신하가 직책을 책임지면 현명하지 않은 자들이 구차하게 조정에 끼어들 수 없다. 이것이 모든 일이 편안해지게 되는 까닭이다. 만일 군주가 신하가 수행할 직책을 행하면 자잘한 것이고, 신하가 직책을 책임지지 않으면 게으름을 피우는 것이다. 이것이 모든 일이 무너지는 까닭이다. … 어리석은 군주는 인재를 알아볼 수 없는 까닭에 살피기를 힘쓰며 의심이 많다. 한 개의 몸으로 백관百官이 하는 일을 대신하고자 하면 아무리 성인의 지혜를 지녔더라도 또한 힘이 부족하다. 그러므로 신하는 일에 있어 크고 작음이 없이 모두 군주에게 돌리고, 정사에 대한 잘잘못은 그 환난을 책임지지 않는다. 현명한 자가 자신의 뜻을 행할 수 없고, 녹봉만을 갖으려는 자가 지위를 보전하고 있음이 천하가 다스려지지 않는 까닭이다."라고 하여, 군주는 인재를 아는 것으로 밝음을 삼으며 신하의 일을 하지 말아야 하고, 신하는 직책을 맡는 것으로 어짊을 삼으며 대소 일을 군주에게 돌려야 한다고 했다.

호굉胡宏은 "욕심이 적은 군주라야 함께 왕도王道를 말할 수 있고, 욕심이 없는 신하라야 함께 제왕의 보좌를 말할 수 있다. … 이미 이욕에 어지러워져 있다면 폐단을 금할 수 있겠는가? 이것이 삼대三代 정치가 회복되지 못하는 까닭이다."라고 하여, 군주와 신하는 욕심이 적어야 한다고 하고, 이욕 때문에 삼대 정치가 회복되지 못한다고 하였다.

주자는 "군주와 신하 사이에서 권세가 조금만 무거워져도 안 되니 조금만 무거워지면 군주를 무시한다. 예컨대 한漢나라 말기에는 천하는 오직 조씨曹氏만을 알았고, 위魏나라 말기에는 오직 사마씨司馬氏만을 알았다."라고 하여, 군주와 신하 사이의 권세는 균형이 유지되어야 한다고 하였다.

신도臣道는 신하의 도덕을 논한 것이다. 그 논의에서 정자程子는 "신하가 군주에게 충성을 다하고 재능과 힘을 다하여야 하나 등용 여부는 군주에게 달려있을 뿐이다. 아첨과 비위 맞춤으로 군주가 자신에게 후하게 해주기를 구해선 안 된다."라고 하여, 신하는 충성을 바치고 후한 요구를 하지 말라고 했다. 또 "신하가 높은 지위에 앉아 공훈이 천하를 덮을 만하여 백성들이 그 공훈을 가슴에 담고 있으면 위태로이 의심받을 수 있는 처지이다. 반드시 정성이 가슴속에 쌓여서 행하는 것마다 이치에 어긋나지 않고 형벌과 복록이 자신에게서 나가지 않아 백성이 군주만을 알게 해야 할 뿐이다. 그런 뒤라야 지위가 최고 자리에 올라 있어도 군상을 핍박한다는 혐의가 없고, 권세가 중대하여도 권력을 독단한다는 허물이 없어, 명철한 군자라 할 수 있다. 주공周公과 제갈공명諸葛孔明이 그런 인물이다."라고 하여, 높은 지위에 공훈이 높아도 형벌과 복록이 자신에게서 나가지 않아야 권력을 독단한다는 허물이 없게 된다고 하였다.

양시楊時는 "신하가 군주를 섬기면서 어찌 형명가刑名家의 학설로 보좌할 수 있겠는가? 이와 같은 것은 군주에게 인심仁心을 잃게 하는 것이다. 군주가 인심을 잃으면 인재를 얻을 수 없다."라고 하여, 형명가의 학설은 군주의 인심을 잃게 하여 인재를 얻지 못하는 폐단을 지적했다.

호인胡寅은 "일의 성공이 신하로부터 나와 지혜와 계책을 쏟고 재주와 힘을 기울여 성공을 거두게 되었더라도, 반드시 '이는 군주의 덕이요, 신하의 능력이 아니다'라고 해야 한다. … 『주역』 곤괘坤卦 육삼 효사에 '아름다움을 감추어야 굳게 지켜낼 수 있으니, 혹여 나라의 일에 종사하여도 성공을 차지하지 말고 끝마침만을 둔다.'고 했으니, 거둔 공이 훌륭하면 그 아름다움을 완곡하게 숨겨 군주에게 돌아가게 하고, 감히 그 성공을 차지하지 않아야 함을 말한 것이다. 그런 뒤라야 신하로서 공손한 도리를 얻은 것이고, 군주는 시기하고 미워하는 마음이 없다."라고 하여, 신하에 의해 성공했더라도 신하 자신은 그 성공을 차지하지 않아서 군주에게 돌아가게 해야 군주의 시새움을 없애게 된다고 하였다.

나종언羅從彦은 "선비가 조정에서 벼슬할 때 정직과 충후忠厚로 근본을 삼아야 한다. … 급암汲黯이 정직했던 까닭에 공손홍公孫弘의 아첨을 물리칠 수 있었고, 충후했던 까닭에 장탕張湯의 잔인하고 각박함을 물리칠 수 있었다. 한무제가 55년 동안 나라를 다스렸으나 그 신하들 중 현명한 사람은 단지 이 한 사람뿐이다."라고 하여, 정직과 충후를 강조하고 그 인물로 급암을 들었다. 또 "선비가 한 몸을 일으켜 세우려면 명절名節과 충의忠義로 근본을 삼아야 한다. 명절이 있으면 도를 굽혀 벼슬에 나가기를 구하지 않고, 충의가 있으면 총애를 굳히려 군주를 속이지 않는다."라고 하여, 명절과 충의를 강조했다.

주자朱子는 "참으로 천하의 일로 자신의 책임을 삼으면 당연히 군주 마음의 그름을 바로잡는 것으로부터 시작해야 하고, 군주 마음을 바로잡고자 하면 마땅히 자신의 몸에서부터 시작해야 한다."라고 하여, 자신의 마음을 바로잡아 군주의 마음을 바로잡아야 한다고 했다.

진덕수陳德秀는 "충신의 마음은 언제나 군주의 몸이 강건하여 단단하고 군주의 덕이 청명하기를 바라는 까닭에 입만 열면 음악과 여색과 노닒과 사냥하는 것으로 약석藥石의 경계를 삼았다. 옛사람이 이를 행한 사람이 있으니 주공周公이 그분이다. 간신의 마음은 그렇지 않다. … 반드시 안일과 넘치는 욕심으로 유혹하고, 사치와 음탕함으로 인도한다. 그런 뒤에 그 군주는 방자하고 혼몽하여 자신의 의견만을 따르게 된다. 후세 사람에 이를 행한 사람이 있으니 조고趙高와 구사량仇士良이 그 사람이다."라고 하여, 충신은 주공 같은 사람으로 음악 여색 등을 임금에게 경계시켰고, 간신은 조고 같은 사람으로 사치 음탕함을 임금에게 인도하였다고 하였다.

성리대전 권66~69 「치도治道」 해제

권66-69에서는 '치도治道'를 논했다. 권66에서는 총론總論을 시작으로 예악禮樂 종묘宗廟를 논했고, 권67에서는 종법宗法 시법諡法 봉건封建 학교學校 용인用人의 도리를 논했으며, 권68에서는 인재人才 구현求賢 논관論官 간쟁諫爭 법령法令 상벌賞罰의 도리를 논했고, 권69에서는 왕패王霸 전부田賦 이재理財 절검節儉 진휼賑恤 정이禎異 논병論兵 논형論刑 이적夷狄 등에 대해 논했다.

권66의 총론總論에서 정자程子는 "치도治道의 요체는 셋이니, 뜻을 세움, 일을 책임 지움, 어진 사람을 구하는 일이다."라고 하여, 치도의 요체 세 가지를 제시했다. 또 "백성을 양육하는 사람은 그들의 힘을 아끼는 것으로 근본을 삼는다. 백성의 힘이 넉넉해지면 낳고 기르는 일이 이뤄지니, 그런 뒤에 교화는 행해질 수 있고 풍속은 아름다워질 수 있다. 그러므로 정사를 잘하는 사람은 반드시 백성의 힘을 중요시한다."라고 하여, 백성의 힘을 아끼는 것으로 근본을 삼아야 한다고 하였다. 또 "사람을 가르치는 사람이 선한 마음을 길러주면 악한 마음은 저절로 소멸되고, 백성을 다스리는 사람이 공경과 사양으로 인도하면 다툼은 저절로 그친다."라고 하여, 선한 마음을 길러 주어야 한다고 했다. 또 "성인의 경계 말씀은 반드시 바야흐로 융성할 때 한다. 바야흐로 융성할 때 쇠퇴를 생각하면 극도의 자만심을 막아 영원함을 도모할 수 있다. 이미 쇠퇴해진 뒤에 경계하면 미칠 수 없다. 예부터 천하의 정치가 오래되면 혼란해지지 않은 적이 없었으니, 그것은 융성할 때 경계하지 못해서이다. 편안과 부유에 길들여지면 교만과 사치가 생겨나고, 느긋하게 자유로움을 즐거워하면 기강이 무너지고, 재앙과 혼란을 잊으면 병통이 싹튼다. 그리하여 점점 빠져 들며 자라나게 되니 혼란과 망함이 서로 찾아드는 것을 알지 못한다."라고 하여, 융성할 때 쇠퇴를 생각해야 한다고 했다.

장재張載는 "대체로 군주와 상국은 천하의 부모가 되는 것을 왕도王道로 삼는다. 백성에게 부모의 마음을 미루어 넓히지 못하면서 그것을 왕도라 말하는 것이 옳겠는가? 이른바 부모의 마음이란 다만 말에만 나타날 뿐이 아니고 반드시 천하의 백성을 내 자식처럼 보아야 한다."라고 하여, 군주는 부모노릇을 하여 백성을 자식처럼 사랑해야 한다고 하였다.

범조우范祖禹는 "천하의 번거로움을 다스리는 자는 반드시 지극히 간결함을 쓰고, 천하의 동요를 다스리는 자는 반드시 지극히 고요함을 쓴다. 그러므로 호령이 간결하면 백성이 따르며 의혹하지 않고, 마음의 생각이 고요하면 일의 변화에 흔들리지 않는다. 이것이 성공하게 하는 것이다."라고 하여, 간결함과 고요함으로 다스리라고 하였다.

호굉胡宏은 "백성을 기르며 행여 넉넉하지 못할까 두려워한 것이, 세상이 다스려져 편안해진 까닭이다. 백성에게 거두어들이며 행여 부족할까 두려워한 것이, 세상이 패망하게 된 까닭이다." 라고 하여, 백성이 넉넉하지 못할까를 두려워하라고 하였다.

나종언羅從彦은 "교화는 조정의 첫째 일이고, 염치는 선비의 아름다운 절의이며, 풍속은 천하의 큰일이다. 조정에 교화가 있으면 선비는 염치가 있고, 선비에게 염치가 있으면 천하는 풍속이 있다. 혹여 조정이 교화에 힘쓰지 않으면서 선비에게 염치를 요구하고, 선비가 염치를 숭상하지 않으면서 풍속이 아름다워지기를 바란다면 가능하겠는가?"라고 하여, 교화, 염치, 풍속에 노력하라고 하였다.

주자朱子는 "천하의 일에는 늦추고 서둘러야 할 형세가 있고 조정의 정사에는 늦추고 서둘러야 할 마땅함이 있다. … 당연히 늦춰야 하는데 서두르는 것은 그 해가 참으로 적지 않겠지만, 만일 당연히 서둘러야 하는데 거꾸로 늦추면 그 해는 이루 말로 다하지 못할 것이 있으니 살피지 않아선 안 된다고 생각한다."라고 하여, 늦추고 서둘러야 할 형세에서 서두를 것을 늦추는 해가 더 크다고 하였다.

진식陳埴은 "예전 제도의 회복은 당唐나라처럼 하여야 옳다. 세업世業 부병府兵 육전六典의 벼슬을 두어 나누어 다스리게 한 것이 가장 법도가 있었다. 그것이 오랫동안 전해지지 못한 것은 법을 만든 것이 좋지 않아서가 아니고 본시 가법家法이 바르지 못하고 현명한 자손이 없어서일 뿐이다. 선유先儒들이 '반드시 관저關雎와 인지麟趾의 교화가 있은 뒤라야 주관周官[周禮]의 법도를 행할 수 있다.'고 하였다."라고 하여, 훌륭한 제도도 현명한 자손에 의해 유지되므로 자손 교육을 강조하였다.

진덕수陳德秀는 "어떤 사람은 국가의 형세가 펼쳐지지 못한 것을 걱정하여 위엄과 형벌로 진작시키려 하고, 재정이 풍부하지 못한 것을 걱정하여 세금을 거두어들이는 것으로 보태려 한다. 성실이 권모와 속임수만 못하다 하고, 충후가 각박함만 못하다고 말한다. 이런 것이 하나라도 있다면 모두 나라를 넘어뜨리는 도끼이고 백성들을 좀먹는 해충이다."라고 하여, 형벌 세금 권모술수 각박함을 우선하는 것은 국가를 망치고 백성을 해친다고 하여 경계시켰다.

허형許衡은 "예와 지금의 나라를 세운 규모는 각기 다르지만 그러나 그 큰 요점은 천하의 마음을 얻는 것에 달렸다. 천하의 마음을 얻는 것은 다름이 아니고 사랑과 공정일 따름이다. 사랑하면 민심이 순종하고, 공정하면 민심이 복종한다. 순종하고 복종하면, 다스리는 데 무슨 어려움이 있겠는가?"라고 하여, 사랑과 공정으로 민심을 얻어야 나라를 세울 수 있다고 하였다.

예악禮樂에 대해 정자程子는 "예의禮儀 3백 가지와 위의威儀 3천 가지는 사람의 욕심을 끊으려는 것이 아니고 사람이 잘하지 못하는 것을 힘쓰게 하는 것이다. 욕심을 막고 사치를 경계시켜 도道

에 들게 하려는 것이다."라고 하여, 예악은 욕심을 막고 사치를 경계시켜 도에 들게 하는 효과를 말하였다. 또 "예를 행하면서 전연 옛날에 사로잡히는 것은 옳지 않다. 당연히 시대의 세속 풍기가 본디 같지 않음을 살펴야 하니, 그러므로 조치가 옛날과 다르게 하지 않을 수 없다. 만일 전연 옛것을 쓰려들면 또한 서로 맞지 않는다. 성인이 나오더라도 당연히 줄이고 늘임이 있을 것이다."라고 하여, 구태에 사로잡히지 말고 시의에 맞게 줄이고 늘이는 변화를 주장하였다.

장재張載는 "예는 세속을 크게 놀라게 해선 안 되니 알지 못하는 사람은 괴이하게 여기고 또 어려워한다. 심한 경우는 성을 내기도 하고 미워하기조차 한다. 그러므로 예는 또한 당연히 점진적인 것이 있어야 한다."라고 하여, 점진적으로 시행해야 한다고 하였다.

호굉胡宏은 "예와 음악은 천하가 날로 사용하는 것이니 몹시 다급하고 집을 잃고 떠돌 때라도 폐할 수 없을 것이다."라고 하여, 어느 경우라도 폐할 수 없는 것이라고 하였다.

주자는 제자의 "'예가 망하게 된 까닭은 바로 너무 많아 행하기 어려워서일 뿐이다.'라고 합니다."라는 질문에 "그렇다."라고 답하여, 예가 너무 많으면 행하기 어려운 폐단을 인정했다.

진순陳淳은 "예와 악에는 근본과 형식이 있다. 예는 다만 중정[中]이고 악은 다만 조화[和]이니 중과 화는 예와 악의 근본이다. … 예로 몸을 다스리면 장엄과 공경이 기약하지 않아도 저절로 엄숙하여지고, 악으로 마음을 다스리면 비루하고 속이는 것이 기약하지 않아도 저절로 사라진다. 보고 듣는 것은 자신의 눈과 귀를 기르는 것이지 자신의 눈과 귀를 즐겁게 하려는 것이 아니고, 춤추고 발 구르는 것으로 나타내는 것은 자신의 혈기를 돌게 하려는 것이지 자신의 혈기를 어지럽게 하려는 것이 아니니, 예와 악의 쓰임새를 알 수 있을 것이다."라고 하여, 예로 엄숙하여지고 악으로 비루함을 없애며, 보고 듣는 것은 자신의 안목을 기르고 무용으로 체육을 행한다고 예악의 쓰임새를 말하였다.

진덕수眞德秀는 "예가 우세하면 격리되는 것이 너무 엄하여 인정이 통하지 않기 때문이니, 그런 까닭에 격리되어 합해지기 어려운 것이다. 악이 우세하면 흘러넘치는 것은, 너무 화락하고 한정하는 절도가 없으면 방탕으로 흘러 되돌아오는 것을 잊기 때문이다. 그러므로 예에는 반드시 악이 따라야 하고, 악에는 반드시 예가 따라야 한다."라고 하여, 예와 악은 한쪽으로 치우치지 말고 서로 따라 함께 해야 격리되거나 흘러넘치는 폐단이 없게 된다고 하였다.

종묘宗廟에 대해 주자는 "「왕제王制」에 '천자는 7묘이니, 3소昭 3목穆과 태조의 사당과 함께 7묘이다. 제후와 대부와 사士는 내려가며 2묘씩 줄어든다.'고 하였다. … 태조가 북쪽에 자리하고 왼쪽은 소昭 오른쪽은 목穆, 이렇게 남쪽으로 차례차례 자리한다. 천자의 태조는 백대토록 옮겨가지 않는다. 고조 이상은 친진親盡하면 사당을 헐고 체천遞遷한다. 제후는 종宗이 둘이 없고 대부는 또 사당이 둘이 없다. 그들 체천하고 사당을 헐어내는 차례는 천자와 동일하다. 삼대시절의 제도는 자세한 내용을 들을 길이 없다. 그러나 대략은 이 같음에서 넘어서지 않는다."라고 하여, 신분에 따른 소목 수효와 체천을 제시했다.

또 "옛날에는 1대로 한 사당을 만들었다.[一世自爲一廟] (그 사당은) 문도 있고 당堂도 있고 침寢도 있으며, 집은 삼중이고 담장도 사방으로 둘러쳤다. 후한 시대부터 비로소 동당이실同堂異室의 사당을 만들어 1대로 한 방을 만들고는 서쪽(오른쪽)을 윗대 할아버지 자리로 삼았다. … 오늘날 국가 역시 다만 이 제도를 사용하는 까닭에 사대부 집안 역시 1대로 한 사당을 세우는 법이 없으며, 1대를 한 방에 독립하여 모시는 제도조차 역시 갖추지 못하였다. 그런 까닭에 사마온공司馬溫公과 여러 사람의 제례에 모두 오른쪽으로 높음을 삼는 설을 채용하고 있다. … 오늘날 사대부 집안은 당연히 사마온공의 법으로 정론을 삼아야 한다."라고 하여, 일세일묘一世一廟가 동당이실로 바뀌고 두 줄인 소목법이 없어지고 서쪽을 윗대 할아버지 자리로 삼았다고 하였다.

또 "가묘家廟는 사람이 사는 곳에 지어야 한다. 신은 사람을 의지하니 집밖에 떨어지게 지어서는 안 된다. 또 (사당이) 밖에 있을 경우 부녀자가 비를 만났을 때 드나듦이 어렵다."라고 하여, 가묘는 집 안에 있어야 한다고 했다.

권67에서는 종법宗法을 앞에 두었다. 정자程子는 "후세에서 골육 사이가 대부분 원수가 되어 분쟁하게 된 것은 실상 재산을 다투기 때문이다. 고르게 나누게 하고 종법宗法을 세워서 관청이 법대로 행한다면 다툼은 없어질 것이다."라고 하여, 종법이 확립되어야 형제간에 재산 분쟁이 없어진다고 하였다.

장재張載는 "종자를 세우는 법이 확립되지 않으면 조정도 세신世臣이 없게 된다. 가령 공경公卿이 하루아침에 빈천 가운데서 굴기하여 공경과 상국에 이를지라도 종법이 확립되어 있지 않으면 죽고 나면 마침내 집안이 흩어져 그 집안마저 전해지지 않는다. 종법이 만일 확립되어 있다면 사람마다 각기 조상을 알 수 있어 조정에도 크게 유익함이 있을 것이다."라고 하여, 종자법이 확립되어야 세신이 있게 되고 집안도 전해진다고 하였다.

또 "이른바 종宗은 자신의 방계 친족 형제가 찾아와 자신을 떠받들어주는 것에서 종宗이라는 명칭을 얻게 된 것이니, 남들이 찾아와 자신을 떠받드는 것이지 내가 남을 떠받드는 것이 아니다. 그런 까닭에 아버지를 이으면 아버지를 잇는 '종'이라 하고, 할아버지를 이으면 할아버지를 잇는 '종'이라 하는 것이다. 증조와 고조도 역시 그러하다."라고 하여, 종은 방계 형제가 떠받들어주는 명칭으로 아버지를 잇는 '종' 등으로 부른다는 것이다. 또 "종자라고 일컬어지는 사람은 제사를 떠받들어 주관하는 것을 이른다."라고 하여, 제사는 종자가 주관한다고 하였다.

또 "옛날에 이른바 '지자支子는 제사지내지 못한다.'는 말은 종자에게 사당을 세워 주관하게 하기 위해서일 따름이다. 지자가 제사지낼 수는 없으나, 재계하여 정성된 뜻을 지극히 하는 것은 제사에 참여한 자와 다르지 않다. 참여하였으면 몸소 제사 일을 도와야 하고, 참여하지 못하였으면 제물을 도와야 한다. 다만 따로 사당을 세우고, 신위를 만들어 제사를 지내지 못할 뿐이다."라고 하여, 지자는 제사지낼 수 없으나 재계하여 정성된 뜻을 지극히 할 수 있고, 따로 사당을 세워 신위를 만들어 제사지내지 못한다는 것이다.

진순陳淳은 "'신神은 자신의 종족이 아니면 제물을 흠향하지 않고 사람은 친족이 아닌 사람에게 제사지내지 않는다.'고 했다. 옛사람이 양자를 세우며, 대종大宗에 아들이 없으면 집안사람의 아들을 데려다 대를 이은 것은, 똑같은 기질과 맥박이 서로 감통感通하여 대를 잇는 것에 아무런 흠이 없을 수 있다는 점을 취한 것이다. 이 역시 지극히 옳고 매우 공정한 일이니 성인도 감추지 않은 일이다. 후세에는 의리가 밝혀지지 않고, 집안들이 자손이 없는 것을 꺼릴 일로 여기면서, 같은 성씨의 아이를 버젓이 세우는 것을 즐기지 않고, 대부분 다른 성씨의 아이를 몰래 길렀다. 겉으로는 자손이 있는 것 같으나 속으로는 이미 끊긴 것이다."라고 하여, 다른 성씨의 아이로 대를 잇게 한 것은 대가 끊긴 것이라고 경계하였다.

진식陳埴은 "종법은 여러 아들들 중 서자庶子를 위해 만든 것이다. 그것은 후대에 유파가 점점 많아져 성씨가 복잡하게 뒤섞이니 쉬이 혼란해질 것을 염려한 것이다. 그러므로 맨 꼭대기에 대종大宗의 거느림이 있으면 사람들이 함께 조상을 높일 줄 알고, 분파되는 곳에 소종小宗의 거느림이 있으면 사람들이 각기 아버지를 공경할 줄 알게 된다."라고 하여, 종법은 서자를 위해 만든 것으로, 분파된 소종이 생겨난다고 하였다.

또 "처음 나라에 봉군封君된 군주가 그 적자가 이어가며 봉군되면, 서자는 대부가 된다. 대부는 제후를 아버지 사당으로 받들 수 없는 까닭에 스스로 별도의 대부 시조가 되니, 이것이 '별자別子가 시조가 된다.'는 것이다. 별자의 적자는 대종이 되니, 그 할아버지가 갈래져 나온 곳에서 대를 잇게 해서다. 이로부터 직계로 내려가며 적자가 대대로 대종이 되어 온 집안이 함께 높이니 이것이 '별자를 이은 사람이 종宗이 된다.'는 것이다."라고 하여, 별자別子가 시조가 되는 것과 별자를 이은 사람이 종宗이 되는 것을 설명했다.

시법諡法에 대해 정자程子는 "형벌이 엄하여도 한 때를 경계시킬 수밖에 없고, 상으로 내리는 작위가 아무리 훌륭하여도 후세에까지 미치지 못한다. 아름답거나 악한 시호諡號는 한번 정하여지면 영광과 오욕된 이름이 없어지지 않는다. 그러므로 역대 성스러운 군주와 현명한 재상은 시법을 가지고 세상의 풍속을 가다듬었다."라고 하여, 시호의 선악 표현은 영원한 것이므로 풍속을 가다듬을 수 있는 것이라고 하였다.

윤돈尹焞은 "시법은 가장 공정해야 한다. 성주成周시대에도 자손이 스스로 유왕幽王 여왕厲王 난왕赧王이라고 시호하였으니 이것이 '효자와 자애로운 후손이라도 바꿀 수 없다.'는 것이다. 문왕은 단지 문文 한 글자를 썼고, 무왕은 단지 무武 한 글자를 썼으니, 이렇게나 저렇게나 크게 공정하다."라고 하여, 선악의 호칭이 한 번 정해지면 바꿀 수 없으므로 공정하게 정해야 한다는 것이다.

호굉胡宏은 "지금 붓으로 초상화를 그리는 자는 반드시 같게 그리고자 한다. 나의 아버지와 같지 않으면 나의 아버지가 아니고, 나의 군주와 같지 않으면 나의 군주가 아니다. 어찌하여 시호로 신주神主를 만드는데 같지 않을 수 있겠는가? 이런 까닭에 바르지 않은 시호는 충신과 효자가 차마 하지 못할 일이다."라고 하여, 사실에 부합하게 시호를 정해야 한다고 하였다.

봉건封建에 대해 정자는 "봉건법은 본래 마지못해서 나온 것이다. … 진秦나라의 법이 참으로 좋지 않지만 또한 바꾸지 못할 것도 있으니, 제후를 없애고 수령을 둔 것이 그것이다."라고 하여, 봉건제를 부정적으로 평가했다.

이와 반대로 호굉胡宏은 "봉건은 제왕이 천리天理에 순응하고 천심天心을 받드는 것이니 천하를 공정하게 하는 큰 단서이고 큰 기본이다. … 천하를 군현제도로 만들면 평화로운 세상에는 유지시킬 수 있으나 변고에는 지탱시킬 수 없고, 제후를 봉건하는 것은 평화스러운 세상에도 유지시킬 수 있고 변고에도 지탱시킬 수 있다."라고 하여, 천리에 순응하고 변고에 지탱할 훌륭한 제도로 평가했다.

주자朱子는 중립적인 입장에서 "천하의 제도가 모두 이롭기만 하고 해가 없는 도리는 없다. 다만 이해利害가 어느 정도인지를 보아야 할 뿐이다. 봉건은 근본이 비교적 튼튼하여 국가를 믿을 수 있으나, 군현제도는 확연하게 제도를 달리한다. 그러나 세월이 오가는 사이에 장구할 수 있는 것은 없으니, 믿고서 완전한 것으로 여기는 것은 옳지 않다."라고 하여, 장단점을 살펴야 한다고 했다.

학교學校에 대해 정자程子는 "옛날에는 8세가 되면 소학小學에 입학하였고, 15세가 되면 태학大學에 입학하였다. 재능이 가르칠만한 자는 모아들이고 그렇지 않은 자는 농토로 돌려보냈다. … 사士는 15세에 태학에 입학하면서부터 40세에 벼슬을 시작할 때까지, 그 사이에 저절로 25년 동안 공부하게 되어있고, 또 이롭다고 여겨 추종하는 것이 없다면 그들의 뜻 세움을 짐작할 수 있다. 당연히 선한 길로 나아갈 것이니 이로부터 덕이 이루어진다. 후세 사람은 어릴 때부터 성급하게 이로운 쪽으로 나아가려는 뜻이 있으니 어떻게 선으로 향할 수 있겠는가? 그래서 옛날에는 반드시 40세가 되어야 벼슬하게 한 것이다."라고 하여, 옛날에 40세까지 공부하던 것이 후세에는 40세까지 못하여 선으로 향하지 못한다고 하였다.

주자朱子는 "학교에서 가르치는 과목은 모두 하늘이 내려준 병이秉彝의 본성에 따라, 그것을 등급에 따라 절제해 권면하고 인도하여, 백성들에게 마음을 밝히고 몸을 닦아 아버지와 아들, 형과 아우, 지아비와 지어미, 벗과 친구 사이에 행하고 군주와 신하, 윗사람과 아랫사람, 백성과 사물의 관계에까지 미쳐가게 하여, 자신의 직분을 다하지 않은 자가 없게 하였다. 그들의 학문이 성취됨에 이르면 또다시 덕이 있거나 재능이 있는 자를 추천하게 하여 여러 지위에 벼슬시켰다. … 이것이 선왕시대의 학교라는 기관이 정사의 근본이 되고, 도덕이 모여져 하루도 없어서는 안 될 것이 된 까닭이다."라고 하여, 학교는 정사의 근본이고 도덕이 모이는 곳이라고 하였다.

장식張栻은 "인륜은 천하에 하루도 없어서는 안 될 것이니, 없어지면 나라도 따라 없어진다. 그렇다면 나라를 가진 자 학교를 하루라도 소홀히 할 수 있겠는가?"라고 하여, 국가는 학교를 하루라도 소홀히 할 수 없는 것이라고 하였다.

용인用人에 대해 정자程子는 "천하의 넓음과 억조의 수많은 창생을 한 사람이 홀로 다스릴 수 없으니, 반드시 현자의 보필에 의지한 다음이라야 천하의 일을 이뤄낼 수 있다. 예부터 성왕聖王은 재상 구하는 일을 선무先務로 삼지 않은 자가 없다. 상商나라 고종高宗이 초기에 적임자를 얻지 못하자, 공손히 침묵하고 말을 하지 않았던 것은, 어떤 일도 그보다 앞설 것이 없어서다. 부열傅說을 얻어 임명하면서 '물을 건너게 되면 배와 노가 되어주고, 가뭄이 들면 장마비가 되어주고, 국에 간을 맞추려 하면 소금과 매실이 되어 달라.'고 했으니, 서로 기대어 의지함이 이와 같다. 이것이 성인이 재상을 임용하는 도리이다. 임용을 도모할 때의 도리는 신중한 선택으로 근본을 삼는다. 선택이 신중한 까닭에 앎이 분명하고, 앎이 분명한 까닭에 믿음이 독실하고, 믿음이 독실한 까닭에 임용이 전적이고, 임용이 전적인 까닭에 예우가 후하고 책임지움이 무겁다."라고 하여, 재상을 신중히 임용해야 한다고 하였다.

유안세劉安世는 "조정의 일에서 인재 등용보다 앞설 것은 없다. 군자를 들어 쓰는 것은 다스려짐의 근본이고, 소인을 쓰는 것은 혼란의 계단이다. 제왕은 구중궁궐 깊숙이 머물러 있어 신하의 사악과 바름을 다 알 수 없기에, 간관諫官과 어사御史를 두어 귀와 눈의 책임을 맡기고 중외의 공정한 여론을 모은다. 옳은지 그른지, 가한지 아닌지를 여러 사람의 뜻에 따르는 까닭에 현명한 사람을 가리는 말이 군자를 해칠 수 없고, 간악한 자를 편드는 말은 소인을 도울 수 없다. 지혜가 밝은 군주는 자신의 마음을 쓰지 않아도 현명한 자와 불초한 자가 저절로 변별된다. '사람을 알아보는 자는 철인哲人'이라 하나, 그 방법은 이에 불과하다."라고 하여, 간관과 어사를 두어 귀와 눈의 책임을 맡기고 중외의 공정한 여론을 모아야 한다고 했다.

범조우范祖禹는 "군주는 현명한 사람을 구하는 일에 힘들고, 인재를 얻어 임용하였을 적에 편안해 진다. 옛날에 인재를 찾아 묻고 여럿이 화목하게 생각한 뒤에 등용하였다. 참으로 적임자를 얻었으면 맡기고 의심하지 않아야 비로소 성공을 책임지울 수 있다."라고 하여, 적임자를 얻어 맡기고 의심하지 않아야 성공할 수 있다고 하였다.

호굉胡宏은 "당문종唐文宗이 '재상이 사람을 천거할 때 마땅히 멀고 가까움을 가리지 않아야 한다. 만일 친척과 친구가 과감하고 재주 있는데도 피해 혐의해 버린다면 역시 공정은 아니다.'라고 하였으니 진실하다 이 말이여!"라고 하여, 친척과 친구 중에 재주 있는 이는 등용해야 한다고 하였다.

주자朱子는 "절의와 의리를 위해 죽는 사람이, 평소 아무런 일이 없을 때는 참으로 아무 쓸모가 없는 자인 듯하다. … 평소 아무런 일이 없을 때 이런 자를 얻어 등용하면 군주의 마음이 위에서 똑바르고 풍속이 백성들 사이에 아름다워져, 간사함이 싹트는 것을 미리 꺾고 재앙의 근본을 암암리에 소멸시켜, 저절로 절의와 의리를 위해 죽는 일이 참으로 있지 않게 된다. 반드시 후일 당연히 이런 변고가 있을 것을 알고 미리 이런 사람을 길러 대비해서가 아니다."라고 하여, 절의의 인사는 간사함을 예방하고 재앙을 은연중에 소멸시켜 절의를 지키다 죽게 되는 일이 없다고 하였다.

여조겸呂祖謙은 "현명한 군주는 중요한 직무를 어떤 사람에게 맡기려하면, 반드시 먼저 오랫동안 말썽거리가 쌓여 그지없이 번거로운 곳에 들여보내 그의 재능을 살피고, 한가하여 적막하기만 한 곳에 있게 하여 그의 도량을 살피며, 험하고 간난한 일을 겪게 하여 그의 지조를 살피고, 얽히고 설킨 일을 맡게 하여 그의 결단력을 살피며, 주현州縣에 임명하여 세월에 부대끼게도 하고, 오랫동안 단련시켜서 수양이 깊어지게 한다. 뒷날 관복官服을 차려입고 조정에 서게 되면 천하의 일이 칼날을 받아 쪼개지는 대처럼 풀려가지 않음이 없을 것이다."라고 하여, 경험에 의한 단련된 인사를 조정에 등용케 해야 한다고 하였다.

허형許衡은 "백성의 생활이 아름다워질 것인지 근심스러워질 것인지는 등용한 인재의 옳음과 그름에 달렸다. 등용한 사람이 적임자이면 백성이 그 이로움을 입게 되고 등용한 사람이 적임자가 아니면 백성은 그 해를 입는다. 예전부터 정치에 관한 도리를 논하는 사람은 반드시 인재 등용을 선무先務로 삼았다."라고 하여, 백성의 생활이 아름다워지는 것은 인재 등용에 달렸다고 하였다.

오징吳澄은 "현자를 좋아하는 신하는 능히 사람을 받아들이므로 천하가 다스려지고, 현자를 질투하는 신하는 사람을 받아들이지 않아 천하가 혼란해진다."라고 하여, 현자를 좋아하는 신하라야 천하의 치세를 이룬다고 하였다.

권68에서는 인재人才를 앞에 두었다. 정자程子는 "치도治道를 잘 논하는 자는 반드시 인재의 양성을 급무로 삼으니, 인재가 부족하면 비록 양법良法이 있더라도 실행할 수 없다, 인재를 양성하려면, 그들의 자질이 아름답지 못함을 근심하지 말고 스승과 학교가 밝혀지지 못함을 근심하라. 스승과 학교가 밝혀지지 않으면, 비록 아름다운 자질의 인재가 있더라도 성취할 수가 없다."라고 하여, 스승과 학교가 있어야 인재가 이루어진다고 했다.

구현求賢에 대해 정자程子는 성공적 통치의 핵심은 '어진 사람을 골라 자리에 앉히고, 능력 있는 사람을 골라 직책을 맡기는 것[賢者在位, 能者在職]'이라 하여, 통치의 핵심이 현자와 능자에게 맡기는 것이라고 하였다.

양시楊時는 '인재를 고를 때엔 말과 행실을 함께 살펴야 한다.'라고 했다.

주자朱子는 "조정에서 관직을 베풀어 현자를 구하는데 윗자리에 있는 사람이 청탁으로 사람을 천거해서는 안 되며, 선비는 마땅히 예의가 있어야 하는바 아랫자리에 있는 사람은 스스로를 팔아 천거되기를 구해서는 안 된다."라고 하여, 천거를 청탁하거나 요구하지 말라고 하였다.

논관論官에 대해 정자程子는 "옛날에는 덕德에 따라 부리고 공功에 따라 작록을 주어, 녹祿은 세습시키되 관官은 세습시키지 않았으니, 그러므로 어진 인재가 많아 여러 업적을 이룰 수 있었다. 주周가 쇠퇴하면서 공경대부公卿大夫의 관직을 모두 세습시키니, 이로 인해 정치가 무너졌다."라고 하여, 관직 세습은 정치가 무너진다고 하였다.

간쟁諫爭에 대해 범조우范祖禹는 "간관諫官에게 상을 주는 것은 국가가 흥할 조짐이요, 간관을 죽이는 것은 국가가 망할 조짐이다. 천하는 사람의 몸과 같다. 몸은 기혈氣血이 두루 흘러서 막힘이 없어야 생존할 수 있는바, 간쟁이란 아랫사람의 감정을 위로 통하게 하고 윗사람의 뜻을 아래로 통하게 하는 것이니, 기혈이 일신에 두루 흐르는 것과 같다. 그러므로 언로言路가 열리면 다스려지고, 언로가 막히면 혼란해진다. 치란治亂은 언로에 달려있을 뿐이다."라고 하여, 간관의 상벌 여부는 국가 흥망의 조짐으로, 치란이 언로에 달려 있다고 하였다.

법령法令에 대해 양시楊時는 "입법立法의 요점은 '사람들이 쉽게 피하고, 범하기 어렵게 하는 것'이며, 범하는 사람이 있으면 반드시 법을 집행하여 사면하지 않는 것이니, 이것이 법이 행해지는 까닭이다."라고 하여, 법은 피하기 쉽고 범하기 어렵게 하고, 범법자는 사면하지 말아야 한다고 했다.

상벌賞罰에 대해 정자程子는 『서경書經』의 "죄목罪目이 의심스러울 때엔 가벼운 것을 적용하고, 공목功目이 의심스러울 때엔 무거운 것을 적용하라.[罪疑惟輕, 功疑惟重]"라고 하여, 가능한 한 죄는 적게 상은 크게 주도록 하였다.

유안세劉安世는 "공이 있는 사람에게는 반드시 상을 주고, 죄가 있는 사람에게는 반드시 벌을 주면 온 세상 사람들이 두려워하며 모두 심복心服한다. 공이 없으면서도 헛되이 상을 받고 죄가 있으면서도 요행히 벌을 면하면 권선징악을 할 수 없게 된다."라고 하여, 신상필벌信賞必罰을 해야 심복하고 권선징악을 한다고 했다.

권69에서는 왕패王霸를 앞에 두었다. 정자程子는 "천리天理의 바름을 얻고 인륜의 지극함을 다하는 것은 요순堯舜의 도道이며, 사심私心을 쓰고 인의의 치우침에 의지하는 것은 패자霸者의 일이다."라고 했고, 호굉胡宏은 "삼왕三王은 바른 명분으로 이익을 일으켰으니, 그러므로 그 이익이 크고 멀리까지 흘렀다. 오패五霸는 거짓 명분으로 이익을 다투었으므로 그 이익이 작고 가까운 데만 흘렀다."라고 하여, 왕의 바른 명분과 패의 거짓 명분을 지적했다.

전부田賦에 대해 호굉胡宏은 "전리田里가 고르지 못하면 비록 어진 마음이 있어도 백성이 그 혜택을 입지 못한다. 정전井田은 성인이 시행한 균전均田의 요법이다."라고 하여, 농지가 고르게 분배되어야 백성이 혜택을 입는다고 하였다.

이재理財에 대해 양시楊時는 "선왕이 말한 '이재'란 천하의 이익을 독차지하는 것이 아니라, 도道에 맞게 거두고 절약해서 써서 각각 의義에 합당하게 함을 말한다."라고 하여, 의에 합당한 이익을 논했다.

절검節儉에 대해 주자朱子는 "국가의 재용財用은 모두 백성에게서 나오니, 백성을 사랑하려면 반드시 먼저 쓰임새를 절약해야 한다."라고 하여, 절약을 강조했다.

허형許衡은 "절도에 맞게 취하고 절약해서 쓰면 재물이 항상 풍족하나, 그렇지 않으면 재물이 항상 부족하다. 생산물이 많고 적음은 하늘에 달렸으나, 그것을 알맞게 활용하는 것은 사람에게 달렸다."라고 하여, 생산물의 다소에 따라 알맞게 활용하라고 하였다.

진휼賑恤에 대해 유안세劉安世는 "옛날에 요堯는 9년의 홍수를 만나고, 탕湯은 7년의 가뭄을 만났음에도 불구하고 나라 안에 파리한 백성이 없었던 것은 모두 평소에 비축한 것이 있었기 때문이다."라고 하여, 비축을 주장했다.

주자朱子는 "선왕이 3년을 농사지으면 반드시 1년치 양식을 비축하게 했던 것은 만세萬世의 양법良法이다. 그 다음은 한漢의 '상평법常平法'이니, 그 법도 또한 좋은 뜻으로 만들어진 것이다."라고 하여, 역시 비축을 강조했다.

정이禎異에 대해 주자朱子는 "옛날의 성왕은 재앙을 만나면 두려워하여, 덕을 닦아 일을 바르게 처리했으니, 그러므로 재이災異를 길상吉祥으로 바꿀 수 있었던 것이다."라고 하여, 두려워하며 덕을 닦아 전화위복轉禍爲福으로 하라고 하였다.

논병論兵에 대해 정자程子는 "병兵은 바름을 근본으로 삼는다. 민중을 동원하여 천하를 해치는 일인데, 바른 도리로 하지 않으면 백성이 따르지 않고 원적怨敵이 생겨나니, 난망亂亡의 길이다."라고 하여, 바르지 않으면 망하는 길이라고 하였다.

논형論刑에 대해 호굉胡宏은 "살려주는 형벌이 가벼우면 쉽게 범하니, 이는 백성에게 뻔뻔함을 가르치는 것이다. 죽이는 형벌이 무거우면 뉘우치기 어려우니, 이는 백성들이 스스로 새로워지는 길을 막는 것이다. 사형死刑과 생형生刑의 경중이 서로 균형을 이루어야 백성들이 피할 줄을 알고 교화가 이루어질 것이다."라고 하여, 형벌의 경중이 균형을 이룰 것을 주장했다.

이적夷狄에 대해 유안세劉安世는 "중국과 이적이 이웃하는 것은 부자와 빈자가 이웃에 사는 것과 같으니, 예禮로 대하고, 은혜로 맺고, 담을 높이 쌓고, 형법으로 위엄을 보여야 한다."라고 하여, 예우하며 위엄을 보이라고 하였다.

호굉胡宏은 "중원中原에 중원의 도가 무너진 다음에 이적이 중원으로 들어온 것이다. 중원이 다시 중원의 도를 행한다면 이적이 그들의 땅으로 돌아갈 것이다."라고 하여, 중원의 도를 행하여 이적을 물리치게 했다.

성리대전 권70 「시詩」·「문文」 해제

권70은 시詩와 문文으로, 성리학자들의 작품을 수집하여 정리한 것이다. 이 작품들은 문학 장르를 빌어 도道를 설명한 것이기 때문에 순수한 문학작품의 성격을 띠지 않는다. 그러나 각 작품마다 제목을 표방하고 그 제목에 초점을 둔 압축된 문구는 강렬한 인상을 주고 읊조리기에 유리하다는 점에서 그 효과가 크다. 그리고 작자의 고상한 성정性情의 발로라는 점에서 그 인품을 가늠할 수 있게 되는 것이다.

시詩는 고선古選, 율律, 절구絶句로 되어 있다. 고선은 고시로, 작가가 소옹邵雍 양시楊時 장식張栻 주희朱熹 허형許衡이다. 율律은 율시律詩로, 작가가 소옹邵雍 이정二程 주희朱熹이다. 절구絶句는 작가가 주돈이周敦頤 이정二程 소옹邵雍 장재張載 양시楊時 주희朱熹이다.

문文은 찬贊, 잠箴, 명銘, 부賦로 되어 있다.

찬贊은 역易에 대한 주희朱熹의 다섯 가지 찬贊, 즉, 「원상찬原象贊」「술지찬述旨贊」「명서찬明筮贊」「계류찬稽類贊」「경학찬警學贊」「복괘찬復卦贊」이 실려 있으며, 장식張栻의 「복괘의찬復卦義贊」, 진덕수眞德秀의 「심경찬心經贊」이 실려 있다.

잠箴은 주희의 「경재잠敬齋箴」, 장식張栻의 「주일잠主一箴」, 진덕수眞德秀의 「물재잠勿齋箴」「사성재잠思誠齋箴」「야기잠夜氣箴」, 오징吳澄의 「이일잠理一箴」이 수록되어 있다.

명銘은 장재張載의 「동명東銘」, 정호程顥의 「안락정명顔樂亭銘」, 여대림呂大臨의 「극기명克己銘」, 주희朱熹의 「경서재명敬恕齋銘」「학고재명學古齋銘」「구방심재명求放心齋銘이 수록되어 있다.

부賦는 주돈이周敦頤의 「졸부拙賦」, 주희朱熹의 「백록동부白鹿洞賦」「수초당부遂初堂賦」, 황진黃溍의 「태극부太極賦」가 수록되어 있다.

다음은 실제 작품을 들어본다.

건곤음乾坤吟

用九見群龍	9를 써서 뭇 용을 나타내는 것은
首能出庶物	으뜸으로 만물에 뛰어나서이고
用六利永貞	6을 쓸 때는 오래고 바름이 이로우니
因乾以爲利	건을 따름을 이로움으로 삼는다.
四象以九成	천天의 사상[陽爻]이 9로 이루어지면
遂爲三十六	드디어 36이 되고

四象以六成　지地의 사상[陰爻]이 6으로 이루어지면
遂成二十四　드디어 24가 된다.
如何九與六　어떻게 9와 6이
能盡人間事　인간의 일을 모두 포괄하는가!

고선古選의 첫 번째는 소옹邵雍의 작품이다. 『주역周易』 건괘와 곤괘의 말과 운용에 대하여 오언고시五言古詩로 설명한 것이다.

건乾의 '사상四象'은 서산 채씨가 말하기를 "움직이는 것은 하늘[天]이고 하늘에는 음양이 있다.(양은 움직임의 시초이고 음은 움직임의 끝이다.) 음양 속에 또 각각 음양이 있기 때문에 태양 태음 소양 소음이 있다. 태양은 일日[해]이 되고, 태음은 월月[달]이 되고, 소양은 성星[보이는 별]이 되고, 소음은 신辰[배경 공간, 보이지 않는 별]이 되니, 이것이 하늘의 4상四象이다.(西山蔡氏曰 : "動者爲天, 天有陰陽(陽者動之始, 陰者動之極). 陰陽之中又各有陰陽. 故有太陽太陰少陽少陰. 太陽爲日, 太陰爲月, 少陽爲星, 少陰爲辰, 是爲天之四象. 日爲暑, 月爲寒, 星爲晝, 辰爲夜, 四者天之所變也. 暑變物之性, 寒變物之情, 晝變物之形, 夜變物之體, 萬物之所以感於天之變也.)"라고 한 것으로 설명한다.[『성리대전서性理大全書』 권8, 경세천지사상도經世天地四象圖 참조]

'三十六'은 소백온邵伯溫이 36은 "건괘 한 효爻의 책수策數이다.(四因九得三十六, 是爲乾一爻之策數.)"라고 한 것으로 설명한다.[『성리대전서性理大全書』 권10, 「관물내편觀物內篇」11 참조] 설시법揲蓍法에 따라 얻어지는 양효의 책수라는 말이다.

지地의 '四象'은 서산 채씨가 말했다. "고요함은 땅地이고, 땅에는 강유가 있다.[유는 고요함의 시초이고 강은 고요함의 끝이다.] 강유 속에 또 각각 강유가 있기 때문에 태강 태유 소강 소유가 있다. 태유는 수水[물]가 되고 태강은 화火[불]가 되고 소유는 토土[흙]가 되고 소강은 석石[돌]이 되니 이것이 땅의 4상이다.(靜者爲地, 地有柔剛.(柔者靜之始, 剛者靜之極) 剛柔之中又有剛柔, 故有太剛太柔少剛少柔. 太柔爲水, 太剛爲火, 少柔爲土, 少剛爲石, 是爲地之四象. 水爲雨, 火爲風, 土爲露, 石爲雷, 四者地之所以化也. 雨化物之走, 風化物之飛, 露化物之草, 雷化物之木, 萬物之所以應於地之化也.)"라고 한 것으로 설명한다.[『성리대전서性理大全書』 권8, 경세천지사상도經世天地四象圖 참조]

'二十四'는 소백온邵伯溫이 "곤괘坤卦의 한 효의 책수이다.(四因六得二十四, 是爲坤一爻之策數.)"라고 한 것으로 설명한다.[『성리대전서性理大全書』 권10, 「관물내편觀物內篇」11 참조]

다음은 명銘을 살펴본다.

性理大全 硏究飜譯 硏究陣

硏究責任者

尹用男 성신여자대학교

共同硏究員

郭信煥 숭실대학교
金演宰 공주대학교
李基鏞 연세대학교
李相益 부산교육대학교
李善慶 조선대학교
李迎春 국사편찬위원회
鄭炳碩 영남대학교
鄭相峯 건국대학교
池俊鎬 서울교육대학교
洪元植 계명대학교

專任硏究員

李忠九 단국대학교
金在烈 단국대학교
尹元鉉 고려대학교
秋琦淵 성신여자대학교
李哲承 조선대학교
沈義用 숭실대학교
金烱錫 경상대학교
李致億 성균관대학교
金昡炅 한국외국어대학교

硏究補助員

鄭修卿 성신여자대학교
宣昌坤 성신여자대학교
金洙廷 성신여자대학교
金炫在 한국고전번역원
朴智惠 서울노일중학교
權處隱 성균관대학교
徐政嬅 동방문화대학원대학교

완역 **성리대전 ⑩**

초판 인쇄 2018년 7월 15일
초판 발행 2018년 8월 10일

역 주 자 | 윤용남 · 이충구 · 김재열 · 윤원현 · 추기연
이철승 · 심의용 · 김형석 · 이치억 · 김현경
펴 낸 이 | 하운근
펴 낸 곳 | 學古房

주 소 | 경기도 고양시 덕양구 통일로 140 삼송테크노밸리 A동 B224
전 화 | (02)353-9908 편집부(02)356-9903
팩 스 | (02)6959-8234
홈페이지 | http://hakgobang.co.kr/
전자우편 | hakgobang@naver.com, hakgobang@chol.com
등록번호 | 제311-1994-000001호

ISBN 978-89-6071-770-1 94150
978-89-6071-760-2 (세트)

값 : 800,000원 (전10책)